COMENTÁRIO BÍBLICO
BEACON

Comentário Bíblico BEACON

Jó a Cantares de Salomão

3

8ª impressão

Rio de Janeiro
2024

Todos os direitos reservados. Copyright © 2005 para a língua portuguesa da Casa Publicadora das Assembleias de Deus. Aprovado pelo Conselho de Doutrina.

É proibida a duplicação ou reprodução deste volume, no todo ou em parte, sob quaisquer formas ou meios (eletrônico, mecânico, gravação, fotocópia, distribuição na web e outros), sem permissão expressa da Editora.

Beacon Bible Commentary 10 Volume Set
Copyright © 1969. Publicado pela Beacon Hill Press of Kansas City, uma divisão da Nazarene Publishing House, Kansas City, Missouri 64109, EUA.

Edição brasileira publicada sob acordo com a Nazarene Publishing House.

Tradução deste volume: Valdemar Kroker e Haroldo Janzen
Preparação de originais e revisão: Reginaldo de Souza
Capa e projeto gráfico: Rafael Paixão
Editoração: Joede Bezerra

CDD: 220 - Bíblia
ISBN: 978-85-263-1142-8 (Brochura)
ISBN: 978-85-263-1481-8 (Capa Dura)

Para maiores informações sobre livros, revistas, periódicos e os últimos lançamentos da CPAD, visite nosso site: https://www.cpad.com.br

Casa Publicadora das Assembleias de Deus
Av. Brasil, 34.401, Bangu, Rio de Janeiro – RJ
CEP 21.852-002

8ª impressão: 2024 - Tiragem: 2.000 (Brochura)
8ª impressão: 2022 - Tiragem: 1.000 (Capa Dura)
Impresso no Brasil

BEACON HILL PRESS

COMISSÃO EDITORIAL

A. F. Harper, Ph.D., D.D.
Presidente

W. M. Greathouse, M.A., D.D.
Secretário

W. T. Purkiser, Ph.D., D.D.
Editor do Antigo Testamento

Ralph Earle, B.D., M.A., Th.D.
Editor do Novo Testamento

CORPO CONSULTIVO

G. B. Williamson
Superintendente Geral

E. S. Phillips
Presidente

J. Fred Parker
Secretário

A. F. Harper
Norman R. Oke
M. A. Lunn

EDIÇÃO BRASILEIRA

DIREÇÃO-GERAL
Ronaldo Rodrigues de Souza
Diretor-Executivo da CPAD

SUPERVISÃO EDITORIAL
Claudionor de Andrade
Gerente de Publicações

COORDENAÇÃO EDITORIAL
Isael de Araujo
*Chefe do Setor de Bíblias
e Obras Especiais*

Prefácio

"Toda Escritura divinamente inspirada é proveitosa para ensinar, para redargüir, para corrigir, para instruir em justiça, para que o homem de Deus seja perfeito e perfeitamente instruído para toda boa obra" (2 Tm 3.16,17).

Cremos na inspiração plenária da Bíblia. Deus fala com os homens pela Palavra. Ele fala conosco pelo Filho. Mas sem a palavra escrita como saberíamos que o Verbo (ou Palavra) se fez carne? Ele fala conosco pelo Espírito, mas o Espírito usa a Palavra escrita como veículo de revelação, pois Ele é o verdadeiro Autor das Santas Escrituras. O que o Espírito revela está de acordo com a Palavra.

A fé cristã deriva da Bíblia. Esta é o fundamento da fé, da salvação e da santificação. É o guia do caráter e conduta cristãos. "Lâmpada para os meus pés é tua palavra e luz, para o meu caminho" (Sl 119.105).

A revelação de Deus e sua vontade para os homens são adequadas e completas na Bíblia. A grande tarefa da igreja é comunicar o conhecimento da Palavra, iluminar os olhos do entendimento e despertar e aclarar a consciência para que os homens aprendam a viver "neste presente século sóbria, justa e piamente". Este processo conduz à posse da "herança [que é] incorruptível, incontaminável e que se não pode murchar, guardada nos céus" (Tt 2.12; 1 Pe 1.4).

Quando consideramos a tradução e a interpretação da Bíblia, admitimos que somos guiados por homens que não são inspirados. A limitação humana, como também o fato incontestes de que nenhuma escritura é de particular interpretação, ou seja, não tem uma única interpretação, permite variação na exegese e exposição da Bíblia.

O *Comentário Bíblico Beacon* (CBB) é oferecido em dez volumes com a apropriada modéstia. Não suplanta outros. Nem pretende ser exaustivo ou conclusivo. O empreendimento é colossal. Quarenta dos escritores mais capazes foram incumbidos dessa tarefa. São pessoas treinadas com propósito sério, dedicação sincera e devoção suprema. Os patrocinadores e editores, bem como todos os colaboradores, oram com fervor para que esta nova contribuição entre os comentários da Bíblia seja útil a pregadores, professores e leigos na descoberta do significado mais profundo da Palavra de Deus e na revelação de sua mensagem a todos que a ouvirem.

— G. B. Williamson

Agradecimentos

Somos gratos pela permissão para citar material protegido por direitos autorais, cuja relação apresentamos a seguir:

- Abingdon Press, *The Interpreter's Bible*, editado por George A. Buttrick, *et al.*, Volumes 3, 4 e 5; e *The Interpreter's Dictionary of the Bible*, editado por George A. Buttrick, *et al.*
- Doubleday and Co., Inc., Mitchell Dahood, *Psalms I*, "The Anchor Bible".
- Gerald Duckworth and Co., Ltd., T. H. Robinson, *The Poetry of the Old Testament*.
- A. J. Holman Co., *The Biblical Expositor*, editado por Carl F. H. Henry.
- The Jewish Publication Society, Julius H. Greenstone, *Proverbs with Commentary*.
- John Knox Press, *The Layman's Bible Commentary*, editado por Balmer H. Kelly, *et al.*
- The Macmillan Company, Edgar Jones, *Proverbs and Ecclesiastes* ("Torch Bible Commentaries").
- Moody Press, *The Wycliffe Bible Commentary*, editado por Charles F. Pfeiffer and Everett F. Harrison.
- Fleming H. Revell Company, G. Campbell Morgan, *An Exposition of the Whole Bible*.
- SCM Press, Norman Snaith, *Hymns of the Temple*.
- Society for the Propagation of Christian Knowledge, W. O. E. Oesterley, *The Psalms*.
- Tyndale Press, Derek Kidner, *The Proverbs* ("The Tyndale Old Testament Commentaries", D. J. Wiseman, editor geral).
- Westminster Press, Lawrence E. Toombs, *The Old Testament in Christian Preaching*.

Citações das Escrituras foram feitas das seguintes fontes com direitos autorais:

- *The Amplified Old Testament*. Copyright 1964, Zondervan Publishing House.
- *The Berkeley Version in Modern English*. Copyright 1958, 1959, Zondervan Publishing House.
- *The Bible: A New Translation*, James Moffat. Copyright 1950, 1952, 1953, 1954, por James A. R. Moffatt. Usado com permissão pela Harper and Row.
- *The Bible: An American Translation*, J. M. Powis Smith, Edgar J. Goodspeed. Copyright 1923, 1927, 1948 de The University of Chicago Press.
- *Revised Standard Version of the Holy Bible*. Copyright 1946 e 1952 de Division Education of the National Council of Churches.
- *The Basic Bible: Containing the Old and New Testaments in Basic English*. Copyright 1950 de E. P. Dutton and Co., Inc.
- *The Psalms for Today*, A New Translation from the Hebrew into Current English, de Roland Kenneth Harrison. Copyright 1961 de Zondervan Publishing House.

Citações e Referências

O tipo negrito na exposição de todo este comentário indica a citação bíblica extraída da versão feita por João Ferreira de Almeida, edição de 1995, Revista e Corrigida (RC). Referências a outras versões bíblicas são colocadas entre aspas seguidas pela indicação da versão.

Nas referências bíblicas, uma letra (a, b, c, etc.) designa parte de frase dentro do versículo. Quando nenhum livro é citado, compreende-se que se refere ao livro sob análise.

Dados bibliográficos sobre uma obra citada por um escritor podem ser encontrados consultando-se a primeira referência que o autor fez à obra ou reportando-se à bibliografia.

As bibliografias não têm a pretensão de ser exaustivas, mas são incluídas para fornecer dados de publicação completos para os volumes citados no texto.

Referências a autores no texto, ou a inclusão de seus livros na bibliografia, não constituem endosso de suas opiniões. Toda leitura no campo da interpretação bíblica deve ter característica discriminadora e ser feita de modo reflexivo.

Como Usar o Comentário Bíblico Beacon

A Bíblia é um livro para ser lido, entendido, obedecido e compartilhado com as pessoas. O *Comentário Bíblico Beacon* (CBB) foi planejado para auxiliar dois destes quatro itens: o entendimento e o compartilhamento.

Na maioria dos casos, a Bíblia é sua melhor intérprete. Quem a lê com a mente aberta e espírito receptivo se conscientiza de que, por suas páginas, Deus está falando com *o indivíduo* que a lê. Um comentário serve como valioso recurso quando o significado de uma passagem não está claro sequer para o leitor atento. Mesmo depois de a pessoa ter visto seu particular significado em determinada passagem da Bíblia, é recompensador descobrir que outros estudiosos chegaram a interpretações diferentes no mesmo texto. Por vezes, esta prática corrige possíveis concepções errôneas que o leitor tenha formado.

O *Comentário Bíblico Beacon* (CBB) foi escrito para ser usado com a Bíblia em mãos. Muitos comentários importantes imprimem o texto bíblico ao longo das suas páginas. Os editores se posicionaram contra esta prática, acreditando que o usuário comum tem sua compreensão pessoal da Bíblia e, por conseguinte, traz em mente a passagem na qual está interessado. Outrossim, ele tem a Bíblia ao alcance para checar qualquer referência citada nos comentários. Imprimir o texto integral da Bíblia em uma obra deste porte teria ocupado aproximadamente um terço do espaço. Os editores resolveram dedicar este espaço a recursos adicionais para o leitor. Ao mesmo tempo, os escritores enriqueceram seus comentários com tantas citações das passagens em debate que o leitor mantém contato mental fácil e constante com as palavras da Bíblia. Estas palavras citadas estão impressas em tipo negrito para pronta identificação.

ESCLARECIMENTO DE PASSAGENS RELACIONADAS

A Bíblia é sua melhor intérprete quando determinado capítulo ou trecho mais longo é lido para descobrir-se o seu significado. Este livro também é seu melhor intérprete quando o leitor souber o que a Bíblia diz em outros lugares sobre o assunto em consideração. Os escritores e editores do *Comentário Bíblico Beacon* (CBB) se esforçaram continuamente para proporcionar o máximo de ajuda neste campo. Referências cruzadas, relacionadas e cuidadosamente selecionadas, foram incluídas para que o leitor encontre a Bíblia interpretada e ilustrada pela própria Bíblia.

TRATAMENTO DOS PARÁGRAFOS

A verdade da Bíblia é melhor compreendida quando seguimos o pensamento do escritor em sua seqüência e conexões. As divisões em versículos com que estamos familiarizados foram introduzidas tardiamente na Bíblia (no século XVI, para o Novo Testamento, e no século XVII, para o Antigo Testamento). As divisões foram feitas às pressas e, por vezes, não acompanham o padrão de pensamento dos escritores inspirados. O mesmo é verdadeiro acerca das divisões em capítulos. A maioria das traduções de hoje organiza as palavras dos escritores bíblicos de acordo com a estrutura de parágrafo conhecida pelos usuários da língua portuguesa.

Os escritores deste comentário consideraram a tarefa de comentar de acordo com este arranjo de parágrafo. Sempre tentaram responder a pergunta: O que o escritor inspirado estava dizendo nesta passagem? Os números dos versículos foram mantidos para facilitar a identificação, mas os significados básicos foram esboçados e interpretados nas formas mais amplas e mais completas de pensamento.

Introdução dos Livros da Bíblia

A Bíblia é um livro aberto para quem a lê refletidamente. Mas é entendida com mais facilidade quando obtemos um maior entendimento de suas origens humanas. Quem escreveu este livro? Onde foi escrito? Quando viveu o escritor? Quais foram as circunstâncias que o levaram a escrever? Respostas a estas perguntas sempre acrescentam mais compreensão às palavras das Escrituras.

Estas respostas são encontradas nas introduções. Nesta parte há um esboço de cada livro. A Introdução foi escrita para dar-lhe uma visão geral do livro em estudo, fornecer-lhe um roteiro seguro antes de você enfronhar-se no texto comentado e proporcionar-lhe um ponto de referência quando você estiver indeciso quanto a que caminho tomar. Não ignore o sinal de advertência: "Ver Introdução". Ao final do comentário de cada livro há uma bibliografia para aprofundamento do estudo.

Mapas, Diagramas e Ilustrações

A Bíblia trata de pessoas que viveram em terras distantes e estranhas para a maioria dos leitores dos dias atuais. Entender melhor a Bíblia depende, muitas vezes, de conhecer melhor a geografia bíblica. Quando aparecer o sinal: "Ver Mapa", você deve consultar o mapa indicado para entender melhor os locais, as distâncias e a coordenação de tempo relacionados com a época das experiências das pessoas com quem Deus estava lidando.

Este conhecimento da geografia bíblica o ajudará a ser um melhor pregador e professor da Bíblia. Até na apresentação mais formal de um sermão é importante a congregação saber que a fuga para o Egito era "uma viagem a pé, de uns 320 quilômetros, em direção sudoeste". Nos grupos informais e menores, como classes de escola dominical e estudos bíblicos em reuniões de oração, um grande mapa em sala de aula permite o grupo ver os lugares tanto quanto ouvi-los ser mencionados. Quando vir estes lugares nos mapas deste comentário, você estará mais bem preparado para compartilhar a informação com os integrantes da sua classe de estudo bíblico.

Diagramas que listam fatos bíblicos em forma de tabela e ilustrações lançam luz sobre as relações históricas da mesma forma que os mapas ajudam com o entendimento geográfico. Ver uma lista ordenada dos reis de Judá ou das aparições pós-ressurreição de Jesus proporciona maior entendimento de um item em particular dentro de uma série. Estes diagramas fazem parte dos recursos oferecidos nesta coleção de comentários.

O *Comentário Bíblico Beacon* (CBB) foi escrito tanto para o recém-chegado ao estudo da Bíblia como para quem há muito está familiarizado com a Palavra escrita. Os escritores e editores examinaram cada um dos capítulos, versículos, frases, parágrafos e palavras da Bíblia. O exame foi feito com a pergunta em mente: O que significam estas palavras? Se a resposta não é evidente por si mesma, incumbimo-nos de dar a melhor explicação conhecida por nós. Como nos saímos o leitor julgará, mas o convidamos a ler a explanação dessas palavras ou passagens que podem confundi-lo em sua leitura da Palavra escrita de Deus.

EXEGESE E EXPOSIÇÃO

Os comentaristas bíblicos usam estas palavras para descrever dois modos de elucidar o significado de uma passagem da Bíblia. *Exegese* é o estudo do original hebraico ou grego para entender que significados tinham as palavras quando foram usadas pelos homens e mulheres dos tempos bíblicos. Saber o significado das palavras isoladas, como também a relação gramatical que mantinham umas com as outras, serve para compreender melhor o que o escritor inspirado quis dizer. Você encontrará neste comentário esse tipo de ajuda enriquecedora. Mas só o estudo da palavra nem sempre revela o verdadeiro significado do texto bíblico.

Exposição é o esforço do comentarista em mostrar o significado de uma passagem na medida em que é afetado por qualquer um dos diversos fatos familiares ao escritor, mas, talvez, pouco conhecidos pelo leitor. Estes fatos podem ser: 1) O contexto (os versículos ou capítulos adjacentes), 2) o pano de fundo histórico, 3) o ensino relacionado com outras partes da Bíblia, 4) a significação destas mensagens de Deus conforme se relacionam com os fatos universais da vida humana, 5) a relevância destas verdades para as situações humanas exclusivas à nossa contemporaneidade. O comentarista busca explicar o significado pleno da passagem bíblica sob a luz do que melhor compreende a respeito de Deus, do homem e do mundo atual.

Certos comentários separam a exegese desta base mais ampla de explicação. No *Comentário Bíblico Beacon* (CBB) os escritores combinaram a exegese e a exposição. Estudos cuidadosos das palavras são indispensáveis para uma compreensão correta da Bíblia. Mas hoje, tais estudos minuciosos estão tão completamente refletidos em várias traduções atuais que, muitas vezes, não são necessários, exceto para aumentar o entendimento do significado teológico de certa passagem. Os escritores e editores desta obra procuraram espelhar uma exegese verdadeira e precisa em cada ponto, mas discussões exegéticas específicas são introduzidas primariamente para proporcionar maior esclarecimento no significado de determinada passagem, em vez de servir para engajar-se em discussão erudita.

A Bíblia é um livro prático. Cremos que Deus inspirou os homens santos de antigamente a declarar estas verdades, para que os leitores melhor entendessem e fizessem a vontade de Deus. O *Comentário Bíblico Beacon* (CBB) tem a incumbência primordial de ajudar as pessoas a serem mais bem-sucedidas em encontrar a vontade de Deus conforme revelada nas Escrituras — descobrir esta vontade e agir de acordo com este conhecimento.

AJUDAS PARA A PREGAÇÃO E O ENSINO DA BÍBLIA

Já dissemos que a Bíblia é um livro para ser compartilhado. Desde o século I, os pregadores e professores cristãos buscam transmitir a mensagem do evangelho lendo e explicando passagens seletas da Bíblia. O *Comentário Bíblico Beacon* (CBB) procura incentivar este tipo de pregação e ensino expositivos. Esta coleção de comentários contém mais de mil sumários de esboços expositivos que foram usados por excelentes pregadores e mestres da Bíblia. Escritores e editores contribuíram ou selecionaram estas sugestões homiléticas. Esperamos que os esboços indiquem modos nos quais o leitor deseje expor a Palavra de Deus à classe bíblica ou à congregação. Algumas destas análises de passagens para pregação são contribuições de nossos contemporâneos. Quando há esboços em forma impressa, dão-se os autores e referências para que o leitor vá à fonte original em busca de mais ajuda.

Na Bíblia encontramos a verdade absoluta. Ela nos apresenta, por inspiração divina, a vontade de Deus para nossa vida. Oferece-nos orientação segura em todas as coisas necessárias para nossa relação com Deus e, segundo sua orientação, para com nosso semelhante. Pelo fato de estas verdades eternas nos terem chegado em língua humana e por mentes humanas, elas precisam ser colocadas em palavras atuais de acordo com a mudança da língua e segundo a modificação dos padrões de pensamento. No *Comentário Bíblico Beacon* (CBB) nos empenhamos em tornar a Bíblia uma lâmpada mais eficiente para os caminhos das pessoas que vivem no presente século.

A. F. HARPER

Abreviações Usadas Neste Comentário

ARA — Almeida, Revista e Atualizada
ASV — American Standard Revised Version*
ATA — Antigo Testamento Amplificado*
BA — Bíblia Amplificada*
BBE — The Basic Bible Containing the Old and New Testaments in Basic English*
CBB — Comentário Bíblico Beacon
CWB — Commentary on the Whole Bible*
ERV — English Revised Version*
IB — Interpreter's Bible*
ICC — The International Critical Commentary*
IDB — The Interpreter's Dictionary of the Bible*
LXX — Septuaginta
NBC — The New Bible Commentary*
NBD — The New Bible Dictionary*
NTLH — Nova Tradução na Linguagem de Hoje
NVI — Nova Versão Internacional
PC — The Pulpit Commentary*
RSV — Revised Standard Version*
TDNT — Theological Dictionary of the New Testament*
VBB — Versão Bíblica de Berkeley*

* Neste caso, a tradução do conteúdo destas obras foi feita pelo tradutor desde comentário. (N. do T.)

a.C. — antes de Cristo
cap. — capítulo
caps. — capítulos
cf. — confira, compare
d.C. — depois de Cristo
e.g. — por exemplo
ed. cit. — edição citada
esp. — especialmente, sobretudo
et al. — e outros
gr. — grego
hb. — hebraico
i.e. — isto é
ib. — na mesma obra, capítulo ou página

lit. — literalmente
N. do E. — Nota do Editor
N. do T. — Nota do Tradutor
op. cit. — obra citada
p. — página
pp. — páginas
s. — e o seguinte (versículo ou página)
ss. — e os seguintes (versículos ou páginas)
tb. — também
v. — versículo
ver — veja
vv. — versículos

Sumário

VOLUME 3

JÓ	19
Introdução	21
Comentário	27
Notas	96
Bibliografia	99
SALMOS	101
Introdução	103
Comentário	113
Notas	337
Bibliografia	350
PROVÉRBIOS	353
Introdução	355
Comentário	359
Notas	420
Bibliografia	425
ECLESIASTES	427
Introdução	429
Comentário	432
Notas	468
Bibliografia	470
CANTARES DE SALOMÃO	473
Introdução	475
Comentário	480
Notas	505
Bibliografia	507
MAPAS	508
Autores deste volume	511

O Livro de
JÓ

Milo L. Chapman

Introdução

As pessoas têm debatido longa e seriamente sobre o problema e o significado do sofrimento humano. O livro de Jó é o mais destacado de todos esses esforços registrados na literatura mundial.

A narrativa trata da vida de um homem cujo nome provê o título do livro. O livro abre com um prólogo em prosa que descreve Jó como um homem rico e reto. Depois de uma série de calamidades, tudo que ele tem, incluindo seus filhos, lhe é tirado. A pergunta levantada no prólogo é se Jó vai conservar sua integridade diante de tamanho sofrimento. Somos informados que ele saiu vitorioso: "Em tudo isto não pecou Jó com os seus lábios" (2.10).

Além de preparar o terreno para o debate posterior relacionado ao propósito e ao significado do sofrimento, o prólogo também apresenta as personagens da trama. Deus é o *Javé* dos hebreus, que é Senhor do céu e da terra.[1] Satanás aparece no papel de adversário de Jó. O herói, Jó, é um cidadão rico da terra de Uz. Ele recebe a visita de três dos seus amigos: Elifaz, o temanita, Bildade, o suíta e Zofar, o naamatita. Estes três homens vêm trazer conforto para o seu velho amigo.

A maior parte do livro é composta de diálogos entre os quatro amigos. Os "confortadores" estão seguros de que o sofrimento de Jó é causado por algum pecado que seu amigo está escondendo. Eles estão certos de que humildade e arrependimento vão resolver a situação. Jó, por outro lado, insiste em que, embora possua as fraquezas normais da raça humana, não cometeu nenhum pecado que pudesse causar tamanho infortúnio pelo qual está passando. Ele não concorda com a opinião de seus amigos de que pecado e sofrimento estão invariável e diretamente ligados como uma seqüência de causa e efeito. Parece, a essa altura, que o autor pretende mostrar que Jó deveria ser o vitorioso na argumentação contra seus confortadores.

Um jovem espectador chamado Eliú está em silêncio e não é mencionado no início. Depois de três rodadas de debates com os outros amigos, ele intervém na discussão. Ele está injuriado com Jó por sua atitude irreverente em relação à providência de Deus. Ele também está igualmente indignado com os três amigos pela incapacidade deles de convencer Jó da sua culpa. Por intermédio de quatro discursos, não respondidos por Jó, Eliú expressa sua forte oposição no que tange aos sentimentos de Jó e discorda dele quanto ao significado do sofrimento. Eliú, embora mantenha a posição básica dos outros conselheiros de Jó, ressalta a providência de Deus em todos os eventos humanos e o valor disciplinador do sofrimento. Dessa forma, ele exalta a grandeza de Deus. Diante desse pano de fundo ele afirma que a aflição do homem contribui para a sua instrução. Se Jó fosse humilde e piedoso, ele perceberia que Deus o estava conduzindo para uma vida melhor.

Então o Senhor se manifesta no meio da tempestade. O pedido insistente de Jó —de que Deus apareça e dê significado ao seu sofrimento— é finalmente atendido. No entanto, Deus não menciona o problema individual de Jó, nem trata diretamente dos problemas que ele levantou. Em vez disso, Ele deixa claro quem Ele é e o relacionamento que Jó, ou qualquer homem, deveria ter com Ele. Ao ver a glória e o poder de Deus, Jó é desarmado e humilhado. Quando ele vê Deus em sua verdadeira luz, arrepende-se das suas palavras e atitudes petulantes.

O epílogo descreve de que maneira o arrependido e humilhado Jó é restaurado, duplicando a sua prosperidade anterior. Após a restauração dos amigos e da família, Jó viveu uma vida longa e feliz — na verdade, mais 140 anos. Então ele morreu, "velho e farto de dias" (42.17).

A. A Historicidade do Livro

Com freqüência, alguns perguntam: Será que Jó é um homem real? Ou, será que o livro de Jó é uma história real? Estas duas perguntas não precisam receber a mesma resposta.

Que houve um Jó com a reputação de retidão é fato atestado por uma referência a ele em Ezequiel 14.14. É muito provável que a narrativa básica do livro tenha sido fundamentada em uma personagem real com esse nome.

Não precisamos com isso, no entanto, presumir que o livro de Jó está descrevendo um acontecimento histórico do começo ao fim. Somente por meio de revelação especial o autor poderia ter acesso à informação concernente às duas cenas no céu descritas nos capítulos 1 e 2. Além disso, é evidente que o prólogo prepara o terreno para o debate que o autor tem em mente. O diálogo entre os amigos está em forma poética altamente estilizada, muito diferente de um debate espontâneo.

Esses e outros fatores têm levado à opinião geral de que a narrativa básica do livro é uma história antiga de um homem real que sofreu imensamente. Um autor anônimo usou esse material para discutir o significado do sofrimento humano e o relacionamento de Deus com ele. Esse autor realizou um trabalho esplêndido.

B. O Texto

Um dos problemas principais apresentados ao estudioso sério do livro de Jó é a condição do texto original. Em várias ocasiões o significado do texto é difícil, se não impossível, de ser definido e assim, por falta de continuidade, o tradutor é forçado a fazer algumas emendas conjecturais para que o texto faça sentido. Podemos observar isso ao comparar a variedade de significados dados a algumas divisões do livro por tradutores modernos.

Também se reconhece que o vocabulário empregado pelo autor desse livro é o mais amplo do Antigo Testamento. Inúmeras palavras aparecem uma única vez nesse livro e em nenhum outro lugar na Bíblia. A comparação com línguas de origem semelhante ajuda até certo ponto na descoberta desses significados. As descobertas em Ugarite e de alguns textos antigos têm servido de ajuda na compreensão de alguns desses termos. Mas o problema ainda permanece a tal ponto que esse é um dos livros do Antigo Testamento mais difíceis de ser traduzidos.[2]

C. A Unidade do Texto

A natureza composta do livro de Jó é geralmente aceita.[3] O prólogo (1.1—2.13), bem como a introdução aos discursos de Eliú (32.1-5) e o epílogo (42.7-17) são apresentados em prosa. O restante do texto está em forma poética. Esse fato é facilmente reconhecido pelo leitor de uma tradução mais moderna como a de Moffatt ou a RSV em inglês, ou a NVI ou BLH em português, que colocam tanto a prosa como a poesia na forma apropriada. Embora essa alternância de prosa e poesia por si só não prove a natureza composta do texto, ela sugere essa possibilidade. É possível que o autor e poeta tenha usado uma narrativa primitiva em relação a Jó a fim de prover o cenário para o debate entre Jó e seus amigos. Se esse foi o caso, a antiga história é representada pelo prólogo em prosa e talvez pelo epílogo.

Acredita-se, de modo geral, que o epílogo não pertença ao argumento principal do livro. Jó passou a maior parte do tempo negando que a prosperidade material seja a recompensa da retidão. Portanto, parece uma incoerência ver o livro terminando com o Senhor dando a Jó "o dobro de tudo o que antes possuíra" (42.10). Quem defende esse ponto de vista, acredita que a mão de um editor posterior tramou esse final para acomodar suas próprias convicções em relação às questões levantadas.

No entanto, Gray argumenta energicamente que o epílogo pertence ao material original, ao dizer que o propósito real do autor é simplesmente afirmar que o homem pode ser bom sem ser recompensado por isso. É nesse momento que Jó se torna vitorioso. Ele aceita tanto o bem como o mal de Deus sem rebelar-se contra Ele, mesmo que pergunte por que e, às vezes, admite de forma amarga que Deus está contra ele, sem justa causa. Jó não exigiu restauração da sua prosperidade como uma condição para servir a Deus. O que ele pediu foi uma vindicação do seu caráter. Quando isso é alcançado, não existe inconsistência com o propósito e argumento do autor em permitir que a narrativa tenha um final materialmente feliz para Jó. Os sofrimentos que ele teve de suportar tinham um propósito particular. Não havia necessidade para o sofrimento se tornar perpétuo depois que o propósito tinha sido alcançado.

Uma outra parte do livro, apesar da sua beleza poética e grandiosidade de pensamento, é freqüentemente rejeitada como parte original do livro. A sua localização atual encontra-se inserida entre duas partes do discurso de Jó no qual ele se queixa amargamente da sua sorte. Essa parte do livro é um poema de exaltação da sabedoria que constitui o capítulo 28. Além disso, o propósito do poema de sabedoria — se realmente for da autoria de Jó —, tornaria desnecessário muito do que Deus diz a ele mais tarde no livro.

Os discursos de Eliú (32.6—37.24) também podem ter sido um acréscimo ao livro original. Em apoio a esse ponto de vista podemos observar que Eliú não figura entre os amigos de Jó no início da narrativa nem no epílogo. Além disso, suas observações acrescentam muito pouco ao debate. Elas são basicamente uma reiteração fervorosa dos mesmos princípios que foram defendidos pelos outros três amigos.[5]

Uma outra parte do livro que normalmente é vista como uma interpolação é a descrição de Beemote e Leviatã (40.15—41.34). As evidências apresentadas são que essas descrições são muito detalhadas em relação ao restante do discurso e que elas refletem idéias a respeito de criaturas tiradas do imaginário popular.[6] O ataque contra essa parte do livro não é conclusivo.

D. Autoria

Os estudiosos do Antigo Testamento concordam entre si em que uma busca pelo autor desse livro está fadada ao fracasso. Em nenhuma parte do livro existe qualquer tipo de indicação quanto à identidade do homem que criou essa obra de arte literária. O livro não só se mantém calado em relação à sua origem, mas também não encontramos nenhuma sugestão bíblica independente em relação à sua autoria. Ezequiel (14.14,20) menciona um homem chamado Jó, conhecido por sua retidão; e Tiago (5.11) o reconhece como modelo de paciência. Essas duas referências mencionam um indivíduo chamado Jó. Elas não tratam da identidade do autor do livro.

Inúmeras sugestões têm sido feitas quanto a possíveis autores desse livro. Entre elas estão o próprio Jó, Moisés e uma variedade de pessoas anônimas, que vão desde a época dos patriarcas até o terceiro século a.C.

Embora o nome do autor nunca venha a ser conhecido por nós, algumas qualidades desse homem podem ser determinadas por meio do livro que ele escreveu. Quem quer que ele tenha sido, foi uma das maiores figuras literárias do mundo. Qualquer lista de grandes obras-primas na área da literatura certamente incluiria o livro de Jó. Na verdade, muitos a colocariam no topo da lista. Alfred Tennyson descreveu o livro de Jó como o maior poema dos tempos antigos e modernos e Thomas Carlyle disse que não existe nada dentro ou fora da Bíblia com o mesmo valor literário.

Ou o autor de Jó sofreu grandemente em sua própria vida ou ele teve uma capacidade incomum de sentir compaixão e empatia por aqueles que sofriam. Junto com essa grande sensibilidade ele foi profundamente religioso. Ele tinha uma percepção fora do comum quanto à natureza humana e estava bem inteirado com o mundo no qual vivia—o mundo da natureza, das idéias e da literatura.

Não se sabe se o autor era israelita, embora esse ponto seja debatido. Aqueles que acreditam não ser ele judeu[7] apontam para o fato de que o nome do Deus de Israel, Javé, é raramente mencionado, exceto no prólogo e epílogo em prosa, enquanto que nos diálogos, em forma de poesia, são usados termos que eram de uso comum entre os povos vizinhos que circundavam Israel. Além disso, destaca-se o fato de que no livro não se encontra nenhuma instituição ou costume caracteristicamente judaicos e que o cenário da história é Uz (Edom, veja mapa 1), uma terra do Oriente (1.3).

Por outro lado, aqueles que entendem que o autor é israelita apontam para o fato de que a história é preservada e canonizada na literatura sagrada de Israel. Além disso, embora a literatura da "sabedoria" fosse comum nos tempos antigos em todo o Oriente Próximo, as idéias teológicas do livro de Jó se enquadram melhor no pano de fundo e quadro de referência bíblico do que em qualquer outro lugar.

Podemos aceitar que o autor desconhecido do livro tenha usado um homem histórico "de Uz", chamado Jó, conhecido por todos pelo seu sofrimento e integridade, para ser o herói desse diálogo. Outras perguntas relativas à autoria devem permanecer sem solução.

E. Data da Composição

A época da composição desse livro permanece um problema tão complicado quanto o da autoria. Diversas datas foram sugeridas e elas variam desde o século XVIII até o século III a.C.

De acordo com a descrição do livro, o homem Jó mostra um tipo de vida e cultura que mais se aproxima do período patriarcal. Por exemplo, o livro afirma que Jó viveu mais

140 anos depois da restauração da sua saúde e riqueza, além dos anos que ele tinha vivido antes do seu infortúnio. Não há expectativa de vida como essa na narrativa bíblica depois do período patriarcal. A riqueza de Jó consistia basicamente em rebanhos e manadas, como ocorria com os patriarcas. O próprio Jó oferece sacrifícios pela sua família, como era o costume dos patriarcas. No entanto, ele parece desconhecer a oferta pelo pecado e outras práticas mosaicas.

Esse tipo de consideração faz com que muitos estudiosos acreditem que o prólogo (1.1—3.1) e o epílogo (42.7-16), nos quais aparece essa informação, reflitam um registro mais antigo que serviu de base para o diálogo poético que foi escrito bem mais tarde.

Não encontramos nenhuma alusão no livro de Jó que poderia nos ajudar na averiguação da data da sua composição. Portanto, o único meio de definir uma data segura seria a sua relação literária com outros materiais da mesma época. Infelizmente, não existe muito material desse tipo para nos ajudar a encontrar essa data. Ezequiel (14.14-20) cita um homem com esse nome, mas não se sabe se ele conhecia o livro de Jó. A maldição de Jeremias em relação ao dia do seu nascimento (20.14) e a de Jó (3.1-26) são notavelmente semelhantes, mas é impossível dizer qual deles poderia ter a obra do outro em mente. Malaquias 3.13-18 poderia facilmente ter sido escrito com o livro de Jó em mente. Robert H. Pfeiffer argumenta que Jó foi escrito antes do poema do servo-sofredor de Isaías (52.13—53.12), alegando que o sofrimento vicário em Isaías é teologicamente mais avançado do que a compreensão de Jó acerca do significado do sofrimento imerecido,[8] mas esse é um argumento baseado em uma premissa duvidosa. A descoberta de um *Targum* de Jó nas cavernas de Qumrã prova que o livro já estava em circulação durante algum tempo antes do primeiro século a.C.

A data do livro de Jó permanece uma questão aberta, mas a opinião majoritária é que o diálogo ocorreu no século VII a.C.[9]

F. Lugar no Cânon

O livro de Jó faz parte da terceira divisão do cânon hebraico, o *Kethubim*, os hagiógrafos, ou Escritos. A ordem nessa divisão tem variado nas diferentes tradições. Atualmente Jó é colocado entre Provérbios e Cantares de Salomão (Cânticos de Salomão) no cânon hebraico. A Tradução Brasileira coloca Jó entre Ester e os Salmos, onde Jó é o primeiro dos três grandes livros poéticos. Essa é a ordem usada por Jerônimo na sua tradução Vulgata e subseqüentemente ela foi confirmada no Concílio de Trento (1545-1563) em sua declaração oficial do cânon das Escrituras.

Esboço

I. Prólogo: As Calamidades de Jó, 1.1—3.26

    A. A Fama e Retidão de Jó, 1.1-5
    B. Os Debates entre Deus e Satanás, 1.6—2.10
    C. Os Amigos de Jó vêm para Consolá-lo, 2.11-13
    D. Jó Lamenta o Dia do seu Nascimento, 3.1-26

II. Jó Debate o Significado do seu Sofrimento, 4.1—31.40

    A. O Primeiro Ciclo de Discursos, 4.1—14.22
    B. O Segundo Ciclo de Discursos, 15.1—21.34
    C. O Terceiro Ciclo de Discursos, 22.1—31.40

III. Os Discursos de Eliú, 32.1—37.24

    A. Eliú é Apresentado, 32.1-5
    B. O Primeiro Discurso de Eliú, 32.6—33.33
    C. O Segundo Discurso de Eliú, 34.1.37
    D. O Terceiro Discurso de Eliú, 35.1-16
    E. O Quarto Discurso de Eliú, 36.1—37.24

IV. A Conversa de Deus com Jó, 38.1—42.6

    A. A Primeira Resposta de Deus a Jó, 38.1—40.5
    B. A Segunda Resposta de Deus a Jó, 40.6—42.6

V. Epílogo em Prosa, 42.7-17

    A. Jó Intercede pelos seus Amigos, 42.7-9
    B. A Saúde e a Riqueza são Devolvidas a Jó, 42.10-17

Seção I

PRÓLOGO: AS CALAMIDADES DE JÓ

Jó 1.1—3.26

O livro de Jó começa com um prólogo em prosa que apresenta o herói e vítima da história, além de os amigos que vêm para dar-lhe conforto e conselho. Nesse prólogo aparecem duas cenas em que seres celestiais estão reunidos. O leitor recebe informações acerca de Jó e seu relacionamento com Deus; essas informações definem as condições que servirão de base para os debates posteriores.

A. A Fama e Retidão de Jó, 1.1-5

A etimologia do nome **Jó** (*'iyyobh*) não é clara, mas ela normalmente é equiparada com a raiz que significa "odiar" ou "ser inimigo". É possível que o sentido passivo, "ser perseguido", seja o melhor significado para o substantivo usado aqui. A forma arábica do nome parece vir da raiz que significa "retornar ou arrepender-se"— o penitente ou, pela ampliação da idéia, o piedoso.

Jó morava na **terra de Uz** (1). Mais uma vez, não é possível falar com certeza acerca da localização geográfica, mas parece, de acordo com outras passagens bíblicas como Gênesis 10.23 e Jeremias 25.23, que Uz está associada com Harã. Em um adendo ao livro de Jó que a Septuaginta preserva, lemos que Jó vivia na terra de Uz, nas fronteiras com Edom e a Arábia (veja mapa 1).

O termo hebraico (*tam*) usado na afirmação, **este era homem sincero** (perfeito, ou "íntegro", ARA), é de grande interesse para os teólogos da santidade. O significado principal da raiz é plenitude de caráter. No caso de Jó, não significa perfeição no sentido absoluto. Jó afirma que ele é *tam* (27.5), mas ele também admite suas fraquezas humanas (9.1ss; 13.26). Jó mantém a integridade básica do seu caráter. Tudo faz parte de uma mesma disposição. Os olhos e o coração estão focados no que é íntegro (cf. Mt 6.22; At 2.46). O coração de Jó não está dividido (Sl 12.2). A vontade de Jó pertence a Deus e ele não abre mão disso (2.9-10; 27.5).[1] Além de ser sincero (perfeito/íntegro), também lemos que Jó era **reto e temente a Deus; e desviava-se do mal**. Não havia falta em Jó. Ele preenchia todos os requisitos dos seus dias de um homem exemplar. Na narrativa, essas qualidades em Jó não constituem a avaliação de homens, mas sim, a avaliação do próprio Deus.

As posses de Jó, incluindo seus **filhos [...] e filhas**, são registradas para provar a retidão desse homem (2-3). O ponto principal de discussão entre Jó e seus amigos vai ser o significado da prosperidade material. Acreditava-se naquela época que a família e os rebanhos eram bênçãos de Deus para uma pessoa reta. A riqueza de Jó significava que ele desfrutava do favor de Deus de uma maneira excepcional. Os números usados (sete, três e cinco), enumerando os filhos de Jó e seus rebanhos, são expressões adicionais da sua integridade.

Cada filho tinha sua própria casa. As filhas provavelmente moravam na casa do pai. Cada filho realizava uma festa, **em casa de cada um no seu dia** (4). Não está claro aqui se esses banquetes eram realizados no dia do aniversário de um deles ou, visto que havia sete filhos, o autor estaria descrevendo uma vida tão ideal que os filhos de Jó estavam freqüentemente celebrando e se entretendo mutuamente em uma comunhão harmoniosa. Em cada evento, a piedade de Jó é ilustrada pelo fato de que ele sempre **oferecia holocaustos** (5) pelos seus filhos, se caso um deles pudesse ter pecado inadvertida ou secretamente. Essa frase, **e os santificava**, ilustra um uso comum no Antigo Testamento de santificação como um cerimonial de consagração ou separação (cf. CBB, II).

B. Os Debates entre Deus e Satanás, 1.6—2.10

Depois da descrição de felicidade, prosperidade e piedade plenas que Jó desfrutava, o autor mostra uma cena no céu. A divina corte se reúne. Podemos imaginar Deus rodeado pelos seres celestiais que estão prontos para obedecer à sua voz (Sl 103.21). Nesse grupo entra alguém chamado o Adversário, o qual se mostra cínico a respeito dos motivos da piedade de Jó.

1. Deus Confia na Retidão de Jó (1.6-12)

Acredita-se que **filhos de Deus** (6) seja uma referência a seres divinos ou anjos e não a seres humanos. A função deles em geral era ministrar perante Deus e realizar seus propósitos. No livro de Jó, eles são descritos como aqueles a quem as pessoas podem se voltar para obter compreensão e compaixão (5.1); eles formam o conselho de Deus (15.8); são intérpretes ou mensageiros entre Deus e o homem (33.23). Eles parecem ter estado presentes no princípio da criação do mundo (38.7). São descritos como "santos" que estão, em primeiro lugar, a serviço de Deus (5.1; 15.15). Quando comparados com Deus, eles não são sábios nem inteiramente confiáveis (4.8; 15.15). Isto é, eles certamente são de uma ordem inferior. Eles não são deuses.

Veio também Satanás (6). No hebraico, o artigo definido acompanhando a palavra **Satanás** pode sugerir que o termo ainda não havia se tornado um nome próprio. O significado literal é "o Adversário", como aparece em notas de rodapé. A sua função aqui é testar. Alguns interpretam que o Satanás no livro de Jó é um mensageiro de Deus que representa o próprio Deus na sua providência de testar ou examinar,[2] e não o tentador independente dos homens nem o "príncipe dos demônios" do Novo Testamento (Mt 12.24). Ele então não seria aquele que anda em derredor "bramando como um leão, buscando a quem possa tragar" (1 Pe 5.8). **Veio também Satanás entre eles** significa literalmente "no meio deles". **Satanás** (o satanás) não era alguém estranho entre os outros seres celestiais, embora o termo **também** seja usado nas suas duas aparições. Ele é destacado como alguém que tem uma função diferente, mas aqui aparece na corte celestial, supostamente para relatar acerca das suas atividades junto com os outros.

A pergunta de Deus a Satanás: **De onde vens?** (7), não tem uma conotação de surpresa pela sua vinda mas serve de introdução para a conversa entre eles, com o intuito de facilitar a compreensão do leitor. Suas palavras para Adão: "Onde estás?" têm um propósito semelhante.

O âmbito da atividade de Satanás (o satanás) é descrito como **rodear a terra e passear por ela**. Ele tem sido assíduo e fiel em suas tarefas. A mesma frase é usada em relação aos olhos do Senhor ao descrever sua visão rápida e completa dos homens (2 Cr 16.9). Emissários angélicos que são enviados para relatar acerca de determinada situação "rodeiam a terra e passeiam por ela", ou como a RSV traduz: "Esses são os que o Senhor tem enviado para rondar (patrulhar) a terra" (Zc 1.10-11).

Observaste tu a meu servo Jó? (8). Deus chama a atenção de Satanás em relação a Jó como exemplo de uma pessoa reta. A avaliação do autor quanto ao caráter de Jó e sua reputação entre seus companheiros é aqui confirmada pelo Senhor.

A chave para entender o argumento do livro se encontra na pergunta formulada por Satanás: **Porventura, teme Jó a Deus debalde?** (9). Será que um homem servirá a Deus com retidão sem recompensa?

Satanás não só levanta essa pergunta, mas também ressalta que Jó tem sido recompensado de todas as formas possíveis—**Porventura, não o cercaste tu de bens a ele?** (10). Ele e sua família eram protegidos de todo e qualquer tipo de perigo, e Satanás conclui: **A obra de suas mãos abençoaste, e o seu gado está aumentando**. Um sucesso incomum aparece em tudo que Jó realiza. Essa prosperidade, cobra Satanás, é a recompensa de Deus pela fidelidade de Jó.

Depois de acusar a Deus de comprar a lealdade de Jó, Satanás o desafia dizendo que uma reversão na condição próspera de Jó redundaria em sua deserção: **Mas estende a tua mão [...] e verás se não blasfema de ti em tua face** (11). Isto é, ele renunciaria completa e abertamente a Deus e a sua forma piedosa de vida.

Deus não abandona Jó nas mãos de Satanás, mas Ele dá permissão para testar a disposição de Jó em permanecer leal e devoto: **Eis que tudo quanto tem está na tua mão** (12). Observe, no entanto, que existe um limite para o teste: **Somente contra ele não estendas a tua mão**. Com tal autorização, Satanás age rapidamente para cumprir o seu propósito, confiante no sucesso de seu empreendimento.

2. *As Posses de Jó São Tomadas* (1.13-22)

A primeira prova de Jó tem como alvo a retirada de todas as suas posses. O leitor foi preparado para o que está prestes a acontecer, mas Jó não. Ele desconhecia completamente a conversa entre Deus e Satanás. A única informação que tinha referia-se às notícias que os servos lhe traziam.

Na primeira ocasião, um único sobrevivente do ataque dos **sabeus** (15) informa a Jó que todos os seus **bois** e **jumentas** foram roubados pelos saqueadores e, além disso, os **moços** que cuidavam dos rebanhos foram mortos. Os sabeus eram uma tribo árabe que morava na região sudoeste da península arábica, que hoje corresponde, em grande parte, à área do atual Iêmen. Eles negociavam especiarias, ouro e uma variedade de pedras preciosas. Um acampamento dos sabeus perto da fronteira de Edom, região onde Jó morava, não seria algo improvável.[3]

A segunda calamidade vem em forma de **fogo de Deus** (16), provavelmente raios, que matam todas as suas **ovelhas, e os moços** que cuidavam delas. Perceba que se estabeleceu um padrão na descrição das perdas. Primeiro um servo aparece e diz: **e só eu escapei, para te trazer a nova. Estando ainda este falando, veio outro** (16-17). A destruição descrita em cada caso é completa, e a seqüência de acontecimentos é rápida.

A terceira calamidade é o roubo dos **camelos** por **três bandos** de **caldeus** (17). Estes eram saqueadores nômades do país que ficava a leste das terras de Jó. Assim, ele estava sendo atacado pelos quatro lados. Novamente, uma calamidade completa e súbita é descrita. Os caldeus dividiram-se em três bandos e cercaram os servos de Jó. Não havia meios de fuga para os homens e animais, a não ser para um único moço que veio trazer as notícias ao seu senhor.

Os **camelos** há muito tempo têm sido associados às regiões desérticas e semidesérticas da Arábia. Eles eram usados como animais de carga e para a produção de lã. A lei mosaica não permite o uso do camelo como alimento (Lv 11.4; Dt 14.7), mas eles eram usados tanto para comida como para leite entre os árabes. Não se sabe exatamente quando eles foram domesticados, mas existem evidências do seu uso no início do segundo milênio a.C. A perda de **3.000** camelos certamente representava um grande prejuízo.

O quarto desastre é anunciado de forma semelhante aos outros três. Os filhos de Jó estavam todos reunidos em uma de suas celebrações (cf. vv. 4-5). **Eis que um grande vento sobreveio do deserto** (19), que atingiu os **quatro cantos da casa** onde eles estavam. Isso pode ter sido um redemoinho ou um furacão vindo do deserto. A tempestade foi tão forte que a casa foi destruída e todos os seus moradores mortos. Dessa forma, Jó, em uma rápida seqüência, é despojado da sua riqueza e família. Isso nos faz lembrar da angústia de mulheres como Sara, Raquel e Ana em sua impossibilidade de terem filhos para entender um pouco da perda que este último acontecimento trágico representava. A perda da família vai além da tristeza natural. Jó, nesse caso, foi privado do seu futuro. Nenhum filho levaria o seu nome. Não haveria ninguém que se lembrasse dele e ninguém próximo para prantear a sua morte.

Jó havia perdido todas as suas posses e seus filhos. Satanás estava certo de que ninguém permaneceria firme na sua devoção e adoração a Deus diante de tais circunstâncias. Ele estava enganado. Jó passou por toda expressão normal de dor e luto. Ele **rasgou o seu manto** (20), a roupa usada especialmente pela nobreza ou por homens em posições elevadas. Esta ação talvez simbolizava seu coração quebrantado (Jl 2.13). Ele **rapou a sua cabeça**—parte de uma prática comum em rituais de luto, como mostram outros textos (veja Is 15.2; Jr 7.29; Ez 7.18. Am 8.10). Existe, no entanto, uma certa limitação nesse tipo de prática de acordo com a lei (Lv 19.27-28; Dt 14.1). Ele **se lançou em terra, e adorou**; isto é, ele prostrou-se em uma atitude de humildade e submissão.

O versículo 21 mostra a completa submissão à vontade de Deus que caracteriza Jó e que é uma marca da integridade fundamental que ele mantém. Embora essa declaração dos seus lábios possa ser uma "fórmula de submissão",[4] ela revela Jó engrandecendo a Deus em vez de amaldiçoá-lo ou se rebelar contra Ele. O homem está nas mãos de Deus. Ele deve ser honrado tanto nos momentos de desgraça como nos momentos bons.

Em tudo isto (22)—tanto naquilo que aconteceu a Jó como no que Jó disse e fez—não houve qualquer expressão de transgressão: **Jó não pecou, nem atribuiu a Deus falta alguma**. Ele não viu em Deus nenhuma ação inapropriada, reprovável ou culpável.

Em Jó 1.18-22 encontramos o "Sofrimento que Adora": 1) A vindicação do sofrimento, v. 20. 2) A perda e o sofrimento como a lei da vida: **Nu saí do ventre de minha mãe**, v. 21. 3) O reconhecimento de Deus na lei: **o Senhor o deu e o Senhor o tomou**, v. 21. 4) A sujeição agradecida à administração amorosa de Deus: **bendito seja o nome do Senhor**, v. 21 (A. Maclaren).

3. O Teste Final da Integridade de Jó (2.1-10)

A cena anterior no céu (1.6-12) é repetida. Satanás (o satanás; veja comentários de 1.6-7) tinha falhado em sua tentativa inicial de provar o interesse egoísta de Jó na sua fidelidade a Deus. Então ocorre novamente uma conversa entre Deus e Satanás relacionada àquilo que vai acontecer em seguida. Ambos reconhecem que Jó passou no primeiro teste. Ele permanece **sincero e reto** (3). Uma alteração interessante em relação à primeira cena celestial é o que Deus diz com respeito à sua própria motivação em permitir que Jó seja testado. **Havendo-me tu [Satanás] incitado contra ele, para o consumir sem causa**. A inocência de Jó agora demonstra esse fato.

A expressão: **Pele por pele** (4) parece fazer parte de um provérbio antigo cuja etimologia é impossível determinar. Seu significado, todavia, fica claro com o restante da declaração de Satanás: **tudo quanto o homem tem dará pela sua vida**. Aquilo que ocorreu antes não é suficiente para testar um homem completamente. Jó ainda permanecia intocável. **Toca-lhe nos ossos e na carne** (5), ou seja, fere-o em seu ser físico e o resultado será inteiramente diferente. Satanás argumenta aqui que Jó só é piedoso porque isso é vantajoso para ele, acusando-o também de ser um grande egoísta. Toca-o naquilo que é somente dele —seu corpo saudável— **e verás se não blasfema de ti na tua face!**

Novamente Deus permite que Jó seja testado. Satanás pode fazer como lhe apraz desde que poupe a vida de Jó. O teste pode ser real e extremo, mas não pode matar Jó.

Com essa permissão, Satanás **feriu a Jó de uma chaga maligna** (7). Em épocas passadas, tem-se concordado de modo geral em que a aflição descrita aqui é um tipo de lepra, ou seja, elefantíase. A conjectura é feita porque o termo hebraico, *shehin*, na Bíblia representa uma doença de pele muito séria. É a mesma enfermidade descrita em Deuteronômio 28.35: "O Senhor te ferirá com úlceras malignas nos joelhos e nas pernas, de que não te possas curar, desde a planta do teu pé até ao alto da cabeça". N. H. Tsur-Sinai diz: "Nosso texto, no entanto, não tem a intenção de descrever nenhum tipo de enfermidade conhecida—por esse motivo, comentaristas têm tentado em vão identificar a doença de Jó com base nas passagens desse livro—mas descreve uma enfermidade não identificável, a doença das doenças, abrangendo, na verdade, cada sofrimento no mundo".[5]

A extensão da aflição de Jó pode ser entendida mais facilmente ao observamos as declarações descritivas do próprio livro em relação ao seu sofrimento, embora precisemos ressaltar que essas são descrições poéticas e não científicas. A infecção deve ter criado uma coceira intensa, que Jó procurava aliviar, raspando-se com pedaços de cerâmica (8).⁶ Ele estava tão desfigurado por essa enfermidade que seus amigos não o reconheceram (2.12). As feridas, que aparentemente criavam vermes, de forma alternada formavam uma crosta, abriam-se e vazavam (7.5). Ele estava incomodado com os seguidos sonhos e o terror (7.14), a ponto de não poder dormir (7.4). Sua pele começou a se decompor (30.30). A dor traspassava os seus ossos até estes parecerem estar queimando (30.17, 30). Com tal tormento, a morte seria bem-vinda, mas sua vida era mantida mesmo contra sua vontade (3.20).⁷

Ele assentou-se sobre a cinza, literalmente, **no meio da cinza** (8). Provavelmente, ele sentou-se sobre o *mazbalah*, o lugar fora da vila onde o lixo e o esterco eram jogados. De tempos em tempos, isso era queimado. Com o tempo esse entulho formava um monte. Pedintes e pessoas com doenças infecciosas se reuniam nesse lugar para pedir esmolas daqueles que passavam por ali.

Então, sua mulher lhe disse: [...] Amaldiçoa a Deus e morre (9). A esposa de Jó tinha pessoalmente sobrevivido às calamidades que quase destruíram seu esposo. Uma variedade de opiniões tem sido levantada por aqueles que comentam a respeito da atitude dela em relação à desgraça de Jó. Alguns vêem nela uma segunda Eva a tentar seu marido para a destruição dele. Outros acham que suas palavras representam desdém e escárnio, designadas a aprofundar o sofrimento que Jó estava suportando. Outros a vêem como uma mulher que também sofreu a tortura de perder tudo que dá significado à vida e, por isso, acusa Jó como o causador da sua desgraça. Mas, é possível que ela tenha sido motivada por bondade. Não tem sentido manter a integridade, ela raciocina, quando Deus evidentemente abandonou a Jó. Portanto, Jó deveria se voltar contra Deus na esperança de que Ele se afastasse completamente dele e o deixasse morrer como um ato de misericórdia.

Se a atitude dela representa mais uma tentação, Jó também saiu vitorioso dessa situação. Ela falava como **qualquer doida** (10). Deus é soberano. Portanto, deveríamos esperar o **mal** das mãos de Deus, bem como o **bem**. Essa afirmação é feita com base na suposição de que Deus é responsável por tudo que acontece no mundo (veja 1 Sm 16.14; Is 45.6). **Em tudo isto não pecou Jó com os seus lábios**. Ele permaneceu fiel e confiante, dessa forma provando mais uma vez a sua integridade espiritual.

C. Os Amigos de Jó Vêm para Consolá-lo, 2.11-13

Seus **três amigos** (11) finalmente ouvem Jó falar acerca do seu estado grave. Eles vieram de suas respectivas regiões para tentar confortar Jó. Um deles chamava-se **Elifaz**, um nome que poderia significar "Deus é ouro fino" ou "Deus subjuga"; ele era de Temã. Essa região, geralmente conhecida como Edom, é famosa pela grande sabedoria dos seus habitantes (cf. Gn 36.4, 10-12; Jr 49.7; veja mapa 1). O segundo amigo a ser mencionado é **Bildade**, cujo nome significa "amado do Senhor", que veio da tribo de Suá e tinha conexão com os nômades arameus que migraram para o sudeste da Palestina (Gn 25.1-

6). O outro amigo se chamava **Zofar**. O significado do seu nome é incerto. Talvez seja "ave que chilreia", talvez "saltador como uma cabra", ou "prego afiado". Ele veio da região de Na'ameh, que pode ser Djebel-el-Na'ameh, na região noroeste da Arábia. Esse termo, no Antigo Testamento, é usado somente em conexão com Zofar.

Eles acabaram não **o conhecendo** (12) quando o viram pela primeira vez sentado do lado de fora da vila, no monte de resíduos, tão desfigurada estava a sua aparência em decorrência dos efeitos da doença. Ao verem a miséria de Jó, a reação imediata deles foi mostrar seu pesar e compaixão por meio de um costume muito antigo de cada um rasgar o seu manto e lançar pó **sobre a cabeça**. Esses amigos estavam tão chocados e pasmos com a mudança na vida de Jó que ficaram sentados com ele por **sete dias** sem dizer **palavra alguma**. Dessa forma eles expressaram a preocupação e profunda condolência deles pela situação de Jó, da mesma maneira que os mortos eram pranteados (Gn 50.10; 1 Sm 31.13).

D. Jó Lamenta o Dia do seu Nascimento, 3.1-26

1. *Ele Amaldiçoa o Dia em que Nasceu* (3.1-10)

Depois de prantear por sete dias com seus amigos, Jó quebra o silêncio. Ele **amaldiçoou o seu dia** (1), isto é, o dia do seu nascimento. As palavras que Jó pronuncia não parecem dirigidas nem aos seus amigos nem a Deus. Antes, elas são um monólogo de desespero. Tanto **dia** como **noite** (3) —o dia do seu nascimento e a noite da sua concepção— são personificados, e ele deseja que nunca tivessem existido. Então segue uma série de maldições contra o dia e a noite em questão.

E Deus, lá de cima, não tenha cuidado dele (4) significa literalmente: não se importe com ele. Jó deseja que o dia do seu nascimento seja apagado completamente da mente de Deus e, portanto, seja banido da existência. **Trevas** e **morte** (5) são aqui usadas, como em outras partes das Escrituras, como sendo simbolicamente equivalentes. Na maldição, **negros vapores do dia o espantem**, o plural dá a entender que todos os meios de fazer a escuridão aparecer durante o dia eram considerados, como um eclipse solar, tempestades sombrias amedrontadoras e, talvez, formas mágicas e sobrenaturais de esconder o sol.

A noite da concepção de Jó deveria ter um destino semelhante. **E não se goze entre os dias do ano** (6) seria melhor traduzido por: "Não se regozije ela entre os dias do ano" (veja ARA), nem configure **no número dos meses**. **Que solitária seja aquela noite** (7) significa literalmente: "seja estéril ou infecunda". **E suave música não entre nela** é a conseqüência exata descrita no versículo 3, em que a concepção e o nascimento de um filho homem são desaprovados. Quando o autor dá a entender no seu poema que a concepção e o nascimento tenham ocorrido ao mesmo tempo, devemos considerar isso uma licença poética. **Amaldiçoem-na** (8), refere-se a uma crença popular de que mágicos ou feiticeiros tinham a habilidade de colocar em prática uma maldição ou um feitiço (veja a história de Balaão, Nm 22.6, 12). **Para fazer correr o seu pranto** é uma alusão obscura. O hebraico refere-se a Leviatã. Provavelmente o autor tinha em mente a mitologia popular da sua época. Leviatã pertence ao mundo do caos. Acreditava-se que ele era capaz de criar um eclipse ao cobrir ou engolir o sol e a lua. Esse versículo então se referiria àqueles que são capazes de amaldiçoar dias e despertar Leviatã para provocar escuridão e, portanto, destruir efetivamente o dia. O versículo 9 então é uma repetição do desejo de eliminar da existência o fatídico dia-noite da sua concepção-nascimento, **porquanto não fechou as portas do ventre** [materno] (10). Teria sido melhor que tudo tivesse parado, em vez de ele ter nascido e vivido para ver tamanha angústia e destruição em sua vida.

2. *Ele Deseja que Tivesse Nascido Morto* (3.11-19)

Por não haver a possibilidade de voltar atrás no tempo e cancelar os acontecimentos que levaram ao seu nascimento, Jó volta-se para a fase seguinte do seu lamento: **Por que não morri eu desde a madre?** (11). Muitos bebês nascem mortos; por que ele não teve a sorte de ser um deles? Os **joelhos** da parteira e os **peitos** (12) da sua mãe deveriam ter falhado em preservar a criança recém-nascida. Se a morte tivesse sido o seu destino logo no início, então suas maiores esperanças teriam sido alcançadas havia muito tempo—**então, haveria repouso para mim** (13).

Entre os versículos 14 e 19 há observações acerca do fato de que todos os homens são iguais diante da morte. Os **reis** (14), os ricos (15), **os maus** (17) cessam de perturbar, **e, ali, repousam os cansados**. Moffat interpreta o pensamento dos **lugares assolados** (14) como "reis [...] que constróem pirâmides para si mesmos". Os presos não são mais incomodados por aqueles que os oprimiam (18) e mesmo os escravos estão livres de seu **senhor** (19). Em seu desespero, Jó pode apenas esperar pelo alívio que a morte poderia lhe trazer. Mesmo com expressões tão fortes como essas desejando a sua morte, Jó nunca considerou o suicídio. Deus é o Doador e o Sustentador da vida, e o homem é impotente para agir contra a providência divina nessa questão. Podemos ver essa verdade no texto acerca do seu lamento que vem a seguir.

3. *Ele se Pergunta Por Que a Vida é Preservada* (3.20-26)

Jó veio à **luz**; ele foi trazido à **vida** (20); Jó estava perdido e Deus **o encobriu** (23). Tudo isso ocorre contra sua vontade ou, pelo menos, sem que ele tenha alguma oportunidade de escolha. Em sua miséria ele espera **a morte**. A morte seria como **tesouros ocultos** a serem procurados ou algo de que ele poderia se alegrar sobremaneira (21-22). Mas mesmo isso é negado a Jó. Moffat interpreta a primeira parte do versículo 23: "Por que Deus dá à luz a um homem que está no fim de suas forças?" A miséria de Jó se tornou tão desmedida que seus **gemidos** (expressões de agonia) **se derramam como água** (24) em uma corrente vasta e ininterrupta. A sua vida tornou-se tão difícil que tudo que ele precisa fazer é temer por mais agonia, e isso, de fato, acontece (25). O sofrimento de Jó não tinha fim. Ele não teve qualquer oportunidade para experimentar descanso, sossego ou repouso. **Veio sobre mim a perturbação** (26) pode ser traduzido apropriadamente como: "A perturbação vem continuamente".

O monólogo de Jó ocorre no início do debate que ele tem com seus amigos. A profundidade do seu sofrimento se equipara com a força do poema. Raramente um poeta alcançou tamanha beleza de expressão e revelou tal profundidade de sentimento e emoção como as retratadas aqui. Jó é um ser humano que foi afligido até o limite da sua resistência. Ele reclama amargamente de sua sorte e deseja com ansiedade o fim de sua vida.

Seção II

JÓ DEBATE O SIGNIFICADO DO SEU SOFRIMENTO

Jó 4.1—31.40

O argumento principal do livro vem em forma de discursos formais feitos por Jó e seus amigos. Estes discursos são organizados em ciclos. Cada um dos amigos fala e ouve a resposta de Jó. Isso ocorre três vezes, com a exceção do terceiro ciclo que de certa forma é incompleto, seja como indicação de que Jó foi o vitorioso ou de que o texto como o temos hoje não preserva a ordem original.

A. O Primeiro Ciclo de Discursos, 4.1—14.22

1. *O Primeiro Discurso de Elifaz* (4.1—5.27)
Os amigos de Jó, além da cortesia e simpatia orientais, ficaram quietos até que Jó quebrasse o silêncio. Então, depois de sete dias, **Elifaz, o temanita**, sente-se no dever de falar em resposta ao lamento em que Jó mostrou sua incapacidade de aceitar seu destino com serenidade e paciência. O fato de Elifaz falar primeiro sugere que é o mais velho ou, por algum motivo não declarado, sua sabedoria é considerada mais elevada pelos outros.

a) Elifaz repreende a Jó pelo seu desânimo (4.1-6). Elifaz começa seu discurso de forma gentil e amável. Com cuidado, ele pede que Jó lhe dê ouvidos: **Se intentarmos falar-te** (2). Ele sabe que qualquer pessoa aflita na situação de Jó deveria estar debaixo de extrema pressão emocional e física. Por isso, ele pede permissão para falar. **Enfadarte-ás?** seria melhor traduzido por: "Você ficará ofendido?" (RSV). Existe uma certa implicação humorística na tradução de J. M. P. Smith, na qual os personagens da história ficam sentados por sete dias para finalmente Elifaz perguntar: "Se arriscássemos falar a você, você se incomodaria?" O texto hebraico permite essa tradução, mas é bastante improvável que Elifaz tivesse a intenção de ser jocoso.¹ **Mas quem poderá conter as palavras?** Algum comentário se faz necessário. Já haviam demonstrado simpatia e preocupação, mas a "explosão" de Jó não podia ficar sem resposta. Jó deveria entender isso, porque ele próprio havia instruído com sucesso a **muitos** (3). Com tato, Elifaz começa a repreender Jó por sua falta de paciência.

Jó havia confortado a outros — ele tinha fortificado **os joelhos desfalecentes** (4) — mas agora que a dificuldade estava sobre ele, tinha se esquecido da verdade contida em seu próprio conselho (5). Temor a Deus no pensamento hebraico é a base da sabedoria e da religião (veja 1.9; Êx 14.31; Lv 19.14, 32; 25.17; Ec 12.13), e como tal pode ser equiparado com reverência. Por esse motivo, Elifaz pergunta: **Porventura, não era o teu temor de Deus a tua confiança?** (6). As convicções religiosas fundamentais de Jó deveriam mantê-lo firme nesse período turbulento de sua vida. Não somente isso, mas **sinceridade dos teus caminhos** —ou melhor, a integridade do caráter — deveria ser a base da esperança de Jó. Essa não é a hora de entregar-se ao desânimo e à melancolia.

b) Os homens colhem aquilo que semeiam (4.7-11). Para provar que a confiança em Deus e a vida reta resultam em benefícios, Elifaz aponta para aquilo que ele acredita ser a verdade evidente. **Qual é o inocente que jamais pereceu?** (7). A resposta que se espera a essa pergunta é que os justos não são levados à destruição por meio das dificuldades. Pelo contrário, a destruição é o destino dos ímpios. Contra os ímpios vem **o hálito do Senhor [...] o assopro da sua ira** (9), isto é, o vento furioso e destruidor do julgamento de Deus. Além do mais, existe um princípio divino em ação. É a lei da colheita. Aqueles que **semeiam o mal segam isso mesmo** (8).

A destruição dos ímpios é descrita mais adiante nos versículos 10-11 por meio de uma outra figura vívida —a dissolução de uma cova de leões. Davidson ressalta que existem cinco palavras usadas em relação ao **leão** nestes versículos: o **bramido** do leão, o leão **feroz**, os **leõezinhos**, o leão **velho** (forte) e os **filhos** da leoa. Elifaz traça um paralelo entre o ímpio e o leão em duas situações: em primeiro lugar, a força deles; e em segundo lugar, a sua natureza violenta. Os ímpios experimentarão o que experimenta um forte leão que ruge. A sua presa é tirada subitamente da sua boca e seus **dentes [...] se quebrantam**, e ele acaba morrendo por falta de comida. Os **filhos** [da leoa], então desamparados, **andam dispersos** porque não têm nenhum provedor de comida. Da mesma maneira, desastre ou julgamento recairão sobre homens perversos cuja natureza violenta é semelhante à do leão (veja 5.2-5).²

c) Jó deveria buscar a Deus (4.12—5.16). Em seguida, Elifaz apela à autoridade sobrenatural para provar sua posição: **Uma palavra se me disse em segredo** (12). Literalmente: "Veio a mim uma palavra secretamente". Isso é diferente da vinda da palavra do Senhor ao profeta (veja Jr 1.4; 2.1, 4, etc.). Também não é dessa maneira que os profetas descrevem suas experiências com visões. A experiência de Elifaz aconteceu no meio **da noite** (13). Sobreveio-lhe o tremor (14). No versículo 15 lemos: **Então, um espírito passou**. A palavra hebraica *ruach* é melhor traduzida aqui por "vento" em vez de **espírito**. *Ruach* pode significar duas coisas, mas como Terrien ressalta, a forma masculina como a usada aqui, sempre se refere ao respirar ou fôlego.³ Elifaz não está descrevendo um fantasma ou uma aparição. A palavra *ruach* nunca é usada dessa forma no

Antigo Testamento. Trata-se de uma presença que ele sentiu e ouviu (16).[4] **Calando-me, ouvi uma voz** (16) significa, literalmente: "Houve silêncio, e ouvi uma voz", talvez um sussurro — cf. **um sussurro** (12) e 1 Reis 19.12.

A mensagem é apresentada na forma de duas perguntas: **Seria, porventura, o homem mais justo do que Deus?** e: **Seria, porventura, o varão mais puro do que o seu Criador?** (17). Essa construção na ARC é uma tradução aceitável, mas o sentido é estranho e impossível, a não ser que seja uma hipérbole. Também é possível traduzir esse texto, como é o caso quase universalmente, da seguinte maneira: "Poderá um mortal ser justo diante de Deus? Poderá um homem ser puro diante do seu Criador?"[5] Essas perguntas introduzem a situação humana que Elifaz observa por toda parte.

O homem é incapaz de ser perfeito, constata Elifaz. Nesse ponto ele bondosamente corrige a Jó, que parecia estar próximo de colocar-se no papel do Criador quando reclamava acerca do seu nascimento e do poder sustentador da vida que pertence a Deus. Jó pode ter sido um homem muito bom de acordo com os padrões humanos, mas comparado a Deus, ninguém pode alegar inocência. Para ilustrar essa grande diferença entre Deus e o homem, Elifaz usa algumas outras criaturas como exemplo. Ele ressalta que os servos finitos de Deus não são confiáveis, e mesmo **nos seus anjos encontra loucura** (18). A palavra **loucura** (*teholah*) é única no Antigo Testamento. Pode ter o sentido de "erro". O poeta não parece ter a intenção de desacreditar os seres celestiais, mas, sim, enaltecer a perfeição de Deus. Se até os seres celestiais são imperfeitos aos olhos de Deus, e não merecem sua total confiança, **quanto mais [aqueles] que habitam em casas de lodo?** (19). Isso obviamente refere-se a homens mortais, cujos corpos são pó (Gn 2.7; 3.19; 2 Co 5.1). A alusão de o homem estar preso à terra é ampliada pela expressão **cujo fundamento**. O homem foi feito da terra; ele está preso à terra; ele vai retornar à terra. Não somente isso, mas a vida do homem é passageira; ela é facilmente esmagada **como a traça**. Existe apenas um breve período **de manhã à tarde** (entre o alvorecer e o crepúsculo, 20) que marca a sua existência. **E eternamente perecem, sem que disso se faça caso**. O homem nasce, vive brevemente, morre e é esquecido.

O versículo 21 é obscuro. O verbo traduzido por **passa** significa "arrancar". Conseqüentemente, o texto é com freqüência corrigido da seguinte forma: "As cordas de suas tendas [ou o pino da tenda] são arrancadas" (RSV). No entanto, se **excelência** e **sabedoria** são colocadas lado a lado como termos paralelos, isso pode significar que a excelência do homem, independentemente da sua qualidade, pode ser-lhe arrancada e ele morrer sem alcançar sabedoria.[6]

O antecedente é a base ampla de convicção que Elifaz tem em relação à natureza da existência do homem sobre a terra. Ele então procura aplicar isso diretamente a Jó.

Chama agora; há alguém que te responda? (5.1). A inferência é que não há ninguém para escutar a acusação de Jó contra Deus. **Os santos** são os anjos —seres celestiais que, supostamente, são úteis aos homens. Elifaz zomba de Jó por ele não ser capaz de encontrar nenhum "santo" para interceder a Deus em seu favor. Elifaz defende a idéia de que o Deus santo é inacessível e bem distante das criaturas mortais.

No versículo 2, uma declaração proverbial em relação à destruição **do louco** é incluída para advertir Jó de que o contínuo queixume quanto à sua condição vai apenas piorar as coisas. Elifaz teve a oportunidade de observar esse **louco** quando ele parecia **lançar raízes** (3) e prosperar. No entanto, subitamente tudo ruiu ao seu redor e sua

habitação foi amaldiçoada. Moffat traduz isso desta forma: "Um homem insensato pode lançar raízes — tenho visto isso — mas subitamente seus galhos apodrecem". Não apenas isso, mas **seus filhos** carecem de segurança — eles **são despedaçados às portas** (4). A porta da cidade era o lugar onde os anciãos da vila se reuniam para ouvir as queixas e julgar as causas. Os filhos do louco (tolo) não têm quem os defenda ao procurar a restauração das suas posses. **Não há quem os livre** (4). **Até dentre os espinhos a tira** (5) é obscuro no hebraico, mas o significado do versículo parece claro. Fome e **espinhos** abriram seu caminho, e mesmo aquilo que eles poderiam de alguma forma obter é facilmente tirado por aqueles que roubam e saqueiam. Dessa forma, a loucura do pai é passada para os filhos com resultados desastrosos.

Apesar do fato de que o mal parece permear o mundo, ele não é produto da natureza intrínseca das coisas: **Porque do pó não procede a aflição** (6). Isso não é acidental nem está totalmente fora do controle do homem. **O homem nasce para o trabalho** (7), ou, "O homem nasce para as dificuldades", isto é, ele atrai o mal tão certamente como **as faíscas das brasas se levantam para voar**. É da natureza do homem, por meio do seu próprio pecado, trazer dificuldades sobre si mesmo.[7] Assim, gentil mas intencionalmente, Elifaz procura mostrar a Jó a causa do seu sofrimento.

Tendo apresentado a causa, Elifaz procura então mostrar de que maneira a cura para o sofrimento pode ser encontrada. **Eu buscaria a Deus, e a ele dirigiria a minha fala** ("a minha causa", NVI, 8). Ele é um Ser de grande poder e digno de confiança (9-10), porque Ele providencialmente coloca **os abatidos** (11) num lugar alto e traz segurança aos **enlutados**. Não só isso, mas Ele também frustra o caminho dos **astutos** — aqueles que confiam na sabedoria humana (12-14). O versículo 13a é o único texto de Jó que é citado no Novo Testamento.[8] Paulo cita em 1 Coríntios 3.19 que a sabedoria mais elevada do mundo não é nada comparada com a sabedoria de Deus.

d) O sofrimento é a instrução de Deus (5.17-27). Não se deve confiar em Deus apenas no meio da aflição, mas Ele deveria ser louvado no meio dela. O sofrimento é a evidência da correção e do **castigo** (17) de Deus. É verdade que Deus permite que o homem sofra dor, mas Ele também fornece os meios para a cura (18).

Com essa premissa elaborada claramente, Elifaz faz a lista das muitas **angústias** das quais a pessoa que confia em Deus será salva (19-26). **Seis [...] sétima** (19) é um exemplo do uso de números em um sentido indefinido, referindo-se a vários ou muitos. "O significado é que seis seria um número elevado, mas sete é ainda maior".[9] Quando alguém procura encontrar as sete "desgraças" nesse texto, é impossível compor uma lista exata delas. As **angústias** enumeradas são as seguintes: **fome** e **guerra** (20), o **açoite da língua** (calúnia) e **assolação** (21), feras da terra (22), e talvez estiagem (23). Além de escapar dessas pragas, aquele que confia em Deus viverá **em paz** (24), sua **posteridade** (25) será multiplicada e ele viverá em pleno vigor até a **velhice** (26). Os tradutores da KJV parecem não ter acertado o significado exato na tradução do v. 24b. A tradução melhor é a da ARC: **"e visitarás a tua habitação, e nada te faltará"** (cf. Berkeley e RSV).

Elifaz conclui com a declaração de que as suas palavras são verdadeiras; elas foram testadas e provadas. Jó deveria, portanto, **meditar** nelas **para** o seu próprio **bem** (27).

Nos versículos 17-27 podemos encontrar "Os frutos pacíficos de tribulações sofridas da forma correta": 1) Um homem afligido pode ser bem-aventurado (17); 2) Deus faz a chaga para poder curá-la (18); 3) Deus pode libertar o justo (19-21); 4) O universo está ligado ao homem criado por Deus (22); 5) A retidão traz bênçãos para o lar (24-25); 6) O reto vive e morre bem (26-27) — A. Maclaren.

2. A Resposta de Jó a Elifaz (6.1—7.21)

A resposta de Jó pode ser dividida em três partes. Na primeira, ele justifica suas queixas no capítulo 3 e se defende da repreensão do seu amigo, insistindo (como da primeira vez) em que a morte continua sendo sua única esperança (6.1-13). Na segunda, ele mostra profunda tristeza e desapontamento pela atitude que seus amigos demonstram em relação a ele (6.14-30). E, na terceira, ele lamenta amargamente seu grande sofrimento e implora para que Deus o deixe sozinho e o deixe morrer (7.1-21).

Elifaz não acusou Jó diretamente de pecado. Isso ocorrerá mais tarde. Ele apenas manifestou surpresa pelo desespero e impaciência do amigo. Jó usa essa crítica como base para a sua resposta.

a) Jó justifica suas queixas (6.1-13). Jó clama: **Oh! Se a minha mágoa retamente se pesasse!** (2) Ele sente que seus amigos vêem apenas as evidências externas do sofrimento. Dor física e perda de bens são apenas uma pequena parcela da agonia que ele estava experimentando. Se houvesse um meio de reunir todos os seus sofrimentos, então ficaria claro que a calamidade de Jó era **mais pesada** [...] **do que a areia dos mares** (3). No final das contas, quem poderia acusá-lo de falar imprudentemente? Esta seria uma tradução melhor do que: **Por isso é que minhas palavras têm sido inconsideradas.** (Veja ARA).

Jó não só alcançou um estado de completa desolação, mas ele afirma que **as flechas do Todo-poderoso estão em mim** (4). Talvez esse seja o verdadeiro motivo do seu intenso sofrimento. Ele crê que sua infelicidade veio de Deus, mas não consegue entender por que Deus o está tratando dessa maneira. **As flechas** de Deus são as pragas, as enfermidades, as dores, etc., por meio das quais Ele ataca o homem (veja 16.13-17; Dt 32.23-27; Sl 38.2-8). Para Jó essas flechas estão envenenadas, e **os terrores de Deus** são tão numerosos que parecem exércitos que **se armam contra** ele.

Às vezes parece que as flechas do Todo-Poderoso voam e acertam o homem onde ele não apresenta defesa, infligem feridas severas na alma e provocam terror em sua mente. Mas essa aparente verdade está baseada em uma noção de Deus que foi substituída pela compreensão de sua natureza trazida por Jesus. Deus pode fazer com que todas as coisas contribuam para o bem (Rm 8.28), e na cruz de Jesus fica claro que Ele sofre com os homens. Se Jó tivesse tido a capacidade de ver que Deus também sofre, em vez de pensar que Deus era o causador do seu sofrimento, seu problema teria sido bem menor — talvez até completamente resolvido.

Na pergunta: **Porventura, zurrará o jumento montês junto à relva?** (5), Jó continua defendendo seu direito de reclamar. Suas reclamações são uma prova da sua dor, da mesma forma que "zurrar" e "mugir" são resultados do descontentamento entre os animais. Quando eles estão bem alimentados e confortáveis ficam em silêncio. O desespero de Jó é tão natural quanto o sentimento de animais famintos. Por outro lado, os sofrimentos de Jó são comparados à comida repulsiva que está **sem sal** ou insípida, como a **clara do ovo** (6). A **alma**, na psicologia hebraica, é o alicerce do desejo e do apetite. Dessa maneira, as coisas que a nossa **alma recusa** (7) expressam que queremos mais da vida do que comida sem sabor. Anelamos por uma existência que nos satisfaça. Quando essa oportunidade nos é negada, protestamos legitimamente.

Tendo se defendido, Jó reitera seu desejo de morrer: **Quem dera que se cumprisse o meu desejo, e que Deus me desse o que espero!** (8). Se Deus **soltasse a sua mão** (9), o homem teria a chance de morrer.

A **consolação** (10), ele acredita, só pode ser encontrada na insensibilidade do túmulo. **Refrigera o meu tormento** pode significar: "Eu me alegraria em meio à dor implacável" (RSV; veja também ARA). Ele ainda não **repulsou**, isto é, negou **as palavras do Santo**. Mas Jó questiona seriamente quanto mais ele será capaz de suportar. Sua **força** não é a força da **pedra**, nem é a sua **carne** semelhante ao **cobre** (12). Já não existe significado na **vida**, nem esperança, nem propósito (11). Ele está convencido de que não há **ajuda** (13) para ele. Todos os seus recursos se desvaneceram (veja RSV e ARA).

b) Jó está desapontado com seus amigos (6.14-30). Nessa parte, Jó se dirige aos seus amigos. Ele acha que eles deveriam ter vindo para ajudá-lo em sua hora de necessidade. Então descobre, embora Elifaz tenha sido gentil com ele, que eles, na verdade, são seus críticos. Para um homem que havia sido afligido como ele, um amigo deveria mostrar piedade, ainda que a miséria desse homem o levasse ao extremo de abandonar a Deus (14).[10]

Longe de serem confortadores e úteis, Jó acusa seus amigos de o tratarem **aleivosamente** (15). Eles têm se apresentado tão enganosos quanto um **ribeiro** que desapareceu. No calor do deserto **desaparecem do seu lugar** (17). As palavras que traduzem **caminhos** (18) e **caminhantes** (19) têm a mesma raiz e deveriam ser traduzidas por "caravanas". A figura é de viajantes em caravana seguindo os caminhos que deveriam levar até as águas, mas que terminam em desapontamento. Os amigos de Jó têm sido esse tipo de desapontamento para ele (15-21).

Em seu dilema, Jó não pede por ajuda material (22) nem por libertação de um inimigo nem **das mãos dos tiranos** (23). Ele precisa de compaixão e compreensão. Ele quer que seus amigos continuem confiando nele. Isso o ajudará a permanecer forte. Eles não lhe mostraram **em que errei** (24). Se eles tivessem falado **palavras da boa razão** (25) —se eles tivessem sido honestos e francos — então eles o teriam ajudado. Mas as palavras deles até então não serviram para coisa alguma. **Mas que é que censura a vossa argüição?** As palavras de Jó eram palavras de um homem desesperado e talvez fossem **como vento** (26). Mas as ações dos seus confortadores mostram que eles "seriam capazes de pôr em sorteio o órfão e de vender um amigo por uma bagatela" (27, NVI). Estas são palavras duras e retaliatórias. Jó ficou profundamente ofendido pela aparente atitude insensível que lhe foi demonstrada. Então ele rebate, como os seres humanos são inclinados a fazer, para infligir dor semelhante aos seus amigos.

Muitos têm compreendido que as palavras **Voltai, sim, que a minha causa é justa** (29) implicam que Elifaz estava pensando em deixar Jó. Isso pode ter sido possível. Em tudo isso, Jó não deseja cometer **iniqüidade** (30), ou injustiça. Talvez ele esteja dizendo: "Voltem novamente; minha causa é justa". Ele pergunta: **Há, porventura, iniqüidade na minha língua?** Na última parte desse versículo a figura da língua que sente o paladar representa a língua como um órgão de percepção em vez de fala. Jó está fazendo uma pergunta retórica para afirmar que ele é perfeitamente capaz de discernir a verdade e que está sendo honesto com eles e consigo mesmo. Ele insiste em que a verdade está do lado dele.

c) Jó ainda sente que a morte é sua única esperança (7.1-21). Tendo afirmado sua competência para avaliar sua própria condição, Jó volta a generalizar acerca da condição da humanidade. A vida sempre é dura. **Porventura, não tem o homem guerra sobre a terra?** (1) é melhor traduzir por: "Não é penosa a vida do homem sobre a terra?" (ARA). A vida do homem é como os **dias de um jornaleiro** ou de um assalariado (2) suspirando pela sombra no calor do dia. Assim é a vida de Jó. Os **meses** da sua vida são **vaidade** e vazios (3). Suas noites são intermináveis e cheias de miséria (4). Sua **pele** está **gretada** ("rachada", NVI) e podre (5). Seus **dias** passam **velozes** e **sem esperança** (6), destinados a se esvaecer como uma **nuvem se desfaz** (9). O sentido do versículo 8b é: Mesmo "quando seus olhos estiverem sobre mim, já não existirei" (RSV). A vida termina na **sepultura**, e além dela não há nada. O homem morto **nunca jamais tornará à sua casa** e não será mais conhecido pelos vivos (10).

Por esse motivo, Jó sente que é necessário manifestar-se em sua **angústia** de **espírito** (11). Deixando seus amigos de lado, Jó volta a se queixar amargamente porque Deus permite que ele continue vivo. Porventura Deus o considera algum tipo de monstro marinho causando algum dano ao mundo? (12). Então segue-se uma lista de pragas que são usadas para destruí-lo: ele não encontra descanso em sua **cama** (13); ele é espantado com pesadelos horríveis (14) até que mais uma vez ele clama para que Deus o deixe morrer (15-16). Então, de forma patética, Jó indaga por que Deus deveria importar-se com o homem. Por que Ele deveria pôr sobre o homem o seu **coração**? (17). Parece que Deus está constantemente com seus olhos sobre o homem, provando-o a **cada momento** (18). Por que Deus não me deixa sozinho, **até que engula a minha saliva?** (19), parece ser uma expressão proverbial significando um breve período. Em 9.18, Jó pede tempo para poder respirar. As duas expressões evidentemente têm o mesmo significado.

Se tenho pecado (20) dá a entender que ele não está admitindo suas ações erradas. Ele está indagando a Deus quanto ao significado do pecado. Por que Deus iria se importar mesmo que Jó tivesse pecado? O que Deus viu nele que provoque uma atenção tão incomum? Se existe algo errado, então **por que não perdoas a minha transgressão?** (21). Jó não compreende inteiramente o significado do pecado e do perdão, mas ele vê Deus como "Aquele que busca" o homem. A declaração **me buscarás** é uma única palavra em hebraico. É uma palavra forte que significa realizar uma busca diligente, persistente e séria. Apesar da acusação de Jó contra Deus, ele continua crendo que Deus é um Deus de amor. Jó, portanto, espera pelo dia em que o favor de Deus estará novamente ao lado dele e Ele desejará estabelecer comunhão com seu antigo servo. Ele sabe que se Deus quiser fazer isso terá de ser em breve, porque logo **não estarei mais**. Jó parece crer que na sepultura ele estará fora do alcance de Deus, da mesma forma que ele será removido do relacionamento com os homens. Quando ele passar para o *Sheol*, a busca de Deus por ele será tarde demais!

Raras vezes encontramos na literatura uma descrição tão poderosa e persistente de uma situação de total desespero.

3. O Primeiro Discurso de Bildade (8.1-22)

Bildade, o tradicionalista, tem uma posição muito parecida com a de Elifaz. No entanto, seu método de raciocínio e sua forma de se aproximar de Jó são diferentes. Bildade reage com raiva ao que ele considera uma irreverência completa da parte de Jó.

Bildade usa a corrente de pensamento geral de Jó e procura contestar as conclusões de seu amigo. Jó havia declarado que a sua causa era justa (6.29-30). Isso implicava que Deus era injusto. Jó também havia argumentado amargamente que a vida do homem é modelada cruelmente pelas pressões insuportáveis colocadas sobre ele por um Deus insensível e inacessível (7.1-7, 17-18). Diante dessas duas acusações, Bildade declara que Deus é absolutamente justo — tanto que ele recompensa o reto e pune o ímpio. Ele apóia sua posição nas tradições dos pais.

a) Bildade afirma que Deus é justo (8.1-7). **Até quando falarás tais coisas?** (2). Bildade está surpreso com o fato de Jó ter coragem de falar de uma maneira tão irresponsável em relação a Deus. As palavras de Jó são **qual vento impetuoso**; elas são severas em essência e vazias de verdade.

Perverteria Deus [...] a justiça? (3). Esta é a pergunta-chave que Bildade faz a Jó. Deus é **o Todo-poderoso**. Ele não pode agir injustamente. Bildade não está depreciando a seriedade da posição de Jó, nem minimizando a extensão do seu sofrimento. Ele simplesmente não pode aceitar a premissa de Jó de que suas calamidades representem uma ação injusta da parte de Deus. Se Deus o fez, então é justo, porque veio de Deus.

A proposição **Se teus filhos pecaram** (4) é feita por Bildade como uma afirmação hipotética, mas a intenção não é hipotética. De uma forma cruel, considerando a perda e sofrimento de Jó, ele argumenta que a morte dos filhos de Jó foi conseqüência natural da **transgressão** deles. Para Bildade, o pecado recebe seu próprio castigo — a morte. Para um homem com esse tipo de mentalidade a situação sempre está muito clara. A sorte dos filhos de Jó comprova a culpa deles. A morte deles é uma prova da magnitude do seu pecado. Esse mesmo tipo de raciocínio é então aplicado ao seu amigo. A aflição de Jó, da mesma maneira, prova a sua culpa; mas visto que a vida de Jó foi poupada, fica evidente que seu pecado não foi tão grave. Portanto, **se [...] buscares a Deus** (5) significa que haverá esperança para Jó.

Bildade espera que Jó tire proveito de sua experiência e mostre evidência clara de arrependimento e humildade; ou seja, que ele se torne **puro** e **reto** (6). Então Deus **despertará por ti**. Ele se levantará em seu favor e **restaurará a morada da tua justiça**. As palavras-chave aqui são **habitação** e **restaurará**. O que Bildade prevê é que o lar, a saúde, a riqueza e a paz de Jó serão restaurados se ele tão-somente seguir as suas instruções. Essa restauração seria prova da retidão de Jó. Inclusive é possível que o **último estado** de Jó **cresça em extremo** comparado com os anos anteriores (7). Isso, de fato, acontece (42.10-17), mas não pelo motivo nem da forma como Bildade previa.

b) Bildade ressalta a sabedoria dos pais (8.8-22). Bildade expôs o princípio no qual ele acredita. Então ele convida Jó a refletir acerca dessa verdade e testá-la com o conhecimento disponível para provar sua veracidade. Para esse propósito a sabedoria **das gerações passadas e [...] de seus pais** (8) é colocada de maneira idealizada. Bildade não está se referindo meramente à geração anterior. Ele se refere à antiguidade. O tempo de vida de um homem é tão breve que ele não pode alcançar a compreensão adequada com base em sua própria experiência. Existe à sua disposição uma longa experiência de gerações de homens do passado que **ensinarão** aqueles que estiverem atentos à sabedoria deles (9-10). Palavras **do [...] coração** (10) desses homens do passado são palavras de entendimento em comparação com as palavras vazias e precipitadas de Jó (2). A posição de Bildade é que "o que é verdadeiro não é novo e o que é novo não é verdadeiro; que Jó está errado, porque ele está propondo uma doutrina nova monstruosa, e Bildade está certo, porque ele está simplesmente repetindo uma doutrina antiga, tão antiga que precisa ser verdadeira".[11]

Ficamos nos perguntando porque Bildade pensou que a sabedoria baseada na experiência e filtrada através do passado para o presente seria mais verdadeira do que aquela observada pela experiência no presente. Afinal, os antigos tinham somente uma "existência" para fazer suas observações, da mesma maneira que os homens do presente.

O ensino dos antigos ocorre por meio de imagens poéticas. **O junco** (1) é provavelmente a planta *papyrus* (papiro), que em certa época crescia abundantemente na área pantanosa do Baixo Egito. Esse junco aquático em alguns casos alcançava três ou quatro metros. **A espadana** é uma referência ao capim que crescia no pântano ou prado (veja Gn 41.2). Essas plantas requerem um abundante suprimento de água para crescer. Quando elas estão **na sua verdura**, isto é, quando elas estão florescendo, mas ainda não estão prontas para ser cortadas, secam **antes de qualquer outra erva** se a água lhes for tirada (12).

Lemos então a aplicação desta comparação: **Assim são as veredas de todos quantos se esquecem de Deus** (13). Os homens perecem subitamente, eles secam e morrem, quando o poder sustentador de Deus lhes é tirado. A palavra traduzida por **hipócrita** não significa hipocrisia no sentido comum da palavra. Na verdade, ela se refere a uma pessoa profana. Ela é ímpia porque negou ou rebelou-se contra sua própria missão em vida. Para tal pessoa qualquer base para o futuro é tão estreita quanto **a teia de aranha** (14), literalmente, a casa da aranha. Esse homem vai **encostar-se** nela mas ela não o suportará; **ela não ficará em pé** (15).

Nos versículos 16-19 há uma outra figura de súbita destruição: uma planta viçosa é repentinamente destruída, deixando apenas um rastro. Enquanto essa planta ainda estava viva, seus galhos cobriam o **jardim**, e suas raízes se entrelaçavam por todo lugar entre o **pedregal**, buscando alimento. Quando ela foi destruída, no entanto, era como se o lugar onde essa planta havia sido plantada pudesse dizer: **Nunca te vi** (18). Não somente isso, mas onde ela ficava, **outros brotarão** (19).

Bildade aplica essas lições da natureza ao relacionamento que existe entre Deus e o homem. **Deus não rejeitará o reto** (20). A palavra **perfeito** (sincero) é a mesma que já foi aplicada a Jó pelo autor (1.1). Por outro lado, Deus não ajudará os **malfeitores**. Bildade encontra esperança e motivo para exortar acerca dessa verdade tão antiga. As dificuldades evidentes de Jó provam que algo está errado. Mas visto que Jó não foi destruído inteiramente, existe a esperança de que Deus ainda fará com que **de riso se encha a** [sua] **boca** e os seus **lábios de louvor** (21). Aqueles que se voltaram contra Jó — que o aborrecem — **se vestirão de confusão** ("de vergonha", NVI; 22). Bildade não acusou Jó explicitamente de maldade, mas a advertência que ele dá ao seu amigo tem essa implicação. Se Jó persistir em sua impiedade, ele será completamente destruído — **a tenda dos ímpios não existirá mais** (22).

Nota-se a essa altura que o autor permite a Bildade algumas percepções proféticas, embora o próprio Bildade não tenha ciência disso. Sua menção de que os que se voltarem contra Jó irão se vestir de vergonha acaba se concretizando na experiência dos amigos no final do livro.

Bildade começou seu discurso a Jó de uma maneira severa, até mesmo cruel, mas também encontramos alguns traços de bondade e preocupação na última parte do seu discurso. Bildade contestou a hipótese do capítulo 8, na qual Jó não encontrava evidência de um governo moral no mundo. Seu amigo insiste em que esse não é o caso de forma alguma. A história e o julgamento das gerações provam o contrário. Se Jó estiver disposto a se humilhar e a aceitar o conselho daqueles que são mais sábios do que ele, será confortado e restaurado.

4. *A Resposta de Jó a Bildade* (9.1—10.22)

a) Jó admite que os ímpios sofrem (9.1-35). As palavras **na verdade sei que assim é** (2) seguem imediatamente o discurso de Bildade. Mas também são uma resposta adicional ao que Elifaz havia falado. Jó, um tanto impaciente, admite que existe uma certa verdade nos argumentos dos seus amigos. O problema é que eles não reconhecem a possibilidade de que ele esteja correto quando declara sua inocência. Portanto, ele pergunta: **Como se justificaria o homem para com Deus?** A pergunta não se preocupa tanto em como um homem age, mas em como ele pode se apresentar diante de Deus e provar a sua inocência. Essas palavras refletem o que Elifaz pergunta em 4.17, mas Jó usa a idéia de uma forma diferente. Elifaz havia contrastado o finito com o infinito. Jó questiona a capacidade do homem em provar a sua retidão e manter a convicção de sua inocência diante da ação avassaladora de Deus contra ele.

Em uma disputa entre o homem e Deus o resultado é óbvio. **Se quiser contender com ele** (3) é uma terminologia legal que significa levantar uma objeção em um tribunal de justiça. Em uma situação como essa, o homem está destinado ao fracasso, porque carece da habilidade de responder **uma de mil** perguntas que Deus na sua sabedoria infinita poderia fazer. Nem mesmo aquele que é **sábio de coração, poderoso em forças** poderia ser **endurecido contra** Deus com impunidade (4; cf. 2 Cr 36.13). O homem certamente não é páreo para o Deus onipotente.

Jó reconhece o poder de Deus como pode ser observado em vários fenômenos do mundo físico. Deus **transporta as montanhas** (5) por meio de seu grande poder. Isso pode ser uma referência a qualquer uma das situações em que se vê uma montanha desintegrar-se sob o impacto de raios, terremotos ou chuvas torrenciais que causam deslizamentos de terra. **Sem que o sintam** (saibam) pode se referir à rapidez com que essas catástrofes ocorrem. Alguns, no entanto, vêem Deus como o sujeito dessa frase. Se essa inferência é verdadeira, então Ele destrói as montanhas sem que o saiba, tal é o seu grande poder.[12] Mas essa interpretação não se encaixa na estrutura de pensamento da última parte desse versículo. Deus remove montanhas como resultado do **seu furor**, não como conseqüência acidental do seu imenso poder. Ele também **remove a terra do seu lugar e suas colunas estremecem** (6). Essa é uma descrição poética, mas pode ter um pano de fundo bastante literal. Sem dúvida, essa pode ser uma descrição específica de um terremoto. Imaginava-se que a terra plana ficava apoiada sobre colunas ou sobre as raízes das montanhas (38.6; Sl 75.3).

Deus **fala ao sol, e ele não sai, e sela as estrelas** (7). Fenômenos naturais, tais como temporais, tempestades de areia e eclipses, escondiam o sol e as estrelas. Os antigos viam esses eventos como evidências de um sério desagrado dos deuses.

O poder de Deus é tão grande que Ele **sozinho estende os céus** (8). A mesma descrição do poder e atividade se encontra em Isaías 40.12 e 44.24. Isaías 40.22 diz que Deus é aquele "que estende os céus como cortina e os desenrola como tenda para neles habitar". O significado de **anda sobre os altos do mar** é incerta. Amós 4.13 diz que Deus "pisa os altos da terra". Talvez o pensamento da onipresença esteja na mente do nosso autor. Deus é exaltado acima de toda a magnificência da natureza. Portanto, ele é o Soberano absoluto sobre toda a terra. Ele também é o Criador das constelações — **a Ursa, e o Órion, e o Sete-estrelo** (9). **As recâmaras do sul** deve ser uma referência geral aos corpos celestiais no céu do hemisfério sul.

No versículo 10, lemos a conclusão de Jó acerca dessas maravilhas da natureza. Ele descobre que a atividade de Deus está além da capacidade de compreensão do homem. O pensamento é o mesmo expressado por Elifaz em 5.9. No caso de Elifaz, essa observação foi feita no contexto do controle ordenado sobre os afazeres do homem e a realização dos propósitos de Deus com bondade. Jó, no entanto, usa essas palavras como um resumo da sua argumentação de que o tremendo poder de Deus não tem significado moral. É força absoluta diante da qual o homem é impotente, um tema que Jó se encarrega de explorar em seguida.

Os padrões normais usados para medir a moralidade dos seres humanos não são aplicáveis a alguém com tamanho poder. O poder de Deus está muito além do domínio do homem. Ele é invisível (11); ele não pode ser controlado nem questionado pelo homem (12). **Arrebata** é uma expressão usada em conexão com um animal selvagem arrastando a sua presa.

Diante de um Ser como esse, o homem é impotente. **Deus não revogará a sua ira** (13) até que seu propósito seja cumprido. O homem não pode rejeitar a ira de Deus e o próprio Deus também não o faz. Portanto, o único curso de ação deixado para alguém que está sofrendo o seu desagrado é submeter-se à sua ira. Isso foi feito por seres poderosos da antigüidade. **Os auxiliadores soberbos** [melhor, "os auxiliadores de Raabe"] **debaixo dele se curvam**. Isso pode ser uma referência ao mito da criação babilônica quando trata do conflito entre Marduk e Tiamat. Depois que Marduk destruiu Tiamat, ele cuida dos seus auxiliares, aqueles que a ajudaram e encorajaram:

> *Depois que ele havia matado Tiamat, a líder,*
> *seu bando foi despedaçado, sua tropa foi desfeita;*
> *e os deuses, os auxiliadores dela que marchavam ao seu lado,*
> *tremendo de terror, a abandonaram,*
> *para salvar e preservar as suas vidas.*
> *Cercados firmemente, eles não puderam escapar.*
> *Ele os fez cativos e despedaçou suas armas.*
> *Jogados na rede, eles foram apanhados numa armadilha;*
> *colocados em celas, estavam cheios de lamentações;*
> *carregando a sua ira, foram mantidos encarcerados.*[13]

Assim Jó vê que mesmo as forças primitivas estão sob o controle de Deus. Não deveria nos surpreender o fato que o autor e poeta tenha feito uso de mitos populares da sua época para ilustrar seu ponto de vista.

Com esse tipo de criaturas impotentes contra Deus, quais são as chances de Jó? Embora ele acredite que não há esperança para o seu caso, ele continua crendo na possibilidade de encontrar-se com Deus face a face e apresentar seu caso a Ele. Essa idéia da cena de julgamento domina seu pensamento e é a chave para a compreensão de grande parte do que ele diz.[14] Este é o caso quando Jó diz: **Quanto menos lhe poderei eu responder?** (14). Isto é, ele não consegue responder às acusações que Deus evidentemente apresentou contra ele. **Escolher diante dele as minhas palavras** envolve um apelo diante de Deus no qual certamente seria aconselhável escolher bem as palavras para argumentar com Ele. Mas, de que maneira isso pode ser possível diante da luz da majestade e poder esmagadores de Deus? **Ainda que eu fosse justo** (15), isto é, mesmo sendo reto, não haveria possibilidade alguma de ganhar uma causa contra Deus. Com tal oponente, apenas resta a Jó pedir **misericórdia** ao seu **juiz** (adversário ou acusador). Só lhe resta pedir por misericórdia (RSV). Se a causa contra Deus tivesse de ser julgada, e Ele, de fato, aparecesse, Jó diz que mesmo assim ele não acredita que Deus daria **ouvidos à minha voz** (16).

Nos versículos 17-19, Jó descreve sua condição presente e aquilo que aconteceria no "processo" contra Deus que ele imaginou. Os verbos usados descrevem a destruição que ocorreria em um encontro como esse: quebra ou esmagamento, multiplicação das **chagas**, retenção da respiração, fartura de **amarguras**. Em uma competição de forças ou em uma causa na justiça não há ninguém que possa fazer frente a Deus. T. H. Robinson traduz bem os versículos 20-21 para mostrar o desespero que Jó sente nessa situação:

> *Eu poderia estar certo, mas minha própria boca me condenaria,*
> *ainda que eu fosse irrepreensível, ele provaria que eu estava enganado.*
> *Ainda que fosse perfeito, eu não me conheceria,*
> *rejeitaria a minha vida.*[15]

Independentemente da base da sua argumentação, o contraste entre ele e Deus seria tão grande que ele seria subjugado e perceberia que estava errado.

Jó expôs sua causa apresentando em linguagem forte a natureza amoral do poder supremo de Deus. Então ele vai ainda mais longe ao aplicar esse princípio à vida como ele a observa. Ele não faz nenhum esforço para suavizar sua linguagem ao responder aos argumentos de seus amigos. Bildade havia afirmado que Deus mata os ímpios (8.11-19). Jó declara: **Ele consome ao reto e ao ímpio** (22). A afirmação: **A coisa é esta** significa que Deus trata ambos da mesma maneira. Jó está dizendo que o poder amedrontador de Deus é indiscriminado. Isto, é claro, significa que a justiça está pervertida, o que Bildade havia negado (8.3).

Deus não é somente indiscriminado na sua forma de destruir o homem, mas Ele ridiculariza aqueles que Ele destrói por meio de alguma forma de catástrofe: Ele **ri da prova dos inocentes** (23). Dessa forma, Jó acredita que a **terra é entregue às mãos do ímpio** (24). Ele afirma que Deus é responsável por essa condição, visto que Ele é o Soberano de toda a natureza bem como da humanidade. Se Deus não é responsável, então quem é? (cf. v. 24, RSV).

Jó alcançou o ponto mais baixo do seu sentimento de separação e alienação de Deus. As "acusações" feitas aqui estão bem longe do conceito cristão acerca da natureza de Deus e seu relacionamento com o sofrimento humano. Para entender essas reações de forma apropriada, o leitor atual deve lembrar que nos dias de Jó não havia um conceito de causas secundárias, da lei natural, nem ao menos uma concepção da providência geral dos eventos. As pessoas naquela época consideravam Deus o causador direto e imediato de tudo que ocorria. Com esse entendimento da relação de Deus com os eventos, e com a convicção de que não havia falta de piedade nele próprio, Jó só podia concluir que Deus o tinha afligido sem causa. Se isso fosse verdade, então se poderia concluir que Deus havia usado seu poder de maneira indiscriminada e injusta.

Com uma disposição mais calma, mas continuando num tom pessimista, Jó se afasta do mundo em geral e volta-se para si mesmo, reclamando da brevidade da sua vida e da sua incapacidade em encontrar um relacionamento satisfatório com Deus. A velocidade com que a sua vida está se aproximando do fim é descrita por meio de três figuras diferentes. A primeira é a de um mensageiro correndo velozmente para entregar sua mensagem (25). A segunda é a de **navios veleiros** (26) — ou melhor: "barcos de papiro" (NVI) ou "de junco" (ARA). Esses barcos eram construídos de junco e madeira e, dessa forma, eram leves.[16] A terceira é a figura de uma **águia que se lança à comida**; ela se precipita do céu em um ataque relâmpago sobre sua vítima.

Jó então examina o que ocorreria se ele decidisse bravamente parar de queixar-se e voltar a sorrir (27). Ele está certo de que isso não mudará as coisas. O sofrimento vai continuar, e essas coisas tão difíceis de suportar são evidências de que Deus não o terá **por inocente** (28). Portanto, qualquer esforço da parte de Jó para melhorar sua atitude é vão (29). É inútil passar pelo processo de uma limpeza completa **com água de neve** (30) e detergente (cf. RSV), porque Deus o submergirá **no fosso**, do qual ele emergirá tão imundo que mesmo as **próprias vestes** o **abominarão** (31). Essa é uma figura forte, mostrando Jó nu mas purificado, jogado num atoleiro. Sua roupa é personificada e descrita como que se recusando a cobrir uma imundície tão abominável.

Esses versículos descrevem quão infrutíferos são os esforços de Jó para justificar-se a si mesmo à luz do fato de que Deus está disposto a considerá-lo culpado. Então Jó retorna à sua dificuldade maior —o homem não tem capacidade de argumentar e lutar com Deus. Visto que Jó é honesto na convicção da sua inocência, parece que Deus está lidando com ele de uma maneira terrivelmente injusta. **Ele não é homem, como eu** (32) — isto é, eles não são iguais no conflito — e não há **árbitro** (juiz) entre eles para que haja condições iguais para ambos (33). Se Deus tirasse **a sua vara** (34; essa desigualdade) e permitisse que o terror de Jó cessasse, então ele teria condições de falar e não temê-lo (35). Mas esse não é o caso. O medo está lá. O sofrimento se faz presente. O conhecimento do desagrado evidente de Deus é forte e está constantemente com ele. Jó está certo de que Deus não o tem nem o terá por inocente. No entanto, ele não encontra nenhum meio de descobrir a causa desse desagrado.

b) Jó busca significado nas ações de Deus (10.1-22). O capítulo 10 é uma continuação suave depois das observações do capítulo 9, embora haja uma transição para um assunto diferente. No capítulo 9, Jó afirma sua inocência apesar do fato de Deus parecer determinado a tê-lo como culpado. Não é de admirar que nessas circunstâncias ele se sinta completamente desamparado e desanimado em sua miséria. No entanto, Jó continua em sua busca de significado para a sua existência. Ele procura raciocinar logicamente naquilo que ele conhece acerca da natureza de Deus.

A reação inicial de Jó é de desespero. **A minha alma tem tédio de minha vida** (1), mas isso dá a ele uma certa medida de coragem. Ele não tem nada mais a perder. A morte apenas o libertaria do sofrimento. Ele diz: **Darei livre curso** ["Falarei livremente", RSV] **à minha queixa**. Assim, da **amargura da [...] alma** ele ousa questionar Deus em relação aos seus motivos ao tratar com seu servo. Jó sentia que seu sofrimento era uma evidência clara do desagrado de Deus em relação a ele. Deus o "tornou culpado" pelas suas aflições. Por considerar essa condenação arbitrária, Jó deseja conhecer a razão que Deus tem em contender com ele (2).

Ao dirigir-se ao Senhor, Jó argumenta que é ilógico Deus oprimi-lo e rejeitar **o trabalho das [...] mãos** [dele] (3). E Deus não favorece o **conselho dos ímpios**. Que prazer poderia Ele ter em destruir aquilo que Ele criou? Certamente o Todo-Poderoso sabia o que estava acontecendo. Era de conhecimento geral na época de Jó que Deus era espírito e não **carne**. Ele não era limitado pela visão do homem (4). A vida de Deus também não é medida **como os dias do homem** (5). Portanto, não é a pressão do tempo que faz com que Deus despenda um esforço tão grande em descobrir algum **pecado** na vida de Jó (6). Pelo contrário, Deus sabe muito bem que Jó **não** é **ímpio** (7). Por que então Ele deveria torturá-lo? **Ninguém há que me livre da tua mão,** repercute a reflexão anterior de Jó em relação ao seu desamparo. Jó chegou a um impasse em seu pensamento. Ele é pego sem a opção do escape em relação ao desagrado de Deus, o qual é inacessível. Deus o afligiu com um sofrimento horrível sem permitir que conhecesse a causa de uma ação tão contrária.

Em contraste com o tratamento estranho que Deus impõe a ele, Jó observa que foram as mãos de Deus que o **entreteceram** (8). A figura é de um oleiro moldando cuidadosamente o barro para criar sua obra de arte. Por que o Criador o faria tornar **ao pó** (9) do qual ele tinha sido tão cuidadosamente formado? Os versículos 10-12 falam da atividade de Deus em trazer Jó à vida —da concepção até a fase adulta (cf. Sl 139.13). Deus dá **vida e beneficência** (12) e Ele **guardou** o seu **espírito**. Jó lembra com nostalgia a bondade que Deus havia mostrado a ele no passado.

Jó então investiga o que ele considera o propósito secreto de Deus: **Estas coisas as ocultaste no teu coração** (13). Nos versículos 14-15, existem três situações hipotéticas para testar o caso: **Se eu pecar [...] Se for ímpio [...] E se for justo**. Jó não está fazendo nenhuma reivindicação para si mesmo. Na verdade, ele está dizendo que independentemente da sua conduta, seu destino é o mesmo. Isto o deixa **cheio de ignomínia** ("vergonha", NVI) com o aumento das suas aflições e pelo fato de que Deus parece caçá-lo como se ele fosse **um leão feroz** (16). As palavras **fazes maravilhas contra mim** não se referem aos prodígios providenciais e criativos de Deus, mas estão aí para atormentar-lhe e mostrar-lhe sua inimizade. Jó sente que as intenções de Deus são renovar suas pragas e aflições contra ele como um testemunho da sua culpa (17).

Com Deus agindo dessa maneira, Jó se pergunta por que Ele o trouxe à vida, ou por que não permitiu que Jó morresse imediatamente após o nascimento (18-19; cf. 3.11-16). Ele lembra a Deus que na melhor das hipóteses seus **dias** são **poucos** (20), e pede para que o seu atormentador o deixe sozinho, para que ele possa tomar um pouco de **alento** antes de morrer e ir para a **terra da escuridão**, para **nunca mais voltar** (21).

5. O Primeiro Discurso de Zofar (11.1-20)

Zofar, o dogmático, defende a justiça de Deus da mesma maneira que Elifaz e Bildade haviam feito. No entanto, nos capítulos 9—10 Jó foi bem mais explícito em suas afirmações de inocência do que ele tinha sido anteriormente. No capítulo 3, ele não alega sua inocência. Ele lamenta seu destino. Elifaz podia admitir a culpa de Jó sem fazer disso um caso. Nos capítulos 6—7 Jó, de forma casual, alega sua inocência enquanto se preocupa com outros assuntos. Bildade podia desconsiderar essas afirmações como sendo até certo ponto naturais mas sem importância. Mas nos capítulos 9 e 10 Jó fez afirmações fortes em relação à sua inocência. Ao fazê-lo, ele força os amigos a considerar essa questão de forma séria. Zofar sabe que ele deve responder à altura o questionamento de Jó. Seu discurso pode ser dividido em três partes: a) o pecado de Jó (11.1-6); b) a sabedoria de Deus (11.7-12); c) a exortação à humildade e ao arrependimento (11.13-20).[17]

a) O pecado de Jó (11.1-6). **Porventura, não se dará resposta à multidão de palavras?** (2). A pergunta é a defesa de Zofar ao falar a Jó. Isso provavelmente não é uma queixa contra um longo discurso da parte de Jó, mas contra as alegações irresponsáveis de Jó contra Deus. O que Elifaz e Bildade já disseram deveria ter dado a Jó motivo suficiente para parar e refletir acerca da sua forma errada de pensar. Isso, por sua vez, deveria ter produzido um silêncio respeitoso e humilde. Mas não foi esse o caso. Portanto, mais exortação se faz necessária. **O homem falador** é literalmente: "o homem de lábios". A insinuação é que Jó não poderia realmente estar falando sério nos seus discursos retóricos contra Deus. Suas palavras vêm dos lábios e não do coração. Conseqüentemente, as palavras de Jó são **mentiras** e zombaria (3).

Zofar dirige sua atenção à afirmação de Jó acerca de uma **doutrina** pura e da transparência no seu relacionamento com Deus (4). Ele concorda que seria ótimo se Jó pudesse ver seu desejo atendido e **Deus** falasse com ele (5). Mas se isso de fato acontecesse, o resultado seria bem diferente daquilo que Jó estava esperando. Em vez de ser perdoado, Jó descobriria que seu sofrimento atual era pequeno em comparação com a enormidade do seu pecado: **Deus exige de ti menos do que merece a tua iniqüidade** (6). Zofar não dá nenhuma prova de que essa acusação é verdadeira. Ele dogmaticamente faz a afirmação. O sofrimento de Jó vem de Deus, mas a atitude de Jó mostra que a extensão do castigo que ele recebeu não está de acordo com o grau do seu pecado.

b) A sabedoria de Deus (11.7-12). Zofar não crê que o homem possa descobrir a natureza de Deus (7). Jó tem questionado os motivos de Deus para tratá-lo tão "deslealmente", e ao fazê-lo ele tem procurado inquirir a respeito do caráter divino. A onisciência de Deus vai além das fronteiras dos **céus** e do **inferno** (*Sheol*; 8). Com isso Zofar afirma que Deus conhece todas as coisas na terra, as regiões acima da terra e as regiões abaixo da terra. O homem não consegue de forma alguma compreendê-lo em seu caráter ou em suas obras (7-9). Jó estava certo quando disse que ninguém **o impedirá** (10; veja 9.11-12) ou pode demovê-lo dos seus propósitos, quaisquer que sejam. Mas Jó acusou a Deus de não distinguir entre o justo e o ímpio ao lidar com os homens. Zofar não concorda com isso. Deus **conhece os homens vãos** (11). Ele não observa a ação do ímpio sem levá-la em consideração. Zofar então cita um antigo provérbio acerca da tolice:

> Mas um homem insano vai receber inteligência
> Quando um jumentinho selvagem nascer homem (Smith-Goodspeed).

Zofar, sem dúvida, aplicou-o à teimosia de Jó. O leitor moderno, no entanto, está mais inclinado a aplicá-lo a Zofar.

c) Exortação à humildade e ao arrependimento (11.13-20). Zofar foi insensível até aqui, a ponto de ser ríspido em seu tratamento com Jó. Mas ele não entregou os pontos em relação ao seu antigo amigo como se fosse um caso perdido. Ainda existe a oportunidade de Jó recuperar-se da sua terrível condição. Visto que ele está certo de que algum pecado cometido por Jó é a raiz da sua condição e que o sofrimento de Jó resulta desse pecado, a resposta é simples. Jó deveria estar aberto e humilhar-se em relação ao seu mau procedimento. Isso exige reparação, inclusive uma preparação apropriada do seu **coração** (13) para colocá-lo num relacionamento correto com Deus. **Estende as tuas mãos para ele** subentende súplica em oração para remover a **iniqüidade** da sua vida e do seu lar (13-14). Quando isso for feito, Jó estará apto a levantar o seu **rosto** sem **mácula** (15). Ele será considerado inocente diante de Deus. **Medo** e **miséria** serão esquecidos (15-16). Sua vida será mais radiante e alegre do que antes. Todas as causas do medo serão removidas, e em seu lugar haverá segurança e **esperança** em sua vida (17-19). Zofar pede para ele olhar **em volta**. **Muitos acariciarão o teu rosto** (19) significa: "Muitos procurarão o seu favor" (NVI).

6. *A Resposta de Jó a Zofar* (12.1—14.22)

Semelhantemente aos discursos anteriores de Jó, este é dirigido somente em parte aos seus três amigos. O restante do discurso é dirigido diretamente a Deus. A censura crescente dos seus amigos irrita Jó a ponto de empregar um sarcasmo mordaz em sua réplica a Zofar. Os amigos tinham reiterado, de forma piedosa, um conhecimento superior da sabedoria de Deus e da sua maneira de tratar os homens. Cada um, em seqüência, insistiu em que o sofrimento de Jó era uma prova suficiente do seu pecado. Jó se volta contra eles furiosamente e condena a maneira superficial de apresentarem as evidências. A sua apresentação tem sido superficial e tendenciosa. Suas opiniões não mostram sinceridade. Depois de castigar seus amigos, Jó novamente desafia Deus a encontrá-lo e responder às suas perguntas. O desafio fica sem resposta e Jó se afunda mais uma vez em melancolia acerca do destino do homem.

a) Jó zomba da sabedoria dos seus amigos (12.1-25). Jó se congratula sarcasticamente com seus amigos pela grande sabedoria deles: **Na verdade, que só vós sois o povo** (2). Eles defenderam as opiniões empregadas de modo geral durante grande parte do período bíblico. Jó foi forçado, pela sua própria experiência, a divergir dessa opinião. Em seu escárnio, ele declara que eles são a personificação da sabedoria; assim, quando eles morrerem, também **convosco morrerá a sabedoria**. O comentário severo de Zofar acerca das chances de Jó obter conhecimento (11.12) deve tê-lo machucado profundamente. Jó alega que ele já tem esse tipo de **entendimento** e que de forma alguma é **inferior** a eles (3). Mas, mesmo assim, isso não deve servir de motivo para orgulhar-se. **Quem não sabe tais coisas como estas?**

Os versículos 4-6 podem ser vistos como uma lista parcial daquelas coisas que todos conhecem. Primeiro, Jó se tornou "objeto de riso" (NVI) dos seus vizinhos. No entanto, ele tem invocado **a Deus** e tem sido um homem **reto**. Mesmo assim, ele tem sido objeto de riso (4). A segunda observação é que quando uma pessoa que já esteve em uma posição invejável "escorrega" ou sofre algum tipo de desgraça, então aqueles que ainda estão firmes o desprezam. Eles raciocinam que, já que Deus abandonou o desafortunado, por que eles não deveriam fazer o mesmo (5)? O significado de "**tocha desprezível**" não é claro. A ARA traduz assim: "... há desprezo [...] para os pés daqueles que já vacilam". O terceiro fato facilmente perceptível é que as **tendas dos assoladores têm descanso** (6). Aqui, Jó nega categoricamente que somente o homem reto prospera. Uma olhadela casual para a vida mostrará que é o ímpio que prospera.

Os amigos podem gabar-se do seu conhecimento, da sabedoria e do poder de Deus, mas todo aquele que pára para olhar ao seu redor vai descobrir essas verdades. Mesmo as criaturas da terra —as **alimárias** ("animais", NVI) do campo, as **aves dos céus** (7), os **peixes do mar** (8)— sabem que essas coisas são verdadeiras. O **espírito** ("fôlego", NVI) **de toda** humanidade (10) está nas mãos de Deus! Seu poder é completo. Toda a criação sabe disso, mas isso não quer dizer que somente os retos se beneficiam do seu poder sustentador. Os ímpios e mesmo formas de vida inferiores também dependem dele.

Bildade tinha recomendado a Jó, com insistência, que ouvisse a sabedoria que vem dos **idosos** (12). Nos versículos 13-25, Jó havia seguido esse conselho, mas não podia aceitar as conclusões deles. Parece-lhe que a história mostra Deus usando **sabedoria e a força** (13) indiscriminadamente. Se seguirmos a lógica dos amigos, então **juízes** (17), **reis** (18), **príncipes** (melhor: "sacerdotes"; 19), anciões e os chefes do povo certamente mereceriam a bênção não qualificada de Deus, mas a história não apóia essa teoria. Pelo contrário, existem exemplos de todos esses tipos de pessoas que passaram por sérias dificuldades. Deus os faz andar nas **trevas às apalpadelas, sem terem luz** (25). Retirados das suas posições elevadas, são levados a cambalear **como ébrios** em sua loucura.

b) Ficou provado que os amigos de Jó estavam errados (13.1-28). Jó aqui reafirma sua igualdade de conhecimento em comparação aos seus amigos: **Como vós sabeis, o sei eu também** (2). Ele observa que é melhor falar diretamente com Deus: **Eu falarei ao Todo-poderoso** (3). Os amigos, na verdade, são **inventores de mentiras** e são semelhantes a **médicos que não valem nada** (4). Diante dessas circunstâncias, a coisa mais sábia que eles poderiam fazer seria permanecer em silêncio (5)!

Na verdade, Jó acredita que o raciocínio dos seus conselheiros tem sido inerentemente perverso. Eles têm falado falsamente e alegado falar em nome de **Deus** (7), pervertendo, dessa maneira, a base da verdade. Além disso, eles têm se mostrado parciais — esse é o significado de **Fareis aceitação da sua pessoa?** ("Vão revelar parcialidade por ele?", NVI) — ao colocarem-se na posição de defensores da causa de **Deus** (8). Os amigos não tinham conhecimento da culpa de Jó por meio de informações de primeira mão. Ao julgarem entre ele e Deus eles já tinham decidido ficar ao lado de Deus com base em evidências superficiais e incompletas. Para Jó, esse tipo de raciocínio é a essência da hipocrisia. Para podermos acompanhar o pensamento de Jó, devemos lembrar que essas palavras são pronunciadas tendo como pano de fundo o seu desejo de encontrar um árbitro entre ele e Deus. Naquele momento, ele imaginava que seus amigos poderiam ocupar essa função, mas logo percebeu que eles já haviam se comprometido de forma imparcial com o seu Oponente. Conseqüentemente, eles não poderiam ser justos com ele.

Ao chegar a essa conclusão, Jó sabe que os amigos também estão em perigo. Se Deus os **esquadrinhasse** (9), certamente eles sofreriam uma repreensão severa por causa da sua parcialidade (9-10). Eles deveriam estar aterrorizados (11). As **memórias** deles —

os dizeres tradicionais da Antigüidade — **são como a cinza** (12) e seus argumentos são semelhantes a um escudo de **lodo** em vez de metal.

No versículo 13, Jó deixa de focar nos seus amigos e volta sua atenção para Deus. Os amigos recebem a seguinte instrução: **Calai-vos perante mim, e falarei eu** a Deus, independentemente do risco. Ele sabe que sua audácia pode resultar em completa destruição — **e poria a minha vida na minha mão?** (14) — mas ele está tão desesperado que o risco vale a pena. **Ainda que ele me mate** (melhor: "Eis que ele me matará", ARA; 15), expressa o ponto extremo a que sua vida chegou. **Nele esperarei** é uma das expressões mais sublimes registradas em versões tradicionais. Infelizmente, essa tradução não tem base no texto hebraico. Essa expressão foi tomada, com algumas modificações, das notas de rodapé dos massoretas. Precisamos admitir que o texto aqui é muito difícil de ser traduzido, mas a melhor tradução vem da RSV e de outras versões: "Eis que me matará; já não tenho esperança" (ARA). Jó não alimenta nenhuma esperança de que a sua vida e sorte possam ser restauradas. Apesar disso ele corajosamente insiste: **Contudo, os meus caminhos defenderei diante dele.**

Isto também será (16). Jó está se referindo ao fato de que ele está a ponto de declarar algo, em vez de se referir a Deus. Aquilo que deverá ser a sua **salvação** nessa situação é o fato de que um **ímpio** ou um hipócrita não se atreveria a chegar **perante** Deus e procurar defender a sua causa. Essa declaração se equipara com a grandiosidade do pensamento encontrada na tradução não tão precisa da KJV do versículo 15. Jó tinha perdido toda sua esperança pela vida, mas no momento em que chega a esse ponto mais baixo de desespero, ele vislumbra uma esperança. Sua firme convicção quanto à sua integridade o faz perceber que sua fé continua viva e que seu relacionamento pacífico anterior com Deus pode ser restaurado. Esse é o profundo anseio de Jó. É nesse ponto que Blackwood compara a experiência de Jó com a de Paulo, de acordo com Filipenses 1.29-26. Paulo sabia que Deus, na cruz de Jesus Cristo, havia levado o sofrimento do mundo sobre ele mesmo. Jó não havia alcançado esse conhecimento do interesse de Deus pelo homem. Em vez disso, ele o vê sentado sereno, intocado pela aflição humana.[18]

Jó está determinado a levar sua causa diretamente a Deus, se esse privilégio lhe for permitido, mas ele quer que seus amigos suspeitos prestem muita atenção: **Ouvi com atenção as minhas razões** (17). Jó tinha sido acusado de ser um mentiroso falastrão em suas afirmações de inocência (11.1ss.). Mas agora, como resultado da sua súplica a Deus, ele afirma: **Sei que serei achado justo** (18). No versículo 19 ele pergunta: **Quem é o que contenderá comigo?** Isto é: "Quem poderá se opor a mim com algum argumento válido para provar minha culpa?" Se existe prova contra a sua inocência, Jó está disposto a se calar e morrer.

Ao se voltar a Deus, depois dessa grande reafirmação de inocência, Jó faz um pedido para que duas coisas sejam concedidas a ele. Em primeiro lugar, ele pede para que Deus não o espante com o seu terror impedindo-o de falar (21; veja 9.34-35). **Desvia a tua mão** tem sido interpretado como: "Alivia a tua pesada mão" (Moffatt). Em segundo lugar, Jó pede para que Deus fale como ele (22). Com essas condições estipuladas, ele está pronto a defender a sua causa perante Deus.

Seu primeiro pedido a Deus é: **Notifica-me a minha transgressão e o meu pecado** (23). Ele indubitavelmente está se referindo aos pecados que são significativos o suficiente em número ou natureza para justificar o rigor da sua aflição. Jó aqui concorda com seus amigos em um ponto crítico: Deus é a causa do seu sofrimento. Os amigos acreditam que as más ações de Jó foram o motivo do castigo de Deus. Jó está certo de que essa não pode ser a causa; mas se for o caso, ele quer saber de Deus o que exatamente o torna culpado. Ao se sentir alienado de Deus, ele pergunta: **Por que escondes o teu rosto e me tens por teu inimigo?** (24). Ao usar as figuras de uma **folha arrebatada pelo vento** e o **restolho seco** (25), Jó mostra quão insignificante ele realmente se sente diante de Deus. Portanto, ele está surpreso porque Deus o persegue tão implacavelmente. O versículo tem sido traduzido da seguinte maneira: "Atormentarás uma folha levada pelo vento? Perseguirás a palha seca?" (Berkeley).

Por que escreves (26) significa escrever a sentença. Por que Deus age dessa forma contra ele? Seria devido a algum pecado esquecido da sua **mocidade**? Se esse foi o caso, então por que Deus esperou tanto tempo para castigá-lo? Do jeito que as coisas estão, Deus o tem cercado por completo. Seus **pés** estão **em cepos** (27); ele está sendo observado em todos os seus movimentos. A última parte do versículo 27 pode ser lida da seguinte forma: "O Senhor [...] colocou limites aos meus passos" (Berkeley). Jó refere-se a si mesmo na terceira pessoa na sua próxima afirmação: "Assim o homem [Jó] se consome como coisa podre" (28, NVI).[19]

c) *Homem frágil* (14.1-22). Jó continua sua linha de raciocínio em 14.1-6. Ele não só fica imaginando por que Deus se importa tanto com alguém tão insignificante quanto ele, mas agora ele percebe que toda a raça humana se encontra num estado tão deplorável que é surpreendente que Deus se importe excessivamente com qualquer um deles.

É a sina comum do homem, tão fraco ao nascer **da mulher,** experimentar **inquietação** (1) nos poucos dias que lhe são destinados. Sua vida é como o breve florescer da **flor**; **foge também como a sombra** (2) e não dura muito. Por que Deus deveria abrir seus **olhos** (olhar com tanto cuidado) **sobre este tal?** Deus é tão superior ao homem que é humilhante para Ele observar o homem tão de perto. Jó aplica esse fato para si mesmo, e questiona por que um exame tão minucioso deveria acabar conduzindo-o **em juízo** (3).[20]

Jó continua a refletir acerca da fragilidade geral do homem, e afirma que nenhum deles pode realmente ser **puro** diante de Deus (4). Visto que a vida (**os dias**) do homem é limitada de forma tão radical (5) por Deus, este deveria desviar-se dele, literalmente, "desviar dele o seu olhar". Deus deveria abrandar seu castigo persistente para que o homem pudesse pelo menos ter um pouco de repouso (contentamento) como **o jornaleiro** (o "trabalhador contratado", NVI ; 6) tem no seu dia.

O pedido por ao menos um breve período no qual o prazer pela vida possa ser experimentado está baseado na crença de que o homem não tem oportunidade de gozo após a morte. O homem não é como uma **árvore** (7) que torna a brotar mesmo que seja cortada próxima do chão. Embora a **raiz** esteja envelhecida **na terra** (8), no entanto, **ao cheiro das águas** (9) **brotará** um novo rebento e, dessa forma, será restaurada à vida. Não é o que ocorre com o homem. Quando ele morre, ele se foi. O homem **é consumido [...] como as águas se retiram do mar** (10-11). Qualquer lago ou local com um pouco de água poderia ser descrito como "mar". Em climas quentes e áridos, essa água evaporava rapidamente e secava. O homem é como o rio (ou ribeiro) que **se esgota e fica seco**. O versículo é uma figura gráfica descrevendo uma extinção completa. **Assim o homem se deita** (12), como se estivesse dormindo e nunca mais se levanta. Muitos dos costumes de sepultamento dos tempos antigos indicam algum tipo de esperança ou consciência de existência além-túmulo, e isso pode ser confirmado em outros textos do Antigo Testamento. No entanto, Jó aqui nega que ele nutra esse tipo de esperança em relação ao homem. Sempre devemos nos lembrar que foi Cristo que finalmente "trouxe à luz a vida e a incorrupção, pelo evangelho" (2 Tm 1.10).

Tendo negado qualquer tipo de esperança de o homem poder viver novamente, Jó de imediato expressa o profundo desejo de que isso seja verdade. Se Deus pudesse me esconder **na sepultura** (13) e me ocultasse, talvez a sua ira se desviaria. Depois disso, talvez, Deus pudesse se lembrar dele novamente com bondade. Com certeza Deus, que pode rejuvenescer uma árvore, poderia trazer um homem de volta da sepultura. Uma semente de esperança estava plantada no sofrimento de Jó.

Para entender esses versículos é importante lembrar a compreensão hebraica da morte. Para eles a morte não representava a cessação da vida. Havia um tipo de existência, ainda que debilitada e indesejada. O homem não estava vivo, mas ele não havia deixado de existir. Ele estava inteiramente cortado dos viventes e de Deus (veja 3.12-19; 10.12-22; 14.20-22). Em outros textos do Antigo Testamento lemos que o poder da morte é vencido por Deus em favor daqueles que confiam nele. (Veja Sl 16.10; 49.15; 73.23-26). O salmista fala de um relacionamento certo e seguro com Deus. Jó fala do medo de que Deus o tenha rejeitado e que a ira divina vá persegui-lo até o túmulo.[21]

A pergunta de Jó: **Morrendo o homem, porventura, tornará a viver?** (14) é ambivalente no sentido de que nela estão contidas tanto a dúvida como a esperança. Se Jó ousava ter esperança de uma vida além-túmulo, ele suportaria sua condição presente e esperaria pelo chamado de Deus (15). Mas Jó ainda não é capaz de elevar-se acima do seu dilema imediato e fortalecer a sua confiança no fato de que Deus se importa com ele. Portanto, ele se entrega mais uma vez ao desespero que insiste em tomar conta dele em decorrência da tragédia da sua vida. Parece que Deus conta os seus **passos** (16). É como se Deus tivesse registrado por escrito todas as transgressões de Jó e selado **num saco** (17), para serem reveladas no tempo do julgamento. Quando até a **montanha** e **a rocha** (18) desmoronam, qual é a esperança do frágil homem? Nenhuma, porque Deus prevalece **contra ele** (20). Ele morre e perde contato com os viventes, não sabendo da **honra** ou da perda que pode vir sobre **seus filhos** (21). Seu destino é sofrer **dores** e lamentar (22).

B. O Segundo Ciclo de Discursos, 15.1—21.34

No primeiro ciclo dos discursos os amigos interpretaram de forma equivocada a causa do sofrimento de Jó, e eles entenderam de forma errada a atitude de Jó em relação ao seu sofrimento. Eles o exortaram severamente a ter uma atitude de humildade e arrependimento porque acreditavam honestamente que ele não estava aquém da ajuda de Deus. O conselho deles se baseava na experiência que para eles havia se mostrado verdadeira repetidas vezes.

Mas a insistência fervorosa de Jó em defesa da sua inocência os convenceu de que ele estava acrescentando intolerância, se não blasfêmia, ao seu suspeito pecado oculto. Eles agora estão convencidos de que estão lidando com um homem teimoso e orgulhoso que não mediria esforços para justificar-se a si mesmo. A partir desse ponto, é necessário o uso de uma linguagem franca e convincente. Precisa ficar claro para Jó que ele é o tipo de pessoa ímpia que eles haviam descrito em termos gerais. Talvez dessa forma eles serão capazes de despertar a sua consciência para que ele possa enxergar-se diante da verdadeira luz. Essa segunda rodada do diálogo é dura e, às vezes, cruel, à medida que os amigos procuram derrubar as defesas de Jó.

Se Jó não convenceu seus críticos, pelo menos reforçou sua própria convicção em relação à sua inocência. Ele está certo de que o ataque de Deus sobre ele tem sido injustificado. Por isso, ele responde em termos igualmente ásperos em relação à crítica dos seus amigos. Talvez ele tivesse a esperança de que o seu protesto de inocência convenceria seus amigos da sua integridade. Quando isso falha e seus conselheiros estão ainda mais certos da pecaminosidade dele, Jó desce a um nível mais profundo de desespero. Muito do que ele fala nesse segundo ciclo reflete o seu sentimento de que tanto Deus quanto o homem o abandonaram. No seu último discurso ele volta sua atenção para o argumento que os amigos usaram contra ele e reage à posição que eles defendem.

1. O Segundo Discurso de Elifaz (15.1-35)

Elifaz, como antes, toma a iniciativa na discussão. Ao fazê-lo, ele estabelece o padrão do discurso para os outros membros do grupo. Ele usa o último discurso de Jó (caps. 13—14) para mostrar de que maneira Jó caluniou seus amigos e foi completamente irreverente em relação a Deus. Isso o convence de que Jó é ainda mais ímpio do que ele havia suspeitado anteriormente. Portanto, Elifaz descreve o destino dos ímpios, na esperança de que ele possa chocar a Jó e este se torne sensível em relação à avaliação de sua condição.

Um homem **sábio** (2), como Jó afirma ser, não deveria responder com idéias vãs. Em vez de falar do coração — o lugar da inteligência e entendimento — Jó encheu **seu ventre de vento oriental** — um vento violento, quente e destruidor. Jó tem usado **palavras que de nada servem** e **que de nada aproveitam** (3). Como resultado, o **temor** (4) de Deus e a **oração** a Deus, que são a essência da religião, são destruídos. Dessa maneira, por meio das suas palavras Jó tem feito mais para condenar a si mesmo do que qualquer um dos argumentos dos seus amigos. Elifaz comenta: **A tua boca te condena; e os teus lábios testificam contra ti** (6). Ele acredita que os argumentos que Jó usou em 12.6 eram meramente pretextos astutos para encobrir sua culpa.

Jó também afirmava possuir uma sabedoria igual ou superior à dos seus amigos. Elifaz sarcasticamente pergunta acerca da base de sua afirmação: **És tu, porventura, o primeiro homem que foi nascido?** (7). Jó havia admitido que a sabedoria vinha com a idade (12.12). Ironicamente Elifaz pergunta se Jó se considerava um ser especial, alguém que ouviu **o secreto conselho de Deus** (8) no princípio dos tempos. Ele também pergunta: **A ti somente limitaste a sabedoria?** A sabedoria aqui referida é a sabedoria divina. Será que Jó, como membro do conselho celestial, tinha acesso ao conhecimento dos mistérios de Deus? Elifaz responde à pergunta que ele mesmo levantou, concluindo que Jó, na verdade, não é mais sábio do que eles: **Que sabes tu, que nós não saibamos?** Na verdade, existe alguém no meio deles (seria o próprio Elifaz?) que tem idade para ser o **pai** de Jó (10). Se existe uma relação entre idade e sabedoria, então existe alguém muito mais sábio do que Jó. Elifaz também afirmou em seu primeiro discurso ter recebido sabedoria por meio de revelação divina (4.12-17). No versículo 11 ele pergunta: "Porventura, as consolações de Deus são triviais demais para você, ou as palavras que te tratam de forma delicada?" (Berkeley). Com que base Jó escolheu descartar tal conselho?

Em seguida, Elifaz deixa de lado a afirmação de Jó ter sabedoria superior e o repreende pela sua atitude irreverente em relação a Deus: **Por que piscas os teus olhos?** (12). Melhor seria: "eles brilham como um sinal de temperamento". Na expressão: **Para virares contra Deus o teu espírito** (13), "espírito" pode ser traduzido por "fôlego", significando ira ou furor (Jz 8.3; Pv 16.32). Nem mesmo o homem comum, **que nasce da mulher** (14), é capaz de ser **puro** aos olhos de Deus; quanto menos Jó, **que bebe a iniqüidade como a água** (16). Elifaz declara: "Eis que Deus não confia nem nos seus santos; nem os céus são puros aos seus olhos" (15, ARA). Portanto, de que maneira pode Jó estar puro?

Após classificar Jó como um homem iníquo, Elifaz prossegue em descrever o destino dos ímpios. Os versículos 17-19 formam uma declaração introdutória difícil que Moffat traduz da seguinte maneira:

> *Escute-me, deixe-me dizer o seguinte:*
>   *deixe-me relatar o que aprendi —*
> *uma verdade que homens sábios transmitiram,*
>   *que receberam dos seus pais,*
> *a quem foi dada a terra e a mais ninguém,*
>   *que não recebeu a influência de estrangeiros.*

Todos os dias o **ímpio** sofre tormentos (20). A última parte do versículo 20 é obscura. A ARA a associa à primeira parte do versículo: "Todos os dias o perverso é atormentado, no curto número de anos que se reservam para o opressor". **O sonido dos horrores** (de terror) constantemente **está nos seus ouvidos** (21); **sobrevém o assolador** (o ladrão). Ele vive em constante medo e perigo (22). A **angústia e a tribulação [...] prevalecem contra** aquele que persiste na iniqüidade, como se fossem um exército preparado para a peleja (24). Esses homens têm desprezado a Deus e têm se entregado completamente a prazeres sensuais em sua resistência teimosa a Ele. Moffat esclarece esse texto da seguinte forma:

> *Porque ele desafiou a Deus,*
>   *ele se equiparou com o Todo-Poderoso,*
> *agindo de forma arrogante contra ele,*
>   *por detrás de escudos sólidos —*
> *tão inchado de prosperidade,*
>   *tão inchado em sua riqueza.*
> *Ele reconstruiu cidades para si mesmo,*
>   *lugares em que nenhum homem há de morar (25-28).*

Mas nenhuma dessas rebeliões será bem-sucedida, porque o ímpio não terá permissão para florescer sobre a **terra** (29). **Trevas** e destruição vão tragá-lo (30-31). A morte do ímpio se consumará **antes do seu dia** (32), como a queda de **uvas verdes** (33) ou como a **oliveira** cujos frutos não amadurecem por causa do ataque de algum tipo de ferrugem. É impossível os **hipócritas** (34) prosperarem na economia de Deus. "Eles concebem maldade e produzem iniqüidade; seus corações geram engano" (35, Berkeley).

Assim, a prosperidade do ímpio é apenas aparente. Promessas de sucesso não se cumprem. Sua vida é cortada antes de se tornar completamente bem-sucedida.

2. *A Resposta de Jó* (16.1—17.16)

Somente parte desta resposta a Elifaz, de forma semelhante às outras, é dirigida diretamente aos amigos. Jó também se dirige a Deus, e também há um tipo de conversa introspectiva que Jó tem consigo mesmo. O apelo prévio de Jó a Deus (13.20-28) permaneceu sem resposta. Deus aparentemente recusou-se a responder a Jó ou revelar-se a ele. Jó tinha a esperança de que seu apelo honesto aos céus convenceria seus amigos da integridade dele. Em vez disso, ele é acusado do uso astuto das palavras para ocultar o seu pecado (15.5-6). Elifaz tenta convencer Jó de que seus amigos o abandonaram, e Jó reage com ira, movido por profunda dor.

Todos vós sois consoladores molestos (2) significa literalmente: "confortadores atormentadores". Eles acrescentam mais aflição sobre Jó, além daquelas que ele já possui, em vez de ajudar por meio de compaixão e compreensão. Suas **palavras de vento** (3) não têm **fim**. Eles persistem em machucá-lo mais. Ele tem dificuldade em entender o que leva Elifaz a continuar falando, visto que não tem nada de valor a acrescentar (cf 13.5).

Com desdém Jó afirma que seria fácil amontoar **palavras** (4) contra seus amigos se a situação deles fosse revertida. O versículo 5 provavelmente deve ser lido como uma continuação do sarcasmo de Jó. Se Jó estivesse no lugar deles, poderia proferir palavras superficiais em relação à amizade deles ao pronunciar palavras insinceras de condolência. Quer Jó fale ou esteja em silêncio, a sua dor continua, por isso ele pode falar francamente a respeito do seu sentimento (6).

Por meio de um monólogo, Jó mais uma vez descreve a condição patética que a aversão de Deus por ele produziu. Deus o **molestou** (7), isto é, Ele o esgotou. A perseguição implacável de Deus acabou com **toda a minha família** (7). Mesmo seus melhores amigos estão agora alienados dele. Seu estado **enrugado** e sua **magreza** (8) testemunham contra ele. As desolações da enfermidade são óbvias e são interpretadas por aqueles que o vêem como evidências da sua culpa. Essas declarações são um eco da atitude mostrada pelos confortadores de Jó e são exatamente o tipo de evidência que eles usaram para condená-lo. A hostilidade de Deus é descrita mais adiante como uma fera que despedaça sua rapina e range **os dentes contra mim** (9). Smith traduz a expressão **aguça [...] os olhos** por: "Meu inimigo me fuzila com seus olhos" (Smith-Goodspeed).

A figura muda de feras para homens que **abrem a boca contra** Jó com escárnio e **feriram** seu rosto em seu ódio (10). Assim, Deus entregou Jó **nas mãos dos ímpios** (11). Quando estava **descansado** (12) Deus **pegou-me pelo pescoço**, como um cachorro sacode um rato. **Flecheiros** (13) o usaram como alvo até que derramaram seu **fel** (bílis) **pela terra**. "O oriental fala da bílis e da vesícula quando nós nos referimos ao sangue e ao coração".[22] Deus é descrito como um **valente** gigante (14) que desfere **golpe sobre golpe** contra Jó, como um exército derruba os muros de uma cidade sitiada. Conseqüentemente, Jó, em completa humilhação, costura uma veste de pano de saco (15). **Revolvi a minha cabeça no pó** pode ser interpretado como "curvou a minha glória no pó" (Moffat). Seu **rosto está todo descorado** (vermelho ou inchado) **de chorar** (16) pela humilhação e desesperança da sua condição.

Mais uma vez, depois de expressar o seu pesar, Jó parece animado o suficiente para renovar sua reivindicação básica: todo esse mal tem acontecido com ele, **apesar de não haver violência nas minhas mãos** (17). Conseqüentemente, ele clama: **Ah! terra, não cubras o meu sangue** (18). O sangue derramado clama por vingança (Gn 4.10-11) até que seja devidamente coberto (Ez 24.7-8). Embora Jó não esteja sendo assassinado, ele acredita que sua morte é injustificada e quer que seu **clamor** por justiça continue sendo ouvido: "Que [...] continue atravessando o mundo" (Moffat). Embora pense que vai morrer, ele aguarda a justiça.

O clamor de Jó por vindicação parece despertar esperança dentro dele, e ele afirma que tem uma **testemunha no céu** e o seu **fiador** está **nas alturas** (19). Mais tarde (19.25) Jó fará um apelo mais forte a Deus pela sua vindicação. No momento, ele é capaz apenas de expressar o desejo de ter alguém intercedendo por ele junto a Deus, **como o filho do homem pelo seu amigo** (21). Ele espera viver apenas **poucos anos** (22) antes que a morte o alcance —"o caminho por onde não voltarei" (Berkeley).

O capítulo 17 continua o pensamento do final do capítulo 16. **O meu espírito se vai consumindo** é melhor traduzido por: "Minha vida está destruída". A palavra hebraica (*ruach*) ocasionalmente traz consigo a idéia de fôlego, mas é um termo que tem a ver com a essência da própria vida. Paralelamente a esse pensamento, Jó acrescenta que seus **dias se vão apagando, e só tenho perante mim a sepultura** — isto é, a sepultura o espera (1).

Jó está consciente do fato de que os **zombadores** (2; seus amigos) estão de olho nele enquanto ele vai morrendo lentamente. Quanto mais perto ele chega da morte, mais certos eles estão de que estavam corretos no diagnóstico do seu caso. A ARA traduz a última parte do versículo 2 assim: "Os meus olhos são obrigados a lhes contemplar a provocação". Jó não consegue seguir o conselho ilusório deles. Ele se volta a Deus mais uma vez e faz um apelo adicional para ajudá-lo a alcançar um pouco de satisfação que ainda possa estar disponível para ele.

Seu pedido é que Deus seja seu fiador. **Promete agora** (3) significa: "Dá-me a garantia" (Berkeley). **Dá-me um fiador para contigo** expressa a mesma idéia, enquanto dar **a mão** era uma forma de selar um acordo. Fazer promessas e escrever uma carta de fiança eram ações que tinham fortes implicações para o futuro. Essa confiança ainda não está pronta para florir, mas as sementes de esperança haviam sido plantadas.

No contexto imediato, Jó deseja que Deus confunda seus amigos pela recusa obstinada de eles reconhecerem a integridade dele. Eles não têm **entendimento** (4) e, de alguma maneira, o têm traído (5) "por um preço" (Berkeley). Eles também fizeram dele um **provérbio** (acrescentado à sua reputação negativa) entre **os povos** (6). A ARA traduz a última parte do versículo 6 da seguinte forma: "tornei-me como aquele em cujo rosto se cospe". Como resultado desse abuso, os **olhos** de Jó **se escureceram de mágoa** (7) e ele é consumido.

No entanto, Jó acredita que ainda existe alguma justiça moral. **Os retos** (8) no mínimo mostrarão surpresa com o estado das coisas, e **o inocente se levantará contra o hipócrita**. Homens como Jó, que são verdadeiramente justos (9), não permitirão ser balançados em suas convicções. Como conseqüência, o homem que é reto e **puro** deverá crescer **em força**. Jó dá passos largos em direção à confiança na esfera moral!

Tendo estabelecido essa verdade, ele se volta para seus amigos e os convida a voltar (tornai; 10) — uma palavra freqüentemente traduzida por "arrepender". Mas, quando ele estende o convite, percebe que não existe nenhum amigo **sábio** o suficiente para beneficiar-se dos seus conselhos.

Mais uma vez Jó se afunda na melancolia em virtude de sua condição. Seus **dias passaram** (11) e seus "planos" (NVI) são malogrados. O hebraico do versículo 12 é obscuro mas parece expressar frustração e desespero.

> *A noite é dia para mim,*
> *e luz é escuridão (Moffatt).*

Jó não pode fazer nada além de esperar pela sepultura (13) e aceitar os **bichos** (vermes) da decomposição como se fossem seus familiares mais próximos (14). Mesmo a **esperança** de que ele conseguiu se recompor interiormente (8-9) é inútil, porque **quem a poderá ver?** (15). Jó e sua esperança terão **descanso juntamente no pó** (16). O abismo é o *Sheol*, o sepulcro.

Jó volta à sua primeira conclusão. Sua vida está destruída de forma tão completa e a sua saúde está tão debilitada que sua única esperança é fazer do *Sheol* o seu lar. Ali, pelo menos, ele poderá encontrar um pouco de paz e descansar do seu sofrimento físico e da sua angústia espiritual.

3. O Segundo Discurso de Bildade (18.1-21)

Bildade, como tradicionalista, sente-se desconfortável quando suas respostas "convenientes" às perguntas levantadas por Jó não são aceitas. Ele fica ainda mais perturbado quando uma verdade "auto-evidente" é contestada, demonstrando que ela não tem nada de "auto-evidente".

No último discurso de Jó ele não tinha sido amável com seus amigos. Ele os tinha chamado de confortadores grosseiros e inoportunos. Eles tinham sido, de acordo com Jó, zombeteiros e desdenhosos, além de serem cegos e privados de entendimento. Na verdade, nenhum deles havia apresentado sabedoria alguma.

A atitude ímpia de Jó era uma outra questão que incomodava Bildade. Jó havia acusado Deus de tratá-lo como um animal, rasgando-o em pedaços com ira injustificável.

Bildade trata brevemente dessas acusações duras (18.1-4) e então prossegue em descrever com alguns detalhes o destino certo dos ímpios (5.21). Ao contrário do que faz no primeiro discurso, aqui Bildade não convida Jó a se arrepender e apresentar uma atitude humilde. Bildade parece estar convencido de que não há esperança para o caso de Jó. Para ele, Jó é um excelente exemplo de uma pessoa ímpia que ele descreve. A desgraça de Jó obviamente confirma sua acusação.

Até quando usareis artifícios em vez de palavras? (2) significa literalmente: "preparais armadilhas por meio de palavras". Bildade acredita que Jó tem buscado argumentos, de forma tão exaustiva, que ele não tem produzido nada além de meras palavras. **Considerai bem** significa: "pensai a respeito da situação com cuidado", **e, então, falaremos**, para podermos chegar a uma compreensão correta.

Jó trata seus amigos **como animais** e **imundos** (3; cf. 17.4,10). Bildade quer saber por que Jó os difama dessa forma. A alusão a **imundos** é provavelmente uma acusação de tolice em vez de impureza, porque Jó não havia acusado seus amigos de serem sujos. A menção de animais o faz lembrar que Jó havia acusado Deus de despedaçá-lo como um animal (16.9). O fato, na verdade, é o contrário, porque é o próprio Jó que se despedaça a si mesmo (4) na sua ira fervorosa contra Deus. Esse tipo de revolta só serve para destruir o homem que pronuncia esse tipo de palavras. Além disso, quem Jó pensa que é? **Será a terra deixada por tua causa? Remover-se-ão as rochas do seu lugar?** Essas expressões são geralmente interpretadas como símbolos usados para descrever o universo moral. Será que o princípio fundamental do castigo pelo pecado seria anulado para que Jó pudesse manter sua retidão? (Cf. Lv 26.43; Is 6.12).

Na mente de Bildade essas perguntas somente merecem um tipo de resposta. Não há por que se alongar nesse assunto. Jó é culpado. Seu sofrimento prova sua impiedade. Só lhe resta pintar uma imagem sombria do destino do pecador. É o que Bildade se compromete a fazer. Ele traça a queda do iníquo em cinco estágios:

a) A escuridão o assola (5-6).
b) Laços são colocados diante dos seus pés (7-11).
c) Ele é entregue ao rei dos terrores (12-15).
d) Seu nome e memória são apagados da terra (16-19).
e) Ele se torna um símbolo de horror para outros homens (20-21).

A luz é usada universalmente para simbolizar vida, vitalidade, calor e alegria. Aqui Bildade declara: **A luz dos ímpios se apagará** (5). As figuras usadas são de habitantes em tendas nômades. A faísca "do seu fogo" (NVI) e da **lâmpada** (6) em sua tenda se apagará. O Senhor diz por intermédio de Jeremias: "E farei perecer, entre eles, a voz de folguedo, e a voz de alegria, e a voz do esposo, e a voz da esposa, e o som das mós, e a luz do candeeiro" (Jr 25.10). Bildade concorda em que essa é a conseqüência da maldade. Uma pessoa como essa só pode ficar tateando no escuro enquanto anda no caminho que está cheio de obstáculos, **e o seu próprio conselho** (7; julgamento falso) o leva à queda.

Bildade acrescenta figura após figura para descrever o resultado da iniqüidade. Existe uma **rede** escondida para apanhar o pecador **por seus próprios pés** (condutas perversas; 8-10). Veja os vários termos usados para agarrar um homem: a **rede**, o **laço**, a **corda** e a **armadilha**. Por isso, os **assombros** (11) o fazem correr de uma parte para outra. Ele não pode mover-se sem ser apanhado. Mesmo parado em silêncio, é aterrorizado por aquilo que irá acontecer com ele.

O seu poder será faminto (12), isto é, desvanecido da mesma maneira como ficamos fracos devido à fome. A **morte do primogênito** (13) é uma descrição da epidemia que acometerá o homem que persistir em praticar o mal. Quando essas epidemias atacam, a confiança do homem perverso é destruída. Nem mesmo na sua própria tenda (14; tabernáculo) ele encontrará consolação. A aplicação pessoal dessas alusões dificilmente pouparia a Jó. Como se Bildade estivesse deliberadamente descrevendo o que acontecerá a Jó.

Bildade retorna à figura usada em 8.15, em que o indivíduo procura encostar-se à sua casa. O **rei dos terrores** (14) é a morte. O estrangeiro, **aquele que nada lhe era** (15), morará em sua tenda depois de ser desinfetada pelo **enxofre**. Ou, talvez, o enxofre seja uma figura de completa desolação — um sinal da maldição de Deus que faz com que sua habitação se torne imprópria para moradia para sempre. Também pode ser o lembrete do fogo de Deus que destruiu o gado de Jó e os servos que cuidavam dele.

Bildade vai mostrando o destino do homem mau até chegar à beira da morte. Existe mais ainda? Sim! Sua memória e sua raça também serão apagadas. **As suas raízes e os seus ramos** (16) serão destruídos. Jó havia recebido apenas uma fagulha de esperança quando refletiu acerca daquela árvore cortada junto ao chão que tinha condições de reviver novamente. Bildade faz questão de que Jó entenda que não existe esse tipo de esperança para ele. O **nome** desse ímpio não será mais lembrado **pelas praças** (17). A sua **memória perecerá**. De várias formas, essa é a pior sorte que pode acometer um oriental. O ímpio, e tudo que pertence a ele, é banido **do mundo** (18) sem **filho** ou outros parentes remanescentes (19). Essas declarações, sem dúvida, lembram Jó da perda dos seus filhos e filhas.

A essa altura deveríamos pensar que Bildade tivesse esgotado a lista de horrores que acometem o pecador, mas ele acrescenta mais um a essa lista. Os **vindouros [...] serão sobressaltados de horror** (20) com a sua queda completa e o usarão como exemplo alarmante das conseqüências da maldade. Bildade parece ter esquecido que ele havia acabado de dizer que os maus não seriam mais lembrados.

A descrição de Bildade segue o curso das dificuldades de Jó de forma tão precisa que somos tentados a concluir que ele conscientemente usou Jó como seu modelo. Se esse de fato foi o caso, a última parte do seu discurso é uma predição direta do que vai acontecer em breve com Jó. A morte de Jó é tudo que precisa ocorrer para encerrar a questão e provar decisivamente que Bildade tinha razão.

4. *A Resposta de Jó para o Segundo Discurso de Bildade* (19.1-29)

O discurso de Bildade foi implacável na sua denúncia de Jó. Na primeira série do diálogo, todos os três amigos concordam em que existe um remédio para o dilema de Jó. Mas agora a situação mudou. Quando falta apenas Zofar falar na segunda série de discursos, fica claro que os amigos concordam em que Jó é terrivelmente culpado em suas más ações. Jó ainda é capaz de reagir com algum ardor ao cinismo deles, mas isso, no fim das contas, dá lugar a um grito de profunda angústia (19.21). Ele, mais uma vez, é impelido ao desespero extremo, mas, mesmo assim, encontra algo dentro dele que se recusa a admitir que ele será completamente abandonado por Deus. Jó naquele momento estava abandonado por Deus e pelo homem, mas no futuro Deus apareceria para vindicá-lo.

No início da sua resposta a Bildade, Jó reclama da atitude indelicada dos seus amigos. **Até quando entristecereis a minha alma?** (2). Mas existe algo que vai além do aborrecimento. A condenação dos amigos ameaça quebrá-lo em pedaços. Jó se sente esmagado. Eles não só falharam em aliviar a sua dor com o consolo deles (16.4-6), mas, na verdade, aumentaram-na. Se Jó tivesse aceitado a interpretação deles quanto à sua condição, ele aceitaria a solução proposta por eles de se arrepender. Mas, visto que ele não fez nada do que tenha de se arrepender, a repetida condenação deles apenas aumenta ainda mais a sua carga. Essa expressão **Já dez vezes** (3) não pode ser entendida literalmente, mas simboliza um número redondo com a finalidade de expressar repetidas repreensões anunciadas contra ele. A parte final desse versículo é obscura, mas Smith vê um significado concordante com a disposição de ânimo de Jó, ao traduzi-lo da seguinte forma: "Vocês me trataram mal de maneira desavergonhada" (Smith-Goodspeed).

O versículo 4 é obscuro. No entanto, com base nos tipos de declarações que Jó fez até esse ponto, as palavras devem ser entendidas como uma negação adicional às ofensas que seus amigos têm lançado contra ele. A segunda cláusula **Comigo ficará o meu erro** pode significar que qualquer erro que Jó tenha cometido é tão insignificante que não deveria preocupar a ninguém mais do que a ele mesmo. Deus não poderia estar preocupado em castigá-lo por infrações tão insignificantes da sua parte, e os amigos deveriam, por sua vez, preocupar-se com a sua própria vida.[23]

Seja como for, Jó deseja que seus amigos saibam que ele concorda com eles em um ponto fundamental: **Sabei agora que é Deus que me transtornou** (6). Mas ele não concorda que a ação de Deus contra ele seja justificável. Jó diz que clama: **Socorro! Mas não há justiça** (7). Deus o afligiu de uma forma completamente injustificada. Ele contesta as afirmações feitas por Bildade em 18.8 de que os próprios pés de Jó o levaram a cair na armadilha. Em vez disso, ele afirma que Deus o cercou **com a sua rede** (6), isto é, lançou uma rede ao seu redor.

Dessa posição, Jó prossegue descrevendo a severa hostilidade que Deus tem mostrado a ele. A figura no versículo 6 retrata Jó sendo apanhado numa armadilha (rede) como um animal desamparado. Quando ele clama por ajuda, não existe ninguém que lhe responda, nem mesmo Deus (7). Não existe possibilidade de escapar, porque Deus **entrincheirou** o seu **caminho** e criou densas **trevas** (8). Deus tirou dele a sua **honra** e a sua **coroa** (9). Esses termos estão relacionados com justiça e piedade (veja 29.11). Talvez **honra** (glória), e sua associação com o esplendor, seja um contraste consciente com as trevas que Jó acabou de descrever. Quando isso é tirado dele, a sua reputação de ser um homem reto é destruída, e ele é considerado um pecador pelos seus amigos e vizinhos. A **esperança** de Jó foi removida **como uma árvore** (10) que havia sido arrancada pelas raízes. Se a árvore tivesse sido cortada, poderia haver a esperança de que ela voltasse a crescer (14.7), mas, nesse caso, ela é descrita como sendo completamente destruída.

Em seguida, Jó descreve Deus como um inimigo vingativo que investe contra ele como um exército que cerca o seu acampamento. Os ataques já foram tão severos que Jó está quase aniquilado, e seus recursos estão se esgotando. A pergunta é: Quanto mais ele terá condições de suportar? (11-12). Nesse ponto, Jó esquece que ele já revelou em diversas outras ocasiões o seu desejo de morrer e terminar com esse sofrimento.

A hostilidade de Deus destruiu os contatos humanos de Jó. As pessoas o estranham e ele é abominado por elas. Isso se torna uma das mais profundas dores da sua experiência. A descrição vem de vários relacionamentos que um homem desfruta e dos quais depende e, finalmente, conclui com um clamor triste: **Compadecei-vos de mim, amigos meus, compadecei-vos de mim** (21).

O termo **irmãos** (13) não é necessariamente uma referência a parentes sangüíneos, mas possivelmente a membros da sua comunidade. **Os que me conhecem** é usado de forma semelhante ao uso moderno de "conhecidos". **Parentes** e "amigos" (14, NVI) são aqueles que estão mais próximos dele. **Os meus domésticos** ("Os que se abrigam na minha casa", 15, ARA) são seus convidados, enquanto as **servas** são suas escravas. Todos eles, além do seu **criado** (16) e os "filhos da minha mãe" (17, seguindo a ARA, visto que os filhos de Jó já estão mortos) se alienaram dele e o desertaram no seu tempo de provação. Até sua **mulher** está incluída na lista. **O meu bafo se fez estranho a minha mulher** (17). A palavra traduzida por **bafo** (*nephesh*) é freqüentemente usada no sentido reflexivo, referindo-se ao próprio indivíduo. Essa é uma outra maneira de Jó descrever a atitude da sua mulher em relação a ele. Ela tinha se desesperado com a vida de Jó. Na verdade, ela já o aconselhara a "amaldiçoar a Deus e morrer" (2.9). **Rapazes** ("crianças", ARA, 18) e **homens do** seu **secreto conselho** (19) o abominam pela assolação da sua enfermidade (20). Não é de admirar que Jó se sinta completamente desolado e clame de forma tão lamentosa: **Compadecei-vos de mim, amigos meus** (21). Será que é necessário que eles o tratem **como Deus** o está tratando? Por que eles não podem se fartar (22) com o que já foi feito e parar com suas acusações dolorosas?

Nesse momento da sua vida, diante de mais um ponto baixo na sua experiência, Jó mais uma vez olha para o futuro. Ele gostaria que suas **palavras se escrevessem** (23), para que as gerações posteriores pudessem ouvir seus protestos de inocência. Uma escrita comum não seria suficiente. Isso precisaria ser feito com uma **pena de ferro e com chumbo** na **rocha** (24), para que permanecesse **para sempre**.

Pensar em uma testemunha duradoura faz com que Jó alcance a maior compreensão até então na busca por significado da sua situação. Ele repentinamente percebe no fundo do seu ser que tem um **Redentor** vivo (25). A palavra é *goel*, que normalmente se refere ao parente mais próximo. Essa pessoa se incumbe de vingar o sangue no caso de um assassinato; ele "redime" o estado do homem morto, ou ele se responsabiliza para que a posteridade do irmão morto continue por meio do levirato. (O levirato era uma instituição matrimonial dos hebreus que impunha à viúva casar-se com o irmão do falecido marido.) Assim, ele é o defensor, o vingador, aquele que salva da opressão, o libertador. Deus é esse Redentor para Israel de uma maneira que ninguém mais poderia ser (Êx 6.6; 15.13; Sl 74.2; *et al.*). Jó finalmente enxerga Deus se levantando para defender sua honra e "acertar as contas".

Ele também afirma: **Ainda em minha carne verei a Deus** (26). Essa expressão tem recebido uma série de interpretações que vão desde a rejeição da ressurreição até exatamente o oposto, ou seja, o de que esse texto confirma a ressurreição.

Aqueles que apóiam a visão negativa ressaltam que Jó declarou inegavelmente que não existe esperança de vida após a morte (14.7-14), e que ele é um homem que perdeu toda a esperança. Também se argumenta que tal esperança nesse ponto crítico do argumento frustra qualquer necessidade de uma discussão adicional, visto que não leva em conta o desânimo e a falta de esperança que Jó ainda vai expressar. Também se argumenta que o texto desses versículos está bastante corrompido.[24]

Por outro lado, tem-se observado que Jó flutua em suas emoções de desespero até chegar a algum vestígio de esperança. E embora ele tenha com freqüência expressado desespero e confusão, ele recusa-se resolutamente a abandonar sua integridade em seu relacionamento com Deus. Apesar da profundidade do seu desespero, Jó retorna. Esses momentos parecem se intensificar e finalmente chegam ao clímax no clamor de fé em que Jó declara que ele verá a Deus como seu Redentor (*goel*) com seus próprios **olhos** (27; veja comentários a respeito de 14.14-15; 16.17-20).[25]

Pode ser, como alguns sugerem, que a imortalidade no sentido de uma existência interminável após a morte não esteja sendo afirmada aqui. Mas não se pode negar que Jó chegou ao ponto em sua fé em que ele sabia que deveria haver algum tipo de relacionamento entre ele e Deus, mesmo após a morte. Até esse ponto da discussão a morte era uma barreira intransponível para Jó. Agora ele consegue enxergar além dela com a certeza de que no final receberá a gratificação.[26]

Tendo chegado a essa conclusão marcante, Jó é dominado pelo desejo de ver sua esperança se tornar realidade. Na antiga ARC lemos: "Os meus rins se consomem dentro de mim". Na psicologia hebraica os rins (entranhas) eram considerados os órgãos em que se localizavam as emoções e os sentimentos intensos.

Finalmente, nos versículos 28-29 Jó se volta mais uma vez aos seus amigos e repreende-os porque o perseguem, para que não sejam destruídos, já que eles estão completamente errados, pois com certeza descobrirão **que há um juízo**. Ainda existe justiça no mundo.

5. *O Segundo Discurso de Zofar* (20.1-29)

O primeiro discurso de Zofar foi respondido por Jó de maneira sarcástica. Ainda está fresco na memória de Zofar o fato de que Jó ameaçou seus amigos com um julgamento severo de Deus por causa de suas críticas a ele. Assim como os outros, Zofar entende que Jó é culpado; e, apesar dos protestos de Jó, essa convicção só aumentou em vez de dissipar-se. Como resultado, Zofar explode por meio de uma linguagem tempestiva.

Zofar permaneceu em silêncio até aqui, mas com dificuldade, e agora não consegue mais se conter — **meus pensamentos me fazem responder**. A declaração **eu me apresso** significa, nessa conexão: "Estou agitado" (Berkeley). Zofar não está disposto a ser ridicularizado por Jó; também não lhe agrada a idéia de ser comparado com um animal emudecido (12.7). Tampouco gosta de ouvir que suas palavras são como o vento (16.3). Portanto, ele confirma seu **entendimento** (3) acerca da vida. O versículo 3 tem sido interpretado da seguinte forma: "Tenho ouvido sua advertência presunçosa para não mais censurá-lo; mas um espírito me impele a inquiri-lo" (Berkeley). Depois de se defender dessa maneira, ele lança um ataque contra a posição defendida por Jó.

Zofar rapidamente passa para a sua interpretação dogmática da ordem moral do mundo. **Desde que o homem** vive **sobre a terra** (4) é de conhecimento comum que **o júbilo dos ímpios é breve** (5). Jó deveria saber disso e prestar atenção, porque esse é o fundamento do seu argumento. Jó havia afirmado que o sofrimento é resultado do pecado. Zofar reafirma essa verdade, explicando que não importa quão grande o perverso ache que é — mesmo que **a sua cabeça chegue até às nuvens** (6) — seu sucesso aparente não durará muito.

O fato é que quanto maior a realização, maior a queda do pecador. Embora a expressão seja indelicada, a figura de linguagem é expressiva. O homem arrogante perecerá **como o seu próprio esterco**, e o homem um dia olhará ao seu redor e perceberá que já não existe mais (7). Ele não terá mais substância e realidade do que um **sonho** mau (8). Sua riqueza será restaurada para os donos de direito, **os seus filhos** (10). Nada dos seus ganhos desonestos permanecerá, e, além disso, ele morrerá ainda novo, enquanto **os seus ossos estão cheios de vigor da sua juventude** (11).

Zofar acredita que o pecado traz o seu próprio castigo. Ele fala dele como uma comida que é **doce na** sua **boca** (12) para poder degustá-la por inteiro, contudo ela se torna veneno no seu estômago — **fel de áspides será interiormente** (14). A figura se estende para incluir toda sorte de comida boa que é prazerosa para se comer, mas depois de engolida é vomitada. O pecado nunca pode ser como um suprimento inesgotável de **mel e manteiga** (17).

O pecador pode trabalhar duro pelas suas posses, mas não será capaz de desfrutá-las como espera porque **oprimiu** e **desamparou os pobres e roubou a casa que não**

edificou (19). Esse ganho se tornará azedo e será semelhante à comida que não será digerida no estômago. Quando um homem está cheio, ele ficará doente pelo veneno contido na comida. Esse é o **ardor da ira** de Deus **sobre ele** (23).

A figura de linguagem relacionada à destruição muda de comida envenenada para a espada. Aquele que comete iniqüidade será forçado a fugir **das armas de ferro** (24), mas **o arco** (flecha) **de aço** (mais propriamente, metal ou latão) **o atravessará**. Assim os **assombros** da morte virão sobre ele.

A idéia de terror é expandida para incluir a **escuridão** das calamidades que estão ocultas em **esconderijos** (26). **Um fogo não assoprado** é o que não foi aceso pelo homem. É o fogo de Deus que o consome. A destruição não é terror suficiente para a pessoa perversa. **Sua iniqüidade** (27) será revelada a todos pelos resultados visíveis dos julgamentos levantados contra ele. Conseqüentemente, **a terra** (todos os seus co-irmãos humanos) **se levantará contra ele**. Tudo que ele ganhou será destruído **no dia da [...] ira** (28). Esse é o caminho de Deus, o qual é tão certo quanto uma **herança** dada a ele por Deus (29).

Da mesma forma que Bildade, Zofar usa Jó como modelo para descrever o destino do perverso. Ele não fundamenta sua argumentação em qualquer evidência. Ele simplesmente usa o peso do dogmatismo para defender o seu ponto de vista.

6. *A Segunda Resposta de Jó a Zofar* (21.1-34)

Após sua grande declaração de fé em 19.25-27, Jó consegue alcançar um grau marcante de serenidade. Mesmo depois das conclusões mordazes do discurso de Zofar, ele não reage com o mesmo tipo de tensão emocional que caracterizaram seus discursos anteriores. Neste capítulo ele começa a pensar mais claramente acerca das questões levantadas em vez de gastar suas energias em erupções emocionais que descrevem seu sofrimento e frustração.

No primeiro ciclo de discursos, a preocupação de Jó era com o fato de sentir que Deus havia se tornado seu inimigo. Em seguida, ele foi esmagado ao perceber que seus amigos o desertaram, a ponto de se colocarem contra ele. Mas agora o discurso de Zofar faz com que Jó assuma uma posição positiva em relação aos argumentos dos seus amigos. Ele contradiz esses argumentos com evidência prática. Ele constata que prosperidade e retidão não andam invariavelmente juntas. Também fica evidente pela observação da vida que a maldade nem sempre é castigada.

Antes de apresentar as questões principais do seu argumento, Jó faz algumas declarações introdutórias. A primeira delas é para chamar a atenção dos seus amigos: **Ouvi atentamente as minhas razões** (2). A expressão **e isto sirva de consolação** significa: "A atenção zelosa de vocês me trará consolação" (Berkeley). Depois de ele ter falado, os amigos poderão zombar (3), se desejarem. Entrementes, eles devem ouvir com cuidado aquilo que Jó tem a dizer, porque a sua queixa não é contra **homem** algum (4), mas sim contra Deus! Seus amigos podem estar pasmos (5), e Jó sobressaltado **de horror** (6) quando pensa nisso. Mas, o que ele tem para dizer é verdade apesar da reação dos seus amigos.

A verdade é bastante diferente da figura que os amigos haviam traçado. Elifaz (15.17ss.), Bildade (18.5ss.) e Zofar (20.4ss.) descreveram o destino do homem mau, ou seja, o de ser castigado por Deus. Jó agora ressalta que isso nem sempre ocorre. Ele pergunta: **Por que vivem os ímpios, [...] e ainda se esforçam em poder?** (7). Em vez de o castigo de Deus, em forma de julgamento, ser evidente em suas vidas, a **sua semente** (filhos) **se estabelece [...] perante a sua face** (8), as **suas casas têm paz, sem temor** (9), seu gado se multiplica (10) e existe alegria em seus lares (11). Eles passam seu tempo alegremente **ao som do tamboril e da harpa** e **ao som das flautas** (12). Quando chega a sua hora de morrer, **num momento descem à sepultura** (13). Não é de admirar, portanto, que eles não sintam a necessidade de Deus, nem qualquer desejo de **ter conhecimento dos** seus **caminhos** (14). Eles se dão muito bem sem Ele. Não existe necessidade para que façam **orações** (15)!

A pergunta que a resposta de Jó levanta é pertinente para qualquer idade. Por que os homens oram? É para proveito próprio? A perspectiva cristã vai ditar uma resposta bastante diferente, embora muitas das orações atuais contenham o conhecido pedido: "Dá-me". A história de Jesus acerca do filho pródigo apresenta este aspecto. O jovem era pródigo quando disse ao seu pai: "Dá-me". Quando este filho voltou arrependido, seu pedido foi: "Faze-me" (Lc 15.12,19).

No versículo 16, Jó ressalta o grande problema que os ímpios prósperos apresentam. A prosperidade deles não é resultado do seu esforço — **o seu bem não está na mão deles**. A conclusão é que Deus faz prosperar tanto os maus como os retos, e Jó continua perguntando por quê. O significado dos versículos 17-18 fica claro se pontos de interrogação substituírem os pontos de exclamação na KJV (cf. Moffatt, Smith-Goodspeed). Jó pergunta: **Quantas vezes** vemos os julgamentos de Deus vir sobre o ímpio — julgamentos como uma vida mais breve, calamidade, destruição, pesar e dor, ou recursos sendo dissipados como **palha** ou como a **pragana?** A conclusão é que raramente vemos isso acontecer.

Jó espera objeções por parte dos seus amigos com base no fato de que Deus irá infligir seu castigo sobre os **filhos** (19-20) dos ímpios (cf. Êx 20.5; Jr 31.29-30). Ele insiste em que isso não é castigo para os ímpios. Para que o castigo seja real e eficaz, o malfeitor deve ele próprio beber **do furor do Todo-poderoso** (20). Um ímpio pouco se incomoda acerca do sofrimento **na sua casa depois de si** (21).

O versículo 22 apresenta uma tradução que não é inteiramente clara. Acaso são os amigos de Jó que estão procurando ensinar a **Deus** como a sua providência deverá se estabelecer em relação aos homens? Se esse é o caso, então Jó só pode menosprezá-los, porque Deus está exaltado acima de toda a terra. Prova disso é que Ele **julga os excelsos**. Ou será que Jó está refletindo consigo mesmo acerca do seu próprio esforço em determinar o significado da vida e a operação de Deus no universo moral? Se esse é o caso, então Jó está sendo apologético em seu esforço de avaliar a motivação de Deus. Nenhum mero mortal é capaz de fazer isso.

Em todos os acontecimentos Jó continua tirando conclusões a partir de detalhes observáveis na vida do homem para aprender acerca dos caminhos de Deus. A morte é especialmente instrutiva. À medida que Jó observa em que circunstâncias os homens morrem, ele não consegue discernir nenhum padrão significativo entre o reto e o mau. **Um morre na força da sua plenitude** (23), em que tudo parece estar indo bem. A frase **Os seus baldes estão cheios de leite** (24) se refere à riqueza e abundância que o homem recebe dos seus rebanhos. **Os seus ossos estão regados de tutano** significa: "Sua saúde está ótima" (Moffatt). Essa pessoa morre enquanto é saudável, na abundância e em paz (23-24). No entanto, outro morre **na amargura do seu coração** (25), sem ter a oportunidade de experimentar os prazeres da vida. Quando a morte vem, esses dois indivíduos têm o mesmo destino. **Juntamente jazem no pó** (26) e são consumidos pelos vermes. Assim, duas vidas muito diferentes sofrem o mesmo destino e são tratadas de maneira idêntica. Se Deus é responsável pela morte de ambos, como Jó e os amigos concordam que Ele é, então Jó acredita que Deus é injusto no tratamento que dispensa aos homens.

Jó sabe o que seus amigos estão pensando: **Eis que conheço bem os vossos pensamentos** (27). Eles expuseram suas idéias de forma transparente. Os amigos haviam dito que os ímpios desaparecem da terra sem deixar nenhum vestígio: **Onde está a casa do príncipe e onde a tenda em que morava o ímpio?** (28; cf. 18.14-18; 20.26-28). Mas eles não consideraram a evidência que qualquer viajante pelo mundo lhes daria.

> *Bem, falem com os viajantes;*
> *aprendam o que eles têm para dizer:*
> *de como o mau é poupado da calamidade,*
> *como ele sai ileso da ira de Deus.*
> (29-30, Moffatt)

Jó continua: "Quem repreende um homem [ímpio], lançando em rosto a sua conduta ou quem lhe retribui pelo seu comportamento? Quando o levam à sepultura, vigiam o seu túmulo. Suavemente as nuvens do vale o cobrem" (31-33, Berkeley).

Como, pois, me consolais em vão? (34), Jó pergunta. Ele sente que refutou integralmente os argumentos dos seus amigos. Jó demonstrou que nas **respostas** deles **só há falsidade.** Aquilo que eles falaram não pode ser provado com fatos da vida real. Conseqüentemente, o testemunho deles não é verdadeiro.

C. O Terceiro Ciclo de Discursos, 22.1—31.40

O terceiro ciclo de discursos deve ser entendido como mais um estágio no argumento do livro de Jó. Isso é verdade, mesmo que, às vezes, os personagens pareçam estar apenas se repetindo.

No primeiro ciclo o debate estava centrado basicamente no significado do sofrimento e em como ele se relaciona com a natureza de Deus. No segundo ciclo os "debatedores" estavam preocupados com a operação da providência divina no mundo conforme evidenciada especialmente no caso do destino dos homens maus. Visto que Jó negou de maneira muito contundente que o destino dos maus ilustrava qualquer princípio providencial operante na história, a única coisa que sobrou aos amigos foi especificar as acusações que eles fizeram a Jó. Nesse ciclo eles se empenham em especificar claramente os pecados dos quais eles o consideram culpado.

1. *O Terceiro Discurso de Elifaz* (22.1-30)

O místico gentil do primeiro ciclo (cf. comentários acerca de 4.1-6) agora apresenta suas acusações contra Jó. Em seu segundo discurso, Elifaz havia acusado Jó de atitudes ímpias contra Deus. Agora, além de criticar algumas das afirmações de Jó, ele o acusa de pecados específicos contra seus semelhantes.

Jó 22.1-21   O Significado do seu Sofrimento

Em resposta às exortações de Jó de que não existe ordem moral no mundo, Elifaz pergunta: **Porventura, o homem será de algum proveito a Deus?** (2). Ele declara que Deus é insensível em relação à conduta do homem, quer seja boa ou má. Nem mesmo a menor justiça da parte de Jó lhe dará vantagem alguma diante de Deus. A vantagem é apenas para o próprio homem (2-4). Ele não **te repreende pelo temor que tem de ti** (4) é melhor traduzido como: "por causa do teu temor por Ele" — sua religião. Visto que Deus não tira nenhuma vantagem ou desvantagem da atitude do homem, segue-se que seu julgamento é para o bem do indivíduo. Isso traz Elifaz de volta à sua argumentação inicial. Jó sofre grandemente; portanto, **não é grande a tua malícia; e sem termo, as tuas iniqüidades?** (5).

Elifaz ainda precisa mostrar a Jó precisamente onde se encontra o seu pecado. Ele acusa a Jó de que enquanto estava vivendo uma vida abundante ele negou ajuda aos **nus** (6) e **ao faminto** (7). Ele se uniu aos poderosos (8) para oprimir o pobre, como as **viúvas** e os **órfãos**. A expressão **Os braços dos órfãos** (9) expressa o direito que o órfão tem de esperar ajuda daqueles que são ricos. Esse direito Jó quebrou ao deixar de cumpri-lo. Por esse motivo, existem **laços** (10) para os pés de Jó, o **pavor** toma conta dele e ele está rodeado de **trevas** (11). Elifaz acredita que Jó não entende o significado das calamidades — **a abundância de águas** — que o cobrem.

Embora Elifaz procure ser claro em suas acusações contra Jó, ele cita pecados que poderiam ser colocados diante de qualquer homem rico — as iniqüidades que existem em qualquer sociedade. Aqueles que têm condições de ajudar os pobres e se recusam a fazê-lo não deveriam ser eximidos da sua obrigação. Mas por que Jó deveria ser castigado com mais vigor do que os outros que estão em circunstâncias semelhantes?

Em seguida, Elifaz descreve o sentimento que ele imagina que Jó deve ter tido em relação a Deus ao cometer esses pecados. Os dois homens concordam quanto à transcendência de Deus; Ele **está na altura dos céus** (12), e isso é muito alto. Então (parecendo citar outra fonte) ele diz que Jó havia afirmado que Deus estava tão distante que Ele não podia ver ou se importar com o que o homem estava fazendo. **Ele passeia pelo circuito dos céus** (14; o arco dos céus que rodeia a terra) e, portanto, não pode estar muito preocupado com as minúcias da terra. Essa não é a posição de Jó no capítulo 21. Ele não afirmou que Deus desconhecia as condições da terra, mas que os maus prosperam da mesma forma ou, ainda mais, do que os justos. Isso significa que, embora Deus saiba, Ele não diferencia entre o bom e o mau ao conceder-lhes as bênçãos da vida.

Elifaz usa sua referência distorcida em relação ao argumento de Jó para continuar seu raciocínio acerca do velho caminho (15; história). Ele se refere aos pecadores que foram destruídos pelo **dilúvio** (16) — provavelmente no tempo de Noé — para provar que Deus, de fato, julga o ímpio. Aquelas pessoas tinham se negado a reconhecer a Deus apesar do fato de ele encher **de bens as suas casas** (18). Os ímpios eram ingratos quanto às bênçãos que Deus tinha lhes dado. Foi por esse motivo que eles foram destruídos. Os versículos 19-20 refletem a satisfação que os homens bons do Antigo Testamento encontravam na vindicação do mundo moral de Deus. Quando **os justos** viram a destruição do ímpio, eles **se alegraram**.

Alexander Maclaren aplica o versículo 21 da seguinte forma: "Conhecimento e Paz". 1) O que é conhecer pessoalmente a Deus? 2) A paz que resulta do conhecimento pessoal de Deus; 3) O verdadeiro **bem** (prosperidade) que é conseqüência de se conhecer pessoalmente a Deus.

O Significado do seu Sofrimento   Jó 22.21—23.12

Em seu discurso final a Jó, Elifaz não termina com uma nota de condenação. Mais uma vez ele, gentil e insistentemente, convida Jó a se arrepender — a converter-se **ao Todo-poderoso** (23). De forma bela descreve a bênção que segue à restauração do favor de Deus que o arrependimento produz (21-30).

Maclaren[27] constata nos versículos 23-29 o seguinte: "Como a vida pode se tornar". 1) A vida pode se tornar repleta de prazer e confiança em Deus, 26; 2) A vida pode se tornar abençoada com a comunhão plena com Ele, 27; 3) Essa vida não conhecerá nem fracasso nem escuridão, 28; 4) Essa vida sempre será esperançosa e, finalmente, coroada com libertação, 29.

2. *A Terceira Resposta de Jó a Elifaz* (23.1—24.25)

Ao responder a seus amigos, Jó não responde imediatamente às acusações diretas que Elifaz fez em relação à sua conduta. Em vez disso, ele continua refletindo acerca de sua miséria e das tentativas de encontrar algum significado para o que está acontecendo com ele. Esses dois capítulos são mais um monólogo do que um diálogo, visto que Jó não se dirige diretamente aos seus amigos. O capítulo 23 mostra que Jó ainda está bastante confuso em relação ao tratamento que Deus dispensa a ele. No capítulo 24, ele questiona o tratamento de Deus com relação à humanidade em geral.

Alguns têm entendido que as palavras **Ainda hoje** (2) indicam que o debate se estendeu por um período de muitos dias. Talvez, originariamente, a divisão do livro tenha sido feita de acordo com os dias, em que cada resposta foi dada em um dia.[28] No texto hebraico não faz sentido uma tradução literal do versículo 2. Nele lemos o seguinte: "Mesmo hoje minha queixa está em rebelião; minha mão é pesada sobre o meu gemido". Uma pequena emenda é suficiente para que a primeira parte possa ser lida da seguinte maneira: "Hoje novamente minha queixa se torna rebelde" (Berkeley). A segunda parte é mudada para que o texto faça sentido: "Sua mão é pesada apesar do meu gemido" (RSV).

Os amigos insistiram em que Jó voltasse para Deus. Ele retruca, dizendo que deseja poder ver onde Ele pode ser encontrado. Se isso fosse possível, ele certamente viria **ao seu tribunal** (3) e colocaria seu caso diante dele, apresentando seus **argumentos** (4). Debaixo dessas circunstâncias, Jó se alegraria, pois **saberia as palavras com que** Deus lhe **responderia** (5). Se Jó pudesse apresentar sua causa diretamente, de que forma Deus o trataria? Porventura, Deus o esmagaria **segundo a grandeza de seu poder?** (6). Não. "Antes, me atenderia" (6, ARA). Certamente o reto — e Jó se considera um deles — encontraria justiça nesse tribunal.

Os versículos 8 e 9 constituem um texto de grande compaixão. Jó gostaria de encontrar a Deus, mas ele não consegue. A face de Deus está escondida de Jó em qualquer direção que ele vá. Deus se esquiva dele, não importa qual caminho ele utilize na sua procura por Ele.

Mais uma vez, no entanto, o ponto baixo que Jó alcança desperta uma esperança nele. Ele está confiante em que, mesmo que não possa encontrá-lo, Deus sabe onde Jó está — **Ele sabe o meu caminho** (10). Além do mais, ele agora está convencido de que quando (em vez de "se") ele o pusesse à prova, sairia **como o ouro** (refinado). O motivo dessa confiança está claro. É porque Jó tem caminhado prudentemente em **seu caminho** (11) e tem guardado o seu **preceito** ["mandamento", ARA] (12).

Infelizmente, Jó sente que Deus tem desconsiderado sua inocência embora a conheça. Deus parece estar resoluto (13), isto é, Ele somente faz o que lhe apraz. Deus **cumprirá o que está ordenado a meu respeito** (14; a morte de Jó). Parece que é isso que Deus deseja. Isso perturba a Jó (15) porque Deus não tem motivo para tratá-lo dessa maneira. Ele usa seu poder arbitrariamente. E Jó conclui: **Deus macerou o meu coração** (fez desmaiar ou ficar com medo), e essa é a verdadeira causa da **escuridão** (17) em sua vida. A causa não é o julgamento de Deus contra o pecado na sua vida, como Elifaz insistia (22.10-11). Moffatt traduz o versículo 17 da seguinte maneira:

>   *Estou assustado com seu mistério sombrio,*
>   *e sua sombra negra tem me desnorteado.*

O capítulo 24 continua o argumento acerca da maneira de Deus se envolver na vida do homem. Os amigos de Jó afirmavam que o sofrimento era uma ação punitiva de Deus contra o pecado. Jó insiste em que isso não pode ser verdade. Nesse capítulo ele apresenta mais provas que apóiam a sua posição.[29]

O primeiro versículo parece uma declaração da queixa principal de Jó. O versículo deveria ser lido da seguinte forma:

>   *Por que existem tempos que não são marcados pelo Todo-Poderoso?*
>   *E por que os que o conhecem não vêem os seus dias?*

Deus, o Juiz do mundo, deveria — na opinião de Jó — marcar datas regulares para julgamentos. Mas mesmo aqueles que o conhecem, aqueles que são retos, são incapazes de ver **seus dias**. **Tempos** e **dias** para Jó são dias de tribunal "para sentar num julgamento e julgar de maneira justa entre os homens".[30]

Nos versículos 2-12 Jó descreve situações que podem ser encontradas em toda parte entre os homens, em que os julgamentos beneficentes de Deus não podem ser discernidos. A *Versão Berkeley* oferece uma descrição clara e vívida: "Há homens maus que mudam os marcos das divisas, roubam rebanhos e os apascentam. Levam o jumento que pertence ao órfão e tomam a vaca da viúva como penhor. Eles forçam os necessitados a sair da estrada e os pobres da terra a se esconder. Como jumentos selvagens no deserto, os pobres saem para trabalhar, procurando uma presa que a terra deserta possa oferecer como comida para seus filhos. Juntam forragem nos campos e respigam nas vinhas dos ímpios. Eles passam a noite nus pela falta de roupas, não tendo com que se cobrir no frio; encharcados pelas chuvas das montanhas, por falta de abrigo, eles se abraçam às rochas salientes. Alguns arrancam a criança órfã do seio de sua mãe, que é tomada como penhor para dívidas não pagas. Por falta de roupas, andam nus; e passando fome, são forçados a carregar feixes. Entre as fileiras de oliveiras dos maus, eles espremem o azeite e são compelidos a pisar as suas uvas para fazer vinho, enquanto morrem de sede" (2-11).

Nessas circunstâncias, Jó reclama que Deus não presta atenção ao que está acontecendo. **Deus lho não imputa como loucura** (12), isto é, Ele não considera isso sério o suficiente para julgá-los pelos seus crimes.

Jó ressalta no restante desse capítulo que o mal triunfa por toda a terra: Moffatt traduz o versículo 13 da seguinte maneira:

O SIGNIFICADO DO SEU SOFRIMENTO

> *Outros fogem da luz do dia,*
> *Não se importando com os caminhos de Deus,*
> *Recusando-se a seguir seus caminhos.*

O homicida (14), o **adúltero** (15) e o ladrão (16) percorrem a terra debaixo da cobertura da escuridão.

Os amigos de Jó dizem (a ARA introduz o versículo 18 com "Vós dizeis") que um homem semelhante a esse é castigado. Ele é amaldiçoado em seus esforços para sobreviver (18), e a **sepultura** (19) consome aqueles **que pecaram**. Os ímpios morrerão ainda jovens, esquecidos até pela própria mãe (20). Assim, **a iniqüidade se quebrará como a árvore** e será destruída. Mas Jó novamente nega que esse é sempre o caso, observando que "Deus por sua força prolonga os dias dos valentes" (22, ARA). Alguns parecem viver em segurança (23) e felicidade, embora os **olhos** de Deus estejam **nos caminhos deles**. Eles prosperam por um tempo, mesmo se no fim **são abatidos** e **cortados como as pontas das espigas** (24).[31]

Jó tem refutado os argumentos dos seus amigos e tem considerado alguns dos casos excepcionais. Ele está certo da sua posição e desafia seus amigos a provar em que as **razões** dele (25) são insatisfatórias.

3. O Terceiro Discurso de Bildade (25.1-6)

O terceiro discurso de Bildade, como aparece no texto massorético (o texto hebraico padrão), é um esforço concentrado para exaltar a Deus. Não se propõe nenhum pensamento novo, e a alegação mais recente de Jó (caps. 23—24) referente ao governo de Deus sobre o mundo é ignorada.

A brevidade da última fala de Bildade faz com que muitos pensem que ele considera o argumento esgotado — que ele realmente não tem mais nada a dizer. Tudo que ele deseja é fazer um protesto final contra a atitude ímpia de Jó. Ele procura alcançar esse objetivo, reafirmando a majestade de Deus em um esforço para mostrar quão pequeno e impuro é o homem. Alguns acreditam que a brevidade dessa passagem se deve a uma mutilação desse texto. Com freqüência 26.5-14 é creditado a Bildade.

O discurso abre abruptamente com um louvor da onipotência divina — **Com ele estão domínio e temor** (2). Ninguém mais reina além de Deus, e sua majestade inspira temor. **Ele faz paz** (impõe sua vontade) **nas suas alturas**, isto é, os céus onde Ele habita. Isso pode referir-se ao seu controle sobre fenômenos naturais como tempestades ou os seres celestiais que o rodeiam.

Ele é capaz de convocar inúmeros **exércitos** (3). Estes podem ser as "hostes dos céus" que lutam em favor de Deus (1 Sm 17.45; 1 Rs 22.19). No entanto, o fato de o termo **exércitos** (ou hostes) ser paralelo ao termo **luz** sugere que isso se refira às estrelas, que eram freqüentemente vistas como detentoras de vida e eram, às vezes, identificadas como anjos (Dt 4.19; 17.3).

Bildade reitera um princípio básico defendido pelos seus amigos: o homem não é **puro** (4; impuro, pecaminoso). Não podia ser diferente quando mesmo **a lua [...] e as estrelas não são puras aos seus olhos** (5), isto é, em comparação com a majestade e a pureza de Deus. O homem finito não passa de um **verme** (6) quando comparado com corpos celestiais. Duas palavras diferentes são usadas para **verme**. A primeira delas é o verme de corrupção e decomposição (7.5; 17.14; 21.26; 24.20). A segunda é uma palavra que descreve uma degradação extrema (veja Sl 22.6). A distinção entre essas palavras é conservada na NVI: "Muito menos o será o homem, que não passa de uma larva, o filho do homem, que não passa de um verme!"

4. A Terceira Resposta de Jó a Bildade (26.1—27.6)

Jó tinha ouvido antes tudo o que Bildade dissera em seu breve discurso de exaltação a Deus. Conseqüentemente, ele inicia sua resposta com um sarcasmo mordaz contra as declarações irrelevantes feitas por Bildade.

Jó pergunta: **Como ajudaste?** (2). Os argumentos não obtêm êxito pela lógica ou ajuda em relação àquele que está em necessidade. Jó precisa de **força [...] vigor [...] sabedoria** (2-3) e verdade. O discurso de Bildade não supre isso. **Para quem proferiste palavras?** (4). Será que Bildade achava seriamente que estava falando à situação de Jó? Este já sabia o que Bildade havia afirmado e não concordava com ele. O debate não é acerca do poder e majestade de Deus, mas de como Ele faz uso deles. Deus tem usado seu poder para maltratar Jó. **De quem é o espírito que saiu de ti?** significa: "Quem foi que te inspirou?" (Moffatt).

Para demonstrar que ele não necessita da admoestação de Bildade, Jó prefere enaltecer a grandeza de Deus, que é muito superior àquela que vem do seu amigo.[32]

Os mortos (5) são literalmente "sombras" ou pessoas que partiram e residem no *Sheol*. O significado talvez seja: "As sombras debaixo do tremor, as águas e seus moradores" (5, Berkeley). **Debaixo das águas** indica que se acreditava que o *Sheol* ficava debaixo das águas do mar ou debaixo (na base) da terra (Is 14.9; cf. Êx 20.4; Dt 4.18; 5.8). O **inferno** (6) é literalmente o *Sheol*. A idéia do inferno como um lugar de castigo como é encontrado no Novo Testamento não aparece aqui. *Sheol* é o reino dos mortos. **Perdição** (destruição), literalmente *Abaddon,* é um sinônimo de *Sheol,* um lugar onde os mortos estão reunidos. Mesmo esse lugar debaixo da terra, onde **não há coberta** — não está fora do alcance da visão e poder de Deus.

O poder criativo de Deus é enaltecido em uma linguagem que revela algo da cosmologia daquela época. **O norte estende** (7) significa que tão longe quanto o olho pode ver no horizonte do norte existe **o vazio**. A parte plana da **terra** Ele suspendeu **sobre o nada**. É impossível determinar a amplitude do conhecimento dos antigos acerca do espaço ilimitado que circunda a terra. O poder do Todo-Poderoso é então ilustrado pelo seu controle sobre a natureza. As nuvens parecem envolver um enorme montante de **águas** (8), no entanto, elas não se rompem com o peso delas. Para aqueles que não conheciam nada acerca de evaporação e outras causas da queda da chuva, as torrentes de chuva que caem das nuvens deveriam, realmente, parecer algo maravilhoso.

A presença divina é invisível para os homens porque Deus tem encoberto **a face do seu trono e sobre ela estende a sua nuvem** (9). Em seu poder criativo, Ele **marcou um limite à superfície das águas em redor** (10). Os antigos consideravam a terra um disco plano rodeado por água. As fronteiras (ou horizontes) eram os limites da **luz e das trevas** (dia e noite). **As colunas do céu** (11) eram as montanhas no horizonte que seguravam o firmamento do céu. O trovão, a voz da repreensão (**ameaça**) de Deus, fazia essas colunas tremerem.

Os versículos 12 e 13 podem ter como pano de fundo o mito babilônico da criação em que Tiamat, representando o caos primitivo, foi subjugada. **A soberba** (12), literalmente Raabe, é o primitivo Monstro dos Mares. A *Versão Berkeley* traduz o versículo 12 da seguinte forma: "Com o seu poder o mar é silenciado e com seu entendimento Ele abate a orgulhosa Raabe". Deus, por meio do seu grande poder, é capaz de dominar o mar, como um monstro, em sua fúria selvagem. **Ornou os céus** (13) é uma descrição do **espírito** (fôlego) de Deus afastando a escuridão e nuvens tempestuosas amedrontadoras. A referência à **serpente enroscadiça** é provavelmente uma alusão à noção popular de que um grande dragão causou a escuridão produzida pelas tempestades ou um eclipse. Jó diz que é Deus que controla todas essas forças da natureza.

Tendo descrito somente **as orlas** (parte) **dos seus caminhos** (14), Jó diz que na realidade o homem conhece apenas um **pouco** de Deus. O homem não pode entender a extensão completa do seu poder. De acordo com a NVI, o contraste é entre um "sussurro suave" que o homem compreende e o trovão que ele não compreende.

Um pequeno sussurro temos ouvido dele!
Mas quem pode compreender o trovão do seu poder?

A expressão **E prosseguindo Jó** (27.1) é incomum. Se o padrão estabelecido nas partes anteriores do livro fosse seguido, isso seria supérfluo, visto que 26.1 identifica Jó como aquele que fala e nenhuma interrupção é percebida. É bem claro que o texto foi "desordenado". No entanto, nós vamos considerar os versículos 1-6 como uma continuação da resposta de Jó a Bildade. Nessa passagem, ele simples mas firmemente reafirma sua inocência. **Parábola** (1) deveria ser entendido como "discurso" (ARA).

Vive Deus (2) é a forma de um juramento solene. É a primeira vez que Jó o emprega ao afirmar a sua integridade. Deus **desviou** de Jó a sua **causa** (justiça ou direitos) e **amargurou** a sua **alma**. Apesar disso, enquanto Jó permanecer vivo (3), ele continuará mantendo sua autenticidade com seus amigos (4). Ele não negará a sua **sinceridade** (5, integridade) para concordar com seus amigos em relação à causa do seu sofrimento. Em vez disso, ele se apegará (6) à sua posição porque ela está certa. Ao fazê-lo, ele manterá a boa consciência — **não me remorderá o meu coração em toda a minha vida**.

5. *O Terceiro Discurso de Zofar* (27.7-23)

O texto massorético (cf. comentário em 25.1-6) não identifica um terceiro discurso de Zofar. Isso pode indicar que o autor considera que Jó venceu a argumentação e usa esse método para mostrar que os amigos desistiram do seu esforço em convencê-lo de pecado. No entanto, o texto parece ter sido modificado. Além disso, esses versículos são estranhos se vêm de Jó. Eles se encaixam mais adequadamente na linha de pensamento seguida pelos amigos. Por esses motivos, temos escolhido tratar essa passagem como se constituísse pelo menos uma terça parte do discurso de Zofar.

Se essas são, na verdade, palavras de Zofar, ele procura reafirmar dogmaticamente sua posição anterior, apesar da refutação de Jó.

Seja como o ímpio o meu inimigo (7) é um tipo de maldição desejada para aqueles que se opõem àquele que fala. Ele então argumenta contra a afirmação de Jó de que o **hipócrita** (o ímpio) se dá tão bem na vida como os outros. Ele pergunta: Para que serve essa prosperidade se **Deus lhe arrancar a sua alma?** (8). **Porventura, Deus ouvirá o seu clamor** (9) numa situação como esta? Na verdade, será que ele **invocará a Deus?** (10). A resposta esperada é: não. Essas verdades parecem para Zofar tão auto-evidentes como aquelas que Jó tem defendido. Se Jó pode apoiar seu argumento na vida real, o mesmo ocorre com Zofar — "O programa do Todo-Poderoso não esconderei" (11, Berkeley).

Os versículos 13-23 são o tipo de descrição do destino dos ímpios que nós já lemos anteriormente. Todas as calamidades descritas são o julgamento de Deus sobre o **homem ímpio** (13). Ele criará **filhos** (14), para então vê-los morrer pela espada ou pela fome. **Morte** sem luto (15) será o destino daqueles que se unem a ele. Qualquer **prata** ou **vestes** (16) que ele possa ter acumulado não lhe farão bem algum, por que a riqueza será usada por outro. A **casa** (18) que ele constrói é tão temporária quanto "a teia da aranha" (RSV).

> *Rico ele se deita — mas será o fim!*
> *Ele abre seus olhos, para descobrir que tudo se foi!* (19, Moffatt).

Os **pavores** (20) da morte se apoderarão dele e o arrebatarão como uma forte **tempestade** (21), sem que haja alguém que o liberte do seu poder.

> *Deus o atira sem piedade,*
> *enquanto ele foge às pressas do seu poder!* (22, Moffatt).

Quando ele se for, **cada um baterá contra ele as palmas** para expressar completo desprezo por ele e alegria com o seu fim (23).

6. *A Terceira Resposta de Jó a Zofar* (?) (28.1—31.40)

O último discurso de Jó é um resumo dos fatos da sua **posição** básica em vez de um novo argumento contra seus três amigos. É difícil avaliar a posição legítima do capítulo 28, mas aqui podemos ver esse discurso como uma resposta às afirmações dos amigos de que a sabedoria foi conferida a eles para reconhecerem a causa do sofrimento de Jó.

Os capítulos 29—30 são em sua natureza um monólogo, visto que Jó não dirige nenhuma palavra aos seus "confortadores". Ele está preocupado consigo mesmo e com o tratamento que Deus dispensa a ele. Esses capítulos apresentam três assuntos que Jó discute. O capítulo 29 compõe um quadro triste da vida boa que Jó vivia antes das calamidades que o acometeram. Deus o abençoava e ele, por sua vez, era honrado pelos seus concidadãos, a quem ele tratava bondosamente. O capítulo 30 descreve a diferença trágica entre o passado e o presente. Deus é o Antagonista de Jó, os homens o desprezam e ele está completamente humilhado. O capítulo 31 é uma defesa detalhada da sua integridade, em que ele nega ser culpado dos pecados comumente observados nas vidas de outros homens. Por causa de sua inocência ele não consegue encontrar nenhuma causa para o tratamento que Deus dispensa a ele. Tendo construído sua defesa novamente até esse ponto, ele reafirma sua disposição e forte desejo de encontrar a Deus.

Estes capítulos apresentam uma introdução adequada para os capítulos em que Deus aparece e responde a Jó. No entanto, na organização presente do texto os discursos de Eliú (caps. 32-37) intrometem-se na seqüência lógica e, assim, deterioram a simetria e destreza do argumento.

a) A sabedoria está além do alcance do homem (28.1-28). Geralmente se questiona se o capítulo 28 deveria ser considerado parte do poema original. Existe um questionamento ainda mais sério se este capítulo, na verdade, faz parte da resposta que Jó dá aos seus amigos. O problema é que esse poema acerca da sabedoria não se encaixa na seqüência lógica de idéias em relação ao diálogo. Também se destaca que grande parte do motivo da conversa de Deus com Jó é eliminada se esse capítulo for considerado autêntico.

Por outro lado, existe uma concordância ampla em que o estilo e a qualidade desse poema combinam com o restante do livro. Também se deve observar que existe um pensamento primordial nesse capítulo que se encaixa com o tema geral da argumentação de Jó: A sabedoria não pode ser alcançada pelo homem. Buscam-se diversas maneiras diferentes de ilustrar esse fato. Apesar das dificuldades, aceita-se aqui que esse poema possui algumas conexões diretas com o debate. Jó nunca se sentiu obrigado a comentar direta e imediatamente os argumentos dos outros. Nesse caso, talvez estejam faltando algumas passagens de transição, que tornariam a conexão mais clara.

Nos versículos 1-14 o autor explora a atividade de mineração do homem. O ouro era refinado. O homem vai até o fundo da **terra** (2) para descobrir metais e pedras preciosas. O processo de mineração é descrito em pormenores nos versículos 3-11. Os tradutores modernos deixam isso mais claro do que as versões mais antigas. Para colocar um **fim às trevas** (3), os homens vão até as profundezas da terra como se fossem luz. Por meio da sua diligência e invenção o homem pode descobrir o tesouro escondido — **as pedras na escuridão**. O significado dos versículos 3-5 é, portanto, esclarecido: "Os homens procuram os limites dos lugares escuros, aventurando-se nos recônditos mais remotos para obter minério. Eles cavam poços profundos nos vales, em lugares remotos, raramente visitados por alguém e descem neles, pendurados em cordas que oscilam para frente e para trás. Da terra o homem obtém o pão de cada dia; mas debaixo da superfície a terra é revolvida como por fogo" (Berkeley). Essa atividade ocorre fora da visão das aves com olhares afiados (7) e fora dos caminhos de animais selvagens (8). O homem é capaz de vencer as **montanhas** (9) e **dos rochedos faz sair rios** (10), isto é, faz canais e constrói represas ou, talvez, tapa os veios de água com visgo para impedi-los de vazar para a mina (11).

A atividade e a engenhosidade do homem são maravilhosas, mas em todo esse empreendimento a **sabedoria** (12) não é descoberta. Ela **não se acha na terra dos viventes** (13). Ela não se encontra no **abismo** nem no **mar** (14).

O autor e poeta, em seguida, avalia o preço da sabedoria. Quanto custaria comprá-la? Nenhum preço pode ser estabelecido. Ela não pode ser pesada (15) ou comprada **por ouro fino de Ofir** (16). Nenhum montante de pedras preciosas pode se igualar a ela (17-19). A sabedoria e o entendimento estão além do alcance de **todo vivente** (21). Mesmo a **perdição e a morte** (22) ouviram falar da sabedoria, mas não sabem onde encontrá-la.

Somente **Deus** (23) **entende** o **caminho** da sabedoria, porque Ele **vê tudo o que há debaixo dos céus** (24). Ele controla as forças da natureza (25-26). Deus sabe onde encontrar a sabedoria porque Ele é o Autor dela; Ele **estabeleceu-a** (27). Ele instruiu o homem no seu caminho: **Eis que o temor do Senhor é a sabedoria** (28).

b) Jó reflete acerca da sua prosperidade passada (29.1-25). Jó abre a visão de felicidade do seu passado ao desejar que pudesse voltar a ser como era naqueles dias. Por

parábola (1) entenda-se "discurso" (ARA). Suas palavras **nos dias em que Deus me guardava** (2) são ainda mais doloridas quando lembramos que Jó acreditava que seu sofrimento era conseqüência da inimizade de Deus. Naqueles dias bons a presença de Deus era como uma **candeia** ou uma **luz** (3). Veja com que freqüência o termo **trevas** tem sido usado por Jó e seus amigos como símbolo de frustração e julgamento. Também é verdade que a lâmpada ou luz de Deus é muitas vezes vista como um símbolo da presença benevolente de Deus.

Nos dias da minha mocidade (4) é literalmente "meus dias de outono" (RSV). Jó não está tão preocupado em descrever uma determinada idade como está em retratar um tempo de plenitude em sua vida. Este era um tempo de alegria e amizade íntima com o Criador — **o segredo de Deus estava sobre a minha tenda**.

Jó também reflete a respeito daqueles dias felizes quando seus **meninos** ["filhos", ARA] estavam ao seu **redor** (5). Naquele tempo sua vida transbordava de bênçãos. Era como se ele tivesse lavado seus **passos com manteiga** (6) e como se mesmo as rochas se transformassem em uma fonte de **ribeiros de azeite**. A palavra traduzida por **manteiga** é entendida de várias maneiras pelos tradutores mais recentes. Ela pode significar "leite", "nata" ou "coalhada". Gordura e óleo eram sinais de riqueza e luxo. A **rocha** da qual corria óleo pode ter sido constituída de "plataformas entre curvas de nível de rochas, formando pomares de oliveiras" (Berkeley, nota de rodapé).

O prazer que Jó sentia em relação ao respeito mostrado a ele pelos seus companheiros é descrito pela figura de anciãos sentados **na praça** (7). Este era provavelmente um lugar perto da **porta da cidade** onde havia intensa vida social e onde eram julgadas as causas civis. No caso de Jó, **moços [...] se escondiam** (8) e mesmo **idosos se levantavam** em sua presença. Tanto jovens como idosos lhe devotavam respeito. Mesmo **príncipes** (9) e **chefes** (10) esperavam para falar com ele antes de pronunciar uma opinião. Sua reputação estava difundida até bem longe e os que ouviam a seu respeito o honravam. As pessoas que observavam como ele vivia davam **testemunho** (11) da verdade que ele agora estava afirmando.

Jó havia conquistado respeito de maneira justa. Ele ajudava **o miserável** (12), o **órfão** e a **viúva** (13). A **justiça** o cobria (14) significa literalmente: "A justiça se vestia comigo". Jó era a personificação humana de bondade e justiça. Ele auxiliava o **cego** e o **coxo** (15) e se opunha ao mal onde o encontrava (16-17). O versículo 17 tem sido traduzido da seguinte maneira: "Quebrava os dentes molares dos injustos e forçava-os a deixar cair a sua presa" (Berkeley).

Jó vivia em completa e feliz segurança. Ele ansiava pela continuação dessa bondade até que no tempo devido morresse em seu **ninho** (18). Seus **dias** se multiplicariam **como a areia**. Sua vida era como uma **raiz junto às águas** (19) e os **ramos** de uma árvore florescente com **o orvalho** mantendo-a viçosa e verde.

Minha honra (20) é uma expressão da reputação que Jó tinha. Essa glória **se renovava** e, por isso, não diminuía. Semelhantemente, "meu arco [era] forte como nunca em minha mão" (Berkeley).

Os versículos 21-25 seguem a mesma linha de pensamento dos versículos 7-11. Eles são uma reflexão daquilo que ele aparentemente mais estimava, a saber, seu lugar de honra entre seus companheiros. Agora que isso havia cessado, ele se sentia grandemente empobrecido.

Acabava a minha palavra, não replicavam (22) provavelmente indica o respeito que tinham por esse grande homem e também pela sabedoria que saía da sua boca. Suas palavras caíam sobre eles, suavemente e com benevolência, como a **chuva** (23). Aqueles que ouviam, bebiam suas palavras como o solo ressecado absorve a **chuva tardia**, que caía em abril e maio e determinava a produtividade das colheitas.
Quando os homens precisavam de conselho Jó era capaz de dá-lo.

> *Quando eu sorria, encorajava-os,*
> *o meu rosto alegre animava o desesperado* (24, Moffatt).

Nesse sentido, Jó era **chefe** (25) entre seus companheiros. Ele era como **um rei** ou comandante de **tropas**. Ao mesmo tempo ele era **aquele que consola os que pranteiam**. Jó era líder de homens e **escolhia** o **caminho** que eles deviam seguir.
Se esse capítulo é um exagero poético, a jactância de Jó precisa da caridade do leitor. Lembramos que ele era um sofredor contemplando de forma retrospectiva os pontos altos de onde havia caído e os pontos baixos em que havia se afundado. Se o capítulo não é um exagero, então, é claro, Jó não precisa se desculpar por registrar os fatos.

c) Jó contrasta seu presente com seu passado (30.1-31). Este capítulo contrasta com o capítulo 29. No lugar em que Jó desfrutava do respeito e honra dos anciãos da cidade e das pessoas importantes, ele agora é desprezado pelas pessoas mais vis da sociedade.
Mas agora (1) introduz a mudança de como era o passado para o que é no presente. O capítulo 29 terminou com Jó lembrando de como em épocas passadas ele era semelhante a um rei entre os homens. Agora, mesmo homens mais jovens, **cujos pais** Jó não consideraria aptos para serem **os cães** do seu rebanho, o menosprezam.
Essa classe de homens era tão miserável que eram virtuais párias da sociedade de pessoas comuns. Eles não tinham **vigor** (2) porque eram magros devido à fome (3). O único alimento que eles podiam obter era a produção escassa das áreas desertas. Eles eram forçados a comer as folhas das **malvas** (4), um arbusto raquítico que cresce nos brejos salgados da Palestina, e **raízes de zimbros**, semelhantes a arbustos do deserto (giesta) em vez da árvore de zimbro.
Esses infelizes eram **expulsos** (5) da sociedade como se fossem ladrões e eram, portanto, forçados a viver **nas cavernas** e entre as **rochas** (6). **Bramavam entre os arbustos** (7), vivendo como o asno e comendo a comida de asnos silvestres. Assim, eles eram **filhos de doidos** (8), literalmente, "filhos de desprezíveis". Como **filhos de gente sem nome**, eles eram **expulsos da terra** ("da terra são escorraçados", ARA).
Mas agora (9) Jó é alvo do seu escárnio! Ele é como um **provérbio** para eles. A repugnância deles é tão grande que cospem no seu **rosto** (10). **Porque Deus oprimiu** (11) Jó, eles são incontidos em sua hostilidade contra ele. **Moços** o **empurram** (12) para o lado e obstruem o seu **caminho** (13) e, dessa forma, **promovem** a sua **miséria**. A ação desses párias não é acidental. Ela vem contra Jó como **por uma grande brecha** (14). Eles o apavoram com seus abusos persistentes até que sua **honra** (dignidade) evapora como uma **nuvem** (15).
Mais uma vez Jó volta-se para a descrição dos horrores da sua enfermidade. Seus **ossos** (17) doem e as dores corroem os seus tendões. Toda a sua aparência foi modificada pelo seu **mal** (18), como se a **gola** justa ao redor do seu pescoço o sufocasse.

No entanto, Jó está sempre consciente do fato de que Deus está por trás de tudo que está acontecendo com ele. Ele é Aquele que o atacou com tanta severidade. É como se Deus o tivesse lançado **na lama** (19). Deus não vai ouvi-lo quando ele estiver orando nem atentará para ele (20). Jó clama angustiado: **Tornaste-te cruel contra mim** (21). Deus fez com que ele fosse dissipado em toda a sua substância, como se estivesse sendo levantado pelo vento e assoprado para longe por um redemoinho (22). Como conseqüência, Jó pode antecipar apenas a morte e a ida para o *Sheol*, a **casa do ajuntamento destinada a todos os viventes** (23).

No versículo 24, Jó retoma a idéia da injustiça no tratamento de Deus para com ele. Jó lembra a Deus que ele havia mostrado compaixão àquele que estava **aflito** (25) e **necessitado**. Mas essa ação da parte dele não serviu para nada. Ele aguardava **o bem** (26), **eis que veio o mal**. Ele está dilacerado emocionalmente — seu **íntimo ferve** (27) — e a **aflição** inesperada o surpreende.

O versículo 28 é difícil de interpretar. A RSV associa essa passagem aos resultados da enfermidade de Jó conforme descrita no versículo 29. Por isso, "saio escurecido, mas não do sol", e clamo por ajuda, mas ninguém responde. Conseqüentemente, Jó se compara com **dragões** (provavelmente mais bem traduzido por "chacais") e **avestruzes** (ou "corujas", NVI; 29), cujas almas pesarosas durante a noite os tornam símbolos apropriados para sua melancolia. Com a **pele** (30) escurecida pela devastação da sua enfermidade e seus **ossos** queimando de dor, o conforto e a alegria de Jó são arrancados dele. Nada mais lhe resta senão a **lamentação** (31) e o choro.

d) Jó defende sua integridade (31.1-40). Jó revê várias categorias de pecado que poderiam ter sido a causa da sua desgraça e jura solenemente que ele é inocente de qualquer ação má. Ocasionalmente, junto com seu protesto de inocência, ele inclui uma declaração do porquê ele ter decidido ser virtuoso. Ele também inclui uma maldição sobre si mesmo, caso tenha deixado de falar a verdade.

Primeiro Jó nega que seja culpado de **pecados** sensuais que são tão comuns entre os homens. Ele fez um **concerto** (acordo) **com os** seus **olhos**, para que não desejasse **uma virgem** (uma moça, 1). Aqui Jó reconhece que a tentação vem por meio da observação daquilo que pode ser desejável. Ele tem um acordo com os seus olhos para que não o desviem. **Qual seria a parte** (2) que ele teria com Deus se ele fosse culpado desse tipo de crime? Certamente Deus castiga **o perverso** e aqueles que **praticam a iniqüidade** (3). Não só isso, mas Jó pergunta: **Não vê ele?** (4). **Ele** é enfático, ressaltando a idéia de que Deus observa de perto o homem e castiga sua **vaidade** e **engano** (5). Os versículos 6-8 são um juramento de inocência e uma maldição por qualquer falsidade que Jó possa ter falado nos versículos precedentes.

Jó também tem sido inocente de adultério (9-10). Nesse caso Jó deseja para ele retaliação, por meio da sua esposa, se ele é culpado de desejar a mulher do próximo (veja Dt 22.22; Jo 8.5). Em sua mente, o adultério é um **delito** abominável (11). É como um fogo **que consome até à perdição** (12). A palavra para **perdição** é *Abaddon*, um paralelo de *Sheol*. A figura, então, é de um fogo tão violento que nos segue até o túmulo (veja Pv 6.24-35).

Jó nega, mais adiante, que ele tenha feito mau uso do seu poder ou posição para maltratar alguém. Seus **servo** e **serva** (13) têm recebido um tratamento justo da sua parte. A descrição de Jó do seu relacionamento com seus servos é uma das mais marcantes desse livro. Ele tem tratado seus servos como pessoas, defendendo a dignidade pessoal deles. A razão para esse tratamento é que Deus formou tanto a ele como ao servo (15). Portanto, existe um tipo de igualdade entre eles. Os infortunados também receberam ajuda de Jó. **Os pobres,** a **viúva** (16) e o **órfão** (17) são mencionados. O motivo da sua bondade é que Jó cresceu com meninos e meninas desse tipo (18). A figura sugere que ele cresceu em uma família de influência que cuidava dos necessitados — talvez escravos — ao redor deles. Nessa conexão, Jó nega que tenha permitido conscientemente que qualquer pessoa andasse desamparada de **veste** adequada (19), ou que de alguma forma tenha privado o **necessitado** dos seus direitos (20-21). Novamente ele solicita que uma maldição caia sobre ele — **Caia do ombro a minha espádua, e quebre-se o meu braço desde o osso** (22) — caso tenha mentido acerca desse assunto. Isto está em contradição com a acusação de Elifaz a seu respeito no capítulo 22. No versículo 23, Jó observa: "A calamidade de Deus e o medo do seu julgamento sempre me refrearam" (Berkeley).

Jó nega que tenha sido idólatra. Ele não colocou a sua **esperança** no **ouro** (24) nem se alegrou da sua grande **fazenda** (25; "fortuna", NVI). Ele não **beijou** sua **mão** (27), nem adorou **o sol** ou **a lua** (26; veja Jr 44.17-19; Ez 8.16), porque **isto seria delito pertencente ao juiz** (28). Ao fazê-lo, ele teria negado **a Deus, que está em cima.**

Jó também não é culpado de maltratar seus inimigos. Ele não se alegrou da **desgraça** (29) deles nem procurou colocar maldição sobre eles (30). Acreditava-se que a maldição tinha o poder de operar o mal (veja Nm 22.5-6). Essa preocupação com o bem-estar de um inimigo mostra o elevado nível moral que Israel alcançou em um período relativamente cedo. (Para informação adicional acerca desse tema veja Pv 24.17-18; 25.21-22).

O egoísmo nunca fez parte do caráter de Jó. Mesmo os servos, **gente da minha tenda** (31), testemunharam: "Nunca houve um homem que não supri generosamente com carne" (Berkeley). Jó escolhia pessoas com quem podia repartir sua mesa. Semelhantemente, o **estrangeiro não passava a noite na rua** (32). Ele era convidado para ficar na sua tenda.

Jó não era hipócrita. Ele não encobriu as suas **transgressões** perante os outros como fez **Adão** (33). A figura, entretanto, não é exata. Talvez o significado geral de **Adão** (a saber, ser humano) deveria ser adotado nesse caso. Jó também não permitiu que a atitude e opinião de outras pessoas o detivessem de realizar sua tarefa ou o intimidassem a fazer algo que não era verdade (34).

Finalmente, Jó se volta mais uma vez para a urgência do clamor contínuo do seu coração durante todo o diálogo. **Ah! Quem me dera um que me ouvisse!** (35). Deus está quieto e distante. Jó precisa desesperadamente da oportunidade de defender sua causa. As acusações que Deus colocou contra ele devem ser escritas de forma clara para Jó ver e anotar (35-36). Então será possível responder e dizer a Deus como ele se comportou. Deus vai perceber que ele foi um **príncipe** em sua conduta (37).

Jó então pede para que a própria **terra** (38) seja sua testemunha. Ele tratou a terra, seus produtos e **seus donos** (39) de maneira justa. Caso não tenha feito isso, ele mais uma vez pede para que maldição venha sobre a sua terra por meio de **cardos** e **joio** (40).

Com esse protesto final de inocência, Jó conclui sua defesa — **Acabaram-se as palavras de Jó.**

Seção III

OS DISCURSOS DE ELIÚ

Jó 32.1—37.24

Os discursos de Eliú quebram o padrão do diálogo que caracteriza o livro até este ponto. Ele é introduzido ao leitor, e então quatro discursos são identificados pela fórmula: **Eliú [...] disse.** Nenhum desses discursos é respondido por Jó ou comentado pelos outros personagens do livro. Assim, os discursos formam uma unidade separada dentro do livro, sem antecedentes literários ou dedicatória final.

Esta parte do livro é considerada pela maioria dos estudiosos como obra de outro escritor, e não do autor e poeta do restante do livro. Entre os argumentos apresentados para apoiar esta opinião estão: a) a ausência de Eliú em qualquer outra parte do livro, b) a diferença no estilo poético e de linguagem e c) o fato de que em alguns lugares Eliú parece ter lido os argumentos dos amigos em vez de tê-los ouvido.[1]

A. Eliú é Apresentado, 32.1-5

Como parte da introdução em prosa dos discursos de Eliú, lemos que os três amigos **cessaram de responder a Jó** (1). Pode ser facilmente subentendido que o silêncio deles foi causado pelo fato de eles terem sido vencidos no debate. O motivo proposto aqui para o silêncio deles sugere frustração pelo fato de Jó parecer que **era justo aos seus próprios olhos**.

A essa altura, um jovem, que tinha ficado em silêncio, é apresentado. É **Eliú** (Ele é meu Deus), **filho de Baraquel, o buzita, da família de Rão** (2). Essa genealogia é mais completa do que de qualquer outro personagem do livro, e o identifica como alguém mais próximo de Jó do que os outros (cf. Gn 22.21 e Jó 1.1, em que o antepassado de Eliú, Buz, é mencionado como o irmão do progenitor de Jó, Huz ou Uz). **Baraquel** e **Rão** não são mencionados em outros textos das Escrituras.

Os Discursos de Eliú   Jó 32.1—33.7

Eliú é um homem irado. Sua raiva é causada pela justiça própria de Jó e o completo fracasso dos três amigos em seu esforço de convencer Jó da sua culpa. Ele também está irado porque eles fracassaram em responder às acusações de Jó contra a justiça de Deus. O versículo 4 deveria ser lido da seguinte maneira: "Eliú, porém, esperou para falar a Jó, pois os outros eram mais velhos do que ele" (ARA). Por respeito à idade dos outros ele havia permanecido em silêncio, mas não estava calmo. **Sua ira se acendeu** (5).

B. Os três primeiros discursos de Eliú, 32.6—33.33

1. *Eliú Tem Autoridade Suficiente para Falar* (32.6-22)
A timidez juvenil de Eliú deu lugar à raiva, mas no processo ele descobriu algumas verdades adicionais. A sabedoria nem sempre acompanha a idade; também é um dom de Deus. **A inspiração do Todo-poderoso os faz entendidos** (9). Portanto, visto que ele possui o Espírito de Deus, Eliú pede aos homens mais velhos para ouvirem atentamente, mesmo que ele seja mais jovem do que eles. Eliú tem uma **opinião** que ele se sente compelido a expressar (10).
Eliú é apologético ao entrar na conversa entre Jó e seus amigos. Ele ressalta que esteve ouvindo cuidadosamente as suas **palavras** e **considerações** (11) na tentativa de persuadir Jó acerca da justiça, mas eles foram incapazes de fazê-lo (12). Ele repreende os três amigos:

> Não digam: "Achamos que ele é esperto demais para nós!
> Deus terá de refutá-lo, não o homem!" (13, Moffatt).

Eliú discorda. Existe muita coisa que precisa ser dita, mas será diferente das **vossas palavras** (14). Ele está tão cheio de palavras depois de ter ouvido os argumentos ineficazes deles que se encontra a ponto de **arrebentar** (18-19). Ele os adverte que não vai lisonjear nenhum deles (21-22). "Eliú pretende falar como um árbitro (juiz), não como um partidário; Jó estava ansiando por um árbitro" (9.33,34; Berkeley, nota de rodapé, *ad. loc.*).

2. *Eliú e Jó Encontram uma Base Comum* (33.1-7)
Diferentemente dos outros oradores, Eliú se dirige a Jó pelo nome (1). Ele tem plena confiança em si mesmo, e afirma ser íntegro e capaz de falar a verdade com **sinceridade** (3). Esta atitude em Eliú sugere fanatismo ou intolerância para a mente ocidental, mas provavelmente não tinha essa conotação naquele ambiente e época (cf. a atitude de Jó no cap. 29). Talvez esse tipo de auto-avaliação era necessário, porque em seguida ele ressalta que fora criado pelo **Espírito de Deus** (4), mas como os outros homens era **formado do lodo** (barro, 6). Tendo a inspiração de Deus, mas também sendo um homem semelhante a Jó, ele é capaz de discutir o problema de Jó em condições de igualdade com ele.
Jó tinha pedido para marcar uma audiência com Deus; Eliú diz que ele veio no lugar de **Deus** (6). Jó tinha expressado sua preocupação em encontrar-se com Deus. Ele achava que ficaria tão apavorado que não teria condições de falar. Eliú garante a Jó que ele não precisa se preocupar com o representante de Deus — **Eis que não te perturbará o meu terror** (7).

3. *As Implicações da Posição de Jó* (33.8-13)

Eliú deixa claro que ele ouviu tudo o que Jó disse aos outros, e também aquilo que falou diretamente a Deus. Então ele escolhe queixas específicas de Jó com as quais ele quer lidar. Ele observa que Jó afirma estar **puro** e **sem transgressão** e **culpa** (9), no entanto Deus o tem tratado como um **inimigo** (10-11). De acordo com Eliú, Jó está errado nesse ponto. **Maior é Deus do que o homem** (12); portanto, é errado tentar responsabilizar Deus pelos seus atos. **Por que razão contendes com ele?** (13). A ARA esclarece o versículo 13: "Por que contendes com ele, afirmando que não te dá contas de nenhum dos seus atos"? Assim, o palco está montado para Eliú tratar especificamente de uma das questões básicas na argumentação de Jó.

4. *Deus Fala com os Homens* (33.14-33)

Um dos motivos de Jó achar que Deus era seu inimigo foi que ele não recebia nenhuma resposta do Todo-Poderoso. Eliú diz que **Deus** fala com os homens **uma e duas vezes** (14), se os homens forem sábios o suficiente para percebê-lo. A primeira maneira de Ele falar é por meio de sonhos — **em sonho ou em visão de noite** (15). Nessa hora, Deus **abre os ouvidos dos homens** (16) para que possam ouvir suas palavras, e então Ele **sela a sua instrução,** isto é, Ele confirma a comunicação moral dada. Deus fala para que o pecador se aparte do **seu desígnio** mau (17) e seja preservado **da cova** (morte; 18). Essa também é a razão por que o homem é **castigado [...] com dores** (19-21) de vários tipos. Ao advertir o indivíduo das conseqüências do seu pecado premeditado por meio de sonhos e dor, Deus o salva daquele **que traz a morte** (22) — talvez o anjo da morte (veja 2 Sm 24.16; 2 Rs 19.35; Sl 78.49).

A segunda maneira de Deus falar aos homens é por meio do **mensageiro** celestial, que é chamado de **intérprete** (23). O propósito dele é explicar os caminhos de Deus, para que o indivíduo possa ser justo. Ele **terá misericórdia** (24). Se o pecador atender à exortação de Deus e se arrepender, Deus o livrará da **cova** (24). O versículo 26 tem sido interpretado da seguinte forma: "Ele ora a Deus, e Ele o aceita; ele vê o rosto de Deus e se alegra; o homem é restaurado à sua vida normal" (Berkeley). Os versículos 27-28 constituem o testemunho do homem redimido:

> *Pequei, cometi injustiças,*
> *mas ele não me castigou;*
> *ele salvou a minha alma da morte,*
> *e permitiu que eu visse a luz preciosa dos viventes* (Moffatt).

Eliú diz que ele tem mais a dizer — **Ouve-me, cala-te, e eu falarei** (31) — mas se Jó tem **alguma coisa que dizer** como resposta, deve fazê-lo (32). **Se não, escuta-me tu; cala-te, e ensinar-te-ei a sabedoria** (33).

C. O Segundo Discurso de Eliú, 34.1-37

No primeiro discurso, Eliú respondeu às acusações de Jó de que a aflição vinda de Deus demonstrava a arbitrária inimizade contra ele. Nesse capítulo, Eliú nega que Deus tenha sido injusto em seu tratamento com Jó. Deus, o Criador de tudo, está acima de qualquer exigência que o homem possa fazer dele; portanto, seria impossível para Deus fazer algo errado.

1. *Considerações Adicionais em Relação às Afirmações de Jó* (34.1-9)
Os versículos 1 a 4 constituem uma introdução na qual Eliú convida os **sábios** (2) — provavelmente outros homens em vez dos três amigos — a unir-se a ele na busca do que é **direito**, para que **conheçamos entre nós o que é bom** (4).

Então ele trata de um outro aspecto do problema de Jó. Este havia afirmado: "Sou inocente" (5, RSV), e, além do mais, disse que não havia proveito em servir a Deus (9). Jó tinha piedosamente declarado que não mentiria contra ele mesmo para parecer humilde (6). Para Eliú, é impossível aceitar essa atitude da parte de Jó. Ele diz que Jó é um homem **que bebe a zombaria como água** (7) e tem o hábito de caminhar em companhia **dos que praticam a iniqüidade** (8). Jó chegou a essa condição angustiante por causa da sua atitude. Eliú não pode aceitar o julgamento de tal homem.

2. *A Justiça de Deus é Defendida* (34.10-20)
Novamente Eliú apela a **homens de entendimento** (10) para ouvir sua defesa acerca da eqüidade de Deus. Deus recompensa **cada um [...] segundo o seu caminho** (12). De que maneira Deus poderia proceder **impiamente?** Isto seria contrário à sua natureza.

Eliú vê duas razões básicas por que é impossível para Deus realizar uma ação perversa. A primeira é que Deus é o Criador de tudo que existe. Ele não recebeu seu poder e autoridade de ninguém. Ele é Aquele que deu a vida e Aquele que a sustenta. Portanto, não faz sentido Ele fazer algo errado (13-15).

Moffatt acredita que o argumento é baseado não no poder de Deus, mas no seu cuidado pelo homem:

> *Não, nunca Deus fará o mal,*
> *nunca o Todo-poderoso agirá injustamente —*
> *ele não é nenhum vice-rei governando a terra! —*
> *seu coração e sua mão estão sobre o universo,*
> *e se de fato retirasse o seu espírito*
> *e o seu fôlego,*
> *a humanidade pereceria de uma só vez,*
> *e o homem voltaria ao pó* (12-15).

A segunda proposta apoiando a justiça de Deus é formulada em forma de pergunta. **Porventura o que aborrecesse o direito governaria?** (17). A justiça é um pré-requisito para governar. É inconcebível que um súdito questione a autoridade do seu **rei** (18). Quanto mais um homem seria tolo em questionar a ação de Deus. Além disso, Deus não tem motivo para a injustiça, visto que Ele é Aquele que criou o **rico** e o **pobre**, bem como as pessoas comuns e os **príncipes** (19). Ele não mostra parcialidade em sua administração da justiça. Esse é o motivo por que todos os homens **morrem [...] e passam** (20). **Sem mão** significa "sem a mão humana" (RSV). Jó tem usado esse fato para ilustrar a ação indiscriminada da parte de Deus. Eliú o usa para ilustrar o tratamento igual de Deus para com o homem.

3. *Conseqüências da Rebelião contra Deus* (34.21-37)
Não existe maneira de se esconder de Deus. **Os olhos de Deus estão sobre os caminhos de cada um** (21). **Ele vê todos** reflete a onisciência e significa que Deus trata cada pessoa de uma maneira absolutamente justa. **Porque não precisa considerar muito no homem** (23); não há necessidade de um homem **ir a juízo diante de Deus**, como Jó fez. Visto que Deus **conhece as suas obras** (25), seu julgamento do ímpio é infalível, **seja para com um povo, seja para com um homem só** (29). É impossível debaixo dessas circunstâncias que a hipocrisia seja bem-sucedida (30). O versículo 29 parece mais uma vez afirmar a soberania de Deus. Smith o traduziu da seguinte forma:

> *Se ele silenciar, quem pode condenar?*
> *E se ele esconder seu rosto, quem o poderá ver?* (Smith-Goodspeed)

O sábio, conhecendo a onisciência de Deus e sua justiça infalível, **na verdade** aceitará o castigo (31) como uma advertência de Deus e se arrependerá do seu pecado. Ele pedirá a Deus: **Ensina-me tu** (32), e, **fala [...] o que sabes** (33). Mas **Jó falou sem ciência** (35). Suas respostas aos problemas levantados foram erradas, e se ninguém as contestar, poderão desviar o homem do caminho reto. Portanto, **provado seja Jó até ao fim** (36) por **suas razões** rebeldes **contra Deus** (37).

Nos versículos 31-33 vemos o seguinte: "A resposta reta à disciplina divina": 1) Reconhecer que Deus nos castiga, 31; 2) Prometer corrigir nossos caminhos: **não pecarei mais**, 31-32; 3) Pedir a orientação divina: **ensina-me tu**, 32; 4) Escolher intencionalmente confiar quando não podemos ver: "Tu precisas fazer a escolha", 33, Berkeley (A. F. Harper).

D. O Terceiro Discurso de Eliú (35.1-16)

Eliú estava especialmente perturbado com a afirmação de Jó de que nem seu pecado nem sua piedade faziam qualquer diferença, tanto para ele mesmo como para Deus. Ele já havia se referido a isso em 34.9, mas ele sente a necessidade de voltar a esse assunto mais uma vez. Ele expressa surpresa pela audácia de Jó em afirmar: **Maior é a minha justiça do que a de Deus** (2). Essa afirmação pede uma resposta. Por isso, Eliú diz: **Eu te darei resposta, a ti e aos teus** [três] **amigos contigo** (4).

Em um ponto crítico Eliú e Jó concordam. Um olhar **para os céus** (5), onde Deus está entronizado, vai convencer qualquer um que Ele não pode ser influenciado por homem algum, quer pelo pecado quer pela retidão. Eliú afirma que o homem não tira nada de Deus quando peca (6) e não dá nada a Ele quando é **justo** (7). O que acontece é que o próprio homem e os outros à sua volta podem ser influenciados para o **mal** pela **impiedade** ou para o bem pela **justiça** (8).

Jó havia dito que o clamor do seu sofrimento não era ouvido por Deus, com isso afirmando que Deus estava indiferente. Eliú aqui reconhece que existem "fardos de opressão" (9, NVI), que levam o homem a clamar. No entanto, ele ressalta que em muitos casos é somente por causa da dor que **eles clamam** "para livrá-los do braço do tirano" (Moffatt).

Não acontece por razão religiosa verdadeira — **Ninguém diz: Onde está Deus, que me fez?** (10). Quando o homem clama, não deveria ser apenas como uma reação instintiva à dor. Deus criou os homens **mais doutos do que os animais** (11). Ele deveria, portanto, tratar dos problemas da sua vida em um nível acima do instinto animal. Se o clamor do homem não é ouvido, é **por causa da arrogância dos maus** (12) ou porque os homens oram de maneira vaidosa (13; arrogante, falsa). Podemos estar certos de que Deus ouvirá uma súplica honesta. **Logo, Jó em vão abre a sua boca** (16). Ele tem estado completamente errado em afirmar que Deus é indiferente ao sofrimento da humanidade. Nos versículos 15-16, Eliú acusa Jó com presunção: "E agora, visto que Deus não te visitou em sua ira e não dá atenção à tua transgressão, tu, em vão, abres a tua boca" (Berkeley).

Uma das passagens mais bonitas do livro encontra-se no versículo 10. A frase **que dá salmos entre a noite** deveria expandir a nossa imaginação. Uma das maravilhas da criatividade de Deus é o fato de ter colocado esperança no coração do homem. Não importa quão escuro esteja, o homem tem a capacidade de vislumbrar a luz. Ele pode cantar um hino de alegria em meio a tristeza. Quando essa esperança se vai, a vida se vai. Eliú alcança seu ponto mais elevado da compreensão e conscientização religiosa por meio desse pensamento esplendoroso.

E. O Quarto Discurso de Eliú, 36.1—37.24

1. *Introdução à Defesa da Justiça de Deus* (36.1-4)

Eliú declara que tem mais coisas a dizer e pede a atenção do seu público. Ele garante que o seu conhecimento vem de **longe** (3) e assegura os seus ouvintes de que eles têm o grande privilégio de ter alguém no meio deles que é **sincero na sua opinião** (perfeito no conhecimento, 4). Isso pode ser, como Moffatt entende, uma afirmação pouco modesta, ou, como diz a *Versão Berkeley*, uma alusão à presença invisível de Deus com ele.

2. *O Motivo do Sofrimento Humano* (36.5-14)

A principal premissa de Eliú tem sido que **Deus é mui grande [...] em força de coração** ("em força e sabedoria", 5). Ele está certo de que Deus dá a cada homem aquilo que ele realmente merece. Ele não poupa a vida do **ímpio** (6) nem esquece o **aflito**, como Jó havia afirmado. Ele cuida especialmente do **justo** (7), que Ele conduz à posição mais elevada —**com os reis no trono** (7). Se por um acaso os justos estiverem amarrados com cordas de **aflição** (8), o sofrimento serve como disciplina para que se convertam **da maldade** (10) que devem estar considerando. **Se o ouvirem** (obedecerem, 10) eles prosperarão; **porém, se o não ouvirem** (12), serão destruídos ao realizarem seus planos perversos. Os **hipócritas** (ímpios) **de coração** (13) se iram contra Deus por causa da disciplina divina, e com isso perdem o benefício de toda a experiência (14).

3. *O Motivo do Sofrimento de Jó* (36.15-25)

No versículo 15, Eliú expõe o princípio da disciplina instrutiva: **Na opressão, [Deus] se revela** (abre) **aos seus ouvidos.** No versículo 16 ele aplica esse princípio a Jó. Deus teria proporcionado felicidade a Jó — **um lugar espaçoso e da tua mesa [...] gordura** — em vez de opressão. **Aperto** lembra a alusão de Jó a redes, gado e caminhos entrincheirados, em 19.6-8. Mas Jó não aceitou a instrução do castigo. Em vez disso, ele está **cheio do juízo do ímpio** (17) e tem se irado com Deus (18). Jó deveria ser advertido de que nenhum resgate ou **os esforços** da sua **força** (19) podem libertá-lo dessas circunstâncias de rebelião.

Jó tinha requisitado a morte como resposta para o seu problema, mas Eliú admoesta: **Não suspires pela noite** (20). Deus, às vezes, elimina pessoas dessa forma como parte do seu julgamento. Mas essa atitude mostra que Jó está realmente se rebelando contra os caminhos de Deus, em vez de aceitar humildemente a sua instrução. Também mostra que Jó escolheu **iniqüidade** em vez da **miséria** (aflição, 21). Em vez de se queixar, deveria reconhecer a grande **força** de Deus (22) e **engrandecer a sua obra** (24). A obra maravilhosa que Deus faz é facilmente vista pelos **homens** (24-25), mas Jó ousou ensinar a Deus em vez de aprender dele.

4. *Deus Deve Ser Louvado pela sua Majestade (36.26—37.13)*
Eliú se lembra da grandeza de Deus por meio das maravilhas da natureza. Embora esse tema já tenha sido explorado por ambos os lados do debate, Eliú sente que deve unir-se a eles. Ele aponta para as várias evidências do poder majestoso de Deus. Ao fazê-lo deseja impressionar a Jó com a transcendência de Deus.

Eliú convida Jó a considerar **as gotas das águas** e as nuvens (27-28) e o impressionante temporal com relâmpagos (36.28—37.5). **Os trovões** (barulho) **da sua tenda** (29) são o trovão do pavilhão do céu. O versículo 30 tem sido interpretado da seguinte maneira: "Veja como Ele dispersa os relâmpagos ao seu redor e encobre o topo das montanhas" (Berkeley). Moffatt conecta o versículo 31 com a dádiva da chuva nos versículos 27-28 e traduz:

> *Com isso ele sustenta as nações,*
> *e provê mantimento para a humanidade.*

O versículo 33 é de difícil interpretação. Ele se refere claramente ao trovão, mas os intérpretes diferem em relação à sua função. A *Versão Berkeley* diz: "Seu trovão anuncia sua presença; o gado recebe o aviso da vinda da tempestade" (cf. Smith-Goodspeed). A RSV traduz:

> *Seu estrondo proclama a respeito dele,*
> *que é zeloso com ira contra a iniqüidade* (cf. Moffatt).

Em 37.6-10, Eliú considera o desamparo do homem em lidar com o gelo e a neve. Os versículos 6-7 podem ser entendidos da seguinte forma:

> *Ele diz à neve que caia na terra,*
> *também ao aguaceiro,*
> *que mantenha os homens dentro de casa —*
> *para que todos os mortais sintam o seu poder* (Moffatt).

O versículo 10 foi traduzido da seguinte maneira pela ARA:

*Pelo sopro de Deus, se dá a geada,
e as grandes águas se congelam.*

Nos versículos 11-13, Eliú volta a mencionar as nuvens, que, junto com o vento, obedecem ao **conselho** de Deus (12) de se espalhar pela terra. Elas alcançam os propósitos que Ele tem em mente para elas, **seja para correção [...] ou para beneficência** (misericórdia, 13). O versículo 11 é esclarecido na ARA: "Também de umidade carrega as densas nuvens, nuvens que espargem os relâmpagos".

5. *Exortação à Submissão e à Humildade* (37.14-24)

Eliú está tão emocionado com as revelações que ele tem desvendado que não consegue entender como Jó simplesmente não se prostra diante de um Deus como esse em humilde reverência e admiração.

Para Eliú, Jó está tentando brincar de ser Deus em sua condenação do tratamento divino ao homem. Prevendo o tipo de pergunta que Deus vai fazer a Jó (cf. 38.4), Eliú pergunta: Quando Deus opera, você sabe como Ele o faz? (15) e: **estendeste com ele os céus**? (18). O sol que resplandece nos céus é esclarecido da seguinte forma:

> *E agora os homens não viam a luz;
> estava obscuro nos céus;
> mas o vento passou e os clareou* (Smith-Goodspeed).

Deveria ser óbvio para todos, pensa Eliú, que **em Deus há uma tremenda** (temível) **majestade** (22). O homem não o pode **alcançar** (23), mas podemos depender dele quanto ao seu **juízo** e **grandeza de justiça**. Deus respeita os que são humildes. Somente os orgulhosos — os que são **sábios no coração** (que se acham sábios) — não merecem o seu favor (24).

Eliú não disse muita coisa nova. Primeiramente, ele defendeu a posição dos três amigos, mas aperfeiçoou essa posição com fervor e entusiasmo. Ele revela uma atitude devota, mas não produz nenhuma consideração nova ou singular. Qualquer tentativa de singularidade por parte de Eliú deve ser restrita à sua declaração da força instrutiva do sofrimento e a ampliação desse princípio até a idéia de que o sofrimento é uma expressão da bondade de Deus, embora esteja dissimulada. Estas idéias, no entanto, já estão inseridas nos conceitos dos outros.

Alguns estudiosos acham que Eliú provê um interlúdio literário necessário entre o clamor fervoroso de Jó e a próxima cena — o redemoinho do qual Deus fala com ele.

Seção **IV**

A CONVERSA DE DEUS COM JÓ

Jó 38.1—42.8

O maior desejo de Jó, expressado muitas vezes, era que Deus lhe concedesse uma audiência para que toda a questão da sua integridade e sofrimento pudesse ser resolvida. Nesta parte do livro, o desejo de Jó é finalmente satisfeito, mas não na forma como ele estava esperando.

A pergunta principal levantada no livro é: "Porventura Jó teme [serve] a Deus em vão?" (1-9). Esta é, em última análise, uma pergunta acerca do tipo de relacionamento que existe entre o homem e Deus.

Satanás (o satanás; veja comentários em 1.6) e os amigos de Jó concordam essencialmente na resposta dessa pergunta. Satanás não acredita que Jó "manterá sua integridade" sem uma recompensa. Os amigos acreditam que a prosperidade material desfrutada por um homem é a recompensa pela integridade e que, portanto, a falta de recompensa é a evidência imediata de pecado. O autor e poeta retratou a Jó como vencedor sobre esses inimigos. Ficou provado que Satanás estava errado porque Jó não "amaldiçoa a Deus" com a perda da saúde e da riqueza. Jó derrota os amigos e suas argumentações. Ele argumenta persuasivamente a partir das realidades da vida de que riqueza e bênçãos nem sempre são resultantes de retidão.

No entanto, Jó não sobreviveu à sua provação sem ficar com marcas dela. Seu relacionamento com Deus não ficou esclarecido. A própria atitude de Jó é o seu problema. Ao defender sua integridade, ele contestou a integridade de Deus e o fez parecer injusto. Deus parece não mostrar uma consistência perceptível em sua jurisdição moral do mundo. Esta é uma questão que deve ser resolvida a partir de agora.

Jó deseja ter uma oportunidade de estar diante de Deus para poder justificar-se. Parece que ele acha que pode apelar para a natureza moral de Deus a fim de neutralizar a inimizade que Deus aparentemente exerce contra ele. É acerca dessa questão que Deus fala com Jó. Ele não entra numa disputa judicial com Jó, mas mostra a ele o verdadeiro relacionamento que sempre deve existir entre Deus e o homem, entre o infinito e o finito.

A. A Primeira Resposta a Jó, 38.1—40.5

1. *O Desafio Inicial* (38.1-3)

O Senhor (1) é *Yahweh* (Javé), o Deus dos hebreus. **De um redemoinho** é literalmente "de uma tempestade". Não está claro se o autor teve a intenção de ser literal ou figurado na linguagem que usa. No entanto, é a linguagem bíblica da teofania (veja Sl 18.8-12; Ez 1.4, 28; mas veja também 1 Rs 19.11-12).

O Senhor desafia Jó ao perguntar: **Quem é este que escurece o conselho?** (2). A pergunta infere que ocorreu algum tipo de confusão. **Conselho** sugere o plano ou razão das coisas. Jó havia obscurecido os propósitos de Deus no mundo por meio dos seus argumentos e queixas, especialmente em sua afirmação de que Deus agia injustamente nas questões humanas.

Cinge os teus lombos (3) é uma expressão preparatória para agir. Jó tinha, repetidas vezes, desafiado Deus a encontrá-lo. Agora Deus está pronto a concordar com seu pedido. Jó deve estar inteiramente preparado na argumentação com Deus para o que virá. E não era o que Jó esperava. Ele desejava questionar a Deus a respeito de sua atitude e ações. Em vez disso, Deus diz: **Perguntar-te-ei, e, tu, responde-me**. Quando Deus faz suas perguntas, Jó não está pronto para a entrevista como ele havia imaginado anteriormente (40.3-5).

2. *A Natureza Inanimada Fala da Sabedoria de Deus* (38.4-38)

Deus desarmou Jó com referência aos sistemas ordenados da natureza que estão além do poder controlador de qualquer homem. Ele não consegue compreendê-los inteiramente.

Primeiro, Ele pergunta a Jó: **Onde estavas tu** (4) no início da criação? Isto ressalta a limitada inteligência de Jó e a natureza transitória de sua existência. **Faze-me saber** se refere ao versículo 3 e também às perguntas que vêm a seguir. As perguntas mostram que Jó não tem conhecimento, de primeira mão, de como a terra foi formada. Ele sabe *quem* a fez, mas ele não estava presente para ver *como* ela foi feita. A criação da terra é semelhante à construção de um prédio bem projetado, estendida com um **cordel** (5; linha de medir) e nivelada cuidadosamente com fundamentos fortes e uma **pedra de esquina** (6). **As estrelas da alva** (estrelas personificadas) e **os filhos de Deus** (7; anjos) são descritos como expressando imensa alegria pela grandeza da terra enquanto observavam Deus construí-la. Eles estavam lá, mas Jó não estava.

Deus também indaga a Jó acerca da sua ligação com a criação dos oceanos. A pergunta básica ainda continua: "Onde estavas?" A figura é de um ser gigante nascido da **madre** (8) do universo, colocando **nuvens** como **sua vestidura** (9). À medida que o mar se avolumava, Deus colocou limites para ele, para que ficasse restrito a um determinado território (8-11).

Dias e noites fazem parte da criação de Deus. Cada manhã se mostra a **alva** (12). Ela envia luz para as **extremidades da terra** (13). Por meio da sua luz o mal perpetuado sob a cobertura da escuridão pode ser vencido (13,15). O versículo 14 descreve o efeito do sol da manhã sobre a aparência do mundo. "A terra toma forma como o barro sob o sinete; e tudo nela se vê como uma veste" (NVI).

Os mistérios da terra e do mar são explorados. **Entraste tu?** (16) é o mesmo tipo de pergunta como aquela feita no versículo 4. Será que Jó conhece as **origens do mar**? Aqui, **profundo** refere-se ao mundo que ficava debaixo do oceano. No versículo 17, **portas da morte** e **portas da sombra da morte** referem-se ao *Sheol*. Acaso Jó passou pelas portas do *Sheol* para descobrir os segredos escondidos nas suas profundezas? Ele conhece as **larguras da terra** (18) ou o que fica além da terra plana?

Da mesma maneira Deus mostra a Jó que ele não tem conhecimento da **luz** e das **trevas** (19). O **número dos teus dias** (21) é uma alusão ao diálogo com os amigos quanto à conexão entre idade e sabedoria.

As causas dos fenômenos naturais como a **neve** e a **saraiva** (22) estão além do conhecimento de Jó. No entanto, Deus os mantém em seu depósito para usá-los conforme lhe apraz —até mesmo na **peleja** (23; veja Jó 10.11). O **vento** (24), os **relâmpagos** (25), a **chuva** (26-28), a **geada** (29c-30) não podem ser controlados por Jó. **Debaixo das pedras [...] se escondem** (30) é melhor traduzido como: "ficam duras como a pedra" (ARA). Jó não pode **ajuntar as cadeias do Sete-estrelo ou soltar os atilhos do Órion** (31-33).[1] Jó também não pode conduzir as **nuvens** a lhe obedecer (34-38). Todos esses fenômenos estão aí para cumprir o propósito de Deus, mas estão além do conhecimento e do controle do homem.

3. *Exemplos da Vida Animal* (38.39—39.30)

Exemplos da vida animal selvagem são colocados diante de Jó. Esse texto ressalta sua completa ausência de responsabilidade em criar e sustentar esse maravilhoso reino animal. O **leão** (38.39) e o corvo (38.41) são completamente opostos em relação à sua natureza, no entanto, ambos são alimentados por Deus devido ao seu cuidado providencial por eles. **Cabras monteses** e corças (31.1; fêmea dos cervos vermelhos) têm suas crias e as criam até se tornarem adultos independentes sem a ajuda do homem. **Sabes tu** (1-2) refere-se à jurisdição, ao controle e ao conhecimento dos hábitos dessas criaturas. **Lançam de si as suas dores** (3) é melhor traduzido como: "elas têm as suas crias"; esta é uma construção paralela de **terem seus filhos**.

O **jumento bravo** (5) é um animal forte e independente. Quem o "pôs em liberdade?" (NVI). Ele pode viver no deserto e sobrevive onde outros animais não conseguem (6-8). Semelhantemente **o unicórnio** (9; boi selvagem) com sua natureza indomável, desafia o esforço do homem em subordiná-lo (10-12). A beleza das **cegonhas** (13) não é o resultado do esforço do homem. Mesmo a falta de cuidado do **avestruz** em relação aos seus filhotes é um tipo de **sabedoria** insondável que não se consegue entender (14-17). **A seu tempo se levanta ao alto** (18) é melhor traduzido como: "quando de um salto se levanta para correr" (ARA). A coragem maravilhosa do **cavalo** de guerra (19) é contrastada com a coragem de um **gafanhoto** (20). O significado da palavra **força** (19, ou "estrondo") não está claro no hebraico. Na sua **força** selvagem (21) o cavalo parece devorar **a terra** (24) ao se lançar na batalha. **Não faz caso do som da buzina** é melhor traduzido por "não se contém ao som da trombeta" (ARA). O **gavião** (26) voa por instinto quando migra para o **sul**. Também por instinto a **águia [...] põe no alto o seu ninho [...], no cume das penhas** (27-28), de onde **descobre a presa** para alimentar seus filhotes (29).

4. *Jó é Silenciado* (40.1-5)

O ponto de todas as ilustrações anteriores é destacado pela pergunta que Deus faz a Jó em seguida: **Porventura, o contender contra o Todo-poderoso é ensinar?** Esses exemplos têm falado eloqüentemente do aguçado contraste entre o Deus que criou tudo e Jó, que é apenas uma das criaturas de Deus. Mas, como Davidson ressalta, não é o mistério inefável que está por trás das obras do Criador que tanto impressiona a Jó. É o próprio Deus que está "desfilando" diante dele.[2] Para todos os lados que Jó olha, ele percebe um discurso eloqüente do Criador. Jó tinha dito que olhou para frente, para trás, para ambos os lados, mas não havia conseguido encontrar a Deus. Esta sua interpretação estava completamente errada. Deus está tremendamente interessado nele, se ele apenas reservar tempo para vê-lo. Jó esteve tão preocupado consigo mesmo que perdeu a capacidade de avaliar e não estava, portanto, percebendo a auto-revelação de Deus que existe em cada canto do universo.

O desenvolvimento do pensamento desta seção é esplêndido, mas no contraste da seqüência das idéias está a beleza da sua expressão. Estas vinhetas formam uma poesia sem igual e marcam o autor como um estudioso arguto e perceptivo da natureza.

A primeira comunicação de Deus a Jó cai em terreno fértil. Com humildade, Jó admite que falou de forma imprudente — **Eis que sou vil** (4). Este é um termo moral. Jó está dizendo que é pequeno demais para responder a Deus. É verdade que Deus não explicou a causa do sofrimento de Jó, mas este está começando a ver que a sua religião — sua integridade — deve ir além do seu interesse próprio. Nada lhe resta, a não ser calar-se (5) nessa disputa com Deus.

B. A Segunda Resposta a Jó, 40.6—42.6

O primeiro discurso de Deus mostrou a Jó que ele havia sido presunçoso em seu desejo de debater com Deus. A exposição acerca da criação colocou Jó no seu devido lugar, mas ainda não havia tratado da atitude flagrantemente incrédula de Jó. Este tinha acusado Deus de ser injusto na sua forma de governar o mundo. O segundo discurso trata desse assunto.

Deus primeiro desafia a Jó por este tê-lo criticado (40.6-14) e ironicamente convida Jó a sentar-se, se ele puder, no lugar de Deus e governar o mundo. Segue-se uma descrição de Beemote e Leviatã,[3] provavelmente representações da vitória de Deus sobre as forças caóticas no universo. Se raciocinarmos de trás para frente, do que foi alcançado com o propósito dessas descrições, essa revelação serve para levar Jó ao arrependimento em vez de a uma mera submissão em 39.1—40.6. Acerca deste ponto, Terrien argumenta que o intervalo de tempo entre a submissão de Jó e sua penitência é confiável psicológica e teologicamente.[4]

1. *O Desafio a Jó é Renovado* (40.6-14)

Cinge agora os teus lombos (7) é uma fórmula introdutória quase idêntica à de 38.1,3. Como antes, Deus fala de dentro de um redemoinho ou de uma **tempestade** (6). Ele pergunta a Jó: **Porventura, também farás tu vão o meu juízo?** (8). A palavra **juízo** (*mishpat*) tem um significado amplo no AT. Pode referir-se ao ato de manter a justiça ou o direito. Também é uma ordenação ou sistema de um ensinamento correto a ser seguido. Às vezes, ela se refere aos nossos direitos ou privilégios. Também pode referir-se ao que é apropriado ou conveniente, como em modos e costumes. Nesse contexto, parece significar os princípios pelos quais Deus governa o mundo. Jó havia dito que esses controles morais não serviam como evidência para ele. A atitude que Deus estava testando em Jó era o desejo dele de manter sua própria retidão à custa da integridade e retidão de Deus (8).

Para mostrar o absurdo dessa posição, Jó é questionado se ele tem um **braço como Deus** (9) ou pode **trovejar com voz como** a de Deus.

Ao ter desaprovado a administração de Deus, Jó tinha, por inferência, se colocado em posição de igualdade com Deus. Ironicamente, Deus pergunta se ele tem a capacidade de sustentar sua afirmação. Supondo que Jó poderia reivindicar essa capacidade, Deus então o convida a demonstrar isso ao vestir os mantos de **majestade** e **glória** divinas (10). Ele é desafiado a derramar sua **ira** para humilhar o **soberbo** (11) e atropelar os **ímpios** (12), escondendo-os **no pó** (13). Se Jó pode fazer isso, Deus confessará (14; admitirá) que Jó é capaz de salvar-se a si mesmo. A ironia grave dessas propostas é autoevidente. Terrien acredita que este seja o versículo-chave do livro.[5] Satanás tinha levantado a questão se Jó de fato se elevara à posição em que não precisava de Deus. Será que Jó se lembrará de quem ele é e em fé humilde deixará que o Senhor seja Deus?

2. *Beemote* (40.15-24)

Para acrescentar outras evidências que mostram a distinção entre Deus e o homem o poeta registra a descrição que Deus faz de **Beemote** (15). O nome dessa besta é simplesmente a transliteração da palavra hebraica. Conforme a descrição, ele foi criado com Jó (criado no início dos tempos junto com a humanidade?). Ele é herbívoro e é dotado de uma força muito grande. A sua cauda se **move** como um **cedro** (17). A sua força está nos seus músculos e a sua **ossada** é **como barras de ferro** (18). Nenhum outro animal é tão forte como ele. Moffatt interpreta o versículo 19 da seguinte maneira: "Ele é a obra-prima de Deus, feito para ser senhor dos seus companheiros".

A natureza serve a ele ao produzir-lhe **pasto** (20), um lugar para brincar e um conforto debaixo da sombra das árvores (21-22). Ele é tão enorme que mesmo o **Jordão**, quando transborda, não o incomoda (23). Quem poderia enganá-lo com qualquer tipo de **laços** (24)?

Beemote é muitas vezes entendido como a descrição de um hipopótamo, embora sua cauda dificilmente se equipare com um cedro em tamanho e força. Tsur-Sinai considera **Beemote** um "animal imaginário" que representa todos os grandes animais herbívoros criados por Deus.[6] Terrien acredita que ele tenha um significado mitológico —uma besta primitiva.[7] Pope enxerga um paralelo entre Beemote e o grande búfalo que, de acordo com o mito ugarítico, era caçado por Baal na região do Lago Hula, na área pantanosa da parte alta do Jordão.[8]

Qualquer que seja a identificação, Beemote foi criado por Deus e serve para contrastar o poder de Deus com o poder do homem. Ele pode ter tido nuanças místicas para o autor. Se esse foi o caso, ele não está meramente repetindo o tema dos capítulos 38 e 39. Ele pode estar se referindo a esse mundo espiritual, o qual, para a mente popular da sua época, era povoado por criaturas grandes e amedrontadoras. Mesmo essas criaturas, diz o poeta, estão sujeitas a Deus e foram criadas por Ele.

3. *Leviatã* (41.1-34)

Segue-se imediatamente uma descrição detalhada de **Leviatã** — que também é uma transliteração do termo hebraico. Geralmente se considera que a descrição que melhor se encaixa é a de um crocodilo, embora possa muito bem ter nuanças místicas a seu respeito, de acordo com 3.8 e 26.13. Em todo caso, como em "Beemote", a ênfase está na força superior de Leviatã se comparada com a capacidade do homem em competir com ele.

É impossível capturar Leviatã **com anzol** (1). Além de ser impossível capturá-lo também é impossível domá-lo. Quase caprichosamente Deus pinta um quadro em que Jó procura fazer exatamente isso. **Podes pôr uma corda no seu nariz** (2) ou furar a **sua queixada?** Quem poderia visualizar uma criatura como essa falando gentilmente ou fazendo um acordo com seu capturador (3-4)? Certamente este jamais seria um brinquedo que ele daria às suas meninas (escravas) como um animal de estimação (5).

Este monstro marinho não pode ser servido num **banquete** (6), porque não existe método algum que possa capturá-lo. Ele é impenetrável por qualquer tipo de "arpões" ou "lanças de pesca" (NVI; 7). Alguém que chega perto o suficiente para colocar sua **mão sobre ele** (8) vai se lembrar por muito tempo da peleja feroz e nunca mais tornará a fazê-lo. "O homem que espera vencê-lo será desiludido; ao vê-lo a pessoa fica paralisada!" (9; Berkeley).

A moral dessa ilustração é fornecida no meio da descrição. **Ninguém** se atreve a **despertá-lo** (10). Visto que nenhum homem é forte o suficiente para combater Leviatã, menor ainda é a possibilidade de alguém ser qualificado para **erguer-se diante** de Deus. Tudo **o que está debaixo de todos os céus é meu** (11). Jó não tem nenhuma reivindicação a fazer a um Deus que possui tal estatura.

Mais uma vez o autor volta sua atenção a Leviatã. Ele é tremendo em poder e de "porte gracioso" (12, NVI). Seu couro, coberto com escamas como uma armadura bem ajustada, não pode ser penetrado. O versículo 13 pode ser lido da seguinte forma:

Quem lhe abrirá as vestes do seu dorso?
Ou lhe penetrará a couraça dobrada? (ARA).

As portas do seu rosto (14) seriam as suas mandíbulas. **Em roda dos seus dentes está o terror**. A expressão **Cada um dos seus espirros faz resplandecer a luz** (18) pode referir-se à luz brilhando sobre a água vaporizada das suas narinas. Os versículos 19-21 descrevem a noção popular de um monstro marinho que respira **fogo** e **fumaça, como de uma panela fervente**.

A grande força de Leviatã é descrita por meio de figuras como a força do **seu pescoço** (22), sua **carne** dura (23) e seu **coração** de **pedra** (24). Moffat traduz o versículo 22 da seguinte forma:

A força está no seu pescoço —
todas as criaturas se contraem em terror diante dele.

O versículo 25 pode ser traduzido da seguinte forma: "Quando ele se ergue, os poderosos se apavoram; ficam fora de si de pânico" (Berkeley). Leviatã faz com que as suas armas de **ferro** pareçam **palha** e as de **cobre** como **pau podre** (27). Nenhuma **seta** (28) o incomoda, e **fundas** (28) e o bastão (29, NVI) são como se estivessem jogando talos de palha nele. "Suas partes inferiores são como conchas pontiagudas; elas deixam um rastro de lama como um instrumento de debulhar" (30; Berkeley). Ele se ri da **lança** (29), e quando fica irado **faz ferver** as **profundezas** como **uma panela** (31). Ele nada pelas águas rapidamente e deixa um **caminho** (um sulco brilhoso; 32). Em lugar algum existe alguma coisa parecida com ele (33). Ele **é rei** (34) sobre os animais mais altivos.

4. Jó se Arrepende (42.1-6)

Jó é convencido da grande majestade e sabedoria de Deus. Ele admitiu depois do primeiro discurso de Deus que estava fora de lugar. Agora ele percebe que seu pensamento rebelde estava completamente errado.

Bem sei que tudo podes (2). Jó está impressionado com o poder incomparável de Deus. Nada está além da sua capacidade. **Nenhum dos teus pensamentos pode ser impedido** significa que Deus pode fazer qualquer coisa que Ele planeja fazer.

Jó repete as palavras de Deus para ele quanto a encobrir **conselho** sem **conhecimento** (3). Ao fazê-lo, ele admite que é culpado, conforme havia sido acusado. Ele reconhece que falou acerca de coisas que estão muito além do seu conhecimento e experiência.

"Meus ouvidos já tinham ouvido a teu respeito" (5, NVI) indica que o conhecimento de Jó acerca de Deus era limitado demais. Era um conhecimento acadêmico. Seus amigos (e o ensinamento religioso) haviam falado *acerca de* Deus. Ele mesmo havia passado esse tipo de informação para outras pessoas. Com base no que havia ouvido ele tinha se empenhado na discussão especulativa a respeito da natureza de Deus. Mas os conceitos defendidos por seus amigos eram inadequados para se ajustar às suas circunstâncias. Os seus próprios conceitos o levaram a levantar acusações contra Deus que eram acusações rebeldes e blasfemas. Agora ele mudou — **Agora te vêem os meus olhos**. Jó não mais confia em uma verdade baseada em boatos. Ele foi confrontado por Deus pessoalmente.

Quais são os resultados de uma confrontação como essa? Arrependimento. **Por isso, me abomino** (6). A palavra **abomino** significa derreter, dissolver, definhar. Deus acusou a Jó de pensar demais acerca de si mesmo. Agora Jó está dizendo: Não sou nada (veja Sl 58.8). Ao ver Deus, Jó percebe quão insignificante ele realmente é (cf. Is 6.5). Jó vê a si mesmo como Deus o vê, mas ele também vai além da autodepreciação —**me arrependo no pó e na cinza**. Do que Jó se arrepende? Dos pecados de que seus amigos o acusaram? De reivindicar uma integridade que ele não possui? Não. Ele se arrepende das suas acusações presunçosas contra Deus e especialmente do orgulho que essas acusações demonstraram.

Esta é a resposta que o autor do livro estava aguardando. A miséria de Jó continua com ele. Suas amizades foram destruídas ou severamente prejudicadas. Nenhuma das desgraças e tragédias perpetradas por Satanás foram removidas. Deus não cedeu ao desejo de Jó de um debate acerca da justiça divina em relação à administração do mundo. O que Jó veio a conhecer é que os caminhos de Deus estão além da capacidade de compreensão do homem. Portanto, Deus não pode ser censurado nem questionado em nenhuma circunstância da vida.

Mas Jó aprendeu mais. Ele descobriu por experiência própria que, não importa até que ponto possamos nos afundar na pressão do sofrimento, a esperança cresce na alma e produz uma fé persistente. A conversa de Jó com Deus provou que a confiança humilde nele é a única posição razoável que o homem pode ter. Ele, e somente Ele, é Deus. Ele é plenamente digno de uma confiança absoluta. Mas essa confiança não fica sem recompensa. Quando Jó trilhou por esse caminho, ele encontrou a Deus. Ele o viu, o Criador e Sustentador do universo.

Seção V
EPÍLOGO EM PROSA

Jó 42.7-17

Muitas pessoas acreditam que a obra do autor e poeta termina com a confissão e arrependimento de Jó. Alguns rejeitam a restauração dos bens de Jó como um anticlímax que, no fim das contas, respalda a posição dos amigos. Já foi mostrado que isso não é necessariamente verdade (veja a Introdução, "Integridade do Texto").

A. Jó Intercede por seus Amigos, 42.7-9

Deus não aprovou a atitude que Jó teve em relação a Ele, mas Deus também não aprovou a atitude dos três amigos no seu debate com Jó. Deus se dirige a Elifaz: **A minha ira se acendeu contra ti, e contra os teus dois amigos** (7), porque o erro de vocês é mais sério do que o de Jó. Ele então os instrui a pedir que **Jó** ore (8) em favor deles. Isso foi feito, **como o Senhor lhes dissera** (9).

Nos versículos 1-10 vemos: "O Senhor é soberano". 1) A onipotência de Deus, 1-2; 2) A incapacidade do homem de julgar a providência de Deus, 3-6; 3) A intercessão em favor dos nossos opositores, 7-10 (A. Maclaren).

B. A Saúde e a Riqueza são Devolvidas a Jó (42.10-17)

O cativeiro de Jó (10) refere-se a todo sofrimento que ele passou. As amizades e sua honra foram restauradas (11). Sua riqueza foi duplicada (cf. 1.3 e 42.12). Ele foi agraciado com o mesmo número de filhos (cf. 1.2 e 42.13). Os nomes das suas três filhas são mencionados (14). Lemos que **em toda a terra não se acharam mulheres tão formosas com as filhas de Jó** (15). Também é mencionado que elas compartilhariam da **herança** com os seus filhos. Jó foi coroado com uma vida longa depois da sua provação — **cento e quarenta anos** (16) — a ponto de ver a sua descendência **até à quarta geração**. Sua morte foi feliz porque ele havia vivido bem a sua vida. **Então, morreu Jó, velho e farto de dias** (17).

Este livro não conta, de fato, por que os homens sofrem em nosso mundo. Ele pode ajudar aqueles que sofrem a suportar o sofrimento com paciência, e a manter a fé de acordo com os caminhos de Deus, mesmo quando esses caminhos são obscuros. Todavia, foi necessário que Alguém, carregando a cruz, mostrasse ao mundo claramente o que se pode alcançar por intermédio do sofrimento imerecido.

Notas

INTRODUÇÃO

¹ *Javé* é usado regularmente no prólogo e epílogo como nome da Deidade. Nas outras partes, o livro se refere a Deus como *El* ou um dos seus derivados. Em diversas ocasiões neste diálogo, *Shaddai*, Todo-poderoso, é usado normalmente como uma alternativa paralela ao termo *El*.

² Para um debate mais completo da linguagem e do texto de Jó, veja Marvin H. Pope, "Job", *The Anchor Bible*, ed. William Foxwell Albright e David Noel Freeman (Garden City, Nova York: Doubleday & Company, Inc., 1965), XV, xxxix ss. Neste comentário (em inglês) é usada a Versão King James, visto que é a tradução mais comumente usada. Em português usamos o texto da Edição Revista e Corrigida (1995). Nos comentários acerca do texto, no entanto, uma atenção apropriada vai ser dada a outras traduções que ajudam na compreensão do texto.

³ Edward Young, embora afirme resolutamente que "qualquer ponto de vista que destrua a unidade do livro deve ser rejeitada", admite que "certas partes [...] podem apresentar [...] revisão lingüística" (*Introduction to the Old Testament* [Grand Rapids: Wm. B. Eerdmans Publishing Co., 1949], p. 313).

⁴ George Buchanan Gray e Samuel R. Driver, *The Book of Job*, I ("The International Critical Commentary"; Nova York: Charles Schribner´s Sons, 1921), lxii.

⁵ Aceitar a natureza composta do livro da forma como chegou até nós não destrói seu valor nem precisa diminuir a confiança do leitor na sua inspiração divina. Se o Espírito de Deus pôde inspirar um autor, Ele certamente poderia inspirar e dirigir outros escritores ou compiladores. Veja acerca desse assunto a excelente declaração de Samuel A. Cartledge, *A Conservative Introduction to the Old Testament* (Athens: University of Geórgia Press, 1944), p. 44.

⁶ Para informações adicionais veja Samuel Terrien, "Job" (Exegese), *The Interpreter's Bible*, ed. George A. Buttrick, *et al.* III (Nova York: Abingdon-Cokesbury Press, 1954), 1186.

⁷ Cf. Robert H. Pfeiffer, *Introduction to the Old Testament* (Nova York: Harper & Brothers Publishers, 1941), pp. 678ss.

⁸ *Op. cit.*, p. 476. Ele data esse texto de Isaías em torno de 540 a.C., no final do exílio babilônico.

⁹ Para uma discussão mais detalhada dessas evidências, veja Pfeiffer, *op. cit.*, pp. 675ss.; Pope, *op. cit.*, pp. xxx ss. Young, *op. cit.*, p. 309, argumenta a favor de uma data durante o reinado de Salomão. No entanto, seus argumentos são fracos e não convincentes.

SEÇÃO I

¹ Veja Johs. Pedersen, *Israel, Its Life and Culture* (Londres: Oxford University Press, 1946), I, 336ss. Também Driver, *op. cit.*, pp. 2ss.

² A. B. Davidson, *The Book of Job* ("The Cambridge Bible for Schools and Colleges"; Cambridge: University Press, 1899), p. 7.

³ Para um bom resumo de informações disponíveis a respeito de Sabá, veja o artigo de G. W. Van Beek, "Sabeans", *The Interpreter's Dictionary of the Bible*, ed. George A. Buttrick, *et al.* (Nashville: Abingdon Press, 1962), IV, 144ss.

⁴ Pope, *op. cit.*, p. 16.

⁵ *The Book of Job* (Jerusalém: Kiryath Sepher, Ltd., 1957), p. 25.

⁶ M. H. Pope, *op. cit.*, p. 21, acha que a raspagem com um caco de cerâmica era uma forma de flagelação, expressando tristeza.

⁷ Cf. Davidson, *op. cit.*, p. 14.

SEÇÃO II

¹ The Bible, *An American Translation*, J. M. P. Smith e Edgar J. Goodspeed, *et al.* (Chicago: University of Chicago Press, 1939), p. 471.

² Davidson, *op. cit.*, p. 30.

³ *Op. cit.*, p. 939.

⁴ Essa qualidade do sobrenatural é que levou H. Wheeler Robinson a chamá-lo de "Elifaz, o Místico". Bildade é o tradicionalista e Zofar, o dogmático. Veja *The Cross in the Old Testament* (Filadélfia: Westminster Press, 1955), pp. 36ss.

⁵ Veja RSV e *The Holy Scriptures* (Filadélfia: The Jewish Publication Society of America, 5706-1946), *ad. loc.*

⁶ Veja Terrien, *op. cit.*, p. 940.

⁷ Davidson, *op. cit.*, p. 37.

⁸ Outros textos do Novo Testamento contêm similaridades com os textos de Jó, mas não são citações exatas.

⁹ Gray, *op. cit.*, p. 54.

¹⁰ O texto aqui é obscuro. Uma comparação com as várias traduções mostra a variedade de significados que essa passagem tem recebido. O sentido seguido aqui tem a vantagem de não empregar nenhuma alteração básica do texto, mas apresentar uma consistência razoável com o padrão de pensamento do contexto geral do texto.

¹¹ Gray, *op. cit.*, p. 78.

¹² *Ibid.*

¹³ James B. Pritchard, *Archeology and the Old Testament* (Princeton: University Press, 1958), p. 189.

¹⁴ T. H. Robinson, *Job and His Friends* (Londres: SCM Press, Ltd., 1954), p. 89.

¹⁵ *Ibid.*

¹⁶ Davidson, *op. cit.*, p. 72.

¹⁷ *Ibid.*, p. 81.

¹⁸ Andrew Blackwood, *Devotional Introduction to Job* (Grand Rapids: Baker Book House, 1959), pp. 81ss.

¹⁹ Veja Davidson, *op. cit.*, p. 101.

²⁰ A RSV e outras traduções modernas seguem as versões Grega, Siríaca e a Vulgata, ao traduzir por: "trazendo-o para julgamento". O uso da terceira pessoa é consistente com a referência à humanidade de modo geral nos versículos precedentes. No entanto, no hebraico lemos, "me fazes entrar". Não é inapropriado para Jó trazer a reflexão do geral para o particular na pessoa dele. Ele já usou esse expediente anteriormente e o fará posteriormente.

²¹ Davidson, *op. cit.*, pp. 103ss. Cf. Pederson, *op. cit.*, III, 477ss.

²² *Ibid.*, p. 121.

²³ Para uma discussão detalhada dos possíveis significados desse versículo, veja Pope, *op. cit.*, pp. 130ss. e Terrien, *op. cit.*, pp. 1041ss.

²⁴ Entre os que apóiam esse ponto de vista e trazem interpretações detalhadas dessa passagem citamos: Pope, *op. cit.*, p. 135; Terrien, *op. cit.*, p. 1056; Tsur-Sinai, *op. cit.*, pp. 304ss. Veja também James K. Zink, "Impatient Job," JBL, LXXXIV (Junho, 1965), 147-52.

²⁵ Davidson, *op. cit.*, pp. 142ss., apóia essa posição. O mesmo ocorre (de modo geral) com Gray, *op. cit.*, pp. 171ss.

²⁶ Veja T. H. Robinson, *op. cit.*, p. 100.

²⁷ *Exposition of Holy Scripture* (Grand Rapids: Wm B. Eerdmans Publishing Co., 1944), III, 58-63.

²⁸ Tsur-Sinai, *op. cit.*, p. 351.

²⁹ O capítulo 24 tem sido considerado por muitos uma interpolação. Os motivos são: (1) supostas diferenças na forma poética e (2) o conteúdo do capítulo. Esses argumentos não são conclusivos, mas é difícil conectar, de maneira lógica, o capítulo com o que vem antes. Para uma discussão mais detalhada desse assunto veja Gray, *op. cit.*, pp. 205ss.

³⁰ Davidson, *op. cit.*, p. 173.

³¹ Alguns estudiosos, vendo que os versículos 18-24 parecem contradizer o que Jó tem caracteristicamente afirmado, sugerem que esse fragmento é uma parte do terceiro discurso faltante de Zofar ou uma parte do terceiro discurso de Bildade. Eles sugerem que ele foi tirado do seu lugar original por um editor ortodoxo que o colocou no contexto do discurso de Jó para que estivessem em conformidade com a posição que ele achava que Jó deveria expor.

³² Veja Davidson, *op. cit.*, p. 182. Outros consideram 26.5-14 como naturalmente vindo de Bildade, e portanto, acrescentam essa passagem ao seu terceiro discurso.

SEÇÃO III

¹ Cf. Davidson, *op. cit.*, pp. xl ss.

SEÇÃO IV

¹ "O Sete-estrelo (Plêiades) é uma constelação de estrelas visíveis. Acreditava-se que elas estavam firmadas no seu lugar. O Órion, na mitologia, era um gigante, que, por causa da sua rebelião contras os deuses, foi lançado fora do céu" (Berk., nota de rodapé).

² *Op. cit.*, pp. 276ss.

³ Existe um debate geral acerca da autenticidade da descrição dessas duas bestas. Mas o comentarista deve, em última análise, lidar com o texto como ele se encontra. Para uma boa discussão dos problemas do texto veja Terrien, *op. cit.*, pp. 1183ss; Pope, *op. cit.*, pp. 268ss; Gray, *op. cit.*, pp. 351ss.

⁴ *Op. cit.*, p. 1184.

⁵ *Ibid.*, p. 1186.

⁶ *Op. cit.*, p. 557.

⁷ *Op. cit.*, pp. 1186ss.

⁸ *Op. cit.*, pp. 268ss.

Bibliografia

I. COMENTÁRIOS

BLACKWOOD, Andrew W. *Devotional Introduction to Job*. Grand Rapids: Baker Book House, 1959.

DAVIDSON, A. B. *The Book of Job*. "The Cambridge Bible for Schools and Colleges". Cambridge: University Press, 1899.

DRIVER, Samuel Rolles e Gray, George Buchanan. *The Book of Job*. "The International Critical Commentary". Nova York: Charles Schribner´s Sons, 1921.

MOULTON, Richard G. *The Book of Job*. "The Modern Readers' Bible". Nova York: The Macmillan Co., 1927.

POPE, Marvin H. "Job," *The Anchor Bible*. Ed. William Foxwell Albright e David Noel Freedman, Vol. XV. Garden City: Doubleday and Co., Inc., 1965.

ROBINSON, T. H. *Job and His Friends*. Londres: SCM Press, Ltd., 1954.

TERRIEN, Samuel. "Job" (Exegesis), *The Interpreter's Bible*. Editado por George A. Buttrick. et al., Vol. III. Nova York: Abingdon-Cokesbury Press, 1954.

TUR-SINAI, N. H. *The Book of Job*. Jerusalém: Kiryath Sepher, Ltd., 1957.

WARD, William B. *Out of the Whirlwind*. Richmond: John Knox Press, 1958.

II. OUTROS LIVROS

ALBRIGHT, William Foxwell. *From the Stone Age to Christianity*. Baltimore: The Johns Hopkins Press, 1946.

ANDERSON, Bernhard W. *Understanding the Old Testament*. Englewood Cliffs: Prentice-Hall, Inc., 1957.

BAKER, Wesley C. *More than a Man Can Take*. Filadélfia: The Westminster Press, 1966.

BEWER, Julius A. *The Literature of the Old Testament*. Nova York: Columbia University Press, 1933.

CARTLEDGE, Samuel A. *A Conservative Introduction to the Old Testament*. Atenas: University of Georgia Press, 1944.

FERRE, Nels F. S. *Evil and the Christian Faith*. Nova York: Harper Brothers Press, 1947.

GOTTWALD, Norman K. *A Light to the Nations*. Nova York: Harper and Brothers Pub., 1959.

MACLEISH, Archibald. *Job*. Boston: Houghton Mifflin, 1956.

MOULD, Elmer W. K. *Essentials of Bible History*. Nova York: The Ronald Press Co., 1951.

NAPIER, B. Davie. *Song of the Vineyard*. Nova York: Harper and Brothers Pub., 1962.

PEDERSEN, Johs. *Israel*, 4 vols. Copenhague: S. L. Moller, 1946.

PFEIFFER, Robert H. *Introduction to the Old Testament*. Nova York: Harper and Brothers Pub., 1941.

PRITCHARD, James B. *Archeology and the Old Testament*. Princeton: Princeton University Press, 1958.

PURKISER. W. T. (ed.). *Exploring the Old Testament*. Kansas City: Beacon Hill Press of Kansas City, 1961.

ROBINSON, H. Wheeler. *The Cross in the Old Testament*. Filadélfia: Westminster Press, 1955.

SILVER, Maxwell. *There Was a Man* . . . Nova York: Union of American Hebrew Congregations, 1965.

YOUNG, Edward J. *An Introduction to the Old Testament*. Grand Rapids: Wm. B. Eerdmans Publishing Co., 1949.

III. ARTIGOS

Beck, H. F. "Shuah", *The Interpreter's Dictionary of the Bible*, Vol. R-Z. Ed. George A. Buttrick, *et al*. Nova York: Abingdon Press, 1962, p. 341.

Dahlberg, B. T. "Zophar", IDB. Vol. R-Z, p. 963.

Fine, Hillel A. "The Tradition of a Patient Job", *Journal of Biblical Literature*, LXXIV (Março, 1955), 28-32.

Gaster, T. H. "Satan", IDB, Vol. R-Z, pp. 224-28.

Gold, T. R. "Teman", IDB, Vol. R-Z, p. 534.

Guthrie, Jr., H. H. "Bildad", IDB, Vol. A-D, pp. 437-38.

Hicks, L. "Eliphaz", IDB, Vol. E-J, p. 91.

Hontheim, Joseph. "Job", *Catholic Encyclopedia*, Vol. VIII. Editado por Charles G. Herbermann, *et al*. Nova York: The Gilmary Society, 1910.

Klostermann, August. "Job", *The New Schaff-Hertzog Encyclopedia of Religious Knowledge*, Vol. VI. Editado por Samuel MaCauley Jackson, *et al*. Grand Rapids: Baker Book House, 1963, pp. 186-93.

Laks, H. Joel. "The Enigma of Job: Maimonedes and the Moderns", *Journal of Biblical Literature*, LXXXIII (Dezembro, 1963), 345-64.

Napier, B. D. "Uz", Vol. R-Z, p. 741.

Pope, Marwin H. "Job", IDB, Vol. E-J, pp. 911-25.

Sarna, Nahum M. "The Mythological Background of Job", *Journal of Biblical Literature*, LXXXII (Setembro, 1963), pp. 315-18.

Van Beek, G. W. "Sabeans", IDB, Vol. R-Z, pp. 144-46.

Zink, James K. "Impatient Job", *Journal of Biblical Literature*, LXXXIV (Junho, 1965), 147-52.

O Livro de
SALMOS

W. T. Purkiser, M.A.

Introdução

O livro de Salmos é o primeiro livro na terceira divisão da Bíblia hebraica. Conhecida como *Kethubhim* ou Escritos, essa terceira divisão era popularmente conhecida pelo nome do primeiro livro, isto é, "Os Salmos". Deste modo, Jesus incluiu todo o Antigo Testamento no que tange às profecias a seu respeito "na Lei de Moisés, e nos Profetas, e nos Salmos" (Lc 24.44).

O título em português vem da tradução grega, Septuaginta, concluída em cerca de 150 a.C. *Psalmoi*, o termo grego, significa "cânticos" ou "cânticos sagrados" e é derivado da raiz que significa "impulso, toque", em cordas de um instrumento de cordas. O título hebraico é *Tehillim*, e significa "louvores" ou "cânticos de louvor".

Os Salmos têm uma importância especial na Bíblia. Lutero descreveu esse livro como "uma Bíblia em miniatura".[1] Calvino o descreveu como "uma anatomia de todas as partes da alma", visto que, como explicou, "não existe emoção que não é representada aqui como em um espelho".[2] Johannes Arnd escreveu: "O que o coração é para o homem, os Salmos são para a Bíblia".[3] W. O. E. Oesterley descreve os Salmos como "a maior sinfonia de louvor a Deus que já foi escrita na terra".[4] Theodore H. Robinson disse:

> O Saltério hebraico detém uma posição singular na literatura religiosa da humanidade. Ele tem sido o hinário de duas grandes religiões e tem expressado a vida espiritual mais profunda dessas religiões ao longo dos séculos. Esse Saltério tem ministrado a homens e mulheres de raças, línguas e culturas muito diferentes. Ele tem trazido conforto e inspiração aos aflitos e abatidos de coração em todas as épocas. Suas palavras podem se adaptar às necessidades das pessoas que não têm conhecimento algum acerca de sua forma original e pouca compreensão a respeito das condições sob as quais foi formado. Nenhuma outra parte do Antigo Testamento tem exercido uma influência tão ampla, profunda e permanente na alma humana.[5]

O lugar que Salmos recebe no Novo Testamento claramente testifica sobre o valor desse importante livro. Dos aproximadamente 263 textos do Antigo Testamento citados no Novo Testamento, um pouco mais de um terço, ou seja, um total de 93 é tirado do livro de Salmos. Alguns deles, mais particularmente os Salmos 2 e 110, são citados diversas vezes. W. E. Barnes escreve: "Somente a existência de uma verdadeira continuidade espiritual entre os Salmos e o Evangelho pode explicar o profundo sentimento de afeição com que os cristãos de todas as épocas têm tratado o Saltério".[6]

Um dos valores mais importantes dos Salmos para o estudo do Antigo Testamento é a percepção que se recebe acerca da verdadeira natureza da religião do Antigo Testamento. Infelizmente, temos, com bastante freqüência, associado a religião do Antigo Testamento ao farisaísmo e legalismo descritos nos evangelhos e nos escritos de Paulo. Os Salmos mostram claramente que nos tempos do Antigo Testamento a piedade era uma fé viva, espiritual, alegre e intensamente pessoal. Os Salmos refletem um nível de espiritualidade que muitos da dispensação cristã mais favorecida não conseguem alcançar. Como A. F. Kirkpatrick observou:

Os Salmos representam o aspecto interior e espiritual da religião de Israel. Eles são a expressão múltipla da intensa devoção das almas piedosas a Deus, do sentimento de confiança, esperança e amor que alcançava um clímax em diversos Salmos como o 23; 42; 43; 63 e 84. Eles são a voz da oração de tonalidade múltipla no sentido mais amplo, à medida que a alma se dirige a Deus por meio da confissão, petição, intercessão, meditação, ações de graças, louvor, tanto em público como em particular. Eles oferecem a prova mais completa, se é que isso era necessário, de como é completamente falsa a noção de que a religião de Israel era um sistema formal de ritos e cerimoniais externos.[7]

A. Estrutura do Livro

Desde os primórdios da sua história o livro de Salmos no hebraico tem sido subdividido em cinco "livros" ou divisões que são especificados na maioria das traduções modernas. O Livro I inclui os Salmos 1—41. O Livro II, inclui os Salmos 42—72, o Livro III, os Salmos 73—89, o Livro IV, os Salmos 90—106 e o Livro V, os Salmos 107-150. O *Midrash* judaico, ou comentário dos Salmos, compara esses cinco livros com os cinco livros de Moisés, o Pentateuco. A divisão está provavelmente relacionada com o ciclo de três anos da leitura da Lei que predominava na Palestina primitiva. O livro de Gênesis era lido nos primeiros quarenta e um sábados. A leitura de Êxodo começava no quadragésimo segundo sábado, Levítico no septuagésimo terceiro sábado, Números no nonagésimo e Deuteronômio no centésimo sétimo sábado — correspondendo com o primeiro salmo de cada livro.[8]

Também é provável que o livro de Salmos atual seja, na verdade, uma coleção de coleções. Isto se observa tanto na natureza como no agrupamento de títulos (veja abaixo) e na afirmação em 72.20: "Findam aqui as orações de Davi, filho de Jessé".

Um exame nos títulos dos salmos no Livro I revela que todos eles são creditados a Davi com exceção de 1; 2; 10 e 33. O Livro I foi provavelmente o primeiro saltério oficial. Este livro usa livremente o nome da aliança para Deus, o termo hebraico *Yahweh*, traduzido por "Javé" na ASV e "Senhor" na ARC e ARA e impresso em versalete (ou seja, letra que tem a mesma forma das maiúsculas escrita no tamanho das minúsculas).

Uma segunda coleção, aparentemente organizada mais tarde, é encontrada no Livro II, Salmos 42—72. Desse número, sete (42; 44—49) são dedicados "aos filhos de Corá", um é identificado como sendo de Asafe (50), oito de Davi, um de Salomão (72) e quatro estão sem títulos (43; 66; 67; 71). Que essa coleção foi originariamente separada do primeiro livro é demonstrado pela repetição do Salmo 14 no Salmo 54 e parte do Salmo 40 no salmo 70, e pelo fato de que o termo *Elohim* (traduzido por "Deus") é constantemente usado como o nome divino em vez de *Yahweh*. Os salmos de Asafe do Livro III, 73—83, também usam preferivelmente *Elohim* em lugar de *Yahweh*, embora os salmos restantes do livro se refiram a Deus como *Yahweh*. Nenhuma boa razão é dada pelo uso diversificado do nome divino. Mas parece que isso ocorreu de maneira intencional e cuidadosa. É verdade que o judaísmo posterior considerava o nome *Yahweh* sagrado demais para ser usado, mas essa atitude surgiu muito tempo depois que os salmos foram concluídos.[9]

No Livro III, o núcleo básico é formado por um grupo de salmos (73—83) atribuídos a Asafe, que era ministro de louvor de Davi (1 Cr 16.4-7). Com base na menção do avivamento de Ezequias na salmódia de Davi e Asafe (2 Cr 29.30), Delitzsch conjectura que a coleção representada pelo Livro II pode ter sido acrescentada na época de Ezequias.[10] O restante dos salmos neste que é o mais breve dos cinco livros é atribuído por meio dos seus títulos aos filhos de Corá (84; 85; 87; talvez 88), a Davi (86), a Hemã, o ezraíta (88; cf. 2 Cr 35.15) e a Etã, o ezraíta (89; cf. 1 Cr 2.6). Hemã e Etã são descritos em 1 Reis 4.31 como homens de sabedoria notável. De acordo com 1 Crônicas 2.6 eles poderiam ser netos de Judá, mas 2 Crônicas 35.15 mostra que um dos filhos de Asafe se chamava Hemã.

Os salmos nos últimos dois livros em sua maioria não têm descrição, embora um dos títulos atribua o Salmo 90 a Moisés; quinze salmos desse grupo são atribuídos a Davi, um a Salomão (127) e o Salmo 96 e parte do Salmo 105 a Davi conforme 1 Crônicas 16.7-33. Existem três agrupamentos discerníveis de salmos no Livro IV. Os Salmos 90—99 formam um grupo de dez salmos sabáticos, e o Salmo 100 é o salmo tradicional para o dia da semana. Os Salmos 103—104 são os dois Salmos de Bênção e Adoração, que têm como base o refrão: "Bendize, ó minha alma, ao Senhor!". Os Salmos 105—106 constituem dois "Salmos de Aleluia".[11]

No Livro V temos dois grupos davídicos, 108—110 e 138—145, além de dois outros salmos também atribuídos a Davi (112; 133). Os Salmos 113—118 são conhecidos como o Hallel egípcio (referindo-se ao Êxodo no Salmo 114). O "Hallel" é um cântico de louvor. *Hallelu-Yah* ("aleluia!") no original hebraico significa "Louvai ao Senhor". O Hallel egípcio é tradicionalmente usado em conexão com a comemoração da Páscoa. Os Salmos 120—134, "Cânticos dos Degraus" ou "Cânticos da Subida", são um grupo de cânticos de peregrinos comemorando o retorno do exílio e usados pelos devotos na sua peregrinação anual a Jerusalém. Estes quinze salmos formam um saltério em miniatura, divididos em cinco grupos de três salmos cada. Os Salmos 146—150 são conhecidos como o Grande Hallel. Cada um desses cinco salmos inicia e termina com a palavra hebraica *Hallelu-Yah*, que significa: "Louvai ao Senhor".

Embora haja exceções à regra, Kirkpatrick ressalta que os salmos do Livro I são na maioria pessoais; os salmos dos Livros II e III são basicamente nacionais e os Livros IV e V são, em grande parte, litúrgicos ou designados para serem usados na adoração pública.[12]

B. Os Títulos

Freqüentemente tem sido feito algum tipo de alusão aos títulos de muitos salmos. Ao todo, cerca de dois terços dos salmos têm títulos, que geralmente vêm impressos na tradução portuguesa acima do primeiro versículo. Embora os títulos não tenham feito parte do texto original do salmo, são muito antigos. Os tradutores da Septuaginta, ou versão grega da Bíblia Hebraica, encontraram esses títulos anexados aos salmos, mas tão obscuros que eram incapazes de entender o seu significado geral. A Septuaginta (abreviada, LXX) dos Salmos tornou-se de uso comum em torno de 150 a.C.[13]

Em geral, existem cinco tipos de títulos. Há aqueles que descrevem a natureza do poema, e.g., salmo, cântico, *masquil, mictão, shiggaion*, oração, louvor. Outros estão conectados com o cenário musical ou execução dos salmos. Exemplos típicos disso são:

"para o cantor-mor", "sobre *Neguinote*", "sobre *Neilote*", "*Alamote*", "*Seminite*" ou "*Gitite*" (provavelmente os nomes de instrumentos musicais), "sobre *Mute-Laben*", "*Aijelete-Hás-Saar*", etc. (representando melodias).

Um terceiro tipo de títulos é atribuído ao uso litúrgico dos salmos — por exemplo, para uma dedicação (Sl 30), para o sábado (Sl 92) e os Cânticos dos Degraus (Sl 120-134). Outros títulos estão associados à autoria ou possivelmente a dedicações. A frase hebraica encontrada nos cabeçalhos de cerca de vinte e três salmos, *le-David*, e traduzidos por "de Davi", podem igualmente ser traduzidos "para Davi", "pertencente a Davi" ou "segundo o modo ou estilo de Davi".[14] Títulos desse tipo, além dos setenta e três salmos atribuídos a Davi, podem ser encontrados para o Salmo 90 (Moisés), Salmos 72 e 127 (Salomão). Salmos 50; 73—83 (Asafe), Salmo 88 (Hemã), Salmo 89 (Etã) e dez ou onze salmos atribuídos aos "filhos de Corá".

Uma última classe de títulos destaca a ocasião da composição do salmo. Eles podem ser encontrados principalmente nos salmos creditados a Davi: e.g., capítulo 3: "quando fugiu diante da face de Absalão, seu filho"; capítulo 7: "que cantou ao Senhor, sobre as palavras de Cuxe, benjamita"; capítulo 18: "que disse as palavras deste cântico ao Senhor, no dia em que o Senhor o livrou de todos os seus inimigos e das mãos de Saul: e ele disse";[15] capítulo 34: "quando mudou o seu semblante perante Abimeleque, que o expulsou, e ele se foi"; etc.

Onde os títulos requerem uma explanação, isso é feito neste comentário ao tratar do salmo específico.

C. Classificação dos Salmos

Existem muitas tentativas de classificação dos salmos, mas nenhuma delas é inteiramente satisfatória. Certo número de salmos contém materiais de mais de um tipo, tornando qualquer tentativa de classificação necessariamente experimental. A classificação abaixo, baseada em um número de fontes padronizadas de informações, pelo menos ilustra a amplitude e variedade a serem encontradas nesse hinário da Bíblia:

1. Salmos de Sabedoria e de Contraste Moral: 1; 9; 10; 12; 14; 19; 25; 34; 36; 37; 49; 50; 52; 53; 73; 78; 82; 92; 94; 111; 112; 119.

2. Salmos Reais e Messiânicos: 2; 16; 22; 40; 45; 68; 72; 89; 101; 110; 144.

3. Cânticos de Lamentação, Individual e Nacional: 3—5; 7; 11; 13; 17; 26—28; 31; 39; 41—44; 54—57; 59—64; 70; 71; 74; 77; 79; 80; 86; 88; 90; 140—142.

4. Salmos de Penitência: 6; 32; 38; 51; 102; 130; 143.

5. Salmos de Devoção, Adoração, Louvor e Ações de graça: 8; 18; 23; 29; 30; 33; 46—48; 65—67; 75; 76; 81; 85; 87; 91; 93; 103—108; 135; 136; 138; 139; 145—150.

6. Salmos Litúrgicos: 15; 20; 21; 24; 84; 95—100; 113—118; 120—134.

7. Salmos Imprecatórios: 35; 58; 69; 83; 109; 137.

Os títulos dados aos salmos conforme registrado no Sumário oferecem evidências adicionais ao vasto âmbito dos assuntos considerados nesses hinos antigos.

Merece uma atenção especial os salmos classificados por último. Estes salmos têm sido denominados "imprecatórios" por causa das maldições que eles invocam sobre os ímpios em geral e sobre os inimigos do salmista em particular. Tem-se defendido amplamente que os salmos imprecatórios são anticristãos e impróprios de constarem na Bíblia Sagrada. Precisamos admitir prontamente que eles parecem não alcançar o padrão traçado por Jesus no Sermão do Monte (particularmente Mateus 5.43-44).

No entanto, existem alguns pontos que deveríamos ter em mente ao lermos estes salmos. Primeiro, eles nunca foram usados durante a adoração na sinagoga e nunca se tornaram parte do ritual judaico. A destruição dos ímpios tem sido entendida tradicionalmente pelos judeus como significando que Deus destruiria, não os pecadores, mas o pecado em si. Existe uma história bastante conhecida de um rabino famoso do segundo século d.C., que estava sendo provocado pelo comportamento fora da lei de alguns dos seus vizinhos. Ele orou para que morressem. Sua esposa reprovou sua atitude: "Como você pode agir dessa forma? O salmista disse: 'Que os pecados acabem na terra'. E, depois, ele acrescenta: 'E os ímpios deixarão de existir'. Isto ensina que tão logo o pecado desapareça, não haverá mais pecadores. Portanto, ore não pela destruição desses homens perversos, mas pelo seu arrependimento". A história se firma no fato de que é possível entender "pecados" onde consta "pecadores" na língua hebraica.[16]

Em segundo lugar, embora a retaliação pessoal seja contrária ao espírito do Novo Testamento, a Bíblia deixa claro que todos os homens, em última análise, colhem as conseqüências das suas escolhas. Como Franz Delitzsch afirma:

> O reino de Deus não vem somente por meio da graça, mas também por meio do julgamento; o suplicante do Antigo bem como do Novo Testamento anela pela vinda do reino de Deus (veja 9.21; 59.14 etc.); e nos Salmos cada imprecação de julgamento sobre aqueles que se colocam contra a vinda desse reino é feita com base na suposição da sua persistente impenitência (veja 7.13ss; 109.17).[17]

Em terceiro lugar, é difícil distinguir gramaticalmente entre "Que isto aconteça" e "Isto acontecerá". Ou seja, não podemos ter certeza de que o salmista não tenha tido a intenção de que suas palavras amargas fossem predições do que acabaria acontecendo inevitavelmente com os ímpios.[18]

Em quarto lugar, as palavras do salmista não refletem necessariamente qualquer rancor pessoal ou de crueldade. Esses homens estavam preocupados com os inimigos de Deus e com seus próprios inimigos, ou melhor, eles os consideravam seus inimigos porque eram inimigos de Deus. Salmos 139.21 expressa essa idéia: "Não aborreço eu, ó Senhor, aqueles que te aborrecem?" O zelo por Deus, e não o desejo de vingança, está por trás de muitos textos imprecatórios.

Finalmente, os salmos imprecatórios expressam um forte senso da lei moral que governa o universo. Como C. S. Lewis escreveu:

> Se os judeus amaldiçoavam de forma mais amarga do que os pagãos, isto ocorria, eu penso, pelo menos em parte, porque eles levavam o certo e o errado mais a sério. Porque, se observamos as suas repreensões, percebemos que eles geralmente estão irados não simplesmente porque essas coisas tenham sido feitas

contra eles, mas porque essas coisas estão manifestamente erradas e são detestáveis a Deus bem como à vítima. A idéia de um "Senhor justo" — que certamente deve detestar essas coisas tanto quanto eles as detestam, e que certamente deve (mas que demora terrível!) "julgar" ou punir, sempre está lá, mesmo que somente como pano de fundo.[19]

Claro que existe perigo em uma equação casual demais em relação ao nosso interesse pessoal pelo reino de Deus. Percebemos que os próprios salmistas não estavam despercebidos disso ao lermos as palavras que seguem a exclamação em Salmos 139.12-22: "Não aborreço eu, ó Senhor, aqueles que te aborrecem, e não me aflijo por causa dos que se levantam contra ti? Aborreço-os com ódio completo; tenho-os por inimigos". Mas a oração continua: "Sonda-me, ó Deus, e conhece o meu coração; prova-me e conhece os meus pensamentos. E vê se há em mim algum caminho mau e guia-me pelo caminho eterno" (23-24).

D. A Data dos Salmos

O padrão da crítica bíblica no passado tem sido datar os salmos em época muito posterior ao reinado de Davi. Alguns estudiosos têm defendido a idéia de datas pós-exílio, e mesmo da época dos macabeus, para a maioria dos salmos (e.g., 520-150 a.C.). Outras conclusões foram tiradas a partir de um suposto desenvolvimento evolucionário das formas de pensamento expressas nos salmos.

O quadro, no entanto, tem mudado radicalmente com um estudo mais cuidadoso dos textos de Ras Shamra ou de Ugarite. O impacto completo dessas descobertas ainda não foi sentido.[20] Ligado a isso está a evidência ainda mais recente dos textos de Qumrã (os Manuscritos do Mar Morto). Mitchell Dahood resume as tendências mais recentes nessa cronologia dos salmos: "Um exame do vocabulário desses salmos revela que virtualmente cada palavra, imagem e paralelismo são agora relatados nos textos cananeus da Idade do Bronze. [...] Se eles são poemas compostos pouco antes da LXX, por que então os tradutores judeus em Alexandria os entendiam tão imperfeitamente? As obras contemporâneas deveriam se sair melhor na tradução deles".[21] Dahood continua: "Embora não tenhamos evidências diretas que nos permitiriam datar a conclusão da coleção inteira, a grande diferença na linguagem e métrica entre o saltério canônico e o Hodayot de Qumrã torna impossível aceitar uma data do tempo dos macabeus para qualquer um dos salmos, posição essa que ainda é mantida por um número razoável de estudiosos. Uma data helenística também não é aceitável. O fato de os tradutores da LXX estarem perdidos diante de tantas palavras e frases arcaicas evidencia uma lacuna cronológica considerável entre eles e os salmistas originais".[22]

Sumário

I. Livro I: Salmos de Davi, 1.1—41.13

    Salmo 1: Um Estudo em Contraste, 1.1-6
    Salmo 2: A Rebelião Pecaminosa contra o Senhor, 2.1-12
    Salmo 3: Uma Oração Matutina de Confiança, 3.1-8
    Salmo 4: Uma Oração Noturna, 4.1-8
    Salmo 5: Oração pelo Sacrifício Matutino, 5.1-12
    Salmo 6: Uma Oração por Libertação, 6.1-10
    Salmo 7: Um Clamor por Socorro, 7.1-17
    Salmo 8: O Paradoxo do Homem diante de Deus, 8.1-9
    Salmo 9: Ações de Graça e Confiança, 9.1-20
    Salmo 10: Oração pela Derrota dos Ímpios, 10.1-18
    Salmo 11: A Coragem da Fé, 11.1-7
    Salmo 12: O Auxílio de Deus em um Mundo Incrédulo, 12.1-8
    Salmo 13: Amedrontado mas não Desamparado, 13.1-6
    Salmo 14: O Fruto Amargo da Impiedade, 14.1-7
    Salmo 15: A Vida de Santidade, 15.1-5
    Salmo 16: A Herança Generosa dos Crentes, 16.1-11
    Salmo 17: Uma Oração Urgente por Proteção, 17.1-15
    Salmo 18: Uma Canção de Vitória, 18.1-50
    Salmo 19: Obras de Deus e Palavra de Deus, 19.1-14
    Salmo 20: Oração por Vitória, 20.1-9
    Salmo 21: Louvor pela Vitória, 21.1-13
    Salmo 22: Sofrimento e Cântico, 22.1-31
    Salmo 23: Pastor e Anfitrião, 23.1-6
    Salmo 24: Adorando o Rei da Glória, 24.1-10
    Salmo 25: Canção de Oração e Louvor, 25.1-22
    Salmo 26: Profissão de Fé e Oração, 26.1-12
    Salmo 27: Luz do Sol e Sombra, 27.1-14
    Salmo 28: Dificuldades e Ações de Graça, 28.1-9
    Salmo 29: Um Salmo para Pentecostes, 29.1-11
    Salmo 30: Ações de Graça pelo Toque Curador de Deus, 30.1-12
    Salmo 31: Provado mas Confiante, 31.1-24
    Salmo 32: A Alegria do Perdão dos Pecados, 32.1-11
    Salmo 33: Louvor pelos Grandes Atos de Deus, 33.1-22
    Salmo 34: Um Salmo de Livramento, 34.1-22
    Salmo 35: Oração em meio ao Perigo Pessoal, 35.1-28
    Salmo 36: Impiedade e Sabedoria, 36.1-12
    Salmo 37: Os Justos e os Ímpios, 37.1-40
    Salmo 38: A Oração do Penitente, 38.1-22
    Salmo 39: Mais uma Oração Penitente, 39.1-13
    Salmo 40: A Natureza da Verdadeira Adoração, 40.1-17
    Salmo 41: Benevolência e Traição, 41.1-13

II. Livro II: Salmos do Templo, 42.1—72.20

    Salmos 42—43: O Anelo Profundo da Alma, 42.1—43.5
    Salmo 44: Fé e Fato, 44.1-26
    Salmo 45: O Noivo e a sua Noiva, 45.1-17
    Salmo 46: O Refúgio Seguro, 46.1-11
    Salmo 47: O Senhor é Rei de tudo, 47.1-9
    Salmo 48: A Cidade Santa de Deus, 48.1-14
    Salmo 49: Morte, o grande Nivelador, 49.1-20
    Salmo 50: Deus, o Juiz de Tudo, 50.1-23
    Salmo 51: Oração por Perdão e Purificação, 51.1-19
    Salmo 52: O Contraste do Pecador e do Santo, 52.1-9
    Salmo 53: O Perigo do Ateísmo Prático, 53.1-6
    Salmo 54: Um Grito por Auxílio, 54.1-7
    Salmo 55: A Balada da Traição, 55.1-23
    Salmo 56: Dificuldade e Confiança, 56.1-13
    Salmo 57: Perigo e Oração, 57.1-11
    Salmo 58: O Destino dos Ímpios, 58.1-11
    Salmo 59: Oração por Proteção Noturna, 59.1-17
    Salmo 60: Um Salmo na Derrota, 60.1-12
    Salmo 61: Oração de um Exilado, 61.1-8
    Salmo 62: Somente Deus é uma Defesa Segura, 62.1-12
    Salmo 63: Deus Está em Tudo, 63.1-11
    Salmo 64: A Loucura e Destino dos Inimigos, 64.1-10
    Salmo 65: Uma Canção de Adoração, 65.1-13
    Salmo 66: Um Salmo de Libertação, 66.1-20
    Salmo 67: Um Hino de Louvor, 67.1-7
    Salmo 68: Deus e suas Hostes de Adoradores, 68.1-35
    Salmo 69: Desespero e Desejo, 69.1-36
    Salmo 70: Um Grito Urgente por Socorro, 70.1-5
    Salmo 71: Mesmo no Tempo da Velhice, 71.1-24
    Salmo 72: O Rei Ideal, 72.1-20

III. Livro III: Salmos de Asafe e Outros, 73.1—89.52

    Salmo 73: O Problema dos Ímpios que Prosperam, 73.1-28
    Salmo 74: Lamento pela Desolação da Cidade, 74.1-23
    Salmo 75: Uma Liturgia de Louvor, 75.1-10
    Salmo 76: Uma Canção de Celebração, 76.1-12
    Salmo 77: Canção em vez de Pesar, 77.1-20
    Salmo 78: A Mão de Deus na História, 78.1-72
    Salmo 79: A Canção Fúnebre de uma Nação, 79.1-13
    Salmo 80: Um Clamor por Restauração, 80.1-19
    Salmo 81: O Significado do Ritual Religioso, 81.1-16
    Salmo 82: A Visão do Julgamento, 82.1-8
    Salmo 83: Oração em uma Época de Perigo Nacional, 83.1-18

Salmo 84: Fome pela Casa de Deus, 84.1-12
Salmo 85: Louvor, Oração e Expectativa, 85.1-13
Salmo 86: Orando a Oração da Fé, 86.1-17
Salmo 87: As Glórias de Sião, 87.1-7
Salmo 88: A Noite Escura da Alma, 88.1-18
Salmo 89: A Fidelidade de Deus, 89.1-52

IV. Livro IV: Salmos Diversos, 90.1—106.48

Salmo 90: O Homem Mortal e o Deus Eterno, 90.1-17
Salmo 91: A Segurança de um Coração Confiante, 91.1-16
Salmo 92: A Justiça Soberana de Deus, 92.1-15
Salmo 93: O Deus de Santidade Reina, 93.1-5
Salmo 94: "Somente Deus é nosso Auxílio", 94.1-23
Salmo 95: Louvor e Paciência, 95.1-11
Salmo 96: "Cantai um Cântico novo", 96.1-13
Salmo 97: Deus de Julgamento e Graça, 97.1-12
Salmo 98: O Porquê e o Como da Adoração, 98. 1-9
Salmo 99: O Deus de Santidade, 99.1-9
Salmo 100: O Senhor é o Verdadeiro Deus, 100.1-5
Salmo 101: O Propósito Nobre do Rei, 101.1-8
Salmo 102: A Oração do Aflito, 102.1-28
Salmo 103: O Cântico de um Coração Transbordante, 103.1-22
Salmo 104: A Glória do nosso Grande Deus, 104.1-35
Salmo 105: As Obras Maravilhosas de Deus, 105.1-45
Salmo 106: Pecado e Salvação, 106.1-48

V. Livro V: Salmos para Adoração, 107.1—150.6

Salmo 107: Cântico dos Redimidos, 107.1-43
Salmo 108: Uma Mistura de Louvor, 108.1-13
Salmo 109: Um Clamor por Vindicação e Justiça, 109.1-31
Salmo 110: Canção do Senhor Soberano, 110.1-7
Salmo 111: A Fidelidade do Senhor, 111.1-10
Salmo 112: A Confiança dos Devotos, 112.1-10
Salmo 113: "Louvai ao Senhor", 113.1-9
Salmo 114: A Grande Libertação, 114.1-8
Salmo 115: Nosso Deus Está muito acima dos Ídolos, 115.1-18
Salmo 116: Um Cântico de Testemunho Pessoal, 116.1-19
Salmo 117: Doxologia, 117.1-2
Salmo 118: Força, Canção e Salvação, 118.1-29
Salmo 119: Amor Sincero pela Lei, 119.1-176
Salmo 120: O Lamento de um Exilado, 120.1-7
Salmo 121: O Salmo do Viajante, 121.1-8
Salmo 122: "Jerusalém Dourada", 122.1-9
Salmo 123: Lamento debaixo do Açoite de Desprezo, 123.1-4

Salmo 124: Libertação do Desespero, 124.1-8
Salmo 125: A Segurança de um Coração Confiante, 125.1-5
Salmo 126: O Cântico de um Coração Transbordante, 126.1-6
Salmo 127: Uma Habitação Segura, 127.1-5
Salmo 128: A Bênção daqueles que Temem a Deus, 128.1-6
Salmo 129: Preservação e Oração, 129.1-8
Salmo 130: Penitência e Perdão, 130.1-8
Salmo 131: A Confissão de uma Confiança Pura, 131.1-3
Salmo 132: A Oração pela Casa de Deus, 132.1-18
Salmo 133: As Bênçãos da União entre Irmãos, 133.1-3
Salmo 134: Ministrando na Casa do Senhor, 134.1-3
Salmo 135: A Grandeza do nosso Deus, 135.1-21
Salmo 136. A Misericórdia Duradoura de Deus, 136.1-26
Salmo 137: O Lamento de um Exilado, 137.1-9
Salmo 138: Um Salmo de Ações de Graça, 138.1-8
Salmo 139: Um Senhor Maravilhoso, 139.1-24
Salmo 140: Uma Oração por Libertação da Perseguição, 140.1-13
Salmo 141: Libertação do Pecado e dos Ímpios, 141.1-10
Salmo 142: Da Angústia ao Triunfo, 142.1-7
Salmo 143: Almejando Viver para o Senhor, 143.1-12
Salmo 144: Bênçãos Nacionais, 144.1-15
Salmo 145: "Grande é o Senhor", 145.1-21
Salmo 146: Deus é nosso Auxílio, 146.1-10
Salmo 147: Poder Imensurável e Graça Incomparável, 147.1-20
Salmo 148: "Aleluia. Louvado seja Javé!", 148.1-14
Salmo 149: Louvor pela Salvação e Vindicação, 149.1-9
Salmo 150: Doxologia: "Louvai ao Senhor", 150.1-6

Seção I

LIVRO I: SALMOS DE DAVI

Salmos 1—41

Os quarenta e um salmos do Livro I são todos atribuídos a Davi, com a exceção dos Salmos 1, 2, 10 e 33, que estão sem títulos. Somente o Livro V é mais extenso. Não existe uma ordem específica de organização nesta coleção de salmos. Uma série de títulos relaciona os salmos individuais a acontecimentos na vida de Davi, mas não estão organizados em ordem cronológica.

Salmo 1: Um Estudo em Contraste, 1.1-6

O primeiro salmo pode ser considerado o prelúdio da coleção inteira. É bem possível que ele tenha sido composto com esse objetivo. Ele não contém um título, mas foi evidentemente escrito e conhecido antes da época de Jeremias, visto que Jeremias 17.5-8 parece ser uma paráfrase e expansão de uma parte deste salmo.

Este salmo é considerado um salmo sapiencial. Ele traça um contraste acentuado entre os justos e os ímpios que encontramos na literatura sapiencial. Ele demonstra o que tem sido chamado de "a doutrina da retribuição". Os justos prosperam e são felizes. Os ímpios são afligidos e têm uma vida curta. No entanto, conheciam-se exceções muito claras em casos individuais a essa regra. Mas o princípio geral era aceito como verdadeiro e válido.

1. *A Bênção dos Santos* (1.1-3)
O homem piedoso é descrito, primeiramente, em termos do que ele não faz. Ele é **bem-aventurado** (1; *asher*) ou feliz. A LXX usa *makarios*, o mesmo termo grego encontrado nas Bem-aventuranças em Mateus 5.3-11.

O justo é feliz naquilo que ele não faz. A religião consiste em mais do que aspectos negativos, mas ela também inclui essa faceta. Não é possível construir um prédio sem escavação; semelhantemente, não pode haver vida santa sem renúncia do mal. A felicidade do justo consiste primeiramente no fato de que ele não **anda segundo o conselho dos ímpios** (hb., *rashaim*, os perversos). Kirkpatrick sugere que "se a noção primária da palavra hebraica *rasha* é inquietação (veja Jó 3.17; Is 57.20,21), a palavra expressa de uma maneira clara a desarmonia que o pecado incutiu na natureza humana, afetando o relacionamento do homem com Deus, com o próximo e consigo mesmo".[1] **Nem se detém no caminho dos pecadores.** A forma intensa do termo traduzido por **pecadores** indica que o autor tinha em mente transgressores habituais e determinados. Os **escarnecedores**, com freqüência descritos no livro de Provérbios, são "os ímpios da pior qualidade; eles são arrogantes, briguentos, injuriosos, inimigos da paz e ordem entre os homens e em suas comunidades, e zombadores da bondade".[2]

Existe um progresso inequívoco aqui, descrevendo o caminho que o justo evita com todo cuidado. **Anda** significa uma associação casual ou passageira com aqueles que estão fora de sintonia com Deus. **Detém** é uma comunhão contínua com pessoas que são continuamente pecaminosas em atitudes e atos. **Assenta** implica que a pessoa está à vontade no meio daqueles que zombam de Deus e da religião. A pessoa justa recusa-se a dar um passo sequer em direção a esse caminho inferior.

O caráter do justo é então descrito positivamente. Uma pessoa que é verdadeiramente feliz faz o seguinte: Ela **tem o seu prazer na lei do SENHOR** (2), o ensino ou instrução de Javé. O termo hebraico *torah* tem um significado muito mais amplo do que é sugerido por "lei". Ela representa todo o caminho revelado de vida contido nos ensinos de Moisés e nos profetas e é usada paralelamente com a expressão "a palavra do Senhor". Estes termos são virtualmente sinônimos. O termo hebraico para **medita** vem da raiz que sugere o murmúrio (sussurro) daquele que está estudando à meia voz as palavras de um livro.[3] "A verdadeira felicidade não se encontra no próprio pensamento do homem, mas na vontade revelada de Deus".[4] O cristão é "gerado, guiado e nutrido pela Bíblia".

Os resultados de uma vida justa são descritos por meio de símbolos conhecidos. Esse homem é **como a árvore plantada junto a ribeiros de águas** (3). A imagem é de uma árvore bem irrigada, favoravelmente colocada ("transplantada", Anchor) junto a um ribeiro ou canal de irrigação, cultivada e cuidada, e, como conseqüência disso, frutífera. Esse não é um crescimento silvestre, que sobrevive por acaso. A menção de folhas que não caem e a abundância de água sugere que se tinha em mente uma tamareira. Nas palavras **tudo quanto fizer** o salmista abandona a figura da árvore e se refere diretamente ao justo. Está inferida, é claro, a idéia de que esse homem vai fazer aquelas coisas por meio das quais o Senhor o possa fazer prosperar.

2. *A Carga do Pecador* (1.4-6)

O pecador está em completo contraste com o justo. **Os ímpios** (4) são os *rashaim* do versículo 1. Ao contrário da árvore com raízes profundas, eles **são como a moinha** (palha) **que o vento espalha**. Esta é uma referência ao local de debulha onde a palha era batida e separada do trigo. Esse local geralmente ficava no topo de uma colina ou num lugar alto onde o vento soprava mais forte. O trigo e a palha juntos eram jogados para cima com pás. O trigo mais pesado caía no chão para então ser cuidadosamente recolhido, mas a palha leve e imprestável era levada pelo vento.

As pessoas ímpias são semelhantes à palha, sem raízes ou frutos, incapazes de subsistir **no juízo** (5). Os ímpios não conseguirão sobreviver ao julgamento do último dia nem ao julgamento contínuo do peneirar providencial de Deus do caráter humano. **Nem resistirão os pecadores na congregação dos justos**. Esses **pecadores** são persistentes e habituais, como no versículo 1. A **congregação dos justos** é o ideal bíblico para a verdadeira comunidade de fé. O propósito dos julgamentos atuais de Deus bem como do seu julgamento final no porvir (Mt 13.24-30, 36-43) é remover o mal e os malfeitores de sua Igreja.

Um resumo do contraste entre justo e ímpio no Salmo 1 pode ser observado no seu último versículo. A primeira parte do versículo 6, **Porque o Senhor conhece o caminho dos justos**, resume os versículos 1-3. A segunda parte resume os versículos 4-5. **O Senhor conhece**, não no sentido abstrato de estar ciente ou informado, mas no sentido concreto e pessoal de cuidar, aprovar, guiar e estar atento. É possível, em alguns contextos, traduzir *yada*, "conhecer", por "cuidar" ou "se importar". De modo inverso, **o caminho dos ímpios perecerá**, terminará em ruína, "caminhos da morte" (Pv 14.12). As primeiras e últimas palavras do salmo resumem o contraste que é traçado entre os justos e os ímpios: *bem-aventurado* e *perecerá*.

Salmo 2: A Rebelião Pecaminosa contra o Senhor, 2.1-12

O Salmo 2, da mesma forma que o Salmo 1, não possui título. Ele pertence à classe muito importante de salmos conhecida como "reais" ou "messiânicos". Tem-se debatido grandemente acerca da importância desses salmos. Alguns defendem a idéia de que eles deveriam ser entendidos apenas como referência aos reis de Israel, e que, pelo menos alguns deles, poderiam ter sido usados numa cerimônia anual de entronização. Esse ponto de vista pode ser contestado, visto que o NT regularmente associa esses salmos a Cristo, e também pelo fato de que qualquer festa anual de entronização em Israel é puramente hipotética. Não se tem conhecimento de nenhuma cerimônia desse tipo por intermédio de qualquer outra fonte além desses salmos e de um suposto paralelismo com o costume babilônico.

É bem possível que os salmos reais poderiam referir-se à vida de Davi ou a algum outro rei israelita. Mas, como Samuel A. Cartledge afirma: "Em certos momentos um Salmo relacionado a um determinado rei natural acaba descrevendo o Rei dos reis; em outras ocasiões, a descrição de uma bênção contemporânea leva a uma descrição de uma bênção maior da época do Messias".[5] Harold H. Rowley tem a seguinte opinião acerca desses salmos: "Eles visualizavam no rei o rei ideal, tanto em sua inspiração e guia para o presente, como em uma esperança para o futuro".[6]

O Salmo 2 pode ter servido como pano de fundo numa revolta de nações sob o domínio do rei Salomão nos primeiros dias do seu reinado.[7] No entanto, o fato de o salmo ser aplicado a Cristo e ao seu reino no NT (Mt 3.17; At 4.25-26; 13.33; Hb 1.5; 5.5) não menos de cinco vezes aponta para uma rebelião universal contra o governo divino, ato que representa a natureza essencial do pecado.

O salmo consiste em quatro estrofes de três versículos cada. Três oradores estão representados: o próprio salmista, o Senhor e o rei. Nos versículos 1-3, o salmista vê a revolta das nações contra o Senhor e o seu ungido. Nos versículos 4-6, ele vê a futilidade da revolta à luz do poder soberano de Deus e o ouve declarar que Ele colocou o seu Rei sobre o seu santo monte Sião. Nos versículos 7-9, o rei declara o decreto que estabeleceu sua autoridade e recebe a garantia de Deus de que sairá vitorioso. Nos versículos 10-12, o salmista extrai as lições que os povos rebeldes deviam aprender, e exorta-os a fazerem as pazes com Deus.

1. *A Rebelião das Nações* (2.1-3)

Por que se amotinam as nações? (1) refere-se ao *goyim*, "gentios", "pagãos", não-israelitas, como distintos do povo de Israel. As nações estavam se amotinando com o propósito de organizar uma insurreição. As nações antagônicas ao verdadeiro Deus podem ser chamadas de forma apropriada de "gentios". **Os povos imaginam** significa "os povos *meditam*"; a mesma palavra é usada em 1.2, mas aqui tem a conotação de tramar uma ação maléfica. Entende-se por **coisas vãs** uma rebelião irracional e sem esperança.

A rebelião não tem uma conotação meramente política. Ela é **contra o Senhor e contra o seu ungido** (2) — Em hebraico: *Meshiach*, que é Messias. Quando traduzido para o grego, *Meshiach* se torna *Christos* (Cristo em português). Essa é a justificativa para uma interpretação messiânica do salmo, junto com a aplicação feita no NT para Jesus. Os rebeldes estão determinados a romper **as suas ataduras** (3) — possivelmente os ferrolhos que prendiam o jugo ao animal — e **suas cordas** — que podem representar as rédeas usadas para controlar o boi que puxava o arado. "Lance fora o seu jugo" (Anchor).

Quaisquer que tenham sido as circunstâncias imediatas, esses versículos representam a descrição de pecado mais comum do AT. O pecado não é meramente uma imperfeição humana ou finita. O pecado é uma rebelião moral, uma revolta contra as leis de Deus. Pecar é colocar a vontade do homem no centro da vida, em vez da vontade de Deus. A revolta das nações é um retrato do pecado da alma humana de cada indivíduo.

2. *Resposta do Senhor* (2.4-6)

A resposta de Deus é retratada pelo salmista em termos de escárnio e desprezo humanos. A Bíblia freqüentemente atribui a Deus aspectos, atitudes e ações derivadas da experiência humana. Isto é feito sem a intenção de rebaixar o Infinito ao nível humano, mas para apresentar verdades em termos que somos capazes de entender. O Senhor é visto como **aquele que habita nos céus** (4), "entronizado nos céus" (Perowne). Ele nem precisa se elevar para opor-se à insurreição. **O Senhor** não é o nome mais comum atribuído a Deus, *Yahweh* (traduzido por SENHOR na ARC e ARA) mas *Adonai* (Senhor, indicado pelas letras em caixa baixa depois da letra inicial maiúscula). "Deus é visto como o governante soberano do mundo, em vez de o Deus da aliança de Israel".[8]

Então, lhes falará (5) descreve o poder da palavra de Deus. Ele irá falar a palavra para trazer confusão aos seus inimigos. **Os confundirá** significa que anulará seus esforços, importunando, confundindo e aterrorizando-os. **Furor** significa literalmente uma ira que consome ou uma ira ardente (cf. Êx 15.7).

Semelhante à primeira estrofe que termina com palavras hostis dos rebeldes, a segunda estrofe termina com as palavras do Senhor. O **Rei** que governa sobre o **santo**

monte Sião (6) — literalmente "Sião, o monte da minha santidade" — é o nomeado e ungido de Deus. Visto que Ele reina pela autoridade e em nome de Deus, oposição a Ele é oposição a Deus. Os cristãos corretamente aplicam essa verdade a Jesus. "Quem me recebe a mim, recebe aquele que me enviou" (Mt 10.40; Jo 13.20).

3. *Reafirmação do Rei* (2.7-9)

Chegou a vez de o rei falar. **Recitarei o decreto** (7), isto é, anunciarei a constituição do Reino de acordo com a vontade de Deus. **O Senhor** (*Yahweh*) disse: **Tu és meu Filho; eu hoje te gerei**. Estas palavras são aplicadas à ressurreição de Jesus por Paulo em seu sermão em Antioquia (At 13.33), e pelo escritor aos Hebreus, tanto em relação à filiação de Jesus como sendo superior aos anjos (Hb 1.5) como em Cristo ter sido feito sumo sacerdote pela própria ação de Deus (Hb 5.5). Somente neste texto do AT o termo **gerei** é usado tendo o Senhor como seu tópico. Em relação a Cristo, a palavra **hoje** tem recebido diversas interpretações. Ela pode ser entendida como o "dia" da sua geração eterna, o dia da sua concepção pela virgem ou o dia da sua ressurreição (Rm 1.4). Alguns entendem que todo o seu estado encarnado é visto como o seu "dia".

Deus responde à declaração do seu Rei com a promessa de domínio universal. **As nações** (8) são, como no versículo 1 (*goyim*), "pagãos" ou "gentios". **Confins da terra** — literalmente, "até os limites da terra". **Herança** e **possessão** são termos freqüentemente usados como a dádiva da Palestina a Israel.

Na expressão: **Tu os esmigalharás** (19), o verbo hebraico, dependendo das vogais, pode significar "quebrar" ou "reger". Os tradutores da LXX entenderam o termo como "reger" (veja Ap 2.27 e 12.5). No entanto, **despedaçarás** certamente significa destruição. Portanto, as duas linhas podem ser lidas da seguinte forma: "Com vara de ferro as regerás e as despedaçarás como um vaso de oleiro" (ARA). Isto é, aqueles que se submetem à autoridade de Cristo serão seus subordinados e aqueles que resistem serão destruídos.[9]

4. *Arrependimento Exigido dos Rebeldes* (2.10-12)

Na última estrofe, o salmista fala diretamente aos rebeldes. O texto hebraico começa com: **Agora, pois** (10), como que indicando a conclusão extraída dos versículos precedentes. **Deixai-vos instruir** ou "admoestar". **Juízes** é um termo usado para os governantes em geral, incluindo os subordinados do Rei.

Em vez de continuar com sua rebelião, o povo é impelido a servir **o Senhor com temor** (11). Aqui se tem em mente mais do que uma mera submissão política, visto que servir e **temor** são usados constantemente no AT com significado religioso. "O temor do Senhor" é o respeito reverente com o qual o homem deve venerar o Deus soberano. Esse conceito do AT é o que mais se aproxima da palavra "religião". Esse serviço capacitará o homem a alegrar-se **com tremor**. Não existe contradição nessa cláusula. Ela representa a harmonização da "alegria do Senhor" com "o temor do Senhor". As duas emoções são apropriadas ao homem diante do seu Criador.

Da mesma forma que a rebelião se expressou contra o Senhor e contra o seu ungido, assim o arrependimento deve incluir tanto o Deus soberano como o seu Filho real. **Beijai o Filho** (12) é visto como uma homenagem submissa a Ele. Essa expressão é contestada, mas nenhuma melhor tem sido sugerida; assim, a interpretação tradicional deve ser conservada. "Incline-se até o chão diante dele" (Harrison). Existem exemplos freqüentes na Bíblia em que o beijo representa submissão e obediência (1 Sm 10.1; 1 Ts 19.18; Jó 31.27; Os 13.2). O hebraico para **quando em breve se inflamar a sua ira** é literalmente "porque a sua ira pode se inflamar rapidamente".

O salmo conclui com uma bem-aventurança. **Bem-aventurados todos aqueles que nele confiam** significa literalmente: "Bem-aventurados todos aqueles que buscam refúgio nele". "Quão abençoados são todos aqueles que confiam nele!" (Anchor). Confiar no Senhor é colocar-se aos cuidados dele, debaixo da sua proteção. Assim como o pecado e a rebelião levam a uma certa destruição, a confiança e a submissão trazem bênção divina. "O ímpio tem muitas dores, mas aquele que confia no Senhor, a misericórdia o cercará" (32.10).

SALMO 3: UMA ORAÇÃO MATUTINA DE CONFIANÇA, 3.1-8

O Salmo 3 é o primeiro a apresentar um título: "Salmo de Davi, quando fugiu de diante da face de Absalão, seu filho". O poema deve ser classificado como um cântico de lamentação. O termo "salmo" no título é *mizmor*, uma palavra encontrada somente nos títulos dos salmos, em que ocorre quinze vezes, normalmente seguido pelo nome de um autor, quase sempre Davi. Ele significa: "Um cântico com acompanhamento instrumental".

Os Salmos 3 e 4 estão intimamente ligados, visto que o Salmo 3 é uma oração matutina e o Salmo 4 é uma oração vespertina. O Salmo 3 é um dos muitos salmos escritos tendo como pano de fundo a discórdia religiosa e a perseguição. Diante da hostilidade mostrada contra ele, o salmista expressa sua suprema fé em Deus. Como Oesterley comenta: "Como expressão de sublime confiança em Deus, esse salmo não é superado por nenhum outro no Saltério".[10]

O salmo pode ser dividido em quatro estrofes. (Cf. ARA ou outras versões que mostram a forma poética). Com a exceção da terceira, cada estrofe termina com *Selá*. Os dois primeiros versículos apresentam a aflição do salmista. Os versículos 3-4 relatam seu anseio pela intervenção do Senhor. Os versículos 5-6 referem-se à natureza do perigo. Os dois últimos versículos glorificam o Senhor por sua obra de libertação.

1. *Aflição* (3.1-2)

A aflição do salmista se torna mais aguda em virtude das circunstâncias imediatas indicadas no título. Evidentemente, Davi tinha pouca ou nenhuma informação antecipada da conspiração de Absalão. A primeira informação que ele recebeu é relatada em 2 Samuel 15.12-13: "E a conjuração se fortificava, e vinha o povo e se aumentava com Absalão. Então veio um mensageiro a Davi, dizendo: O coração de cada um em Israel segue a Absalão". A mesma palavra descritiva é usada no salmo: **Como se têm multiplicado os meus adversários!** (1). Muitos estavam participando de uma insurreição contra o seu rei.

Que a rebelião tinha implicações religiosas pode ser percebido pela reação dos opositores: **Não há salvação para ele em Deus** (2). *Ha-Elohim* é o termo genérico para Deus no hebraico em lugar de *Yahweh* ("o SENHOR"), o nome pessoal do Deus da aliança de Israel. A mãe pagã de Absalão (2 Sm 3.3) e o exílio de três anos do jovem príncipe com seu avô em Gesur (2 Sm 13.37-38) podem ter dado a ele um desejo de substituir a adoração do Deus verdadeiro por um dos deuses dos cananeus.

Selá é um termo com um significado incerto. Ele é encontrado setenta e uma vezes no Saltério e três vezes em Habacuque 3. Todos os salmos em que ele pode ser encontrado, com a exceção de duas ocasiões, são atribuídos a Davi ou a um dos cantores levitas, como Asafe, os filhos de Corá, Etã ou Hemã. Os outros dois não apresentam um título. Na maioria dos salmos em que ocorre o **Selá** também lemos: "Para o cantor-mor", e, com freqüência, contém alguma especificação concernente ao uso de instrumentos de acompanhamento. Com base nesses fatos, **Selá** parece um termo musical, talvez indicando uma pausa no hino preenchida pela música de instrumentos. Não existem princípios claros relacionando seu uso ao pensamento dos salmos nos quais ocorriam, mas este termo geralmente terminava uma estrofe ou ocorria antes da introdução de um pensamento novo e importante. Para os leitores modernos, a interpretação mais plausível seria a seguinte: "Pausa: medite".

2. Anseio (3.3-4)

Duramente pressionado pela oposição e o perigo, Davi expressa seu anseio pela intervenção do Senhor, e fala da sua oração por ajuda. Ele inicia seu anelo com um reconhecimento do que o Senhor já foi e fez por ele. Deus tinha sido **um escudo** (3) para ele, sua **glória** e aquele que **exalta a sua cabeça**. Um soldado naturalmente pensava num escudo como proteção contra o poder dos seus inimigos. O Senhor também tinha dado **glória** ou honra ao rei. "Exaltar a cabeça" era uma expressão que significava "prover libertação" (2 Rs 25.17).

Respostas de oração do passado fomentam a fé no presente. O hebraico para **clamei** (4) está no tempo imperfeito, e indica uma ação repetida e habitual: "Sempre que clamei, Ele me respondeu". "Quando clamei em alta voz ao Senhor, Ele me respondeu" (Harrison). As respostas de Deus são dadas mais prontamente para aqueles que têm o hábito de orar do que em um ato solitário. Aqueles que "esperam no Senhor" são recompensados (Is 40.31), muito mais do que aqueles que vem como estranhos em uma hora de necessidade. **Desde o seu santo monte**, como em 2.6, significa "do monte da sua santidade". Deus manifestou sua presença especial e ajuda a partir do seu Templo no monte Sião. Acerca de **Selá**, veja o comentário do versículo 2.

3. Perigo (3.5-6)

A terceira estrofe relata a confiança do salmista diante do grande perigo. A nota que constitui essa "oração matutina" é encontrada no versículo 5: **Eu me deitei e dormi; acordei...** Poucas são as pessoas que têm uma fé que as deixa dormir tranqüilamente mesmo diante da ameaça da destruição (cf. At 12.6-7). O tempo do verbo **sustentou** no hebraico sugere uma ação contínua: "sustenta" ou "me sustentará".

Oração e confiança produzem coragem: **Não terei medo** (6). As multidões estavam se organizando contra o rei. **Dez milhares** em hebraico significa "miríades". O lado certo nunca pode ser determinado pela "contagem dos narizes". Mas "uma pessoa com Deus forma a maioria". A fé do salmista poderia ser expressa nas palavras que seu amigo Jônatas havia pronunciado muito tempo antes: "Para com o Senhor nenhum impedimento há de livrar com muitos ou com poucos" (1 Sm 14.6). **Ao meu redor** sugere que o perigo que o rei está sentindo é tão intenso que ele fala como se já estivesse sendo rodeado pelos seus inimigos. Essa estrofe não termina com um "Selá", possivelmente porque a situação ainda não está resolvida e a nota de confiança está para soar de novo.

4. *Libertação* (3.7-8)

O Senhor, o seu Deus, é agora chamado para libertar Davi daqueles que haviam se tornado seus inimigos. **Levanta-te** (7) é freqüentemente usado no AT como o chamado para uma manifestação do poder de Deus para salvação ou julgamento. O tempo perfeito no hebraico dos verbos **feriste [...] quebraste**, refere-se à experiência do passado e a confiança de que a libertação certamente viria. Ela é tão certa que o escritor pode expressá-la como se já tivesse ocorrido. Sempre existe esse sentido da "presença do futuro" na verdadeira fé: "Tudo o que pedirdes, orando, crede que o recebereis [agora] e tê-lo-eis". O ferir nos **queixos** era para mostrar desprezo, e o quebrar dos **dentes** — como um exemplo de um leão assolador — era para expressar a falta de poder dos inimigos.

Salvação (8; *ha-yeshuah*) é a grande palavra de libertação no AT. Ela pode ser usada em um sentido temporal, como ocorre inicialmente aqui, significando a libertação do perigo físico, a ameaça da morte ou a derrota na guerra. Mas ela se aprofunda ao longo do AT para significar cada vez mais a libertação do maior inimigo do homem, ou seja, seu pecado e rebelião contra o Senhor. Essa libertação vem somente de Deus. Essa é a bênção principal reservada para o povo de Deus.

É importante observar que Davi ora não somente pelos poucos que foram leais à sua causa. Ele invoca a bênção divina sobre toda a nação, que incluiria os rebeldes. Isso nos faz lembrar da oração do Filho maior de Davi em favor daqueles que o crucificaram: "Pai, perdoa-lhes, porque não sabem o que fazem" (Lc 23.34). A respeito da palavra **Selá**, veja o comentário do versículo 2.

Salmo 4: Uma Oração Noturna, 4.1-8

Como o Salmo 3 pode ser intitulado "Uma Oração Matutina", o Salmo 4 é uma oração para a hora noturna (4, 8). Este salmo é idêntico ao Salmo 3 quanto à estrutura, divergindo somente na falta do "Selá" final. Existem oito versículos, divididos em quatro estrofes de dois versículos cada. O título, além de atribuir o salmo a Davi, dedica-o "àquele que está acima", isto é, ao cantor-mor, "sobre *Neguinote*". O termo *natsach*, traduzido por "cantor-mor", é encontrado no título de cinqüenta e dois salmos, todos menos dois levam o nome de Davi ou um dos outros cantores, como é o caso de Asafe ou os filhos de Corá. Ele está freqüentemente associado, como nesse caso, com uma nuance musical. *Neguinote* significa "instrumentos de cordas". Ele aparece nos títulos de cinco outros salmos (6; 54; 55; 67; 76) e evidentemente está associado ao acompanhamento.

Alguns comentaristas acreditam que o Salmo 4 apresenta como pano de fundo uma aflição devida ao malogro nas colheitas. Oesterley diz: "Escrito numa época quando havia muita fome ou escassez de comida, devido à má colheita, o salmista se gloria na satisfação espiritual da alegria que brotava no seu interior, devido ao seu amor e fidelidade a Deus. Em comparação a isso, as necessidades materiais não o preocupam".[11]

1. Provação (4.1-2)

O salmista fala da libertação de Deus no passado e ora por auxílio no presente diante da contínua oposição. **Ó Deus da minha justiça** (1) fala do Senhor como aquele que vindica e justifica a causa do seu servo. **Me deste largueza** significa literalmente: "Criaste espaço para mim", "abriste o caminho para mim" (Harrison). Depois de estar confinado ou limitado por circunstâncias restritivas, o salmista foi levado a um espaço amplo. **Filhos dos homens** (2) é *bene ish*, homens de poder, em vez de *bene adam*, homens de fraqueza — mas continuam sendo homens em comparação com Deus, aquele que traz a libertação. **Vaidade** é vazio, desilusão. Acerca de **Selá**, veja o comentário em 3.2.

2. Ensino (4.3-4)

A segunda estrofe é dirigida aos mesmos opositores descritos no versículo 2. Ela destaca a confiança de Davi no cuidado protetor do Senhor. **O SENHOR separou** (3) expressa a idéia de consagração na qual o Senhor separa para si os fiéis dos comuns ou impuros. **Perturbai-vos e não pequeis** (4) é traduzido na LXX por: "Irai-vos e não pequeis" (cf. ARA), e é citado dessa maneira em Efésios 4.26. As duas traduções são possíveis no hebraico, porque o mesmo termo pode sugerir tanto temor como ira. Acerca de **Falai com o vosso coração**, Kirkpatrick escreve: "A voz da consciência, negligenciada no tumulto e agitação do dia, ou silenciada pelo medo dos homens e exemplos do mal, pode se fazer ouvir na solidão calma da noite e convencê-lo da verdade".[12]

3. Confiança (4.5-6)

A verdadeira fonte de prosperidade e felicidade não se encontra nos homens e seus caminhos, mas no Senhor. Os **sacrifícios de justiça** (5) são os sacrifícios requeridos pela lei justa de Deus e, ademais, oferecidos com a motivação correta. **Quem nos mostrará o bem?** (6) é uma pergunta cínica e desesperada de homens injustos. A resposta é encontrada no favor de Deus. **Exalta sobre nós a luz do teu rosto** é uma expressão usada muitas vezes para a consideração favorável do Senhor pelo seu povo escolhido.

4. Triunfo (4.7-8)

Existe uma canção de vitória no final da estrofe, como freqüentemente ocorre nesse tipo de salmo de lamentação. A fé do salmista começa a fazer diferença. Ele encontra uma **alegria** (7) no seu **coração** maior que a dos incrédulos em tempos de colheita abundante. Tempos de colheita para os hebreus e outros povos antigos eram tempos de grande celebração e regozijo. A alegria do Senhor é maior. **Porque só tu, SENHOR, me fazes** (8) significa que somente o Senhor poderia tornar possível que ele vivesse **em segurança**.

SALMO 5: ORAÇÃO PELO SACRIFÍCIO MATUTINO, 5.1-12

O Salmo 5 também é uma oração matutina (v. 3) ligada à adoração no Templo (v. 7). Ele reflete o mesmo pano de fundo (perigo e controvérsia) encontrado nos Salmos 3 e 4. O título é atribuído a Davi e é dedicado ao cantor-mor "sobre *Neilote*", isto é "sobre instrumentos de sopro". Argumenta-se que o salmo deve ter sido escrito numa época posterior a Davi, visto que o Templo é mencionado (7). No entanto, encontramos o mesmo termo hebraico aqui traduzido por "templo" aplicado ao santuário do Tabernáculo em Siló (1 Sm 1.9; 3.3). É, portanto, possível que esse termo tenha sido usado para o Tabernáculo onde se guardava a arca do Senhor nos tempos de Davi.

O salmo é dividido em quatro estrofes. Na primeira estrofe o salmista suplica para que o Senhor lhe dê ouvidos (1-3). Os versículos 4-7 expressam a confiança de que Deus não tolerará os ímpios. A terceira estrofe descreve a infidelidade dos inimigos do salmista (8-10). Os versículos finais (11-12) exprimem a confiança de Davi na vindicação do Senhor quanto à sua causa.

1. *Pedido* (5.1-3)

O escritor ora para que Deus ouça as suas **palavras** e considere a sua **meditação** (1). O termo hebraico para **meditação** é um termo raro, usado somente mais uma vez em Salmos 39.3. Pode significar uma oração não pronunciada ou a voz baixa de uma tristeza remoída no pensamento.[13] A oração é conveniente a qualquer tempo, mas particularmente **pela manhã** (3).

2. *Justiça* (5.4-7)

Davi está convencido de que Deus na sua justiça não pode nem vai tolerar o mal. Portanto, **os loucos** (5), literalmente os orgulhosos ou arrogantes, não **pararão à sua vista**. O SENHOR **aborrecerá o homem** perverso na sua má ação, embora em amor o Senhor trabalhe para o seu arrependimento. **Sanguinário** é literalmente "homem de sangue" — sedento por sangue. Em contrapartida, o salmista adorará o Senhor lembrando-se da **grandeza da benignidade** dele (7). Mesmo na adoração pessoal em casa, o salmista viraria sua face para o santuário do Senhor, que representa a presença de Deus com e a favor do seu povo (cf. Dn 6.10).

3. *Retribuição* (5.8-10)

O mal não pode deixar de ser castigado. O salmista liga uma oração por libertação a favor dele mesmo com uma nota de imprecação (maldição) contra os inimigos de Deus e os seus (cf. Int., "Classificação dos Salmos"). **Aplana diante de mim o teu caminho** (8), isto é, conduz-me em um caminho reto e plano. **Não há retidão** (9) significa sem sinceridade ou verdade. **Íntimo** refere-se à essência da personalidade, do coração ou do próprio eu. No hebraico, **maldades** significam "destruição", no sentido de estar inclinado à destruição. **A sua garganta é um sepulcro aberto** foi citado por Paulo em Romanos 3.13 como parte de sua demonstração da maldade universal do homem afastado de Deus. Um túmulo aberto seria particularmente ofensivo aos hebreus, a quem o contato com os mortos os tornava imundos (Nm 19.11). **Declare-os culpados** (10) tinha a idéia de castigá-los. **Caiam por seus próprios conselhos** sugere que seus planos perversos terão um efeito contrário, e resultarão na destruição deles mesmos. A atitude do salmista em relação aos perversos não está baseada em rancor pessoal ou vingança, mas no fato de que **se revoltaram** contra Deus.

4. *Recompensa* (5.11-12)

A justiça requer não apenas o castigo da maldade, mas a recompensa da retidão. Aqueles que **confiam** (11) no Senhor e amam o seu nome se alegrarão e exultarão, porque eles têm uma defesa segura. Deus abençoará o **justo** (12) e o circundará (protegerá) **como de um escudo**. A palavra usada aqui significa um grande escudo, suficiente para proteger o corpo todo.

Salmo 6: Uma Oração por Libertação, 6.1-10

O Salmo 6 é o primeiro de uma classe especial conhecida como salmos de "penitência", expressando arrependimento e tristeza pelo pecado. Existem sete desse tipo (6; 32; 38; 51; 102; 130; 143), e desde os primeiros dias do cristianismo eles têm estado ligados aos "sete pecados capitais". G. Campbell Morgan comenta a respeito do Salmo 6: "O salmo não tem a mesma força em relação à verdadeira penitência se comparado com alguns salmos que seguem. Ele é, na verdade, um clamor por libertação da dor, da tristeza e da correção do que propriamente do pecado que os causa".[14] O pano de fundo desse salmo aparentemente é uma enfermidade prolongada e perigosa. Ele é intitulado "Um Salmo de Davi", e dedicado ao cantor-mor em *Neguinote*, "instrumentos de cordas" (cf. comentário introdutório do Salmo 4). As palavras adicionais do título, "sobre *Seminite*", significam "o oitavo" ou uma oitava — uma indicação musical, cujo significado não está claro.

O salmo pode ser dividido em três seções. Os versículos 1-5 apresentam a enfermidade dolorida do salmista. A segunda seção continua sua descrição do sofrimento e pesar (6-7). A divisão final expressa uma nota de confiança e segurança.

1. *Clamor* (6.1-5)

O salmista clama ao Senhor por misericórdia diante da morte iminente. Embora seja um homem que teme ao Senhor, ele vê sua aflição como um castigo divino pelo pecado, o que torna esse poema um salmo de penitência. A Bíblia mostra que a enfermidade não é necessariamente um castigo divino pelo pecado pessoal. Todavia, é claro que em alguns casos a doença pode ser usada como uma vara de disciplina designada para fazer o errante voltar a Deus (cf. 1 Co 11.30; Tg 5.15). **Sou fraco** (2), literalmente "sem vida" ou extenuado. **Meus ossos estão perturbados** (hb. "abalados"; cf. comentário de 2.5; veja ARA). Os ossos eram considerados fundamentais na saúde de todo o corpo (Pv 16.24). Os ossos do poeta estão perturbados e a sua **alma** também está **perturbada** (3; "profundamente abalada", ARA). **Na morte não há lembrança de ti; no sepulcro** (hb. "Sheol") **quem te louvará?** (5). Precisamos nos lembrar de que somente Jesus Cristo "aboliu a morte e trouxe à luz a vida e a incorrupção, pelo evangelho" (2 Tm 1.10). O AT em nenhuma parte considera a morte o fim da existência; mas o *Sheol*, o lugar dos mortos, não era um lugar aguardado com expectativa. Ocasionalmente, homens do AT recebiam um vislumbre de uma eternidade mais alegre (e.g., Jó 19.25-27; Sl 16.10-11; 49.15; 73.23-26). Mas, na maioria das vezes, a morte era temida como uma interrupção da adoração a Deus e da caminhada com Ele.

2. *Queixa* (6.6-7)

A angústia de Davi é descrita vividamente: **Já estou cansado do meu gemido** (6). Muito sofrimento é exaustivo, e o salmista estava chegando ao fim das suas forças. **Toda noite faço nadar a minha cama; molho o meu leito** — lágrimas copiosas durante a longa noite inundavam a cama do poeta. **Meus olhos estão consumidos** (7); olhos vermelhos e sem vida denunciavam sua enfermidade e tristeza. **Têm envelhecido**, isto é, "gradualmente se tornam velhos" (ou "fraquejam", NVI). A oposição incessante **de todos os** [seus] **inimigos** continuava, mesmo durante a doença séria que o acometia. Seus inimigos eram impiedosos.

3. *Confiança* (6.8-10)

Como em tantos salmos desse tipo, o desespero das circunstâncias do poeta é aliviado pela confiança no Senhor. Aqueles que aprendem a orar em todas as circunstâncias da vida encontram motivos para louvar pela esperança no auxílio de Deus. Davi visualiza seus inimigos perambulando, esperando o pior para ele. Ele ordena que o abandonem, anunciando que **o Senhor já ouviu** (8). Embora as circunstâncias ainda não tenham mudado, o salmista está confiante que **o Senhor aceitará** — com agrado — a sua **oração** (9). Como resultado, **envergonhem-se e perturbem-se todos os meus inimigos** (10) — embaraçados e grandemente aterrorizados, "humilhados e grandemente abalados" (Anchor). Os verbos no versículo 10 são melhor traduzidos pelo futuro simples: "Meus inimigos serão envergonhados [...] eles serão afastados".

Salmo 7: Um Clamor por Socorro, 7.1-17

O Salmo 7 é mais um cântico de lamentação, denominado "*Sigaiom* de Davi". *Sigaiom* ocorre somente neste texto no AT e em uma estrutura diferente ("sobre Siguinote") em Habacuque 3.1. Não é possível definir um significado certo para esse termo, embora possa possivelmente ser entendido como um "canto intenso e apaixonado". Também não se conhece nada acerca de "Cuxe, benjamita", que também aparece no título. É possível que tenha sido um colaborador próximo do rei Saul que apresentou acusações falsas de deslealdade contra Davi. Este é o primeiro de oito salmos tradicionalmente associados à fuga de Davi diante de Saul. Os outros salmos dessa série são: 34; 52; 54; 56; 57; 59 e 142.

Depois de uma breve invocação (1-2), o salmista declara sua inocência e nega qualquer má ação (3-10). Os últimos sete versículos são menos pessoais e mais gerais. Eles tratam da ira de Deus contra a iniqüidade dos inimigos do salmista.

1. *Invocação* (7.1-2)

Davi confirma sua fé em Deus e ora para ser libertado dos seus cruéis inimigos. **Em ti confio** (1) — no hebraico: "Em ti me refugio" (cf. ARA). **Todos os que me perseguem** significa literalmente: "aqueles que me seguem". O pronome na expressão **para que ele** (2) se refere ou a Cuxe ou a Saul. **Minha alma** (*nephesh*) pode ser usada como referência a uma pessoa, à vida individual ou simplesmente em lugar da primeira pessoa do singular, "eu".

2. *Inocência* (7.3-10)

Evidentemente sujeito a falsas acusações, Davi afirma a sua inocência. O escritor pede que o Senhor Deus permita que ocorram as calamidades mais horrendas contra ele se for culpado. **Se eu fiz isto** (3) refere-se a pecados (crimes) específicos dos quais Cuxe o acusava. Além disso, o salmista defende sua inocência de qualquer

perversidade (*avel*, "erro moral", "perversidade", "injustiça", "maldade"). **Paguei com mal** (4) significa "pagar o bem com o mal". Davi afirma ter libertado aquele que **sem causa o oprimia**. Dois exemplos claros disso ocorreram durante a fuga de Davi diante de Saul (1 Sm 24.1-22; 26.1-25). **Persiga o inimigo a minha alma e alcance-a** (5) significa no hebraico: "Que meu inimigo me persiga e me alcance". Acerca de **Selá**, veja comentário em 3.2.

Levanta-te [...] exalta-te [...] desperta por mim (6) é uma oração expressa em termos de experiência humana e ação. A justiça de Deus deve manifestar-se em forma de ira contra a maldade persistente. **Te rodeará** (7) significa: "Reúnam-se ao redor de ti" (ARA). O hebraico da segunda parte do versículo 7 é de difícil interpretação. Provavelmente deveríamos visualizar a congregação de pessoas reunidas na presença do Senhor, que está sentado acima deles como o seu Juiz. O salmista está confiante quanto à sua própria integridade. Ele está consciente de não ter cometido nenhum mal que justificasse, de alguma forma, a perseguição contra ele. Ele está disposto a ter o próprio Deus como seu juiz neste caso (8). Deus, em sua justiça, prova **o coração e a mente** (9), ou prova os corações e as consciências dos homens. "Deus, o justo, é o examinador da mente e do coração" (Anchor). **Coração** (*kelayoth*) significa "rins". Seu uso no AT sugere ser o equivalente hebraico do que chamamos de consciência.[15]

3. *Indignação* (7.11-17)

Com exceção do último versículo, essa estrofe do salmo lida com a iniquidade do homem e a ira de Deus contra os malfeitores. Ela é expressa em termos gerais, em vez de pessoais, como ocorreu nas primeiras duas seções. O objetivo da ira de Deus, embora indefinido no original, está indubitavelmente associado às maldades das quais os homens são culpados. **Se o homem não se converter** (12) significa: "Se não se arrepender". O termo hebraico *shub*, **converter** no AT, é equivalente ao arrependimento no NT. Deixar de se arrepender vai trazer um julgamento imediato. Deus **afiará a sua espada; já está armado o seu arco** e pronto para disparar suas flechas de julgamento. **E porá em ação as suas setas inflamadas** (13) significa em hebraico: "Ele transformará suas flechas em projéteis inflamados", "dardos de fogo" (Harrison). Deus, como um Juiz-Guerreiro usará as flechas untadas com piche e em chamas para queimar a cidade sitiada.

Os versículos 14-16 passam da ira de Deus para as maldades dos ímpios. Por meio de figuras vívidas o salmista descreve as maquinações dos ímpios ao planejarem a "malícia" (14, ARA; miséria) e "dores de iniquidade" (maldade, perversidade) que produzirão **mentiras**. Semelhante a um caçador negligente que cava **um poço** em que planeja pegar sua presa, o perverso acabará caindo **na cova que fez** (15). Sua **obra** ("malícia" ARA; "maldade", NVI) preparada para os outros vai cair sobre ele. **Sua violência** (*chamas*, "estrago", "crueldade") **descerá sobre a sua mioleira** ("cairá sobre a sua própria cabeça", NVI). Aqui está uma descrição vívida do "ricochete", ou da ação maligna de um bumerangue.

O versículo 17 é uma doxologia, uma atribuição de louvor a Deus. **Segundo a sua justiça** significa "por sua justiça". **Cantarei louvores** é "cantar salmos e cânticos". O louvor está muitas vezes ligado ao cantar na Bíblia. **Altíssimo** (*Elyon*) é usado somente na poesia pelos escritores hebreus (vinte e uma vezes nos Salmos). Também é usado pelos não-israelitas citados na Bíblia como um título para o Deus Supremo.

Salmo 8: O Paradoxo do Homem diante de Deus, 8.1-9

O Salmo 8 é uma jóia perfeita de culto, louvor e adoração. Ele retrata de uma forma vívida a degradação e a dignidade do homem, como alguém completamente insignificante, e, ao mesmo tempo, uma criatura altamente honrada do mundo de Deus. Embora colocado num cenário de natureza, é o homem, e não o universo, o tema do salmista. Este salmo tem sido chamado de "Gênesis 1 em forma de música"[16], e "o melhor comentário" a respeito de Gênesis 1.[17] O Salmo 8 faz lembrar a declaração freqüentemente citada de Immanuel Kant: "Duas coisas preenchem a mente de admiração e reverência à medida que o pensamento, de forma persistente, se ocupa com elas: o céu estrelado acima de nós e a lei moral dentro de mim".[18]

Oesterley escreve o seguinte acerca do Salmo 8: "O pensamento duplo da insignificância do homem aos olhos de Deus e, ao mesmo tempo, a dignidade do homem como a criação mais elevada de Deus, está repleto de beleza instrutiva".[19] Vriezen diz: "Um salmo como o Salmo 8 é um dos exemplos mais admiráveis do profundo sentimento humano de dependência e indignidade ligado à conscientização de que o homem foi chamado para uma tarefa grande e independente. Esses dois aspectos caminham juntos de uma maneira notável no Antigo Testamento".[20]

O salmo, creditado a Davi, é dedicado "para o cantor-mor, sobre Gitite". "Gitite" também é encontrado nos títulos dos Salmos 81 e 84. O significado do termo é desconhecido. Ele é um adjetivo derivado da palavra *Gath* que pode indicar acompanhamento de qualquer tipo de instrumento originário da cidade filistéia de Gate. Essa melodia getéia (cf. "giteu", NVI) pode estar associada à marcha da guarda getéia (2 Sm 15.18)[21] ou, visto que *gath* também significa "lagar" em hebraico, pode ter sido o cântico entoado na colheita da uva.[22]

O salmo inicia e termina com as mesmas sete palavras hebraicas que são traduzidos da seguinte maneira: **Ó Senhor, Senhor nosso, quão admirável é o teu nome em toda a terra!** (1, 9). Ele é dividido em duas seções desiguais. Os primeiros dois versículos falam da majestade de Deus. A última seção, versículos 3-9, descreve o homem.

1. *A Majestade de Deus* (8.1-2)

Ó Senhor, Senhor nosso (1; *Yahweh Adoninu*). *Yahweh* é o nome pessoal sagrado do Deus da aliança. *Adonai* é o termo hebraico para "senhor", "mestre", "soberano". **Os céus** revelam a majestade e a **glória** do Senhor. As **crianças** e os **que mamam** (2) no hebraico significa "crianças e bebês". **Tu suscitaste força**; a LXX traduz: "tiraste o perfeito louvor". Jesus cita estas palavras em Mateus 21.16. Na expressão: **para fazeres calar o inimigo e vingativo,** "o sentido geral é claro. Javé ordenou que mesmo os representantes mais frágeis da humanidade deveriam ser seus vencedores para confundir e silenciar aqueles que se opõem ao seu Reino e negam sua bondade e providência divina".[23]

2. *A Medida do Homem* (8.3-9)

Em comparação com a extensão dos céus e dos corpos celestiais, só resta ao homem confessar a sua insignificância. **Quando vejo** (3) — muitos ficam estranhamente indiferentes com a grandeza da criação. Existem importantes lições a ser aprendidas ao considerar-se os céus à noite. **Preparaste** significa literalmente "firmado". **Que é o homem** (4, *enosh*), homem na sua fraqueza e fragilidade? **Filho do homem** (*ben-adam*), "filho do homem na sua origem terrena". *Adam* (homem), em hebraico, também significa "terra". **O visites** — isto é, cuidar e prover para ele. **Pouco menor o fizeste** (5) significa literalmente: "Fizeste-o um pouco inferior". O termo hebraico para **os anjos** (*Elohim*) pode significar "Deus", "deuses" ou "seres sobrenaturais em geral". Algumas versões revisadas traduzem esse termo por "Deus" (veja ARA). A denotação costumeira do AT para anjos é *malakhim*, "mensageiros" ou *ben-Elohim*, "filhos de Deus". É importante ressaltar, no entanto, que a LXX traduz *Elohim* aqui por *par'angelous*, "do que os anjos", e é citado dessa forma em Hebreus 2.7, um importante texto cristológico. **De glória e de honra o coroaste** indica os atributos da realeza. No planejado domínio sobre as obras das mãos de Deus, o homem era para ser rei.

Tenha domínio sobre (6) significa "governar sobre". Existe um paralelo nesses versículos com Gênesis 1.26,28. A listagem das várias áreas do domínio humano é dada somente por meio de exemplos: animais domésticos e selvagens, aves e peixes e ocupantes das profundezas. Nossa era científica está testemunhando acerca da amplitude do domínio do homem por meio da compreensão e utilização das leis da natureza. Vamos lembrar, porém, que mesmo o que chamamos de "espaço" faz parte da obra criadora de Deus.

O salmo termina com as mesmas palavras hebraicas com as quais iniciou: "Ó Yahweh, nosso Senhor, quão admirável é o teu nome em toda a terra!" (lit.).

Salmo 9: Ações de Graça e Confiança, 9.1-20

Acredita-se, de modo geral, que os Salmos 9 e 10 originariamente formavam uma única obra literária. Não existe um título no início do Salmo 10, como é o caso em todos os outros do Livro I, exceto 1; 2 e 33. Os Salmos 9 e 10 são considerados um único salmo na LXX, na versão em latim de Jerônimo e na Vulgata Latina. No entanto, a relação entre os dois salmos é, em parte, de contraste. O Salmo 9 exalta a soberania de Deus, particularmente em relação aos inimigos pagãos da nação. O Salmo 10, na verdade, trata do problema da infidelidade e da impiedade dentro da própria nação. Esses dois problemas são constantes e urgentes para as nações cristãs do Ocidente. Existe o inimigo feroz do lado de fora e o crescimento maligno do secularismo e da descrença dentro do cristianismo.

O Salmo 9 traz o título: "Salmo de Davi para o cantor-mor, sobre Mute-Laben". O significado de "Mute-Laben" é obscuro. As palavras talvez poderiam ser traduzidas da seguinte forma: "Morte ao filho" ou mesmo: "Acerca da morte de um filho".[24] A sugestão mais razoável é que temos um título com uma entonação musical, significativo para aqueles a quem o título foi escrito mas desconhecido para nós.

O texto hebraico mostra evidências de um arranjo acróstico original, em que diferentes versículos iniciam com letras sucessivas do alfabeto hebraico. No entanto, o arranjo não é consistente em todo o salmo.

O salmo alterna entre oração a Deus e discurso a respeito daqueles que se opõem à nação.

1. Ações de Graça (9.1-6)
Mesmo diante da ameaça do inimigo, o salmista louva a Deus pela libertação que Ele conquistou. A fé enfrenta o futuro sem medo porque se baseia em um passado que

testifica da fidelidade e do poder do Senhor. O **coração** (1, *leb*) no AT significa o "eu" essencial, a personalidade, o pensamento, o sentimento, a parte do ser que escolhe. Nada menos que um louvor sincero é devido ao Senhor por todas as suas **maravilhas**. **Altíssimo** (2) é *Elyon*; cf. comentário em 7.17. A própria presença do Divino é suficiente para derrotar os inimigos; eles **caíram e pereceram diante da** presença dele (3). **Tu tens sustentado [...] a minha causa** (4) significa "Tu tens julgado a meu favor". Aqui está o simbolismo de um julgamento num tribunal. **Julgando justamente** (*tsedeq*), com "retidão". A palavra vem da raiz que significa "reto", conseqüentemente "justo" e "direito". **Apagaste o seu nome** (5) em hebraico significa: "Extinguir o seu nome". Os antigos depositavam grande importância na preservação do seu nome para a posteridade. Ter o seu nome apagado era visto como uma grande calamidade. Alguns comentaristas, achando que dirigir-se diretamente ao inimigo não faria sentido, traduziram, **Oh! Inimigo!** (6), etc.: "O inimigo foi consumado (destruído), desolado para sempre". As cidades do inimigo foram destruídas. **A sua memória pereceu com elas** — literalmente: "A lembrança pereceu".

2. *Ensino* (9.7-12)

A soberania e justiça de Deus são proclamadas como base para a confiança e fé do povo de Deus. **Está assentado** (7) significa em hebraico: "está entronizado". "Deus continua no trono!". Seu trono é um trono de soberania e de julgamento e justiça. Seus julgamentos são justos e verdadeiros (8). Um **refúgio** (9) é literalmente: "um lugar alto", ou seja, uma torre fortificada.

Conhecem o teu nome (10) se refere àqueles que chegaram a conhecer pessoalmente o caráter de Deus. Conhecimento no AT sempre é mais do que "informação acerca de algo" — é "familiaridade com". **Nome** (*shem*) é com freqüência usado na Bíblia com referência à natureza, ao caráter de Deus ou dos homens. A confiança é seguida de um grito de triunfo a Deus **que habita em Sião** (11). A presença especial de Deus foi simbolizada pela arca do concerto no Tabernáculo e mais tarde no Templo, no monte Sião em Jerusalém. **Pois inquire do derramamento de sangue** (12) é traduzido: "Aquele que vinga o sangue [derramado] lembra-se deles" (RSV); ou: "O vingador da morte não esquece" (Harrison).

3. *Sofrimento* (9.13-14)

O salmista insere uma súplica por libertação pessoal daqueles que se opõem a ele, para que ele possa louvar a Deus e se alegrar na salvação do Senhor. **Das portas da morte** (13) é contrastado com as **portas da filha de Sião** (14). Tirado das portas da destruição, o poeta louva a Deus no Tabernáculo ou no Templo. O *Sheol*, o lugar dos mortos, é muitas vezes descrito como uma cidade fortificada, com portas que abrem somente para dentro. (Cf. Mt 16.18, onde "portas do inferno" são "portas do hades"; *hades* no grego equivale a *Sheol* no hebraico).

4. *Transgressão* (9.15-18)

A impiedade e destruição das **nações** (15) são contrastadas com a esperança e a perspectiva dos justos necessitados. A verdade expressa em 17.15-16 é repetida aqui: os ímpios são destruídos pelos seus próprios esquemas e feitos malignos. **Higaiom** (16) é provavelmente uma nota musical indicando um interlúdio instrumental para meditação. O mesmo termo ocorre em conexão com a música da harpa em 92.3, em que esse termo é traduzido por "um som solene". Acerca de **Selá** veja comentário em 3.2.

Os ímpios serão lançados no inferno (17) é uma advertência séria a respeito do destino dos ímpios e das nações. **Inferno** é *Sheol*; e, no caso dos maus, ele representa uma existência sem esperança, sem contato com Deus e com a vida. A completa verdade revelada a respeito da vida após a morte aguardava a vinda de Cristo e dos apóstolos. Mas, o AT revela o suficiente para advertir o ímpio a que deixe os seus pecados a fim de não descer ao *Sheol* sem esperança. **O necessitado** e os **pobres** (18) não são justificados (vindicados) por causa da sua pobreza, mas por sua piedade e fidelidade (cf. 16.19-31).

5. *Triunfo* (9.19-20)

O alcance da oração do salmista testifica da sua fé quanto ao triunfo da retidão. A impiedade humana não prevalecerá. A palavra hebraica para "sejam julgadas" (19) também significa "sejam condenadas". Todos precisam finalmente reconhecer que somente o Senhor é Deus. **As nações** (19; hb. *goyim* também pode ser traduzido por "pagãos") saberão **que são constituídas por meros homens** (20)

Salmo 10: Oração pela Derrota dos Ímpios, 10.1-18

Acerca da relação entre esse salmo e o anterior, veja os comentários na introdução do Salmo 9. G. Campbell Morgan diz: "O salmo inicia com uma queixa mas termina num tom de confiança".[25] O autor descreve de maneira vívida o caráter e a conduta dos ímpios e clama pela libertação divina das mãos deles.

1. *Queixa* (10.1-2)

O salmista sente que Deus se conserva **longe** (1), como um espectador indiferente ou um observador desinteressado, enquanto os **ímpios na sua arrogância perseguem furiosamente o pobre** (2). Para o poeta parece que Deus se esconde **nos tempos de angústia**, aflição ou privação. Jó experimenta o mesmo sentimento (Jó 13.24). Quando os ímpios prosperam e os justos sofrem, Deus parece distante. Mas os ímpios serão **apanhados nas ciladas que maquinaram** (hb. planejaram), "apanhados pelos planos que tramaram" (Harrison).

2. *Caráter* (10.3-6)

O caráter maldoso dos ímpios é retratado com traços audazes e firmes. Orgulho, irreverência, descrença, materialismo e um sentimento de segurança falsa são características de uma vida sem Deus. **Bendiz ao avarento e blasfema do Senhor** (3) pode ser traduzido de acordo com a versão *Berkeley*: "O avarento amaldiçoa e despreza o Senhor". Sua avareza é idolatria (Cl 3.5), trocando Deus por Mamom. A atitude expressa no versículo 4 não é necessariamente um ateísmo teórico mas um ateísmo prático ou secularismo: **Deus não há**. "Ele pensa em sua insolência: 'Deus nunca castigará'; seus pensamentos se resumem no seguinte: 'Não existe Deus'" (Moffatt). Em vez de buscar a verdadeira segurança daqueles que confiam em Deus, os ímpios se apegam a uma segurança falsa, tratando com desprezo os seus inimigos e vangloriando-se de que nunca verão a **adversidade** (5-6).

3. *Conduta* (10.7-11)

O caráter do ímpio se manifesta em sua conduta. Seus pecados desfiguram cada área da vida. Eles estão comprometidos com a falsa suposição de que Deus não conhece nem se importa. Eles são audazes e blasfemos no falar (7), armando emboscadas para os indefesos (8), apanhando o **pobre** como se fosse uma rapina, ou, semelhantemente ao caçador, apanhando-o **na sua rede** (9). Moffatt interpreta o versículo 10 da seguinte forma: "Ele caça o indefeso até que este caia, como vítima desafortunada, em seu poder". O ímpio diz **em seu coração: Deus esqueceu-se; cobriu o seu rosto e nunca verá isto** (11). Mas a Palavra permanece verdadeira: "Porque Deus há de trazer a juízo toda obra e até tudo o que está encoberto, quer seja bom, quer seja mau" (Ec 12.14).

4. *Clamor* (10.12-15)

Diante de tamanho perigo, o justo apenas pode clamar a Deus por justiça e pela derrota do ímpio. O salmista recorre a Deus para julgar e lembrar-se do estado dos indefesos e dos **necessitados** (12). Ele se pergunta por que o Senhor tem tolerado por tanto tempo as blasfêmias dos inimigos do seu Reino (13). **Blasfema de Deus** significa escarnecer ou desprezar o Senhor. **Dizendo no seu coração** chama a atenção para a ênfase especial que esse salmo dá aos pensamentos secretos que motivam a conduta perversa dos iníquos (cf. 6,10). **Tu não inquirirás** significa: "Não haverá uma prestação de contas para os atos malignos realizados". Mas, certamente haverá!

Deus não tem ignorado a ação dos perversos. O pobre que é reto e está comprometido com Ele perceberá que Deus é **o auxílio do órfão** (14). **O braço** (poder) **do ímpio** (15) precisa ser quebrado. **Busca a sua impiedade até nada mais achares dela** significa que os julgamentos de Deus destruirão de tal forma o poder dos iníquos em realizar a maldade que a impiedade vai finalmente cessar. Harrison traduz isso da seguinte forma: "Quebre o poder do culpado e do ímpio; castigue sua iniqüidade até que a tenha removido completamente".

5. *Confiança* (10.16-18)

Como é o caso de tantos cânticos que iniciam com um tom menor, esse salmo termina com uma expressão de confiança e fé em relação ao triunfo final da justiça. **O Senhor é Rei eterno** (16) e seu propósito prevalecerá. A soberania de Deus é melhor expressa no conceito referente ao reino do AT. O soberano não é aquele que controla as ações dos seus subordinados nos mínimos detalhes, mas alguém que conquista a sua lealdade ou esmaga a sua revolta. A fé repousa no fato de as nações cananéias terem sido destruídas ou antecipa a destruição final dos rebeldes: **Da sua terra serão desarraigados os gentios**. Visto que o salmista está certo de que a sua oração será ouvida, ele está confiante em que Deus confortará os corações dos humildes. O **órfão** e o **oprimido** serão justificados (vindicados), e **o homem, que é da terra, não** mais fará uso da **violência** (18) ou: "O homem mortal não será mais um terror" (Moffatt).

Salmo 11: A Coragem da Fé, 11.1-7

O Salmo 11 também é dedicado ao "cantor-mor" e creditado a Davi. G. Campbell Morgan comenta: "Esse salmo é a resposta da fé ao conselho do medo. Ambos estão conscientes do perigo imediato. O medo somente vê as coisas que estão próximas. A fé enxerga mais longe. Se as coisas que o medo vê são, na verdade, tudo que existe, seu conselho é excelente. Quando as coisas que a fé vê são realizadas, sua determinação está vindicada".[26]

1. Confiança Diante da Traição (11.1-3)

O salmista está sitiado por seus inimigos, no entanto declara sua fé na proteção do Senhor. Seus amigos (ou seus inimigos zombadores) o aconselham: **Foge para a tua montanha como pássaro** (1). "A 'montanha' ou 'terreno montanhoso' com suas cavernas e fortalezas era um lugar natural de esconderijo para os fugitivos [...] Possivelmente, 'fugir para a montanha' pode ter sido uma frase proverbial, tirada de Gênesis 19.17 ss., como último recurso diante do perigo extremo".[27] O motivo dado para esse tipo de fuga foi que os perversos já haviam colocado as flechas na corda do arco, **para com elas atirarem, às ocultas** (secreta e traiçoeiramente), **aos retos de coração** (2).

Se **os fundamentos se transtornam; que pode fazer o justo?** (3). Quando a decadência da sociedade chega a tal ponto que possibilite a ocorrência dessas coisas, o justo está em sério perigo. Delitzsch interpreta esses versículos como uma continuação do conselho dos medrosos. Eles justificam o seu conselho à fuga por causa do triste estado em que a administração da justiça havia se transformado.[28] Isso supõe que o salmo foi escrito durante os últimos dias de perigo na corte de Saul, em que o salmista se vê sitiado pelas traições dos servos invejosos do rei. Ou, pode ser o próprio desespero do salmista pela situação do ponto de vista humano.

2. Prova e Triunfo (11.4-7)

A resposta da fé ao medo é a confiança de que o **Senhor está no seu santo templo; o trono do Senhor está nos céus** (4). Deus reina soberano nos céus, e, ao mesmo tempo, habita no meio do seu povo e do seu santo Templo (ou Tabernáculo). **As suas pálpebras provam**, como alguém que aproxima os seus olhos para perscrutar mais atentamente um objeto do seu interesse. **O Senhor prova o justo** (5), testando a sua lealdade. Aqui podemos ver as atitudes constantes do Senhor em relação aos justos e aos ímpios. Amor à justiça implica em ódio pelo mal. É destino dos **ímpios** ser exposto a **laços, fogo, enxofre e vento tempestuoso** (6) — literalmente, "um vento com brasas de fogo", o vento seco e incandescente do deserto. **Fogo e enxofre** estão muitas vezes associados aos julgamentos de Deus nas Escrituras (Gn 19.24; Dt 29.23; Is 30.33; 34.9; Ez 38.32; Lc 17.29; Ap 9.17; 14.10; 19.20; 20.10; 21.8). **Porção do seu copo**, isto é, sua porção apropriada, que eles merecem.

O amor de Deus pela justiça não é arbitrário. Ele mesmo é justo. Portanto, **o seu rosto está voltado** (ele olha favoravelmente) **para os retos** (7). A última parte da locução seria mais corretamente traduzida assim: "Os justos contemplarão a sua face" (Perowne); "Os justos finalmente o verão" (Harrison). Dahood comenta: "A visão de Deus mencionada aqui é, sem dúvida, a mesma vista em Salmos 16.11; 17.15; 41.13; 49.16; 73.26, que sugere a crença num pós-vida na presença de Yahweh. Se a justiça perfeita não é alcançada nesta vida, então será na próxima; este parece ser o motivo maior da confiança do salmista".²⁹ Dahood acredita que, à luz dos textos de Ras Shamra (cf. Int.), "a opinião de Sigmund Mowinckel de que 'nem Israel nem o judaísmo primitivo tinham conhecimento da fé na ressurreição, tampouco é essa fé representada nos salmos' não sobrevive a um exame criterioso".³⁰

Salmo 12: O Auxílio de Deus em um Mundo Incrédulo, 12.1-8

Este é um salmo de Davi dedicado ao cantor-mor "sobre Seminite", um termo que significa "oito" e pode indicar aqui uma oitava abaixo, mais conveniente para cantores que cantam baixo. O contraste entre os justos e os ímpios e a alta estima pelas "palavras do Senhor" classificam o Salmo 12 como um salmo sapiencial. O clamor por auxílio divino (1-2), a condenação do mal (3-4) e a confiança no poder protetor de Deus (5-7) expressam uma fé que vê além das circunstâncias e se direciona para o Ajudador celestial.

1. *Clamor* (12.1-2)
O clamor de Davi por ajuda é arrancado dele por causa da condição deplorável da religião e da moralidade que ele observa ao seu redor. **Os homens benignos** (1; Hb., *chasid*; lit., os santos) e **os fiéis** desapareceram da sociedade. **Cada um fala com falsidade** (2; futilidade ou vaidade) **ao seu próximo**. Insinceridade e hipocrisia se espalham. Qualquer sociedade marcada pela quebra da confiança na honestidade está fadada ao fracasso. Suspeita e cinismo destroem a base dos relacionamentos humanos. Eles **falam** com um **coração dobrado** significa pensar de uma maneira, mas falar de outra. "A conversa deles é lisonjeira, sua mente enganosa" (Harrison). Esta é a antítese da santidade e da verdade que Deus requer.

2. *Condenação* (12.3-4)
Duas coisas que um Deus santo não pode tolerar são bajulação e soberba (3). As duas atitudes são descritas no versículo 4. O mundo tem uma confiança desmedida no poder das palavras. É como se estivessem dizendo: "A bajulação vai dar a você tudo que você desejar". O seu orgulho arrogante é visto como uma rejeição irônica da soberania de Deus: **quem é o senhor sobre nós?** A mesma independência orgulhosa em relação a Deus é vista em Apocalipse 3.17.

3. *Confiança* (12.5-8)
Em uma crise de moralidade e religião como essa, o salmista ouve o Senhor falar: **Por causa da opressão dos pobres e do gemido dos necessitados, me levantarei** (5). Deus não esqueceu seu povo. **Porei em salvo aquele para quem eles assopram** significa literalmente: "Porei a salvo a quem por isso suspira" (ARA). A única real segurança que a vida humana conhece é aquela que vem de uma fé firme em Deus.

A palavra divina de garantia e orientação é pura e preciosa (6; cf. 19.8,10). A **prata** refinada **sete vezes** está totalmente livre de qualquer impureza e é muito valiosa. A comparação da palavra do Senhor com a prata e o ouro sugere o trabalho de mineração e fundição. Mas o lucro vale o esforço.

Os ímpios circulam por toda parte (8; "andam em círculos", como Agostinho traduziu); "desfilam por" (Harrison); "vagueiam" (Anchor). Quando homens indignos **são exaltados**, a impiedade é encorajada e a retidão está em risco. Mas o **Senhor** guardará e preservará aqueles que confiam nele (7).

Salmo 13: Amedrontado mas não Desamparado, 13.1-6

Aqui está um salmo de Davi dedicado ao cantor-mor. Este salmo de lamentação passa pelos estágios familiares de desespero, desejo e libertação. Kirkpatrick associa o salmo ao período na vida de Davi quando era um foragido caçado pelo invejoso rei Saul (1 Sm 27.1). Nos versículos 2 e 4, um inimigo se sobressai a todos os outros como alguém poderoso e impiedoso.[31] O salmo expressa a noite escura da alma pela qual tantas pessoas tementes a Deus passam.

1. *Desespero* (13.1-2)
O salmista expressa seu sentimento de desamparo em uma série de quatro perguntas: **Até quando** Deus se esquecerá? **Para sempre?** **Até quando** Ele esconderá a sua **face?** (1) **Até quando** o salmista terá de levar a tristeza no seu coração? Até **quando** seu inimigo será exaltado? (2) As primeiras duas perguntas estão centradas em Deus. As duas seguintes estão relacionadas com os sentimentos e circunstâncias do poeta.

2. *Desejo* (13.3-4)
Numa perturbação de espírito tão grande, Davi fez seu apelo de ajuda a Deus. **Alumia os meus olhos** (3) é a oração para "despertar e avivá-lo", da mesma forma que o olho reflete a vitalidade física de todo o corpo. "O sono da morte" (ARA) não sugere o que hoje é conhecido como "sono da alma", visto que a visão do AT da vida após a morte é expressa na idéia do *Sheol*, em que as pessoas tinham consciência umas das outras. Essa metáfora do sono representa a morte assim como é vista pelo espectador. O salmista ora para que o seu **inimigo** e os seus **adversários** (4) não tenham o privilégio de se alegrar na sua queda e destruição.

3. *Libertação* (13.5-6)
A fé aumenta à medida que o poeta ora. Ele confirma sua confiança na misericórdia de Deus e sua confiança de que seu **coração** agora triste (2) se alegrará na **salvação** do Senhor (5). O agir abundante de Deus ainda será o tema do seu canto. Oesterley diz: "Apesar da brevidade desse salmo, ele apresenta forçosamente a grande verdade de que o sofrimento, embora presente há muito tempo, não significa que Deus não se importa com aqueles que confiam nele. A razão da demora da chegada do alívio é, sem dúvida, muitas vezes oculta [...] mas o salmo ensina a bela lição de que o verdadeiro crente em Deus não será abalado em sua fé, independentemente da severidade do golpe".[32]

Salmo 14: O Fruto Amargo da Impiedade, 14.1-7

O salmo 14 é virtualmente idêntico ao Salmo 53, exceto que este último usa *Elohim* como o termo para Deus em vez de *Yahweh,* como ocorre no Salmo 14. No Salmo 53, o título indica que o salmo é um *masquil* (veja comentário acerca do título do Salmo 32), um salmo de ensino e mostra que foi adaptado para uma melodia conhecida como *Maalate*. A maior parte dos versículos 1-3 é citada por Paulo em Romanos 3.10-12 descrevendo a corrupção universal do coração humano não remido. O poema é composto por duas estrofes de três versículos cada, e um versículo final. Ele descreve a insensatez e o medo dos ímpios e a fé dos piedosos.

1. *Insensatez* (14.1-3)

O salmo inicia com uma declaração acerca dos **néscios** (1; "insensato", ARA; "tolo", NVI). A insensatez na Bíblia não é uma questão de limitação intelectual, mas de transgressão moral. Morgan diz: "Nesse texto o salmista expressa sua própria percepção do significado da impiedade. Na sua essência é a insensatez. A palavra 'insensato' aqui está relacionada à perversidade moral e não cegueira intelectual. Isso é repetido na declaração: 'Eles têm-se corrompido' e na declaração de que suas obras são abomináveis".[33] Leslie M'Caw escreve: "*Insensato* ou 'louco' (Is 32.5), isto é, um homem completamente indiferente aos padrões morais da lei e que adota diariamente como princípio a idéia de que a divindade não se importa com as diferenças no comportamento humano. Essas pessoas vivem uma vida dissoluta e são incapazes de 'fazer o bem'".[34]

Não há Deus não indica basicamente um ateísmo teórico, mas o tipo de incredulidade que reside no coração. É a direção prática da vida sem se preocupar com Deus ou a eternidade. O homem sem Deus é descrito como corrupto devido às suas **obras** abomináveis; ele é incapaz de fazer o bem. **O Senhor olhou desde os céus para os filhos dos homens** (2; lit., os filhos de Adão). Deus busca sinais de compreensão espiritual e corações voltados para Ele. Infelizmente, não encontra nenhum. "Todos nós andamos desgarrados como ovelhas; cada um se desviava pelo seu caminho" (Is 53.6). **Juntamente se fizeram imundos** (3) é derivado da palavra que significa "manchado, arruinado, azedado"; "depravado" (Anchor). Uma das percepções bíblicas mais agudas quanto à natureza do pecado é a idéia da corrupção, ou seja, corromper e usar mal aquilo que poderia ser bom.

2. *Medo* (14.4-6)

O resultado final dos insensatos é um **grande pavor** (5). É o Senhor que diz: **Não terão conhecimento os obreiros da iniqüidade, que comem o meu povo como se comessem pão? Eles não invocam ao Senhor** (4). A implicação é que os obreiros da iniqüidade têm, na verdade, um conhecimento rudimentar da lei moral. "Porque as suas coisas invisíveis desde a criação do mundo, tanto o seu eterno poder como a sua divindade, se entendem e claramente se vêem pelas coisas que estão criadas, para que eles fiquem inescusáveis" (Rm 1.20). O resultado de sua culpa é o **pavor** (5). **Ali** pode significar "ali na presença de Deus". A presença de Deus **na geração dos justos** é a garantia de uma vindicação certa do que é direito e da condenação do mal. **Geração** (*dor*) também pode significar habitação ou posteridade.

Vós envergonhais (6) pode significar ridicularizar ou, mais provavelmente, malograr ou frustrar **o conselho dos pobres** (os aflitos). Isso é tanto mais deplorável por causa das suas considerações religiosas: eles o fizeram **porquanto o Senhor é o seu refúgio**.

3. Fé (14.7)

Mais uma vez a fé canta o seu cântico de triunfo. **A redenção de Israel** não será encontrada na força ou sabedoria humana. Ela virá de Sião, o lugar da habitação de Deus. Alguns acreditam que esse salmo foi escrito no período do exílio por causa da expressão: **Quando o Senhor fizer voltar os cativos do seu povo**. Mas em Jó 42.10 encontramos a mesma expressão: "E o Senhor virou o cativeiro de Jó", no sentido de restaurar a sorte de Jó. E mesmo se o versículo significasse um cativeiro literal, Kirkpatrick aponta para o uso das mesmas expressões por Oséias (6.11) e Amós (9.14) muito antes do cativeiro babilônico.[35] A ação de Deus vai trazer regozijo e alegria para **Jacó** (significando aqui a nação como um todo) e **Israel**.

Salmo 15: A Vida de Santidade, 15.1-5

Este salmo, identificado como "Um Salmo de Davi", é o primeiro do tipo conhecido como "litúrgico", isto é, ligado à adoração pública. Existem aproximadamente trinta salmos que se enquadram nessa categoria (cf. Int.). O Salmo 15 é uma perfeita pepita de devoção e, da mesma forma que uma pedra preciosa, dificilmente pode ser dividida sem ser danificada. O poema descreve as características positivas e as negativas de quem permanece no Tabernáculo do Senhor e habita em seu santo monte. A vida de santidade apresenta esses dois lados. Ela envolve algumas abstinências e negações do eu. Ela também requer algumas características positivas e um serviço ativo. A bondade meramente passiva e negativa nunca atenderá as vastas necessidades da vida humana atual. A bondade precisa de uma qualidade dinâmica de piedade se ela tiver como alvo atender as necessidades da nossa era presente.

1. *As Características Positivas de uma Vida Santa* (15.1-2)

Quais são as características positivas do cidadão de Sião? São mencionadas cinco:

a) *Habitar* (1). **Habitará** sugere permanência. Significa vir e permanecer. Por isso, foi assim que Jesus falou acerca do Consolador que viria aos seus discípulos em Pentecostes: "Ele vos dará outro Consolador, para que fique (habite) convosco para sempre" (Jo 14.16). Para habitar no **Tabernáculo** do Senhor significa firmar nossa vida em Deus.

b) *Morar* (1). **Morará** acrescenta a idéia de estar em casa, ser um membro do lar, tendo *status* permanente na família. Nenhum poder terreno ou satânico pode nos arrancar da nossa morada no santo monte de Deus se nossos corações estiverem firmados nele. Um cristão pode deixar o lar, mas ele nunca precisará temer ser seqüestrado ou levado à força.

c) *Caminhar em sinceridade* (2). Caminhar descreve um curso habitual de vida. **Aquele que anda em sinceridade** é a mesma linguagem usada em Gênesis 17.1, em que Deus disse a Abraão: "Anda em minha presença e sê perfeito". Kirkpatrick ressalta: "A palavra *tamim* significa 1) *completo*, 2) *sem culpa*, como referência à vítima sacrifical, 3) no sentido moral, *perfeito, sincero, sem culpa*. Essa palavra inclui a devoção sincera a Deus e a completa integridade ao lidar com os homens".[36] O Novo Testamento apresenta uma boa descrição da perfeição evangélica (cf. Mt 5.48; Hb 6.1; 1 Jo 4.17-19)!

d) *Praticar a justiça* (2). A conduta externa deve ser justa. **Justiça** (*tsaddiq*; "justo") significa "ser correto", de acordo com a lei.

e) *Falar a verdade* (2). **Falar a verdade segundo o seu coração** significa viver em absoluta sinceridade. A verdade nos lábios é importante. A verdade no coração é muito importante. A convicção do salmista acerca da necessidade de purificação estava baseada na sua compreensão de que Deus deseja "a verdade no íntimo" (Sl 51.6-7).

2. *As Características Negativas de um Viver Santo* (15.3-5)
Podemos enumerar oito aspectos de negação de uma vida de santidade:
 a) *Não difamar* (3). **Não difama com a sua língua** significa literalmente: "Ele não pronuncia calúnia com a sua língua". Inventar ou passar adiante histórias que são injuriosas e denigrem a reputação de outra pessoa é considerado pecado que não tem lugar na vida dos cidadãos de Sião.
 b) *Não fazer o mal* (3). O hebraico (*ra*) é um termo genérico que inclui todo tipo de dano, maldade e pecado. Ele é tão amplo quanto o termo português "mal". O homem aprovado por Deus não prejudica seu próximo.
 c) *Não injuria* [calúnia] (3). **Aceitar alguma afronta contra o seu próximo** pode significar: dar origem a uma calúnia e escárnio ou passar adiante o que de outra forma ficaria oculto. Ou pode significar adicionar difamação à desgraça do próximo. "Sabe o que eu ouvi?" é o prelúdio de muitos ataques mortíferos ao bom nome de alguém.
 d) *Não fechar os olhos para o pecado* (4). **Aquele a cujos olhos o réprobo é desprezado** significa literalmente: "Desprezado em seus olhos é o réprobo". O cidadão de Sião não se regozija com o registro da iniqüidade. Nem fecha os olhos para o pecado e a conduta encoberta que viola a lei de Deus.
 e) *Não mudar a palavra* (4). "Sua palavra vale tanto quanto o seu pacto". Promessas feitas devem ser mantidas, a não ser que esteja envolvido algum pecado. O mero fato de uma promessa se tornar desvantajosa para aquele que a fez não o libera da obrigação de mantê-la.
 f) *Não cobrar juros extorsivos* (5). **Usura** é, às vezes, definida como qualquer tipo de juros. Mas o termo hebraico vem da raiz que significa "infligir com uma picada" como uma serpente ou "oprimir". Os juros comerciais dos tempos do NT eram reconhecidamente legítimos (Mt 25.27). Assim, provavelmente, o termo deveria ser entendido como juros exorbitantes ou desmedidos — o significado mais comum hoje em dia.
 g) *Não receber suborno* (5). **Nem recebe suborno contra o inocente**. O suborno sempre foi proibido nos países orientais, como podemos verificar em Êxodo 23.7-8; Deuteronômio 16.19; 27.25. Ele também é freqüentemente condenado pelos profetas.
 h) *Não vacilar* (5). **Quem faz isto nunca será abalado**. Isso pode ser visto como uma condição e uma conseqüência. Literalmente essa frase pode significar: "Quem fizer essas coisas jamais será abalado". Uma pessoa como a que foi descrita aqui vai permanecer firme, constante e fidedigna em meio a condições e circunstâncias turbulentas (1 Co 15.58).

SALMO 16: A HERANÇA GENEROSA DOS CRENTES, 16.1-11

O salmo é intitulado *"Mictão* de Davi". T. H. Robinson escreve: "Em seis salmos (16; 56—60) a palavra 'Mictão' aparece no título. Ela está normalmente associada ao significado da raiz 'ouro' e esses salmos (que são todos de uma beleza incomum, mesmo entre os salmos) são considerados 'jóias raras'. A mesma palavra é usada no cabeçalho do hino atribuído a Ezequias em Isaías 38.9-20. Acredita-se que o hino foi composto por esse rei após ser restaurado da sua doença".[38] Outras sugestões quanto ao significado têm sido dadas, tais como: "um poema de caráter epigramático" (Delitzsch), um poema não publicado e um salmo com um significado escondido e misterioso.[38]

Com base no uso neotestamentário do versículo 10 (At 2.25-28, 31; 13.35), o Salmo 16 pode ser adequadamente tipificado como messiânico (cf. comentários introdutórios do Salmo 2). Sua fé alegre e a expressão de louvor são, na verdade, típicas do Salvador. A fé pode não resolver todos os problemas da mente, mas comunica confiança e paz ao coração que descansa na certeza de que onde Deus é o Guia tudo está bem.

1. Oração (16.1-4)

O Salmo abre em forma de oração na qual é expressa a lealdade do salmista ao Senhor e ao seu povo. Deus é a Fonte da sua preservação e proteção, com base em uma fé constante: **porque em ti confio** (1). Do fundo da sua **alma**, o salmista clama ao Senhor: **Tu és o meu Senhor** (2). Diferentes palavras hebraicas são traduzidas aqui pela palavra **Senhor**, como é indicado pelas letras maiúsculas (SENHOR) e minúsculas (Senhor) dessa palavra. O primeiro termo hebraico é *Yahweh*, o nome pessoal do Deus vivo e verdadeiro. O segundo é *Adonai*, que significa "mestre, governador, senhor". Podemos traduzir essa frase da seguinte forma: "Minha alma disse a Javé: Tu é o meu Mestre, meu Governador".

Não tenho outro bem além de ti ou: "Meu bem-estar depende inteiramente de ti" (Harrison). Robertson Smith diz: "Deus não é meramente a fonte de todo seu bem-estar, mas tudo que ele reconhece como um verdadeiro bem, Deus, na verdade, contém dentro de si mesmo".[39]

O terceiro versículo é de difícil interpretação. Ele provavelmente deveria ser entendido como uma frase separada e traduzida da seguinte maneira: "Todo meu prazer está nos santos e notáveis da terra". A versão *Berkeley* traduz este versículo da seguinte forma: "Quanto aos fiéis que estão na terra, eles são a glória em quem está todo o meu prazer". E Harrison traduz: "Os santos que estão na terra são, na verdade, ilustres. Eu os admiro grandemente".

O feliz destino do salmista está em forte contraste com as muitas aflições daqueles que trocam o Senhor por um outro deus. **As suas libações de sangue** (4) é uma expressão que pode referir-se a libações pagãs de sangue ou pode significar que as libações (líquidos derramados como sacrifícios religiosos) dos idólatras eram tão abomináveis como se tivessem sido feitas com sangue. De qualquer forma, o salmista procura não mencionar com os seus **lábios** o **nome** deles.

2. Louvor (16.5-8)

A segunda estrofe desse salmo é composta de quatro grandes versículos. O salmista encontra no Senhor a sua herança maravilhosa. Ele está tomado de regozijo com o conselho e a presença de Deus. **A porção da minha herança [...] a minha sorte** (5) refere-se à distribuição da terra entre o povo de Israel (Js 13.7; 14.2). Enquanto os outros podem regozijar-se em campos férteis, o salmista encontra sua herança no Senhor Deus. Moffatt traduz assim: "Tudo que obtenho da vida é do Senhor, o Eterno; o Senhor é a minha porção". O que mais poderíamos querer?

Visto que isso é verdade, **As linhas** (simbolizando a porção de cada tribo) **caem-me em lugares deliciosos; sim, coube-me uma formosa herança** (6). O próprio Senhor, mais do que os seus dons, é a recompensa daqueles que realmente o amam. Não podemos deixar de admirar a profunda devoção expressa em palavras como essas. Elas representam uma profundidade de devoção somente alcançada por alguns, mesmo em nossa dispensação cristã mais favorável.

"Bendigo o Senhor" (7, ARA), isto é, darei louvor e adoração a Ele. **Me aconselhou** significa: "ensinou-me a confiar nele e segui-lo". Em relação à expressão **meu coração** (*kelayoth*, meus rins) Smith observa: "Provavelmente sempre há uma referência direta ou indireta à busca de Deus que *nós* chamamos de consciência".[40] **De noite** — "Nas quietas horas da noite Deus admoesta e instrui por intermédio da voz da consciência. Caps. 4.4; 17.3. *Os rins* representam os órgãos da emoção, dos sentimentos e da consciência. 'Coração e rins' denotam todo o ser interior, pensamento e vontade (7.9)."[41]

Tenho posto o Senhor continuamente diante de mim (8) indica "a prática da presença de Deus". O salmista está, portanto, confiante em que nunca será abalado, tendo o Senhor à sua **mão direita** como guerreiro defendendo-o contra todos os inimigos.

3. *Perspectiva* (16.9-11).

Embora possamos admitir que essas palavras expressam a confiança do salmista em que o forte braço do Senhor o libertaria da morte ameaçadora naquela época, é impossível ignorar a interpretação que Pedro dá a esses versículos em Atos 2.25-28. Neste salmo podemos ver a profecia da ressurreição de Jesus. Cristo trouxe "a vida e a incorrupção (imortalidade, ARA), pelo evangelho" (2 Tm 1.10), e sua ressurreição acrescenta uma nova dimensão a muitas passagens do AT, das quais essa certamente é uma delas. Na verdade, as declarações mais enfáticas da vida futura abençoada encontradas no AT eram baseadas na fundamentação dada aqui: isto é, nem mesmo a própria morte pode roubar da alma confiante a presença e a comunhão do seu Deus.

Se regozija a minha glória (9) — aqui, como em 7.5; 30.12 e 57.8, **minha glória** significa minha alma. A alma, como a parte mais nobre do homem e a imagem do divino, bem pode ser chamada de **minha glória**. Na confiança da proteção de Deus em vista da inoportuna ameaça de morte e na perspectiva de uma ressurreição como a de Cristo (Rm 6.5), o salmista canta: **a minha carne repousará segura**. Sua fé afirma: **Não deixarás a minha alma no inferno** (10; *Sheol*), o reino da morte. **Nem permitirás que o teu Santo veja corrupção** foi usado por Paulo (At 13.35) bem como por Pedro quando se referiram à ressurreição de Jesus. A presença de Deus é a garantia do salmista da **vereda da vida [...] abundância de alegrias [...]** e **delícias perpetuamente** (11). Aqui ou na vida futura, nenhum mal pode sobrevir àquele que coloca sua confiança no Senhor e anda com Ele.

Salmo 17: Uma Oração Urgente por Proteção, 17.1-15

O Salmo 17 leva um título encontrado em apenas dois outros salmos, 86 e 142: "Oração de Davi". Novamente parece que um inimigo é a fonte primordial de perigo, e, em dado momento, o salmista fala dos seus companheiros de perigo (11). É possível que o pano de fundo seja a fuga de Davi diante de Saul no deserto de Maom: "Saul, porém, e os seus homens cercaram Davi e os seus homens, para lançar mão deles" (1 Sm 23.25-26). Somente a notícia da invasão dos filisteus interrompeu a perseguição realizada por Saul (1 Sm 23.27-29).

Embora intimamente ligado com o Salmo 16 (cf. 16.7 e 17.3; 16.8 e 17.5; 16.1 e 17.6-7), o sentido de perigo iminente torna esse salmo mais parecido com um cântico de lamentação.

1. *Desejo* (17.1-5)

O coração do pedido de Davi é o desejo expresso nesses versículos a favor da vindicação e da justiça diante das ameaças feitas contra sua vida. Ele apela para que lhe dêem ouvidos: **Ouve, Senhor, a justiça** (1; *tsaddiq*), "retidão". **Meu clamor** é literalmente um clamor agudo e penetrante, que não vinha de **lábios enganosos**, mas arrancados de um coração sincero e honesto. **Saia a minha sentença** — literalmente, meu julgamento — **de diante do teu rosto** (2; "de tua presença", ARA). Davi não encontrou justiça nas mãos de Saul. Mas ele está confiante em que os **olhos** do Senhor atendam **à razão**, ou, como a Edição Revista e Atualizada traduz: "Os teus olhos vêem com eqüidade". "Que seus olhos atentem para a minha integridade" (Anchor).

Provaste ("Sondaste", ARA) **o meu coração** (3): cf. 16.7 e comentários. Davi declara a sua inocência. Nem em pensamento nem em palavra ele havia transgredido. **Quanto ao trato dos homens** (4) refere-se à sua conduta como um homem entre outros homens. Guiado pela Palavra de Deus, o salmista tinha se guardado **das veredas do destruidor**, os homens de violência. **Dirige os meus passos nos teus caminhos** (5) poderia ser traduzido da seguinte forma: "Meus passos têm seguido os teus caminhos; meus pés não vacilaram" (Harrison).

2. *Perigo* (17.6-12)

O salmista expressa sua confiança no Senhor e expressa em detalhes os perigos que cercam a ele e a seus companheiros. Ele ora com a certeza de que será ouvido. **Ó Deus** (6; *El*) é uma forma rara de se dirigir a Deus nos salmos de Davi (cf. 16.1). **Beneficências** (7; *chesed*) é um termo característico com referência ao amor da aliança de Deus com o povo. Ele também é traduzido por "misericórdia", "amor duradouro" (RSV), "amor verdadeiro" (Berkeley) ou "bondade" (ARA). Seu significado é bastante parecido com o termo "graça" do NT (cf. a discussão em CBB, Vol V, "Oséias", Int.). **Guarda-me** (8; preserva-me) — a mesma palavra usada em 16.1 — **como à menina** (pupila) **do olho** ("dos teus olhos", NVI). Esta é uma expressão freqüente do AT para aquilo que é mais caro ou precioso e, portanto, guardado com muito cuidado (Dt 32.10; Pv 7.2; Zc 2.8). **À sombra das tuas asas** é usado em outros textos com o sentido de segurança dos filhotes de aves debaixo das asas da mãe (Rt 2.12; Sl 36.7; 57.1; 64.4 etc.; cf. Mt 23.37).

O salmista descreve os **inimigos** que o cercam. Eles o **oprimem** (9), "tem me maltratado" (Berkeley). Eles são **mortais** — concentrados na sua destruição. Eles **me andam cercando** (circundando). **Na sua gordura se encerram** (10) — que pode ser entendido como: "Eles prosperam e engordam em sua iniqüidade"; ou como está na ARA: "Cerram o coração" contra todas as influências para o bem ou qualquer compaixão por aqueles que perseguem. Eles falam de maneira arrogante, vangloriando-se do seu sucesso na sua iniqüidade. Eles foram bem-sucedidos em cercar Davi e seus companheiros (11). **Eles fixam os seus olhos em nós para nos derribarem por terra** é literalmente: "Seus olhos estão atentos para nos curvar até o chão". O inimigo é como um **leão** cruel adulto matando pelo desejo de ver sangue e como o **leãozinho** à espreita num **esconderijo** (emboscada) para apanhar o descuidado (12).

3. Libertação (17.13-14)

Embora ainda mantenha a forma de oração nesses versículos, esta é uma oração inspirada numa esperança confiante. Continuando a comparação dos seus inimigos com um leão, o salmista pede para o Senhor detê-lo e derribá-lo (13) — isto é, confrontar a fera e fazê-la rastejar em submissão. **Livra a minha alma do ímpio, pela tua espada; dos homens, com a tua mão** (13b-14a) significa que os ímpios inconscientemente servem aos propósitos de Deus, como a Assíria foi a vara da sua ira para castigar Israel (Is 10.5) ou, como está na ARA e Berkeley: "Com a tua espada [...] com a tua mão".

Aqueles que buscam causar dano aos fiéis são **homens do mundo, cuja porção está nesta vida** (14). Toda a satisfação deles ocorre nessa era presente (cf. Lc 16.25). Por outro lado, aqueles para quem o Senhor é "a porção" (16.5) não recebem somente a sua bênção e ajuda aqui, mas uma perspectiva de coisas maiores no futuro (15). **Cujo ventre enches** significa permiti-los satisfazer seus desejos básicos e necessidades físicas (Fp 3.19). **Seus filhos são fartos** significa que eles têm uma família numerosa conforme o seu desejo, a quem eles podem deixar as fortunas acumuladas pela injustiça e desonestidade. Esse é um quadro impressionante de vidas centralizadas nesta terra, de pessoas que vivem sem Deus.

4. Destino (17.15)

Este versículo é suficientemente importante para tratá-lo à parte como a conclusão triunfante desse salmo. Vimos no versículo 14 que os ímpios estão preocupados com "esta vida". Embora muitos comentaristas interpretem o versículo 15 como a continuação do contraste entre os alvos menores e maiores da vida, Oesterley está correto quando observa que temos aqui a descrição do "início da preocupação com uma vida mais completa no futuro".[42] Em outro contexto, o mesmo autor declara: "É difícil entender essas palavras no sentido de acordar de um sono natural. O salmista mostra que ele está em constante comunhão com Deus e experimenta a proximidade incessante de Deus. Ele nunca espera uma separação de Deus; por que, então, deveria ele estar satisfeito com a aparição divina somente ao acordar do sono natural? [...] Quase certamente, o salmista está aqui imaginando o acordar do sono da morte e, dessa maneira, expressa sua fé na vida futura".[43] A Edição Revista e Atualizada traduz esse texto da seguinte forma: "Eu, porém, na justiça contemplarei a tua face; quando acordar, eu me satisfarei com a tua semelhança".

Salmo 18: Uma Canção de Vitória, 18.1-50

Este é o salmo mais longo do Livro I e é praticamente idêntico ao capítulo 22 de 2 Samuel, em que o historiador o apresenta como uma ilustração do que há de melhor na composição de um salmo de Davi. As poucas modificações feitas aqui parecem ter como alvo o uso público do salmo. Este salmo é quase louvor puro. As longas e difíceis lutas terminaram. A fuga da vingança de Saul é coisa do passado. O salmista glorifica o Deus da sua salvação.

O longo título apresenta uma variação interessante. Além de escrever a composição "Para o cantor-mor" e identificá-lo como "Salmo do servo do Senhor, Davi" (usado também no título do Salmo 36), o título incorpora 2 Samuel 22.1, que serve como uma introdução para o salmo e mostra que foi composto depois que o perigo de Saul havia cessado. Os versículos 43-45 indicam o ponto alto no domínio de Davi.

O salmo respira a atmosfera de um louvor improvisado. Não existe uma estrutura rígida. Um pensamento leva ao próximo, alternando entre palavras dirigidas diretamente a Deus e exclamações alegres acerca do seu poder e misericórdia.

1. A Suficiência da Salvação (18.1-3)

Davi declara seu amor pelo Senhor e em uma série de metáforas impressionantes descreve a suficiência plena da salvação dele. **O Senhor é** a sua **fortaleza** (1; ou "força", ARA), seu **rochedo** (2), seu **lugar forte**, seu **libertador**. A declaração: **meu Deus, a minha fortaleza, em quem confio** é literalmente: "Meu Deus, o meu rochedo, fugirei para Ele"; ou: "O meu Deus, o meu rochedo, em quem me refugio" (ARA). O Senhor é o seu **escudo** e o chifre da sua **salvação**. O chifre, como de um animal selvagem, indica força. Deus é o seu **alto refúgio** ("torre alta", NVI), provendo visão e proteção. O salmista expressa sua convicção de que Deus responderá sua oração. Deus, que o salvou, vai mantê-lo salvo (3).

2. O Perigo do Salmista (18.4-6)

Davi reflete acerca do passado e o extremo perigo do qual o Senhor o libertou. Os **cordéis da morte** (4) é uma expressão que provavelmente deve ser entendida conforme 2 Samuel 22.5: "As ondas de morte", combinando com as **torrentes de impiedade**. O original aqui diz literalmente: "As torrentes de impiedade e iniqüidade (*belial*) me amedrontaram". As **cordas do inferno** (*Sheol*) o cercavam e **laços de morte** o ameaçavam (5). Numa angústia tão profunda, Davi clamou a **Deus** e foi ouvido (6).

3. O Poder Sobrenatural do Senhor (18.7-15)

A intervenção do Senhor para ajudar o salmista é descrita em termos de terremoto e tempestade, os aspectos severos e horrendos da natureza simbolizando a ira de Deus. A ação de Deus em favor do seu povo é muitas vezes representada nas Escrituras por fenômenos semelhantes aos descritos aqui (Êx 19.16-18; Jz 5.4-5; Jó 38.1; Is 29.6 etc.). Terremoto (7), relâmpagos (8), **escuridão** (9) e a fúria da tempestade ocorrem numa sucessão rápida.

Deus é retratado como que montado **num querubim**, voando **sobre as asas do vento** (10). Os querubins (*im* constitui o plural masculino do hebraico) estão especialmente associados nas Escrituras com o trono e a soberania do Senhor. Deus ordena todas as forças da natureza a trazer libertação para o que é seu. **O Altíssimo** (13), literalmente "o Mais Alto" (*Elyon*), é Deus como o Soberano supremo do universo. **Saraiva** e **brasas de fogo** (12-13) são pedras de gelo e relâmpagos.

4. Deus Vindica Aquilo que é Seu (18.16-19).

Davi retorna ao tema da libertação pessoal. Ele é como alguém que foi tirado **das muitas águas** (16), um símbolo bíblico de grande dificuldade. Ele é liberto dos seus

inimigos fortes demais para ser derrotados por ele ou dos quais não consiga escapar (17). Eles **surpreenderam-me** (18), "encontraram-me" ou "atacaram-me" (Berkeley). **O Senhor foi meu amparo** (apoio), "suporte" (Anchor).
A libertação sempre é para fora de (16) e para dentro de (19). Da experiência de estar cercado pelo perigo, Davi é trazido **para um lugar espaçoso** (19). O Senhor o **livrou** porque **tinha prazer** nele.

5. *A Inocência do Salmista* (18.20-24)

Davi declara a sua inocência de qualquer má ação. Que isso não é uma espécie de evangelho da salvação por boas obras pode ser visto na seção seguinte, em que a misericórdia do Senhor é descrita. Mas Deus livrou seu servo do perigo porque ele era inocente de qualquer má ação da qual pudesse ser castigado justamente. O caráter reto e a vida pura (20) dependem de guardar **os caminhos do Senhor** (21) e não se apartar **impiamente do** seu **Deus**. Davi se apegou aos **juízos** (22; *mishpat*, mandamentos, ordenanças) de Deus, **diante** dele, e **não** rejeitou (tirou da sua mente) os **estatutos** da divina lei (para envolver-se com o pecado sem escrúpulos).

Como resultado, o poeta é capaz de defender a sua integridade diante do Senhor. **Também fui sincero perante ele** (23; *tammim*, perfeito), embora possa ter parecido imperfeito perante seus perseguidores humanos. **Me guardei da minha iniquidade** — "Guardei-me de praticar o mal" (NVI). **O Senhor** (24), por conseguinte, o **retribuiu** (recompensou).

6. *A Misericórdia do Senhor* (18.25-29)

Estes versículos expressam a lei geral do governo moral de Deus no mundo. Sua atitude em relação aos homens é condicionada pela resposta deles à sua lei e sua graça. Também está inferido o princípio do NT de que a atitude de Deus em relação aos homens depende da atitude deles em relação ao próximo. Somente o **benigno** (misericordioso) pode esperar benignidade (25; cf. Mt 5.7; 6.14-15; 18.23-25). Somente o sincero (novamente, como no v. 23, *tammim*, perfeito) pode experimentar a perfeição de Deus. Somente o **puro** de coração pode contemplar um Deus puro e santo (26; cf. Mt 5.8; 1 Jó 3.3). O inverso também é verdadeiro: **com o perverso te mostrarás indomável** (reagindo à altura aos seus planos pecaminosos).

Como resultado, o Senhor livrará **o povo aflito** e abaterá **os olhos altivos** (27), isto é, humilhará o arrogante e o orgulhoso (Lc 18.14). Davi está confiante em que o Senhor acenderá a sua **lâmpada** e trará luz para as **trevas** (28). Com a força do Senhor ele pode derrotar cada inimigo e transpor qualquer obstáculo (29).

7. *A Perfeita Libertação* (18.30-45)

Davi retorna ao tema da libertação divina. Ele exalta a perfeição do **caminho** e **palavra** de Deus (30). **A palavra do Senhor é provada. Ele é um escudo para todos os que nele confiam**. Não existe **Deus** senão Javé. Não existe refúgio exceto o Senhor (31). Deus é a fonte de **força** e orientação para um **caminho** perfeito (32). Como os **pés das cervas** (33) — o veado (macho) e a corça (fêmea) eram animais como a gazela ou cervos, velozes e de andar seguro. Quando perseguido por um caçador, o veado ou a corça escalava rapidamente os penhascos (**minhas alturas**).

Mudando de metáfora, o Senhor havia ensinado o salmista a combater e lhe deu forças para quebrar **um arco de cobre** com os seus braços (34). Na *Odisséia* de Homero, Ulisses se vangloriava de um arco que só ele podia curvar, sem falar na força para quebrá-lo. O Senhor protegeu seu guerreiro com **o escudo da** sua **salvação** e o **susteve** com a sua forte **mão direita** (35). A sua **mansidão** ("condescendência", Berkeley, nota de rodapé; "ajuda", RSV) **me engrandeceu**. Talvez na mente do salmista está o pensamento de que ele era apenas um pastor de ovelhas quando o Senhor o escolheu para ser o rei do seu povo.

Alargaste os meus passos (36): ao dar-lhe espaço para poder mover-se desimpedido (cf. v. 19). A vitória sobre seus **inimigos** foi completa e suas forças foram destruídas (39-40). **Deste-me também o pescoço dos meus inimigos** (40) é melhor traduzido por: "Também puseste em fuga os meus inimigos" (ARA). Eles fugiram diante dele desordenadamente sem que houvesse alguém **que os livrasse** (41) mesmo que clamassem **ao Senhor**. Aqueles que rejeitam ouvir o chamado do Senhor podem ser rejeitados quando invocarem o seu nome (Pv 1.24-33; Is 65.12-14; 66.4). Os inimigos do salmista foram totalmente destruídos, esmiuçados **como o pó**, assoprado pelo **vento** e pisados como a **lama das ruas** (42). O resultado foi o domínio político sobre a nação (as **contendas do povo**) e sobre **as nações**, os povos ao redor (43). A reputação de Davi era tão grande que os inimigos em potencial foram intimidados a se submeterem (44). **Os estranhos decairão e terão medo nas suas fortificações** (45); ou melhor: "Os estrangeiros temem e saem tremendo das suas fortalezas" (Berkeley).

8. *O Deus Vivo* (18.46-50)

Davi continua seu louvor ao Deus vivo, que é o seu **rochedo** (refúgio seguro) e o **Deus da** sua **salvação** (46). Ele, de forma acertada, deixou a vingança por conta do Senhor (47; cf. 94.1; Rm 12.19). Foi a ação de Deus que o libertou e o exaltou **sobre os** seus **inimigos** (48). **Pelo que,** ele louvará o Senhor **entre as nações** (49) e cantará **louvores ao** seu **nome**. **É ele que engrandece as vitórias** (50) significa literalmente: "Grande salvação Ele dá". "Ele concede gloriosas conquistas" (Harrison). Davi está confiante em que a **benignidade** (*chesed*, bondade, amor sincero) que ele experimentou como o **ungido** do Senhor será estendida à **sua posteridade para sempre**, uma expectativa completamente satisfeita no "Filho maior de Davi".

SALMO 19: OBRA DE DEUS E PALAVRA DE DEUS, 19.1-14

O Salmo 19 é intitulado: "Salmo de Davi, para o cantor-mor". Este salmo é aclamado de forma acertada como um dos mais magníficos da Bíblia. C. S. Lewis diz: "O Salmo 19 é o maior poema no Saltério e uma das maiores composições líricas do mundo".[44]

Uma divisão clara entre os versículos 1-6 e 7-14 tem levado à teoria de que o salmo é a combinação de dois poemas originalmente independentes. Isso, no entanto, não parece ser o caso. As duas divisões estão logicamente bem ligadas, como C.S. Lewis ressaltou: "O sol perscrutador e purificador torna-se uma imagem da lei perscrutadora e purificadora".[45]

1. *A Glória das Obras de Deus* (19.1-6)
Compreendida da forma correta, toda a natureza serve como testemunha do Deus Criador. A Bíblia não procura provar a existência de Deus por meio da existência do universo. Ela aponta para o universo como uma evidência da majestade e sabedoria de Deus. **Os céus manifestam a glória de Deus** (1) está no presente contínuo (ou progressivo): "Os céus estão declarando a glória de Deus". Existe um testemunho contínuo. O Criador é identificado aqui como *El*, Deus de poder e força. Sua glória é o resumo da sua perfeição: sua sabedoria, seu poder, sua onisciência e sua onipresença. **O firmamento anuncia a obra das suas mãos**: o grande céu acima é obra das suas mãos, daquele que espalhou as estrelas da ponta dos seus dedos e deu luz aos sóis por meio da sua palavra.

Um dia faz declaração a outro dia e **uma noite mostra sabedoria a outra noite** (2). O universo é uma testemunha silenciosa, mas eloqüente, a respeito da sua origem. Sabe-se que sempre foi assim e continuará sendo dessa maneira enquanto a terra durar. Ninguém pode exceder ou sobreviver à voz de Deus na natureza. **Sem linguagem, sem fala, ouvem-se as suas vozes** (3) pode significar que a evidência da criação é tão ampla quanto a raça humana (Harrison) ou que essa evidência é um testemunho silencioso que não depende de palavras para comunicar sua verdade (Anchor). Kirkpatrick chama atenção para a linda paráfrase poética que Addison fez desse texto:

> *O que mesmo em silêncio solene*
> *Se move ao redor da escura bola terrestre?*
> *O que sem voz ou som real*
> *Se encontra entre suas órbitas radiantes?*
> *Aos ouvidos da razão, todos se alegram,*
> *E pronunciam com voz gloriosa,*
> *Pois para sempre cantam, enquanto brilham,*
> *"A mão que nos fez é divina".*

Ressalta-se a universalidade dessa proclamação da glória de Deus. **Toda extensão** (4) refere-se à linha de medida demarcando os limites de posse. "Toda terra" (ARA) é do Senhor. Paulo (Rm 10.18) cita essas palavras para mostrar a difusão universal do evangelho. Deus está interessado em toda a raça humana, não simplesmente em alguns escolhidos.

Os versículos 4-6 restringem o pensamento ao domínio do sol, o céu solar. O sol é um símbolo da bondade de Deus que, como disse Jesus, é feito para brilhar "sobre maus e bons" (Mt 5.45). Os céus são como **uma tenda** (habitação) **para o sol** (4), que a cada nova manhã aparece **qual noivo** em sua felicidade juvenil e **como herói** (5) ansioso para provar sua força. As bênçãos recorrentes do Senhor são estendidas a toda a humanidade. Toda a terra lucra com o calor benéfico do sol radiante (6).

2. *A Glória da Palavra de Deus* (19.7-14)
Independentemente da grandeza das obras do Criador, a Palavra de Deus é maior. A religião natural deve ser complementada pela religião revelada. **A lei do Senhor** (7) é o assunto específico dos versículos 7-11. **Lei** (*torah*) significa mais do que mandamento ou legislação, embora inclua esses aspectos. A lei inclui todo o ensinamento da von-

tade revelada de Deus nas Escrituras (cf. comentário em 1.2). Sete declarações são feitas a respeito da vontade revelada de Deus:

a) *Ela é uma lei perfeita* (19.7). O ensinamento **do Senhor é** perfeito em cada aspecto, e **refrigera** ("restaura", ARA) **a alma**. É por meio da Palavra de Deus que nos tornamos filhos do Altíssimo (1 Pe 1.23), e por meio dela somos santificados (Jo 17.17).

b) *Ela é um testemunho fiel* (19.7b). **Fiel** no sentido de "definitivo, firme, certo, de confiança". Ela é um **testemunho** porque testifica da vontade de Deus e prescreve as obrigações do homem. Ela visa dar **sabedoria aos símplices**, aos inexperientes e incultos ou àqueles que precisam de orientação espiritual. Como em Provérbios, o termo **símplices** se refere às pessoas de mente aberta, dispostas a aprender, que podem ser instruídas nos caminhos do Senhor.

c) *Ela contém preceitos retos* (19.8a). **Preceitos** são "prescrições", "ordens", "orientações". **Os preceitos do Senhor são** eminentemente **retos**, ou seja, as expressões exatas da sua própria natureza e vontade. Não existem exigências na Bíblia que sejam arbitrárias, impostas sobre as pessoas e que não sejam para o bem delas. Tudo que o Senhor exige de nós é uma expressão da sua própria santidade e está em harmonia com a estrutura do universo no qual vivemos. O resultado em guardar os preceitos retos de Deus é um **coração** alegre.

d) *Seus mandamentos são puros* (19.8b). **O mandamento do Senhor é puro** em natureza, e aqueles que o guardam tendem para a pureza. O resultado é luz na alma em vez da escuridão do pecado. A combinação de luz e pureza é enfatizada em 1 Jo 1.7.

e) *"O temor do Senhor é limpo"* (19.9a). **O temor do Senhor** nunca se pode comparar ao medo do escravo de um mestre tirano e severo. Ele é, na realidade, uma reverência salutar ou respeito que a pessoa deve a Deus. Nesse sentido podemos temer e amar o Senhor ao mesmo tempo. **O temor do Senhor** é praticamente sinônimo do que poderíamos chamar de piedade e verdadeira religião. Este temor é moralmente **limpo**, contrastando com a impureza do pecado e da imoralidade. Não é uma emoção passageira ou um impulso transitório, mas algo que **permanece eternamente**.

f) *"Os juízos do Senhor são verdadeiros e justos"* (19.9b). Os **juízos** (decisões, ordenanças) são absolutamente **verdadeiros** e absolutamente **justos**. Na sua veracidade, eles são doutrina. Na sua retidão, eles são o fundamento para a vida. A Bíblia faz mais do que ensinar verdades abstratas. Ela provê um estímulo para um viver reto (cf. 119.9,11).

g) *A lei de Deus é de valor infinito* (19.10-11). Todos os aspectos da Palavra de Deus são **mais desejáveis** do que **o ouro, sim do que muito ouro fino** (10). **Ouro fino** é altamente refinado e purificado. O metal mais precioso conhecido por Davi nos ajuda a entender o valor da lei do Senhor. Assim como o ouro era a substância mais valiosa conhecida na época, o **mel** era o alimento mais doce. A Palavra de Deus era para o seu servo mais desejável do que **ouro** puro e mais doce **do que o mel**. Por isso a Palavra admoesta a não praticar aquilo que desagrada a Deus e promete **grande recompensa para quem a guardar** (11). É bom lembrar que a recompensa não está em conhecer, mas em guardar os preceitos de Deus (Tg 1.22-25).

O que a lei significa para a vida é expresso na oração dos versículos 12-14. Podemos verificar cinco resultados: 1) *A lei convence*, versículo 12a. **Quem pode entender os próprios erros?** A pergunta é retórica, e a resposta subentendida é que podemos entendê-los melhor quando os confrontamos à luz da Palavra. 2) *A lei purifica*, versículo 12b. **Expurga-me tu dos que me são ocultos.** As palavras **dos** (erros) **que me são** não tem correspondentes no original hebraico, como as palavras em itálico na ARC indicam. Os defeitos secretos ou ocultos do coração talvez sejam os considerados "congênitos", "inatos". O olho pode ver os pecados da vida. O salmista não está satisfeito em entender seus erros. Ele também está preocupado com o pecado oculto do coração. Por isso ele ora pela purificação divina, uma petição ampliada e ecoada em 51.6-7, em que uma linguagem quase idêntica é usada. 3) *A lei restringe*, versículo 13a. "Também guarda o teu servo dos pecados intencionais" (NVI), "pecados com a mão erguida", violações deliberadas contra a lei de Deus. A Palavra do Senhor também tem o efeito de guardar e fortalecer a alma nas tentações. O pecado é um senhor a ser temido: **para que não se assenhoreie de mim.** 4) *A lei corrige*, versículo 13b. **Então, serei sincero e ficarei limpo de grande transgressão.** O lado passivo é guardar-se dos pecados intencionais. O lado ativo é a orientação construtiva que resulta em retidão (integridade) e perfeição. A vida não pode prosperar somente com os aspectos de negação. A casa vazia é logo ocupada por demônios mais perversos do que aqueles que foram expulsos (Mt 12.43-45). 5) *A lei confirma*, versículo 14. **Sejam agradáveis as palavras da minha boca e a meditação do meu coração**, como sacrifício seriam aceitáveis (Lv 1.3-4). Não somente suas palavras, mas também seus pensamentos devem passar pela inspeção do Senhor, sua **rocha** e **libertador**.

Salmo 20: Oração por Vitória, 20.1-9

Este salmo é um daqueles intitulados "Salmo de Davi para o cantor-mor". Ele foi escrito na forma de uma oração por vitória na véspera de uma batalha e está intimamente ligado com o Salmo 21, que é um cântico de ações de graça. Ambos são salmos reais, preocupados com o rei como representante do povo e podem ser classificados como litúrgicos, isto é, relacionados à adoração. Embora antevendo o perigo, o Salmo 20 exala uma atmosfera de confiança e segurança.

1. *Bênção e Oração* (20.1-5)

Aparentemente, os levitas anunciavam a bênção e oração dos versículos 1-5 enquanto o sacrifício estava sendo oferecido. A bênção dos primeiros quatro versículos é dirigida ao rei como o ungido do Senhor. Ela expressa o desejo de que **o Senhor o ouça no dia da angústia** (1). **O nome do Deus de Jacó** é invocado como uma defesa segura. No pensamento do AT, o nome com frequência era identificado com a própria pessoa. É possível que se tenha em mente aqui o texto de Gênesis 35.3: "Deus que me respondeu no dia da minha angústia", referindo-se ao **Deus de Jacó**. O **santuário** de **Sião** é o símbolo visível da presença de Deus em favor do seu povo (2). **Ofertas** e **holocaustos** eram elementos prescritos da adoração do AT (3). A fidelidade do rei a esse respeito não seria esquecida. **Selá**: cf. comentário em 3.2.

Conceda-me conforme o teu coração e cumpra todo o teu desígnio (4) tem sido traduzido por: "Conceda-te o desejo do teu coração e leve a efeito todos os teus planos" (NVI). Todos se unirão na alegria pela **salvação** do Senhor, e hastearão (agitarão) seus **pendões** quando a vitória for ganha (5).

2. A Fé é a Vitória (20.6-8)

Os sacrifícios foram oferecidos, a oração foi pronunciada, e a fé toma como um fato consumado aqui o que foi pedido. **Agora sei** (6) foi a resposta do rei. O Senhor **salva o seu ungido**, e intervirá em seu favor **com a força salvadora da sua destra**. Enquanto alguns **confiam em carros** e **cavalos**, o povo de Deus confia no **nome do SENHOR** (7). Aqueles que confiam em armas terrenas **encurvam-se e caem** (8). Por outro lado, o exército do Senhor estará **de pé**.

3. Uma Oração Final por Todos (20.9)

O culto conclui com uma oração final. **Salva-nos, SENHOR! Ouça-nos o Rei quando clamarmos**. Uma tradução alternativa é sugerida pela LXX: "Ó Senhor, salva o rei; e responde-nos quando clamarmos". É apropriado que o rei e seu povo juntos reconheçam sua dependência do Rei dos céus, do qual o rei de Israel era o representante na terra.

SALMO 21: LOUVOR PELA VITÓRIA, 21.1-13

Recebendo o mesmo título que o salmo precedente, o Salmo 21 é caracterizado pelo seu regozijo na vitória que foi alcançada. O salmista se gloria na abundância da ajuda de Deus, e relata novamente a destruição dos inimigos. A estrutura é semelhante ao Salmo 20, com duas estrofes principais seguidas de uma breve oração final. O cenário provavelmente também reflete a liturgia do Templo/Tabernáculo.

1. A Bondade de Deus aos Seus (21.1-7)

O povo se gloria na bondade de Deus em relação ao seu rei. O Senhor o tem preservado na sua **força** e **salvação** (1). Ele havia recebido o que o **seu coração** desejava; suas **súplicas** tinham sido respondidas (2). **Selá**: cf. comentário em 3.2. **Pois o provês das bênçãos de bondade** (3) também pode ser traduzido por: "Tu colocaste diante dele as bênçãos da prosperidade" (Anchor). **Pões na sua cabeça uma coroa de ouro fino** sugere que a autoridade do rei era uma autoridade delegada. Ela vinha de Deus e dependia da sua soberania. A monarquia hebraica nunca foi absoluta no sentido de ser independente e autônoma.

O desejo do rei por **vida** foi concedido: **longura de dias para sempre e eternamente** ("vida eterna", Anchor). No sentido mais restrito, essas palavras se aplicam ao Filho de Davi e nosso Salvador. No entanto, também pode representar uma maneira de falar, como na saudação: "Viva o rei para sempre" (1 Rs 1.31; Ne 2.3). De acordo com Kirkpatrick, o rei também era visto como aquele que continuava vivendo por meio dos seus descendentes.⁴⁷ **Glória, honra, majestade**, bênção e **gozo** são do rei porque ele **confia no SENHOR** (5-7). **Pela misericórdia** (*chesed*; cf. comentário em 17.7) **do Altíssimo** (*Elyon*, Deus em sua soberania e poder) **nunca vacilará** — "nunca será abalado" (NVI).

2. *A Ira de Deus contra seus Inimigos* (21.8-12)

A vitória já conquistada é vista como a base de confiança na vitória ainda maior por vir. Trabalhando por intermédio do seu rei escolhido, o Senhor destruirá completamente os seus inimigos. **Alcançará** (8) significa que vai procurar o inimigo no seu esconderijo e completar a destruição. O **forno aceso** (9) é um dos símbolos bíblicos de julgamento e da ira de Deus (Ml 4.1; Lc 16.24; Ap 20.14). Os ímpios serão destruídos como combustível numa fornalha. Um dos maiores desastres que podia sobrevir no Antigo Oriente era a destruição do **seu fruto** (10; posteridade), desse modo, apagando o seu nome da terra.

Embora não obtendo êxito no seu **mal** (11), os inimigos serão julgados com base nos seus propósitos perversos. Jesus deixou claro que a motivação é a chave para a conduta moral (Mt 5.21-48). As eternas questões de vida estão no interior do coração do homem. Como resultado, os inimigos do povo de Deus vão **voltar as costas** e fugir quando se defrontarem com as armas de Deus dadas a Israel (12).

3. *O Louvor do Poder de Deus* (21.13)

A oração final exalta Deus na sua **força** e se regozija no seu **poder**. "Sê exaltado, Senhor, na tua força! Cantaremos e louvaremos o teu poder" (NVI).

SALMO 22: SOFRIMENTO E CÂNTICO, 22.1-31

O Salmo 22 é o primeiro de uma trilogia fantástica. A relação entre os Salmos 22, 23 e 24 tem sido percebida há muito tempo. Morgan intitula esses salmos da seguinte maneira: "O Salvador", "O Pastor" e "o Soberano".⁴⁸ Um outro autor identifica os três salmos respectivamente com a *Cruz*, o *Cajado* e a *Coroa*.

Para os cristãos, a importância cristológica do Salmo 22 é inevitável. Ele é citado sete vezes no NT em relação a Jesus (v. 1 em Mt 27.46; Mc 15.34; v. 18 no relato da Paixão de Cristo nos quatro evangelhos; e v. 22 em Hb 2.12). Enquanto os salmos costumeiramente ressaltam a natureza régia do Messias, o Salmo 22 (e o Salmo 39) está mais em harmonia com Isaías 53 ao descrever o Messias sofredor. Tanto a coroa como a cruz aparecem no AT no que diz respeito ao Libertador vindouro, embora no pensamento popular entre os judeus a cruz tenha sido obscurecida pela coroa. Os aspectos políticos do reinado do Messias ofuscam o ministério redentor que ele veio cumprir.

Comentaristas discutem a consciência messiânica do autor desse salmo, mas Leslie M'Caw explica bem esse caso: "Para os cristãos esse salmo está inseparavelmente ligado com a crucificação (como é o caso do salmo 69), não apenas porque as palavras introdutórias foram citadas pelo Senhor, mas porque a primeira parte do poema parece descrever sua condição física e experiência emocional. No entanto, o significado primário do poema deve ser buscado nos dias da sua composição, embora o Espírito de Deus indubitavelmente constrangesse o salmista a construir sua expressão de tal forma a que adquirisse imediatamente uma significância além do alcance da sua própria vida (veja At 2.20, 31a). Em outras palavras, a intenção cristológica do poema tem sua base na experiência davídica".⁴⁹ Morgan, de modo semelhante, comenta: "Quaisquer que tenham sido as condições locais da época desse salmo, ele tem se tornado tão perfeita e apropriadamente ligado ao Filho Único de Deus que é quase impossível lê-lo de outra forma".⁵⁰

O salmo se divide naturalmente em dois grandes movimentos. O primeiro (1-21) se concentra no tema do sofrimento. O segundo (22-31) irrompe em um cântico de alegria pela libertação. "O primeiro nos revela o sofrimento solitário daquele que estava no altar do sacrifício (1-21). O segundo nos apresenta a alegria do Vitorioso, ao enxergar no meio da angústia o seu triunfo (22-31)".⁵¹

O título acrescenta o termo '*al ayyeleth ha-shabar* (Aijelete-Hás-Saar) para o título comum dos salmos dessa seção — "colocado no final da manhã", provavelmente o nome da melodia do hino a ser cantado.

1. *Provação* (22.1-21)

As palavras introdutórias do salmo se tornam memoráveis para sempre ao se transformarem no "Grito de Abandono" da cruz (Mt 27.46; Mc 15.34 — "Eli" em Mateus é a versão hebraica como aqui; "Eloí" em Marcos é o equivalente aramaico). A fé é envolvida pelo desespero quando o salmista dirige seu grito a Deus, expressando seu sentimento de abandono. Deus parece, às vezes, esconder sua face dos seus filhos, de estar distante no momento da necessidade. Parece que a fé expressa seu clamor para alguém que aparentemente não está atento. **Meu bramido** (1) sugere gemidos e lamentos como o rugir de um leão. Dia e noite o sofredor eleva seu clamor ao seu Deus (2).

Porém, tu és Santo (3; *qadosh*), isto é, separado das limitações e imperfeições; puro, livre de qualquer tipo de corrupção e radiante em glória. A santidade de Deus é um aspecto importante do AT, como o amor de Deus é um aspecto chave do NT. A santidade não é uma qualidade ou um atributo único de Deus. Ela é sua natureza essencial, nos termos de Norman Snaith, aquilo que é "mais intimamente divino".⁵² Deus habita **entre os louvores de Israel**. Ele está presente onde e quando seu povo o louva (Ml 3.16-17), e o louvor deles, semelhante a uma nuvem de incenso, envolve seu trono nos céus.

O salmista apela para a experiência do passado a fim de apoiar a sua fé combatente. **Nossos pais** confiaram no Senhor e foram libertos (4); eles **clamaram [...] e não foram confundidos** (5), isto é, não foram envergonhados ou desapontados. Mas o salmista se encontra numa situação muito diferente. Ele se sente pisoteado como um **verme**, acusado e **desprezado** (6). As pessoas ao seu redor **zombam** (7) ou escarnecem dele. Eles **estendem os beiços** significa literalmente: "Eles abrem a boca"; e **meneiam a cabeça** — gestos de escárnio e menosprezo. Suas palavras zombeteiras são relembradas por Mateus (27.43) quando descreve a atitude da multidão ao redor da cruz.

No meio dessa prova, o salmista lembra as circunstâncias de sua infância. A mão de Deus tinha estado sobre ele desde o início de sua vida (9-10). **Me preservaste estando ainda aos seios de minha mãe** (9) também é traduzido como: "tranqüilo junto aos seios da minha mãe" (Anchor). **O meu Deus desde o ventre de minha mãe** (10) pode ser entendido assim: "Desde o ventre materno és o meu Deus" (NVI). O clamor do versículo 1 agora se torna uma oração angustiante: **Não te alongues** (distancies) **de mim, pois a angústia está perto, e não há quem ajude** (11).

A situação parece piorar antes que as coisas comecem a melhorar. A parte mais escura da noite está bem próxima do alvorecer. O poeta se sente cercado por **touros** furiosos, prontos para atacá-lo com seus chifres (12). **Basã** (veja mapa 1) era a rica terra pastoril a leste do rio Jordão e ao norte de Jerusalém, famosa pela criação de gado. Uma mudança de figura ilustra os inimigos do salmista como leões rugindo, com suas **bocas** abertas prontas para devorar (13). Em tais circunstâncias sua vida é derramada **como água**; seus **ossos se desconjuntaram** e seu coração se derrete **como cera** dentro dele (14). Sua **força se secou como um caco** (15) — um pedaço seco de cerâmica. Sua **língua** se apega **ao paladar**. Ele é humilhado **no pó da morte**. O paralelo da agonia com o crucificado é óbvio.

Seus inimigos o atacaram como uma matilha de **cães**, rosnadores e cruéis. **Traspassaram-me as mãos e os pés** (16) foi literalmente cumprido na crucificação de Jesus. **Poderia contar todos os meus ossos; eles vêem e me contemplam. Repartem entre si as minhas vestes e lançam sorte sobre a minha túnica** (17-18), é citado ou mencionado nos quatro Evangelhos (Mt 27.35; Mc 15.24; Lc 23.34; Jo 19.24).

A queixa se transforma em oração quando o poeta suplica pela presença de Deus: **Apressa-te em socorrer-me** (19). Ele roga pela libertação **da espada** (20). **Minha predileta** é "minha única" (hb.), "meu 'eu' solitário" (Berkeley). Os **unicórnios** (21) são bois selvagens (hb.). O tempo do verbo mudou. A fé alcança seu Objeto. "Tu me respondeste" (NVI) é a resposta da confiança. O sofrimento se transforma em canção, a oração em louvor e a provação em triunfo.

2. *Triunfo* (22.22-31)

Declararei o teu nome aos meus irmãos (22) é aplicado a Cristo em conexão com seu povo santificado (Hb 2.11-12). A oração do salmista foi pública. O seu louvor também deve ser conhecido por todos. A **congregação** (*qahal*) é o termo do AT para o que o NT chama de Igreja, como em Hebreus 2.12. O apelo dos adoradores aos seus irmãos é para temer **ao Senhor**, louvá-lo e glorificá-lo (23). Existem duas palavras hebraicas distintas para a palavra "temer". A versão *Berkeley* mostra essa distinção: "Vós que honrais o Senhor, louvai-o; todos vós, filhos de Jacó, glorificai-o; e reverenciai-o todos vós, filhos de Israel". A NVI apresenta a seguinte tradução: "Louvem-no, vocês que temem o Senhor! Glorifiquem-no, todos vocês, descendentes de Jacó! Tremam diante dele, todos vocês, descendentes de Israel!" A base desse chamado para a adoração está na própria experiência do poeta (24).

O salmista se dirige alternadamente a Deus e ao povo e assegura sua intenção de louvar o Senhor **na grande congregação** (25). No hebraico significa literalmente: "A ti será o meu louvor". Deus é tanto o Objeto como a Origem do louvor do seu povo. **Pagarei os meus votos** significa oferecer as ofertas de gratidão prometidas em tempos de dificuldade e apresentadas na maneira prescrita em Levítico 3 (chamadas de sacrifícios pacíficos). **Os mansos comerão** (26) lembra Levítico 3.17; 7.16; Números 15.3, em que o povo compartilhava da alegria da libertação ao participar da carne sacrificada depois que os rins, a gordura e a bile tivessem sido removidos para serem queimados e o sangue aspergido sobre o altar. **O vosso coração viverá eternamente**, ou: "Viva para sempre o vosso coração" (ARA), é uma bênção que o anfitrião anuncia aos convidados em sua festa de ações de graça.

Na libertação do poeta, ele antevê a profecia da redenção planejada para toda a humanidade (27; cf. 2.8). No reino messiânico, todos os reinos da terra se tornarão "os reinos [...] de nosso Senhor e do seu Cristo" (28; Ap 11.15). O versículo 29 é de difícil interpretação, mas pode ser traduzido desta forma: "Todos os prósperos da terra comerão e se prostrarão; e todos os que descem ao pó se prostrarão perante Ele, mesmo aqueles que não podem preservar sua alma em vida" (Berkeley). "Todo joelho se dobrará", tanto de vivos como de mortos, diante do Senhor de todos (Fp 2.5-11).

Uma semente o servirá (30-31) pode ser uma referência à doutrina do remanescente, conforme foi desenvolvida por Isaías mais tarde, em que a esperança da nação não estava nas massas do seu povo, mas numa minoria fiel. Ou pode ser entendido de acordo com a tradução da Edição Revista e Atualizada: "A posteridade o servirá; falar-se-á do Senhor à geração vindoura. Hão de vir anunciar a justiça dele; ao povo que há de nascer, contarão que foi ele quem o fez".

Salmo 23: Pastor e Anfitrião, 23.1-6

Acerca da relação do Salmo 23 com o salmo precedente e o subseqüente, veja os comentários introdutórios do Salmo 22. Nenhuma parte das Escrituras, com a possível exceção da Oração do Pai Nosso, é mais conhecida do que "O Salmo do Pastor". Sua beleza literária e percepção espiritual são insuperáveis. Como observa Taylor: "Ao longo dos séculos esse salmo tem conquistado um lugar supremo na literatura religiosa do mundo. Todos que o lêem, independentemente de idade, raça ou circunstâncias, encontram na beleza pacífica dos seus pensamentos uma amplitude e profundidade de percepção espiritual que satisfaz e domina a alma. Ele pertence à classe de salmos que exalam confiança e segurança no Senhor [...]. Aqui o salmista não apresenta um prefácio de queixas acerca das dores de enfermidades ou da traição dos inimigos, mas inicia e termina com palavras de gratidão pela bondade eterna do Senhor".[53]

Oesterley também escreve: "Esse breve e seleto salmo, provavelmente o mais conhecido de todos os salmos, relata de alguém cuja confiança sublime em Deus lhe trouxe paz e contentamento. O relacionamento íntimo com Deus sentido pelo salmista é expresso por duas figuras representando o Pastor protetor e o Anfitrião amoroso. A breve referência aos inimigos indica que ele não estava livre da maldade e intenção perversa de pessoas do seu povo, mas a menção delas é superficial. Diferentemente de tantos outros salmistas que são vítimas de inimigos inescrupulosos e que acabam exteriorizando sua amargura de espírito, esse servo fiel de Deus tem somente palavras de reconhecimento e gratidão pela bondade divina. Todo o salmo exala o espírito de calma, paz e contentamento, decorrentes de sua fé em Deus, que o torna um dos mais inspiradores do Saltério".[54]

É possível interpretar todo o salmo em termos do relacionamento de um pastor com suas ovelhas. No entanto, a divisão mais natural é sugerida pelo título "Pastor e Anfitrião". Como Leslie M'Caw comenta: "Este poema deve muito da sua beleza à mistura talentosa das figuras contrastantes que cobrem os principais aspectos da vida humana, ou seja: exterior (1,2) e interior (6b), paz pastoral (2) e peregrinação através do perigo (4b), a possibilidade do mal (4b) e a perspectiva do bem (5), tempos de revigoramento da alma (3a) e tempos de trevas agourentas (4a); a experiência de seguir (1,2) e uma vida de segurança estável (6b). No entanto, todas as facetas literárias dessa pérola lírica são vistas à luz do Senhor cujo cuidado afetuoso, vigilância constante e presença contínua comunicam à vida toda a sua cor e satisfação. Na verdade, a atividade sétupla do Senhor descrita nos versículos 2-5 (Ele faz, leva, refrigera, guia, está com, prepara uma mesa e unge a cabeça) está emoldurada pelo nome do SENHOR (que consta entre as primeiras e últimas palavras do poema)".⁵⁵

1. *Peregrinação com o Pastor (23.1-4)*

Davi podia escrever a partir da sua rica experiência pessoal com as ovelhas: **O SE-NHOR é o meu pastor; nada me faltará** (1; isto é, não sentirei falta de qualquer coisa indispensável). Existem "sete provisões" que o Pastor supre para as suas ovelhas:

a) *"Não me faltará completa satisfação"* (23.2a). **Deitar-me faz em verdes pastos** fala, literalmente, de pastos de capim macio e novo. Dizem que as ovelhas nunca se deitam, até que estejam satisfeitas. Cada necessidade espiritual é suprida. A figura transmite um completo descanso na satisfação proporcionada pelo cuidado vigilante do grande Pastor. Que contraste com a agitação do mundo!

b) *"Não me faltará orientação"* (23.2b). **Guia-me mansamente a águas tranqüilas**, ou "águas de descanso". Continuando a idéia de provisão para as necessidades do rebanho, o poeta acrescenta o pensamento de orientação. O pastor oriental não empurra ou impele, ele sempre guia suas ovelhas. Esse pensamento é recordado no hino evangélico:

Ele me guia! Ó pensamento abençoado!
Ó palavras repletas de conforto celestial!
Seja o que eu fizer, seja onde estiver,
É a mão de Deus que me guia.

c) *"Não me faltará restauração"* (23.3a). **Refrigera a minha alma**, isto é, Ele me aviva, renova e refresca. Esse é um tema recorrente do NT: "O interior, contudo, se renova de dia em dia" (2 Co 4.16); "E vos renoveis no espírito do vosso sentido" (Ef 4.23); "E vos vestistes do novo, que se renova para o conhecimento" (Cl 3.10). Essa é a graça que sustenta a alma.

d) *"Não me faltará instrução da justiça"* (23.3b). **Guia-me pelas veredas da justiça por amor do seu nome**. As **veredas da justiça** são caminhos planos. Uma das funções das Escrituras é "instruir em justiça" (2 Tm 3.16). Deus não somente adverte contra o mal; Ele nos guia nos caminhos da justiça. Isso ocorre **por amor do seu nome**, provando o tipo de Deus que Ele é. O Deus, cujo nome é santo (111.9; Mt 6.9), quer que seu povo também seja santo (Lv 19.2; 1 Pe 1.14-16).

e) *"Não me faltará coragem diante do perigo"* (23.4a). **Ainda que eu andasse pelo vale da sombra** (hb., escuridão profunda e mortal) **da morte, não temerei mal algum**. Aqui está a certeza da ajuda no momento mais difícil da vida. A morte não é um adversário desprezível. Ela é o nosso último grande inimigo (1 Co 15.26). Se Deus pode nos dar coragem nesse momento, como tem dado a tantos outros, Ele pode nos ajudar em qualquer lugar. **Mal** (*ra*) é um termo amplo para qualquer tipo de dano ou perigo que possa nos sobrevir.

f) *"Não me faltará a Presença Divina"* (23.4b). **Porque tu estás comigo**. Esse é o motivo principal para toda a confiança do salmista. O Senhor não o deixará nem o desamparará (Êx 33.14; Dt 31.6-8; Js 1.5-9 etc.). Nessa Presença há força, conforto, descanso e esperança. Nesse ponto significativo a descrição (2-3) dá lugar à adoração.

g) *"Não me faltará conforto na tristeza"* (23.4c). **A tua vara e o teu cajado me consolam**. O cajado do pastor tem duas funções: ele é uma **vara** de proteção e um **cajado** no qual o pastor se apoia, servindo para o seu conforto. "O homem de dores" sabe melhor do que ninguém como atender as necessidades do coração abatido.

2. *Provisão feita pelo Anfitrião* (23.5-6)
A idéia do completo suprimento de cada necessidade com a qual o salmo inicia continua controlando o seu desenvolvimento, mas a comparação muda do Pastor para o Anfitrião, do campo para a casa. **Preparas uma mesa perante mim na presença dos meus inimigos** (5) retrata a marca da apreciação pública que o rei oriental mostrava àquele que desejava honrar de uma maneira especial. Essa é a única referência passageira aos inimigos que aparecem descritos tão amplamente em outros salmos de Davi. **Unges a minha cabeça com óleo**: não é o óleo da unção que era usado para empossar o rei ou o sacerdote; um outro termo hebraico é usado para esse fim. Esse era um óleo perfumoso amplamente usado em banquetes do Oriente antigo como marca de hospitalidade e favor. A cabeça ungida com óleo é uma figura bíblica comum para abundância de alegria. **O meu cálice transborda** simboliza a provisão abundante oferecida pelo generoso Anfitrião.

Certamente que a bondade e a misericórdia (*chesed*, bondade, amor pactual, graça; cf. comentário em 17.7) **me seguirão todos os dias da minha vida** (6). O termo traduzido por **certamente** também significa "unicamente". O salmista está confiante em que apenas a bondade e o amor imutável farão parte da sua vida. **Habitarei na Casa do Senhor por longos dias**, ou "para todo o sempre" (ARA). Mas o significado mais profundo é mais do que uma longa vida nesta terra. **Bondade e misericórdia [...] todos os dias da minha vida** serão seguidos por um lar eterno na presença de Deus quando essa vida chegar ao fim (Jo 14.1-3).

Salmo 24: Adorando o Rei da Glória, 24.1-10

Acerca da relação entre este salmo e os dois precedentes, veja o comentário introdutório do Salmo 22. Esta breve e bela peça litúrgica recebe o simples título: "Salmo de Davi". Ele pode ter sido escrito por ocasião da chegada da arca do Senhor até a tenda preparada para ela no monte Sião (2 Sm 6.1-15). Nenhum outro salmo parece se encaixar tão bem nesse contexto quanto este. Contudo, M'Caw observa: "O salmo é maior do que a ocasião e tem geralmente sido interpretado como uma expressão profética da ascensão de Cristo depois da sua vitória sobre a morte e o pecado (veja v. 8 e cf. Cl 2.15; Hb 2.14,15) e sua soberania final sobre tudo (veja v. 10 e cf. Tg 2.1; Ap 5.11-14; 17.14)".[56]

Kirkpatrick visualizou o uso litúrgico do salmo quando disse: "Os versículos 1-6 foram talvez planejados para serem cantados enquanto a procissão subia o monte; os versículos 1-2 pelo coro completo, a pergunta do versículo 3 por um solista, a resposta dos versículos 4-5 por outro solista e a resposta do versículo 6 pelo coro. Os versículos 7-10 podem ter sido cantados enquanto a procissão parava diante das portas veneradas da cidadela; as convocações dos versículos 7 e 9 por uma única voz (ou possivelmente pelo coro), o desafio dos versículos 8a e 10a por uma voz vinda das portas, a resposta triunfante dos versículos 8b e 10b pelo coro completo".[57]

1. *A Natureza da Verdadeira Adoração* (24.1-6)

A primeira grande divisão do salmo trata das exigências da verdadeira adoração — primeiro, em relação ao seu Objeto e, segundo, em relação àqueles que adoram.

a) *Aquele que é adorado* (24.1-2). Uma identidade do Objeto da verdadeira adoração é estabelecida com a reivindicação da soberania universal pelo Deus de Israel. Não existem limitações para a autoridade e domínio de Deus quanto a um espaço especial ou tempo. Toda **terra** (1) em sua **plenitude**; **o mundo** e todos aqueles que nele moram pertencem ao Senhor e são sujeitos a Ele. Aqui está prefigurada a reivindicação do Evangelho sobre toda criatura, em todo lugar e por todo o tempo. A reivindicação de Deus está baseada na sua criação: **Porque ele a fundou sobre os mares e a firmou sobre os rios** (2). Além dessa razão fortíssima, o NT acrescenta outra. Deus não somente fez a terra e aqueles que nela habitam, mas também a redimiu. Ela é sua por meio de um duplo direito: o direito da criação e o direito da redenção ou compra (Rm 14.8-9; 1 Pe 1.18-19).

b) *Aqueles que adoram* (24.3-6). Tendo em vista a soberania de Deus, quais são as exigências feitas àqueles que o adorariam? As qualificações espirituais daqueles que se aproximavam de Deus "em espírito e em verdade" (Jo 4.24) são anunciadas. Perowne descreve os versículos 3-6 como uma lista das "condições morais que são necessárias para toda pessoa que se aproxima de Deus em seu santuário. O salmo passa, como ocorre habitualmente, do geral para o particular, da relação de Deus com toda a humanidade como o seu Criador para o seu relacionamento especial com seu povo escolhido no meio do qual Ele tem manifestado a sua presença. O Deus *Poderoso* é também o Deus *Santo*. Seu povo, portanto, deve ser santo".[58] Observe os paralelos em 15.1-5 e Isaías 33.14-17.

A pergunta do versículo 3 é apresentada em um paralelismo poético: **Quem subirá ao monte do Senhor ou quem estará no seu lugar Santo?** A resposta tríplice requer mãos limpas, um coração puro e uma vida reta. **Aquele que é limpo e puro de coração** (4) está livre de culpa dos pecados cometidos. Pilatos lavou suas mãos em água para simbolizar sua alegação de inocência pela morte de nosso Senhor. Mas a água não pode limpar as mãos manchadas dos pecadores. Somente a fonte aberta para a casa de Davi contra o pecado e a impureza pode proporcionar a purificação da culpa (Zc 13.1). As mãos representam aquilo que a pessoa faz, mas **puro de coração** representa aquilo que a pessoa é. Mesmo o AT reflete o padrão do evangelho quanto à pureza de coração (51.7-10; cf. Tg 4.8).

Mas o perdão de pecados e a limpeza da impureza interior são portas que levam para o caminho. A vida deve estar de acordo com as experiências iniciais. Aquele que está na presença de Deus deve ser alguém **que não entrega a sua alma à vaidade, nem jura enganosamente**. O termo **vaidade**, como Kirkpatrick observa, significa "o que é transitório (Jó 15.31), falso ou irreal (Sl 12.2) ou pecaminoso (Is 5.18), e pode chegar a designar deuses falsos (Sl 31.6). A vaidade inclui tudo que é diferente e oposto à natureza de Deus".[59] "Pode-se entender aqui, no sentido mais amplo, tudo que o coração humano coloca no lugar de Deus".[60] Entregar a alma significa desejar, apegar-se (cf. 1 Jo 2.15-17). Jurar **enganosamente** é "jurar com o intento de enganar". O Senhor é o Deus da verdade que procura a verdade naqueles que são seus servos (51.6).

Essas pessoas receberão **a bênção do Senhor e a justiça do Deus da sua salvação** (5). A expressão: **Esta é a geração** (6) indica o tipo de pessoas que o **buscam, daqueles que buscam** a **face do Deus de Jacó**. A Edição Revista e Corrigida segue fielmente a tradução da LXX: **daqueles que buscam a tua face, ó Deus de Jacó**; "que buscam a Presença de Jacó" (Anchor). A versão *Berkeley*, por outro lado, traduz: "Que buscam a sua face, como Jacó", lembrando a luta de Jacó com o Anjo do Senhor em Peniel; "Tenho visto a Deus face a face, e a minha alma foi salva" (Gn 32.22-30). **Selá**: cf. comentário em 3.2.

2. A Coroação do Rei (24.7-10)

A crescente procissão de adoradores alcançou agora as portas. Existe uma pausa. Então o clamor soa: **Levantai, ó portas, as vossas cabeças** (7). A cabeça, com freqüência, é usada nas Escrituras com referência ao "ser interior", como em 7.16: "A sua obra cairá sobre a sua cabeça". As portas são personificadas e roga-se a elas que se abram em dignidade e reverência para a entrada do **Rei da Glória**. A expressão **ó portas eternas** é melhor traduzida por: "ó portas antigas" (NVI). **O Rei da Glória** é o Rei a quem toda a glória deveria ser atribuída.

O chamado é seguido de um desafio das portas: **Quem é este Rei da Glória?** (8). A resposta é: **O Senhor forte e poderoso, o Senhor poderoso na guerra**. Deus é mais forte do que qualquer inimigo que possa se levantar contra ele. Novamente, o chamado é repetido com grande efeito retórico (9). O segundo desafio é respondido com as palavras: **O Senhor dos Exércitos; ele é o Rei da Glória** (10). Esta é a primeira ocorrência nos Salmos do conhecido e belo título para o verdadeiro Deus. Ele é o **Senhor dos Exércitos** (*Yahweh Tsebaoth*), Capitão tanto dos exércitos de Israel como de todos os exércitos celestiais, o supremo Governador do universo. **Selá**: cf. comentário em 3.2.

Salmo 25: Canção de Oração e Louvor, 25.1-22

Este é um dos nove salmos acrósticos (cf. Salmos 9 e 10) nos quais cada versículo inicia com uma letra sucessiva do alfabeto hebraico de vinte e duas letras. Nesse caso existem pequenas modificações (*vav* e *qoph* estão ausentes, existem dois versículos que começam com *resh* e no último versículo encontramos um segundo *pe*). Uma modificação parecida é encontrada no Salmo 34, sugerindo que existe uma relação entre os dois salmos. O título hebraico está incompleto. Lemos apenas: "De Davi".

O Salmo 25 pode ser classificado como um salmo de sabedoria. Como é o caso da maioria dos salmos acrósticos, ele consiste em uma série de dizeres basicamente independentes.[61] Nessas três estrofes, a primeira é uma oração (1-7), a segunda um louvor e contemplação da bondade de Deus (8-15) e a terceira uma petição renovada (16-22).

1. *Oração* (25.1-7)

Contrastando com aquele que "não entrega sua alma à vaidade" (24.4), o salmista afirma: **A ti, Senhor, levanto a minha alma** (1). Seu desejo e sua intenção estão firmados em Deus (cf. comentário de 24.4). Visto que sua confiança está no Deus vivo e verdadeiro, ele roga para não ser **confundido** (2; "humilhado", NVI), isto é, ficar confundido e desapontado em relação à ajuda que esperava. O que ele anela para si mesmo, também sabe que serve para todos os que **esperam** no Senhor (3). Vergonha e confusão são aspectos característicos daqueles **que transgridem sem causa** — literalmente, aqueles que são traiçoeiros e desleais sem motivo.

A oração por libertação *de* se torna uma oração por libertação *para*. O poeta diz: **Faze-me saber os teus caminhos, Senhor; ensina-me as tuas veredas** (4; cf. Êx 33.13). Ele exprime seu pedido ao **Deus da** sua **salvação** (5), em quem ele constantemente espera em oração e com confiança. **Guia-me na tua verdade e ensina-me**. A vida humana não pode ser vivida como em um vácuo. Os caminhos da impiedade somente podem ser derrotados quando os caminhos do Senhor são adotados.

Davi apela ao Senhor para lembrar-se das suas **misericórdias** (*chesed*; amor inabalável, misericórdia, graça; cf. comentário de 17.7) **e das** suas **benignidades, porque são desde a eternidade** (6; "desde a antigüidade", NVI; e para não lembrar **dos pecados da** sua **mocidade nem das** suas **transgressões** (7). A palavra "**pecados**" (*chattah*) vem de um termo que significa errar o alvo ou perder o caminho. "Essa palavra significa basicamente as falhas, os erros, os lapsos e as fraquezas; e assim ela é naturalmente aplicada às ofensas imprudentes da mocidade".[62] **Transgressões** (*pesha*) "significa literalmente *rebeliões*, e se refere às ofensas deliberadas dos anos mais maduros".[63] A misericórdia e a graça de Deus são suficientes para ambos os casos! Davi ora: **lembra-te de mim**.

2. *Louvor e Contemplação* (25.8-15)

Como ocorre com freqüência nos salmos, a oração passa muito naturalmente para o louvor. Às vezes, quando não conseguimos "orar", começamos a "louvar". **Bom e reto é o Senhor; pelo que ensinará o caminho** (8; a verdade e justiça) **aos pecadores** (aqueles que perderam o caminho ou erraram o alvo). Os **mansos** (9) são aqueles que são ensináveis, humildes — contrastando com os opressores orgulhosos e zombadores do bem.

Todas as veredas do Senhor são misericórdia e verdade (10). Elas são manifestações do seu amor e fidelidade constante para com aqueles que **guardam o seu concerto e os seus testemunhos**. O grande concerto (*berit*) feito no Sinai e a revelação contínua de Deus na história e seu modo de tratar com seu povo testifica sobre a fidelidade de Deus à sua Lei. Diante de tão grande misericórdia e fidelidade divina, o poeta se conscientiza mais uma vez do tamanho da sua **iniqüidade** e roga pelo perdão por **amor do** seu **nome** (11), isto é, do Deus perdoador como ele era conhecido.

Quatro benefícios específicos são prometidos ao **homem que teme ao Senhor** (12-14). Primeiro, ele será ensinado **no caminho que deve escolher** (12). O Senhor o guiará em suas escolhas. Em segundo lugar, a **sua alma pousará no bem** (13). O termo **alma** é usado com freqüência simplesmente para designar um indivíduo. **No bem**, ou seja, na prosperidade, as bênçãos do AT. Em terceiro lugar, **sua descendência herdará a terra**. Ter filhos e filhas que, por sua vez, floresçam é um alvo humano normalmente estimado em todas as épocas. Em quarto lugar, esse homem abençoado desfrutará do benefício da instrução espiritual: **O segredo do Senhor é para os que o temem; e ele lhes fará saber o seu concerto** (14). A palavra **segredo** é literalmente "conselho secreto" e sugere a comunicação íntima de uma amizade próxima. A RSV traduz a palavra **segredo** de maneira adequada e bela como "a amizade do Senhor". Jesus disse: "Tenho-vos chamado de amigos" (Jo 15.13-15). Como conseqüência dessas bênçãos, Davi vai manter seus olhos fixos no Senhor, que **tirará** seus **pés da rede** (15) — e vai salvá-lo dos laços dos seus inimigos e dos embaraços das circunstâncias.

3. *Petição Renovada* (25.16-22)
O salmo retorna outra vez à súplica. O poeta roga ao Senhor: **Olha para mim** (16); literalmente: "Volta tua face para mim". Ele se sente **solitário e aflito** (hb. sozinho e pobre). **As ânsias do meu coração se têm multiplicado** (17). A tradução é um pouco incerta aqui, mas a ARC provavelmente captou o sentido. A versão Anchor diz: "A angústia esmaga meu coração. Liberta-me da minha aflição".

Diante de múltiplas dificuldades, Davi ora por libertação. Ele clama ao Senhor para olhar **para a** sua **aflição e para a** sua **dor** (18), isto é, olhar com compaixão para a sua dificuldade. **Perdoa todos os meus pecados** torna a nota de penitência impressionante nesse salmo. O poeta sente uma conexão entre as dificuldades que ele está passando e os pecados dos quais é culpado. Ele é cercado por muitos **inimigos** que o **aborrecem com ódio cruel** (19), literalmente "ódio de violência", dando vazão a ações cruéis e violentas bem como a atitudes antagônicas. Diante de tamanho perigo, Davi roga para que o Senhor o guarde, livre e salve da vergonha e confusão por causa da sua confiança em Deus (20). Sua segurança será a sua **sinceridade** (integridade) **e a retidão** (21), e sua certeza estará em esperar no Senhor. "A 'integridade' é a virtude do homem 'perfeito' [...]. Jó era 'perfeito e reto' (2.3)".[64]

A petição final é pela redenção da nação de **Israel**, para que Deus a livre **de todas as suas angústias** (22). **Redime** (*padhah*) significa libertar do perigo, da dificuldade ou da escravidão por meio do esforço pessoal e passar para um estado de liberdade e alívio. É um dos termos mais comuns do AT para se referir à ação de Deus em favor do seu povo.

Salmo 26: Profissão de Fé e Oração, 26.1-12

Esse salmo, como o anterior e os dois seguintes, é intitulado simplesmente como "De Davi". Ele se assemelha ao Salmo 25 em alguns aspectos, mas as confissões de pecado encontradas no Salmo 25 não aparecem no Salmo 26. Robinson vê no Salmo 26 a forma de um "juramento de purificação", no qual alguém acusado de mau procedimento faz um juramento formal de inocência: "O orador começa: 'Julga-me, Yahweh, pois tenho andado em minha perfeição' — usando a palavra que infere que ele não está vulnerável, de forma alguma, a uma acusação criminosa. Ele está pronto, e até ansioso, para que Yahweh o teste, porque sabe que o exame mais minucioso não revelará nada que o desabone. Ele declara que não teve nenhum tipo de relacionamento com homens falsos e que odeia a reunião de malfeitores. Ele lavou suas mãos na inocência — uma metáfora para uma vida reta que encontramos outra vez em Salmos 73.13, em que aparece uma fórmula reconhecida — e seu único prazer tem sido adorar a Yahweh. Ele roga para que não seja comparado com os homens sanguinários e termina como começou. Podemos entender que ele faz uma pausa no final da sua declaração e espera pelo resultado do seu apelo. O resultado é favorável, e no último versículo encontramos a resposta de um homem que foi liberto de qualquer suspeita".[65]

Oesterley ressalta que a defesa da retidão manifestada aqui se desenvolveu em um orgulho espiritual e hipocrisia entre os fariseus nos tempos do NT. Esse, porém, não é o caso do salmista. Como diz: "O orgulho espiritual, que surge de um sentimento de autojustificação, não é característico do salmista, porque ele atribui a Deus a sua retidão de vida. "Tenho confiado em ti, não vacilarei", ele proclama. Essa é uma atitude muito diferente da dos fariseus da parábola (Lc 18.11,12,14). O fato de um homem reconhecer, com um espírito de verdadeira humildade, que tem buscado viver de acordo com a vontade de Deus não precisa gerar orgulho espiritual, mas deveria ser uma fonte de alegria santificada. Enquanto, por um lado, confessar o pecado é um dever supremo do homem, a percepção das suas virtudes, quando vistas da forma correta, é, por outro lado, o reconhecimento da ação da graça divina".[66]

1. *Declaração da Integridade* (26.1-7)

Julga-me, Senhor (1) é um clamor por justiça e proteção. Ele está alicerçado numa maneira de vida — **tenho andado em minha sinceridade;** e numa atitude de coração — **tenho confiado também no Senhor**. O termo **sinceridade** (*tam*; "integridade", ARA e NVI) é o termo geral do AT para perfeição, sinceridade de propósito e devoção de coração. É a qualidade atribuída a Jó (Jó 1.1, 8; 2.3, 9) e o tema da ordem de Deus a Abraão (Gn 17.1). A última parte do versículo também pode ser traduzida de acordo com a RV, ASV e versão *Berkeley* da seguinte maneira: "Tenho confiado sem vacilar" (cf. Tg 1.6-7).

Davi abre seu coração ao Senhor sem reservas: **Examina-me, Senhor, e prova-me; esquadrinha a minha mente e o meu coração** (2), ou seja: "toda a minha vida interior, meus sentimentos, pensamentos e vontade". Ele sempre tem guardado a bondade do Senhor em mente e tem **andado** nos caminhos que apontam para a **verdade** de Deus (3). **Não me tenho assentado** — para receber conselho ou ter comunhão — **com homens vãos** (4), literalmente, "homens vaidosos", no sentido de homens inúteis ou idólatras. **Nem converso com os homens dissimulados**, isto é, "não tenho comunhão com fingidos" (AT Amplificado). Ele detesta **a congregação de malfeitores** (5), aqueles que se reúnem com objetivos perversos em contraste com aqueles que se reúnem para adorar o Senhor, conforme o versículo 12. Ele **não** se ajuntará **com os ímpios** em comunhão nem participará dos seus conselhos perversos.

Lavo as minhas mãos na inocência (6) lembra o lavar dos sacerdotes quando se aproximavam do altar para ministrar sua adoração sacrifical (Êx 30.17-21). Lavar as mãos também era símbolo da declaração de inocência, como no caso de Pilatos (Mt 27.24). **E assim andarei, SENHOR** pode significar "unir-me-ei à congregação dos adoradores ao redor do altar" ou como traz a versão *Berkeley*: "irei ao redor do teu altar, ó Senhor". Junto com a adoração divina está o **publicar com voz de louvor e contar todas as suas maravilhas** (7). Uma tradução possível é: "Que a voz da minha gratidão seja ouvida e eu proclame todas as tuas obras maravilhosas" (AT Amplificado).

2. *Oração por Intervenção* (26.8-12)

Nos versículos 8-11, o salmista faz um apelo direto ao Juiz por intervenção a seu favor contra aqueles que o acusaram falsamente. A separação *da* congregação dos ímpios em suas más ações é, ao mesmo tempo, separação *para* o tabernáculo do Senhor e para aqueles que o adoram. A tradução do versículo 8 por Moffatt é notável e bela: "Amo os recintos da tua casa, a mansão da tua majestade".

Não colhas a minha alma com a dos pecadores (9) deveria ser: "Não colhas a minha alma ou vida com a dos pecadores". Os ímpios serão prematuramente cortados por intermédio da morte. **Homens sanguinolentos** são aqueles que não se cansam de praticar agressões violentas e assassinatos. **Malefício** (10) é literalmente "uma trama", no sentido de um mal planejado deliberadamente. Sua **mão direita está cheia de subornos** tanto para "comprar" aqueles que ocupam posições de autoridade como para aceitar dinheiro e mudar de posição enquanto o mal é cometido. Suborno e corrupção são problemas contínuos da administração da justiça e do exercício do governo.

Outros escolhem viver no pecado e rebelião, mas Davi diz: **Mas eu ando na minha sinceridade** (11; cf. comentário do v. 1). Ele, portanto, pode orar com fé que o Senhor vai livrá-lo e ter piedade dele. O versículo 12 parece indicar um julgamento de vindicação. As acusações são descartadas, e a inocência do salmista é estabelecida (cf. Int. desse salmo). **O meu pé está posto em caminho plano** ou "terreno plano" (ARA). Uma base segura é essencial à segurança — para a alma e o corpo. **Nas congregações** (reunindo-se de tempo em tempo para adorar o Senhor) **louvarei** (bendirei e glorificarei) **ao SENHOR.**

SALMO 27: LUZ DO SOL E SOMBRA, 27.1-14

O Salmo 27 é composto de dois movimentos contrastantes que transmitem emoções muito diferentes. A diferença é tão marcante entre os versículos 1-6 e 7-14 que alguns têm expressado sua convicção de que temos aqui a combinação de dois salmos escritos por dois autores diferentes ou escritos em períodos muito diferentes na vida do autor. No entanto, G. Campbell Morgan acredita que a diferença é válida pelo fato de que o louvor deveria preceder a oração na ordem da adoração.[67] Semelhantemente aos dois salmos precedentes e ao salmo seguinte, o título no texto hebraico está simplesmente como "De Davi"

Embora Oesterley acredite que temos aqui a combinação de dois salmos diferentes, ele diz que "o ponto central nos seus ensinamentos religiosos é o mesmo, embora apresentados de diferentes pontos de vista. No primeiro salmo, a fé em Deus, que sustentou o sofredor diante das provações e o ajudou a passar essa situação de forma triunfante, tornou-se mais profunda. No segundo salmo, a vítima, num deplorável estado de desespero, cercado por perigos e mergulhado em tristezas, é sustentada somente mediante sua fé em Deus. Assim, quer na alegria ou na dor, na prosperidade ou na adversidade, é a certeza da presença de Deus e seu amor que domina todas as coisas".[68]

1. *Louvor* (27.1-6)

Os primeiros versículos desse salmo são conhecidos por muitos no lindo cenário musical de Frances Allitson: **O Senhor é a minha luz e a minha salvação** (1). Luz é um dos grandes símbolos que descrevem Deus, tanto no Antigo como no Novo Testamento (4.6; Is 10.17; Mq 7.8; Jo 1.4,9; 8.12; 1 Jo 1.5). O SENHOR era para Davi como uma **luz** brilhando em um lugar escuro, dissipando as sombras, mostrando todas as coisas em suas verdadeiras cores, produzindo alegria e regozijo para o dia e afastando os medos que espreitam no escuro da noite. **O SENHOR é a força da minha vida** significa literalmente: "a fortaleza da minha vida" (ARA) ou: "o refúgio da minha vida" (Berkeley, AT Amplificado). Seguro no cuidado de Deus, o salmista não precisa ter medo de coisa alguma.

A vida não está livre de obstáculos e oposição. Mas os assaltos são agora coisa do passado — ou, se isso representa o louvor em preparação para a petição dos versículos 7-13, ele alimenta uma expectativa confiante em que esses assaltos logo passarão. **Para comerem as minhas carnes** (2) significa "consumir ou destruir". **Tropeçaram e caíram** indica que eles foram confundidos e falharam no seu ataque. Mesmo um exército acampado em volta do poeta não traria medo (3) ao seu coração. **Ainda que a guerra se levantasse contra mim** aplica-se primariamente à ameaça de ataques repetidos ao poeta. Mas em tempos de "guerras e rumores de guerra" essas palavras trazem conforto e confiança ao coração do povo de Deus em todo lugar.

Uma coisa pedi ao Senhor indica as prioridades espirituais na vida do salmista. Ao buscar primeiro o Reino de Deus e sua justiça, todas as coisas necessárias seriam acrescentadas (Mt 6.33). **Morar na Casa do SENHOR** e **contemplar a formosura** ("bondade", Moffatt) **do SENHOR, e aprender no seu templo** são o resumo do desejo de Davi. O Anfitrião real provê e protege aqueles que fazem parte da sua casa. Mesmo no AT, Deus era tanto Amabilidade como Lei, tanto Fonte do prazer como do dever. **Aprender** também significa "ponderar, meditar". A versão *Berkeley* diz: "Observar a amabilidade do Senhor e meditar em seu templo".

O salmista é suficientemente realista para saber que nem todos os problemas são resolvidos e nem todas as dificuldades superadas. **No dia da adversidade me esconderá no seu pavilhão** ("seu refúgio", AT Amplificado); **no oculto do seu tabernáculo** (tenda) **me esconderá; por-me-á sobre uma rocha**, como se estivesse protegido em uma fortaleza rochosa invencível (5). A idéia crescente é de total segurança. Sua contraparte no NT encontra-se em Romanos 8.31-38.

Qualquer que seja a ameaça prolongada, a vitória completa está à vista: **Também a minha cabeça será exaltada sobre os meus inimigos** (6). Ele será exaltado enquanto seus inimigos serão humilhados. **Pelo que** oferecerá **sacrifício de júbilo no tabernáculo** do Senhor — não somente os sacrifícios prescritos e os sacrifícios de gratidão pela libertação, mas a própria alegria como uma oferta aceitável ao Senhor.

2. *Petição* (27.7-12)

Abruptamente, a atmosfera muda. Ou as circunstâncias se alteraram ou a preparação do louvor está completa, e o salmista se volta para a necessidade do momento (veja a

Int. desse salmo). **Ouve, Senhor [...] tem também piedade [...] responde-me** (7) é o seu clamor. Questões têm sido levantados acerca da tradução exata do versículo 8, mas a Edição Revista e Corrigida, sem dúvida, apresenta o sentido correto: **Quando tu disseste: Buscai o meu rosto, o meu coração te disse a ti: O teu rosto, Senhor, buscarei.** A Bíblia Anchor traduz da seguinte maneira: "Vem, disse meu coração, busca a minha face; tua face, ó Yahweh, buscarei". Nos voltamos a Deus em oração não de maneira forçada, mas por causa do seu convite. Em obediência à ordem de buscar a face do Senhor, o poeta ora: **Não escondas de mim a tua face** ("não afastes a tua face como uma rejeição à minha súplica) [...] **não me deixes, nem me desampares** (9). Deus já era a sua **ajuda** e o **Deus** da sua **salvação**. O texto hebraico coloca a declaração seguinte no tempo passado: **Meu pai e minha mãe me desampararam** [mas] **o Senhor me recolherá** (10). Embora ele seja como uma criança abandonada, o Senhor o adotará e cuidará dele. Instrução, orientação e proteção são então buscadas do alto: **Ensina-me [...] guia-me** (11) [...]. **Não me entregues** (12). **Falsas testemunhas** estavam espalhando calúnia. Elas são como aqueles que **respiram crueldade** — a crueldade da palavra cortante e mentirosa — uma forma de provação que certamente não é desconhecida hoje em dia.

3. *Paciência* (27.13-14)

Por meio da fé e da paciência o povo de Deus herda a promessa (Hb 6.12). **Pereceria sem dúvida, se não cresse que veria** transmite bem a idéia do poder imutável da verdadeira fé (13). No entanto, "creio que verei" (ARA) está mais próximo do original. A **terra dos viventes** é, como o nosso uso comum da expressão indica, esta vida contrastada com o *Sheol*, o reino dos mortos. A bondade de Deus é conhecida tanto aqui como na vida futura. Porém, a tradução Anchor entende que isso é uma declaração de fé explícita na vida futura: "No Vencedor confio, para contemplar a beleza de Yahweh na terra da vida eterna".

A ordem final do salmo é esperar **no Senhor** (14), tanto no sentido da continuidade na oração como na espera paciente pela resposta. **Anima-te, e ele fortalecerá o teu coração** significa literalmente: "Seja forte e permita que seu coração seja forte" na convicção de que a libertação está próxima. **Espera, pois, no Senhor.** Sua vinda nunca é tarde demais para aqueles que esperam nele.

Salmo 28: Dificuldades e Ações de Graça, 28.1-9

Este é o último dos quatros salmos intitulados "De Davi". Foi escrito em grande parte na forma de um cântico de lamentação. As circunstâncias podem ter sido a fuga de Davi diante do exército de Absalão (2 Sm 15.1—18.33), visto que lemos acerca de traição (3), e a oração final pelo povo bem pode ser de um rei que está sendo dilacerado pela guerra civil. Mas é muito relevante para qualquer momento em que a traição possa gerar contenda e divisão. Nesse salmo, a ordem de oração e louvor está invertida se comparada com o Salmo 27. Aqui, a oração (1-5) precede a adoração (6-9).

1. *Oração por Ajuda* (28.1-5)

A situação do salmista é desesperadora. A não ser que Deus responda, ele será **semelhante aos que descem à cova** (1). O túmulo ou *Sheol* era entendido como algo que estava abaixo ou debaixo. Por isso, o salmista clama (2), uma palavra mais forte do que a usada no texto hebraico do versículo 1. A versão *Berkeley* e a Bíblia Anchor fazem a distinção ao traduzir o termo no versículo 1 por "chamar", e por "clamar", no versículo 2. A palavra hebraica significa um clamor urgente por ajuda. **Quando levantar as minhas mãos** era um símbolo exterior do coração exaltado. **O oráculo do teu santuário** (oráculo santo) significava o Santo dos Santos, onde ficava a arca da aliança, simbolizando a presença de Deus com seu povo. Embora Davi, que estava fugindo de Absalão, tivesse enviado os sacerdotes com a arca de volta para o seu tabernáculo (2 Sm 15.24-29), ele dirigiu sua petição ao símbolo visível da presença de Deus.

Os que praticam a iniqüidade: aqueles de quem o salmista procura se livrar; são aqueles que **falam de paz ao seu próximo** com suas bocas, mas que têm **o mal** (*ra*, grande maldade) **no seu coração** (3). O termo **mal** ("perversidade", ARA) era uma palavra com um significado muito mais forte na versão de 1611 da KJV. O original hebraico se refere a uma perversidade extrema, que as traduções atuais não conseguem transmitir. Com o senso de justiça exposto, o salmista ora para que essas pessoas perversas recebam a sentença judicial que suas obras merecem (4). **Segundo** (as suas obras) traz a idéia tanto de tipo como de proporção. Um grande mal merece um grande castigo. O Deus de justiça não deixará de punir a iniqüidade, embora sua sentença possa ser adiada. Pessoas ímpias **não atentam para as obras do SENHOR, nem para o que as suas mãos têm feito** (5), rejeitando tanto a sua criação como a sua providência. **Ele os derribará** ("Ele os arrasará", NVI) **e não os reedificará**.

2. *Louvor pela Resposta* (28.6-9)

Ou essas palavras foram acrescentadas depois da libertação do salmista ou a fé se torna tão forte que já considera o futuro prometido um fato presente. Isto, na verdade, faz parte da própria natureza da fé. "Por isso, vos digo que tudo o que pedirdes, orando, crede que o recebereis [lit., o recebereis agora] e tê-los-ei" (Mc 11.24).

O salmista irrompe em adoração. **Bendito seja o SENHOR** (6) é a forma de doxologia com a qual cada um dos primeiros quatro livros dos Salmos conclui (41.13; 72.18-19 e 106.48 — todo o Salmo 150 serve como doxologia do Livro V). **Bendito seja** significa: "Glória, louvor e adoração sejam dados a". Esta deveria ser a nossa resposta à oração respondida. O Senhor tinha sido sua **força** e **escudo** (7). O salmista **confiou** e foi **socorrido**. O seu regozijo é imenso enquanto entoa seu **canto** de louvor. **O SENHOR é a força** (8) daqueles que confiam nele. Ele **é a força salvadora** (literalmente "a fortaleza que salva", NVI) **do seu ungido**.

O salmo conclui com uma oração final de todo o povo. Senhor, **salva [...] apascenta [...] e exalta-os** (9). Essa é uma petição resumida de tudo que a redenção de Deus proporciona, naquele tempo e hoje.

SALMO 29: UM SALMO PARA PENTECOSTES, 29.1-11

Intitulado "Um Salmo de Davi", esse é um salmo tradicionalmente usado na sinagoga no primeiro dia da festa dos Tabernáculos, que é o dia de Pentecostes. É um salmo de adoração, no qual o poder de Deus, como experimentado em uma grande tempestade, é o tema central. M'Caw intitula o salmo: "O Trovão de Deus" e o descreve como o "canto do temporal com relâmpago e trovão".[69] W. E. Barnes coloca o seguinte título: "O Deus da Tempestade também é um Deus de Paz".[70]

M'Caw diz: "Os versículos 3-9, a essência do poema, descrevem a passagem de uma tempestade que vem das águas do mar ocidental e atravessa os montes arborizados do norte da Palestina, até os lugares desertos de Cades [não Cades-Barnéia no sul] na extremidade da divisa de Edom (Nm 20.16). Esse acontecimento é descrito não como uma demonstração de poder natural, mas como uma sinfonia de louvor ao Criador que, de fato, participa com uma voz de trovão (cf. Sl 18.13)".[71]

Em todo o livro de Salmos, a natureza é vista como provendo vislumbres do poder e da glória divinos. Assim, M'Caw observa: "O foco de toda ação e pensamento é o próprio Senhor eternamente entronizado e resolutamente conferindo ao seu povo não apenas o dom da força, mas também a bênção da paz (10,11). O poema habilmente funde os aspectos natural e espiritual, com ênfase clara no espiritual. A primeira palavra, *dará*, é um chamado para a adoração e a última, *paz*, sugere o seu desejo de abençoar. O poder divino move uma delas e provê a outra".[72]

Oesterley diz: "Esse agradável e antigo hino de louvor é singular no Saltério. Ele foi indubitavelmente inspirado, em primeiro lugar, nas descrições impressionantes da teofonia no monte Sinai (Êx 19.16-19) e na presença divina no monte Horebe (1 Rs 19.11-12). O alvo do salmista é proclamar a supremacia de Yahweh nos céus e na terra. Os poderes celestiais são descritos como "filhos de deuses" e subordinados a Yahweh; um testemunho para a crença monoteísta em contraste com o politeísmo das nações que consideravam o deus mais elevado diferente dos outros deuses em posição, mas não em natureza."[73]

1. *Chamado para a Adoração* (29.1-2)

O salmo inicia com um chamado para a adoração do Deus vivo e verdadeiro **na beleza da sua santidade** (2). A expressão **ó filhos dos poderosos** também pode ser traduzida por "ó filhos de Deus". A palavra "dar" (**dai**) nesse contexto é "atribuir". **Na beleza da sua santidade** (2) é uma referência à sua majestade. A santidade de Deus é bela e majestosa, e Ele a reparte com aqueles que o adoram "em espírito e em verdade" (Jo 4.24; cf. 2 Pe 1.3-4).

2. *A Vinda da Tempestade* (29.3-9)

M'Caw vê o ataque e a passagem da tempestade como o centro do poema (cf. Int. do salmo). Os versículos 3-4 tratam da aproximação da tempestade. Os versículos 5-7 descrevem a ação da tempestade. Os versículos 8-9 detalham a passagem da tempestade.[74] Os três sinais de uma nova dispensação que apareceram no Dia de Pentecostes em Jerusalém (At 2.1-4) também são sugeridos: **a voz do Senhor** quebrando **os cedros** (5) prefigura o som de um vento veemente e impetuoso; a separação das **labaredas do fogo** (7) sugere as línguas repartidas de fogo; e o falar universal da **glória** do Senhor (9) está relacionado com o dom das línguas não aprendidas por meio das quais se falou acerca da "grandeza de Deus" (At 2.11).

A alusão repetida à **voz do Senhor** (3,4,5,7,8,9) é um aspecto distinto desse salmo. Possivelmente isso se referia ao trovão e ao vento.[75] Mas, no seu significado mais amplo, ela se refere ao poder da Palavra viva de Deus (Hb 4.12). A neo-ortodoxia moderna tem nos familiarizado com o "Deus que Age".[76] A Bíblia, no entanto, nos apresenta ao Deus que não somente age mas fala e que em muitas situações age ao falar por meio da sua inspirada Palavra escrita.

A **voz** de Deus é equiparada **ao Deus da glória** (3) e ao próprio SENHOR. Ela **é poderosa** e **cheia de majestade** (4). Ela quebra **os cedros do Líbano** (5), as árvores mais majestosas que representam o orgulho e a grandeza dos homens (Is 2.13). **Saltar como [...] um bezerro** ou **como novos unicórnios** (6; boi ou novilho selvagem) retrata a movimentação violenta das árvores derrubadas pela tempestade e o abalo das montanhas. **Líbano** se refere à extensão da montanha. O nome significa "branco", simbolizando os picos cobertos de neve. **Siriom** é um nome mais antigo do monte Hermom no norte da Palestina. **A voz do** SENHOR também **separa as labaredas do fogo** (7), uma alusão ao relâmpago dividido em vários raios que fazia parte de uma tempestade como essa. **A voz do** SENHOR **faz tremer o deserto de Cades** (8). **Líbano** e Hermom ficavam ao norte, **Cades**, ao sul. Toda a terra foi afetada pela voz de Deus. A voz de Deus faz **parir as cervas** (9). A corça acaba dando à luz aos seus filhotes prematuramente devido ao medo causado pela violência da tempestade. **Desnuda a brenha** é literalmente "desnudar ou despir as florestas". "Desnudar" é uma forma antiga da língua portuguesa para "expor". Somente no templo do Senhor há paz e confiança. **No seu templo cada um diz: Glória**, atribuindo a Deus a glória requerida nos versículos 1-2.

3. *A Paz Final* (29.10-11)

O salmo que abre com glória e poder termina com paz. O soberano SENHOR **se assenta** (é entronizado) **sobre o dilúvio** (10) e reina como Rei sobre a natureza e a história **perpetuamente**. Delitzsch comenta: "Essa expressão final *com paz* é semelhante a um arco-íris sobre o salmo. O início do salmo nos mostra o céu aberto e o trono de Deus no meio dos cânticos de louvor angelicais, ao passo que o final mostra seu povo vitorioso sobre a terra, abençoado com paz no meio de um anúncio terrível da sua ira. *Gloria in excelsis* é o início e *pax in terris* o final".[77]

SALMO 30: AÇÕES DE GRAÇA PELO TOQUE CURADOR DE DEUS, 30.1-12

O Salmo 30 é uma expressão fervorosa de louvor a Deus pela libertação da morte, de alguém ameaçado provavelmente por uma enfermidade muito séria. Os versículos 9-12 reverberam na oração de ações de graça de Ezequias após sua cura (Is 38.18-20). O título indica que o salmo foi usado na dedicação "da casa de Davi". Ele pode ter sido usado na dedicação do segundo Templo (Ed 6.16), como ocorreu mais tarde em conexão com a Festa da Dedicação dos macabeus.[78] O uso seria apropriado visto que a história da nação seguia o padrão da experiência individual.

1. *Experiência* (30.1-3)

O escritor relata vividamente sua experiência de restauração quando já estava às portas da morte. **Exaltar-te-ei** (1). Ele tem esse desejo porque o Senhor o havia exaltado e não permitiu que seus **inimigos se alegrassem** com a sua morte. A oração foi respondida e o homem de Deus foi sarado (2). A cura divina se tornou bem mais proeminente no NT, mas o AT também apresenta diversos casos de cura (Êx 15.26; 23.25; Dt 7.15; 32.39; 2 Rs 20.1-11; Jó 5.18; Sl 103.3; 107.20; Is 19.22; 30.26; 53.5; 57.18-19; Jr 20.17; 33.6; Os 6.1; 11.13; cf. a morte de Asa porque "na sua enfermidade, não buscou ao SENHOR, mas, antes, aos médicos", 2 Cr 16.12). A Igreja ainda precisa recuperar o forte sentido da relação íntima entre a saúde espiritual e física que permeia a Bíblia.

A seriedade da situação do salmista fica clara devido à força da sua linguagem. O SENHOR o fez subir **da sepultura** (3), do *Sheol*, o lugar dos mortos. Ele foi conservado com **vida para que não descesse ao abismo**, ou melhor: "O Senhor me restaurou para a vida quando estava descendo ao abismo" (Anchor). Já considerado morto, o Senhor lhe deu "nova vida". **Abismo** *(bor)* é a palavra literal para *buraco* ou *cova*. O abismo pode ser um sinônimo comum para *Sheol*, lugar dos mortos.

2. *Expressão* (30.4-6)

Os versículos 4-6 dão expressão à gratidão do cantor por sua experiência com o toque divino. Ele convoca todos os **santos** de Deus (4), os devotos do povo, a unir-se a ele para celebrar **a memória da sua santidade**. A **santidade** de Deus no AT é, de muitas maneiras, uma descrição resumida da sua natureza. Ela incluía a misericórdia e a fidelidade do Senhor bem como sua pureza radiante. A saúde restaurada do poeta era um monumento à bondade de Deus.

A lição de tudo isso aparece no versículo 5: **o choro pode durar uma noite, mas a alegria vem pela manhã**. A **ira** de Deus é momentânea e causada somente pelo pecado; **no seu favor está a vida** — Ele concede o perdão e a vida eterna para o humilde e arrependido. Parte do problema do salmista pode ter sido um sentimento de auto-suficiência: **Eu dizia na minha prosperidade: Não vacilarei jamais** (6). Nada dissipa mais rapidamente uma atitude semelhante a essa do que o ataque de uma enfermidade. Dinheiro e amigos podem fazer muito pouco por nós quando a enfermidade nos assola!

3. *Protesto* (30.7-9)

A oração de protesto feita pelo salmista nos lembra de uma expressão semelhante de Jó no tempo da sua aflição (Jó 10.3). Com o **favor** de Deus o salmista tem se tornado **forte**. Quando o Senhor encobriu seu **rosto**, o salmista ficou **perturbado** (7). Em sua perturbação, ele clamou **ao SENHOR** e suplicou (8). Sua argumentação é parecida com a de Ezequias em Isaías 38.18-19. Não haveria **proveito** para o Senhor na morte do seu servo (9). Na verdade, a morte interromperia o **louvor** do poeta e sua proclamação acerca da **verdade** de Deus (9; cf. comentário em 6.5).

4. *Expectativa* (30.10-12)

Como ocorre freqüentemente nos salmos, o poeta passa da oração e louvor para a expectativa. Sua fé se projeta até a eternidade. Ele continuará orando por **piedade** e **auxílio** (10). Seu **pranto** se havia transformado em **folguedo** (11; "dança", NVI), a expressão quase universal de alegria. Ele havia trocado o **cilício** (pano de saco) da sua tristeza por um cinto de **alegria, para que a** sua **glória** cante **louvores** a ele **e não se cale** (12). Como em 16.9 (veja comentários) e em outras partes, **minha glória** significa "minha alma", visto que a alma, como a imagem divina, era a parte mais nobre do ser humano. "Para que o meu coração cante louvores a ti" (NVI). **Senhor, meu Deus, eu te louvarei para sempre** — visto que o louvor é uma das funções principais da eternidade (Ap 7.9-13).

Salmo 31: Provado mas Confiante, 31.1-24

Este salmo, dedicado ao cantor-mor e atribuído a Davi no título, é uma alternância impressionante de lamento e louvor. Morgan o descreve como um "grande cântico de confiança que por meio de muita luta e lágrimas alcança o triunfo".[79] Ele divide o salmo em "quatro estações da alma". O outono, "com seus ventos e nuvens espessas, ainda desfrutando da luz do sol e de uma frutificação próspera, embora o cheiro da morte esteja por todo lado", é representado nos versículos 1-8. O inverno, "abatimento e insensibilidade, cheio de soluços e suspiros", é retratado nos versículos 9-13. A primavera, "com sua esperança e expectativa, suas chuvas impetuosas e o irromper de lampejos do sol", é encontrada nos versículos 14-18. O verão, "alegre e dourado", é retratado nos versículos 19-24. "Precisamos de todas elas para completar nosso ano".[80]

1. *Confiança* (31.1-8)
A nota predominante da primeira divisão do nosso salmo é a declaração (que se repete duas vezes) de confiança (1, 6) no Senhor, apesar das circunstâncias ameaçadoras. A petição é misturada com louvor e confiança. **Confio**, a palavra comum do AT para fé, significa literalmente buscar refúgio. **Confundido** significa ser humilhado. A justiça de Deus é a esperança de libertação do homem. **Inclina para mim os teus ouvidos** (2) no hebraico significa "ouça". A libertação virá quando Deus mais uma vez mostrar ser uma **firme rocha, uma casa fortíssima**, ou fortaleza. O pedido é seguido de uma afirmação: **Porque tu és a minha rocha e a minha fortaleza** (3), "isto é, prova ser o que eu sei que tu és. 'Esta é a lógica de cada oração de fé'. *Delitzsch*".[81] As figuras de estilo são tiradas das táticas de guerrilha nas partes montanhosas onde penhascos e fortalezas rochosas eram uma defesa eficaz. Cf. a explicação dos siros quanto à derrota deles diante do "Deus dos montes", que, achavam eles, não seria eficaz nos vales (1 Rs 20.28).

Por amor do teu nome indica que a honra de Deus está envolvida na libertação do seu servo. Embora seus inimigos tivessem estendido a **rede** (4) para apanhá-lo, o salmista apela à **força** do Senhor para **tirá-lo**. A expressão "às ocultas" (ARA), significa "secretamente", com astúcia. A expressão que descreve o clímax da fé é reverenciada para sempre, já que foi citada pelo nosso Senhor como suas últimas palavras na cruz: **Nas tuas mãos encomendo** ("entrego", ARA) **o meu espírito** (5). O espírito, representando sua vida, é a posse mais preciosa do salmista, e ele o encomenda a Deus com uma fé confiante: **tu me remiste, Senhor, Deus da verdade**. Ser redimido significa ser liberto, e o conteúdo do termo varia de acordo com a fonte da opressão. O salmista foi liberto daqueles que procuravam apanhá-lo numa armadilha. O cristão é redimido da escravidão do pecado. O termo hebraico para **verdade** (*emeth*) também significa confiabilidade e fidelidade, como é o caso aqui. Harrison traduz: "Tu és um Deus fiel".

Amor e confiança em Deus são desprezados por aqueles **que se entregam a vaidades** (ídolos) **enganosas**. "Vaidade" é o nome favorito do AT para deuses falsos. O salmista se alegrará e se regozijará na **benignidade** do Senhor (7), que considerou a (tomou conhecimento da) sua **aflição** e que conhecia a sua **alma nas angústias**, ou seja, que tinha "tomado conhecimento dos infortúnios da minha alma".[82] Em contraste com o confinamento planejado para ele por seus inimigos, o Senhor colocou os pés do salmista **num lugar espaçoso** (8), um lugar amplo "com muito espaço para se mover" (Berkeley, nota de rodapé).

2. *Tribulação* (31.9-13)
Existe uma mudança brusca no tom a partir do versículo 9. Entramos no inverno da alma, "cheio de soluços e suspiros".[83] **Angustiado** (9; "atribulado", ARA) é uma referência ao sentimento principal. A vida pode ser severa e penosa, mesmo para o filho de Deus (1 Pe 1.5-9). Para nós, como para Davi, a felicidade e a serenidade refletidas nos versículos 6-8 podem ser subitamente perturbadas pela enfermidade, perda, traição ou desastre natural. Com olhos turvados pelas lágrimas, a **alma** e o **corpo** (melhor do que ventre) afligidos, o salmista derrama sua **tristeza** diante de Deus.

A minha força descai por causa da minha iniqüidade (10) retrata um sentimento de culpa que contribui para a angústia da mente e do corpo do escritor. A LXX, no entanto, atribui a falta de força à "miséria" do poeta. **Meus ossos se consomem** significa que ele não tem mais condições de realizar o seu trabalho. **Fui o opróbrio** (11), objeto de escárnio. **Um horror para os meus conhecidos**: uma visão amedrontadora que afasta aqueles que observam a condição do salmista. **Como esquecido** e **morto**, ou como um caco de um **vaso quebrado**, o salmista se sente desamparado e rejeitado (12). Sua angústia só aumenta quando se torna alvo de "cochicho" (difamação), cercado por situações de **temor**, em que conspiram contra ele (13; cf. Jr 20.10).

3. *Verdade* (31.14-18)
Após se queixar da difamação contra ele, o salmista reafirma sua confiança na vindicação final da verdade. Tempos de tribulação deveriam ser tempos de confiança para aqueles que amam o Senhor (14). **Os meus tempos estão em tuas mãos** (15) é o reconhecimento claro do controle providencial de Deus sobre todas as coisas da vida que lhe dizem respeito. Esta é a fonte do verso no conhecido *"Rabbi Ben Ezra"* de Robert Browning:

> *Envelheça comigo!*
> *O melhor ainda está por vir,*
> *O final da vida para o qual o início foi feito.*
> *Nossos tempos estão nas mãos daquele*
> *Que disse: "Eu planejei o todo.*
> *O jovem conhece parcialmente; confie em Deus: perceba o todo; não tenha medo!"*

Tempos (*eth*) pode significar caminhos, estações, circunstâncias. Moffatt traduz esse termo por "sorte" ou "destino"; a Bíblia Anchor por "estágios da vida"; Harrison por "Meu destino está debaixo do seu controle". Os resultados da vida para nós não são deixados ao léu ou à própria sorte, mas estão em Mãos amorosas e justas.

O reconhecimento da mão orientadora de Deus encoraja o salmista a orar por proteção e libertação: **Faze resplandecer o teu rosto sobre o teu servo** (16). Aquele que invocar ao Senhor com sinceridade e verdade não será confundido. Isso ocorrerá com **os** ímpios (17; com referência ao tom imprecatório desse versículo, cf. Int.). **Lábios mentirosos** e caluniadores terão de emudecer (18). **Dizem coisas más com arrogância e desprezo contra o justo** também pode ser traduzido por: "Falam insolentemente contra o justo com orgulho e desprezo" (Berkeley).

4. Triunfo (31.19-24)

O ciclo das estações entra agora no verão, "alegre e dourado".[84] O salmista se manifesta em louvor puro, expressando o triunfo que surge da tribulação por meio da verdade. Talvez olhando para o futuro com fé, ou mais provavelmente depois que a tempestade passou, o salmista se gloria na "vitória que conquista" (1 Jo 5.4). Existe um grito nas palavras: **Quão grande é a tua bondade!** (19) — "Como é grande a tua bondade, que reservaste para aqueles que te temem" (NVI). É uma manifestação pública do favor divino, "diante dos filhos dos homens" (Anchor).

O próprio Deus é um Refúgio para o seu povo **das intrigas** ("tramas", ARA) **dos homens (20), um pavilhão** (abrigo) onde eles estarão fora de alcance **da contenda das línguas** ("do flagelo da difamação", Moffatt). O Senhor **fez maravilhosa a sua misericórdia** em **cidade segura** (21), ou: "Numa cidade cercada" (NVI), "Uma cidade entrincheirada" (Berkeley), completamente fortificada contra o inimigo. O poeta confessa o desespero que sente (22) e vê essa circunstância como uma outra expressão da bondade de Deus de que a sua oração será ouvida.

O salmo termina com um chamado aos **seus santos** (23) para que amem **ao SENHOR** e sejam "corajosos" (24, NVI). O motivo é que o Senhor preserva os fiéis e obedientes, e **retribui com abundância** ("retribui com largueza", ARA) **aos soberbos** (23; "os homens arrogantes", Moffatt). **Esforçai-vos** (24) significa literalmente: "Sejam fortes e deixem que seu coração seja valente, todos vocês que esperam no Senhor". **Esperais no** é usado no sentido de espera confiante. "Aqueles que confiam nele plenamente descobrem que ele é plenamente verdadeiro" (Frances Ridley Havergal).

Salmo 32: A Alegria pelo Perdão dos Pecados, 32.1-11

O Salmo 32 é o segundo de sete salmos de "penitência" (cf. Salmo 6, Int.). Muitos comentaristas associam esse salmo ao Salmo 51. Kirkpatrick entende que o salmo 32 foi escrito numa época posterior ao Salmo 51, expressando a conclusão bem-sucedida da penitência e oração descrita nesse salmo.[85] O Salmo 32 é identificado por meio do título como um salmo de Davi e é chamado de *masquil,* um termo encontrado no título de outros doze salmos (42, 44, 45, 52—55, 74, 78, 88, 89, 142). Ele provavelmente procede de um termo que significa "instruir, tornar atento, inteligente". Esse salmo então poderia ser identificado como um salmo didático ou de ensino ou uma meditação designada para ensinar.

O tema do salmo é a alegria de um coração perdoado. Se os versículos 3-4 forem interpretados como muitos o fazem no sentido de uma enfermidade física, então a alegria do toque curador de Deus também está incluída. "Entre os salmos não existe outro que toque em coisas de maneira mais profunda na vida da alma ou revele de maneira mais perfeita a forma de Javé agir em relação ao pecado, à contrição e à orientação do que o Salmo 32. Ele está pronto a perdoar, é capaz de libertar e está disposto a guiar".[86]

1. *Coberto* (32.1-2)
A felicidade da transgressão **perdoada** e do pecado **coberto** é proclamada de forma jubilosa (1). **Bem-aventurado** (cf. comentário em 1.1). **Transgressão** (*pesha*) é o termo mais forte e sério do AT para a maldade pessoal. Seu significado básico é rebelião, alta traição contra o soberano. **Pecado** (*chattah*) significa sair do caminho, errar o alvo. **Iniqüidade** (2; *avon*) é depravação ou distorção moral.[87]

Quando a rebelião **é perdoada** (1; *nasa*, retirada), o rebelde é restaurado ao seu lugar de direito como um subordinado obediente do seu Senhor celestial (Rm 5.1). Quando o **pecado é coberto** (*kacah*, apagar, ocultar ao preencher uma lacuna), o fracasso e vazio são supridos pela plenitude do Senhor. **Não imputa** (2) significa "não atribuir culpa" (NVI) ou "absolver" (Moffatt). Tanto no AT como no NT, imputar nunca significa "representar", mas sempre "tomar em consideração o que é". Quando o Senhor imputa justiça (Gn 15.6), é porque sua graça a concede. Quando o Senhor não imputa maldade, é porque sua graça a remove. Paulo interpreta esses versículos no contexto da experiência cristã de justificação e regeneração em Romanos 4.6-8. O pensamento aqui é que na experiência inicial de salvação, não apenas as nossas transgressões são perdoadas e nossos pecados cobertos, mas a natureza decaída original da qual as transgressões e pecados emergiram — natureza não ainda inteiramente purificada — deixam de ser imputados contra nós. **Em cujo espírito não há engano** sugere que uma "confissão completa" (Moffatt) nos purificou de todo engano e hipocrisia. A maior hipocrisia de todas é a negação do pecado por parte daquele que não foi perdoado.

2. *Condenação* (32.3-4)
Conforme foi observado na introdução, é possível que a condição descrita nesses versículos tenha sido de uma enfermidade física séria, possivelmente uma febre intensa. Mas essas palavras também podem ser uma descrição da enfermidade da alma, ou seja, o própria sentimento de culpa, a pregação fiel do mensageiro de Deus (2 Sm 12.7-14) e o Espírito Santo (Jo 16.7-11). **Enquanto eu me calei** (3) — não arrependido, recusando-se a confessar — **envelheceram os meus ossos**. A força e a saúde foram se desvanecendo. **Pelo meu bramido em todo o dia** indica queixa constante, mas ainda não a confissão. A **mão** de Deus **pesava sobre** ele **de dia e de noite** (4) e o seu **humor se tornou em sequidão de estio** — "Meu vigor secou como em tempo de seca no verão" (Berkeley). **Selá**: cf. comentário em 3.2. Seu uso aqui indica que esse salmo era usado na adoração pública, levando o povo à penitência e louvor.

3. *Confissão* (32.5)
A única cura certa para a condenação é a confissão. Em um sentido muito real, o "pecado imperdoável" é o pecado não confessado. Lawrence E. Toombs escreve: "Tentativas de encontrar cura para essa enfermidade no divã do psiquiatra podem apenas escondê-la debaixo da cobertura de uma 'personalidade bem ajustada', alicerçada na auto-justificação. Esse método não trata o pecado. O pecado é descartado. A cura também não pode ocorrer ao se alistar os pecados diante daqueles que o pecador ofendeu. Fazer isso é procurar perdão daqueles que são incapazes de verdadeiramente perdoar e cujo perdão ou ressentimento contínuo, em última análise, não fazem nenhuma diferença. O salmista sabe que deve buscar o perdão naquele em quem a purificação e a cura podem genuinamente ser encontradas.

> *Reconheci diante de ti o meu pecado*
> *E não encobri as minhas culpas."*[88]

4. Confiança (32.6-7)
Em um sentido restrito, o perdão se relaciona com o passado. Mas ele também comunica confiança para o futuro. A esperança e a fé são a base da nossa salvação (Rm 8.24). **Pelo que** (6) seria melhor "Portanto" (NVI). A fidelidade passada de Deus justifica nossa confiança em que Ele será encontrado quando o buscarmos de todo o coração (Dt 4.29). **No transbordar de muitas águas** o povo de Deus estará seguro, como aqueles que estão em um lugar alto. O Senhor é um "esconderijo" (7, ARA) em quem se pode encontrar a preservação **da angústia** — não no sentido de que a angústia não virá, mas de que Deus mostrará um caminho de **livramento**. "Muitas são as aflições do justo, mas o SENHOR o livra de todas" (Sl 34.19). **Tu me cinges** significa "tu me cercas" (ARA).

5. Conselho (32.8-11)
Alguns têm entendido que o comunicador desses versículos é o salmista, que agora assume o papel de mestre. Parece melhor, à luz da última cláusula do versículo 8, ler esses versículos como uma resposta do Senhor à declaração de confiança do seu servo. De qualquer forma, o perdão e a fé devem levar à obediência e à retidão. O "aspecto da obediência" ao evangelho deve ser seguido do "aspecto do comportamento". **Guiar-te-ei com os meus olhos** (8), ou seja, para a direção certa; ou como algumas versões mais recentes colocam: "Guiar-te-ei com meus olhos sobre ti" (cf. 33.18; 34.15); "Instruir-te-ei e te mostrarei o caminho que deves seguir" (Anchor). Em contraste com a obediência voluntária da alma perdoada está **o cavalo** (9) ou **a mula**, cuja obediência deve ser compelida por meio do **cabresto e freio**. A expressão: **para que se não atirem a ti** seria melhor traduzida como "para que possas aproximar-te deles" (Anchor).

As **muitas dores** do **ímpio** (10) estão em contraste com a **misericórdia** que cerca **os justos** (11), que são estimulados a se alegrar, a regozijar-se e a cantar **alegremente**. Como Edmund Jacob escreveu: "Embora o temor seja muito importante na religião de Israel, ele não ocupa o lugar central. A alegria excede em muito esse aspecto; a alegria pertence a Deus. Um Deus que ri, um Deus que perdoa tão amplamente com graça, é um Deus alegre: as estrelas da manhã (Jó 28.7) e a sabedoria (Pr 8.22-31) que expressam gritos de alegria diante dele são uma personificação poética de sentimentos relacionados ao Deus que tem prazer nas suas obras criadas (cf. Gn 1 e Sl 104.31) [...] 'Não há palavra', escreve L. Koehler, 'que seja mais central no Antigo Testamento do que a palavra alegria'. Deus reparte com o homem uma parte de sua alegria (Ec 2.26; 8.15; 9.7; 11.9 ss.). A alegria forma o centro do culto, que consiste em regozijar-se diante de Yahweh e em ter comunhão com ele [...] e, quando o reino futuro chegar, será marcado por grande alegria (Is 9.2)".[89] "A piedade do Antigo Testamento é algo vivo, espiritual, pessoal e alegre".[90]

SALMO 33: LOUVOR PELOS GRANDES ATOS DE DEUS, 33.1-22

Ao contrário da maioria dos salmos do Livro I, este salmo não apresenta um título no texto hebraico (cf. 1; 2 e 10). Ele é um hino de louvor e adoração ressaltando o poder soberano da palavra de Deus e de suas obras. O salmo é uma resposta adequada ao chamado de louvar com alegria expressado no último versículo do salmo anterior e ecoado nos versículos iniciais desse salmo.[91] O salmo pode ser dividido em três partes principais: louvor a Deus por sua palavra e obras a) na criação, versículos 1-9; b) na história, versículos 10-17; e c) na redenção, versículos 18-22.

1. *Deus na Criação* (33.1-9)

Os três primeiros versículos são um chamado ampliado para louvor e adoração, dirigido aos **justos** e aos **retos** (1; cf, 32.11). **Convém o louvor**, ou seja, "fica bem louvá-lo" (ARA). **Com saltério de dez cordas** (2) significa literalmente: "uma lira de dez cordas" (NVI). A **harpa** e o **saltério** (lira) eram ambos instrumentos de cordas, diferindo somente na forma. A **harpa** (*kinnor* — termo usado aqui pela primeira vez nos Salmos) é um dos instrumentos musicais mais antigos de que se tem conhecimento (Gn 4.21). Parece que era pequena o suficiente para ser carregada sem dificuldades (1 Sm 10.5). Davi era famoso pela sua habilidade com a harpa (2 Sm 16.23), as cordas que ele tangia aparentemente com seus dedos. Acredita-se que ela tinha de oito a dez cordas, estendidas numa armação de madeira. O **saltério** (*nebel*) ou lira é mencionado primeiramente em 1 Samuel 10.5, e por isso acredita-se que ele seja de origem fenícia. É possível que ele fosse maior que a harpa para suprir as notas graves da música. **Um cântico novo** (3) pode ter sido um reconhecimento das novas bênçãos que Deus concedia diariamente. **Tocai bem e com júbilo** significa literalmente: "Toquem com habilidade ao aclamá-lo" (NVI; cf. comentário em 32.11).

O chamado para louvar é seguido de uma descrição viva da palavra criativa e das obras de Deus no universo. O Criador é aquele cuja palavra **é reta** (4; *yashar*, correta), cujas **obras são fiéis** (*emunah*, fidelidade), e que ama **a justiça e o juízo** (5). "*Justiça* é o princípio da retidão; *juízo* a aplicação dela por meio de atos".[92] **A terra está cheia da bondade** (*chesed*, misericórdia, amor imutável) **do SENHOR** (cf. comentário em 17.9 e CBB, Vol. V, "Oséias", Int.).

Pela palavra do SENHOR foram feitos os céus (6) é uma expressão do poder onipotente que precisava da vontade e da palavra para que fosse realizado. Encontramos em João 1.3 um paralelo no NT, com sua profunda personalização da Palavra que estava com Deus e era Deus. **Todo o exército deles** faz lembrar Gênesis 2.1 e refere-se à formação das estrelas e dos corpos celestiais. O salmista não poderia imaginar o vasto número de estrelas que os astrônomos modernos têm descoberto, mas ele sabia onde e como elas tinham surgido.

O ajuntamento das **águas** e o armazenamento em "reservatórios" (7; ARA, NVI) referem-se à separação da terra e mar nos atos criativos iniciais de Deus (Gn 1.9-10). O uso do tempo presente sugere uma ação contínua na manutenção do universo ("sustentando todas as coisas pela palavra do seu poder", Hb 1.3). Moffatt traduz o versículo 7 da seguinte maneira: "Ele mantém as águas como num odre, e guarda os abismos das profundezas". Diante de um poder tão majestoso, **tema toda a terra ao SENHOR** (8). O significado é claramente expresso na segunda linha paralela desse versículo: "tremam diante dele" (NVI). "Pois ele falou — e a terra se formou, e sob sua ordem passou a existir" (9, Moffatt).

2. *Deus na História* (33.10-17)

Passando do poder de Deus na criação para a sua soberania na história, o salmista observa que **o SENHOR desfaz o conselho das nações** (10; *goyyim*, dos pagãos, gentios). "O homem propõe, mas Deus dispõe". **Intentos** são propósitos ou planos. Em contraste com os propósitos das nações e dos planos dos povos estão determinados os propósitos **do SENHOR** (11) e **os intentos do seu coração**. Aqueles que estão "do lado do Senhor" podem dizer: **Bem-aventurada é a nação cujo Deus é o SENHOR** (12). Palavras que têm um significado especial para **o povo que ele escolheu** possuem um significado ainda maior para aqueles que em Cristo são "a geração eleita, o sacerdócio real, a nação santa, o povo adquirido [especial]" (1 Pe 2.9).

Deus mantém a supervisão de **todos os filhos dos homens** (13). Visto que ele **forma o coração de todos eles** (15), ele conhece e pode avaliar, de maneira justa, todas as obras humanas. "Ele que formou as suas mentes, conhece tudo o que fazem" (Moffatt). O belicismo desmedido recebe uma admoestação justa nos versículos 16-17. Grandes exércitos, poderio militar, armamentos poderosos e grande força são insuficientes para garantir a segurança de uma nação hoje em dia assim como nos tempos do salmista. As palavras proféticas de Rudyard Kipling escritas por ocasião do jubileu de diamante da Rainha Vitória, em junho de 1897, aplicam-se ao mundo moderno:

> *Chamadas para longe, nossas esquadras se desintegram;*
> *Nas dunas e nos cabos o fogo se afoga —*
> *Eis toda a nossa pompa de ontem*
> *Igualada à de Nínive e Tiro!*
> *Juiz das Nações, poupa-nos,*
> *Para que não esqueçamos — para que não esqueçamos!*
> ....
> *Pois corações pagãos colocam sua confiança*
> *Em canos fétidos e cacos de ferro —*
> *Todo pó valoroso que constrói sobre pó,*
> *E, protegendo, não clama a Ti por proteção —*
> *Por jactância desvairada e palavras vazias,*
> *Venha a Tua misericórdia sobre o Teu povo, Senhor!*
> *Amém.*

3. *Deus na Redenção (33.18-22)*

O Deus da criação e Senhor da história é conhecido como o Redentor daqueles que lhe pertencem. **Os olhos do SENHOR** (18), sempre despertos, **estão sobre os que o temem** e **sobre os que esperam na sua misericórdia** — "colocam sua esperança na sua bondade" (Moffatt). Ele livra **a sua alma da morte** (19), protegendo-os da pestilência ou seca e conserva-os **vivos na fome**. Em confiança tranqüila seu povo **espera no SENHOR** (20), que é **auxílio** e **escudo** para aqueles que confiam **no seu santo nome** (21). A alegria da esperança (22) pode ser vista na descrição de Paulo: "...esta graça, na qual estamos firmes; e nos gloriamos na esperança da glória de Deus" (Rm 5.2).

SALMO 34: UM SALMO DE LIBERTAÇÃO, 34.1-22

O Salmo 34 é amado por todos, em todos os lugares, e é um dos mais belos do Saltério. Ele é um canto de libertação do temor, do perigo, das angústias e aflições (4, 7, 17, 19). O título atribui o salmo a "Davi, quando mudou o seu semblante perante Abimeleque, que o expulsou, e ele se foi". Esta é uma referência a 1 Samuel 21.10-13, possivelmente como um exemplo do tipo de libertação considerado aqui. O salmo é alfabético ou acróstico em que cada versículo sucessivo inicia com a letra seguinte do alfabeto hebraico (com exceção do *vav*, a sexta letra, que é deixada de fora, e um *pe* extra, a décima sétima letra, que foi acrescentada no final; cf. Salmos 9; 10; 25).

1. *Louvor* (34.1-6)

O poeta proclama seu propósito de louvar **o Senhor em todo tempo** (1). A palavra "bendirei" (ARA; *barak*) vem da raiz que significa "ajoelhar diante de", por conseguinte: reconhecer, adorar, louvar, agradecer. Ao ouvir o que Deus tem feito, **os mansos se alegrarão**. Engrandecer **ao Senhor** (3) significa tornar Deus grande aos olhos dos outros ao contar sobre a sua magnificência. O **nome** de Deus é exaltado à medida que seu poder salvador se torna conhecido em toda parte.

A exortação para louvar é reforçada pelo testemunho pessoal de libertação **de todos os** seus **temores** (4). Medo (ou temor) e atitude de fé na bondade de Deus são uma contradição. "O temor do Senhor" destrói todos os medos e ansiedades não naturais. Todos aqueles que, de forma semelhante ao salmista, **olharam para ele [...] foram iluminados** (5). Uma tradução correta dessa frase diz: "Os que olham para ele estão radiantes" (NVI). Moffatt traduz: "Olhem para ele e vocês irradiarão alegria". Esse é o brilho e encanto da personalidade cristã. Outra vez, uma nota pessoal ecoa: Deus havia livrado seu servo (que clamava) **de todas as suas angústias** (6); isso não significa que ele não enfrentasse tribulações, mas que ele experimentava a salvação no meio delas.

2. *Provisão* (34.7-10)

A provisão para as necessidades legítimas é completa e excede todas as coisas encontradas na natureza. **O anjo do Senhor** (7) é mencionado aqui pela primeira vez nos Salmos (cf. 35.5-6). Esse não é um anjo comum, mas é a expressão característica do AT para se referir àquela presença divina que é ao mesmo tempo identificada com Deus e diferenciada dele (cf. Gn 16.7,13; Jz 13.21-22; Os 12.4-5). Muitos entendem, de maneira acertada, que esse **anjo do Senhor** é uma aparição pré-encarnada da Segunda Pessoa da Trindade.[93] Acerca de **acampa-se ao redor**, veja comentário em 125.2. **Provai e vede** (8) é o apelo bíblico às experiências pessoais. Se você provar, você verá. Se você não provar, não poderá ver que o Senhor é bom. "Provar vem antes de ver. A experiência espiritual leva ao conhecimento espiritual e não o contrário. Davi deseja que os outros, semelhantemente, experimentem o que ele está experimentando e conheçam o que ele conhece, ou seja, a bondade de Deus".[94]

Nada na ordem natural pode igualar-se à segurança de que o povo de Deus desfruta. **Não tem falta** (9) significa nenhuma deficiência, necessidade ou empobrecimento. Uma forma diferente da mesma raiz é encontrada no versículo 10 e em Salmos 23.1. Não é "falta" no sentido de desejo mas "falta" no sentido de uma deficiência que é suprida pela providência da mão divina. Ainda que **os filhos dos leões,** no auge do seu poder para capturar uma presa, **necessitam e sofrem fome [...] aqueles que buscam ao Senhor de nada têm falta** (10).

3. Prática (34.11-14)

A segunda parte do salmo é devotada a instruções éticas, e de acordo com os escritores sapienciais é introduzida da seguinte forma: **Vinde, meninos, ouvi-me** (11; cf. Pv 1.8; 2.1; 3.1,11; etc.). **O temor do SENHOR** é o termo do AT para a verdadeira religião. Ele é o tema central do livro de Provérbios. Aqui, como lá, "por *temor do Senhor* deveríamos entender tudo que é piedoso, ou seja, tudo que um relacionamento correto com Deus significa. Esse é o aspecto que mais se aproxima do pensamento hebraico da palavra 'religião'. O termo traz consigo a idéia de uma atitude correta em relação a Deus e a expressão prática dessa atitude na vida do homem no dia-a-dia".[95]

Quem é o homem que deseja a vida? (12) é uma pergunta retórica que tem o seguinte sentido: "todo aquele que deseja vida e prosperidade". As orientações são claras: a **língua** e os **lábios** (13) devem ser guardados **do mal** e de falar **enganosamente** (insinceridade, hipocrisia). A vida deve estar livre do **mal** e repleta de **bem** (14). O homem de Deus deve procurar a **paz** (*shalom*, incluindo também a idéia de bem-estar, saúde, plenitude, integridade, perfeição — cf. Hb 12.14). Mais do que o legalismo do judaísmo posterior, esse era o padrão para uma vida plena no AT.

4. Proteção (34.15-22)

A repetição constante nos salmos da promessa de proteção dos perigos na vida é um lembrete da insegurança que o homem experimenta se a sua fé não está alicerçada em Deus. Mais uma vez vemos que **os olhos do SENHOR** (15; seu cuidado vigilante) **estão sobre os justos**, e ele se dispõe a ouvir o **clamor dos justos**. Por outro lado, o julgamento de Deus é manifestado **contra os que fazem o mal** (16). Em relação ao versículo 17 veja o comentário do versículo 6.

O Senhor está próximo dos quebrantados e **contritos de espírito** (18), um pensamento que ecoa do início ao fim dos salmos (cf. 51.17). **O SENHOR** livra os **justos** das suas muitas **aflições** (19). Alguém comentou: "Prefiro ter mil aflições e experimentar o livramento de todas elas, a ter meia dúzia e ficar emperrado no meio delas!" Os **ossos** (20) são a estrutura do corpo físico. Por esta razão, **guarda todos os seus ossos** representa a força do homem. **A malícia matará o ímpio** (21); os próprios pecados deles trazem consigo o salário da morte (Rm 6.23). **Serão punidos** significa literalmente: "serão condenados ou culpados" (*asham*). Ódio e ressentimento, bem como as obras violentas que essas emoções evocam, estão debaixo do julgamento de Deus (Mt 5.21-22; 1 Jo 2.9-11; 3.15). **O SENHOR resgata** (22; "redime", NVI) está no tempo presente contínuo: Ele está redimindo. A salvação é contínua bem como instantânea. **Condenado**, como no versículo 21, é *asham* (culpado).

SALMO 35: ORAÇÃO EM MEIO AO PERIGO PESSOAL, 35.1-28

Este é o primeiro dos salmos imprecatórios (veja Int., "Classificação dos Salmos") do Livro I. Ele recebe essa conotação principalmente com base nos versículos 3-8 e 25-26. No entanto, a ênfase principal está na queixa do salmista quanto a sua angústia e seu forte clamor pela ajuda divina. Morgan comenta: "Encontramos agonia nesse cântico. O cantor está cercado de inimigos. Eles estão brigando com ele, lutando contra ele. Eles estão tramando contra ele, estendendo traiçoeiramente uma rede para os seus pés [...] Antes de criticarmos o cantor por sua atitude em relação aos seus inimigos, vamos nos colocar no seu lugar. De maneira alguma o nível da realização espiritual nesse salmo é igual a muitos outros. Um dos seus maiores valores na coleção é sua revelação de como, em todas as circunstâncias, a alma se volta para Deus".[96]

Contudo, o aspecto destacado por Oesterley merece nossa atenção: "Apesar das graves injustiças sofridas pelo salmista, em momento algum ele expressa a intenção, ou mesmo o desejo, de vingar-se pessoalmente dos seus inimigos e traidores; que ele deseje o castigo para eles é absolutamente natural. Lembramos de Romanos 12.19: 'Minha é a vingança; eu recompensarei, diz o Senhor'; cf. Deuteronômio 32.35. Essa colocação franca da sua causa aos cuidados do Deus onisciente testifica de uma sinceridade verdadeira da crença religiosa."[97]

O salmo pode ser dividido em três partes principais. Cada uma delas termina com uma promessa de ações de graça (1-10, 11-18, 19-28). O título hebraico é: "Salmo de Davi".

1. Pedido (35.1-10)

O salmista coloca sua causa diante do Senhor em um eloqüente pedido por vindicação. Ele é o objeto de contenda e oposição e clama seriamente para que Deus fique do seu lado contra seus inimigos. A imagem dos versículos 1-3 é de um campo de batalha: **Pleiteiam [...] pelejam [...] escudo e rodela [...] lança**. O escudo era uma arma de proteção pequena e a **rodela** ("o broquel", ARA) era maior, cobrindo o corpo todo.

Tira ("Empunha", ARA) sugere empunhar armas de um depósito de armas. **Obstrui o caminho** é entendido por alguns como um chamado para o uso de uma arma sem nome definido, talvez um dardo (RSV) ou machado de guerra (NVI). No entanto, a versão *Berkeley* apresenta uma tradução que faz sentido dessa difícil construção hebraica: "Bloqueia o caminho dos meus perseguidores". "Prepara a lança e o dardo para enfrentar meus perseguidores" (Anchor). A **salvação** como é usada aqui é um exemplo da amplitude desse termo. Cf. comentário em 3.8. **Confundidos** (desconcertados, perplexos) **e envergonhados (4) [...] voltem atrás e envergonhem-se** continua a descrição de um campo de batalha. **Como pragana** ("palha", ARA) **perante o vento** (5), conduzido por um **caminho tenebroso e escorregadio** (6) pelo **anjo do Senhor** (cf. comentário em 34.7), o inimigo deve ser aniquilado.

No versículo 7, a metáfora muda para caçador e caça — **rede [...] cova [...] cavaram**. Sem serem provocados, os inimigos de Davi (é possível que o salmista esteja se referindo aqui a Saul e seus defensores) o caçam com toda a discrição e habilidade de um caçador de animais por meio de armadilhas. Mas o mal é autodestruidor, e o caçador acabará caindo na sua própria **rede** (8). Moffatt traduz a expressão **sem o saberem** por: "Sejam eles surpreendidos pela ruína!" **Caiam eles nessa mesma destruição** é a interpretação da NVI: "Caiam na cova que abriram, para a sua própria ruína".

Essa divisão termina com uma promessa de ações de graça típica no final da maioria dos salmos de lamentação. O salmista espera uma intervenção divina para que a sua **alma** se alegre **no Senhor** (9), regozijando-se **na sua salvação**. Seus **ossos** (cf. comentário em 34.20) **dirão: Senhor, quem é como tu**, livrando **o pobre** dos seus fortes "extorsionários" (v. 10, ARA; "daqueles que os exploram", NVI)?

2. *Perigo* (35.11-18)

Davi retorna para o relato do seu perigo. Ele foi objeto de **falsas testemunhas** (11); o bem que ele fez foi pago com o mal, **roubando** (12) — literalmente, "privando, despojando" — **a sua alma**. A atitude dos seus inimigos não era, de forma alguma, um reflexo da sua atitude. **Quando estavam enfermos** (13), ele havia se vestido com **pano de saco** — um símbolo comum de pranto ou luto — e havia jejuado e orado por eles. **A minha oração voltava para o meu seio** pode ser interpretado como alguém com a cabeça inclinada em seu próprio peito em oração ou como alguém que reconhece que suas orações não alcançaram o Senhor por causa da rebelião daqueles por quem orava. Kirkpatrick (provavelmente de forma acertada) sugere que, embora as orações não houvessem beneficiado aqueles por quem foram oferecidas, elas tinham retornado em uma medida de bênção sobre aquele que orava.[98] Toda conduta de Davi havia sido de um **irmão** e **amigo** (14); ele tinha se preocupado **como quem chora por sua mãe**.

No entanto, essas mesmas pessoas se alegraram com a **adversidade** do salmista, quando as condições se reverteram (15). **Os abjetos se congregavam** é uma frase que tem aturdido os tradutores. **Abjetos** é um termo obsoleto que pode significar "abandonados" ou "párias". Várias sugestões têm sido feitas. A ASV (nota de rodapé) e a versão Anchor traduzem esse termo por "desprezíveis"; a RSV por "estropiados". A versão *Berkeley* traduz por "difamadores". O sentido geral está claro. Inocente de má ação, o poeta é traído por aqueles que julgava serem seus amigos, que se voltaram contra ele com mentiras difamadoras. **Rangiam** (16) é uma figura de linguagem. Harrison a interpreta da seguinte forma: "Rasgando minha reputação em pedaços incessantemente".

Essa seção também termina com oração e promessa. **Senhor, até quando?** (17) é um grito de uma alma cercada de dificuldades. Deus parece apenas um espectador. **Resgata [...] minha predileta** é literalmente "minha única", no sentido de sua vida. Os **leões** representam seus oponentes cruéis. A promessa, na condição de libertação, é louvar ("dar graças", ARA e NVI) **na grande congregação** (18) e celebrar **entre muitíssimo povo**. A expressão "grande congregação" significa multidão de adoradores. **Muitíssimo povo** é literalmente: "uma nação poderosa".

3. *Perspectiva* (35.19-28)

Embora o salmista retorne ao seu lamento e oração, dessa vez isso ocorre num tom mais sereno. Ele está preocupado em que seus inimigos não se alegrem **sem razão** acerca dos seus infortúnios (19) **nem pisquem os olhos** de satisfação com as suas maldades sem causa. A conduta geral desses inimigos é procurar **enganar os quietos da terra** (20); eles maquinam "conspirações astutas contra os pacíficos" (Moffatt). Por meio de escárnio, **eles** "escancaram [...] a boca" (ARA), exclamando com satisfação: **Os nossos olhos [...] viram** a queda do objeto da nossa inveja.

Davi apela para que o Senhor julgue com **justiça** (22-24). Ele está preocupado em que os maus desígnios contra ele não prevaleçam (25), mas que seus inimigos sejam confundidos (26). Por outro lado, ele deseja que aqueles que **amam** a sua **justiça** (27) se alegrem com a evidência de que o SENHOR [...] **ama a prosperidade do seu servo**. A promessa costumeira de ações de graça conclui o salmo (28).

SALMO 36: IMPIEDADE E SABEDORIA, 36.1-12

O Salmo 36 é um dos salmos de sabedoria que apresenta um retrato característico dos dois caminhos contrastantes da vida: o caminho da impiedade e o caminho da sabedoria. O título atribui o salmo ao "cantor-mor" e identifica-o como "Salmo de Davi, servo do Senhor" (cf. nota introdutória do Salmo 18).

1. *A Corrupção dos Ímpios* (36.1-4)

Os versículos 1-4 retratam o caráter do ímpio que faz da impiedade a sua escolha deliberada. **A prevaricação do ímpio fala** (1) é descrito por Oesterley da seguinte forma: "A personificação da transgressão descrita aqui é única nos *Salmos*. Ela é representada como um demônio que sussurra a tentação no coração daquele que está disposto a ouvir, isto é, o pecador. A referência aqui não é ao ateísmo, como em Salmos 53.1: 'Disse o néscio no seu coração: Não há Deus' (cf. Sl 14.1). Nesse caso é ainda pior, porque embora a existência de Deus seja reconhecida, a desconsideração pela sua própria honra lhe é imputada".⁹⁹ A auto-satisfação do ímpio é refletida no fato de que **em seus olhos se lisonjeia** (2). **Até que a sua iniqüidade se mostre detestável** pode ser entendido como: a complacência da pessoa ímpia será abalada quando os resultados dos seus pecados se voltarem contra ela; ou, que a pessoa ímpia se iluda com o pensamento de que sua iniqüidade nunca será descoberta. A total depravação da alma entregue ao pecado é descrita em termos vívidos: **As palavras da sua boca são malícia e engano** (3) [...] **deixou de entender e de fazer o bem.** [...] **Maquina o mal** (*avon*, iniqüidade, corrupção) **na sua cama** (4) [...] **que não é bom** [...] **não aborrece** (no sentido de na verdade deleitar-se em) **o mal.** "Ele nunca se afasta do mal" (Anchor).

2. *O Caráter de Deus* (36.5-9)

O salmista então volta a sua atenção para o caráter admirável do Senhor. A **misericórdia, fidelidade** e **juízos** (6; *mishpat*, decisões, ordenanças) são a base da graça que conserva **os homens e os animais**. Por causa da excelência da **benignidade** de Deus (7; *chesed* — misericórdia, amor duradouro e imutável, graça; cf. 17.7, comentário), **os filhos dos homens se abrigam à sombra das suas asas**. Encontramos aqui uma metáfora bonita e familiar de proteção e cuidado (91.4; Mt 23.37). Satisfação abundante é assegurada àqueles que compartilham das coisas boas que Deus proporciona e que aprendem a desfrutar o que agrada a Ele (8). **Gordura** nesse caso significa "abundância" (ARA). "Pois em tua presença está a própria fonte da vida, e em teu sorriso, temos a luz da vida" (9, Moffatt).

3. *Continuidade na Graça* (36.10-12).

O salmo conclui com uma oração em favor da continuação da **benignidade** (10; *chesed*, como no v. 7) e **justiça** para com aqueles que **conhecem** o Senhor e são **retos de coração**. O salmista ora: **Não venha sobre mim o pé dos soberbos** ("da insolência", ARA), no sentido de pisoteá-lo (11). Mas **os obreiros da iniqüidade** (12) serão "lançados ao chão" (NVI) e nunca mais **poderão** se **levantar**.

177

Salmo 37: Os Justos e os Ímpios, 37.1-40

O Salmo 37 é mais um salmo sapiencial (cf. Int. do Salmo 36). Simplesmente intitulado: "Salmo de Davi", ele é um dos três salmos (cf. 49; 73) que tratam do difícil problema da prosperidade dos ímpios. Muito da literatura sapiencial (principalmente o livro de Jó) trata desse tema. Aqui se sugere que a prosperidade dos ímpios é apenas temporária. A chave para entender esse salmo é sua ordem inicial: "Não te indignes".

Este é também um salmo alfabético ou acróstico, com um aspecto adicional no sentido de que cada letra do alfabeto hebraico inicia linhas alternadas, resultando em duas linhas para cada letra. A maior parte dos dísticos de versículos é completa e independente, semelhante aos provérbios individuais em Provérbios 10.1—22.16. Embora não seja possível traçar um esboço completamente satisfatório, podemos observar quatro divisões principais: Compromisso (1-11); Catástrofe (12-22); Confiança (23-31) e Contraste (32-40).

1. *Compromisso* (37.1-11)

O salmista nessa parte do salmo dirige-se à "alma reta" desnorteada pelas injustiças da vida (cf. v. 7). Seu pensamento-chave é que um compromisso com Deus contribui para a satisfação e a serenidade, mesmo diante das contradições da experiência. Os fiéis não devem indignar-se ou ter **inveja** dos **malfeitores** ou **dos que praticam a iniqüidade** (1). Eles **cedo serão ceifados** para murchar **como a verdura** (2; "erva verde", ARA). Aqueles que confiam **no** Senhor e fazem **o bem** certamente terão casa e comida (3). Aqueles que se deleitam **no Senhor** (4) terão aquilo que o seu **coração** desejar — uma promessa tão marcante quanto a de João 14.13 e 15.7 e baseada no fato de que aqueles cujo prazer está no Senhor desejarão fazer a vontade dele acima de qualquer outra coisa. O **caminho** comprometido (5), a vindicação da orientação de Deus (6), um descanso tranqüilo **no Senhor** (7) e uma recusa de procurar a própria vindicação (8) são os princípios básicos de uma vida piedosa. **Entrega o teu caminho** (5) significa literalmente: "Lança tua vida sobre o Senhor". **Justiça como a luz** (6) sugere que, como o sol se torna mais brilhante durante o dia, a causa justa do povo de Deus será cada vez mais vindicada com o passar do tempo. **Não te indignes para fazer o mal** (8) foi traduzido com propriedade pela Edição Revista e Atualizada assim: "Não te impacientes; certamente, isso acabará mal". A NVI traduz: "Não se irrite: isso só leva ao mal". Indignação, impaciência e inveja são laços do diabo.

A solução do salmista para o problema do ímpio que prospera e o justo que sofre é retomada novamente nos versículos 9-10 (cf. v. 2). As disparidades da vida são apenas temporárias. O mal logo receberá sua recompensa merecida. Em contrapartida, **aqueles que esperam no Senhor** (9) e os **mansos** (11) **herdarão a terra** (cf. Mt 5.5). Eles **se deleitarão na abundância de paz**.

2. *Catástrofe* (37.12-22)

Com exceção de dois, lemos em todos os versículos dessa seção acerca dos desastres que virão sobre o ímpio. **O ímpio maquina contra o justo** e se enfurece contra ele (12); mas o **Senhor se rirá dele** (13), **pois** o **dia** do seu julgamento **vem chegan-**

do. A **espada** dos ímpios puxada (14) contra o justo **entrará no** seu próprio **coração** (15) e suas armas serão despedaçadas. **Reto caminho** (14) quer dizer "conduta reta". **O justo** pode ter apenas **pouco** (16), mas isso **vale mais** do que todas **as riquezas dos** ímpios. **Os braços** (uma metáfora para "força") **dos ímpios se quebrarão** (17); mas o SENHOR dá suporte aos **justos**. Moffatt traduz o versículo 18 da seguinte forma: "A riqueza dos retos é o cuidado do Eterno e as suas posses duram para sempre". Em tempos difíceis, Deus vai suprir suas necessidades (19: cf. Fp 4.19), a melhor segurança que a terra ou o céu pode ter. **Os ímpios** são tão passageiros quanto a **gordura dos cordeiros** (20), isto é, como a fumaça dos holocaustos. Eles prosperam por meio de negócios desonestos, enquanto **o justo** (21) pensa o seguinte no seu coração: "Mais bem-aventurada coisa é dar do que receber" (cf. At 20.35). O resultado final da vida depende do tipo de relacionamento que o homem teve com seu Criador. Ou ele será abençoado ou amaldiçoado por Ele (22).

3. *Confiança* (37.23-21)
Enquanto a seção precedente ressaltou a catástrofe que aguarda o ímpio, esta seção dá maior atenção à certeza e à confiança do justo. Os ímpios são mencionados uma única vez (28). **Os passos de um homem bom são confirmados pelo Senhor** (23). George Müller, de Bristol, costumava dizer que isto também quer dizer: "as 'paradas' de um homem bom" — aquela providência inexplicável de Deus que pode colocar o melhor do homem "na prateleira" por um tempo. Moffatt traduz o versículo 24 de maneira notável: "Ele pode cair, mas nunca desmorona, porque o Eterno o segura pela mão". O salmista é testemunha pessoal das providências infalíveis de Deus (25). **Sua descendência** (25,26,28) são seus filhos. Por meio de todas as inconstâncias e mudanças da vida, o povo de Deus ficará bem (28-30). O justo **compadece-se**; ele está pronto para emprestar (26) e vive da forma certa (27). Suas palavras são sábias e justas (30). O segredo é: **A lei do seu Deus está em seu coração** (31; cf. Jr 31.33; Hb 10.16); **os seus passos não resvalarão** (isto é, "seus pés nunca escorregam", Anchor).

4. *Contraste* (37.32-40)
O forte contraste entre as atitudes presentes e destinos futuros do justo e do ímpio até aqui foi o tema desse salmo. O contraste chega ao ponto culminante nessa seção final. **O ímpio** se opõe ao **justo** em todos os seus movimentos (32), mas **o** SENHOR salva aquele que pertence a Ele e não **condenará** seus santos quando forem julgados erroneamente pelos homens (33). Os servos fiéis de Deus são encorajados a esperar **no** SENHOR e guardar **o seu caminho** (34). Eles ainda verão a justiça do Senhor. Enquanto o salmista relembrava suas próprias experiências passadas para confirmar o cuidado providencial de Deus pelo seu povo (25), ele agora se vale das suas observações para ilustrar a fugacidade do poder temporário do ímpio (35-36). Um historiador resume "a evolução de um ditador" em três palavras: Herói, Nero, Zero. (Em inglês a rima é melhor: "Hero, Nero, Zero"). **Árvore verde** (35) é uma expressão interpretada por diversas traduções modernas como "cedros do Líbano". Os resultados contrastantes da vida do reto e do ímpio são apresentados nos versículos 37-38 (cf. Rm 6.23). O Senhor é para o seu povo 1) **salvação**; 2) **fortaleza no tempo da angústia**; 3) ajuda e libertação — **porquanto confiam nele** (39-40).

Salmo 38: A Oração do Penitente, 38.1-22

O Salmo 38 é o terceiro salmo de penitência (cf. 6; 32). Ele recebe o seguinte título: "Salmo de Davi para lembrança" ou "para memorial", uma frase também encontrada no título do salmo 70. Seu tema é o fardo insuportável de pecado e culpa. Junto com os Salmos 6; 51 e 32, ele é tradicionalmente ligado ao pecado de Davi com Bate-Seba. Delitzsch sugere que a ordem cronológica desses quatro salmos seja a seguinte: 6; 38; 51 e 32.[100] Morgan comenta: "As circunstâncias do cantor eram extremamente desoladoras. Ele estava sofrendo de uma terrível enfermidade física, desertado por seus amigos e perseguido pelos seus inimigos. A amargura mais profunda de sua alma era causada pelo sentimento esmagador de sua contaminação moral. Ele reconhece que todo seu sofrimento era conseqüência da repreensão e do castigo de Javé por causa do seu pecado. Esse sentimento de pecado o esmagava, e em sua angústia ele clamou a Javé".[101]

1. *Castigo pelo Pecado* (38.1-8)
O salmista está enfermo física e emocionalmente. Ele acredita que os dois tipos de enfermidades são resultado direto do seu pecado. Particularmente, ele acha que a sua enfermidade é uma repreensão e castigo proporcionado pela ira do Senhor (1-3). Sabemos com base em Jó 2.7-10 que a doença nem sempre é conseqüência de pecados pessoais. Mas 1 Coríntios 11.30 e Tg 5.15 mostram que existe essa possibilidade. **As minhas iniqüidades ultrapassaram a minha cabeça** (4), ou: "Minhas iniqüidades me afogam" (Moffatt). A carga era **pesada** demais para ser carregada. **As minhas chagas cheiram mal e estão corruptas** (5) — cf. Is 1.5-6. Profundamente **abatido, lamentando** (6), **fraco e mui quebrantado** (8), ele clama em sua agonia. Essa linguagem apresenta, por meio de uma metáfora vívida, a corrupção do pecado. **Tenho rugido por causa do desassossego do meu coração** tem sido traduzido como: "Dou gemidos por efeito do desassossego do meu coração" (ARA).

2. *Abandonado pelos seus Amigos* (38.9-14)
Além da sua angústia penitente ele também sofre o abandono dos seus amigos e parentes, e os seus inimigos se reúnem para tirar vantagem de sua condição. Ele dirige seu **desejo** e **gemido** diretamente ao **Senhor** (9). **O meu coração dá voltas** (10) — "palpita" (NVI), "pulsa rápido" (Berkeley). O salmista sente-se abandonado pelos **amigos** (11) e **propínquos** ("companheiros", ARA e NVI) e cercado por inimigos (12). Por causa do sentimento de culpa ele não consegue ouvir nem falar em sua defesa (13-14).

3. *Clamando pela Salvação* (38.15-22)
"O limite do homem é a oportunidade de Deus". No fim das suas forças, Davi clama: "Estou a ponto de cair" (17, NVI). Sem poder contar com a ajuda dos outros, ele se volta ao Senhor de todo seu coração. Ele não hesitará mais em expressar sua tristeza penitente pelo pecado: **Confessarei a minha iniqüidade** (18). Embora tivesse pecado, ele não tinha cortado sua comunicação com Deus e a possibilidade de retornar a Ele. Semelhantemente ao filho pródigo em Lucas 15.11-24, o salmista tinha perdido o rumo, mas não havia esquecido o endereço: **Eu sigo o que é bom** (20). Ele termina com uma petição urgente: **Apressa-te em meu auxílio, Senhor, minha salvação** (22).

Salmo 39: Mais uma Oração Penitente, 39.1-13

O Salmo 39 pode ser considerado uma seqüência apropriada do Salmo 38, embora não seja tecnicamente classificado como um salmo de penitência. William Taylor especula que o Salmo 39 não está incluído entre os salmos de penitência porque a percepção do salmista do seu pecado pessoal parece menos proeminente do que seu sentimento quanto à fragilidade da vida humana. "Ele reconhece o seu pecado, mas o enxerga à luz da tragédia indescritível da existência breve e sombria do homem, um fenômeno passageiro no mundo. Apesar da brevidade do seu poema, ele habilmente revela, ou sugere, a variedade de disposição de ânimo que suas ponderações demonstram — fé, rebelião, desespero, penitência, renúncia e confiança".[102]

O título dedica o salmo ao cantor-mor, Jedutum, cujo nome também aparece nos títulos dos Salmos 62 e 77. Jedutum é encontrado junto com Hemã e Asafe como um dos superintendentes da música do Templo (1 Cr 16.41; 25.1; etc.). O salmo é creditado a Davi.

1. *Silêncio e Discurso* (39.1-5)
Possivelmente se sentindo culpado em seu próprio coração por ter falado contra Deus, o salmista se dispõe a sofrer em **silêncio** (1-2). Mas o **fogo** de sua profunda emoção é forte demais para ser contido (3). Ele, portanto, dirige seu desejo ao Senhor, para que Ele o faça **conhecer o** seu **fim, e a medida dos** seus **dias** (4) — **quanto sou frágil.** Seus dias tinham o comprimento de um **palmo** (5), **como nada diante** de Deus. **Na verdade, todo homem, por mais firme que esteja, é totalmente vaidade**; (a NVI traduz da seguinte forma: "De fato, o homem não passa de um sopro"). **Selá**: cf. comentário em 3.2.

2. *Entrega* (39.6-11)
A luta para amontoar riquezas é pura insensatez — **em vão se inquietam** (6). O salmista concentra sua esperança na entrega aos propósitos mais profundos da sua aflição (7-11). Ele relaciona o livramento das suas transgressões à cura da sua enfermidade física. "Tu disciplinas o homem mortal, ao castigar a sua culpa, destruindo a sua beleza como traça — o homem não passa de um sopro vazio!" (11, Moffatt). **Selá** — cf. comentário em 3.2.

3. *Súplica* (39.12-13)
Os últimos dois versículos são uma forte súplica para que Deus ouça a **oração** e o **clamor** do seu servo e seja tocado pelas suas **lágrimas** (12). Existe uma intensidade crescente na petição. **Estranho** e **peregrino** eram termos técnicos para o que chamaríamos de "residentes estrangeiros", desfrutando da hospitalidade da terra sem ter direito a ela (Êx 22.21). A idéia dá a entender que Davi e seus antepassados eram convidados de Deus e, de acordo com o costume oriental, tinham o direito à sua proteção e provisão. Sentindo a premência de sua necessidade, o salmista ora: **Poupa-me, até que tome alento, antes que me vá e não seja mais** (13). Acerca do conceito do AT de vida após a morte, cf. comentários em Salmos 6.5 e 11.7.

SALMOS 40.1-12   LIVRO I: SALMOS DE DAVI

SALMO 40: A NATUREZA DA VERDADEIRA ADORAÇÃO, 40.1-17

O Salmo 40 parece uma combinação de dois cânticos independentes, visto que os versículos 13-17 são praticamente idênticos ao Salmo 70. Ambos são atribuídos a Davi e dedicados ao cantor-mor. Por causa do uso no NT dos versículos 6-8 (Hb 10.5-9), o salmo pode ser considerado messiânico; isto é, referindo-se, pelo menos em parte, a Cristo. Por essa razão, ele é freqüentemente usado em igrejas litúrgicas nas leituras da Sexta-feira Santa.

1. *Cântico* (40.1-5)
A primeira seção do salmo é um cântico de louvor a Deus pela oração respondida. Davi recorda a sua espera paciente **no SENHOR** (1) e pela resposta de Deus. O ato salvador do Senhor tirou o salmista **de um lago** (poço) **horrível** (2; lit., de um poço estrondoso), cujo fundo continha um **charco de lodo** (um pântano, ou mesmo areia movediça) e **pôs os** seus **pés sobre uma rocha**. Essa libertação demandava um **novo cântico** (3), **um hino ao nosso Deus**. Esses versículos são a base do conhecido hino evangélico de H. J. Zelley: "Ele me Tirou". **Bem-aventurado o homem que põe no SENHOR a sua confiança** (4). **Que não respeita** significa literalmente: "que não vai atrás" (NVI) ou: "que não se volta para". O cântico de louvor se funde em um hino de adoração, exaltando as **maravilhas** (5) que Deus tem operado e os **pensamentos** (desígnios benevolentes) que tem para com o seu povo. Alguns têm retificado a expressão hebraica **não se podem contar diante de ti** para "ninguém há que se possa igualar contigo" (cf. ARA). No entanto, da forma como encontramos essa expressão, ela sugere que o número e a maravilha dos propósitos de Deus para com o seu povo são tão grandes que nenhuma mente humana pode "colocá-los em ordem" ou calcular o seu total — **são mais do que se podem contar**.

2. *Submissão* (40.6-12)
No seu contexto original, esta é uma expressão nobre da percepção profética de que Deus estava mais preocupado com a obediência e submissão à sua vontade do que com sacrifícios e ofertas prescritos no culto do AT. Muitos entendem que essas declarações ou outras semelhantes a essas nos livros proféticos (e.g., Is 1.11-15; Mq 6.6-8) são uma rejeição da adoração no Templo divinamente ordenado. Mas, esse não era o caso. A objeção era contra o sacrifício sem sinceridade, um ritual sem a verdadeira retidão.

No entanto, para os cristãos essas palavras sempre terão um significado messiânico (Hb 10.5-7). Seu cumprimento final está no Filho Maior de Davi, com exceção do versículo 12 (*q.v.*). **Os meus ouvidos abriste** (6) — acerca da variante em Hebreus, cf. CBB, Vol. IX. **No rolo do livro** (7): os livros antigos eram elaborados em forma de rolos (de pergaminho). O salmista se deleita em fazer a vontade de Deus e apregoa a **justiça** e **fidelidade** do Senhor na **grande congregação** (9-10). Em vista disso, ele pede para ser preservado continuamente pelas **misericórdias** e pela **verdade** de Deus (11). **Males sem número** (*raoth*; 12) é o termo mais amplo no hebraico para o que é ruim, difícil e pernicioso na vida. **Minhas iniqüidades** — literalmente, em relação ao salmista; figuradamente em relação ao Salvador, que levou "os nossos pecados sobre o madeiro" (1 Pe 2.24).

3. *Súplica* (40.13-17)

Esses versículos, com pequenas mudanças, reproduzem o Salmo 70. O salmista ora por libertação, **auxílio** (13), vindicação diante do escárnio (14-15) e bênção para o povo de Deus (16). **Confundidos** (14) é "desconcertados" ou "frustrados". Acerca de **Ah! Ah!** (15), cf. comentário em 35.21. **Confundidos sejam em troca da sua afronta** (15) significa desolação como recompensa pelo seu comportamento vergonhoso. Apesar da sua pobreza e necessidade, ele pode dizer: **O Senhor cuida de mim** (17) — se preocupa comigo; porque Deus é tanto **auxílio** como **libertador**.

SALMO 41: BENEVOLÊNCIA E TRAIÇÃO, 41.1-13

Como dezessete outros salmos do Livro I, o Salmo 41 é dedicado ao "cantor-mor". Ele também recebe o título: "Salmo de Davi". Ele é, em sua maior parte, um salmo de lamentação, mas, na verdade, trata de uma variedade muito grande de assuntos como o valor da caridade, a penitência pelo pecado, a opressão dos inimigos, a traição dos amigos e a oração por cura. Não é de admirar que alguns tenham questionado a unidade do salmo. No entanto, como Oesterley observa: "A ausência de uma seqüência lógica e rigorosa de pensamento, visível em outros salmos de natureza semelhante, é o marco do realismo e mostra quão humanos os salmistas eram".[103]

1. *Compaixão* (41.1-3)

Estes versículos descrevem a bem-aventurança daqueles que têm compaixão e consideração pelo **pobre**. Embora a linguagem seja genérica, Davi provavelmente está refletindo acerca da sua própria atitude em relação àqueles que estavam precisando de auxílio. Libertação (1), preservação, bênção (2) e renovo (3) estão entre as recompensas pela benevolência. A preocupação com os pobres é um dos temas recorrentes no AT (e.g., Lv 19.9-10; 23.22; Dt 24.19, etc.). **Tu renovas a sua cama na doença** significa literalmente: "tu transformarás seu leito de enfermidade em saúde e descanso restaurador".

2. *Contraste* (41.4-9)

Há duas estrofes nessa seção, em que cada uma delas contrasta o tratamento que o salmista recebeu em sua hora de necessidade com o tratamento que ele deu aos outros. Os versículos 4-6 descrevem uma época de doença, oração pela cura e confissão do pecado (4). Como ocorreu anteriormente, seus inimigos se alegram com a sua enfermidade e aguardam, com expectativa, a sua morte (5). Mesmo aqueles que vieram para vê-lo, fingindo estar preocupados, dizem **coisas vãs** (6), isto é, falsidades, hipocritamente desejando a sua recuperação.

A segunda estrofe é particularmente patética quanto à sua narrativa de traição. Iniciou-se uma "campanha de cochichos" contra ele. **Contra mim imaginam o mal** (7); isto é, eles estão tramando o mal. **Se lhe pegou** (8) tem sido interpretado como: "corre em suas veias" (Moffatt). **Meu próprio amigo íntimo** (9) foi, talvez, como M'Caw supõe, Aitofel (2 Sm 15.12,31).[104] **Que comia do meu pão** expressa o costume da hospitalidade oriental. **Levantou contra mim o seu calcanhar** talvez no sentido de usar sua proximidade para traí-lo; (Moffatt traduz: "Traiu-me seriamente"). O versículo é citado em João 13.18 na ocasião em que Judas traiu a Jesus.

3. *Clamor e Confiança* (41.10-13)

Uma oração final e uma expressão de fé concluem esse salmo. O salmista ora por cura, **para que eu lhes dê o pago** (10). Esta não é uma forma comum de expressar um desejo por castigo aos malfeitores. Geralmente, a vingança é deixada para Deus. No entanto, se o pano de fundo desse salmo é a revolta de Absalão, Davi, como rei, bem poderia sentir como seu dever administrar justiça àqueles que o traíam. Mesmo a sobrevivência, diante das circunstâncias, foi uma alusão ao favor divino (11). O olhar favorável de Deus era a sua força (12). **Me puseste diante da tua face para sempre** também tem sido traduzido como "me pões na tua presença para sempre" (Moffatt).

O versículo 13 é uma doxologia acrescentada para concluir o Livro I, como é o caso de cada um dos outros livros com exceção do Livro V, em que o Salmo 150 serve como doxologia. Snaith sugere que essa doxologia "bem pode ter sido usada, ainda que numa época posterior, na conclusão de cada salmo, e é provavelmente a origem primeira do costume atual de concluir com um *Glória*".[105] A bem-aventurança é **de século em século** — de eternidade passada até eternidade futura, sem início e sem fim. **Amém e Amém** é a resposta da congregação: "Assim é" ou "Assim seja". A repetição indica intensidade. **Amém** é derivado do termo hebraico que significa "verdadeiro", "fiel". Ele foi passado para o grego no NT, onde às vezes é traduzido como "em verdade" ou "verdadeiramente". Geralmente esse termo não é traduzido, mas vem para a nossa língua pela simples transliteração do hebraico do AT e do grego do NT.

Seção II

LIVRO II: SALMOS DO TEMPLO

Salmos 42—72

O Livro II dos Salmos inclui os salmos 42—72. Desses trinta e um salmos, somente dezoito são atribuídos a Davi — contrastando com o Livro I, no qual Davi é o único autor citado (cf. Int.). O Livro II faz parte do que é conhecido como "Saltério Eloístico", visto que o nome para a Divindade é *Elohim*, "Deus", em vez de *Yahweh*, "o Senhor" ou Javé (cf. Int.). Um importante subgrupo é 42—49, dedicado "para os filhos de Corá". Norman Snaith fez a intrigante sugestão de que esse grupo pode ter sido deslocado quando a coleção finalmente foi concluída. Se os salmos 42—50 são retirados do seu lugar e inseridos entre os Salmos 72 e 73, todos os "Salmos de Asafe" (cf. introduções do Salmo 50 e do Livro III) são reunidos no mesmo lugar e seguem imediatamente os "Salmos dos filhos de Corá".[1]

Salmos 42—43: O Anelo Profundo da Alma, 42.1—43.5

Há uma virtual unanimidade entre os comentaristas de que, originariamente, os salmos 42 e 43 formavam um único poema. Vários manuscritos hebraicos os unem, e o Salmo 43 é o único salmo no Livro II que não apresenta um título. O poema completo formava um salmo de lamentação, e 42.5,11 e 43.5 são versículos idênticos que servem como um tipo de refrão para o restante do poema. Idéias similares ocorrem ao longo do poema e a frase: "Por que ando angustiado por causa da opressão do inimigo?" (42.9) é repetida em 43.2. Vamos considerá-los como uma única obra.

O título do Salmo 42 contém a frase familiar: "para o cantor-mor". Esse salmo também indica que é um *masquil* (cf. Int. do Salmo 32), "para os filhos de Corá", que aparecem em 1 Crônicas 9.19; 26.1,19 como fazendo parte dos servos do Templo. Hemã, um dos coatitas (1 Cr 6.33-38), era o predecessor de um grupo de cantores do Templo organizados por Davi (1 Cr 15.17; 16.41-42; 25.4-5). Ao todo, onze salmos contêm referências em seus sobrescritos aos "filhos de Corá" (além dos salmos subseqüentes: 84; 85; 87 e 88).

Morgan escreve acerca do Salmo 42: "Esse é o cântico de um exílio e, além disso, de um exílio entre inimigos que não têm empatia alguma com as convicções religiosas dos exilados. Ele clama a Deus com toda a intensidade de alguém que conhece a Deus e se importa primordialmente com a honra do nome de Deus. Sua maior tristeza é decorrente das perguntas zombeteiras acerca do seu Deus. Em contraste com isso, ele lembra estar no meio da multidão de adoradores, como líder e companheiro deles".[2]

Os Salmos 42—43 podem ser divididos em três seções, cada uma terminando com o mesmo refrão.

1. *Separação* (42.1-5)

O anelo da alma do poeta por intimidade e comunhão com Deus é tão apaixonado que é descrito como a sede de um **cervo** (1; corça) por água refrescante da correnteza de uma montanha.

> *Como o cervo sedento em um deserto causticante*
> *Anseia pelo córrego e pelo capim verde e macio*
> *Assim a minha alma, fatigada com tanta labuta,*
> *Anela pela presença do Deus vivo.*[3]

Norman Snaith comenta: "O salmista está falando do desejo ardente de ter comunhão com Deus. Ele descreve alguém que, em certa época, chegou a conhecer esse tipo de comunhão. Aqui, esse desejo está diretamente ligado à adoração de Deus no seu santuário. As pessoas, naquela época e hoje, que são negligentes e apáticas quanto à participação na igreja nunca experimentaram o que realmente significa adorar a Deus. O homem que conhece algo acerca da alegria da comunhão com Deus, por meio de experiência própria, não estará apático acerca de qualquer oportunidade que estiver ao seu alcance para renovar essa comunhão, quer seja nas devocionais particulares ou na adoração pública. Em última análise, qualquer que seja o atrativo para estar presente na igreja, ela não terá proveito algum se não apresentar aquela fome da alma que só pode ser nutrida pelo Pão do Céu. Esse homem não consegue ficar longe dessa comunhão. Sua alma faminta o impelirá para lá".[4]

O **Deus vivo** (2) é mencionado pela primeira vez aqui no livro de Salmos. A expressão descreve muito bem o conceito do AT acerca do Deus verdadeiro. Ela é usada em um contraste natural com os ídolos, que eram vãos e seres vazios, "mortos" em todos os sentidos da palavra. **Entrarei e me apresentarei ante a face de Deus** refere-se ao Templo, o lugar designado para sua habitação. Não existe explicação do motivo do exílio do poeta, aparentemente para o monte Mizar, de onde podia ver os picos do monte Hermom (veja mapa 1), ao leste do Jordão (6). Essa era a área para a qual Davi fugiu durante a rebelião de Absalão. O motivo pode ter sido as acusações de homens fraudulentos e injustos (43.1).

Lágrimas servem-me de mantimento (3) significa: "Em vez de comer, tenho chorado". **De dia e de noite** é a expressão comum para algo que acontece constante e continuamente. Entre seus fardos estavam os escárnios e acusações daqueles que o cercavam e diziam: **Onde está o teu Deus?** Parecia que mesmo Deus havia abandonado o seu servo. A lembrança de dias melhores também era um fardo a carregar. **Derramo a minha alma,** tem sido interpretado: "A minha alma está se derretendo devido às tristezas secretas" (Moffatt). O refrão, repetido no versículo 11 e em 43.5, expressa a esperança e convicção de que a reversão da sua sorte ocorrerá na **salvação da sua presença** (5), isto é, quando a face de Deus estiver voltada a seu favor.

2. *Condenação* (42.6-11)

O salmista retorna ao seu lamento, com maior ênfase ao fato de que seus inimigos o tinham acusado injustamente. **Hermom** e **pequeno monte** (ou monte Mizar; cf. ARA e NVI): cf. comentário acerca do versículo 2. **Um abismo chama outro abismo, ao ruído das tuas catadupas** (7) significa: "Alma deseja comungar com alma, espírito com espírito" (Berkeley, nota de rodapé) ou: "Inundação segue inundação, ao rugir das tuas cachoeiras; as ondas e vagalhões passam sobre mim" (Moffatt). Essa última interpretação encaixa-se melhor no contexto. Em sua necessidade desesperada, o exilado vê um raio de luz (8) e resolve aumentar a intensidade das suas orações diante de **Deus,** sua **Rocha** (9), seu Refúgio e Fortaleza. **Como com ferida mortal em meus ossos** (10) pode ser interpretado: "Esmigalham-se-me os ossos" (ARA), enfraquecendo-o e ameaçando a sua vida. **Quando [...] me dizem** (10): cf. versículo 3. Acerca do versículo 11, cf. o versículo 5. Observe que a "salvação da sua presença" (5) se torna **a salvação** (saúde) **da minha face e o meu Deus** (11).

3. *Restauração* (43.1-5)

Por meio de uma nota ininterrupta de lamento, o tom da esperança se torna mais forte. O salmista clama ao Senhor para que lhe faça **justiça** (com o sentido de vindicação) e pleiteie a sua **causa contra a gente** (nação) **ímpia** (1). A expressão **homem fraudulento e injusto** deve provavelmente ser entendida como uma declaração generalizada da fonte da sua dificuldade, em vez de uma acusação específica de um inimigo individual particular. Acerca do versículo 2, cf. 42.9. O versículo 3: **Envia a tua luz e a tua verdade, para que me guiem** lembra um cenário musical, de acordo com Charles Gounod. **Teu santo monte** significa literalmente: "a montanha da tua santidade"; por **teus tabernáculos** entende-se: "lugar onde habitas" (NVI). Quando chegar a vindicação, o salmista espera primeiro retornar **ao altar de Deus** (4), no Templo. **Deus que é a minha grande alegria** é interpretado por Moffatt como: "minha alegria e prazer". Acerca de **harpa** (*kinnor*) veja o comentário em 33.2. Sobre o versículo 5, veja os comentários em 42.5,11.

Salmo 44: Fé e Fato, 44.1-26

Oesterley descreve esse salmo como o lamento de alguém suspenso "entre sua teologia e os fatos da vida".[5] Semelhantemente ao Salmo 42, esse salmo é dedicado ao "cantor-mor entre (para) os filhos de Corá" e identificado como um *masquil* (cf. Int. do Salmo 42). A época era um período de derrota nacional e aflição. O versículo 11, se interpretado literalmente, indica uma data pós-exílica, isto é, depois do ano 586 a.C.

Se esse for o caso, reflete as ponderações de uma alma ainda aturdida com o paradoxo do povo escolhido de Deus afligido e disperso pelos poderes pagãos. O desastre que sobreveio parece nacional em vez de individual. O salmo bem pode ser a reação de um inocente que sofre junto com os culpados.

1. O Passado (44.1-3)

O salmo inicia com um retrospecto, revendo as obras maravilhosas de Deus em favor dos pais. O poeta fala de um povo com uma herança agradável. O que eles tinham é claramente visto não como resultado dos seus próprios esforços ou méritos, mas como um favor imerecido de Deus. "Pois não conquistaram a terra pela espada dos nossos pais, nem foi a vitória ganha pelo braço deles; tua foi a mão, teu, o braço, teu foi o favor que sorriu para eles" (3, Moffatt).

2. O Presente (44.4-8)

O salmista volta-se para o presente com uma forte declaração de fé em Deus. A libertação passada não será suficiente para o presente. **Jacó** (4) é o nome poético para a nação inteira de Israel. Nem **arco** nem **espada** (6) podem salvar. Somente Deus é suficiente. **Confundiste** (7) significa "humilhaste" ou "rebaixaste". **Em Deus nos gloriamos** (8) pode ser traduzido como: "De Deus nos gloriamos" (Moffatt). **Selá**: cf. comentário em 3.2.

3. O Problema (44.9-14)

Quando o escritor se dá conta das circunstâncias do seu povo, a fé é aparentemente contestada pela dura realidade. **Mas, agora, tu nos rejeitaste** (9) representa uma transição abrupta da história para a realidade presente. A forte queixa desses versículos nos lembra de Jó e Jeremias. **Aqueles que nos odeiam nos tomam como saque** (10) tem sido traduzido por: "Aqueles que nos odeiam nos saquearam" (Berkeley), ou: "Os que nos odeiam nos tomam por seu despojo" (ARA). **Tu vendes por nada o teu povo** (12), isto é, os entregas nas mãos dos seus inimigos. **O opróbrio dos nossos vizinhos** (13) é melhor traduzido como "o escárnio dos nossos vizinhos" (AT Amplificado), o objeto do seu desprezo e motejo. **Por provérbio entre as nações** (14) é uma frase do hebraico de Deuteronômio 28.37, incluída para descrever um dos resultados da desobediência que viria sobre a nação. Moffatt entende o **movimento de cabeça entre os povos** como "zombado pelas nações".

4. Os Perseguidores (44.15-21)

Diante da penosa perseguição, o salmista ressalta sua inocência. Esse é o âmago do seu problema, como o era no caso de Jó. Deus parece ter permitido a perseguição sem causa aparente. **Confusão** (15) significa literalmente "desonra", "desgraça" (Anchor). O **concerto** (17; *berith*) era a base da fé hebraica firmada no Sinai, em que a Lei era a parte do acordo pelo lado humano. O escritor afirma que tanto ele quanto os seus companheiros não agiram **falsamente contra o concerto** do Senhor, isto é, eles andaram de acordo com a lei de Deus, tanto interior quanto exteriormente (18). **Ainda que nos quebrantaste num lugar de dragões** (19) significa literalmente: "para nos esmagardes onde vivem os chacais" (ARA). Isso pode referir-se ao local de uma derrota decisiva, no deserto longe de lugares habitados.⁶ Ou o significado pode ser figurativo: "Tu nos esmagaste e fizeste-nos morar em lugares desertos, que são a habitação de chacais".⁷ **Nos cobriste com a sombra da morte** significa literalmente: "cobriste-nos com sombra mortal", ou: "densas trevas" (NVI). A luz na qual tinham caminhado havia se transformado em escuridão e tristeza. Visto que Deus conhece **os segredos do coração** (21), "os lugares escuros do coração" (Anchor), Ele é desafiado — mais uma vez, de forma semelhante ao caso de Jó — a indicar onde (no coração ou por meio de propósitos ocultos) o povo tem pecado.

5. *A Petição* (44.22-26)

Usando palavras que Paulo empregou para mostrar a universalidade da perseguição (22; cf. Rm 8.36), o poeta clama a Deus para vindicar o seu povo. Deus parece estar dormindo (23); Ele tem escondido sua **face** e se esquecido da situação do seu povo (24). Como Norman Snaith explica: "A idéia de esquecer é uma das figuras de linguagem adotadas pelo salmista para expressar a 'ação demorada' de Deus. [...] A lembrança de Deus, portanto, significa que Deus está agindo. [...] Lembrar não significa 'tomar nota e arquivar com cuidado para uma ação futura'. Significa, sim, lembrar e agir agora".⁸ **O nosso corpo, curvado até o chão** (25) quer dizer que a própria morte está próxima. **Por amor das tuas misericórdias** (26) refere-se ao amor fiel (*chesed*; cf. comentário em 17.7) de Deus.

SALMO 45: O NOIVO E SUA NOIVA, 45.1-17

Este é um dos salmos régios com um forte significado messiânico. Ele pode ser interpretado em dois níveis. Primeiramente, há uma aplicação imediata e local para o casamento de um dos reis de Israel, semelhante à descrição em Cantares de Salomão. Mas, existe também uma aplicação mais elevada e universal ao Rei dos reis e sua noiva espiritual, de acordo com o uso que o NT faz dos versículos 6-7 (Hb 1.8-9).

O cabeçalho inclui cinco itens. Ele dedica o salmo ao "cantor-mor, sobre Sosanim", ou "segundo a melodia 'Os Lírios' " (ARA), evidentemente um título musical como também ocorre no título do Salmo 69. O cântico é "para os filhos de Corá" e é um *masquil* ou poema de ensino (cf. Int. do Salmo 32). Ele também é identificado como "um cântico de amores", ou "um cântico de amor" (Moffatt, Smith-Goodspeed, ARA), uma frase não encontrada em nenhum outro lugar nos cabeçalhos dos Salmos, mas que descreve o caráter desse poema.

1. *O Noivo Real* (45.1-9)

O salmo abre com uma declaração introdutória do autor referente à inspiração do poema em questão. **O meu coração ferve** (1) significa: "transborda o meu coração" (ARA). **Falo do que tenho feito no tocante ao rei** pode ser corretamente entendido como: "recito os meus versos em honra ao rei" (NVI). **A minha língua é a pena de um destro escritor** indica "um escriba habilidoso", fluente e preciso.

O rei é tratado e descrito em forma de elegia nos versículos 2-9, o que, de certa maneira, é uma clara alusão a Cristo (cf. Int. do salmo). Ele é **mais formoso do que os filhos dos homens** (2); seu discurso é marcado pela **graça** (bondade); Ele é abençoado por **Deus** [...] **para sempre**; Ele é **valente**, com **glória** e **majestade** (4); Ele é um

Guerreiro conquistador (5); seu **trono** é eterno e seu **cetro** é um **cetro de eqüidade** (6); porque Ele ama a **justiça** e aborrece a **impiedade;** Ele é ungido **com óleo de alegria,** mais do que qualquer outro; suas **vestes** são perfumadas quando ele vem dos **palácios de marfim** (8); sua comitiva é formada de princesas e sua **rainha** está ornada **de finíssimo ouro de Ofir** (9). **Cavalga prosperamente** (4) ou triunfantemente. **A tua destra te ensinará coisas terríveis** pode ser corretamente entendido como: "que a tua mão direita realize feitos gloriosos" (NVI). **O teu trono, ó Deus** (6), entendido em conexão com a aplicação imediata e local (veja a Int. desse salmo), é interpretado como "seu trono divino" (RSV), ou: "Deus é o teu trono".[9] A aplicação messiânica em Hebreus 1.8-9 torna essa declaração inadequada a respeito da divindade de Cristo. **Um cetro de eqüidade** era uma lei justa e legítima. **Deus te ungiu** (7) para ser Rei. "Ungido" é o termo do qual se deriva a palavra *Messias*. "Cristo" é o equivalente grego de *Messias*, e também significa **ungido. A mirra** [...] **a aloés e a cássia** (8) eram fontes de perfumes nos tempos antigos. **De onde te alegram** significa literalmente "instrumentos de cordas que te alegram" (ARA). **Ofir** (9) era uma fonte de ouro famosa, do sul da Arábia ou do leste da África (cf. 1 Rs 9.26-28; Jó 22.24).

2. *A Noiva Real* (45.10-15)

Em seguida, o salmista se dirige à noiva real (10-12) e a descreve (13-15), como também a sua comitiva. Ela é convocada a esquecer seu **povo** e a **casa** do seu **pai** (10). **O rei se afeiçoará** à sua **formosura** e ela o honrará (11; NVI). Outros trarão **presentes** e **suplicarão o** seu **favor** (12). A aplicação dupla (cf. Int. do salmo) fica evidente aqui, em que uma princesa se torna um tipo da Igreja. É bastante improvável que a **filha de Tiro** seja identificada com o rei Acabe e sua noiva Jezabel![10] A cidade de Tiro, notável centro mercantil no mundo antigo, é descrita como a fonte dos presentes trazidos para honrar o rei de Israel e sua noiva.

A filha do rei é toda ilustre no seu palácio (13) provavelmente pode ser traduzido como: "Toda formosura é a filha do Rei no interior do palácio" (ARA). Ela está vestida com lindas roupas e acompanhada das suas "virgens" (14; ARA). **Alegria e regozijo** marcam a entrada da festa de casamento **no palácio do rei** (15), algo típico da alegria do "casamento do Cordeiro" (Ap 19.7).

3. *A Bênção Real* (45.16-17)

Os versículos finais retratam a bem-aventurança da união real. O futuro pertence aos **filhos** (16) do rei e a sua noiva (esposa). Seu **nome** será **lembrado** [...] **de geração em geração** (17) e será objeto de louvor eterno — palavras que podem ser aplicadas ao Rei Messias.

SALMO 46: O REFÚGIO SEGURO, 46.1-11

O Salmo 46 é o primeiro de três poemas com um tema comum: a grandeza e suficiência de Deus no presente e no futuro. Kirkpatrick chama esses três salmos de "trilogia de louvor".[11] Este salmo apresenta um título familiar: "Para o cantor-mor, entre os filhos de Corá", e acrescenta: "Cântico sobre Alamote". Esta designação aparece somente uma única vez nos Salmos (embora cf. 1 Cr 15.20) e, possivelmente, significa: "Com voz de soprano".¹² Este salmo ficou conhecido como "O Salmo de Lutero" e provavelmente serviu de inspiração para o seu grande hino "Castelo Forte é o nosso Deus".¹³ Oesterley e outros entendem que esse é um salmo apocalíptico ou escatológico, representando "a destruição da terra no fim da atual ordem mundial".¹⁴ A essência apocalíptica é a crença fundamental na vitória final de Deus e a sujeição de todas as nações a Ele em reconhecimento da sua soberania.

O salmo é dividido em três estrofes bem definidas, cada uma terminando com *Selá*. Podemos identificar uma espécie de refrão nos versículos 7 e 11: "O SENHOR dos Exércitos está conosco; o Deus de Jacó é o nosso refúgio".

1. *A Proteção de Deus* (46.1-3)

A presença e o poder protetor de Deus são a fonte da coragem do seu povo. **Ainda que a terra se mude** (2) ou "transtorne" (hb., ARA), e **os montes se transportem para o meio dos mares**, pode representar ou a destruição apocalíptica e a renovação da terra (cf. 2 Pe 3.10-13) ou uma declaração hipotética dos desastres mais terríveis que se pudesse imaginar. Em ambos os casos, as pessoas que encontram em Deus seu **refúgio e fortaleza** (1) não temerão (2). **Selá** (3): cf. comentário em 3.2. É possível que o refrão (7 e 11) tenha sido omitido do versículo 3 no momento de se fazer a cópia do salmo.¹⁵

2. *A Presença de Deus* (46.4-7)

A presença de Deus (**Deus está no meio dela**; 5) é a certeza de segurança. **Há um rio cujas correntes alegram** (4): cf. Ezequiel 47.1-12; Ap 22.1-2. A manhã do dia eterno de Deus verá a vindicação final do seu povo. A respeito do embravecimento das **nações** (6), veja comentário em 2.1. **A terra se derreteu**: cf. 2 Pe 3.10-12. **Deus** [...] **é o nosso refúgio** (7) pode ser entendido em hebraico como: "Deus [...] é a nossa torre segura" (NVI) ou "Deus [...] é o nosso lugar elevado". **Selá**: cf. comentário em 3.2.

3. *O Poder de Deus* (46.8-11)

Os homens são desafiados a contemplar **as obras do SENHOR** (8). Nos últimos dias, **as guerras** vão cessar (9; cf. Is 2.2-4; Os 2.18; Mq 4.1-3). Em resposta a tudo isso o homem deve aquietar-se e saber que o Senhor é **Deus** (10) e que será **exaltado entre as nações** e **sobre a terra**. Acerca do versículo 11, cf. comentário do versículo 7.

SALMO 47: O SENHOR É O REI DE TUDO, 47.1-9

Como segundo salmo da "trilogia de louvor" (cf. Int. do Salmo 46), este salmo é intitulado simplesmente: "Ao cantor-mor. Salmo para os filhos de Corá". O tema do salmo é a soberania de Deus. Como M'Caw afirma: "Esse hino festivo elabora e desenvolve as palavras: 'Serei exaltado sobre a terra', que ocorrem no final do Salmo anterior. O conceito principal é que Deus, tendo descido dos céus em poder e grande glória para livrar o seu povo, está agora retornando ao seu trono. [...] O poema, portanto, tem dois temas intimamente interligados. O primeiro é um chamado para os povos da terra, como que reunidos para aclamar Javé como Rei, para bater palmas e gritar (1). [...] O segundo tema é uma descrição da majestade de Deus.[16] Oesterley descreve esse aspecto como "o ato culminante do drama escatológico".[17]

1. A Soberania (47.1-4)

Todos os povos (1) são convocados para cantar ao SENHOR **Altíssimo** (2) que é **tremendo** ("desperta terror, reverência e temor", AT Amplificado) e **Rei grande sobre toda a terra**. Deus como Rei é um tema familiar no AT (44.4; 48.2; 74.12; 1 Sm 12.12; Is 41.21; 52.7-10). Um certo número de comentaristas segue a linha de Sigmund Mowinckel[18] em classificar este salmo (junto com o salmo 93; 96—99) como um "Salmo de Entronização". Supõe-se que nos tempos pós-exílicos, quando não tinham um rei terreno, os judeus observavam o dia do Ano Novo como uma celebração de entronização do Senhor para governar as nações no novo ano, uma prática copiada das cerimônias babilônicas do Ano Novo em honra ao seu deus Marduk. Precisa ficar claro, no entanto, que não existe vestígio algum desse tipo de cerimônia, tanto na Bíblia como em outras fontes judaicas. Deve-se concordar em que um salmo como esse teria um apelo especial para um povo que havia perdido a sua soberania. Deus era o seu **Rei**, bem como de todas as **nações** (3).

Escolherá para nós a nossa herança, a glória de Jacó, a quem amou (4) pode ser traduzido como: "E escolheu para nós a nossa herança, o orgulho de Jacó, a quem amou" (NVI). **Selá:** cf. comentário em 3.2.

2. O Cântico (47.5-9)

A repetição quintuplicada de **cantai louvores** (6-7) é a chave para essa seção do salmo. O Senhor foi elevado **com júbilo**, e **ao som da trombeta** (5). Ele **é o Rei de toda a terra** (7), reinando **sobre as nações** (8), assentando **sobre o trono da sua santidade** (9). **Os escudos da terra são de Deus** (9) é melhor traduzido como: "pois os guerreiros da terra pertencem a Deus" (Moffatt), ou: "pois os governantes da terra pertencem a Deus" (NVI).

SALMO 48: A CIDADE SANTA DE DEUS, 48.1-14

O louvor de Sião como o monte santo do Senhor é o tema do terceiro salmo da "trilogia de louvor" (cf. Int. do Salmo 46). Ele recebe o seguinte título: "Cântico. Salmo para os filhos de Corá". Este salmo tem sido interpretado basicamente de duas formas. Ele tem sido entendido no contexto de alguns eventos históricos, tal como o livramento de Jerusalém do ataque assírio por Senaqueribe, registrado em 2 Reis 18—19 e Isaías 36—37. Visto que Sião é apresentada como "a alegria de toda a terra" (2), o salmo também tem recebido uma interpretação escatológica, indicando o lugar de Sião no reino futuro messiânico. Oesterley sugere que as duas interpretações podem ser aceitas: "Um evento histórico real forma a base e isso é idealizado e apresentado como uma figura do que ocorrerá na consumação final".[19]

Em um quadro de referência cristã, Sião tipifica a Igreja, a "cidade de Deus" (cf. Hb 12.18-24). O que se afirma acerca de Sião como o local do Templo de Israel é verdadeiro para o templo espiritual, a Igreja (Ef 2.20-22; 1 Pe 2.5-8).

Livro II: Salmos do Templo Salmos 48.1—49.1

1. A Proteção que o Senhor Concede aos Seus (48.1-8)
A grandeza de Deus é um tema apropriado para o louvor do seu povo. O **seu monte santo** (1; Sião), ou: "monte da sua santidade", está localizado num lugar especial. **Sobre os lados do Norte** (2) é traduzido como: "alto e formoso para os lados do norte" (Moffatt). Ela é **a cidade do grande Rei. Deus é** o seu **alto refúgio** (3). Os versículos 4-6 podem representar o cenário histórico no qual reis estrangeiros planejavam ataques, mas foram rechaçados cheios de medo (cf. 2 Rs 19.35-36). O controle de Deus sobre as forças naturais é tão grande que chega a quebrar **as naus de Társis com um vento oriental** (7; cf. 1 Rs 22.48; Jn 1.3-16). **Naus de Társis** é literalmente "navios de refino"; eram as maiores e melhores embarcações dos tempos do AT, e estavam engajadas no comércio com Társis (Tartessus) na Espanha. A história e os ensinos dos antepassados serão confirmados pela experiência: **Deus confirmará** ("Deus estabelece"; ARA) a sua cidade **para sempre** (8). **Selá**: cf. comentário em 3.2.

2. Lições que devem ser Aprendidas (48.9-14)
A proteção de Deus em relação à sua cidade desperta pensamentos acerca de sua **benignidade** (9). A expressão: **Segundo é o teu nome, ó Deus, assim é o teu louvor** (10) revela que a grandeza do nome de Deus e sua natureza deveriam despertar um profundo sentimento de louvor. **Sião** e seus habitantes deveriam alegrar-se **por causa dos** seus **juízos** (11) executados contra o inimigo. Os leitores são convocados a contar (**contai**, 12; note bem) acerca da beleza e força de Sião e narrar tudo **à geração seguinte** (13). **Torres** (12) são locais favoráveis para observação; **antemuros** (13) são fortificações de defesa; **palácios** são símbolos da autoridade do rei e seus decretos. **Nosso guia até à morte** (14) é uma frase que traz alguns problemas textuais no original. A LXX traduz: "até a eternidade"; "para todo sempre" (ARA e NVI). Em todo caso, a garantia é completa. Não existe falha da parte do nosso Guia celestial (cf. 23.2-6). "Nosso Deus eterno e perpétuo — ele nos guiará eternamente" (Anchor).

Salmo 49: Morte, o Grande Nivelador, 49.1-20

O poema é um salmo de sabedoria preocupado com o problema dos ímpios que prosperam e dos justos que são pobres e aflitos. Ele está intimamente relacionado, quanto ao tema, com os Salmos 37 e 73. O autor do Salmo 37 encontrou uma solução para esse antigo enigma, convencido de que a prosperidade dos ímpios é apenas temporária. O autor do Salmo 49 leva esse tema um passo adiante. As injustiças da vida podem nunca ser corrigidas aqui neste mundo. Mas a morte equipara tudo. Rico e pobre, alto e baixo, príncipe e indigente, todos têm o mesmo fim. Quando os homens compreendem o fato de que as riquezas não têm valor algum para a eternidade, grande parte do problema desaparece. "A idéia fundamental é que os fiéis não têm motivos para temer diante das circunstâncias desse mundo transitório, porque o rico não pode comprar, com todo seu ouro, a 'isenção' da morte. Mas por meio da sua vaidade e insensatez ele se torna cada vez mais parecido com brutos que perecem".[20] O dinheiro dos ricos, diante de quem os homens ficam atemorizados, pode comprar tudo o que o mundo tem para oferecer, mas não pode comprar o livramento da morte. Eles não podem oferecer um preço de resgate alto o suficiente para livrá-los do destino comum de todas as pessoas".[21] "A morte proclama uma verdade que é mais claramente demonstrada na parábola do rico insensato" (Lc 12.16-21).[22]

1. *Chamado para Refletir* (49.1-4)
A introdução é a convocação bem conhecida dos escritores sapienciais para que os destinatários ouçam (cf. Pv 1.8; 2.1; etc). **Todos** são chamados a dar **ouvidos** (1-2). O escritor está preocupado em transmitir **sabedoria** e **entendimento** (3) ao falar por meio de **uma parábola** (4; *mashal*, também traduzido por "provérbio" ou "dizer sábio, instrução"); ele explica **o enigma** com acompanhamento da **harpa**. A palavra **enigma** "significa 1) mistério ou charada; 2) parábola ou símile; 3) uma declaração profunda ou obscura, um problema. [...] A prosperidade dos ímpios era um dos grandes 'enigmas da vida' para os israelitas piedosos, demandando uma solução que apenas podia ser dada parcialmente antes que a revelação mais completa de Cristo 'trouxesse vida e imortalidade à luz'. O que o escritor aprendeu a respeito dessa questão perplexa ele anunciará por intermédio de um poema acompanhado por música".[23]

2. *A Insensatez de Confiar na Riqueza* (49.5-13)
O enigma é apresentado pela pergunta: **Por que temerei eu nos dias maus?** (5). Boa parte da fonte das injustiças enigmáticas da vida era a conduta inescrupulosa dos ímpios. **Quando me cercar a iniqüidade dos que me armam ciladas** pode ser corretamente entendido como: "Quando a iniqüidade dos inimigos me cercar de todos os lados" (AT Amplificado). A resposta é dada pelo reconhecimento do salmista da futilidade em colocar a confiança "nos seus bens" (ARA) e **na sua muita riqueza** (6). O dinheiro não pode **remir a seu irmão** (7) nem possibilitar o rico de viver **para sempre** (9). O parêntese do versículo 8 bem pode ser traduzido de acordo com a versão *Berkeley*: "Pois a redenção da vida deles é caríssima e não há dinheiro que os livre". Nada menos do que o sacrifício do próprio Filho de Deus pode remir a alma e dar vida eterna (1 Pe 1.17-21). Todos morrem e todos igualmente deixam para trás tudo que possuem (10; cf. Ec 2.18-19). A **loucura** suprema do homem é procurar qualquer tipo de imortalidade em coisas terrenas (11-13), como dar **às suas terras os seus próprios nomes** (11). A tradução do versículo 13 por Moffatt pode ser útil: "Este é o destino dos presunçosos, dos que confiam em si mesmos". **Selá**: cf. comentário em 3.2.

3. *A Esperança dos Retos como Contraste* (49.14-15)
A **morte** transforma toda a glória do homem em pó (14). O reto recebe a garantia de que obterá o seu triunfo **na manhã** do dia vindouro de Deus. A esperança do reto é a remissão **do poder da sepultura** (*Sheol*, o lugar dos mortos): pois Deus **me receberá** (15). Esta é uma das fortes intimações da imortalidade nos Salmos. Harold H. Rowley comentou: "O que o salmista está dizendo é que as desigualdades desta vida serão corrigidas na próxima. O ímpio pode ter sucesso aqui, mas tudo que o espera são as misérias do Sheol; enquanto o reto pode ter sofrido aqui, mas na vida futura ele será bem-aventurado, porque Deus o tomará para si mesmo. C. F. Burney diz: 'Quanto mais estudo esse salmo mais forte fica a convicção de que o escritor tinha em mente mais do que a mera recompensa temporária do justo durante esta vida terrena'. Concordo plenamente com este ponto de vista".[24]

4. O Falso Valor das Riquezas (49.16-20).
Pode haver uma vantagem temporária na riqueza, mas não é suficiente a ponto de a pessoa devotar a vida inteira em sua busca. **Não temas** (16), no sentido de temer que a impiedade seja mais proveitosa do que a piedade. "Não descerá com ele o seu esplendor" (17; NVI), visto que se pensava que o *Sheol*, a vida após a morte ou o lugar dos mortos, ficava "em baixo". O termo hebraico é provavelmente derivado da raiz que significa "cova", "buraco", "caverna"; de forma semelhante, "inferno" é derivado de *infernum,* "profundezas da Terra". **Ele bendisse a sua alma** (18), o mesmo engano fatal do rico insensato (Lc 12.16-21), o qual supunha que seus "muitos bens, [armazenados] para muitos anos" poderiam satisfazer a sua alma. **E os homens o louvem quando faz bem a si mesmo** pode ser corretamente entendido como: "elogiando a si mesmo pela sua prosperidade" (Moffatt). **Eles nunca verão a luz** (19), visto que se imaginava que o *Sheol* era um lugar de sombra e escuridão. "O homem, em toda sua pompa, mas sem entendimento, é como os animais que perecem" (20, Berkeley).

Esse homem não deixa de existir após a morte, mas para ele não há esperança. O AT nunca pensa na morte como o término da existência humana. Ela é, no entanto, um fim de tudo que torna a existência tolerável para o incrédulo.

Salmo 50: Deus, o Juiz de Tudo, 50.1-23

O Salmo 50 é o primeiro de doze salmos que recebe o título: "Salmo de Asafe" ou "para Asafe". Os outros onze estão agrupados (Salmos 73-83; cf. a Int. do Livro II para a sugestão da posição original do Salmo 50). Asafe é conhecido por meio dos livros históricos como um dos músicos responsáveis pelo Templo sob a liderança de Davi (1 Cr 15.17-19; 16.4-5) e como autor de salmos (2 Cr 29.30). Leslie M'Caw menciona: "Alguns desses salmos não podem ter sido escritos por alguém da época de Davi, e.g., os Salmos 74 e 79 estão associados à destruição de Jerusalém pelos babilônios. Por isso, é improvável que a frase 'para (de, em nome de) Asafe' se refira à sua autoria, mas a um certo estilo ou escola de salmodia".[25]

Os estudiosos têm percebido uma ênfase no Salmo 50 que era eminente nos escritos proféticos do AT acerca da natureza interna da verdadeira religião e da futilidade de sacrifícios sem obediência e fé.[26] Vriezen diz: "No Salmo 50 deparamos com um caso singular: o testemunho de um poeta que sabe que a congregação em Israel pratica esses sacrifícios, enquanto ele próprio está convencido de que Deus não pode ser honrado por meio de ofertas, mas somente pelo louvor e pela gratidão (vv. 14-21). Nesse salmo evidentemente temos um claro eco do ensino profético. O poeta não rejeita simplesmente as ofertas, mas está consciente de algo que as excede. Ele faz parte de uma época de transição entre a antiga e a nova forma de se avaliar as ofertas, e tenta reconciliar esses dois conceitos".[27]

Morgan resume assim a lição desse salmo de sabedoria: "O fato de esquecermos de Deus resulta no mais grave dos perigos, enquanto que a lembrança que o adora assegura a bênção da salvação [...] O ímpio não pode ter participação nesse tipo de manifestação de Deus, e nisso residem sua principal falha e seu maior pecado. Esse é um pensamento dos mais profundos. Nosso pecado mais abominável não é o ato da transgressão cometida, mas o fato de essa transgressão nos incapacitar de realizar nossa função mais elevada que é de glorificar a Deus e anunciar o seu louvor".[28]

1. *Chamado* (50.1-6)

O salmo abre com um chamado ou pedido para reconhecer a Deus como o Juiz de todos. **O Deus poderoso** (1) significa literalmente: "O Deus dos deuses". **Chamou a terra** (*eretz*) no sentido de incluir todos os habitantes da terra, como em Gênesis 6.1; 9.13; Deuteronômio 32.1; 1 Cr 16.31; etc. (cf. Lc 2.1). O poder e a glória de Deus são manifestos **desde Sião** (2) por meio de símbolos como o **fogo** e a tempestade (3). Deus chama para **julgar o seu povo** (4), no sentido de reprovar sua maldade e vindicar sua fidelidade. **Congregai os meus santos** (5) é: "congregai os meus fiéis e santos", aqueles que participam de um relacionamento de **concerto** com o Senhor. A **justiça** manifesta de Deus (6) é a sua qualificação suprema para ser **o Juiz**. **Selá**: cf. comentário em 3.2.

2. *Correção* (50.7-15)

A queixa do Senhor contra o seu povo não se refere à sua falha em desempenhar o ritual do culto do AT. Seus **sacrifícios** e **holocaustos** (8) foram oferecidos de forma meticulosa e cuidadosa. Deus não estava interessado nos novilhos ou **bodes** que o povo apresentava (9). Ele justifica o motivo: **Porque meu é todo animal da selva e as alimárias sobre milhares de montanhas** (10). As **aves** e as **feras** dos montes e do **campo** pertencem ao Senhor (11). Ele não é um pedinte ou mendigo, para satisfazer sua "fome" com a **carne de touros** ou o **sangue de bodes** (12-13). A oferta que **Deus** deseja é "ações de graça" (14, ARA) e obediência (**paga ao Altíssimo os teus votos**), oração e glorificação por parte daqueles que lhe pertencem (15). Jesus disse que aquele que reconhecer isso não está "longe do Reino de Deus" (Mc 12.33-34).

3. *Contraste* (50.16-23)

A última seção desse salmo é uma acusação ardente contra o **ímpio** (16). Deus pergunta ao ímpio: **Que tens tu que recitar os meus estatutos?** Essa pergunta pode ser mais simplesmente entendida: "Que direito você tem de recitar as minhas leis?" (NVI). Essa piedade que eles fingiam professar era somente da boca para fora, não em obediência à instrução de Deus e suas palavras (17). Eles são condenados não somente pelas transgressões que cometem, mas pela atitude permissiva em relação aos outros que praticam o mal (18; cf. Rm 1.32). Eles são fraudulentos e difamadores (19-20). Visto que Deus se calou (21), isto é, não os castigou imediatamente, eles descartaram o caráter dele em suas mentes; cf. Eclesiastes 8.11. **E, em sua ordem, tudo porei diante dos teus olhos** tem a idéia de apresentar uma causa judicial contra eles. Deus os desafia: **Ouvi, pois, isto, vós que vos esqueceis de Deus; para que vos não faça em pedaços, sem haver quem os livre** (22). Ainda há tempo para obedecer ao que lemos em Apocalipse 2.5: "Lembra-te, pois, de onde caíste, e arrepende-te". Aqueles que oferecem **louvor** (23) glorificam a Deus, e a **salvação** é prometida àqueles que vivem de forma correta. **Seu caminho** significa toda sua maneira de vida.

Salmo 51: Oração por Perdão e Purificação, 51.1-19

O Salmo 51 é o quarto dos "salmos penitentes" (cf. Int.), e por meio dele o AT chega à análise mais real e genuína sobre o pecado e seu remédio.[29] Perowne diz de maneira incisiva: "Este Salmo é uma oração, primeiramente, por perdão, com uma confissão humilde de atos pecaminosos provenientes de uma natureza pecaminosa como sua raiz amarga; e, depois, por renovação e santificação através do Espírito Santo".[30] O título indica a autoria de Davi e associa o salmo à confissão do seu pecado com Bate-Seba (cf. Int. ao Sl 32). Este episódio trágico na vida de Davi parece ter dado a ele uma profunda compreensão da verdadeira natureza do mal. Por trás da culpa da sua transgressão ele encontra a mancha mais profunda de uma natureza pecaminosa com a qual ele nasceu (5). Por esse motivo, ele expressa essa oração dupla em busca de uma cura duplicada.

O salmo é todo ele dirigido a Deus. Morgan escreve: "A alma penitente clamava por perdão com base na confissão. Subitamente, a intensidade da convicção se aprofunda à medida que o ato pecaminoso é rastreado até chegar à causa na contaminação da natureza. Isso leva a um clamor mais profundo. Enquanto o primeiro clamor é por perdão, o segundo é por pureza, por limpeza de coração e renovação de espírito. A oração continua na busca das coisas que seguem essa purificação, a manutenção da comunhão e a percepção da alegria. Olhando para o futuro com esperança, o cântico antevê o tipo de culto de ações de graça e louvor que provém desse perdão e purificação".[31] Oesterley descreve esse salmo como aquele que entre os salmos de penitência é "o que mais profundamente examina o coração" e afirma: "Não existe outro salmo no Saltério com a mesma compreensão do sentido do pecado, apresentado com tamanha transparência e integridade".[32]

1. *Perdão* (51.1-4)

Este salmo não é um estudo teológico bem elaborado, mas um clamor apaixonado de um coração profundamente atribulado. Portanto, não existe nenhuma análise cuidadosa das diferenças entre atos pecaminosos e a natureza pecaminosa, entre a necessidade de perdão e o apelo por pureza. No entanto, existe um movimento natural de pensamento, que inicia com um clamor por perdão, e segue com a percepção mais profunda do problema, depois com a oração por pureza e a promessa de louvor e serviço. A **misericórdia** e **benignidade** (1) de **Deus** são a base do seu clamor: **apaga as minhas transgressões**. Davi sentiu uma culpa profunda por sua conivência, mentira, adultério e, finalmente, assassinato. Por trás dessas transgressões ele consegue enxergar a raiz e causa e ora para que o Senhor o lave **completamente** da sua **iniqüidade** e o purifique do seu **pecado** (2). Ele não procura encobrir ou desculpar a profundidade da sua necessidade (3). Embora outros tivessem sido tremendamente injustiçados, na essência todo pecado é visto como sendo contra Deus, e Deus será o Juiz. A última parte do versículo 4 pode ser corretamente entendida da seguinte forma: "Sim, tu és justo em tua acusação e justa é a tua sentença" (Moffatt).

2. *Problema* (51.5-9)

A convicção se aprofunda ao incluir não somente o que o salmista fez, mas o que ele era por natureza: **Em iniqüidade fui formado**; concebido **em pecado** (5). As tendências e disposições pecaminosas têm sua origem na contaminação da raça humana, parte da dívida do homem como nascido de uma raça caída. Deus deseja a **verdade**

(6; *emeth*, autenticidade, fidelidade, integridade) **no íntimo. No oculto me fazes conhecer a sabedoria** tem sido traduzido como: "Portanto, ensina-me a sabedoria no secreto do meu coração" (RSV).

Esta percepção leva a uma oração renovada por purificação. **Hissopo** (7) era o ramo do arbusto do deserto usado para borrifar o sangue sobre um leproso para sua purificação e cura (Lv 14.4; cf. Hb 9.13-14; 1 Jo 1.7). **Lava-me** é uma expressão impressionante no original. Lawrence Toombs explica: "A língua hebraica emprega duas palavras para se referir a 'lavar'. A primeira é aplicada para lavar o corpo, a louça de cozinha e, em geral, qualquer objeto que possa ser mergulhado em água ou sobre o qual se possa derramar água. A segunda é uma palavra quase que específica para lavar vestimentas ao batê-las com uma vara ou ao batê-las enquanto estão estendidas sobre uma pedra plana submersa em água. O salmista escolhe deliberadamente a segunda palavra, rejeitando, por implicação, a metáfora de um banho quente em que o sabão tira agradavelmente a sujeira enquanto o banhista se deleita. Ele sabe que o pecado está tão profundamente entrincheirado em sua natureza que Deus literalmente precisa tirá-lo com batidas".[33] **Mais alvo do que a neve**, ou seja, sem nenhuma partícula de poeira ou fuligem nos flocos de neve (cf. Is 1.18).

A convicção de pecado era tão profunda, que era semelhante à dor de **ossos** quebrados (8). Perowne escreve: "Os ossos constituem a força e estrutura do corpo. Por isso o esmagar dos ossos [é] uma figura muito forte, que denota uma prostração completa, tanto mental como corporal".[34] A intervenção e a ação de Deus são a única esperança do salmista (9).

3. *Pureza* (51.10-13)

Os resultados da purificação e do lavar serão a criação de **um coração puro** e o renovar de um **espírito reto** (10). **Cria** "é usado na operação criativa de Deus, trazendo à existência o que não existia antes. [...] O salmista não deseja uma restauração do que existia antes, mas uma mudança radical do coração e do espírito".[35] **Espírito reto** é um "espírito estável" (NVI), ou "espírito inabalável" (ARA), "firme e resoluto em sua lealdade a Deus, inabalável diante dos ataques da tentação. Esse tipo de coração limpo e espírito estável, a condição para a comunhão com Deus, o emergir de uma vida santa, só pode vir do poder doador de vida e criativo de Deus".[36]

Esta purificação assegurará a **presença** de Deus e a plenitude do seu **Espírito Santo** (11). Esta é uma das três vezes em que o AT fala do Espírito Santo com essa exata fraseologia. As outras duas são encontradas em um contexto similar em Isaías 63.10-11. A pureza também resultará na **alegria da** sua **salvação**, e a manutenção de um **espírito voluntário** (12) ou "pronto a obedecer" (NVI). Mais um resultado será o ensino dos **caminhos** de Deus **aos transgressores** e a conversão dos **pecadores** (13; cf. Jo 16.7-11; At 1.8).

4. *Promessa* (51.14-19)

O salmo conclui, como os salmos penitentes normalmente fazem, com uma promessa de louvor e ações de graça. Deus não pode ser satisfeito com **sacrifícios** e **holocaustos** (16). Seus **sacrifícios** [...] **são o espírito quebrantado**. Um **coração quebrantado e contrito** Ele não desprezará (17). No versículo 18, o interesse se amplia para incluir **Sião** e **Jerusalém**. O versículo 19 mostra que não era o ritual em si que era ofensivo a Deus, mas o ritual sem **justiça**. Agrada-se a Deus com

holocaustos e com sacrifícios de **novilhos** quando o ritual vem da motivação correta e é a expressão de um coração amoroso e obediente.

Alguém disse certa vez que a melodia desse hino de oração é composta por cinco notas. 1) A nota pesarosa do *pecado*, versículos 1-2. 2) A nota séria da *responsabilidade*. Davi não culpou ninguém, nem mesmo Bate-Seba. Os pronomes pessoais abundantes na oração indicam a completa honestidade de Davi na confissão, versículos 3-6. 3) A nota decisiva de *arrependimento*. Davi renunciou ao pecado para sempre, versículos 3-6. 4) A nota alegre do *perdão e limpeza*, versículos 7-14. 5) A nota certa do *testemunho*, versículos 12-13,15. A graça de Deus pode transformar o mais vil pecador em uma testemunha ardente dele (Earl C. Wolf).

SALMO 52: O CONTRASTE ENTRE PECADOR E SANTO, 52.1-9

Este é um salmo sapiencial que de alguma maneira nos lembra o Salmo 1 no que diz respeito ao forte contraste entre o ímpio e o justo. Seu tom, no entanto, é bem mais incisivo do que o Salmo 1, expressando a indignação sentida pelos piedosos contra aqueles que não têm medo de Deus e dando expressão à doutrina da retribuição divina.

O seu título identifica-o como um *masquil* (cf. Int. ao Salmo 32) e associa-o com o relatório desastroso de Doegue a Saul quando Davi fugiu para o santuário temporário de Aimeleque em Nobe (cf. 1 Sm 21.1—22.19).

1. *O Caráter e Destino dos Ímpios* (52.1-5)

O salmo inicia com um desafio ao **homem poderoso** (1) em sua maldade. **Malícia** é uma palavra branda demais para o significado do termo hebraico *ra*, um termo genérico para maldade. Cf. Harrison: "Por que te vanglorias na maldade, seu tirano ímpio?". **Intenta o mal** (2): aqui **mal** é uma palavra diferente da usada no versículo 1, significando "destruição, ruína". A língua do ímpio é como uma **navalha afiada, traçando enganos. Selá**: cf. comentário em 3.2. A retribuição ou vingança é certa — o ímpio será destruído, arrancado, desarraigado **da terra dos viventes** (5).

2. *A Diferença na Vida dos Justos* (52.6-9)

E os justos [...] **verão** (6) o desastre que cairá sobre os ímpios e temerão. Eles **rirão** e proferirão um escárnio ao **homem que não pôs a Deus por fortaleza; antes confiou na abundância das suas riquezas** (7). O justo será como a **oliveira verde** (8), florescendo e frutificando (cf. 1.3), confiando na eterna **misericórdia de Deus** e louvando-o (9). Moffatt traduz a expressão **é bom diante de teus santos** da seguinte maneira: "proclamarei a tua bondade na presença dos teus seguidores".

SALMO 53: O PERIGO DO ATEÍSMO PRÁTICO, 53.1-6

O Salmo 53 é uma revisão do Salmo 14 e praticamente idêntico a ele, com uma diferença fundamental: "o SENHOR" (*Yahweh* — cf. Int.) é substituído por "Deus" (*Elohim*). Veja os comentários acerca do Salmo 14. Uma outra diferença significativa é encontrada

SALMOS 53.1—55.1   LIVRO II: SALMOS DO TEMPLO

no versículo 5, em que em vez de: "Vós envergonhais o conselho dos pobres, porquanto o SENHOR é o seu refúgio" (14.6) temos: **porque Deus espalhou os ossos daquele que te cercava; tu os confundiste, porque Deus os rejeitou.** A linguagem em 53.5 é bem mais concreta e específica e pode-se ter em mente um ataque contra o justo. Os opressores acabaram sofrendo uma grande derrota. O título do Salmo 53 acrescenta o tipo de salmo (*masquil*, cf. Int. do Salmo 32) e o que é provavelmente o nome da melodia (*Maalate* — cujo significado nos é desconhecido).

SALMO 54: UM GRITO POR AUXÍLIO, 54.1-7

Este é um breve salmo de lamentação. Ele é dedicado ao "cantor-mor, sobre *Neguinote*" (instrumentos de corda; cf. Int. do Salmo 4). Ele também é identificado como um *masquil* (cf. int. do Salmo 32) e está ligado à traição a Davi por parte dos homens de Zife (1 Sm 23.19-26; 26.1-4).

1. *Clamor* (54.1-3)
A primeira estrofe do salmo expressa o clamor feito por Davi a Deus em busca de ajuda em sua hora de perigo. No AT, o **nome** de uma pessoa (1) com freqüência representa a pessoa com todas as suas características. **Faze-me justiça** é usado no sentido de "Defende-me" (NVI). Aqueles que se levantaram contra ele **não põem a Deus perante os seus olhos** (3), isto é, não se importam com Deus. **Selá**: cf. comentário em 3.2.

2. *Confiança* (54.4-7)
Embora ainda estivesse no meio do perigo, o salmista expressa sua confiança em que Deus o livrará. Morgan comenta: "Talvez ainda no meio do perigo ele já canta a canção de livramento, como se isso já tivesse acontecido. A frase central da canção é: 'Deus é meu ajudador'. Sempre que o homem está consciente desse fato ele está acima de toda oposição dos seus inimigos e é capaz de cantar a canção de livramento no meio das circunstâncias mais difíceis".[37]
Pagará o mal (5) pode ser entendido como: "retribuirá o dano causado" (Berkeley). **Os meus olhos viram cumprido o meu desejo acerca dos meus inimigos** (7) pode ser interpretado como: "Meus olhos contemplaram (em triunfo) sobre os meus inimigos" (AT Amplificado).

SALMO 55: A BALADA DA TRAIÇÃO, 55.1-23

Este é mais um *masquil* (cf. Int. do Salmo 32), um salmo de Davi, dedicado ao "cantor-mor, sobre *Neguinote*" (cf. Int. do Salmo 4). É um salmo sobre traição, no qual a dor da adversidade é aumentada mil vezes pelo fato de um amigo íntimo ter-se voltado contra o salmista. Oesterley diz: "Aqui encontramos um homem vivendo em um mundo de violência e traição que ameaça esmagá-lo. Ele anseia escapar de tudo isso, mas, ao mesmo tempo, confia no Deus com o qual se comprometeu [...]. Embora procure sem êxito encontrar abrigo da tempestade, a sua vida continua fundamentada na rocha, a rocha da sua fé".[38]

Livro II: Salmos do Templo   Salmos 55.1—56.1

Morgan encontra três movimentos no salmo que ele intitula da seguinte maneira: *Medo* (1-8), *Fúria* (9-15) e *Fé* (16-23). Ele escreve: "O medo provoca o desejo de fugir. A fúria ressalta a percepção do erro. No entanto, a fé cria coragem".³⁹

1. *Medo* (55.1-8)

O salmista ora em voz alta e em agonia pelo auxílio de Deus (1-2). **Por causa do clamor do inimigo** (3) e suas ameaças contra ele, seu **coração está dorido** ("batendo acelerado em meu peito", Moffatt), **e terrores de morte** caíram sobre ele (4). **Lançam sobre mim iniqüidade** (3) tem sido traduzido como: "sobre mim lançam calamidade" (ARA). **Temor** [...] **tremor** [...] **e** [...] **horror** fazem parte da sua vida (5). Ele anela ter **asas como de pomba** para voar para longe (6) e encontrar um refúgio na paz do **deserto** (7). **Selá**: cf. comentário em 3.2. Assim ele iria **escapar da fúria do vento e da tempestade** (8).

2. *Fúria* (55.9-15)

Aqueles que causavam medo ao salmista são encaminhados a Deus para serem objetos da sua ira. **Despedaça, Senhor, e divide a sua língua** (9), isto é, coloque-os uns contra os outros em vez de contra o inocente. **Na cidade** da qual fugiria, ele vê somente **violência e contenda, iniqüidade e malícia** (10), **maldade** [...] **astúcia e engano** (11), uma descrição que se adequaria a muitas cidades dos nossos dias. **Que se engrandecia contra mim** (12) significa: "lidar comigo de maneira atrevida".

A nota mais dolorosa do salmo é a identificação do líder da oposição — não um inimigo declarado, mas **tu, homem meu igual, meu guia e meu íntimo amigo** (13), com quem o salmista ia **à Casa de Deus** (14). Não existe dor maior do que a dor da traição de um amigo de confiança ou de um ente querido. Essa traição merece somente a **morte**, uma queda rápida no *Sheol* (15), que nesse caso poderia significar "inferno", tendo em vista que ele poderia ser uma expressão da ira de Deus.

3. *Fé* (55.16-23)

A fé, embora ainda não esteja livre da preocupação com o inimigo que o cerca, inicia sua ascensão ao trono de Deus. **De tarde, e de manhã, e ao meio-dia** (17) o salmista vai orar; e o livramento é tão certo que ele pode falar dele como se já tivesse acontecido. **Selá** (19): cf. comentário em 3.2. **Porque não há neles nenhuma mudança e tampouco temem a Deus.**

A referência sobre a traição e a deslealdade reaparece (20-22), mas a fé alcança o seu apogeu: **Lança o teu cuidado sobre o Senhor, e ele te susterá; nunca permitirá que o justo seja abalado** (22), ou: "jamais permitirá que o justo venha a cair" (NVI). Os ímpios serão lançados no **poço da perdição** (23), e **não viverão metade dos seus dias**. Mas o poeta diz triunfante: **mas eu em ti confiarei.**

Salmo 56: Dificuldade e Confiança, 56.1-13

Este salmo, como ocorre em vários outros no Livro II, está associado a um episódio na vida de Davi. De acordo com o título, ele brotou da fuga de Davi para Aquis, rei da cidade filistéia de Gate, quando o fugitivo salvou sua vida fingindo-se de louco (1 Sm 21.10-15). O salmo é dedicado ao "cantor-mor, sobre *Jonate-Elém-Recoquim*", "a pomba nos terebintos distantes", ou: "Uma Pomba Quieta entre Estranhos" (Berkeley), provavelmente o nome de uma melodia. Ele é um *mictão* (cf. Int. do Salmo 16).

O salmo é um clamor decorrente do sofrimento, passando para a serenidade da confiança, "mais um testemunho da fé firme do israelita piedoso na justiça, misericórdia e amor de Deus".[40] Ele é dividido em duas partes semelhantes, com uma espécie de refrão no versículo 4 e nos versículo 10-11. Por causa da repetida ênfase na palavra de Deus, Barnes entende que esse salmo expressa "a mente de um profeta".[41]

1. *Dificuldade* (56.1-7)

Como é típico dos salmos de lamentação, o poema abre com um apelo a Deus por misericórdia. **Devorar-me** (1-2) significa pisotear-me constantemente ("oprimindo-me continuamente", Harrison). O medo encontra o seu antídoto na fé (3), porque **em Deus pus a minha confiança e não temerei; que me pode fazer a carne?** (4; cf. v. 11). A fonte de coragem é a **palavra** de Deus. Homens perversos **torcem** as **palavras** de Davi (5). Eles **espiam** (6; vigiam) cada movimento seu, na esperança de apanhá-lo numa armadilha. A pergunta retórica: **Porventura, escaparão eles por meio da sua iniquidade?** (7) significa: "Eles acreditam que escaparão com sua iniquidade" (AT Amplificado).

2. *Confiança* (56.8-13)

O salmista tira o seu olhar dos homens que armaram ciladas e o derrotaram e volta o seu olhar para Deus, em quem deposita a sua confiança. **Tu contaste as minhas vagueações** (8), ou: "Tu contas e registras as minhas vagueações" (AT Amplificado). **Põe as minhas lágrimas no teu odre**, possivelmente no sentido de que as orações dos santos são preservadas em salvas de ouro (Ap 5.8), certamente detectando a profunda angústia do salmista. **Isto sei eu, porque Deus está comigo** (9) pode ser corretamente entendido como: "bem sei isto: que Deus é por mim" (ARA). Assim é a nossa "Abençoada Garantia". **Em Deus louvarei**... A Edição Revista e Corrigida traduz os versículos 10 e 11 da seguinte maneira:

> *Em Deus louvarei a sua palavra;*
> *No Senhor louvarei a sua palavra.*
> *Em Deus tenho posto a minha confiança;*
> *não temerei o que me possa fazer o homem.*

Veja o paralelo no versículo 4. Nada pode derrotar um homem com uma fé semelhante a essa.

Os teus votos estão sobre mim (12) pode ser corretamente entendido como: "Cumprirei os votos que te fiz" (NVI). Eram votos para render **ações de graças** pelo livramento do Senhor. **Tu livraste a minha alma da morte [...] os meus pés de tropeçarem** (13) — também pode ser encontrado em Salmos 116.8. **Na luz dos viventes** é entendido por Moffatt como: "na luz solar da vida". Nas Escrituras, a luz está ligada à vida e a escuridão à morte.

SALMO 57: PERIGO E ORAÇÃO, 57.1-11

Este é mais um salmo de lamentação e inclui no seu título uma dedicação ao "cantor-mor" e uma indicação como um *"mictão* de Davi" (cf. Int. do Salmo 16). *Al-Tachete* (no título) é encontrado em três outros salmos (58; 59; 75). Uma tradução literal desse termo é: "Não destruas". Esta é provavelmente uma referência à melodia a ser usada com o salmo. Uma nota histórica no título associa o salmo à fuga de Davi diante de Saul "para a caverna de Adulão" (cf. 1 Sm 22.1; ou possivelmente 24.3-8, em que o salmista quase é capturado por Saul).

Visto que os versículos 7-11 são idênticos aos versículos 1-5 do Salmo 108, cogita-se que esse salmo seja uma combinação de dois outros salmos ou partes de salmos. No entanto, é mais provável que o Salmo 108 (*q.v.*) tenha tomado emprestado essa parte do Salmo 57. O refrão: "Sê exaltado, ó Deus", ocorre nos versículos 5 e 11.

O salmo não contém verdades novas. Oesterley comenta: "Encontramos, mais uma vez, as verdades conhecidas de que Deus ouve orações, castiga os ímpios e justifica os retos".[42] Morgan resume o ensino do salmo da seguinte maneira: "A fé não nos livra das provas, mas nos capacita a triunfar sobre elas. Além disso, a fé nos eleva muito acima do sentimento de dor puramente pessoal, e cria uma paixão no sentido de exaltar a Deus entre as nações. O coração livre de si mesmo é sempre um coração voltado para Deus".[43]

1. *Apelo por Proteção* (57.1-5)

O salmista encontra-se em perigo por causa das **calamidades** (1) causadas por aqueles que procuram devorá-lo (3), rugindo como **leões** (4) e inflamados com ódio e ressentimento contra ele. Seu apelo é por proteção **à sombra das tuas asas** (1; cf. comentário em 36.7). **Passem as calamidades** pode significar: "até que passe o perigo" (NVI). **Devorar-me** (3) significa "pisotear-me" (Moffatt; cf. 56.1-2). **Selá**: cf. comentário em 3.2. **A minha alma está entre leões** (4) é uma expressão em que o Salomão compara seus inimigos com animais de rapina **cujos dentes** são, na verdade, suas **lanças e flechas** e **cuja língua** é uma **espada afiada**. A oração: **Sê exaltado, ó Deus, sobre os céus; seja a tua glória sobre toda a terra** (5) é o refrão desse salmo (cf. v. 11). Deus está sobre tudo nos **céus** e na **terra**. Sua **glória** é a sua própria presença.

2. *Promessa de Louvor* (57.6-11)

O perigo continua presente, mas a confiança no livramento aumenta. **Armaram uma rede** (6) e **cavaram uma cova** refere-se aos métodos usados pelos caçadores para apanhar a caça. No entanto, o mal é autodestrutivo, e os perversos caem nas próprias armadilhas. Em contrapartida, o salmista proclama: **Preparado está o meu coração** (7), literalmente: "firme" (ARA e NVI); "confiante" (Berkeley), "resoluto" (Harrison). O salmista clama: **Desperta, glória minha** (8). Visto que a alma do homem é a imagem de Deus, ela é a **glória** do homem. "Desperta, minha glória — meu ser interior" (AT Amplificado), ou: "Desperta, ó minha alma" (ARA). **Alaúde** (saltério) **e harpa** são a "harpa e a lira" (cf. comentário em 33.2). A grande **misericórdia** de Deus e sua elevada **verdade** (fidelidade) são o motivo do louvor **entre os povos** e **entre as nações** (9-10). Acerca do versículo 11, cf. comentário do versículo 5.

SALMOS 58.1-11   LIVRO II: SALMOS DO TEMPLO

SALMO 58: O DESTINO DOS ÍMPIOS, 58.1-11

O Salmo 58 faz parte dos salmos imprecatórios (cf. Int.), principalmente por causa da séptupla maldição nos versículos 6-9. Nisto, bem como na avaliação de outros salmos imprecatórios, a cautela de Morgan é bem aceita: "O salmo inteiro será mal-interpretado se não observarmos cuidadosamente as perguntas introdutórias. O motivo do julgamento não é a transgressão pessoal. É, na verdade, o fracasso dos governantes em administrar justiça. Eles ficam em silêncio quando deveriam falar. Seus julgamentos não são corretos. Com iniqüidade no coração, mentem em palavra, envenenam como serpentes e nenhum encantamento os alcança".[44] Este salmo é um pedido pela vindicação pública do julgamento justo de Deus. Um Deus santo não pode tolerar o mal. Esta verdade deve ser provada de maneira tão clara que não fique nenhuma dúvida. É para esse fim que Davi roga por justiça.

Acerca do título, cf. introdução do Salmo 57.

1. *A Descrição do Mal* (58.1-5)

O salmo abre com uma vívida descrição da maldade desmedida. **Ó congregação** (1) deveria ser entendido como: "ó juízes" (ARA), ou: "vocês, poderosos" (NVI). "Vocês, deuses" (RSV) leva a uma impressão errada. Os destinatários não são deidades, mas homens incumbidos com a responsabilidade de administrar justiça ("governantes soberanos", Harrison). Porém, eles são corruptos, apesar de sua asseveração de retidão. **Fazeis pesar a violência das vossas mãos** (2) significa: "Vocês pesam e medem" opressão e injustiça em vez de retidão e eqüidade. A justiça, desde tempos imemoráveis, tem sido retratada por pratos de uma balança, em que as evidências e a imparcialidade são o fiel da balança.

O versículo 3 apresenta uma declaração vívida da corrupção inata da alma. A maldade não é aprendida. Ela vem como uma expressão natural do estado caído do homem. Os ímpios são como **a víbora surda** (4; uma serpente venenosa), que não pode ser controlada pelo **perito em encantamentos** (5; cf. referências semelhantes em Ec 10.11 e Jr 8.17).

2. *A Vingança Divina* (58.6-11)

A séptupla maldição dos versículos 6-9 descrevem a retribuição que virá da mão de Deus contra essa maldade. **Quebra-lhes os dentes** (6) é uma oração em linguagem figurada, pedindo a Deus torná-los impotentes para causar dano a outros. Acerca da expressão: **arranca, SENHOR, os queixais aos filhos dos leões** cf. Salmos 17.12; 34.10; 35.17; 57.4. **Sumam-se como águas que se escoam** (7), deixando o fundo do rio vazio e seco. **Fiquem estas feitas em pedaços**, ou seja, completamente destruídas. **Como a lesma que se derrete, assim se vão** (8), mortos pela exposição ao sol impiedoso. **Como o aborto de uma mulher**, que ocorre em silêncio e pesar. **Serão arrebatados** [...] **como por um redemoinho** (9), que ataca tão subitamente que **as panelas** colocadas sobre um fogo de **espinhos** (um fogo rápido e quente) não chegariam a aquecer.

A reação do justo será de alegria (10-11). Talvez isso não pareça uma atitude cristã, mas precisamos lembrar que a ira de Deus é fortemente retratada no NT bem como no AT. O regozijo se dá mais pela vindicação pública da justiça divina do que pela sorte das pessoas envolvidas.

Salmo 59: Oração por Proteção Noturna, 59.1-17

Este é um salmo de lamentação com um título idêntico aos Salmos 57 (q.v.) e 58, com a exceção de uma nota histórica que associa o salmo à tentativa dos servos de Saul de capturar ou matar Davi quando este fugiu da corte do rei para a sua própria casa (1 Sm 10.10-17). Uma espécie de refrão nos versículos 6 e 14 dá a entender os perigos que espreitam na escuridão. Um segundo refrão: "Deus é a minha defesa" (9,17) resume a fé positiva que vence o medo.

1. Perigo (59.1-5)

O perigo tão agudamente sentido pelo salmista é aqui, como em tantas outras partes, a presença de inimigos perniciosos que procuram atacá-lo. Eles são descritos como aqueles **que se levantam contra** (1) ele, **que praticam a iniqüidade** (2), **homens sanguinários**, homens **que armam ciladas** (3), **os fortes** que **se ajuntam** contra ele. **Minha alma** significa aqui: "minha vida" (RSV). Enquanto o salmista estava com freqüência exposto ao perigo de homens da sua própria nação, o versículo 5 pode dar a entender que **as nações** — inimigos externos de Israel — eram a fonte da sua ameaça presente (cf. vv. 8,13). De qualquer maneira, essas nações eram vistas como **pérfidos que praticam a iniqüidade** — "traidores perversos" (NVI) — apesar do fato de o salmista não ser culpado de qualquer má ação contra eles (3-4). Moffatt interpreta a última cláusula do versículo 5 da seguinte maneira: "Não poupe nenhum traidor perverso". **Selá**: cf. comentário em 3.2.

2. Livramento (59.6-13)

O refrão (6,14) fala de inimigos espreitando na escuridão, rosnando **como cães, rodeando a cidade**. Matilhas de cães selvagens continuam flagelando o Oriente. Moffatt traduz: **Eles dão gritos com a boca** como: "Aí estão eles, vociferando insultos arrogantes com os seus lábios!" **Porque dizem eles: Quem ouve?** indica a sua descrença, imaginando que Deus não conhece seus propósitos secretos e perversos. Acerca do versículo 8, cf. Provérbios 1.24-33.

A versão *Berkeley* traduz o versículo 9 da seguinte forma: "Ó minha Força. Eu aguardarei em ti, pelo Deus da minha fortaleza". **Defesa** significa literalmente: "torre alta". Morgan escreve: "Talvez não exista uma descrição mais bonita de quem Deus é para o seu povo provado [do que a indicada neste tema: Deus é minha Torre Alta]. A frase sugere ao mesmo tempo, força e paz. Uma torre contra a qual todo poder do inimigo se torna inútil. Numa torre alta a alma encontra refúgio e é elevada muito acima do tumulto e da briga, sendo capacitada a ver, de uma posição privilegiada de perfeita segurança, a violência que é vã e a vitória de Deus".[45] Cf. repetição no versículo 17.

O Deus da minha misericórdia virá ao meu encontro (10; irá à minha frente). A graça capacitadora será suficiente para qualquer tipo de necessidade. Espalhado, mas não morto, o inimigo será uma constante lembrança para o povo acerca do poder e da justiça de Deus (11). **Ó Senhor, nosso escudo**: cf. comentário em 5.12. **Fiquem presos na sua soberba** (12) é traduzido como: "na sua própria soberba sejam enredados" (Moffatt). **Deus reina em Jacó até aos confins da terra** (13) revela que, apesar de ser especialmente o Deus de Israel, o Senhor é soberano sobre toda a terra. Israel era para ser "o quartel-general" de onde a justiça e a retidão de Deus deveriam alcançar toda a humanidade.

3. *Defesa* (59.14-17)

Acerca do refrão no versículo 14, cf. comentário sobre o versículo 6. Cães semi-selvagens são insaciáveis; "se não ficam satisfeitos, uivam" (NVI). No entanto, seguro no seu **alto refúgio** (torre alta) **e proteção** (fortaleza), o poeta acorda **pela manhã** para cantar acerca da **força** de Deus (16). Embora o **dia da** sua **angústia** ainda não houvesse passado, ele mesmo assim canta louvores para a fonte da sua **força**. Quanto ao versículo 17, veja comentário do versículo 9.

SALMO 60: UM SALMO NA DERROTA, 60.1-12

Este é um salmo de lamentação, evidentemente ocasionado pela derrota do exército de Israel em batalha. O longo sobrescrito contém a conhecida dedicatória "para o cantor-mor" e o provável título de uma melodia, *Susã-Edute*, que significa literalmente: "Os lírios do testemunho". O salmo é um *mictão* (cf. Int. ao Salmo 16) de Davi, "para ensinar", e está relacionado às guerras que ele travou com os sírios (2 Sm 8.3-5; 10.16-19; 1 Cr 18.3-12). Evidentemente, ocorreu uma derrota nos primeiros estágios do conflito, embora ela não tenha sido mencionada nos relatos resumidos de 2 Samuel e 1 Crônicas. Abisai (1 Cr 18.12) parece ter agido em favor do seu irmão Joabe na derrota dos edomitas no vale do Sal.

Os versículos 6-12 também são encontrados em 108.6-13.

1. *Derrota* (60.1-5)

O salmo abre com a constatação de que a derrota sofrida ocorrera devido à retirada da ajuda de Deus. No entanto, o salmo não apresenta o motivo dessa retirada. Não lemos acerca de confissão de pecado ou alguma indicação do motivo de Deus estar **indignado** (1). Ao abalar a **terra** (2) Deus estava abalando a segurança de Israel. **O vinho da perturbação** (3) é uma figura de linguagem: "vinho que nos faz cambalear" (Berkeley). No entanto, o Senhor tinha dado **um estandarte** (4) em torno do qual deveriam se agrupar em defesa da sua **verdade**. **Selá**: cf. comentário em 3.2. Confiante no amor duradouro de Deus, o poeta clama a Deus para que o salve **com a** sua **destra** (5).

2. *Declaração* (60.6-8)

Estes versículos são um oráculo divino, proclamando o propósito de Deus em relação às nações envolvidas no conflito: **Deus disse na sua santidade** (6; santuário). **Siquém** (veja mapa 1) localizava-se a oeste do Jordão e o **vale de Sucote** não pode ser identificado com certeza. Havia uma cidade com esse nome a leste do Jordão (Jz 8.4-5). O significado do versículo pode ser: "Repartirei toda a terra, tanto do lado leste como do lado oeste do rio Jordão".[46] **Gileade** [...] **Manassés** [...] **Efraim** [...] **Judá** (7) são áreas que, juntas, formavam o reino de Israel. Cada uma dessas áreas é considerada posse divina, em que Efraim é o "capacete" (RSV) e Judá o **legislador** — líder, governador. **Moabe** [...] **Edom** [...] **Filístia** (8) eram nações vizinhas, todas hostis a Israel. **Minha bacia de lavar**, na qual os pés eram lavados, simbolizava humilhação. **Lançarei o meu sapato** é uma figura que significa: "ser tratado como um escravo" (e.g., Mt 3.11). Moffatt interpreta como: "Edom é o meu súdito". **Jubilarei** pode ser traduzido como: "sobre a Filístia dou meu brado de vitória" (NVI). A derrota e humilhação do inimigo será completa.

3. *Livramento* (60.9-12)
O salmista resume sua oração, perguntando quem será o líder da hoste do Senhor (9). Foi **Deus** quem os havia **rejeitado** e que não havia saído **com os** seus **exércitos** (10). Ele é o único **auxílio na angústia, porque vão é o auxílio do homem** (11). **Em Deus faremos proezas** (12); **porque ele é que pisará os nossos inimigos**. O que é verdadeiro acerca de Israel e seus conflitos militares com seus vizinhos é verdadeiro em relação à batalha do cristão "contra os principados e contra as potestades" (2 Co 10.3-5; Ef 6.11-20).

SALMO 61: ORAÇÃO DE UM EXILADO, 61.1-8

Este breve lamento é intitulado: "Salmo de Davi" e dedicado ao "cantor-mor, sobre *Neguiná*", uma forma singular de *Neguinote*, ou seja, com instrumentos de cordas (cf. Int. do Salmo 4). Aparentemente é a oração de um exilado (2) que anseia ter acesso ao tabernáculo do Senhor (4). Temos aqui o modelo padrão dos salmos de lamentação: o clamor, a situação difícil, a petição e a promessa.

1. *Oração* (61.1-4)
Apesar da distância do lugar familiar de adoração divina, o salmista dirigirá sua oração a Deus. **Leva-me para a rocha que é mais alta do que eu** (2) é um pedido que foi transformado em canção e devoção pelo povo de Deus ao longo dos séculos. **Mais alta do que eu** significa literalmente: "alta demais para mim" (ARA). O significado está claro: Deus tem recursos muito acima do insignificante poder humano. "Põe-me num penhasco muito alto" (Harrison). A **torre forte** era a forma mais eficiente de proteção nas guerras da antigüidade (cf. comentário em 59.9). A decisão determinada do salmista é habitar no **tabernáculo** de Deus **para sempre**, refugiando-se **no oculto** (abrigo) **das suas asas** (4; NVI, cf. comentário em 17.8).

2. *Louvor e Promessa* (61.5-8)
O poeta está confiante em que Deus ouviu os seus **votos** (5). **Dos que temem o teu nome** também pode ser entendido como: "Dos que reverenciam o teu nome" (Berkeley). A terra de Canaã era a herança de Israel, o povo de Deus. O próprio Senhor é a Herança do seu novo Israel. O salmista pede por vida longa para o rei (6) e que ele possa permanecer **diante de Deus para sempre** (7). **Misericórdia e verdade**, isto é, a infalível fidelidade de Deus, o preservará. "Então sempre cantarei louvores ao teu nome, cumprindo os meus votos cada dia" (8, Moffatt).

SALMO 62: SOMENTE DEUS É UMA DEFESA SEGURA, 62.1-12

O Salmo 62 também é identificado como "Salmo de Davi" em seu título e dedicado ao "cantor-mor, sobre Jedutum" (cf. 1 Cr 16.41). Ele repete o refrão de 59.9,17: "Ele é a minha defesa [torre alta]" nos versículos 2 e 6. Temos o mesmo pano de fundo de conflito que encontramos em inúmeros salmos. Podemos, no entanto, identificar uma forte nota de confiança. Isto pode ser detectado na paráfrase de Moffatt do versículo 1: "Deixe tudo silenciosamente com Deus, alma minha".

1. *O Inimigo* (62.1-4)
A minha alma espera somente em Deus (1) significa literalmente: "A minha alma está em silêncio diante de Deus". Esse silêncio na presença de Deus às vezes é a forma mais eloqüente de oração. "A salvação é do Senhor", naquele tempo e sempre. Porque **só ele é a minha rocha e a minha salvação** (2; cf. comentário em 27.5). **Minha defesa** significa literalmente: "torre alta"; cf. comentário em 59.9. Em forte contraste com a confiança do salmista em Deus está o caráter e a conduta dos seus inimigos. **Maquinareis o mal** (3) significa literalmente "investir", atacar ou assaltar. O forte tom desse versículo é captado por Moffatt: "Até quando vocês ameaçarão um homem, todos vocês assassinos, como se ele fosse um muro instável, uma parede prestes a cair?". De maneira falsa e com mentiras, os seus inimigos **consultam** e maquinam planos contra ele (4). **Selá**: cf. comentário 3.2.

2. *A Esperança* (62.5-8)
O versículo 5 é semelhante ao versículo 1 e o versículo 6 repete o versículo 2. **Minha esperança** (5) é o livramento pelo qual ele está orando. A última cláusula do versículo 6: **Não serei abalado** é ainda mais forte do que a última locução do versículo 2: "não serei grandemente abalado"; cf. Harrison: "Não serei despojado" (2); "Não serei derrubado" (6). Acerca dos versículos 6-7, cf. comentário do versículo 2. Todo **povo** é encorajado a confiar em Deus, **em todos os tempos** (8). **Derramai perante ele o vosso coração**, em oração e súplica, porque **Deus é o nosso refúgio**.

3. *A Avaliação* (62.9-12)
Oração e fé deram ao salmista a avaliação correta do *status* e da riqueza que os descrentes perseguem na vida. **Classe baixa** e **ordem elevada** (9) não passam de **vaidade** ("um sopro", Ec 1.2) e **mentira** (lit., "desapontamento"). O *status* promete muito, mas geralmente desaponta aqueles que o procuram. No seu contexto, essas palavras podem significar que os homens de altas posições desapontaram o salmista. Pesadas **em balanças**, todas as distinções humanas de posição e importância são, juntas, mais **leves do que a vaidade** — elas pesam menos do que um sopro!

A riqueza obtida à custa da honestidade é comprada por um preço alto demais (10). Se os piedosos virem suas **riquezas** aumentar, eles **não** devem pôr **nelas o coração**. Em uma época em que quase universalmente se via a prosperidade como sinal de favor divino (cf. o problema discutido nos Salmos 37 e 49), essa realmente é uma nota significativa (cf. 73.3-5; também 37.16 e 49.16-18). **Uma coisa disse Deus; duas vezes a ouvi** (11) indica que "uma revelação dada mais de uma vez tem um peso especial. O conteúdo dessa revelação, portanto, não se constitui em duas coisas separadas, mas sim, uma só: a onipotência e bondade de Deus juntas trabalham para que cada pessoa, boa ou má, receba sua justa recompensa".[47] **O poder pertence a Deus**. O mesmo vale para a **misericórdia** (12; *chesed*), o amor constante e confiável do Senhor para com os seus. (Cf. comentário em 17.7).

Livro II: Salmos do Templo   Salmos 63.1—64.1

Salmo 63: Deus Está em Tudo, 63.1-11

Este é um salmo de confiança e fé no auxílio contínuo de Deus. Diferente de outros salmos dessa classe (e.g., 23; 27), ele é um poema em forma de canção, em que as palavras são todas dirigidas a Deus e não faladas acerca dele. Ele alcança um pico de devoção espiritual. "O anelo sincero por Deus e a percepção da comunhão com Ele por parte de um homem verdadeiramente bom como é apresentado nesse salmo, é algo inigualável no Saltério".[48] Morgan vê nesse salmo a expressão consumada de confiança expressa nos dois salmos anteriores. Ele encontra duas coisas necessárias para uma fé vitoriosa como essa. "Isso é indicado nas palavras introdutórias do salmo. Primeiramente, deve haver a conscientização do relacionamento pessoal: 'Ó Deus, tu és o meu Deus'; e, em segundo lugar, deve haver uma busca sincera por Deus: 'de madrugada te buscarei'. Precisa ser estabelecido um relacionamento. A comunhão precisa ser cultivada".[49]

O título associa o salmo à fuga de Davi diante de Saul durante o período que passou no deserto de Judá (1 Sm 23.14—26.25).

1. *A Comunhão com Deus* (63.1-8)

Vemos descrito aqui o que há de melhor na religião do AT. De **madrugada** (1) e de **noite** (6) o salmista centraliza seus pensamentos e desejos no Senhor. **Minha alma tem sede** (1; cf. comentário em 42.2). Como **em uma terra seca e cansada**, Davi anseia pelo **santuário** do Senhor, onde tinha visto a **fortaleza** ("força", ARA; "poder" NVI) e a **glória** de Deus (2). **Tua benignidade** (*chesed*, amor da aliança, constante e duradouro; cf. comentário em 17.7) **é melhor do que a vida** (3), e a vida seria intolerável sem ela. **A minha alma se fartará, como de tutano e de gordura** (5), "alimento farto" (Moffatt). Horas sem dormir à noite transformam-se em alegria, **quando me lembrar de ti na minha cama e meditar em ti nas vigílias da noite** (6). A ajuda no passado gera alegria no presente **à sombra das** [...] **asas** dele (7; cf. comentário em 17.8 e 61.4).

2. *O Destino dos Ímpios* (63.9-11)

O pensamento dos opressores do salmista é uma sombra passageira. **Aqueles que procuram** destruir sua vida **irão para as profundezas da terra** (9), para o *Sheol*, o lugar dos mortos. **Serão uma ração para as raposas** (10), isto é, os chacais do deserto se alimentarão dos seus corpos insepultos. **Qualquer que por ele jurar** (11) é todo aquele "que se compromete com a autoridade de Deus, reconhece sua supremacia e se devota somente à sua glória e ao seu serviço" (AT Amplificado). Todas essas pessoas o glorificarão.

Salmo 64: A Loucura e Destino dos Inimigos, 64.1-10

Este salmo é um típico salmo de lamentação, seguindo o padrão costumeiro de clamor, situação difícil, petição e promessa. A preocupação do autor é com os que "praticam a iniqüidade" (2). A forma de oposição aparentemente é de "indagações maliciosas" (6). No entanto, a situação difícil do salmista não o faz entrar em desespero, porque enxerga o malogro do conselho perverso diante da obra de Deus.

O salmo é dedicado ao "cantor-mor" e identificado como "Salmo de Davi".

1. A Difamação (64.1-6)
O clamor é: **Ouve, ó Deus** [...] **livra a minha vida** (1). O método imutável dos fomentadores de difamações é descrito de forma bem vívida: **secreto conselho** (2) [...] **tumulto** ("conspiração", AT Amplificado) [...] **língua como espadas** (3) [...] **flechas, palavras amargas** [...] **disparam sobre ele repentinamente** (4) [...] **armar laços** (5). **Afiaram a sua língua** (3), como se afia uma espada. **O que é reto** (4; *tammim*) é aquele que é íntegro, saudável, completo. Os homens de caráter baixo raramente são motivo de difamação. **Firmam-se em mau intento** (5) pode ser traduzido como: "Animam-se uns aos outros com planos malignos" (NVI). Seguros de que o seu mal nunca será descoberto, **falam em armar laços secretamente**. A versão Berkerley traduz o versículo 6 da seguinte maneira: "Maquinam esquemas perversos; estão prontos com um plano bem-elaborado; porque o homem interior e o coração são insondáveis".

2. Solução (64.7-10)
Mas as questões da vida nunca são solucionadas de acordo com os padrões dos ímpios. O salmista perde seu "horror do inimigo" (1) ao lembrar que **Deus disparará sobre eles uma seta** (7), da mesma forma que eles haviam atirado contra o justo e o haviam ferido. **Eles farão com que a sua língua** (8) **se volte** (testemunhe) **contra si mesmos**. Aqueles que **os virem, fugirão**, ou como o hebraico pode ser traduzido: "menearão a cabeça". O resultado será a vindicação final da justiça de Deus diante dos olhos de todos. **O justo se alegrará**, e sua confiança será confirmada (10). As vítimas de línguas mentirosas terão dificuldades em esperar. Mas a solução, embora demorada, certamente virá.

Salmo 65: Uma Canção de Adoração, 65.1-13

O Salmo 65 é um salmo de adoração, talvez para o festival da colheita ou na ocasião de uma colheita especialmente abundante. Ele se concentra no dever e no privilégio da adoração e ressalta a glória de Deus em seu Templo, entre as nações, e na fertilidade da natureza. Ele é dedicado ao "cantor-mor" e é um "Salmo e Cântico de Davi". As palavras apresentam uma diferença muito pequena; "salmo" provavelmente indica um acompanhamento instrumental.

1. A Glória de Deus em sua Casa (65.1-4)
A natureza e alegria da adoração divina compõem o tema de abertura do salmo. **Louvor** (1), **orações** (2), a purificação do pecado (3) e o culto reverente (4) são elementos da verdadeira adoração. A ênfase está na adoração pública — **em Sião** (1; uma variante de *Zion*, o monte no qual o Templo foi construído), na **casa de Deus** e no **santo templo** (4). **Toda a carne** (2), isto é, todas as pessoas. **Prevalecem as iniqüidades contra mim** (3), pode ser traduzido como: "Embora os nossos pecados pesem sobre nós, tu cancelas nossas transgressões" (Moffatt). O homem escolhido para aproximar-se de Deus e habitar em seus **átrios** é realmente abençoado (4).

2. A Glória de Deus entre as Nações (65.5-8)

O autor fala do poder soberano de Deus em toda a terra. **Com coisas tremendas de justiça nos responderás** (5) também pode ser entendido como: "Por meio de tremendos feitos nos responderás com livramento" (RSV). Deus é a **esperança** dos **homens de todas as extremidades da terra e daqueles que estão longe sobre o mar**. Seu poder é visto nas forças da natureza (6-7) e Ele aquieta **o tumulto das nações** ("o clamor das nações", Berkeley). **Teus sinais** são forças da natureza irresistíveis. **As saídas da manhã e da tarde** são o leste e o oeste, lugares do nascer e do pôr-do-sol. A soberania universal de Deus é proclamada nessas imagens vivas e concretas.

3. A Glória de Deus na Colheita (65.9-13)

Esta última seção, que alguns acreditam não fazer parte desse salmo, dá glória a Deus pela abundância da colheita e pela beleza da região rural. A Palestina dependia inteiramente das chuvas para a sua fertilidade. A água era um presente de Deus e um símbolo da sua presença: **Tu visitas a terra e a refrescas** (9). O **rio de Deus** refere-se ao "acumular das águas nas nuvens e na atmosfera, que Ele pode reter ou soltar a qualquer momento".[50] **"Preparas o cereal"** (ARA): a provisão de Deus, não o esforço humano, supria as necessidades. A chuva e a fertilidade da "boa terra" coroavam **o ano** com a **bondade** de Deus (11). Os **outeiros** ("colinas", NVI) se enchem de **alegria** (12) quando **os campos cobrem-se de rebanhos** (13) e **os vales vestem-se de trigo**.

SALMO 66: UM SALMO DE LIVRAMENTO, 66.1-20

Este salmo de adoração é dirigido ao "cantor-mor", e intitulado "Cântico e Salmo" (cf. Int. do Salmo 65) sem o nome de Davi. Ele é claramente dividido em duas seções principais. No versículo 13, ocorre uma mudança de pronome do plural para o singular. M'Caw entende que os versículos 1-12 tratam da adoração pública e os versículos 13-20 da adoração pessoal.[51]

1. Adoração pública (66.1-12)

Esta é uma convocação para todos louvarem a Deus por causa das suas obras poderosas, tanto no Êxodo como em providências mais recentes.

a) *"Toda a terra te adorará, e te cantará louvores"* (66.1-4). **Todas as terras** são convocadas a louvar **a Deus com brados de júbilo**, cantando **a glória do seu nome** e dando **glória ao seu louvor** (1-2). **Brados de júbilo** são gritos de alegria (cf. 81.1; 95.1; 98.4; 100.1). **Quão terrível és tu nas tuas obras!** (3) foi traduzido como: "Quão impressionantes e terrivelmente gloriosas sãos as tuas obras!" (AT Amplificado). **Toda a terra te adorará, [...] e cantará o teu nome** (4). **Selá**: cf. comentário em 3.2.

b) *"Converteu o mar em terra seca"* (66.5-7). Existe aí uma referência dupla ao Êxodo e à passagem do rio Jordão (Êx 14.21; Js 3.14-17). **Terrível** (5) traz a idéia de "impressionante". O Êxodo, em particular, tornou-se para Israel o evento central da fé.

c) *"Trouxeste-nos a um lugar de abundância"* (66.8-12). As misericórdias de Deus não cessaram com o livramento notável no passado. Nas provações ao longo da história e em alguns perigos novos e recentes, o Senhor novamente tornou conhecido o seu poder. **Sustenta com vida a nossa alma** (9) pode ser entendido como: "mantém a nossa alma com vida" (Berkeley). **Tu, ó Deus, nos provaste** (10; testaste). Em lugar de **lombos** (11) leia-se "costas". Carregar fardos nas costas era algo comum naquela época (Berkeley, nota de rodapé). Semelhante à **prata** (10) que passa pelo processo do fogo depurador, o povo havia passado **pelo fogo e pela água** (12); mas o Senhor os havia livrado e trazido **a um lugar de abundância** — "um repouso com fartura, colocando-nos em liberdade" (Moffatt).

2. *Devoção Pessoal* (66.13-20)

A mudança dos pronomes pessoais no plural para o singular aponta para uma ênfase diferente no salmo. É a expressão de pessoas vindo à **casa** de Deus para adorar **com holocaustos** (13) e pagar os seus **votos, que haviam pronunciado** [...] **na angústia** (14). **Animais nédios** ("animais gordos", NVI), **carneiros** [...] **novilhos** e **cabritos** (15) eram todos aceitáveis como "ofertas pacíficas", isto é, aquelas que expressam ações de graça e amor a Deus, ou como pagamento de votos (Lv 3.1-17).

A oferta era um testemunho público do que Deus tinha **feito à sua alma** (16). É possível que houvesse uma declaração detalhada de particularidades, mas tudo está resumido em louvor pela oração respondida (17-20). **Se eu atender** (contemplar) **à iniqüidade do meu coração, o Senhor não me ouvirá** (18) é uma verdade expressa de diversas formas em outras partes das Escrituras (e.g., Jó 27.9; 31.27; Pv 15.29; 28.9; Is 1.15; Zc 7.13; Jo 9.31 etc.). Insinceridade ou pecado oculto tranca os canais da oração.

SALMO 67: UM HINO DE LOUVOR, 67.1-7

Este é um salmo de adoração, dedicado ao "cantor-mor sobre *Neguinote*", ou instrumentos de cordas (cf. Int. do Salmo 4), e intitulado "Salmo e Cântico" (cf. Int. do Salmo 65). A primeira linha do versículo 6 tem apresentado este salmo como um cântico festivo de colheita, mas essa ocasião específica tem sido ofuscada por um panorama muito mais amplo. Se este salmo era um hino de colheita, provavelmente foi usado na Festa dos Tabernáculos.

1. *O Motivo do Louvor* (67.1-4)

A providência justa de Deus é a base da adoração expressa no salmo. O primeiro versículo está em forma de pedido. Oesterley salientou que isso não está fora de lugar, porque "quando uma bênção divina era outorgada, uma das primeiras emoções do homem — como é o caso do nosso salmista —, com profunda percepção religiosa, é um sentimento de indignidade; e isso é seguido de um desejo espontâneo e ardente de que a bênção seja usada corretamente. Esse será o caso se a generosidade de Deus continuar sendo concedida; por isso o clamor: 'Ó Deus — seja gracioso para conosco' ".[52]

Faça resplandecer o seu rosto sobre nós (1) significa: "olhe sobre nós com o seu favor e aprovação". **Selá**: cf. comentário em 3.2. **Tua salvação** (2) também pode ser entendido como: "teu poder salvador". **Julgarás os povos com eqüidade** (4), condenando o mal e vindicando o justo. **Governarás as nações sobre a terra** significa literalmente: "guias na terra as nações" (ARA). A soberania de Deus é universal.

2. *O Resultado do Louvor* (67.5-7)

Quando **todos os povos** louvam (5) o Senhor, há três resultados: a) **Então, a terra dará o seu fruto** (6) em colheitas abundantes; b) **Deus nos abençoará** (7) espiritual e materialmente; e c) **todas as extremidades da terra o temerão**, olharão para ele com reverência e temor.

SALMO 68: DEUS E SUAS HOSTES DE ADORADORES, 68.1-35

Este salmo mais longo é dedicado ao "cantor-mor" e é identificado como "Salmo e Cântico de Davi". Os estudiosos têm tido dificuldades em classificá-lo, visto ele tratar de uma série de assuntos. Oesterley acredita ser uma coleção de partes menores,[53] e Taylor descreve este salmo como um hino de procissão usado pelos sacerdotes e adoradores no caminho para o santuário (24-25), intitulando-o: "Um Livrete de Cânticos para o Santuário".[54] Existe uma forte nota messiânica no versículo 18 (cf. Ef 4.8).

1. *Louvor* (68.1-6)

A seção de abertura do salmo manifesta o louvor do Senhor na terra e nos céus. Ninguém que **o aborrece** (1) poderá ficar em pé. **Como a cera se derrete diante do fogo, assim pereçam os ímpios diante de Deus** (2) — sua presença é intolerável para os ímpios. **Mas alegrem-se os justos** (3) **e se regozijem na presença de Deus**, cantando **louvores ao seu nome** (4). **Louvai aquele que vai sobre os céus** é a tradução de uma construção difícil do hebraico. Essa expressão também tem sido traduzida da seguinte maneira: "Preparem um caminho elevado para aquele que cavalga pelos desertos" (ASV; AT Amplificado); "Exaltai o que cavalga sobre as nuvens" (ARA); "Glorifiquem aquele que cavalga sobre as nuvens tempestuosas" (Harrison). **O seu nome é JEOVÁ** (JAH), ou *Yah*, é uma forma alternada ou contraída de *Yahweh*, o nome pessoal do verdadeiro Deus, traduzido por "Javé" (ASV), "o Eterno" (BLH), e "o SENHOR" (LXX, KJV, Smith-Goodspeed, ARA, NVI, Berkeley, AT Amplificado.). O uso de "o SENHOR" tem o apoio do uso do NT, visto que o *Yahweh* hebraico é freqüentemente traduzido por *ho Kyrios* (o Senhor) em citações do AT. JAH é encontrado no texto hebraico em Êxodo 15.2; 17.16; Salmos 68.18; 89.8 e Isaías 12.1; O Salmo 68 é o único lugar na Edição Revista e Corrigida em que o nome pessoal de Deus é transliterado para o português. Ele é comum em nomes compostos no AT, aparecendo em português como *-ias*, como em Jerem*ias* (apontado por *JAH*), Isa*ías* (salvação de *JAH*), Zacar*ias* (*JAH* lembrou-se), e assim por diante. Cf. "Aleluia" (*Hallelu-Yah*), "louvado seja *JAH*".

Deus é um **pai de órfãos e juiz de viúvas** (5). Nos tempos bíblicos uma proteção especial era dada a essas pessoas que, de outra forma, ficavam sem proteção. **Juiz** significa Defensor e Vindicador dos justos (cf. Lc 18.1-7). **Deus faz que o solitário viva em família** (6) também tem sido traduzido como: "traz o solitário para casa" (Moffatt) e "dá um lar aos solitários" (NVI). Uma **terra seca** seria um local deserto e ressecado.

2. *Passado* (68.7-14)

Estes versículos incluem uma divisão distinta no salmo e recapitulam os eventos adjacentes e posteriores ao Êxodo, mostrando o favor do Senhor em relação ao seu povo. **Deus [...] quando saías adiante** (7), isto é, na coluna de nuvem e de fogo (cf. Êx 13.21-22; 33.14-15). **Selá**: cf. comentário em 3.2. Acerca da expressão: **a terra abalava-se** [...] **o próprio Sinai** (8) veja Êxodo 19.16-19. **A chuva em abundância** (9) provavelmente refere-se à "chuva de presentes graciosos", bem como a própria chuva sobre **a tua herança** — terra e povo. **Nela habitava o teu rebanho** (10) foi traduzido como: "Aí habitou a tua grei" (ARA), ou: "O teu povo nela se instalou" (NVI). A alusão aqui é a Canaã, a terra da herança do seu povo.

O Senhor deu a palavra (11), isto é, a ordem decisiva; e **grande era o exército dos que anunciavam as boas-novas**, no sentido de espalhar as novidades de que **reis de exércitos fugiram à pressa** (12). A última parte do versículo 12 pode ser corretamente entendida da seguinte forma: "As mulheres que ficavam em casa repartiam os despojos" (Berkeley). **Ainda que deiteis entre redis** (13) é uma construção hebraica difícil, traduzida por "deitar entre apriscos" (ASV), ou: "acampar entre apriscos" (Berkeley). O pensamento provavelmente está ligado ao versículo 12, em que as mulheres dividiam o despojo, próximas dos apriscos em casa. **Como as asas de uma pomba, cobertas de prata, com as suas penas de ouro amarelo** é uma descrição de Israel, a pomba, retornando da batalha vencida por intermédio do poder de Deus, carregado com despojos da guerra em prata e ouro. **Zalmon** (14) era um monte no centro da Palestina, cuja localização exata é desconhecida. O significado provável é que a derrota dos reis inimigos perante Deus e seu povo era tão sem esforço quanto a queda da **neve** sobre o monte.

3. *Presente* (68.15-23)

A presença e poder de Deus são mais do que fatos históricos. Eles são realidades presentes. Estes versículos ressoam a glória de Deus através das bênçãos que Ele concede diariamente. **O monte de Deus é um monte de Basã** (15): Basã era uma região montanhosa a nordeste da Galiléia. Embora ficasse na fronteira do país, era posse do Senhor. Era descrita como se tivesse inveja do monte de Sião em Jerusalém. Segundo Moffatt o versículo 16 pode ser traduzido da seguinte maneira: "Por que olhais com inveja, ó montes elevados, o monte que Deus escolheu para sua habitação, onde o Eterno habitará para sempre?" **Milhares de milhares** (17), isto é, os exércitos de Deus não podem ser enumerados.

Deus como Rei vitorioso subiu **ao alto** (18) "com cativos no seu comboio" (Moffatt), recebendo tributo de homens — que Ele então distribui entre aqueles que lhe pertencem (cf. a aplicação feita por Paulo em Ef 4.8). O propósito beneficente de Deus também inclui os **rebeldes**. O resumo dessa seção está no versículo 19: **Bendito seja o Senhor, que de dia em dia nos cumula de benefícios; o Deus que é a nossa salvação**. A expressão **dia em dia nos cumula** também pode ser traduzida como: "dia a dia, leva o nosso fardo" (ARA) ou "dia a dia Ele nos carrega" (Berkeley).

A Jeová, o Senhor, pertencem as saídas para escapar da morte (20) tem sido interpretado como: "Com Deus, o Senhor, está o escaparmos da morte" (ARA) ou: "A Deus, o Senhor, pertencem as saídas da morte" (Smith-Goodspeed). As questões da vida e da morte estão nas mãos de Deus. Existe um destino terrível aguardando os **inimigos do Senhor** (21-23), aqueles que insistem em suas transgressões. A estranha expressão **crânio cabeludo** (21) é uma alusão ao costume dos soldados, que deixavam seu cabelo crescer até o término bem-sucedido da guerra, quando era cortado após retornarem para casa. **De Basã** [...] **das profundezas do mar** (22) pode significar: "dos altos [cf. 15] até as profundezas".

4. *Procissão* (68.24-29)
Estes versículos podem ser a chave do propósito e uso do salmo (cf. Int.). Eles descrevem a marcha de **Deus** — o Senhor liderando o caminho para a entrada no **santuário** (24); **os cantores** vindo depois, seguidos de **tocadores de instrumentos** (25), com **donzelas** (virgens) **tocando adufes** (tamborins). O cântico é: **Celebrai a Deus nas congregações; ao S**ENHOR**, desde a fonte de Israel** (26). A ASV traz: "vós que sois a fonte de Israel", isto é, os descendentes de Jacó. Na procissão estão os líderes do **pequeno Benjamim** [...] **Judá** [...] **Zebulom** [...] **Naftali** (27), duas tribos do sul e duas do norte, representando todo Israel. A **força** e o poder de Deus são manifestos por meio do seu **templo em Jerusalém** (28-29).

5. *Perspectiva* (68.30-35)
Vitórias do passado e do presente aumentam a confiança para o futuro. O Senhor despedaçará toda oposição. **As feras dos canaviais** (30) pode ser também: "a fera entre os juncos" (NVI); assim, crocodilos, **touros** e **novilhos** representam os inimigos dos justos. **Embaixadores reais virão do Egito** (31) para adorar o Senhor, e a **Etiópia cedo estenderá para Deus as suas mãos** em submissão e adoração. Os **reinos da terra** (32) cantarão **a Deus, àquele que vai montado sobre os céus dos céus** (33). **Ó Deus, tu és tremendo desde os teus santuários** (35) pode ser corretamente entendido como: "Tu és temível e inspirador, ó Deus, no teu santuário" (Berkeley).

SALMO 69: DESESPERO E DESEJO, 69.1-36

Este é um cântico em tom menor com uma forte nota de imprecação (22-28, cf. Int.) e algumas nuanças messiânicas (9,21). O título "Sobre *Sosanim*" significa: "segundo a melodia 'Os lírios'" (cf. Int. do Salmo 45). A agonia de espírito do cantor era profunda e intensa. Ele estava cercado de inimigos, perturbado pela doença e atordoado pelo sentimento de desespero. Morgan comenta: "Talvez em nenhum outro salmo do Saltério o sentimento de tristeza seja tão profundo ou mais intenso do que nesse. A alma do cantor manifesta um desamparo incontido e uma tristeza que a consome".[55]

1. *Um Tempo de Necessidade Estrema* (69.1-5)
A situação do salmista é expressa em figuras de linguagem vívidas. **As águas entraram até à minha alma** (1; "até os meus lábios", Berkeley; "até o meu pescoço", NVI). Ele se encontra afundando **em profundo lamaçal** (2), sem lugar algum para ficar em pé. **Estou cansado de clamar** (3) sugere: "Estive clamando até ficar exausto" (Berkeley). O salmista era odiado **sem causa** (4); seus **inimigos** se opõem a ele **injustamente**, a

ponto de ser forçado a restituir o que não havia furtado. No entanto, ele havia sido "insensato" (5, NVI). A insensatez é um sinônimo do AT para "impiedade", e ele confessa os seus **pecados** a Deus.

2. *Angústia por amor ao Senhor* (69.6-13)
Como é de praxe nesses salmos, a base da oposição era religiosa. O versículo 6 é uma oração nobre de um homem cuja preocupação não é apenas consigo mesmo mas também com o fiel que pode sofrer algum dano por qualquer erro da sua parte. **Por amor** do Senhor a vergonha cobria o seu rosto (7, NVI) e ele havia se **tornado como um estranho** e **desconhecido** entre os seus (8). O versículo 9 é conhecido pelo seu uso na purificação do Templo por Jesus (Jo 2.17), e a última parte do versículo é citada por Paulo ao ilustrar o Senhor carregando os fardos dos fracos (Rm 15.3).

Chorei [...] **até isso se me tornou em afrontas** (10) pode ser corretamente traduzido de acordo com a NVI: "Até quando choro e jejuo, tenho que suportar zombaria". **Pano de saco** (11) era o símbolo tradicional de profundo pranto e luto. **Me fiz um provérbio para eles** significa que seu nome estava sendo usado como uma expressão de desprezo. **Aqueles que se assentam à porta** (12) eram os anciãos da cidade (Rt 4.1; Jó 29.7-8). **A canção dos bebedores de bebida forte** indica que tanto os de baixa como os de alta posição conspiravam contra ele. A única esperança do salmista era que Deus atenderia ao seu clamor. A versão *Berkeley* traduz o versículo 13 da seguinte maneira: "Quanto a mim, faço a ti a minha oração, Senhor; em tempo oportuno, ó Deus, pela riqueza da tua graça, responde-me segundo a verdade da tua salvação".

3. *A Esperança da Oração Respondida* (69.14-20)
A oração é a única esperança em uma situação como essa. O salmista retorna à figura desesperadora do versículo 2, sentindo-se afundar no **lamaçal** e nas **profundezas das águas** (14), como **o poço** da morte prestes a fechar **sua boca sobre** ele (15). O salmista lembra Deus da sua "graça" e da riqueza das suas misericórdias (16, ARA). Toda a miséria do poeta é aberta diante do Senhor: **estou angustiado** (17); [...] **a minha afronta, e a minha vergonha e a minha confusão** [...] **quebrantaram o coração, e estou fraquíssimo** (20). Não havia ninguém que dele tivesse **compaixão** ou que fosse seu confortador.

4. *Maledicência sobre os Inimigos* (69.21-28)
Esta é uma das passagens imprecatórias mais fortes dos Salmos (cf. Int.). O **fel** e o **vinagre** (21) são notavelmente paralelos à crucificação de Jesus (Mt 27.34). No contexto do AT, o significado é provavelmente uma queixa de que a comida e a bebida do salmista estavam amargas e intragáveis. Lemos, então, uma séptupla maldição sobre o ímpio: 1) a respeito da sua comida (22); 2) acerca dos seus **olhos** (23); 3) acerca dos seus corpos (23b); 4) o derramar da **ira** de Deus (24); 5) acerca das suas habitações (25); 6) a sua **iniqüidade** acumulada não os deixa desfrutar da absolvição (27); 7) seus nomes **não** estão **inscritos com os justos** (28). Conversar **sobre a dor daqueles a quem feriste** (26) pode ser "fuxicar acerca da dor" (Berkeley); seguindo a LXX, a RSV traduz: "Eles aumentam a sua aflição".

5. Uma Nota de Esperança (69.29-36)
Como ocorre tantas vezes nos salmos, o poeta se ergue do meio das trevas para um vislumbre de esperança. Quando a **salvação** de Deus o colocar num **alto retiro** (9), ele louvará **o nome de Deus com cântico e com ações de graça** (30), que é **mais agradável ao Senhor do que** o sacrifício de animais (31). Sua vindicação fará com que os **mansos** se alegrem (32). Ele declara: **O vosso coração viverá, pois que buscais a Deus. Porque o SENHOR ouve os necessitados e não despreza os seus cativos** (32-33) — seu povo que tem sido afligido ou exilado. **Céus e terra, os mares e tudo quanto neles se move** (34) louvarão o Senhor. **Deus salvará a Sião e edificará as cidades de Judá** (35), e seu povo a possuirá como sua herança (36).

SALMO 70: UM GRITO URGENTE POR SOCORRO, 70.1-5

Este salmo é idêntico ao Salmo 40.13-17. Uma nota adicional é encontrada no título "para lembrança", talvez indicando seu uso como um memorial em alguma época específica de necessidade. Morgan comenta: "Esse breve salmo é o soluço impetuoso de uma solicitude ansiosa. Encontramos pouca quietude nele. Os inimigos estão engajados em perseguição cruel e em escárnio. Parece que o cantor sente que a pressão está se tornando insuportável, e, com medo de ser vencido, clama para que Deus apresse o seu livramento. A confiança do cantor é evidente; por isso ele clama a Deus e, evidentemente, não há espaço em seu coração para questionar a capacidade de Deus em guardá-lo. A única pergunta é se o socorro chegará em tempo".[56] Para comentários adicionais, veja Salmo 40.13-17. As diferenças principais nessas duas versões são a substituição de "Digna-te" (40.13) por **Apressa-te** (1) e seu acréscimo no versículo 5; no versículo 4 ocorre a substituição de "SENHOR" (40.16) por **Deus**; e a substituição contrastante de **Senhor** (5) por "ó meu Deus" (40.17). Nenhuma dessas mudanças altera o sentido.

SALMO 71: MESMO NO TEMPO DA VELHICE, 71.1-24

Com a exceção do Salmo 43, que provavelmente na sua origem fazia parte do Salmo 42, esse é o único salmo no Livro II sem um título. O salmo 71 é uma oração e testemunho de um homem idoso (9,18). M'Caw comenta: "Há uma brandura e serenidade nesse salmo que é característico de uma vida longa vivida na dependência de Deus (cf. vv. 5,17)".[57] Em virtude de sua profunda piedade e espírito religioso esse salmo figura entre as produções mais bonitas do Saltério".[58] "O que é particularmente digno de nota, e quase singular no Saltério, é o belo quadro de alguém, já avançado em idade, que pode olhar para a sua vida passada com a convicção alegre de que cumpriu a sua obrigação com Deus; e que, apesar das dificuldades, Deus tem estado com ele e o sustentado".[59]

1. Um Forte Refúgio por toda a Vida (71.1-8)
Mesmo cercado por perigos, o salmista é confortado pela lembrança agradável dos livramentos passados de Deus. Ele declara sua confiança no **Senhor** (1) e ora para que **nunca seja** [...] **confundido**, mas liberto na **justiça** do Senhor e capacitado a escapar (2).

Ele pede para que o Senhor seja a sua **habitação forte**, a **rocha** e **fortaleza** à qual **possa recorrer continuamente** (3). O livramento **das mãos do homem injusto e cruel** (4) deve vir do SENHOR **Deus**, que tinha sido sua **esperança** e **confiança** desde a sua **mocidade** (5). Desde o nascimento, Deus tinha sido o seu Sustentador (6). **Sou como um prodígio para muitos** (7) também pode ser entendido como "um sinal ou portento" da fidelidade de Deus.

2. *Os Perigos da Idade Avançada* (71.9-16)
A **velhice,** com sua força decadente (9), havia sido erroneamente entendida pelos seus **inimigos** (10) como uma indicação de que **Deus** o havia desamparado (11) e que não haveria ninguém para livrá-lo. No entanto, esse não é o caso, e o poeta ora pela proximidade do seu **Deus** (12) e para que os seus **adversários** sejam confundidos (13). Apesar das pressões de fora e de dentro, o salmista não desistirá de ter esperança (14) e, sim, louvará o Senhor **cada vez mais,** relatando **as bênçãos da** sua **justiça** e da sua **salvação todo o dia** (15). A expressão: **posto que não conheça o seu número** mostra que as misericórdias de Deus são incontáveis. Moffatt traduz essa expressão da seguinte maneira: "Nunca posso contá-las na sua totalidade". Embora suas forças estejam debilitadas, ele **sairá na força do** SENHOR **Deus** (16); cf. o paralelo de Paulo em 2 Coríntios 12.9.

3. *A Esperança da Velhice* (71.17-24)
Ensinado pelo Senhor **desde** a sua **mocidade** (17), agora **velho e de cabelos brancos,** nosso poeta ora: **não me desampares, ó Deus** (18). Nada pode ser comparado com a **justiça** e o poder do Senhor (19). Tendo passado por **muitos males e angústias** (20), o Senhor, que o havia restaurado anteriormente, lhe **dará ainda a vida. Aumentarás a minha grandeza** (21) é melhor traduzido como: "Tu me farás mais honrado" (NVI). Acerca de **saltério e harpa** (22), cf. comentário em 33.2. **Santo de Israel** é um dos títulos mais impressionantes do verdadeiro Deus, registrado aqui pela primeira vez nos Salmos (Is 1.4; 5.19,24; 10.17,20 etc.). O salmista **falará** da **justiça** de Deus **todo o dia** (24); **justiça** no sentido do seu ato salvífico de libertação. **Pois** seus inimigos **estão confundidos e envergonhados** (24), "humilhados e frustrados" (NVI).

SALMO 72: O REI IDEAL, 72.1-20

Este poema recebe o título: "Salmo de Salomão". O Salmo 127 recebe um título semelhante. Ele tem sido interpretado tanto em relação a um rei terreno como em relação ao Messias. Certamente, ainda não se concretizaram o caráter e domínio do rei aqui descrito nesta terra. Esta é, na verdade, a descrição do reino perpétuo do nosso Senhor. Morgan escreve o seguinte: "Esse é o Reino que o mundo ainda está esperando. É uma ordem perfeita que ainda não foi estabelecida, porque o domínio final de Deus ainda não foi reconhecido e obedecido. Tudo isso certamente estava na visão de Jesus quando nos ensinou a orar pela vinda do Reino. O único Rei veio, e os homens não reconheceram o seu reinado. Portanto, apesar dos melhores e mais altos esforços do homem, sem Ele, os

LIVRO II: SALMOS DO TEMPLO   SALMOS 72.1-17

necessitados continuam oprimidos, e a paz e prosperidade são adiadas. Para nós, o cântico desse salmo é uma profecia de esperança. Temos visto o Rei e sabemos que o Reino perfeito deve vir, porque Deus não pode ser derrotado".[60] E Leslie M'Caw observa: "As condições de justiça social, estabilidade, prosperidade e paz que o Salmo descreve não são meramente ideais; seu cumprimento atual e final está plenamente subentendido por causa da esperança messiânica".[61]

1. A Justiça do Rei (72.1-6)

A justiça do rei e sua eqüidade resultante são o tema da estrofe de abertura do cântico. Os **juízos** de Deus (*mishpat*, ordenança, estatuto, lei) e sua **justiça** (1; *tsedeqah*, eqüidade, integridade, retidão) são suplicados em favor do **rei**, que era **filho** da realeza. Tendo recebido esse dom divino, o governante então exercerá o seu ofício com **justiça** (2), trazendo **paz ao povo** "das colinas e montanhas" (3, Moffatt). Atenção especial é dedicada aos **aflitos** e **necessitados** (4), e o seu **opressor** será destruído. A dimensão messiânica do salmo é observada nos versículos 5-6. O Messias real será reverenciado **enquanto durar o sol e a lua** (5). Suas bênçãos serão **como a chuva sobre a erva ceifada, como os chuveiros que umedecem a terra** (6).

2. O Domínio do Rei (72.7-11)

A extensão do domínio ideal do Rei é determinada. **Nos seus dias** (7), quando o seu reino for plenamente estabelecido, **florescerá o justo** em **abundância de paz**. Seu reino se estenderá **de mar a mar, e desde o rio até às extremidades da terra** (8) — expressões de universalidade. Seu domínio será absoluto (9). Os **reis de Társis** (na Espanha) e as **ilhas** (10; o Oeste) e **os reis de Sabá e de Sebá** (o Leste e o Sul) **oferecerão dons** ("presentes", ARA e NVI). Diante dele **todos os reis se prostrarão e todas as nações o servirão** (11; cf. Fp 2.5-11).

3. A Redenção do Rei (72.12-14)

O Rei é um Rei-Redentor, porque **ele livrará ao necessitado, ao aflito e ao que não tem quem o ajude** (12). Ele **libertará a sua alma do engano e da violência** (14). **Precioso será o seu sangue aos olhos dele**, evidenciando o grande valor que eles têm, a ponto de não permitir que sejam oprimidos (cf. 1 Sm 26.21; 2 Rs 1.14; Sl 116.15).

4. O Reconhecimento do Rei (72.15-17)

O Rei será reconhecido e honrado por todos. **E viverá** (15) refere-se ao pobre e necessitado que foi remido. Em sua gratidão pelo livramento, ele dará ao seu Rei o **ouro de Sabá**, um país famoso pelo seu ouro fino. **Continuamente se fará por ele oração** — para o rei terreno, cujo reino limitado deveria ser modelado de acordo com o ideal e a extensão do domínio do Rei celestial. **Um punhado de trigo** (16) é melhor traduzido como: "abundância de cereais" (ARA). **Se moverá como o Líbano** significa que a colheita será tão abundante que a brisa que sopra pelos campos maduros agitará o trigo assim como os cedros do Líbano se movem com o vento do mar. O versículo 17 é claramente messiânico na sua aplicação mais plena. O **nome** do Rei é eterno; **homens serão abençoados nele**; e **todas as nações lhe chamarão bem-aventurado**.

5. Doxologia (72.18-19)

Cada um dos livros do Saltério termina com uma doxologia (cf. Int.). Estes versículos incluem a doxologia do Livro II. **O SENHOR Deus, o Deus de Israel**, é a única Fonte das **maravilhas** feitas em favor do seu povo (18). Em todos os tempos e por **toda a terra** a sua **glória** e o **seu nome glorioso** serão conhecidos (19). **Amém e amém**, cf. comentário em 41.13.

6. Nota Editorial (72.20)

A nota: **Findam aqui as orações de Davi, filho de Jessé** é uma das indicações de que o Livro dos Salmos é composto de coleções menores (veja Int.). Isso não quer dizer que todos os salmos de Davi estão incluídos nos dois livros precedentes, visto que os Salmos 86; 101; 103; 108—110; 122; 124; 131; 133; 139—145 são identificados pelo título como sendo do maior rei-salmista de Israel. Essa nota indicaria naturalmente o final de uma coleção anterior dos salmos de Davi, que hoje, é claro, faz parte de um todo maior. Uma nota editorial semelhante é encontrada em Provérbios 25.1, identificando um conjunto de "provérbios de Salomão, os quais transcreveram os homens de Ezequias, rei de Judá".

Seção III

LIVRO III: SALMOS DE ASAFE E OUTROS

Salmos 73—89

O Livro III consiste em dezessete salmos. Todos têm títulos indicando nomes pessoais: onze são de Asafe, três de Corá, um de Davi, um de Hemã e um de Etã. Todos os tipos de salmos estão representados, com exceção do salmo de penitência (cf. Int.): seis salmos de lamentação, cinco de culto, adoração, louvor e ações de graça; três de sabedoria, um imprecatório, um litúrgico e um messiânico. Alguns dos salmos mais admiráveis e preciosos do Saltério estão nessa seção.

Salmo 73: O Problema dos Ímpios que Prosperam, 73.1-28

Tipificado como literatura sapiencial, o Salmo 73 é o primeiro de um grupo de onze ligados a Asafe pelo título ou sobrescrito (cf. Int. do Salmo 50). Ele trata do mesmo tema abordado pelos Salmos 37 e 49: Por que um Deus justo permite que o ímpio prospere e o justo sofra e seja afligido? Uma boa parte da literatura sapiencial no AT reflete essa questão. Os provérbios ressaltam a bênção dos justos e a miséria dos transgressores. Jó examina essa tese do ponto de vista de um homem justo que sofreu muito. Eclesiastes trata desse tema tendo como referência um homem um tanto vaidoso e cínico que não era "demasiadamente justo" (Ec 7.16), mas que, mesmo assim, "tinha tudo" no que diz respeito à riqueza, cultura, prazer e luxo.

Muitos estudiosos têm comentado acerca da semelhança entre o Salmo 73 e o livro de Jó. Robinson diz: "O autor do Salmo 73, por exemplo, semelhantemente ao grande poeta que escreveu o livro de Jó, deparou com a questão do sofrimento e suas conseqüências, e nos leva a participar da sua própria batalha espiritual".[1] Oesterley comenta: "Em certo sentido, esse salmo é um resumo e símbolo do livro de Jó [...] ele lida com o mesmo problema, segue a mesma linha de pensamento e oferece um dos poucos esboços do AT acerca da genuína doutrina da imortalidade [...] Surge um problema no pensamento religioso, assim como ocorre na ciência, por conta de um choque aparente entre teoria e fato. Ou a teoria precisa ser abandonada ou outros aspectos da verdade precisam ser elucidados para alinharem os fatos discordantes no plano universal. A teoria aqui é o caráter de Deus, conforme revelado pelos grandes profetas; o fato conflitante é a aparente injustiça e desigualdade da retribuição divina.[2]

1. O Problema dos Justos (73.1-3)

Os primeiros três versículos relatam, de maneira sucinta, o problema espiritual do salmista. Sua fé afirma o fato de que **Deus é bom** para com **Israel** [...] **para com os limpos de coração** (1). Os puros de coração certamente são abençoados (Mt 5.8). O salmista parte dessa fé e retorna a essa mesma fé. Mas antes disso, certos fatos devem ser trazidos para o foco certo. Ele viu seus pés espirituais quase se desviarem (2) e disse: **Eu tinha inveja dos soberbos, ao ver a prosperidade dos ímpios** (3). Os homens sempre serão levados a lutar com os problemas apresentados pelo sucesso aparente e a prosperidade dos ímpios e de homens sem escrúpulos, e o sofrimento e as privações suportados por aqueles "dos quais o mundo não era digno" (Hb 11.38). Muitos permitem que suas perguntas se transformem em dúvidas prejudiciais em relação à justiça e bondade de Deus.

2. A Prosperidade dos Ímpios (73.4-12)

A riqueza, o orgulho e a prosperidade dos ímpios são descritos em termos vívidos. O fato de isso não ocorrer com todos os injustos não obscurece a realidade de ser verdade para muitos. **Não há apertos na sua morte, mas firme está a sua força** (4) pode ser traduzido como: "Eles não passam por sofrimento e tem um corpo saudável e forte" (NVI). Eles parecem estar livres de "canseiras" (5; ARA), seguros na sua **soberba** e incontrolados na sua **violência** ou conduta sem escrúpulos (6). No meio de um povo primitivo que sempre está à beira da fome, os ímpios têm mais do que o seu coração deseja (7). Sua conversa é cínica e perversa, presunçosa e blasfema (8-9). Os versículos 10-11 são traduzidos de maneira mais clara por Moffatt: "Por isso o povo se volta para eles e não vê nada de errado neles, pensando: 'Quanto Deus se importa? Acaso, há conhecimento no Altíssimo?'" Apesar da sua impiedade, esse povo prospera e os seus habitantes **estão sempre em segurança, e se lhes aumentam as riquezas** (12).

3. Progresso rumo à Solução (73.13-20)

À luz do que havia observado, o salmista foi levado a questionar se ele havia **em vão purificado** o seu **coração** e **lavado as** suas **mãos na inocência** (13). Se os ímpios "progridem", por que se preocupar em ser bom? Na verdade, castigo e aflição têm sido sua sorte (14). O versículo 15 mostra que, mesmo que tenha pensado essas coisas, ele não expressou suas dúvidas em voz alta — porque ao fazê-lo "teria traído os teus filhos" (NVI). Ele havia guardado as suas dúvidas para si mesmo. Mesmo assim, a sua ponderação era dolorosa: **Fiquei sobremodo perturbado** (16).

Finalmente a luz invade a escuridão quando ele entra **no santuário de Deus** (17). Então ele vê que o Senhor não acerta imediatamente as contas com todos. De modo súbito, ele entende que o ímpio que prospera, a quem ele havia insensatamente invejado, foi colocado **em lugares escorregadios** (18) e destinado à **destruição** (18). **Desolação e terrores** são o seu destino (19). Como tudo muda em **um sonho** (20) no momento em que se acorda, assim ocorrerá quando Deus "acordar" para julgar; tudo será invertido, como ocorreu com o rico e Lázaro (cf. Lc 16.19-31). **Desprezarás a aparência** ("imagens", Berkeley) **deles**.

Lawrence Toombs expressou, de modo eloqüente, a seguinte percepção: "Não raras vezes, como no caso do salmista, a situação é vista de uma maneira diferente no santuário do que quando se está no mundo. O salmista sentiu que a dificuldade estava no seu ambiente. No santuário ele percebeu que a dificuldade estava nele mesmo [...] No santuário, o centro da vida do salmista foi mudado de si próprio para Deus [...] A mudança de foco possibilitou uma revelação surpreendente. Mesmo na sua pobreza e opressão, ele possuía a única coisa no mundo digna de valor: a presença de Deus em sua vida (23). Estar com Deus, ter sua orientação e conselho e ser o herdeiro das suas promessas (24) é um tesouro que, em comparação com as posses das pessoas do mundo, é de maior valor [...] A prosperidade dos ímpios era um sonho. A presença de Deus era a realidade."[3]

4. *A Perspectiva da Eternidade* (73.21-28)

A nova percepção trouxe uma confissão imediata e humilde (21-22; cf. Jó 42.3-6). Os **rins** (21) simbolizavam os sentimentos ou a consciência. Muitas vezes, quando surge uma nova luz, nós nos perguntamos: Por que não vi isso antes? A presença contínua de Deus era o maior tesouro que a vida podia oferecer (23). A orientação aqui e a glória no futuro são a certeza dos santos (24). Quem poderia desejar mais? **No céu** ou **na terra**, nada podia ser melhor do que a presença do próprio Senhor (25). Embora o corpo se torne fraco e finalmente desvaneça, Deus será a sua **porção para sempre** (26). Os comentaristas discordam em relação à clareza que o salmista tinha ao visualizar a glória além-túmulo. Certamente o que Oesterley observa é verdadeiro: "Aqui mais uma vez se expressa a condição primária para a vida no futuro: comunhão com Deus. Mas nesse salmo podemos perceber, de forma mais completa, o resultado dessa comunhão. A união com o Deus eterno e imutável não pode ser interrompida pela morte. Como durante a vida nesta terra Deus está com o seu servo, assim no mundo vindouro Deus estará com ele. Na presença de Deus há vida".[4]

Os versículos 27-28 apresentam um resumo claro acerca do destino final totalmente diferente dos ímpios e dos justos: Eles **perecerão** e serão destruídos (27). **Mas, para mim, bom é aproximar-me de Deus; pus a minha confiança no Senhor Deus, para anunciar todas as tuas obras** (28). A expressão: **apostatando, se desviam de ti** (27) descreve a infidelidade espiritual contra o Amante das suas almas.

Salmo 74: Lamento pela Desolação da Cidade, 74.1-23

Este poema de lamento, semelhante à disposição de ânimo do livro de Lamentações de Jeremias, é intitulado *"masquil* de Asafe" (cf. Int. dos Salmos 32 e 50). Com exceção do lampejo de luz na retrospectiva dos versículos 12-17, este salmo é um canto melancólico puro, escrito em uma tonalidade triste. No entanto, por ser proferido em forma de oração a Deus, acaba se tornando uma expressão de fé profunda e duradoura diante da tragédia esmagadora. Os comentaristas diferem em assinalar uma data precisa ao salmo e em identificar a causa do pesar. Ele tem sido associado à destruição de Jerusalém em 586 a.C., ou ao período macabeu. Mas a linguagem é indefinida, tornando qualquer dogmatismo nesse assunto inconveniente.

1. *A Tragédia do Presente* (74.1-11)

Diante da tragédia da época, o poeta clama: **Ó Deus, por que...?** (1). A ruína, que ele vê, sobreveio à terra por causa da ira divina. **Se acende a tua ira**: a ira de Deus muitas vezes está ligada ao fogo no AT (e.g., Nm 11.33; Dt 11.17; 2 Rs 22.13,17; Sl 106.40 etc.). Deuteronômio 29.20 emprega a mesma expressão encontrada nesse salmo. O Senhor, na sua ira, é um "fogo que consome" (Dt 4.24), "fogo consumidor" (Hb 12.29). Deus é chamado a lembrar-se da sua **congregação**, comprada e remida, e do **monte Sião**, o lugar da sua habitação (2). **Da tua herança** é melhor traduzido como: "a tribo da tua herança" (ARA). **Levanta-te contra** significa: "Dirige os teus passos" (ARA) — para infligir retribuição ao inimigo e trazer restauração à sua casa. O inimigo tinha invadido **o santuário**, colocando nele **as suas insígnias por sinais** (4), e, portanto, corrompendo o lugar sagrado. Alguns têm associado esse ato à "abominação desoladora" de Daniel 11.31 e 12.11, mas a linguagem não parece suficientemente forte para justificar uma identificação como essa.[5]

Os versículos 5-6 são de difícil interpretação no texto hebraico, mas a ARC os traduz de forma plausível. A linda madeira entalhada do Templo tinha sido derrubada e queimada (7). A queima do Templo é mencionada somente na destruição de Jerusalém por Nabucodonosor em 586 a.C. (2 Rs 25.9). Algumas versões traduzem **lugares santos** (8) ou "lugares de reunião" por "sinagogas". Se esta é uma tradução apropriada, então o salmo foi escrito numa época bem posterior, visto que as sinagogas começaram a ser usadas somente após o exílio e não são mencionadas em nenhum outro texto do AT.

Já não vemos os nossos sinais (9) é a mesma expressão usada no versículo 4. "Já não vemos as evidências da bênção de Deus, somente os sinais do triunfo do nosso inimigo". **Já não há profeta** poderia significar que não havia ninguém para falar com autoridade em nome do verdadeiro Deus; e ninguém pode discernir **até quando** a ruína vai durar. **Ó Deus, por que ...?** (1) é seguido da pergunta: **Até quando, ó Deus ...?** (10). Até quando isso vai durar? Será que Deus se submeterá à blasfêmia **para sempre**? Deus parece estar observando de braços cruzados, sem intervir (11). **Tira-a do teu seio** é interpretado por Moffatt assim: "Estende a tua mão direita e ataca!".

2. *O Testemunho do Passado* (74.12-17)

O único raio de luz na escuridão é a memória do que o Senhor havia feito no passado. "Deus, meu Rei, é desde a antiguidade" (12, ARA) lembra o Deus dos pais, cujo poder salvador foi atestado na história do seu povo. **Tu dividiste o mar** (13); cf. Êxodo 14.21. A **cabeça dos monstros das águas** e **leviatã** (13-14) são símbolos bíblicos referentes ao Egito. Cf. comentários em Jó 41.1. **Fendeste a fonte e o ribeiro** (15) é interpretado como: "Tu abriste fontes e regatos" (NVI) — cf. Êxodo 17.6; Números 20.11. **Secaste os rios impetuosos** refere-se a Israel cruzando o rio Jordão (cf. Js 3.15-16).

Teu é o dia e tua é a noite (16), tanto literal como figuradamente. Deus é Senhor da noite mais escura bem como do dia mais luminoso. "Parado em algum lugar na escuridão você o encontrará". Deus é o Senhor soberano da natureza (17). Certamente Ele pode ajudar seu povo quebrantado.

3. O Pensamento da Expectativa (74.18-23)

O livramento ainda não havia ocorrido, mas a fé começa a se manifestar. Não só o seu povo, mas o próprio SENHOR havia sido blasfemado (18). **Povo louco** é um "povo ímpio" (Moffatt, RSV). No AT, "os loucos" não são os imbecis ou insensatos, mas os perversos e os ímpios. **Pombinha** (19) ou pomba é um símbolo de Israel em sua fragilidade e falta de proteção. A única esperança é que Deus manterá a sua parte do **concerto** embora a nação tenha quebrado sua parte de forma desavergonhada pela desobediência e idolatria (20). O versículo 20 sugere que mesmo **os lugares tenebrosos** (cavernas) não haviam sido um refúgio da violência e crueldade do invasor. **Não volte envergonhado o oprimido** (21) significa: Não permita que sejam afastados da presença do Senhor, sem que suas petições sejam atendidas. **O louco** (22); cf. comentário do versículo 18. Os **gritos** dos seus **inimigos** (23) na sua vanglória e blasfêmia deveriam despertar o Senhor para julgar. A resposta demorou, mas chegou no tempo oportuno de Deus, nem um dia antes, nem um dia depois (cf. Ed 1.1-6).

SALMO 75: UMA LITURGIA DE LOUVOR, 75.1-10

Este hino de ações de graça está em contraste feliz com a melancolia do Salmo 74. Ele é identificado como um "salmo e cântico de Asafe" (cf. Int. do Salmo 50), comum aos salmos desse grupo. Além disso, ele é dedicado ao "cantor-mor" e descrito pela palavra *Al-Tachete* (cf. Int. do Salmo 57). Morgan entende que o salmo é um poema dramático: "Ele abre com um coro que é uma declaração de louvor (1). Ele é respondido diretamente por Deus. O Senhor declara que no devido tempo ele julgará. Toda a situação da hora pode parecer perplexa, mas o coração sabe que Ele sabe e que aguarda apenas o momento certo para agir. O caos pode caracterizar a situação aparente, mas a ordem reveste tudo, porque Deus fortaleceu as colunas (2-3). Então o solo da alma confiante irrompe e, dirigindo-se aos ímpios, cobra deles que deixem sua confiança em si mesmos porque Deus é o juiz".[6]

1. Reconhecimento (75.1)

Uma invocação reconhece a proximidade de **Deus** pelas suas **maravilhas** ("feitos maravilhosos", NVI) e um desejo de louvá-lo e agradecê-lo. **Teu nome está perto** — Deus, como nesse caso, com freqüência é identificado com o seu nome (cf. Is 30.27). Essa sua presença é motivo de louvor.

2. Resposta (75.2-3)

Deus fala, nesta seção e na próxima, declarando sua soberania e sua justiça. **Quando eu ocupar o lugar determinado, julgarei retamente** (2) também pode ser traduzido como: "No tempo determinado julgarei com justiça" (Berkeley). "O Juiz de todos determina seu próprio tempo" (Berkeley, nota de rodapé). A NVI ajuda a esclarecer o versículo 3: "Quando a terra treme com todos os seus moradores, sou eu que mantenho firmes as suas colunas". **Selá**: cf. comentário em 3.2.

3. *Retribuição* (75.4-8)

No tempo oportuno de Deus, as contas serão equilibradas e ocorrerá a retribuição (vingança) para com aqueles que persistem em seus caminhos pecaminosos. **Aos loucos** (4): cf. comentário em 74.18. **Não levanteis a fronte altiva** (5) é esclarecido por Moffatt assim: "Não ostentem o seu poder", ou conforme a ARA: "Não levanteis altivamente a vossa força". **Cerviz dura**, devido à teimosia ou orgulho, negando-se a curvar a cabeça, ou "com a garganta cheia" — isto é, em voz alta e com arrogância. **Nem do Oriente, nem do Ocidente** [...] **vem a exaltação** (6); não é o acaso mas a justiça que controla os destinos da vida. "Porquanto, qualquer que a si mesmo se exaltar será humilhado, e aquele que a si mesmo se humilhar será exaltado" (Lc 14.11). **Mas Deus é o Juiz** (7) um fato que o seu povo tinha dificuldades de lembrar. Ele não cede o direito de julgar a ninguém. A verdade é o terror dos ímpios. **Na mão do Senhor há um cálice** (8) cheio de vinho tinto (lit. "espumante", perigosamente fermentado); o ímpio tomará até a última gota amarga das **suas fezes** ("escórias", ARA).

4. *Júbilo* (75.9-10)

Em forte contraste, o justo, representado pelo salmista, "anunciará" (NVI) a bondade de Deus **para sempre** e cantará **louvores ao Deus de Jacó** (9; Israel). As **forças dos ímpios** serão quebrantadas ("destruídas", NVI), mas **as forças dos justos serão exaltadas**.

Salmo 76: Uma Canção de Celebração, 76.1-12

Este é mais um salmo em tom maior, exultando na celebração de uma grande vitória. Ele está repleto de louvor ao poder de Deus. Acerca de *Neguinote* no título, cf. Introdução do Salmo 4; acerca de "Asafe", cf. Introdução do Salmo 50. Em estilo e tom, este hino está associado aos Salmos 46 e 48, que também exaltam o Senhor como Libertador de Sião. Não é possível encontrar nenhuma identificação histórica precisa para o livramento, embora muitos comentaristas se apóiem nas palavras: "Com relação aos assírios", no título da LXX. Eles então associam o salmo à libertação de Jerusalém das mãos de Senaqueribe em 701 a.C. (2 Rs 19.35-37; Is 37.36-38).

1. *Defesa* (76.1-3)

O tema da primeira estrofe é Deus como a Defesa do seu povo. O Senhor é o **Deus** de **Judá** em particular e de **Israel** em geral (1). **Salém** (2) é uma forma abreviada de Jerusalém (Gn 14.18; Hb 7.1-2). **Seu tabernáculo** (hb. "barraca" ou "tenda") não é o termo usado para o Tabernáculo construído por Moisés no deserto e que foi usado até a construção do Templo por Salomão. Este é um termo geral que sugere uma habitação temporária. A fonte da grande vitória (3) era a presença de Deus "no acampamento". **Selá**: cf. comentário em 3.2.

2. Derrota dos Inimigos (76.4-6)

Estes versículos refletem o adendo ao título na LXX (cf. Int. do salmo). O Senhor derrotou o inimigo de Israel; **dormiram** (morte) é mencionado duas vezes em relação à derrota. Os tradutores têm tido certa dificuldade em traduzir o versículo 4. A ARC segue a tradução da KJV: **Tu és mais ilustre e glorioso do que os montes de presa**. Mas Moffatt segue a variante da LXX e traduz: "Tu infliges terror dos montes eternos". (***Nota do tradutor***: Uma simples leitura das diferentes versões em português revela as diferentes opções de tradução que esse versículo oferece.) **Nenhum dos homens de força achou as próprias mãos** (5) é melhor traduzido como: "Nenhum dos guerreiros foi capaz de erguer as mãos" (NVI).

3. O Perigo da Terrível Ira de Deus (76.7-9)

Os ímpios são expostos ao fogo da ira de Deus. Em nenhum lugar da Bíblia a ira do Senhor pode ser comparada ao furor carnal da frustração humana. Sempre é a reação necessária do absolutamente Santo contra o mal que destruiria o objeto do seu amor. Mesmo **a terra** (8) fica admirada e em terror com a revelação do julgamento divino. Vemos aqui os dois lados do **juízo**. Por um lado temos a condenação dos rebeldes e, por outro, a vindicação dos **mansos** (9), os piedosos e oprimidos.

4. Dedicação (76.10-12)

Diante dos atos poderosos de Deus, os fiéis são chamados para fazer seus votos e trazer seus presentes em adoração ao Senhor, seu Deus. **Porque a cólera do homem redundará em teu louvor** (10) revela que o Deus soberano faz com que a cólera do homem e seus resultados trabalhem para a sua glória (cf. Êx 9.16; Is 45.24). "Sabemos que todas as coisas cooperam para o bem daqueles que amam a Deus, daqueles que são chamados segundo o seu propósito" (Rm 8.28, ARA). **O restante da cólera, tu o restringirás**, ou como a ARA traduz: "E do resíduo das iras te cinges". Deus se cinge com o restante da cólera do homem, seus últimos esforços impotentes para afirmar a sua própria força. Ele a usa como um ornamento, como vestimenta para a sua glória".[7]

Fazei votos e pagai (11), visto que o voto sem o pagamento é escárnio (Ec 5.4-5). **Tragam presentes, os que estão em redor dele** é uma expressão que mostra o Senhor como o foco central do seu povo. **Ceifará o espírito dos príncipes** (12) pode significar: "extinguirá as suas vidas" (Berkeley) ou "acabará com o espírito [de orgulho e fúria] dos príncipes" (AT Amplificado). Moffatt interpreta a última parte do versículo 12 como: "Ele apavora o tirano".

SALMO 77: CANÇÃO EM VEZ DE PESAR, 77.1-20

Este é um salmo de lamentação que, como tantos outros do seu tipo, começa na sombra da tristeza e termina com um cântico de alegria. Acerca dos termos do título veja: "Jedutum", Introdução do Salmo 39 e "Asafe", Introdução do Salmo 50. A caracterização desse Salmo por Morgan é significativa:

> O versículo 10 é o pivô desse salmo, passando da descrição de uma experiência de escuridão e tristeza para a descrição de alegria e louvor. A primeira parte

relata uma tristeza que está esmagando a alma. A segunda descreve um cântico que é o resultado de uma visão que apagou a origem da tristeza. Na primeira parte, uma grande enfermidade ou debilidade obscurece o céu, e não se ouve nenhum cântico. Na segunda parte, vemos o irromper de um grande cântico, e a tristeza é esquecida. A diferença está entre um homem que se preocupa com as dificuldades e um homem que vê Deus entronizado lá no alto. Na primeira parte, o ego predomina. Na segunda, Deus é visto em sua glória. Um aspecto muito simples desse salmo deixa isso perfeitamente claro. Nos versículos 1 a 9, o pronome pessoal da primeira pessoa ocorre vinte e duas vezes, e há onze referências a Deus por nome, título e pronome. Na segunda parte, há apenas três referências pessoais e vinte e quatro menções de Deus.

A mensagem do salmo é que focar na tristeza deixa a pessoa quebrada e desanimada, enquanto olhar para Deus faz com que a pessoa cante mesmo no dia mais escuro. Quando nos conscientizamos de que nossos anos estão nas mãos dele, encontramos luz por toda parte e nosso cântico se eleva".[8]

Visto que o salmo é basicamente um lamento pessoal, nenhuma ocasião histórica pode ser encontrada. Uma indicação possível da data da composição é a semelhança entre os versículos 16-20 e Habacuque 3.10-15. Embora a opinião entre os estudiosos difira, a prioridade do salmo parece clara. Sendo assim, ele seria datado antes de 600 a.C.[9] Outros vêem na referência a "Jacó" e "José" (15) uma indicação de que o Reino do Norte (José) ainda existia e preferem uma data antes de 722 a.C.[10]

1. *Tristeza* (77.1-3)

Dia e noite o salmista buscava o Senhor zelosamente em oração. Ele estava profundamente angustiado. A KJV traduz a primeira parte do versículo 2 da seguinte forma: "Minha chaga me afligia de noite". Isso sugere uma enfermidade física como uma das fontes da sua tristeza. No entanto, a ARC segue uma tradução mais natural do texto hebraico: **a minha mão se estendeu de noite e não cessava**, indicando os braços estendidos em súplica. Qualquer que seja a causa da sua profunda tristeza, sua alma **recusava ser consolada**, conforme Gênesis 37.35, em que Jacó se recusou ser confortado quando recebeu a notícia da suposta morte de José. A NVI traduz com propriedade o versículo 3: "Lembro-me de ti, ó Deus, e suspiro; começo a meditar, e o meu espírito desfalece". **Selá** (3): cf. comentário em 3.2.

2. *Busca* (77.4-9)

Ao chegar no seu limite, o salmista inicia sua busca por Deus. Ele lembra bênçãos passadas, e sua alma irrompe em uma agonia de questionamentos. A memória de dias melhores no passado intensifica a dor do estado presente. O sono foge dos seus olhos e suas tristezas o fazem ficar sem fala (4). **Os anos dos tempos passados** (5) seriam "os anos de longa data (passado)".[11] A miséria do momento traz à memória tempos passados quando havia um **cântico** de **noite** (6; cf. 42.8; Jó 35.10). **Meu espírito investigou** por algum raio de luz no meio da escuridão.

A direção da busca do salmista é mostrada por meio de seis perguntas que saem dos seus lábios. Esses são gritos genuínos do coração e, não obstante, retóricos, no sentido de que eles claramente requerem uma resposta negativa. Deus não o **rejeitará** para **sempre** (7); Ele não deixará de se tornar **favorável** novamente; sua **benignidade** ("graça", ARA; "amor", NVI) não **cessou para sempre** (8); sua **promessa** não acabará; Ele não se **esqueceu** de **ter misericórdia** (9); Ele não **encerrou** (refreou) as **suas misericórdias na sua ira**.

3. *Entrega* (77.10-15)
As perguntas são seguidas de uma série de compromissos indicados por repetidas promessas de entrega (10-12). O salmista começa a tirar a atenção de si mesmo e voltar-se ao Salvador e encontra na memória da fidelidade passada a fé para o cumprimento futuro. **Isto é enfermidade minha** (10) provavelmente significa: "Esta é a minha provação, que Deus tem colocado sobre mim". A última parte do versículo é de difícil interpretação e tem sido entendida de várias formas: "Esta é minha tristeza: que o Altíssimo já não tem mais a força que tinha" (Moffatt); "Isto é a minha aflição; mudou-se a destra do Altíssimo" (ARA);[12] "Isto é a minha aflição; a mão direita do Altíssimo muda" (Berkeley). Aqui o salmista alcança o ponto mais baixo. A única saída do fundo do poço é para cima, e dessas profundezas de dúvida o salmista começa sua ascensão (cf. Int. do salmo).

A memória **das obras do Senhor** (11), as **obras** de Deus, os seus **feitos** (12), o seu **caminho** (13) compelem à conclusão por meio de outra pergunta retórica: **Que deus é tão grande como o nosso Deus? O teu caminho** [...] **está no santuário** tem sido traduzido de várias formas: "Teus caminhos [...] são santos" (NVI); "Teu procedimento é divino" (Moffatt); "O teu caminho [...] é de santidade" (ARA). Todas enfatizam a pureza e justiça dos caminhos de Deus. **Tu fizeste notória a tua força** (14), tanto por meio de demonstração como por declaração. **Com o teu braço remiste o teu povo** (15) é uma típica descrição veterotestamentária do imenso poder de Deus no Êxodo (cf. Êx 15.16; Is 63.12).

4. *Soberania* (77.16-20)
A supremacia de Deus tanto na natureza como na história é celebrada na seção final desse salmo. O versículo 16 é similar ao versículo 3 do Salmo 114, em que tanto o mar Vermelho como o rio Jordão são mencionados. Nas duas situações, o poder de Deus sobre as águas foi evidente: **e tremeram**. Aguaceiro, **trovão, relâmpagos** (17) e terremoto (18), todos são evidências do poder do Deus Criador. Aquele que formou a terra também a controla. **Pelo mar foi teu caminho, e tuas veredas, pelas grandes águas; e as tuas pegadas não se conheceram** (19) — como Perowne menciona: "Nós não sabemos, eles não sabiam, por quais meios exatamente ocorreu o livramento [...] e não precisamos saber; a obscuridade, o mistério aqui, e em outras partes, fazia parte da lição [...] Tudo que conseguimos enxergar distintamente é que no meio dessa noite escura e terrível, com o inimigo se aproximando por trás, e o mar à frente, Ele conduziu seu povo como ovelhas pela mão de Moisés e Arão".[13] Por intermédio do terror e mistério de cruzar o mar Vermelho brilha o milagre do cuidado de Deus pelo seu povo, como um pastor pelo seu **rebanho**. Embora fosse **pela mão de Moisés e de Arão** (20), foi o Senhor que os guiou.

Salmo 78: A Mão de Deus na História, 78.1-72

Este é o mais longo dos chamados "salmos históricos" (incluindo 105; 106; 114 e 136). Seu tema predominante é o fato central da história de Israel, a libertação do Egito. Ele tem sido denominado de "balada didática",[14] e inicia de forma semelhante a alguns capítulos do livro de Provérbios, usando a palavra *mashal* ("parábola", v. 2), que é o termo comum para "provérbio". Robinson descreve o salmo como "um resumo poético da história de Israel até o estabelecimento da monarquia, descrita para ilustrar os perigos de esquecer as 'instruções' que pessoas como o salmista podiam dar".[15] Acerca de *masquil* no título, cf. Introdução do Salmo 32; acerca de "Asafe", cf. Introdução do Salmo 50.

Tem sido observado que o salmista se mostra mais favorável a Judá[16] e mais crítico com Efraim, o Reino do Norte.[17] Isso quase certamente implicaria uma data após a divisão do reino de Salomão sob o reinado de Roboão e a rebelião e apostasia das tribos do norte sob Jeroboão. O autor mostra familiaridade com o Pentateuco, mais particularmente com o livro de Deuteronômio. Como Snaith observa, a acusação contra o povo "não é que eles eram mais irreligiosos do que seus vizinhos. A acusação é que eles eram indistintos deles. Apenas uma pequena minoria era diferente e fiel somente a Javé".[18]

1. O Propósito da História (78.1-8)

O salmo abre com uma seção mostrando seu propósito didático ou instrucional. A História é a "história dEle" (em inglês: "His-story"), a exposição das obras maravilhosas realizadas para imprimir nas mentes dos mais novos a convicção inescapável de que a desobediência sempre leva ao desastre. As pessoas são chamadas a inclinar **os ouvidos** (atenção obediente) [...] **a minha lei** (1), literalmente "minha *torá*", ensino, orientação, instrução. O salmista fala como representante de Deus. **Parábola** (2, *mashal*) é literalmente "uma comparação", quer por semelhança, quer por contraste. **Enigmas** vêm de um termo que significa um dizer penetrante ou sagaz ou um mistério, cujo significado no primeiro momento não pode estar claro. Este versículo é citado em Mateus 13.34-35 referindo-se ao uso de parábolas por Cristo, em que **enigmas da antigüidade** (parábolas) são descritos como "coisas ocultas desde a criação do mundo", seguindo a LXX. O salmista tem em mente a lição moral da história. O que deve ser recitado e ensinado para as gerações seguintes tem sido recebido dos **nossos pais** (3). A instrução a ser passada às gerações seguintes preocupa-se com **os louvores do Senhor, assim como a sua força e as maravilhas que fez** (4).

Deus **estabeleceu um testemunho** [...] **e pôs uma lei** (5) para o seu povo. As tábuas de pedra sobre as quais foram escritos os Dez Mandamentos são chamadas "o testemunho" (Êx 25.16,21). Essa lei devia ser fielmente transmitida aos **filhos** (6) — nossa "carta magna" para a educação cristã (cf. Dt 4.9-10; 6.6-7; 11.18-19 etc.). O propósito de tal instrução tinha um aspecto prático: **para que pusessem em Deus a sua esperança e** [...] **guardassem os seus mandamentos** (7). Com esse tipo de obediência eles diferiam dos seus pais, que eram uma **geração contumaz e rebelde** [...] **que não regeu o seu coração, e cujo espírito não foi fiel para com Deus** (8).

2. O Espírito Rebelde de Efraim (78.9-16)

O motivo de **Efraim** (9) ser escolhido para ouvir essa séria admoestação aparece nos versículos 67-68. **Efraim** era o filho mais novo de José e foi abençoado antes do seu irmão mais velho, Manassés (Gn 48.8-20). Depois que a tribo de Levi foi escolhida como a tribo sacerdotal, os descendentes dos dois filhos de José foram designados como tribos separadas. Visto que a tribo de Efraim se tornou a tribo principal do grupo do norte, o Reino do Norte era freqüentemente chamado de Efraim. Dentro dos limites da tribo ficavam Siló, a capital religiosa da nação antes de Davi, e Siquém (veja mapa 1), o histórico lugar de encontro das tribos (Js 24.1; Jz 9.2; 1 Rs 12.1). Depois da revolta das tribos do norte, Efraim liderou a apostasia que resultou na destruição final do Reino do Norte como entidade política em 722 a.C. Embora soldados bem armados, eles **retrocederam no dia da peleja** (9) de forma covarde; **não guardaram o concerto de Deus** (10), **recusaram andar na sua lei**, e **esqueceram-se das suas obras e das suas maravilhas que lhes fizera ver** (11).

Em uma breve exposição, o salmista narra as **maravilhas** (12) que o Senhor realizou **à vista de seus pais, na terra do Egito, no campo de Zoã**, ou Tanis, perto da fronteira oriental do Baixo Egito (veja mapa 2). Sua menção aqui parece identificá-lo como a residência de Faraó, com quem Moisés e Arão lidaram (Êx 5.1—12.31). O **campo de Zoã** foi provavelmente a rica planície circundando aquela cidade do delta. As pragas que atingiram os egípcios são descritas com detalhes nos versículos 43-51. Aqui o salmista apenas menciona a divisão do **mar** no tempo do Êxodo (13; Êx 14.15-22) e a coluna de **nuvem** e de **fogo** (14; Êx 13.21-22). Ele também menciona a provisão de água **no deserto** (15.16; Êx 17.1-6; Nm 20.7-11).

3. *Rebelião no Deserto* (78.17-39)

Em um texto longo, o poeta cita inúmeros exemplos da conduta incrédula e vacilante do povo durante sua permanência no deserto entre o Egito e a terra de Canaã. A descrença medrosa das tribos diante de uma possível fome foi respondida com maná (24; Êx 16.14) e com codornizes (27; Nm 11.31). Eles **tentaram** (testaram) **a Deus no seu coração** (18) ao requerer manifestações especiais do seu poder sobrenatural — um pecado que o Salvador se recusou a cometer na sua experiência no deserto (Mt 4.5-7; Lc 4.9-12). Eles pediram **carne para satisfazerem o seu apetite** (apetite imoderado). Apesar da provisão miraculosa de água, o povo questionou o poder de Deus para prover **pão** e **carne** (20). Essa descrença cínica trouxe a ira de Deus sobre eles (21-22). O **maná** é descrito como **trigo do céu** (24) e **pão dos poderosos** (25; "pão dos anjos", ARA e NVI). Nenhuma explanação muito convincente tem sido sugerida acerca da provisão do maná, pelo menos em quantidades suficientes para alimentar o número de israelitas citados na história. Por outro lado, **o vento do Oriente** e do **Sul** é descrito como trazendo um vasto número de aves (codornizes, Nm 11.31-32). As codornizes são aves migratórias que voam do sul do Egito até a Arábia. Mesmo nessa provisão abundante, os israelitas **não refrearam o seu apetite** (30). Eles ficaram cheios, mas não satisfeitos, como é o caso de tantas pessoas hoje diante da profusão de coisas que possuem. O resultado foi **ira** e julgamento (31-33; cf. Nm 11.33). **Os mais fortes** ("robustos", ARA) eram os mais arrogantes. **Vaidade** (33) aqui significa frustração e futilidade. A expressão **Seus anos, na angústia** significa literalmente: "anos em terror".

O julgamento divino trouxe um arrependimento temporário e insincero (34-36). Quando o Senhor os colocou **à morte** (34) pode ser melhor traduzido como: "Quando os castigava" (Smith-Goodspeed). Se a "benignidade de Deus" não "leva ao arrependimento" (Rm 2.4), Ele poderá usar o rigor. Mas, tantas vezes, "arrependimento no leito da morte" — se a pessoa se recupera — prova não ser genuíno. O problema era um **coração** que **não era reto** (37) e uma atitude contemporizadora em relação **ao seu concerto**. No entanto, a **misericórdia** e compaixão de Deus eram vistas renovadas vezes, no sentido de que a sua justiça não deixou **despertar toda a sua ira** (38). Ele **se lembrou** da fraqueza e transitoriedade do povo que Ele procurava conduzir (39). No versículo 38, Oesterley vê a sugestão de uma idéia que "está no âmago do Evangelho cristão. A brecha entre Deus e o homem, causada pelo pecado humano, deve ser transposta pela 'expiação'. Isto é verdadeiro em todas as religiões, e a teoria quase universal é que essa expiação deve ser uma iniciativa humana. Ao atribuir essa iniciativa a Deus, o salmista parece, de forma inconsciente, prenunciar a grande verdade cuja expressão completa é que 'Deus estava em Cristo reconciliando consigo o mundo' ".[19]

4. *Os Sinais no Egito e o Fracasso de Israel* (78.40-64)

O salmista retorna novamente aos acontecimentos do Êxodo com o intento de reforçar seu argumento de que a descrença e desobediência da nação eram indesculpáveis à luz do que Deus tinha feito por eles. A história nessa seção descreve a desolação de Siló e o estabelecimento de Sião. A nação provocou ("se rebelaram contra", ARA) e **ofenderam** o Senhor (40). Eles **voltaram atrás, tentaram** e **duvidaram** ("agravaram", ARA) de Deus (41). O motivo era seu esquecimento dos eventos do Êxodo (42-43). Acerca de **campo de Zoã**, cf. comentário do versículo 12. **Sua mão** (42) é melhor traduzido como: "seu Poder".

A maioria das pragas que atingiram os egípcios é relembrada: a conversão da água em **sangue** (44; a primeira praga, Êx 7.20); as **moscas** (45; a quarta praga, Êx 8.21-24); as **rãs** (45; a segunda praga, Êx 8.2-13); os **gafanhotos** (46; a oitava praga, Êx 10.4-15; o **pulgão** representa a larva do gafanhoto); a **saraiva** (47-48; a sétima praga, Êx 9.18-33); **pedrisco** (47) seria granizo ou "geada" (ARA, NVI); e a **morte** do **primogênito** (49-51; a última praga, Êx 12.29-30). **Mensageiros do mal** (49), ou "anjos portadores de males" (ARA) — o "destruidor" de Êx 12.13,23 —, causaram a **pestilência** (50). Ele **abriu caminho à sua ira** (50), também pode ser traduzido como: "deu livre curso à sua ira" (ARA). As **tendas de Cam** (51) é uma referência à "lista das Nações", na qual os descendentes de Cam, o segundo filho de Noé, se estabeleceram na área que mais tarde veio a ser o Egito (Gn 10.6-20; cf. 105.23,27; 106.22).

Ao contrário dos juízos progressivos contra o povo do Egito e seus deuses falsos, o povo de Israel era guiado **como ovelhas** (52), **como** um **rebanho**, e em segurança dos **seus inimigos** (53). **Seu santuário, até** [...] **este monte** (54), era o monte Sião, onde o Templo foi construído. **Sua destra** o **adquiriu** ao lhes dar poder sobrenatural para expulsarem as nações pagãs (55). **Dividindo suas terras** [...] **por herança** também pode ser entendido como: "distribui-lhes a terra por herança" (NVI) — uma alusão à distribuição da terra de Canaã entre as tribos em partes proporcionais por meio de sorteio (Js 14.1ss).

Apesar das manifestações repetidas do poder de Deus, os filhos de Israel **tentaram** (testaram) e **provocaram o Deus Altíssimo, e não guardaram os seus testemunhos** (56) ou leis (cf. comentário, v. 5). As gerações que viveram depois da posse e divisão da Terra Prometida eram tão incrédulas **como seus pais** no deserto (57). **Arco traiçoeiro** é "um arco que desaponta o arqueiro, ao não acertar o alvo".[20] **Seus altos** (58) eram santuários dedicados à adoração de ídolos. **Provocaram a ira** ("ciúme",

NVI) é uma expressão comum no AT para descrever a reivindicação de Deus de lealdade exclusiva do povo que ele tinha redimido. **Imagens de escultura** eram ídolos. Quando **Deus ouviu isto** (59), **sobremodo aborreceu a Israel**, ou, como o hebraico traz literalmente: Ele "rejeitou totalmente Israel" (NVI). Deus rejeita aqueles que o rejeitam (cf. 1 Sm 15.23; Os 4.6).

Ele **desamparou o tabernáculo em Siló** (60). O Tabernáculo construído no deserto (Êx 25—40) ficou em Siló (no território repartido à tribo de Efraim, a cerca de sessenta quilômetros a nordeste de Jerusalém) durante todo o período dos juízes (Js 18.10; Jz 18.31; 1 Sm 4.3). Deus abandonou o Tabernáculo quando a arca foi capturada pelos filisteus (1 Sm 4), porque a arca nunca foi trazida de volta para Siló. O Tabernáculo foi inicialmente trazido para Nobe (1 Sm 21), e mais tarde para Gibeom (1 Rs 3.4). A Arca da Aliança é chamada de **sua força** e **sua glória** (61; cf. 1 Sm 4.3,21; 132.8). O povo descrito como **herança** de Deus (62) foi entregue nas mãos de inimigos implacáveis que destruíram cruelmente tanto os **seus jovens** (63) como os **seus sacerdotes** (64). A desolação total da terra é percebida pelo seu silêncio. Não se ouvem nem os alegres cânticos da **festa nupcial** (63) nem os lamentos dos desolados (64).

5. O Propósito de Deus Cumprido em Sião (78.65-72)

Estes versículos descrevem a renovação da sorte de Israel, referindo-se provavelmente à longa série de vitórias ganhas por Samuel, Saul e Davi contra os filisteus (1 Sm 7ss.). **O Senhor despertou** (65) é uma descrição conhecida da intervenção divina a favor do seu povo (cf. 7.7; 44.24). **Um valente que o vinho excitasse**; cf. Isaías 42.13. Um poder exuberante e explosivo **feriu os seus adversários** (66). **Perpétuo desprezo** — como é o caso da "Filístia" até os nossos dias. Os versículos 67-68 indicam que muito antes da rebelião final e destruição das tribos do norte, lideradas por **Efraim**, Deus havia escolhido **Judá** e o **monte Sião**. O Templo havia sido construído, nesse período, por Salomão (69), o filho de Davi, a quem o Senhor **elegeu** para liderar **seu povo** (70-71). O estabelecimento do reino com sua capital em Jerusalém, onde Sião ficava localizado, foi um tributo à diplomacia de Davi (72).

Salmo 79: A Canção Fúnebre de uma Nação,[21] 79.1-13

Este salmo de lamentação, identificado como "Salmo de Asafe" (cf. Int. do Salmo 50), foi escrito por ocasião de uma grande catástrofe nacional, provavelmente a mesma lamentada com um tom semelhante no Salmo 74. Aqui, como lá, as opiniões diferem quanto à ocasião histórica, variando de uma desolação de Jerusalém em 586 a.C. até a conquista da cidade por Antíoco Epifânio no período bem posterior dos macabeus. Parece quase impossível estipular uma data exata para este salmo. É claro que isso não altera de forma alguma o seu valor em expressar profunda tristeza pessoal e nacional em tempos de desgraça.

1. Reclamação (79.1-4)

Uma característica dos salmos de lamentação é a expressão aflitiva do poeta diante das circunstâncias com as quais ele depara. **As nações entraram na tua herança** (1), contaminando o **templo** e desolando a cidade. Um grande número de pessoas havia sido morto (4), e não havia **quem os sepultasse** (3). Tornar-se **o opróbrio** (4) significa tornar-se alvo de **escárnio** e **zombaria**.

2. *Clamor por Vingança* (79.5-12)

A maior parte do poema trata do pedido fervoroso do salmista para que a vingança caia sobre aqueles que causaram a calamidade. **Até quando?** (5) é uma pergunta espontânea de qualquer coração em tempos de opressão. Acerca de **teu zelo** ("ciúme", NVI) veja o comentário em 78.58. Deus havia permitido que outras nações se tornassem "a vara da sua ira" (cf. Is 10.5) ao trazer juízo sobre o povo desobediente de Israel. Mas, certamente, a sua justiça visitaria os pecados das **nações** (6). O versículo 8 é uma súplica por misericórdia e perdão. **Antecipem-se-nos** significa no hebraico: "venha [...] ao nosso encontro" (NVI), com a maneira graciosa do pai em relação ao filho pródigo (Lc 15.20). O Senhor é o **Deus da nossa salvação** (9), que age para a **glória do** seu **nome**. Temos aqui uma oração impressionante por expiação, visto que o termo traduzido por **perdoa** significa literalmente: "faça expiação por" (cf. comentário em 78.39).

Os que perguntam: **Onde está o seu Deus?** (10) podem vê-lo em seus atos de julgamento contra aqueles que haviam derramado o **sangue** dos **seus servos**. Deus deveria ficar comovido com **o gemido dos presos** (11). **Preserva aqueles que estão sentenciados à morte** significa literalmente: "Preserva os sentenciados à morte" (ARA). "Retribui [...] sete vezes tanto" (12; ARA; aqui na ARC: **setuplicadamente**) sugere uma retribuição perfeita e completa, conforme a indicação do número sete.

3. *Comprometido a Louvar* (79.13)

A promessa típica de ações de graça que caracteriza os salmos de lamentação é muito breve, mas bastante expressiva: **Assim, nós, teu povo e ovelhas de teu pasto, te louvaremos eternamente; de geração em geração cantaremos os teus louvores.**

SALMO 80: UM CLAMOR POR RESTAURAÇÃO, 80.1-19

Este é mais um salmo de lamentação, diferindo da maioria dessa categoria no sentido de concentrar sua atenção mais exclusivamente em Deus do que nas circunstâncias. Oesterley comenta: "O salmista está convencido do relacionamento especial de *Yahweh* com Israel e do seu cuidado manifestado no passado. Ele não consegue acreditar na deserção final do povo e roga para que o poder de *Yahweh*, do qual não duvida um instante sequer, seja mais uma vez revelado na restauração da sua raça eleita. Não há dúvidas de que a calamidade sobreveio à nação [...] Mas esse poeta [...] diferente de tantos outros salmistas [...] consegue simplesmente voltar-se para o Pastor de Israel com a sua fé inabalada e ter a certeza de que no fim tudo ficará bem".[22]

O salmo também chama a atenção pelo seu refrão: "Faze-nos voltar [...] faze resplandecer o teu rosto, e seremos salvos" (3,7,19), com uma intensidade crescente no nome divino: "ó Deus" (3); "ó Deus dos Exércitos" (7); "ó Senhor, Deus dos Exércitos" (19, NVI). Acerca dos termos no título, veja as introduções dos Salmos 50 e 60.

1. O Senhor como Pastor (80.1-3)

Deus é designado como o **pastor de Israel** (1), uma das metáforas mais bonitas da Bíblia (cf. Sl 23; Is 40.11 etc.). **Guias a José** indica uma preocupação óbvia com as tribos do norte (cf. comentário no versículo 2), levando à especulação de que o poeta pode ter nascido no Reino do Norte. **Te assentas entre os querubins** é literalmente: "entronizado acima" (ARA) dos querubins sobre a Arca da Aliança no Santo dos Santos, o lugar especial do trono de Deus na terra (cf. 1 Cr 13.6; Sl 99.1; Is 6.1). A combinação dos nomes **Efraim, Benjamim e Manassés** (2) tem intrigado os comentaristas. Benjamim permaneceu com Judá após a divisão das tribos, apesar de a sua proximidade com Efraim e Manassés ter resultado na deserção de muitos dos seus habitantes para o norte. Sabemos que Efraim e Manassés eram filhos de José, e José e Benjamim eram filhos da esposa mais amada de Jacó, Raquel. Também é interessante notar que essas três tribos foram colocadas juntas na ordem de marcha no deserto, imediatamente após a arca (Nm 2.17-24), uma circunstância que bem pode explicar a sua associação aqui com a referência óbvia à arca no versículo 1.

O refrão (cf. Int.) ocorre pela primeira vez no versículo 3, no final dessa seção. **Faze resplandecer o teu rosto** significa: "Olha para nós favoravelmente". **Seremos salvos**, isto é, libertos dos nossos inimigos, das calamidades, e mais basicamente, dos pecados que trouxeram desastre sobre nós. O primeiro refrão é dirigido simplesmente a *Elohim*, **ó Deus**.

2. O Senhor como Juiz (80.4-7)

Os versículos até o segundo refrão refletem os julgamentos de Deus contra os males do povo. O clamor do salmista é para o SENHOR, **Deus dos Exércitos** (4), um termo para se referir ao controle soberano de Deus sobre os "exércitos" angelicais e os homens. **Contra a oração do teu povo** é melhor traduzido como: "contra o teu povo que ora". O objeto da ira de Deus não eram as orações, mas os que oravam. **Pão de lágrimas** e **beber lágrimas** (5) indicava que as lágrimas faziam parte das suas vidas dia e noite. "Motivo de disputas" (6, NVI) no sentido de ser o objeto de ataque de nações circunvizinhas menores. **Nossos inimigos zombam de nós** com uma satisfação maldosa, por causa da aflição dos israelitas. Acerca do refrão no versículo 7, cf. comentário no versículo 3. O refrão aqui se dirige ao **Deus dos Exércitos**, *Elohim Sabaoth*, "Deus dos exércitos, com poderes celestiais e terrenos".

3. O Senhor como Agricultor (80.8-19)

A harmonia do salmo é construída em torno da comparação bíblica conhecida do agricultor e da vinha. No AT, Israel é comparado à vinha ou à videira em Isaías 5.1-7; 27.2-6; Jeremias 2.21; 12.10; Ezequiel 17.5-10. Deus trouxe sua **vinha do Egito** (8). Ele lançou fora **as nações** (de Canaã), limpou o terreno e a plantou. Ele aprofundou as **raízes** e **encheu a terra** (9). Ela floresceu até que os **montes** fossem cobertos pela **sua sombra**, e **como os cedros de Deus... os seus ramos** (10). **Sua ramagem** se estendia desde o **mar** até **ao rio** (11), desde o Mediterrâneo até o Eufrates (cf. Gn 28.14; Dt 11.24; Js 1.4; 1 Rs 4.24). Tudo isso é uma descrição vívida do reino florescente de Davi e Salomão.

Em contraste impressionante com o passado está a miséria do momento. O salmista, agora, não procura as causas morais e espirituais das derrotas de Israel. A pergunta **por que** (12) é retórica à medida que procura contrastar o presente com o passado. Sua esperança, a ser expressa em oração, é que a misericórdia de Deus possa restaurar as bênçãos dos dias passados. Mas, no momento, a vinha escolhida da plantação de Deus está desprotegida dos **valados** (muros ou cercas) que Ele havia construído e está à mercê de todos que passam. **Feras do campo** a desolam sem impedimento (13).

A queixa dá lugar à petição para que o **Deus dos Exércitos** (14) volte e visite (com libertação e restauração) sua **vinha** [...] **videira** (15) e **sarmento** (ramo). A **tua destra** significava o propósito e poder de Deus. **Queimada pelo fogo e cortada** (16), a nação está pronta para perecer **pela repreensão da** sua **face**. A expressão: **Seja a tua mão sobre o varão da tua destra, sobre o filho do homem, que fortificaste para ti** (17), tem sido variavelmente interpretada como uma referência ao Messias ou à nação de Israel. O contexto poderia dar a entender que essas palavras são uma descrição poética da nação. Os profetas diversas vezes referem-se a Israel como filho de Deus (cf. Êx 4.22; Is 1.2; 63.16; 64.8; Jr 31.9; Os 11.1; Ml 1.6).

O voto de obediência ou gratidão que costumeiramente fecha os salmos de lamentação é encontrado no versículo 18: **Deste modo, não nos iremos de após ti**. Encontramos aqui uma admissão de que a causa do desastre que Israel sofreu era que o povo havia se afastado do Senhor. **Guarda-nos em vida** também pode ser entendido como: "vivifica-nos" (ARA, NVI). Acerca do refrão do versículo 19, cf. comentário do versículo 3. Aqui o salmista se dirige a *Yahweh Elohim Sabaoth*, **Senhor, Deus dos Exércitos** (cf. comentário do v. 7).

Salmo 81: O Significado do Ritual Religioso, 81.1-16

O Salmo 81 é um salmo de adoração escrito evidentemente para ser usado na Festa das Trombetas em conexão com o *Yom Kippur*, o Dia da Expiação e a Festa dos Tabernáculos. Essas eram festas de outono, que ocorriam no final de setembro e início de outubro de acordo com o nosso calendário, e marcavam o início do ano novo civil. Mais do que todas as festas religiosas anuais do AT, estas eram marcadas pela celebração alegre da bondade de Deus.

O propósito do salmo provavelmente é interpretar para o povo o significado das lições práticas das observâncias cerimoniais. Um dos maiores problemas da vida religiosa é a perda de significado do ritual que acaba se tornando cada vez mais uma repetição mecânica. Perowne comenta: "Não poderia haver um conceito maior do verdadeiro significado das festas religiosas da nação do que este. Elas representam tantos memoriais do amor e poder de Deus, tantos monumentos levantados para testificar da sua bondade, e da ingratidão e teimosia de Israel, tantas ocasiões solenes em que Ele vem como Rei e Pai para visitá-los, para reacender a lealdade e afeição deles, e para espalhar entre eles os tesouros da sua generosidade. Parece que o objetivo do salmista é dar essa interpretação às festas e colocar no foco certo a alegria nacional durante as suas celebrações".[23]

Oesterley também menciona, de uma perspectiva um pouco diferente, que o salmo apresenta uma lição simples: "A fidelidade ao único e verdadeiro Deus e a consagração absoluta e resoluta de tudo a ele são as condições indispensáveis para o sucesso e a prosperidade. Enquanto as experiências humanas desvirtuam a doutrina num nível inferior, num sentido mais elevado ela permanece, e sempre deverá permanecer, profundamente verdadeira".[24]

Acerca dos termos do título, cf. introduções dos Salmos 8 e 50.

1. A Convocação para Cantar (81.1-5)

A primeira divisão do salmo está nas próprias palavras do poeta. É o seu chamado para as pessoas se unirem na alegria e adoração da festa. A música alegre, tanto com cântico quanto com instrumentos, deve caracterizar a adoração ao Senhor. A bênção e alegria que descrevem o melhor da piedade do AT são claramente descritas aqui. **Cantai alegremente a Deus, nossa fortaleza** (1) é a convocação para celebrarem o **Deus de Jacó**. A expressão **Tomai o saltério** (2; "salmodiai", ARA) significa literalmente: "Tragam uma melodia" ou: "Elevem um cântico". Acerca de **adufe** (tamborim), **harpa** e **alaúde**, cf. comentários em 33.2. O *shophar* ou chifre de carneiro ainda é usado na sinagoga nessa festa específica (cf. Nm 29.1). **Na Festa da Lua Nova, no tempo marcado** significa literalmente: "na lua nova, na lua cheia", reconhecendo que as festas em questão começavam no primeiro dia do mês e terminavam depois do décimo quinto dia. A razão dessas observâncias é o **estatuto** (4) e **ordenança** [...] **por testemunho** (5) do tempo do êxodo do Egito. **Onde ouvi uma língua que não entendia** é entendido por alguns como sendo a língua egípcia, porém mais provavelmente refere-se à voz de Deus, visto que o que segue é um oráculo no qual o próprio Senhor fala ao seu povo. A ARA traduz: "Ouço uma linguagem que eu não conhecera". Delitzsch comenta: "Era a língua de um Deus conhecido, e ao mesmo tempo, desconhecido, que Israel ouviu do Sinai. Deus, na verdade, agora se revelava a Israel de uma maneira nova, não somente como Redentor e Salvador do seu povo da escravidão egípcia, mas também como seu Rei, dando aos israelitas uma lei que os unia como povo, e que foi a base da sua existência nacional".[25]

2. O Soberano Fala (81.6-16)

A harmonia do salmo está em forma de oráculo, no qual o salmista expressa as palavras do Senhor na primeira pessoa do singular. Encontramos duas divisões distintas:

a) *O significado do Êxodo* (81.6-10). O Senhor relata a libertação do povo da sua escravidão no Egito. Foi a libertação de trabalhos forçados. **Tirei de seus ombros a carga; as suas mãos ficaram livres dos cestos** (6) é uma referência provável ao tipo de trabalho no qual os israelitas estavam envolvidos no Egito (Êx 1.11,13-14; 5.6-10). **Cestos** é também traduzido como: "cestos pesados" (Moffat) e: "cestos de carga" (NVI). Durante a libertação, Deus respondeu no **lugar oculto dos trovões** (7), talvez a nuvem de Êxodo 14.19 ou no Sinai (Êx 19.16-25). **Provei-te** (testei-te) **nas águas de Meribá** (Êx 17.1-7). **Selá**: cf. comentário em 3.2.

Diante da sua bondade para com eles, Deus requer lealdade do seu povo. **Eu te admoestarei** (8) está assim no hebraico: "Testemunharei contra vocês". O grande problema ao longo da história de Israel até o exílio foi a adoração de ídolos: **Nem te prostrarás ante um deus estrangeiro** (estranho; 9). O Senhor requeria uma lealdade exclusiva do seu povo. O primeiro mandamento diz: "Não terás outros deuses diante [além] de mim" (Êx 20.3), e o motivo é o mesmo citado aqui: "Eu sou o Senhor, teu Deus, que te tirei da terra do Egito, da casa da servidão" (Êx 20.2). O poder ilimitado do Senhor dá encorajamento para perguntar em grande medida: **Abre bem a tua boca, e ta encherei** (10; cf. João 16.24).

b) *A rebelião do povo* (81.11-16). Numa mudança de tom abrupta, Deus fala da desobediência e incredulidade. **O meu povo não quis ouvir** (em fé obediente) **a mi-**

nha voz, e **Israel não me quis** (11); ou como Perowne traduz: "não estava disposto a Me obedecer".²⁶ O resultado terrível da rebelião foi que Deus os entregou **aos desejos do seu coração, e andaram segundo os seus próprios conselhos** (12). Seu pecado tornou-se seu maior castigo, como Paulo cita em Romanos 1.24: "Pelo que também Deus os entregou às concupiscências do seu coração, à imundícia, para desonrarem o seu corpo entre si".

Os versículos 13-14 indicam quão diferente a história de Israel poderia ter sido. Se o seu **povo** o **tivesse ouvido** e andado **nos** seus **caminhos** (13), Deus rapidamente teria abatido **os seus inimigos** (14). Mesmo esses israelitas que **aborrecem ao Senhor** (15) teriam sido conquistados por Ele, e não teriam sido destruídos — **e o tempo** deles **seria eterno**. O Senhor os **sustentaria com o trigo mais fino** (16) e os **saciaria com o mel saído da rocha**. O contraste entre o que foi e o que poderia ter sido evoca sensações profundas. A diferença estava toda na questão da obediência.

Salmo 82: A Visão do Julgamento, 82.1-8

Este é um salmo sapiencial caracterizado por Morgan como "um grito por justiça, nascido da percepção de má administração daqueles que estavam em posições de autoridade. Este salmo primeiramente anuncia que Deus é o supremo Juiz. Este é o reconhecimento da eqüidade perfeita do padrão de justiça. Os juízes em questão aqui têm errado no sentido de mostrarem respeito pela pessoa dos ímpios e dessa forma se apartado da justiça perfeita que sempre caracteriza a conduta do Deus diante de quem eles são todos responsáveis".²⁷

Os comentaristas têm discordado fortemente acerca do significado do versículo 1 e, por conseguinte, acerca da aplicação do salmo. "Os deuses" têm sido entendidos como deidades subordinadas (Oesterley), ou anjos (Hupfeld). No entanto, com base no contexto e no uso que o nosso Senhor fez do versículo 6 em João 10.34 é quase certo que o salmista tinha em mente reis humanos e magistrados que eram culpados de usar seus cargos para fins egoístas.

Acerca de "Asafe" no título, cf. Introdução do Salmo 50.

1. *Juiz dos Juízes* (82.1-2)

O versículo 1 pode ser literalmente traduzido como: "Deus [*Elohim*] está na congregação de Deus [*El*]; no meio dos deuses [*elohim*] Ele julgará". A mesma linguagem é usada no versículo 6: "Eu disse: Vós sois deuses [*elohim*]". Devemos observar que *elohim*, um substantivo plural normalmente traduzido por Deus ou deuses, também é usado acerca de seres sobrenaturais como anjos, ou de homens de alto escalão e autoridade suprema".²⁸ A melhor compreensão do versículo, por conseguinte, indicaria "Deus como o juiz supremo no meio dos governantes e juízes corruptos de Israel para repreendê-los e condená-los".²⁹ O motivo pelo qual os juízes são convocados para a corte é indicado no versículo 2: **Até quando julgareis injustamente e respeitareis a aparência da pessoa dos ímpios?** — isto é, uma referência ao julgar com parcialidade. Esse tipo de queixa não era nada novo (cf. 1 Sm 8.3; Is 1.17; 3.13-15; Jr 21.12; Am 5.12,15; Mq 7.3; Zc 8.9-10). **Selá**: cf. comentário em 3.2.

2. A Confiança e sua Traição (82.3-7)

A principal obrigação dos juízes era defender o **pobre e o órfão** (3), **o pobre** ("fraco", ARA) **e necessitado**, protegendo-os contra a opressão **dos ímpios** (4). **Tirai-os** também pode ser traduzido como: "libertem-nos" (NVI). A dificuldade que os indefesos tinham em ser ouvidos diante de magistrados corruptos é ilustrada em Lucas 18.1-8. Em contraste com o que eles deveriam ser, esses homens **nada sabem** (não se importam; v. 5), fechando seus olhos para a compreensão adequada do seu dever. **Andam em trevas** e vontade própria até que **todos os fundamentos da terra vacilam** — toda a estrutura da sociedade está desordenada e corrupta.

Deus tem dotado os governantes com dignidade e autoridade. Acerca da expressão: **Vós sois deuses** (6), cf. comentário do versículo 1 e as aplicações que Jesus faz desse assunto em João 10.34. Eles eram **filhos do Altíssimo** quanto ao poder e responsabilidade dados a eles. Paulo descreve os magistrados humanos, no exercício da sua função, como guardadores da paz, como "autoridades [...] ordenadas por Deus" e "ministro[s] de Deus [...] Quem resiste à autoridade resiste à ordenação de Deus" (Rm 13.1-6). Por causa da sua flagrante traição de confiança, esses juízes corruptos recebem a seguinte sentença: **Como homens morrereis e caireis como qualquer dos príncipes** (7). Seus cargos e posições não os salvarão da destruição.

3. Juiz de Todos (82.8)

O Juiz dos juízes é também o Juiz de toda a terra, que reivindica seu direito sobre todas as nações como sua própria herança ou possessão. O salmo fecha com um pedido do poeta: **Levanta-te, ó Deus, julga a terra, pois te pertencem todas as nações!**

SALMO 83: ORAÇÃO EM UMA ÉPOCA DE PERIGO NACIONAL, 83.1-18

A nação foi ameaçada por uma coalizão de forças malignas, dispostas em ordem de batalha contra o povo de Deus. Várias conjecturas quanto à exata ocasião histórica têm sido oferecidas, variando desde a confederação que ameaçava Israel no período dos juízes (Jz 7—8) até as forças dispostas contra Josafá em 2 Crônicas 20. O versículo 8 parece indicar um tempo antes do surgimento da Assíria como um poder dominante, visto que "Assur" é relacionado como um dos confederados menores. Embora não possamos determinar com certeza a ocasião de sua composição, o salmo é apropriado para muitos períodos na história do povo sitiado de Deus.

Existe uma divisão natural entre os versículos 8 e 9. A primeira parte descreve a situação. A segunda parte é quase exclusivamente imprecatória, e por esse motivo o salmo é geralmente classificado como um salmo imprecatório (cf. Int.). Acerca de "Asafe" no título, cf. Introdução do Salmo 50.

1. Descrição (83.1-8)

O salmista implora a Deus para que este intervenha a favor do seu povo indefeso: **Ó Deus, não estejas em silêncio! Não cerres os ouvidos nem fiques impassível, ó Deus** (1). A ocasião é um motim daqueles que são inimigos de Deus e que o **aborrecem** (2), conspirando **contra o seu povo** [...] **contra os** seus **protegidos** (3), ou "o seu tesouro", "guardados na palma da sua mão". O alvo do inimigo é o extermínio de Israel como **nação** (4) — que continua sendo o alvo declarado dos estados árabes no Oriente Próximo. **As tendas** (6) poderiam ser as tendas dessas pessoas em casa ou as tendas dos seus exércitos. A federação consistia em muitos dos inimigos hereditários de Israel de longa data (veja mapa 1): os edomitas, os **ismaelitas**, os moabitas (6), os amonitas, os amalequitas, os filisteus (7), com os assírios (8) como um aliado menor. Os **agarenos** (6) são menos conhecidos. Eles eram um povo que morava no território de Gileade, a leste do rio Jordão, e foram expulsos pela tribo de Rúben na época de Saul (1 Cr 5.10,18-20). **Gebal** (7), mencionado em 1 Reis 5.18 e Ezequiel 27.9, evidentemente uma referência ao território ao sul do mar Morto, na vizinhança de Petra. Gebal continua sendo conhecido pelo nome árabe *Dgebel*. **Os moradores de Tiro** também se alinharam contra os israelitas em certa ocasião e foram condenados pelos profetas (cf. Jr 25.15-22; Ez 26.2—28.26; Am 1.9-10; Zc 9.2-4). A **Assíria** (8) também era conhecida por Assur. Os **filhos de Ló** eram os moabitas e amonitas. **Selá**: cf. comentário em 3.2.

2. *Imprecações* (83.9-18)

Esta passagem está repleta de recordações de dois grandes livramentos anteriores da opressão de inimigos formidáveis de Israel. Em relação à sua disposição para a vingança, Perowne escreve: "Ele ora para que ocorra com eles o que ocorreu com outros inimigos de Israel — como Jabin e Sísera — nos dias passados. Mas ele não ora apenas por libertação ou vitória. Ele ora para que o nome de Javé seja exaltado e que todos busquem o seu nome. Duas expressões, na verdade, são a chave do Salmo — que mostram a atitude do poeta na presença do perigo: versículo 5: 'aliaram-se contra *ti*', e versículo 8: 'Para que saibam que *tu* [...] és o Altíssimo sobre toda a terra' ".[30]

As duas libertações são mencionadas juntas no versículo 9, embora a vitória sobre as hostes de **Midiã** não seja estendida até os versículos 11-12. A vitória de Débora e Baraque sobre **Sísera** e **Jabim** (9) é descrita em Juízes 4.1—5.31. O local da ação maior ocorreu no rio **Quisom** (Jz 4.7,13; 5.21). Aqui um aguaceiro imobilizou os carros de ferro do inimigo e arrastou o seu exército. **Jabim** era rei dos cananeus em Hazor, no norte da Palestina, e **Sísera** era o general no comando do seu exército. **En-dor** (10) não é mencionada no relato em Juízes, mas era tradicionalmente associada com as mortes de dois líderes cananeus. En-dor ficava a cerca de 65 quilômetros ao sul de Hazor. **Orebe, Zeebe, Zeba** e **Zalmuna** (11) são mencionados em conexão com a vitória avassaladora de Gideão sobre os midianitas, descrita em Juízes 7.1—8.13 e mencionada em Isaías 10.26 como um exemplo de grande massacre. **Orebe** e **Zeebe** são descritos como **príncipes** no versículo 11 e em Juízes 7.25; eles provavelmente foram os generais comandantes na batalha. **Zeba** e **Zalmuna** são identificados como "reis de Midiã" em Juízes 8.5. Seu orgulho arrogante é indicado em seu propósito: **Tomemos para nós, em possessão hereditária, as famosas habitações** (ou "pastagens", NVI) **de Deus** (12).

O salmista ora para que seus inimigos (e do Senhor) sejam **impelidos por um tufão** (13) — melhor, "redemoinho" (NVI) — e **como a palha diante do vento**, ambos figuras de desamparo e futilidade. Eles serão como **um fogo que queima um bosque**, como a **chama que incendeia** montanhas (14). No entanto, o objeto da ira divina tem como alvo final a redenção. O amargor da imprecação é aliviado, até certo ponto, pelo propósito dos julgamentos: **Que busquem o teu nome, Senhor** (16); **Para que sai-**

bam que tu, a quem só pertence o nome de **JEOVÁ**, és o Altíssimo sobre toda a terra (18). Somente aqui nos Salmos, e em três outras passagens no AT, o nome sagrado *Yahweh* é traduzido por **Jeová** na ARC. Em todas as outras instâncias do seu uso (mais de 6.000 vezes), ele é traduzido como: "o Senhor".

Uma boa parte do que aparece nesse e em outros salmos imprecatórios não se aplica aos cristãos que vivem à luz do Sermão do Monte (especialmente, Mt 5.43-48). O salmista foi um dos "antigos" (Mt 5.21,27,33) cujos ensinamentos Jesus "cumpriu" ao retificá-los e dar-lhes uma nova direção. No entanto, devemos reconhecer, mesmo em salmos como este, que os inimigos do Senhor são o alvo da sua ira (Sl 83.2). Também existe um desejo expresso que pelo menos alguns busquem o Senhor ao reconhecer a conexão entre seus pecados e os julgamentos divinos. Não existe nada de arbitrário na ira e nos julgamentos de Deus. Os homens são tragicamente lentos para aprender que não podem ir contra a natureza do universo sem ser machucados pelos estilhaços.

Salmo 84: Fome pela Casa de Deus, 84.1-12

Existem poucos poemas na Bíblia ou fora dela que podem ser igualados ao Salmo 84 no que tange à sua profundidade de sentimento ou beleza de expressão. Ele é muito parecido com o pensamento dos Salmos 42—43, a ponto de muitos comentaristas (e.g., Ewald, Perowne, McCullough) atribuírem-nos ao mesmo autor. Acerca dos termos no título ou sobrescrito, cf. as introduções dos Salmos 8 e 42.

O salmo tem sido associado com a Festa dos Tabernáculos no outono, e, como Oesterley conjectura, pode ter sido o cântico dos peregrinos caminhando para a festa de outono depois de um longo e seco verão.[31] "Nossa concepção de religião, seus métodos e propósitos, tem crescido ao longo dos séculos. Prosperidade material não é mais o único teste de favor divino, nem achamos que o bem-estar da comunidade se resume à vida do seu líder individual. Mas continua sendo verdade que a maior bênção conhecida ao espírito humano é o sentido de comunhão com Deus, e que na 'comunhão do Espírito Santo' temos mais certamente uma experiência daquilo que é invisível e eterno".[32]

1. *Ansiando pela Casa de Deus* (84.1-4)

Quão amáveis são os teus tabernáculos (1), ou, como diríamos hoje: "Como é agradável o lugar da tua habitação" (NVI). O hebraico nos versículos 1 e 2 está no plural — "lugares de habitação" ou **átrios**. Isso pode representar as várias partes do santuário, ou mais provavelmente pode refletir a prática hebraica de usar o plural para intensificar o significado de uma palavra, o assim chamado "plural majestático". **Alma**, **coração** e **carne** (2) anelam pela presença do **Deus vivo** — essa última expressão só é encontrada aqui e em Salmos 42.2 (cf. comentário lá).

A referência ao **pardal** e à **andorinha** (3) tem sido entendida como uma expressão de desejo daquilo que as aves têm tão livremente: acesso à presença na casa de Deus (Perowne, McCullough), ou, como Moffatt sugere, o salmista compara seu próprio espírito com as aves que fazem seus ninhos dentro ou próximo do santuário. **Junto aos teus altares**, no sentido de que as aves podem fazer seus ninhos perto do altar no pátio aberto do Templo e mesmo perto do altar de incenso no santuário, mas dificilmente sobre os altares. Nada pode se igualar à bênção daqueles que **habitam em tua casa** (4). A expressão **louvar-te-ei continuamente** também pode ser entendida como: "louvam-te perpetuamente" (ARA). **Selá**: cf. comentário em 3.2.

2. *O Triunfo da Confiança* (84.5-8)
Embora ainda não esteja presente no santuário, o poeta vislumbra a peregrinação terminando na casa do Senhor. Perowne indica a relação dessa estrofe com a anterior e mostra seu significado: "Mas abençoados não são apenas aqueles que habitam no lugar santo na cidade de Deus e perto da sua casa; abençoados são também aqueles que podem visitá-la, como a caravana de peregrinos nas grandes festas nacionais. Eles lembram com carinho as memórias dessas estações. Cada parte da estrada conhecida, cada local em que haviam descansado, mora em seus corações. O caminho pode estar seco e poeirento, passar através de um vale solitário e triste, mas, mesmo assim, eles o amam. O grupo de peregrinos, cheio de esperança, esquece as provações e dificuldades do caminho: O vale floresce como se a chuva doce do céu o tivesse coberto com bênçãos. A esperança os sustenta a cada passo; de estação em estação eles renovam suas forças à medida que se aproximam da etapa final da sua jornada, até que finalmente aparecem diante de Deus, se apresentam como seus adoradores em seu santuário em Sião".[33]

Em cujo coração estão os caminhos (5) pode ser entendido no sentido de que apreciam os caminhos de Deus em seus corações (Berkeley), ou, que amam cada parte do caminho a Sião. **Vale de Baca** (6) significa "vale do choro" ou "vale de lágrimas" (NVI, nota de rodapé). "O significado desse versículo é que a fé, esperança e alegria dos peregrinos torna o deserto arenoso em um lugar de fontes, e então (este é o lado divino do quadro) o Deus do céu envia a chuva da sua graça. A palavra [lit., a primeira chuva] denota uma chuva de outono suave e macia (Jl 2.23) que caía depois que as sementes do plantio eram semeadas. Assim o Vale de Lágrimas se tornava em Vale de Alegria".[34]

Vão indo de força em força (7), renovando suas energias depois da jornada laboriosa de cada dia (cf. Is 40.31). Eles aparecem **diante de Deus** para adoração e para seu exame e bênção. Tendo visualizado em sua mente as bênçãos daqueles que habitam na casa de Deus e daqueles que estão a caminho, o poeta derrama a sua **oração** para que ele logo possa participar dessas bênçãos (8).

3. *A Recompensa da Presença de Deus* (84.9-12)
As bênçãos da casa de Deus só não são maiores do que a bênção da sua presença. Acerca de **Deus, escudo nosso** (9), cf. comentário em 3.3. **Teu ungido** é uma expressão típica usada com referência ao rei, o que faz com que o salmo possa ter sido escrito por um dos reis de Israel. No entanto, o contexto favorece a idéia de que a oração é proferida em favor do rei — ou que o poeta espiritualizou unção e pensa em si mesmo como o ungido do Senhor.

A devoção do salmista a Deus é tão grande que um único **dia** na casa de Deus **vale mais** do que **mil** em **outra parte** (10). Moffatt mostra o contraste da parte final do versículo:

> *Eu preferiria sentar à porta da casa de Deus*
> *A habitar nas tendas dos ímpios.*

O **Senhor Deus** (11) é *Yahweh Elohim*, usado somente aqui nos Salmos, mas bem característico em Gênesis 2.14—3.24. (Salmos 68.18 e 85.8 empregam uma forma mais abreviada, *Yah Elohim*). Normalmente quando a ARC traz: "o Senhor Deus", o hebraico é *Adonai Yahweh* ou *Adonai Elohim*. Este é o único texto em que Deus é diretamente denominado de **sol**, embora apareça como "Sol da justiça" em Malaquias 4.2. Acerca de **escudo**, cf. comentário em 3.3. **Graça e glória** devem vir nessa ordem. A graça precede a glória, mas a glória segue a graça. Precisamos das duas.

Não negará bem algum significa, primeiro, "tudo o que diz respeito à vida e piedade" (2 Pe 1.3), e então o suprimento das outras necessidades de acordo com a sua vontade (Mt 6.33; Fp 4.19). **Que andam na retidão** significa literalmente: "em perfeição" (*tammim*, perfeito, inteiro, completo, em integridade). "E o salmista finalmente chega à alegre convicção de que são abençoados não somente aqueles que habitam na casa de Deus (4), mas também aqueles que, quer adorem nela ou não, são um com Ele pela fé: 'Bem aventurado é o homem que em ti põe a sua confiança' ".[35]

Salmo 85: Louvor, Oração e Expectativa, 85.1-13

Este salmo de adoração foi evidentemente escrito depois do retorno dos exilados do cativeiro babilônico e, nesse sentido, pode ser comparado com o Salmo 126.[36] Também encontramos nele uma oração fervorosa por reavivamento e misericórdia contínua. Todo o conteúdo do poema encaixa-se bem nas circunstâncias descritas em Neemias 1.3 ou Ageu 1.6-11; 2.15-19. Em todo caso, há júbilo pelas misericórdias do passado e reconhecimento claro de dependência em relação às misericórdias contínuas para o futuro. Acerca dos "filhos de Corá" no título, cf. Introdução do Salmo 42.

1. *Louvor* (85.1-3)
A graça de Deus tinha restaurado o seu povo de forma maravilhosa. Ele tinha abençoado (tinha sido favorável) a sua **terra** e havia feito regressar **os cativos de Jacó** (1). Estas palavras se encaixem mais naturalmente na restauração do cativeiro babilônico. Mas aqueles que argumentam por uma data anterior do salmo ressaltam que qualquer restauração de prosperidade pode ter sido descrita aqui (A ARA traduz: "restauraste a prosperidade de Jacó"). Em qualquer época da história, o povo de Deus pode regozijar-se na benevolência e bondade dele. A **iniqüidade** do povo tinha sido perdoada e **os seus pecados** cobertos (2); portanto, a **indignação** de Deus tinha sido removida e o **ardor da** sua **ira** afastado (3). A conexão está clara entre o pecado do povo e a ira de Deus. Primeiro precisa-se lidar com o pecado de forma cabal antes que a ira de Deus seja retirada. **Selá** (2): cf. comentário em 3.2.

2. *Oração* (85.4-7)
No versículo 4, há uma transição brusca de louvor para oração, de ações de graça para petição (cf. Fp 4.6). Mas a ordem está correta. Louvor e ações de graça por bênçãos já recebidas deveriam preceder a oração por mais ajuda. A tarefa está inacabada. Se, como sugere M'Caw, trata-se aqui de pensamentos de homens devotos diante da tarefa da reconstrução depois do exílio, mesmo diante de pobreza e desolação,[37] então havia, na

verdade, grandes desafios para o salmista e seus companheiros. As privações do presente eram, na verdade, as conseqüências dos julgamentos anteriores de Deus (4-5). **Torna-nos** (4; "Restabelece-nos", ARA; "Restaura-nos mais uma vez", NVI). O favor de Deus não era uma garantia de imunidade das dificuldades. A oração do salmista é por capacitação diante dessas dificuldades.
Não tornarás a vivificar-nos? (6) é um ótimo texto de avivamento. A ênfase no hebraico está na pessoa de Deus promovendo o avivamento: "porque somente Deus pode vivificar os corações tristes e as esperanças despedaçadas do seu povo".[38] O resultado será: **para que o teu povo se alegre em ti** — não nas bênçãos materiais que recebem, mas no Doador de todo benefício e dádivas perfeitas. **Tua misericórdia** (7, *chesed*) é bondade, amor imutável e fidelidade com base na aliança de Deus para com as suas promessas (cf. comentário em 17.7).

3. *Perspectiva* (85.8-13)

Assim como Habacuque preparou sua torre de vigia (fortaleza) para ouvir o que o Senhor tinha a dizer (Hc 2.1), o poeta faz uma pausa para ouvir (8). O equilíbrio do salmo está na essência da afirmação divina, a promessa para o futuro. **O Senhor [...] falará de paz ao seu povo e aos seus santos** ("fiéis", NVI) — **contanto que não voltem à loucura**. A LXX segue uma versão diferente: "para aqueles que voltam os seus corações para Ele". Mas a versão hebraica provavelmente deve ser seguida aqui. **Loucura**, como em outras passagens da Bíblia, não significa simplesmente tolice ou insensatez, mas uma maldade muito grave. O termo no AT muitas vezes significa idolatria, uma declaração muito séria se este é, de fato, um salmo pós-exílico. O exílio foi causado pela idolatria e, pelo que se sabe, o povo hebreu foi curado desse mal.

A libertação está **perto daqueles que o temem** (9); ela nunca está longe da alma honesta que busca a sua presença. A **glória** é a presença manifesta de Deus com e entre o seu povo. Moffatt a interpreta assim: "sua Grande Presença habite em nossa terra". Perowne observa: "Essa esperança foi destinada a ter o seu cumprimento, mas em um sentido melhor e mais elevado, quando Ele, que era o esplendor da glória do Pai, 'tabernaculou' em carne humana, e homens viram 'a sua glória, como a glória do unigênito do Pai'".[39]

A misericórdia e a verdade se encontraram (10) é traduzido por Moffatt como: "Bondade e fidelidade se unem", quando Deus lida com os seus. **Justiça** e **paz** podem ser entendidas como "vitória e paz" (Moffatt). **Se beijaram** tem o mesmo significado de **se encontraram**. Esses quatro atributos de Deus e virtudes dos homens também são centrais no NT. A **verdade** (fidelidade nesse contexto) **brotará da terra, e a justiça olhará desde os céus** (11). O dom divino de **justiça** responde à fidelidade do homem em satisfazer suas condições em obediência e fé.

O salmo termina com dois versículos de encorajamento. Perowne diz: "A presente miséria é esquecida no alvorecer do futuro glorioso. A oração foi pronunciada; a tempestade da alma se aquietou".[40]

> *Sim, o Senhor dará o que é bom,*
> *e a nossa terra dará o seu fruto.*
> *A justiça irá adiante dele*
> *e transformará suas pegadas em caminho (12-13, Berkeley).*

Salmo 86: Orando a Oração da Fé, 86.1-17

Este é mais um salmo de lamentação, atribuído a Davi, o único no Livro III. Não existe uma explicação fácil para a inclusão desse salmo nos salmos dos filhos de Corá. Ele também é singular no seu uso do nome divino *Adonai* em lugar de *Yahweh*. *Adonai* ocorre sete vezes nesse salmo, e é impresso na ARC como "Senhor" em caixa baixa. *Yaweh*, no original, é impresso em caixa alta como "Senhor".

O salmo é dividido em quatro seções, cada uma delas terminando com uma afirmação acerca de Deus: "Tu [...] és bom, e pronto a perdoar" (10); "Tu és grande [...] só tu és Deus" (10); "Tu [...] és [...] cheio de compaixão, e piedoso" (15); e, "Tu, Senhor, me ajudarás e consolarás" (17).

1. A Bondade de Deus (86.1-5)

Do mais profundo das suas dificuldades, o poeta vai ao encontro da bondade de Deus. Ele coloca diante do Senhor a miséria da sua condição: **Estou necessitado e aflito** (1), "fraco e miserável" (Moffatt). **Pobre** (*ani*) não se refere em primeiro lugar à pobreza econômica, mas à aflição e opressão. É a percepção da necessidade que conduz o homem a Deus. **Sou santo** (2, *chasid*) não é um vangloriar farisaico. O termo tem sido diversamente traduzido como: "alguém que tu amas" (Perowne), "fiel a ti" (Moffatt), "piedoso" (ARA) e "dedicado" (Berkeley). Nesse contexto, a asserção é "a linguagem da simplicidade honesta e franca".[41] A oração do poeta é uma petição diária (3). **Alegra a alma** (4) também pode ser entendido como: "Alegra o coração". A bondade de Deus, sua disposição em **perdoar** e sua abundante **benignidade** ("graça", NVI) estão à disposição de **todos os que o invocam** (5).

2. A Grandeza de Deus (86.6-10)

O salmista expressa sua queixa com a confiança viva em que a grandeza de Deus garante o alívio. Com **oração** e **súplicas** (6) ele clamará ao Senhor (7), confiante em que **entre os deuses na há semelhante** a Ele (8), nem **obras como as** dele. A referência aos **deuses** não deve ser entendida como uma indicação de politeísmo ou henoteísmo (adoração a um deus tribal com o reconhecimento da existência de outros deuses). **Tu és Deus** (10) revela o monoteísmo do escritor. Os aqui chamados "deuses" na verdade não são deuses no sentido literal. Uma declaração semelhante é feita por Paulo: "Porque ainda que haja também alguns que se chamem deuses, quer no céu quer na terra (como há muitos deuses e muitos senhores), todavia, para nós há um só Deus, o Pai, de quem é tudo" (1 Co 8.5-6).

Visto que Deus é o Criador de tudo, o salmista antevê o dia quando **todas as nações que fizeste virão e se prostrarão perante a tua face** (9; cf. Fp 2.5-11). **Porque tu és grande** (10), capaz de responder ao clamor do seu povo. "Há dois tipos de dúvidas na área da tentação que assola a alma: a dúvida quanto à *disposição* de Deus e a dúvida quanto ao seu *poder* de socorrer. A primeira dessas dúvidas o salmista já havia vencido; ele agora mostra que superou a segunda. Deus é capaz e está disposto a ajudar".[42]

3. A Graça de Deus (86.11-15)

Deus é bom, grande e gracioso, isto é, está amavelmente inclinado a ajudar aqueles que o buscam. O versículo 11 é uma oração notável de orientação e integridade e uma garantia para caminhar em fidelidade e verdade. Moffatt escreve o seguinte: "Ensiname o teu caminho, ó Eterno, como viver de modo leal a ti". **Une o meu coração ao temor do teu nome** tem sido interpretado como: "Não permitas que [o coração] se divida sobre uma multiplicidade de objetos, mas que concentre toda a sua força, a sua afeição, em uma direção; que tudo isso esteja voltado só para Ti".[43] "Ser puro de coração é desejar uma única coisa" (cf. Os 10.2; Fp 3.13). Esse tipo de coração focado é necessário se queremos louvar o Senhor com todo nosso coração (12). **Livraste a minha alma do mais profundo da sepultura** (13) significa literalmente: "do Sheol", "o mundo invisível abaixo" (Berkeley). **Os soberbos** e os **tiranos** que abandonam os caminhos do Senhor (14) **se levantaram contra** ele. **Mas tu, Senhor, és um Deus cheio de compaixão, e piedoso, e sofredor, e grande em benignidade e em verdade** (15). A palavra **verdade** aqui significa "fidelidade" (NVI).

4. *Os Dons de Deus* (86.16-17).

Os dons que o salmista busca são **misericórdia, fortaleza** ("força", ARA e NVI) e salvação (16). Ele pede por **um sinal para bem** (17; isto é, "um sinal do teu favor", ARA) que confundirá os seus inimigos. O socorro no passado garantirá favores futuros: "pois tu, Senhor, me ajudaste e me consolaste" (NVI). "Estes versículos (16-17) fornecem o final tradicional de uma oração de petição. A situação que o requerente descreveu, composta por uma ameaça de perigo imediata dos homens e uma esperança longa e contínua em Deus, cria um peso de responsabilidade que ele não pode carregar sozinho. O tipo de apoio de que precisa é expresso de forma simples: ele precisa de compaixão, força, livramento e uma intervenção sobrenatural do alto. Esse tipo de demonstração não serviria apenas para saturá-lo de confiança; também serviria para humilhar aqueles que o odeiam, porque veriam em seu livramento a ajuda firme do Senhor".[44]

Salmo 87: As Glórias de Sião, 87.1-7

Este cântico de adoração, como outros desse grupo, traz a inscrição: "para os filhos de Corá" (cf. Int. do Salmo 42). O salmo é uma linda pérola em louvor a Sião, que é prefigurada de modo espiritual, não necessariamente no sentido geográfico. A menção da Babilônia no versículo 4 provavelmente identifica o cântico como pós-exílico.[45] Esta é uma das passagens impressionantes no AT em que a particularidade do judeu é transcendida e a universalidade do propósito divino é vislumbrada. Perowne observa: "Nações estrangeiras são descritas aqui, não como cativas ou tributárias, nem mesmo como fazendo homenagens voluntárias à grandeza e glória de Sião, mas como se tivessem sido incorporadas, por meio de um novo nascimento, aos filhos dela. Nem mesmo os piores inimigos de sua raça, os tiranos e opressores dos judeus, Egito e Babilônia, são ameaçados com maldição; nenhum grito de alegria é levantado como expectativa da sua derrota, mas os privilégios da cidadania são estendidos a eles, e eles são saudados como irmãos."[46]

Outras passagens do AT (e.g., Is 2.2-4; 19.22-25) falam da oferta de salvação aos gentios, mas este salmo "se encontra sozinho entre os escritos no Antigo Testamento, ao representar essa união das nações como um novo nascimento na cidade de Deus.

Essa idéia traz em si um interesse singular e claramente identifica este salmo como messiânico".⁴⁷ Oesterley comenta: "O salmista, com sua perspectiva sublime, conjectura um tempo na história do mundo quando, independentemente de nacionalidade, os homens olharão para dentro de si e, por conseguinte, para Deus. É um ideal; mas, com otimismo divino, o salmista retrata sua realização esplêndida como se estivesse ocorrendo no tempo e no espaço. O quando não é o seu foco; ele está contente com a concepção do lindo ideal".⁴⁸

1. A Cidade de Sião (87.1-3)

A afeição pela cidade santa e o deleitar-se nela são similares ao Salmo 48. O antecedente de **seu** (1) se torna claro na tradução de Perowne: "Javé ama Seu fundamento sobre os montes santos". **Fundamento** é entendido no sentido de "cidade edificada (ou estabelecida)". **As portas de Sião** (2) são tanto a sua fortificação como o local de reunião, e são mais preciosas para o Senhor do que qualquer outro local de habitação em Israel. **Coisas gloriosas se dizem em ti** (3) não se refere a glórias terrenas mas à reunião das nações dentro do aprisco espiritual do Senhor como podemos ver nos versículos seguintes. A glória de Sião é sua preocupação com as "outras ovelhas que não são deste aprisco" (Jo 10.16). **Selá**: cf. comentário em 3.2.

2. Os Cidadãos de Sião (87.4-6)

Dentre os que me conhecem, farei menção de Raabe e de Babilônia (4) também pode ser traduzido como: "Entre os que me conhecem incluirei Raabe e Babilônia" (NVI). **Raabe** é um nome poético do Egito (cf. Is 30.7). A palavra originariamente significava "orgulho" ou "ferocidade". Também pode significar monstro marinho ou crocodilo — que pode explicar sua aplicação ao Egito. **Filístia** (veja mapa 1), no mediterrâneo a oeste de Israel; **Tiro**, ao norte da Filístia; e **Etiópia**, na África ao sul do Egito, vão todos fazer parte da cidadania da Sião espiritual. **Este é nascido ali** (4) fica mais claro se o versículo todo for traduzido da seguinte forma: "Entre os que me reconhecem incluirei Raabe e Babilônia, além da Filístia, de Tiro, e também da Etiópia, como se tivessem nascido em Sião" (NVI). "Assim é o Evangelho: todos os gentios que o conhecem estão sendo divinamente inscritos como nativos do Reino de Deus" (Berkeley, nota de rodapé). **Este e aquele nasceram ali** (5) sugere: "Um após o outro nasceram nela" (Perowne). "É impressionante que a figura de um novo nascimento seja usada para expressar a admissão das diferentes nações como cidadãos de Sião".⁴⁹ **O Senhor, ao fazer descrição dos povos, dirá: Este é nascido ali** (6); isto é, todo aquele cujo nome está inscrito no livro da vida do Cordeiro é considerado nascido em Sião.

3. Conclusão (87.7)

Cantores e tocadores de instrumentos saudarão os novos cidadãos do reino espiritual. **Tocadores de instrumentos** também têm sido traduzidos como: "aqueles que dançam" (Perowne), "dançarinos" (RSV) ou "em procissões" (Berkeley). A dificuldade do texto hebraico gera essa variedade de traduções. Mas a idéia central é obviamente a alegria decorrente de pecadores que se arrependem. **Todas as minhas fontes estão em ti** reflete o fato de que a fonte máxima de alegria e bênção está no Senhor e na cidade espiritual que Ele edifica (cf. v. 5).

Salmo 88: A Noite Escura da Alma, 88.1-18

Este cântico de lamentação tem sido identificado como o mais sombrio e triste salmo de todo o Saltério.[50] Perowne escreveu: "É uma lamúria do começo ao fim. Este é o único salmo no qual a expressão de sentimentos e o derramar do coração quebrantado diante de Deus não trazem alívio e consolo".[51] Oesterley disse: "Este salmo é singular. É um grito desesperado de sofrimento, não aliviado por um único raio de conforto ou esperança [...] Existem bons motivos para supor que o autor tinha conhecimento do livro de *Jó*, e pode ele mesmo ter sido um leproso".[52]

McCullough menciona que "o salmista parece ter uma doença devastadora que o aflige desde a mocidade (talvez lepra ou paralisia). Isto lhe custou seus amigos que não conseguem mais suportar a sua presença, e agora ele está a ponto de morrer. Ele não reclama de ataques de inimigos e não tem pecados para confessar; mesmo assim, em certa medida, ele considera a sua experiência demorada de sofrimento uma conseqüência da ira do Senhor. Por isso, ele dirige a sua súplica ao Senhor. Mas — e é isso que faz desse lamento o mais sombrio no Saltério — quando o salmo termina, não há resposta nem alívio da condição do salmista, e como freqüentemente tem sido observado, a última palavra no poema é 'trevas'".[53]

Acerca de *Maalate* no sobrescrito, cf. Introdução do Salmo 53. *Leanote* provavelmente significa "para ser cantado" ou como a versão *Berkeley* traduz: "para cantar pesarosamente". "Hemã, ezraíta" era conhecido como um homem sábio, mencionado em 1 Reis 4.31. Acerca de *masquil*, cf. Introdução do Salmo 32.

1. *Fracasso* (88.1-7)

A primeira estrofe do poema parece reconhecer a proximidade da morte. O único raio de luz em todo o lamento é o vislumbre da fé que se dirige ao **Senhor, Deus da minha salvação** (1). Ele ora da beira da **sepultura** (3, *Sheol*), o lugar dos mortos. Seus companheiros já o contaram **com os que descem à cova** (4, *bor*), literalmente, uma cisterna, estreita na parte de cima mas profunda e espaçosa na parte de baixo; um sinônimo para sepultura ou *Sheol*. A expressão hebraica traduzida como: **posto entre os mortos** (5) significa separação dos nossos companheiros, ou "atirado entre os mortos" (ARA), "abandonado" (RSV). Harrison mantém o sentido quando traduz: "liberto da violência da vida". **Dos quais te não lembras mais; antes os exclus a tua mão** é uma reflexão acerca da visão do *Sheol* e da vida após a morte sem a luz que brilha do túmulo vazio de Cristo (2 Tm 1.10). O **mais profundo do abismo [...] trevas** e **profundezas** (6) refletem elementos adicionais da percepção da morte. **Tuas ondas** (7) são ondas de ira e juízo. O autor não diz e provavelmente não conhecia o motivo por que ele se sentia debaixo da ira de Deus. **Selá**: cf. Introdução em 3.2.

2. *Sem amigos* (88.8-10)

Uma das maiores aflições que o salmista sofreu foi a amargura de ser abandonado pelos seus amigos, também uma fonte de profunda dor para Jó (Jó 2.9-10; 12.4; 16.1-4). Ele se sentia longe dos seus **conhecidos** (8). Ele havia se tornado **abominável** ("repugnante", NVI) **para eles**. Ele lamenta: **Estou fechado e não posso sair**, isto é: "Estou como um preso que não pode fugir" (NVI). O **Senhor** é a única pessoa a quem ele pode voltar (9). Mesmo na oração ele pergunta: **Mostrarás tu maravilhas aos mortos?**

(10). A pergunta: "Porventura as sombras abaixo se levantarão e te agradecerão?" (Perowne) não recebe uma resposta afirmativa. **Os mortos se levantarão e te louvarão** recebe a seguinte nota de Barnes: "Uma das incapacidades dos mortos, de acordo com o pensamento hebraico, era que não podiam adorar a Deus (cf. 115.17,18)".[54]

3. *Abandonado* (88.11-18)

Os versículos 11 e 12 continuam o pensamento do versículo 10. A vida após a morte é chamada diversamente de **sepultura** (11), **perdição** (*abaddon*, usado em Jó 26.6 como um outro sinônimo para *Sheol*), **trevas** (12), **terra do esquecimento**. Aqui a **benignidade** de Deus e a sua **fidelidade** (11) não podem ser anunciadas, nem as **maravilhas** da sua **justiça** conhecidas.

O salmista renova o seu apelo **de madrugada** (13). **Te envio** pode ser melhor traduzido como: "à tua presença" (NVI). No entanto, Deus parece que continua rejeitando-o e esconde a sua **face** dele (14). Desde a sua **mocidade** ele tem sofrido, sua vida tem sido exposta ao perigo, esmagada pelos **terrores** de Deus (15). A **ardente indignação** de Deus e seus **terrores** (16) o **rodeiam todo o dia** como **água** (17). Nesse caso **trevas** (18) pode significar obscuridade. Não somente Deus, mas o homem o havia abandonado:

> *Tiraste de mim os meus amigos e os meus companheiros;*
> *as trevas são a minha única companhia (18, NVI).*

Salmo 89: A Fidelidade de Deus, 89.1-52

O último salmo do Livro III é um contraste surpreendente com o salmo precedente, embora atribuído em seu título ao irmão do compositor do Salmo 88, "Etã, o ezraíta" (cf. 1 Rs 4.31; 1 Cr 6.44; 15.17,19). Seu uso no NT em relação a Cristo justifica sua inclusão entre os salmos messiânicos. Os assuntos variáveis do salmo têm levado alguns (e.g., Oesterley) a conjeturar que ele seja uma combinação de três partes separadas no seu original. Essa suposição não precisa ser considerada, no entanto, visto que é possível observar um tema uniforme ao longo do salmo. O salmista deixa que suas "petições sejam conhecidas diante de Deus pela oração e súplicas, com ações de graça" (Fp 4.6).

A opinião acerca da data e ocasião tem variado largamente entre os estudiosos, indo desde o tempo do Reino do Norte sob o reinado de Jeroboão II (Gunkel), passando pelo reinado de Jeoaquim (Perowne), até a última parte do período macabeu, em 88 a.C. (Duhm). O conteúdo do salmo parece encaixar-se melhor no período de Jeoaquim, quando a monarquia de Davi foi ameaçada, mas não extinta. Oesterley escreve: "O salmo ensina [...] que existe um relacionamento íntimo entre o destino da nação e o propósito divino com ela. Deus, todo-poderoso no céu e na terra, determinou a monarquia para o seu povo como um meio de bem-estar social entre eles e escolheu a linha davídica. Mas o plano divino foi frustrado pela vontade pecaminosa dos homens, como o salmista parece estar começando a perceber, embora não tenha visto o final da monarquia que estava próximo [...] Deus é o Deus da história; e embora homens, agentes livres pela vontade de Deus, frustrem seus propósitos, ele, no entanto, na sua misericórdia, desconsidera a loucura deles".[55] Acerca de *masquil* no título, cf. Introdução do Salmo 32.

1. *Louvor* (89.1-4)

O salmo abre com o louvor do poeta (1-2) e a resposta do Senhor (3-4). **As benignidades** (*chesed*, bondade e amor imutável; cf. comentário em 17.1) **do SENHOR** (1) e a sua **fidelidade** constituem o tema do salmista. **Será edificada** (2), "como um palácio imponente, crescendo cada vez mais, pedra por pedra, diante dos olhos maravilhados dos homens, não conhecendo deterioração, destinada a jamais cair em ruína".[56]

Os versículos 3-4 são aplicados a Cristo em Atos 2.30 e, juntamente com o versículo 20, dão um caráter messiânico ao salmo. Deus tinha, de fato, feito **um concerto com** [...] **Davi** (3) para que sua **descendência** fosse estabelecida **para sempre** e o seu **trono de geração em geração** (4). Esta promessa foi cumprida no Filho maior de Davi (Mt 1.1 etc.). **Selá**: cf. comentário em 3.2.

2. *Passado* (89.5-12)

Tendo expressado sua fé e recebido a resposta de Deus, o salmista agora se volta para a exposição das maravilhas do poder de Deus na criação e história que serviram de sinal para o cumprimento das suas promessas a Davi. O Senhor não somente tem o desejo, mas a capacidade de fazer o que prometeu. Primeiramente, é descrito o poder de Deus na criação e na natureza. **Os céus** louvam as **maravilhas** de Deus (5; cf. 19.1-6). Sua **fidelidade** é exaltada **na assembléia dos santos** — provavelmente uma referência à assembléia angelical, em paralelo com **os filhos dos poderosos** (6), embora certamente os santos na terra não tenham um motivo de louvor maior. **O SENHOR** é incomparável (6), **grandemente reverenciado** (7) com temor piedoso, o "temor do Senhor" tanto no Antigo como no Novo Testamento. "Poderoso, Senhor" (8, NVI) significa o Governante soberano do universo. Mesmo **o ímpeto do mar** (9) está sujeito à vontade dele: **quando as suas ondas se levantam, tu as fazes aquietar** (cf. Mt 8.23-27; Mc 4.36-41; Lc 8.22-25). **Raabe** (10), possivelmente simbolizando o Egito como em 87.4, mas, com base no contexto, mais provavelmente os poderes violentos e aterradores da profundeza espumosa, como o monstro marinho. **Os céus e a terra** [...] **o mundo e a sua plenitude** (11) são de Deus pela sua ação criativa, tanto o **Norte** como o **Sul** (12). **Tabor e o Hermom** são identificados por alguns como representando o Leste e o Oeste em contraste com o **Norte** e o **Sul**, mas são mais provavelmente citados como montanhas distintas e majestosas em uma terra montanhosa (veja mapa 1).

3. *Presente* (89.13-18)

O Senhor da natureza, que "criou [...] os céus e a terra" (Gn 1.1), é também, e mais significativamente, o Deus do seu povo. Seu **braço** é **poderoso** e sua **mão** é **elevada** (13). "O *braço* e a *mão* sugerem um poder que é ativo, não meramente latente. Literalmente, *um braço com poder*, uma outra construção forte usada por esse salmista".[57] **Justiça** (retidão) **e juízo** [...] **misericórdia e verdade** (14) são a base do governo soberano de Deus sobre seu universo.

A bênção do povo de Deus é descrita nos versículos 15-18 em termos majestosos. Estes versículos fazem parte do ritual das sinagogas para a observância do Ano Novo judaico, e são recitados imediatamente após o soar da trombeta. A versão *Berkeley* conseguiu captar a beleza do original:

> Bem-aventurado o povo que reconhece o chamado festivo.
> Eles andam, ó Senhor, na luz da tua face;
> em teu nome se regozijam o dia todo,
> e por meio da tua justiça são exaltados.
> Pois tu és a glória da força deles;
> e pelo teu favor será exaltado o nosso chifre (a nossa força).
> Porque o Senhor é o nosso escudo,
> e o nosso rei o Santo de Israel.

Som festivo (15) significa literalmente: "som de trombeta", ou chamada para a festa. **Andará** [...] **na luz da tua face** tem sido traduzido como: "anda radiante na tua presença" (Harrison). **Será exaltado o nosso poder** (17) no original significa: "será exaltado o nosso chifre" (Harrison) — o chifre do carneiro ou do boi simbolizava força.

4. *Promessa* (89.19-37)

Esta longa passagem é dedicada à promessa de Deus a **Davi** (20) e à **sua descendência** (29). Como Pedro colocou os versículos 3-4 em um cenário messiânico (At 2.30), assim Paulo usou o versículo 20 em seu discurso à sinagoga em Antioquia da Pisídia (At 13.22-23). Sua aplicação limitada é para Davi e seus sucessores terrenos. Sua aplicação suprema é para Jesus, o Messias. **Teu santo** (19) é melhor traduzido como: "teu vidente fiel" (Moffatt). Davi foi ajudado, escolhido e **ungido** (20), sustentado (12) e fortalecido. Portanto, o **inimigo não o importunará** (22; "oprimirá", NVI); mas Deus derrubará **os seus inimigos** e ferirá **os que o aborrecem** (23). O seu **nome será exaltado** ("seu chifre será exaltado", 24) — cf. comentário do versículo 17.

Porei a sua mão no mar e a sua direita, nos rios (25), é melhor traduzido como: "Estenderei o seu poder até o mar e sua autoridade até o Eufrates" (Moffatt); cf. 72.8; Zacarias 9.10. O rei (tanto humano como divino) deve reconhecer **Deus** como seu **pai** (26) e como retribuição será proclamado o **primogênito** do Senhor (27), um termo que no seu sentido mais restrito pertence somente a Cristo (Jo 1.14; Rm 8.29). A aliança de Deus com Davi e **sua descendência** é eterna (28-29). A desobediência dos **filhos** do rei resultará em seu próprio castigo, mas não malogrará os propósitos de longo alcance de Deus (30-34). O juramento da aliança de Deus estava baseado na sua **santidade** (35), isto é, sua própria natureza (cf. 60.6; Hb 6.13-20). **Estabelecido para sempre como a lua** (37) tem sido traduzido como: "Será estabelecido permanentemente como a lua, e durável como os céus" (Harrison).

5. *Perspectiva* (89.38-45)

Há, com certeza, um contraste trágico entre a promessa e a perspectiva imediata. Em parte, o problema do salmista era o mesmo que os discípulos tiveram muito mais tarde quando aguardavam que o Senhor restaurasse "neste tempo o reino a Israel" (At 1.6). O propósito de Deus não tem sido a restauração do velho, mas a realização do novo. O velho tinha de passar antes que o novo pudesse aparecer. Estes versículos refletem um novo estado nos acontecimentos do reino de Israel. Parece que Deus rejeitou e aborreceu seu **ungido** (38). Parece que o **concerto** foi abominado e a **coroa** do rei profanada ao ser lançada **por terra** (30). **Todos os seus muros** (40) significa: "todas as suas defesas"

(Harrison). **Todos os que passam pelo caminho o despojam** (41) significa: "Todos os que passam o saqueiam" (NVI). **O opróbrio dos seus vizinhos** pode ser: "objeto de zombaria para os seus vizinhos" (NVI).

À medida que o rei se enfraquecia, **seus adversários** se tornavam mais fortes (43) e o destino do jovem monarca foi a humilhação do **seu trono** (44-45). Como resultado, o rei havia sido coberto **de vergonha**.

6. *Petição* (89.46-51)

Sob circunstâncias como essas o grito do coração é: **Até quando, Senhor?** (46). Uma série de perguntas retóricas expressa o desejo de que Deus logo se volte outra vez ao seu representante sitiado. "A súplica se divide em duas partes, cada uma compreendida por três versículos. O argumento da primeira é a brevidade da vida humana; e da segunda, a desonra lançada sobre Deus pelo triunfo dos seus inimigos".[58] A urgência da petição está baseada na brevidade da vida e na certeza da **morte** (47-48).

A honra de Deus é a nova base que o salmista usa para expressar sua súplica. O Senhor é lembrado das suas benignidades **antigas** e do seu juramento a **Davi** (49). O salmista pede que o Senhor se lembre **do opróbrio** (50, "desgraça", Harrison) dos seus **servos**, "e de como trago dentro de mim o abuso de muitas nações" (Harrison). Aqueles que se opõem ao salmista são **inimigos** do **Senhor** (51).

7. *Doxologia* (89.52)

O último versículo é geralmente reconhecido como não fazendo parte do salmo original; é, antes, a doxologia acrescentada a todos os salmos do Livro III. **Amém e amém** é uma repetição que intensifica o significado de "Que assim seja". Cf. as doxologias que concluem os outros livros (41.13; 72.18-19; 106.48 e comentários do salmo 150).

Seção IV

LIVRO IV: SALMOS DIVERSOS

Salmos 90 — 106

O Livro IV é o mais breve dos cinco livros identificados nos Salmos. Dos seus dezessete salmos, apenas sete trazem algum tipo de título. O livro contém um grupo conhecido como "Os Salmos acerca do Sábado" (Sl 90—99) em virtude do seu uso na sinagoga, e "um para um dia comum" (Sl 100). Os Salmos 105 e 106 são importantes salmos históricos. A maior parte dos diferentes tipos de salmos está incluída nesse livro, com uma forte inclinação para os salmos de culto e adoração.

Salmo 90: O Homem Mortal e o Deus Eterno, 90.1-17

Este salmo tem sido descrito como "uma das pérolas mais preciosas do Saltério".[1] Kittel denominou-o "um canto impressionante de elevação e poder quase únicos".[2] Isaac Taylor descreveu o Salmo 90 como "talvez a mais sublime das composições humanas, o mais profundo em relação aos sentimentos, o mais imponente na concepção teológica e o mais magnificente na descrição de imagens".[3] Sua ênfase na brevidade da vida humana faz com que esse salmo seja incluído em muitos cultos fúnebres.

O título identifica o salmo como "Oração de Moisés, varão de Deus". Visto que os títulos não fazem parte do texto inspirado, mesmo comentaristas evangélicos ponderam que o conteúdo central do poema aponta para uma data posterior. Os versículos 13-17 parecem indicar um período histórico mais longo do que o tempo no deserto.[4] No entanto, visto que Moisés foi reconhecido como o grande legislador do AT, o fato de que deveria ter sido atribuído ou dedicado a ele é um tributo à qualidade do salmo.

1. A Soberania de Deus (90.1-6)

A primeira estrofe reconhece o soberano Deus como o Refúgio de Israel, **de geração em geração** (1). O SENHOR é Deus **de eternidade em eternidade** (2), "desde o infinito passado até o infinito futuro".[5] Toda a **terra** é sua criação. **Tu reduzes o homem à destruição** (3) também pode ser entendido como: "Tu reduzes o homem ao pó" (ARA), como está escrito em Gênesis 3.19. **Volvei, filhos dos homens** recebe duas interpretações diferentes. A maioria das versões e comentários considera essa expressão uma explicação da frase anterior, de que o homem é ordenado a voltar ao pó, de onde seu corpo veio. Alguns, no entanto, a consideram uma determinação para voltar a Deus em arrependimento: "Trazes o homem a um estado de contrição, dizendo: 'Arrependa-se, descendente do homem'" (Harrison).

O tempo não é uma limitação para Deus. **Mil anos são aos teus olhos como o dia de ontem que passou, e como a vigília da noite** (4) — cf. 102.24,27; 2 Pe 3.8. Uma **vigília** no AT era de aproximadamente quatro horas. A idéia é provavelmente que um milênio não dura mais para o Senhor do que uma vigília da noite para um homem sonolento. A existência comparativamente breve do homem é descrita em metáforas impressionantes: como uma construção levada pela **corrente de água** (5); como as horas de um **sono** sem sonhos; como **a erva** que cresce rapidamente, floresce e tão rapidamente é cortada, **e seca** (6).

2. A Brevidade da Vida (90.7-12)

O tema introduzido na primeira estrofe continua na segunda. A brevidade da vida é acentuada pelo fato de que o pecado a trouxe para debaixo da nuvem da ira de Deus. **Iniqüidades** e **pecados ocultos** ("pecados secretos", NVI) tinham despertado a **ira** consumidora e o **furor** de um Deus santo (7-8). Não existe nenhuma outra palavra que corresponda ao termo hebraico **pecados** do versículo 8. "*Nosso* (*pecado*) secreto é, antes, o pecado íntimo do coração, não visível ao homem mas conhecido por Deus".[6] Deus não somente conhece as iniqüidades da vida dos homens, mas o princípio do pecado escondido dentro da alma. **Nossos dias vão passando na tua indignação** (9) pode ser traduzido como: "Todos os nossos dias passam debaixo do teu furor" (NVI). **Nossos anos como um conto ligeiro** tem sido traduzido como: "nossos anos como um suspiro" (Berkeley). O hebraico aqui é literalmente "como um ato de respirar" ou "como um murmúrio". **Conto ligeiro** não significa uma "história que é contada", mas, sim, "número que é contado", visto que o significado antigo de **conto** é a enumeração, como no caso da "conta dos tijolos" de Êxodo 5.8.

Setenta anos ou **oitenta anos** (10) podem ser o número dos nossos dias na terra; e o prolongamento da vida depois disso se resume em **canseira e enfado**. Embora sejam muitos os anos, eles passam **rapidamente** e **nós voamos** (cf. Jó 20.8). Em uma situação como essa precisamos reconhecer **o poder** da **ira** de Deus (11) e **contar os nossos dias** (12), valorizando cada dia, **de tal maneira que alcancemos coração sábio** — "alcancemos mentes que discirnam" (Berkeley). Kirkpatrick interpreta o versículo 11 da seguinte forma: "Quem entende a intensidade da ira de Deus contra o pecado de tal forma que o tema com o tipo de reverência que é a salvaguarda do homem para não ofendê-lo?".[7]

3. *A Súplica pelo Favor de Deus* (90.13-17)

O salmo termina com uma oração de súplica típica dos salmos de lamentação. À vista da eternidade divina e da breve vida manchada de pecado, o poeta roga pelo favor gracioso de Deus. A conexão com as seções precedentes do salmo é natural. A contemplação se transforma em súplica. Como em 6.3, a sentença: **Volta-te para nós, Senhor; até quando?** não é completada. O significado é: "Até quando o Senhor vai demorar em voltar e ser misericordioso para conosco?". **E aplaca-te** é uma forma comum da súplica para que Deus mude sua maneira de agir com o seu povo arrependido. Uma versão mais antiga traz: "Arrepende-te". O Senhor "não é homem, para que se arrependa" (1 Sm 15.29) como um ser humano necessitaria se arrepender do mal planejado ou realizado. Mas o modo de Deus tratar com o seu povo está condicionado à obediência deste à sua lei. Arrepender-se ("aplacar") para Deus significa simplesmente mudar da ira para a misericórdia.

Sacia-nos de madrugada (14) ou: "pela manhã". A noite é escura; que o alvorecer possa chegar logo. O contexto sugere que Deus nos satisfaz cedo na vida para que **nos alegremos todos os nossos dias**. A expressão **alegra-nos pelos dias** (15) indica uma alegria renovada proporcional às tristezas do passado. Tanto os julgamentos de Deus como seus atos salvadores são descritos pelo termo aqui traduzido por **obra** (16). A glória de Deus será vista em cada aspecto da sua obra de salvação tão ardentemente desejada. O termo **graça** (17) também pode significar doçura, deleite e também é traduzido como: "benignidade" (Perowne, Berkeley), "favor amoroso" (Moffatt), "bondade" (NVI) ou simplesmente "favor" (RSV, Harrison). **Confirma sobre nós a obra das nossas mãos** significa: "Faze prosperar todas as nossas obras" (Moffatt).

Salmo 91: A Segurança de um Coração Confiante, 91.1-16

Este cântico de adoração, junto com o salmo sapiencial seguinte, é com freqüência ligado com o salmo precedente formando o que ficou conhecido como trilogia da confiança. Várias conexões de pensamento e expressão servem para ligá-los. O Salmo 90 representa o pedido de libertação; o Salmo 92 se regozija na sua consumação; e o Salmo 91 une a oração e sua resposta em uma expressão de confiança quase inigualável.

Comentaristas se lembraram de Romanos 8.31 pelo tema desse salmo. "É a exclamação fervorosa de Paulo: 'Se Deus é por nós, quem será contra nós?' expressa em uma poesia rica e variada".[8] Também cf. McCullough.[9]

Alguns questionaram a alternância dos pronomes da primeira e da segunda pessoa (eu, me; tu, ti). Mas o salmista simplesmente professa sua própria fé e com base nessa fé dirige palavras de conforto ao seu povo.

1. *Confiança* (91.1-8)

A primeira alternância entre a primeira e a segunda pessoa está nos versículos 1-8. Nos versículo 1-2, o poeta expressa sua confiança na segurança proporcionada pelo **esconderijo do Altíssimo** (1), que é o seu **refúgio** e sua **fortaleza** (2). Nos versículos 3-8, ele dirige palavras de confiança e conforto aos seus ouvintes ou leitores. O **esconderijo** (1) é o lugar escondido ou encoberto provido pelo cuidado de Deus; a **sombra** é a proteção de Deus — possivelmente uma alusão à metáfora das asas da águia do versículo 4. Os títulos **Altíssimo** e **Onipotente** são alusões ao poder soberano de Deus para proteger e suprir os seus. O salmista encontra seu **refúgio** e sua **fortaleza** no Senhor Deus (cf. comentário em 18.2; 31.3 e 71.3).

O poeta agora se volta aos seus companheiros com uma expressão convicta de que Deus os **livrará do laço do passarinheiro** (3), a rede quase invisível dos caçadores de passarinhos. A **peste perniciosa** (mortal ou destruidora), possivelmente sugerida novamente nos versículos 6-7, pode indicar uma epidemia avassaladora daquela época.[10] O próprio Deus será o seu Abrigo, como a águia protege os seus filhotes (4; cf. Dt 32.11, com uma aplicação um pouco diferente). **Sua verdade** (fidelidade) **é escudo e broquel** também pode ser entendido como: "Sua fidelidade é sua certeza de segurança" (Harrison).

Os versículos 5-6 fornecem um paralelismo duplo: O **espanto noturno** e a **seta** [...] **de dia** (5); a **peste** [...] **na escuridão** e a **mortandade** [...] **ao meio-dia** (6). O **espanto noturno** é provavelmente o rápido ataque noturno comum no combate daquela época; assim, o versículo 5 representa perigos de homens e o versículo 6 perigos de doenças, epidemias ou pragas. Harrison traduz o versículo 6 da seguinte forma: "Nem a praga que ataca silenciosa e mortalmente à noite, nem a epidemia que devasta ao meio-dia". Milhares (os **ímpios**) serão destruídos, mas o justo será poupado (7-8). O salmista sabia, é claro, que as recompensas nem sempre podem ser medidas de acordo com a justiça nesta vida. Mas ele está convicto de que em um universo moral governado pelo Deus santo, no final o justo estará bem e o ímpio sofrerá as conseqüências dos seus atos. Os problemas que surgem da disparidade temporária em relação a recompensas e castigos são tratados em Jó e nos Salmos 37, 49 e 73 (*veja*).

2. *Triunfo* (91.9-13)

Mais uma expressão de fé pessoal, e sua aplicação a Israel, caracterizam essa divisão do salmo. O hebraico do versículo 9 é realmente difícil e muitos tradutores emendam o texto para evitar a primeira pessoa. A versão *Berkeley* é a que melhor se adapta ao hebraico e apresenta uma tradução agradável: "Porque tu, ó Senhor, és o meu refúgio. Visto que também tu estabeleceste o Altíssimo como teu refúgio, nenhum mal te sucederá..." **Mal** e **praga** ficarão distantes (10). A promessa dos versículos 11-12 foi citada por Satanás fora de contexto na tentação a Jesus no deserto (Mt 4.6; Lc 4.10-11). **Leão** [...] **áspide** [...] **filho de leão e a serpente** (13) simbolizam vividamente os poderes venenosos e destruidores do mal sobre os quais o Senhor faz seu povo triunfar.

3. *Promessa de Fidelidade* (91.14-16)

O próprio Deus fala nos três últimos versículos e acrescenta sua garantia à promessa do poeta. A condição da qual tudo depende é simples: **Pois que tão encarecidamente me amou** (14). A expressão significa apegar-se a Deus em completa devoção. Obediência e fé são resultados de um fluir natural do amor derramado amplamente nos corações humanos pelo Espírito Santo (Rm 5.5; cf. Jo 14.15; 1 Jo 4.18). **Conheceu o meu nome** significa mais do que informação a respeito do nome do Deus verdadeiro. Envolve um conhecimento pessoal com o Deus cuja natureza é revelada em seu nome. Os resultados que seguem esse tipo de amor e conhecimento são livramento, exaltação, oração respondida (15), sua presença **na angústia**, honra, **abundância de dias** e **salvação** (16).

LIVRO IV: SALMOS DIVERSOS   SALMOS 92.1-18

SALMO 92: A JUSTIÇA SOBERANA DE DEUS, 92.1-15

Este é um salmo sapiencial que trata em termos amplos do problema levantado no livro de Jó e nos Salmos 37, 49 e 73. Aqui, no entanto, o salmista não tem dúvidas quanto à solução. Embora os ímpios pareçam prosperar, somente no fim eles serão destruídos para sempre. O triunfo seguro da justiça final é motivo de louvor contínuo. Oesterley comenta: "Este salmo apresenta de forma muito bonita a verdade de que benefícios temporais são dádivas de Deus, e que a gratidão por eles precisa ser manifestada em louvor ao Todo-poderoso. Nunca é demais dizer que essas coisas são, com muita freqüência, tomadas por certo ou atribuídas à façanha ou esforço pessoal. É claro que a diligência humana é necessária — a dádiva divina da vontade própria é conferida a todos; mas não podemos esquecer que todas as coisas estão nas mãos de Deus".[11]

O Salmo 92 é intitulado: "Salmo e cântico para o sábado". O *Mishnah* judaico indica que era usado no Templo durante o sacrifício matinal no sábado. O versículo 2 refere-se à oração matutina e vespertina. É difícil dividir em partes esse poema, e vários esboços têm sido sugeridos. O mais natural apresenta duas divisões principais.

1. Louvor pela Confiança Atual (92.1-8)

Os versículos 1-3 enfatizam a bênção e o dever de louvar, e, se tomarmos essa seção como um todo, ela anuncia a generosidade pela qual Deus deve ser glorificado. "Render graças" (NVI) e **cantar louvores** ao Senhor, o **Altíssimo, é bom** (1). **De manhã** e de noite a **benignidade** e **fidelidade** de Deus devem ser anunciadas (2). Benignidade é *chesed* (misericórdia, amor imutável; cf. comentário em 17.7). É difícil determinar a natureza precisa dos instrumentos musicais aqui citados, mas parece que todos eram instrumentos de cordas de vários tamanhos. **Um instrumento de dez cordas** (3) era provavelmente um alaúde; o **saltério** pode ter sido uma harpa ou lira (cf. comentário em 33.2).

O motivo especial do louvor é a demonstração da justiça e soberania de Deus. O Senhor tem abençoado e alegrado o seu servo (4). As **obras** de Deus são **grandes**, e seus **pensamentos** são **profundos** (5). **O homem brutal** (6) é alguém estúpido ou ignorante, que não compreende os princípios da eqüidade divina. O **louco** aqui, como em Provérbios e outros lugares das Escrituras, não é alguém mentalmente incapaz, mas moralmente perverso. Essas pessoas vêem a prosperidade temporária dos ímpios e não entendem as conseqüências desse tipo de vida — que eles serão **destruídos para sempre** (7), "enquanto, tu, Senhor, permaneces supremo para sempre" (8, Harrison).

2. Provas da Eqüidade Perfeita (92.9-15)

Semelhantemente ao Salmo 1, aqui se mostra o contraste entre o destino do ímpio e o do justo. Os **inimigos** de Deus **perecerão**, e **os que praticam a iniqüidade** serão **dispersos** (lit.: "se espalharão"; 9). "A falange aparentemente sólida de antagonismo se desfaz e se dispersa, desintegrando-se interiormente".[12] Sempre tem sido dessa forma e sempre será assim. Em contrapartida, o "chifre" do texto do salmista representa poder ou força do boi selvagem, um animal cuja ferocidade e força são descritas em Jó 39.9-12. O hebraico do versículo 10b é incerto. Ele é interpretado da seguinte maneira: "Sou ungido com óleo revigorante" (Berkeley), ou: "Tu revigoras minha força enfraquecida" (Moffatt). **O justo florescerá como a palmeira** (12) e **crescerá como o cedro no**

257

Líbano. A tamareira era valiosa pela sua beleza e seus frutos (Ct 7.7). Embora os cedros cresçam por toda a Palestina, eles floresciam melhor nas montanhas do Líbano, de onde sua madeira era freqüentemente importada por Israel. O povo de Deus é descrito como tendo suas raízes **na Casa do Senhor** (13), onde mesmo **na velhice** continua dando **frutos** (14). **Viçosos** significa: "verdes e cheios de seiva" (Perowne). O efeito dessa boa providência é demonstrar a justiça de Deus em governar o mundo. **Minha rocha** (15) é uma figura que representa uma fundação firme e inabalável.

Salmo 93: O Deus de Santidade Reina, 93.1-5

Este é um dos vários salmos (47; 96—99) caracterizados pelas palavras repetidas: "O Senhor reina" ou "O Senhor é Rei". Alguns têm identificado esses salmos como "salmos de entronização", e presumido que foram usados durante a cerimônia de entronização do Senhor como Rei sobre a terra e seus povos no Ano Novo. Embora traços desse tipo de cerimônia tenham sido encontrados em outras religiões orientais antigas, não existe nenhuma referência a uma prática como essa em Israel. Provavelmente é melhor reconhecer nesses salmos a convicção da soberania eterna de Deus sobre a natureza e o homem.

M'Caw ressalta "o desenvolvimento do pensamento, desde o primeiro movimento dessas águas turbulentas, através do crescente redemoinho das suas correntezas e o 'rugido' profundo dos seus esforços destrutivos, até a manifestação final de vastas águas acumuladas em tumulto, ameaças ('vozes') trovejantes que quebram como ondas à beira da praia. No entanto, o Senhor está no alto, inabalável e impassível, eternamente glorioso em seu poder".[13]

1. A Força do Senhor (93.1-2)
Vestido de majestade e **fortaleza** ("poder", ARA e NVI), **o Senhor reina** (1). Deus está **vestido**, o que denota um ato, não meramente um fato. Na época em que homens e nações olhavam para a causa dele como definhando na derrota do exílio, o Senhor afirmava seu poder de novamente trazer de volta um remanescente para a sua terra prometida. **O mundo também está firmado** — "A ordem moral do mundo que parecia se encaminhar para sua queda é restabelecida".[14] O salmista adora com reverência e admiração: **O teu trono está firme desde então; tu és desde a eternidade** (2).

2. A Soberania do Senhor (93.3-5)
Os rios (3; "as águas", NVI) representam todas as forças entrincheiradas contra o governo justo do Senhor — nações como o Egito, a Assíria, a Babilônia e as hostes invisíveis do mal que compõem o reino das trevas, os "principados e potestades" dos quais fala o NT (Rm 8.38; Ef 1.21; 6.12; Cl 2.15). O salmista vê a ameaça deles mais como barulho do que poder. **Os rios** ("águas") **levantam o seu ruído**, mas **o Senhor nas alturas é mais poderoso do que o ruído das grandes águas** (4). **Teus testemunhos** (5), isto é, a lei que testemunha da vontade de Deus e da obrigação do homem, "está firmemente fundada" (Harrison). **A santidade convém à tua casa, Senhor, para sempre** sugere separar a casa de Deus do que é secular e profano e caracterizar o povo que adora nela. Este é o moto de muitas igrejas que se propõem a pregar um evangelho maior do que as necessidades mais profundas do coração humano.

LIVRO IV: SALMOS DIVERSOS   SALMOS 94.1-13

SALMO 94: "SOMENTE DEUS É NOSSO AUXÍLIO", 94.1-23

O Salmo 94 é um salmo sapiencial que procura reconciliar as injustiças da vida com a bondade e o poder de Deus. Outros salmos que lidam com o mesmo problema são 37, 49 e 73 (q.v.). A fonte do problema é a existência de homens que perseguem aqueles que servem o Senhor. M'Caw escreve: "É um lembrete da anomalia em que se constitui a diabrura do homem dentro da ordem moral estabelecida por Deus".[15] O salmista encontra a resposta na suficiência da graça de Deus. "As dificuldades externas podem abater uma pessoa, e as perplexidades da mente podem causar preocupação e ansiedade. Mas, aquele que as leva com uma fé confiante diante de Deus sabe que, nas belas palavras do salmista, seu amor sustenta e seu confronto refresca".[16]

Tem sido observado[17] que os versículos 1-15 tratam principalmente da nação apelando a Deus por ajuda, enquanto os versículos 16-23 tratam do apelo individual por ajuda.

1. *Queixa* (94.1-7)

A primeira estrofe é um apelo direto de Deus para que intervenha a favor dos que foram atormentados por aqueles que praticam a iniqüidade. O SENHOR Deus é aquele a **quem a vingança pertence** (1), um pensamento tirado de Deuteronômio 32.35 e enfatizado em Romanos 12.19. H. Orton Wiley comentou: "A vingança pertence somente a Deus, e Ele não a concede a nenhum outro". Implora-se a Deus, como **juiz da terra** (2), para que mostre sua retribuição justa para o mal. Três perguntas retóricas mostram que **os ímpios saltarão de prazer** ("exultarão", ARA), eles **proferirão e dirão coisas duras** (arrogantes) (4), e **se gloriarão** ("se enchem de vanglória", NVI). Esses perseguidores ímpios **reduzem a pedaços** (esmagam) o **povo** de Deus (5). Eles **afligem** a sua **herança**, aqueles que o Senhor escolheu para si mesmo. Seus delitos são particularmente dirigidos contra aqueles que não têm como se defender: **a viúva** (6), **o estrangeiro** (o hóspede temporário) e o **órfão**. Em tudo isso, ele se vangloria de que **o SENHOR** não está vendo (7).

2. *Correção* (94.8-11)

Contra a suposição de que Deus não presta atenção ao mal, o salmista dirige uma admoestação ressonante. **Brutais dentre o povo** (8), "estúpidos dentre o povo" (ARA), "insensatos" (NVI). **Loucos**, "tolos" (NVI). Cf. comentário em 92.6. Quão ridículo supor que o Criador do **ouvido** é surdo, e que aquele que fez **o olho** é cego (9)! "Porventura, aquele que educa os homens não há de puni-los? Aquele que ensina os homens, não tem conhecimento?" (10, Moffatt). Na verdade, **O SENHOR conhece os pensamentos do homem, que são vaidade** (11) ou "fúteis" (NVI). A sabedoria e o poder de Deus farão com que toda conspiração do homem seja fracassada.

3. *Consolo* (94.12-15)

Há consolo infinito na idéia de que as adversidades da vida sejam a correção do Senhor. Correção ou repreensão, como no versículo 12 e Hebreus 12.5-11, não significam castigo por uma má ação, embora isso possa estar incluído. A correção engloba todo o processo de instrução desde a infância, as disciplinas da vida que levam à maturidade. Aqui isso é colocado em uma construção paralela com **a quem ensinas a tua lei**. A expressão: **dares descanso dos dias maus** (13) significa que a misericórdia de Deus aliviará o sofrimento dos justos mesmo antes que o julgamento do **ímpio** seja concretizado. Deus nunca **rejeitará** os seus (14), mas "a bondade terá a devida justiça — o futuro será dos retos de coração" (15, Moffatt).

4. *Clamor* (94.16-21)

Da sua defesa dos outros, o salmista volta a rogar em causa própria: **Quem será por mim** ("Quem se levantará a meu favor", ARA) **contra os malfeitores?** (16). Se o SENHOR **não fora em meu auxílio, já a minha alma habitaria no lugar de silêncio** (17). Deus havia respondido ao clamor por ajuda do seu servo com um braço sustentador (18). As consolações do Senhor alegraram a sua **alma** (19). **O trono de iniquidade** (20; "soberania perversa", Harrison) não pode "estar em aliança" (NVI) com Deus, porque o governante ímpio usa a própria lei para alcançar seus maus intentos. Esses príncipes perversos se unem contra **a vida do justo e condenam o sangue inocente** (21), isto é, "condenam o inocente à morte" (Harrison).

5. *Confiança* (94.22-23)

O salmo fecha com uma reiteração da confiança do poeta no SENHOR, que foi seu **alto retiro** [...] **a rocha** do seu refúgio (22). A justiça do Senhor **fará recair** sobre os perversos a **sua própria iniquidade** (23). Em certo sentido, o pecado é o seu próprio castigo e eles colherão o que semearam (Gl 6.7-8). A justiça de Deus garante a ação de uma lei moral que está embutida na própria natureza do universo.

SALMO 95: LOUVOR E PACIÊNCIA, 95.1-11

Os Salmos 95—100 fazem parte de um dos três grupos de salmos litúrgicos característicos dos Livros IV e V do Saltério. Os outros dois grupos são Salmos 113—118 e 146—150. Um tema comum no grupo que estamos estudando agora é o louvor alegre ao Senhor como Governante de toda a criação bem como ao Deus da aliança de Israel. Eles representam a mesma ênfase encontrada nas profecias de Isaías e Jonas acerca do reino universal do Senhor de Israel. Morgan os intitula de "Cânticos do Rei".[18]

O Salmo 95 é tradicionalmente usado entre os judeus como um dos salmos especiais para a oração matutina no sábado. Oesterley escreve: "O que podemos observar aqui, de forma especial, é a maneira como a alegria na adoração é enfatizada. Isso é causado pela convicção da presença divina. A verdadeira adoração daquele que é Todo-poderoso e pleno em amor vai necessariamente inspirar alegria. Por outro lado, o salmo contém uma advertência para cada período da vida. Meros atos externos de adoração, sem a sinceridade de coração, acabam se tornando escárnio. O verdadeiro descanso em Deus só pode ser o destino daqueles que o adoram 'em espírito e em verdade'".[19]

1. *Adoração* (95.1-7a)

O salmo divide-se naturalmente em duas partes no meio do versículo 7. A primeira metade é um chamado à adoração. Muitos dos termos e frases já foram encontrados nos Salmos, e também podem ser encontrados na última parte de Isaías. O povo de Deus é chamado para cantar **com júbilo** ao SENHOR (1), chegando diante da **sua presença com** louvores ("com ações de graças") e **com salmos** (2). Ele é **Deus grande e Rei grande acima de todos os deuses** (3). O termo **deuses** não é uma admissão de politeísmo, mas um reconhecimento de que Deus é supremo sobre todos os poderes e pessoas no universo. A grandeza de Deus é vista por meio do seu controle soberano da **terra** (4) e do **mar** (5). Na presença de um Deus como esse, apenas podemos **adorar** e cultuar (6). **Porque ele é o nosso Deus, e nós, povo do seu pasto e ovelhas da sua mão** (7a).

2. *Advertência* (95.7b-11)
O cerne do salmo é uma advertência contra a infidelidade, com base na rebelião dos antepassados no deserto. Ela é largamente citada em Hebreus 3.7-11,15; 4.7, em que é aplicada a cristãos que falham em entrar no "repouso da fé" proporcionado a eles dentro do propósito santificador de Deus. As advertências do fracasso de Israel de entrar na terra de Canaã imediatamente após o Êxodo são aplicadas diversas vezes no NT a cristãos em relação ao chamado de Deus para a santidade (Hb 3—4; Jd 5).
Se hoje ouvirdes a sua voz (7b) também pode ser traduzido como: "Ah, se hoje dessem atenção à sua voz" (RSV). Desobediência e descrença resultam no endurecimento do coração. A rebelião ou provocação (8; "Meribá") e **tentação** ("Massá") são descritos em Êxodo 17.1-7, com um registro paralelo em Números 20.1-13. "Seus antepassados duvidaram de mim, pondo-me à prova, embora tivessem testemunhado minha obra" (9, Harrison). **Um povo que erra de coração** (10) tem sido interpretado como: "um povo cujo coração é ingrato" (NVI). A frase: **Por isso, jurei na minha ira que não entrarão no meu repouso** (11) mostra que existem algumas escolhas que não podem ser revertidas. Aqueles que fizeram sua decisão de permanecer no deserto gastaram o restante de suas vidas lá, mesmo que mais tarde tenham se arrependido da sua decisão.

Salmo 96: "Cantai [...] um Cântico Novo", 96.1-13

O Salmo 96 está presente em 1 Crônicas 16.23-33 praticamente palavra por palavra, e aí faz parte de uma composição mais longa atribuída a Davi. Como ocorre com outros salmos desse grupo (cf. Int.. do Salmo 95), sua ênfase está na soberania universal de Deus. "O Salmo 96 é um apelo a todas as nações para reconhecerem que somente *Yahweh* é o nosso Deus. Os motivos apresentados nesse salmo não são elaborados; *Yahweh* é grande e digno de louvor e vai finalmente julgar toda a terra".[20]

1. *A Glória do Único Deus* (96.1-6)
A frase: **Cantai ao Senhor um cântico novo** (1) é ecoada em 33.3; 98.1; 149.1 e Isaías 42.10. As novas bênçãos do Senhor requerem um novo cântico de louvor pela **sua salvação** (2). A **glória** do Senhor e **suas maravilhas** (3) são anunciadas a **todos os povos**. O **Senhor** é "grande" (4; NVI), **mais tremendo do que todos os deuses** (cf. comentário em 95.3). **Todos os deuses dos povos** "não passam de ídolos" (ARA), literalmente: **coisas vãs** (cf. 115.4-8). Isaías 40.18-23 e 44.9-20 apresentam acusações severas contra a insensatez da adoração a ídolos. Em um total contraste com os ídolos das nações, **o Senhor fez os céus**. Portanto, **glória e majestade estão ante a sua face; força e formosura no seu santuário** (6).

2. O Dever do Homem de Adorar (96.7-13)

A semelhança desses versículos com Salmos 29.1-2 é evidente (cf. comentário nessa parte). Todas as nações da terra são chamadas a adorar o verdadeiro Deus em consagração (7-8) e **na beleza da santidade** (9). Harrison traduz: "Adorem o Senhor com um espírito santificado". A soberania do Senhor deve ser reconhecida **entre as nações** (10). **Céus e terra** e a própria natureza são chamados para regozijar-se **ante a face do SENHOR** (11-13). O salmo conclui com uma nota apocalíptica de que o Senhor **vem julgar a terra** [...] **com justiça e os povos, com a sua verdade** (13). A base do julgamento divino é a verdade da Palavra de Deus e a pessoa do Filho de Deus (At 17.31; Ap 20.11-12).

SALMO 97: DEUS DE JULGAMENTO E GRAÇA, 97.1-12

Existe uma nota profética impressionante no Salmo 97, ilustrando o aspecto aterrador do trono do juízo de Deus. Morgan diz: "O reino de Javé, embora seja plenamente beneficente em propósito e no resultado final, ainda está cheio de terror e de julgamento no seu progresso em direção ao final. Isso também é motivo de regozijo. O método dos juízos de Deus é descrito [...] os efeitos dos seus julgamentos são declarados [...] A visão da certeza, método e vitória dos juízos do Rei dão origem ao sentido da sua motivação subjacente. Ele é o Santo, e toda perversidade o aborrece, por causa do dano que causa ao seu povo, porque a impetuosidade da santidade de Deus sempre é o seu amor. Portanto, que os seus santos aprendam a lição e 'odeiem o mal'. A promessa para aqueles que lhe obedecem é repleta de beleza, 'a luz é semeada [...] e há alegria'. É uma figura da alvorada, espalhando a sua luz. Caminhar na luz é ser capaz de descobrir a vereda verdadeira que leva ao fim desejado. Caminhar nessa vereda é experimentar alegria no coração".[21]

1. Os Juízos Aterradores do Senhor (97.1-7)

O salmo abre com um refrão característico do grupo: **O SENHOR reina** (1; cf. Int. do Salmo 95). Essa é a causa de regozijo da **terra** e das **muitas ilhas**. O trono de Deus e sua aparência são descritos em termos tirados do relato da entrega da lei no Sinai (cf. Êx 19.9,16; 20.21; Dt 4.11; 5.23). **Nuvens** [...] **obscuridade** [...] **fogo**, isto é, tempestades, terremoto e relâmpagos caracterizam **a presença do SENHOR** (2-5). No versículo 4, **alumiam** significa "iluminam" ou "brilham". Nem mesmo **montes** e montanhas podem permanecer diante do **Senhor de toda a terra** (5). Acerca do versículo 6, cf. 19.1-9. **Confundidos** (7) significa: "humilhados" (Berkeley), ou: "desonrados" (Harrison), ou ainda: "decepcionados" (NVI). **Prostrai-vos diante dele todos os deuses** tem sido interpretado como: "Todos os deuses fiquem prostrados aos seus pés" (Moffatt); cf. comentário em 95.3.

2. A Alegria dos Justos (97.8-12)

Sião ouviu (8) falar dos atos poderosos do Senhor, e "as filhas" (ARA; "cidades", Berkeley) **de Judá se alegraram por causa da** sua **justiça**, isto é, "a vindicação de Deus de si mesmo e do seu povo nos eventos da história".[22] **Tu, SENHOR, és o Altíssimo**

(9). Acerca de **muito mais elevado do que todos os deuses**, cf. comentário em 95.3. Amar ao SENHOR é aborrecer **o mal** (10). Os cristãos nunca devem perder a capacidade de irar-se de maneira justa diante de grande maldade. **A luz semeia-se** (11) é traduzido como: "a luz amanhece" (RSV), ou: "a luz nasce" (NVI). O povo de Deus recebe a certeza da preservação, livramento, **luz** e **alegria**. Portanto, eles devem alegrar-se **no SENHOR** (12) e dar **louvores em memória da sua santidade** — ou, como o hebraico traduz: "Dar graças ao seu santo Nome" (Perowne).

SALMO 98: O PORQUÊ E O COMO DA ADORAÇÃO, 98.1-9

Assim como o Salmo 97 enfatiza os juízos justos do Senhor, o Salmo 98 ressalta sua misericórdia e sua salvação. Novamente os elementos da natureza são convocados para glorificar a Deus. Morgan destaca um padrão semelhante encontrado em outros salmos, com círculos cada vez mais ampliados de louvor e soberania: Israel, versículos 1-3; toda a terra, versículos 4-6; e toda a natureza, versículos 7-8.²³ O salmo inicia com a mesma frase que ocorre no Salmo 96. Ele traz o título hebraico simples *mizmor*, "Salmo". Este termo originariamente parece ter significado "fazer música" e provavelmente deve ser entendido como que indicando um cântico com acompanhamento musical.²⁴

1. *Os Motivos para a Adoração Divina* (98.1-3)

O salmo abre com um chamado para um **cântico novo** (cf. comentário em 96.1), em reconhecimento de que o Senhor **fez maravilhas** (1). **Sua destra** e **seu braço santo** são expressões do poder de Deus. Manifestados em favor do seu povo, eles **alcançaram a vitória**. **Salvação** [...] **justiça** (2), **benignidade e** [...] **verdade** (3) têm sido abertamente manifestadas tanto para **a casa de Israel** como **perante os olhos das nações** (2). **Todas as extremidades da terra viram a salvação do nosso Deus** (3). É provavelmente correto considerar essas expressões como exemplos do uso do que tem sido chamado tempo "passado profético". Um dos usos mais famosos desse passado profético é encontrado em Isaías 9.6, em que a vinda de Cristo (que estava para acontecer sete séculos mais tarde) é anunciada como se já tivesse ocorrido: "Porque um menino nos nasceu, um filho se nos deu". O acontecimento foi predito com tanta certeza na mente do autor que podia ser anunciado como se já tivesse ocorrido. O evangelho ainda precisa ser pregado até **as extremidades da terra**; no entanto, o propósito de Deus é tão certo que é apropriado dizer: **todas as extremidades da terra viram a salvação do nosso Deus**.

2. *Os Meios da Adoração Divina* (98.4-9)

Deus deve ser adorado com **brados de alegria** (4), com regozijo, com **louvores, com a harpa e a voz de canto** (5; hb. "melodia"); **com trombetas e som de buzinas** (6). Em vista de freqüentes referências como estas e as do Salmo 150, pode alguém proibir, de maneira racional, o uso de instrumentos musicais no santuário? Não somente o homem e seus instrumentos de música, mas **o mar** [...] **o mundo** (7), **os rios** [...] **as montanhas** (8) — toda a natureza é chamada a regozijar-se **perante a face do SENHOR** (9). Cf. comentário em 96.13. **A plenitude** (7), isto é, "tudo o que nele existe" (NVI).

Salmo 99: O Deus de Santidade, 99.1-9

McCullough descreve esse salmo como "um hino ao Deus de santidade".[25] Cada uma das três seções do salmo termina com um refrão semelhante: "Pois é santo" (3), "Ele é santo" (5) e: "nosso Deus [...] é santo" (9). Morgan faz a sugestão interessante de que "à luz mais ampla da revelação cristã vemos a sugestão do fato tríplice na existência de Deus. O Pai entronizado, o Filho administrando o seu Reino, o Espírito interpretando sua vontade por meio de líderes e circunstâncias, através de compaixão e castigo".[26]

1. Santo em Poder (99.1-3)

O salmo abre com a proclamação conhecida do reino soberano de Deus (1). **Entronizado entre os querubins** é uma referência à crença de que o trono de Deus na terra estava acima do "propiciatório" da Arca da Aliança entre as duas criaturas aladas conhecidas como querubins (Êx 25.18-22; 37.7-9). A arca ficava no Santo dos Santos — primeiro no Tabernáculo e, mais tarde, no Templo. A grandeza e a majestade exaltadas do **Senhor** (2) são motivo de louvor ao seu **grande e tremendo** nome; **pois é santo** (3; hb. "Ele é santo").

2. Santo em Justiça (99.4-5)

A força do Rei ama o juízo (4) é diversamente traduzido como: "És rei poderoso que ama a justiça" (ARA); "A energia do Rei está firmemente estabelecida na justiça" (Berkeley). A idéia é que o poder de Deus está comprometido com a vindicação da sua justiça, como Rei do universo. Ele estabelece **eqüidade** e executa **juízo e justiça** (retidão). Portanto, Ele deve ser exaltado e seu povo é chamado para prostrar-se **diante do escabelo** ("estrado", NVI) **de seus pés; porque ele é santo** (5).

3. Santo em Misericórdia (99.6-9)

Moisés e Arão [...] **e Samuel** (6) são citados como exemplos daqueles cujas orações o Senhor respondeu. **A coluna de nuvem** (7) aplica-se particularmente a **Moisés e Arão** e refere-se aos meios usados para a aparição de Deus e sua condução no deserto (cf. Êx 14.19-20; Nm 12.5). Moisés e Samuel são citados como homens de intercessão poderosa em Jeremias 15.1. **Tu foste um Deus que lhes perdoaste** (8) é uma referência, não aos três personagens citados, mas a toda a nação. **Posto que vingador dos seus feitos** é melhor traduzido como: "Tu fizeste com que pagassem pelas suas práticas perversas" (Berkeley). Embora Deus perdoe, "Ele precisa vindicar sua santidade por meio de correção, para que os homens não pensem que Ele trata o pecado de maneira leviana. Veja Êxodo 36.7; Números 14.20ss. e a identificação comovente feita pelo profeta de si mesmo com o povo culpado em Miquéias 7.9ss.".[27] Diante das misericórdias de Deus, seu povo é chamado para adorar **no seu santo monte** (Sião); **porque o Senhor, nosso Deus, é santo** (9).

Salmo 100: O Senhor é o Verdadeiro Deus, 100.1-5

Este breve cântico é semelhante ao Salmo 95, e pode ter sido cantado na procissão dos adoradores à medida que se aproximavam do Templo com suas ofertas de gratidão.

Livro IV: Salmos Diversos   Salmos 100.1—101.3

Perowne considera este salmo uma doxologia do grupo de salmos que inicia com o Salmo 95. Ele cita Delitzsch: "Entre os Salmos de triunfo e ações de graça este se sobressai, como que elevando-se até o ponto mais alto de alegria e majestade".[28]

1. *As Obras do Senhor* (100.1-3)
Deus deve ser glorificado por suas obras criativas com **júbilo** (1), **com alegria** e **com canto** (2). A obrigação de louvar é universal — **todos os moradores da terra** (1). O que identifica O Senhor de Israel como o verdadeiro **Deus** é que foi **ele, e não nós, que nos fez povo seu** (3). Não existem, na verdade, homens "feitos por si próprios". O versículo 3 é paralelo a Salmos 95.6-7 (q.v.).

2. *A Adoração ao Senhor* (100.4-5)
As **portas** e os **átrios** (4) do Senhor referem-se à sua casa, o lugar de adoração pública. Uma parte essencial da adoração é "ações de graça" (ARA), talvez ofertas de gratidão (AT Amplificado), e **louvor**. O ponto mais alto da adoração não é reconhecer Deus como Criador, mas que **o Senhor é bom, e eterna, a sua misericórdia; e a sua verdade estende-se de geração em geração** (5). **Verdade**, tanto aqui como freqüentemente em outros salmos, traz a idéia de fidelidade, confiança.

Salmo 101: O Propósito Nobre do Rei, 101.1-8

Intitulado "Salmo de Davi", este poema é descrito por M'Caw como "o ideal de Davi", "os princípios sobre os quais ele pretendia agir durante seu reinado em Sião, a cidade do Senhor".[29] Kirkpatrick o associa ao retorno da arca para Jerusalém (2 Sm 6.12-19).[30] J. A. Alexander o vê como as orientações de Davi aos seus sucessores e acredita que isso explica a harmonia entre o salmo e os ensinos do livro de Provérbios com relação à forma de o rei se portar no seu ofício.[31] Certamente, ele se aplica a todos que estão em posição de autoridade sobre outros de acordo com a providência de Deus, quer sejam civis, quer líderes da igreja.

1. *O Propósito do Rei para si mesmo* (101.1-4)
A primeira parte do salmo trata de forma mais direta da vida e conduta pessoal do rei. Seu cântico dirigido ao Senhor será de **misericórdia e juízo** (1). Ele tem sido objeto da misericórdia e juízo de Deus e deve, por sua vez, ministrar o mesmo àqueles sobre quem é responsável. Portanto, ele se portará **com inteligência no caminho reto** (2). Kirkpatrick interpreta assim: "Seguirei o caminho da integridade, com o propósito deliberado de devotar-me a Deus de todo coração e como regra da minha conduta apresentar uma retidão perfeita perante os homens".[32] Os termos hebraicos traduzidos por **reto** e **sincero** ("perfeito" na KJV) nesse versículo são *tammim* e *tam* e significam: "sem mancha ou defeito", "irrepreensível".[33] "O termo é usado para descrever o caráter e conduta de Javé e um número parecido de vezes para descrever o homem, sugerindo a possibilidade de o homem assemelhar-se ao seu Deus".[34]

Tal perfeição inclui a rejeição de todas as **coisas más** (3; lit. "uma coisa de Belial", desprezível) e as **ações daqueles que se desviam**. Moffatt traduz: "Eu aborreço os apóstatas e suas práticas". **Nada se me pegará**, isto é: "jamais me dominará" (NVI). **Um coração perverso** (4) indica "uma natureza perversa" (Berkeley) ou "uma mente má" (Harrison). **Não conhecerá o homem mau** significa: "Repudia homens maus" (Moffatt).

2. *O Propósito do Rei para a sua Casa* (101.5-8)

O propósito do rei em relação àqueles com quem ele se associa é descrito na segunda metade do salmo. "Destruirei aquele que difama seu próximo às ocultas. Não vou tolerar o homem de olhos arrogantes e de coração orgulhoso" (5, Harrison). O fofoqueiro e o presunçoso rapidamente devastam qualquer organização. Em contraste com isso, os que são **fiéis** e que andam **num caminho reto** (6) servirão ao rei e sua nação. Acerca de **reto** ("perfeito", hb. *Tamim*), cf comentário no versículo 2. Pessoas que **usam o engano** e que **proferem mentiras** não serão toleradas (7), e o poder e autoridade do rei serão dirigidos contra **os ímpios** e **os que praticam a impiedade** (8). Perowne comenta: "Dia após dia ele realiza seu trabalho de julgamento justo, removendo todos os ímpios da Cidade Santa. [...] É uma esperança que encontra seu cumprimento na visão apocalíptica, naquela nova Jerusalém onde 'não entrará [...] coisa alguma que contamine e cometa abominação e mentira' (Ap 21.27)".[35]

SALMO 102: A ORAÇÃO DO AFLITO, 102.1-28

O sobrescrito do salmo é traduzido por Moffatt da seguinte maneira: "A oração de uma alma infeliz que está oprimida e derrama sua queixa diante do Eterno". Este é o único título desse tipo no livro, visto que não dá nenhuma instrução musical ou indicação de autoria ou dedicação. Os versículos 13-16 e 22 parecem datar claramente a época da composição durante o período exílico. A descrição de Perowne das diferentes disposições de ânimo que o salmo reflete são úteis: "Em tons pesarosos ele descreve sua situação amarga. Tristeza e dor o assolavam. Seu coração estava ferido por dentro, como a erva seca sob o sol escaldante. [...] Mas quando ele tem tempo para afastar o olhar da sua tristeza, abre-se diante dele uma perspectiva tão brilhante e gloriosa que tudo o mais é apagado e esquecido. A libertação da cidade de Sião está próxima. Seu Deus não a abandonou".[36]

Embora relacionado como um dos sete salmos de penitência (cf. 6; 32; 38; 41; 120; 143), não encontramos nele o elemento de penitência. O salmista não associa suas misérias ao seu pecado, mas às circunstâncias e sua fraqueza física.

1. *O Apelo por Ajuda* (102.1-11)

A oração de abertura é semelhante aos apelos encontrados com certa freqüência nos Salmos (18.6; 39.12; 59.16; 69.17 etc.). O pedido do poeta é que o Senhor ouça e que permita que seu **clamor** chegue até Ele (1), que não esconda seu **rosto** dele (2), que incline seus **ouvidos** e responda **depressa**. Se Deus não intervier rapidamente, será tarde demais: **Porque meus dias se consomem como fumaça, e os meus ossos ardem como lenha** (3). A NVI traduz assim: "Esvaem-se os meus dias como fumaça; meus ossos queimam como brasas vivas". Sua aflição física havia secado o seu **coração** (4), e em virtude do seu **gemer** (5), ele está reduzido a "pele e osso". **Sou semelhante ao pelicano** [...] **o mocho** (6, "coruja", ARA), [...] **o pardal solitário** (7). Essas aves são símbolos de completa solidão e desolação. **Os meus inimigos me afrontam [...] me amaldiçoam** (8) significa: "aqueles que estão com raiva de mim usam meu nome para lançar maldição" (AT Amplificado). "Tenho comido cinzas com a minha comida; lágrimas caem na minha bebida" (9, Moffatt). Embora não haja motivos para a **indignação** de Deus e sua **ira** (10), o salmista sente que é objeto do desagrado divino. Ele é elevado para em seguida ser abatido outra vez. Seus **dias são como a sombra que declina** (11), como a noitinha. A morte está próxima. Ele é como **a erva** que está **secando**.

2. *O Propósito do Senhor* (102.12-22)

A disposição de ânimo muda. Em contraste com a miséria do salmista está o propósito eterno de Deus. A diferença é expressa na simples adversidade: **Mas tu, SENHOR** (12). A eternidade de Deus é assegurada: Ele permanecerá **para sempre** e sua **memória, de geração em geração**. O Senhor se levantará e terá **piedade de Sião** (13). Geralmente admite-se que o **tempo** seja o fim dos setenta anos preditos do exílio na Babilônia (cf. Jr 29.10; Dn 9.2). Mesmo as **pedras** e o **pó** de Sião (14) eram preciosos para o povo de Deus. A reconstrução de Jerusalém seria motivo para **as nações** temerem **o nome do SENHOR** (15). O escopo completo da visão do poeta — **todos os reis da terra** reconhecem a **glória** do SENHOR — evidentemente teria de esperar o cumprimento, a longo prazo, do propósito de Deus em Cristo. Mas a edificação de **Sião** glorificaria o Senhor (16) e representaria a resposta à **oração** do povo **desamparado** (17) de Israel.

Isto se escreverá para a geração futura (18) também pode ser traduzido como: "Que isto seja registrado para as gerações futuras" (Harrison). Um dos grandes incentivos para a fé é o registro da profecia cumprida. O povo que se criar ou "um povo que ainda será criado" (NVI), **louvará ao SENHOR** (18). O motivo é que Deus olhou **desde o alto do seu santuário** (19), isto é, dos céus, para trazer a libertação esperada. **Sentenciados à morte** (20) é literalmente: "filhos da morte" ("condenados à morte", NVI). A nota escatológica é novamente anunciada no versículo 22: **quando os povos todos se congregarem, e os reinos, para servirem ao SENHOR** (cf. Is 2.2-4; Mq 4.1-2).

3. *O Que é Passageiro e o que é Permanente* (102.23-28)

Por um momento, a visão desvanece e a situação degradante do salmista reaparece. A fraqueza que ele sente (23) e a brevidade de sua vida fazem com que ele clame para que o Senhor **não** o leve **no meio dos seus dias** (24). Mas, o tempo do Deus eterno volta novamente à sua mente. "Teus dias" (NVI), ou: "Tua existência" (Harrison). Deus criou **os céus** e **a terra** (25) e eles mudarão (26), mas Ele é sempre **o mesmo** (27). Os versículos 25-27 são citados em Hebreus 1.10-12, e são aplicados a Cristo, que "é o mesmo ontem, e hoje, e eternamente" (Hb 13.8). As linhas comoventes de Henry Lyte são baseadas nessa passagem:

> *Próximos do seu declínio iminente do breve dia da vida*
> *As alegrias da terra se tornam ofuscadas; sua glória desaparece;*
> *Vejo mudança e decadência por todo lado.*
> *Tu que não mudas, habita comigo!*

Nessa Presença permanente está a segurança do povo de Deus (28).

Salmo 103: O Cântico de um Coração Transbordante, 103.1-22

Este é um salmo de adoração atribuído (pelo título) a Davi. Ele é um hino de louvor puro cuja beleza tem sido reconhecida universalmente. Kirkpatrick diz: "O Salmo é de uma beleza singular. Sua ternura, confiança e esperança antecipam o espírito do NT. Ele não contém uma única nota dissonante e provê uma linguagem de gratidão pelas bênçãos de uma libertação ainda mais maravilhosa do que a de Israel da Babilônia".[37] Oesterley escreve: "Com palavras de beleza inigualável no Saltério, o salmista relata o amor de Deus por aqueles que o temem".[38] E McCullough afirma: "Esse salmo, pelo destaque que tem recebido na vida devocional da igreja, é um dos hinos mais nobres do AT. Ele parece ter sua origem no profundo sentimento de gratidão de um indivíduo a Deus pelo perdão dos pecados e pela restauração de uma enfermidade desesperadora [...] Heinrich Herkenne observa de forma acertada que 'dificilmente uma outra parte do AT nos mostra a verdade de que Deus é amor tão intimamente como o Salmo 103' ".[39]

1. Testemunho Pessoal (103.1-5)

O poeta conclama para que **tudo o que há** nele (1), todos os seus poderes e faculdades, se una em louvor a Deus por todos os **seus benefícios** (2). Perdão, poder para cura, proteção da vida, provisão para cada necessidade e promessa para o futuro estão incluídos nesses benefícios. De maneira apropriada, o perdão é mencionado primeiro (3), como a maior bênção de Deus para a alma pecadora. A cura de **todas as tuas enfermidades**, expressão dirigida à alma, bem pode estar associada a todas as enfermidades espirituais. Mas também está incluída a cura do corpo. O comentário de Agostinho a respeito dessas palavras é memorável: "Mesmo quando o pecado é perdoado, tu continuas com um corpo enfermo. [...] A morte ainda não foi tragada pela vitória, essa corrupção ainda não ressuscitou em incorrupção, e a alma é assolada por paixões e tentações [...] [Mas] tuas enfermidades serão todas curadas. Não duvides disso. Elas são grandes, tu dirás. Mas o médico é maior. Para o Médico onipotente não há doença incurável. Apesar do teu sofrimento, não afastes a mão dele. Ele sabe o que está fazendo [...] Um médico humano pode errar. Por quê? Porque ele não foi o criador daquilo que ele se propõe a curar. Deus fez o teu corpo. Deus fez a tua alma. Ele sabe como reformar aquilo que Ele formou. Apenas aquieta-te debaixo da mão do Médico [...] Põe-te debaixo da mão dele, ó alma que o bendiz, não esquecendo de todos os seus benefícios; porque Ele sara todas as tuas enfermidades".[40]

O Senhor **redime a tua vida da perdição** (4), literalmente: "da cova". A salvação não somente redime a alma, mas salva a vida das forças destrutivas do pecado que opera nos relacionamentos humanos e que trazem enfermidades físicas e morte prematura. Perowne comenta acerca da expressão **te coroa**: "O amor de Deus não somente liberta do pecado, enfermidade e morte. Ele torna seus filhos reis, e tece suas coroas dos seus próprios atributos de bondade e misericórdia".[41] **Quem enche a tua boca de bens** (5) tem sido interpretado como: "Ele satisfaz o teu desejo por coisas boas" (Harrison). Em relação à expressão: **a tua mocidade se renova como a águia**, tanto Perowne[42] como Kirkpatrick[43] rejeitam qualquer alusão à fábula de que a águia renova sua juventude ao voar em direção ao sol e em seguida mergulhar no mar. McCullough sugere que "o tamanho, a força e a longevidade comparativa da águia explicam a comparação. Possivelmente, existe uma alusão à mudança anual da penugem da ave, embora alguns detectem uma referência à lenda da fênix (cf. Jó 29.18; 33.25; Is 40.31)".[44]

2. *Bênçãos passadas* (103.6-12)
A experiência pessoal do poeta é então confirmada pela sua recordação das misericórdias de Deus conforme reveladas na história. O Senhor é o Avalista da **justiça e juízo a todos os oprimidos** (6). A história de Israel revela que Ele é **misericordioso e piedoso** ("compassivo", ARA), **longânimo** ("mui paciente", NVI) **e grande em benignidade** (7-8). **Não repreenderá eternamente, nem para sempre conservará a sua ira** (9) significa: "Ele não reterá a sua ira". **Repreenderá**, como é usado aqui, é literalmente: "combater". Seu perdão significa que Ele não aplica o castigo que os nossos pecados mereceriam (10). **Sua misericórdia** é tão grande quanto a distância entre a **terra** e o **céu** (11), e Ele **afasta de nós as nossas transgressões — quanto está longe o Oriente do Ocidente** (12). A astronomia moderna, com suas medidas estelares em milhões de anos-luz (o ano-luz representa a distância que um raio de luz, à uma velocidade de aproximadamente 300.000 quilômetros por segundo, viaja em um ano), têm aumentado imensamente nossa admiração pela majestade da graça redentora de Deus. Ele lança nossos "pecados nas profundezas do mar" (Mq 7.19).

3. *Ajuda Presente* (103.13-18)
A fidelidade de Deus ao seu pacto e sua ajuda sempre presente em tempos de necessidade são descritas em contraste com a imaturidade e fraqueza humana. "Como um pai se compadece de seus filhos, assim o Senhor se compadece ternamente daqueles que o reverenciam" (13, Berkeley). Os dias das pessoas são tão passageiros e insatisfatórios como **a erva** ou **a flor do campo**, desaparecendo rapidamente (15-16; cf. comentário em 90.5-6). Em contraste com isso, a **misericórdia** (*chesed*, amor imutável da aliança; cf. comentário em 17.7) é eterna para aqueles que o servem com temor (17; admiração reverente), e sua ajuda justa vale para todas as gerações que **guardam o seu concerto** e obedecem aos **seus mandamentos** (18).

4. *Louvor para o Senhor Soberano* (103.19-22)
O salmo inicia e termina com um chamado para louvar o Senhor. O Senhor soberano **domina sobre tudo** (19). Seus **anjos** magníficos **em poder** (20), "que constituem seus exércitos" (21, Harrison) e que ministram como seus servos, são chamados para bendizer ao Senhor. **Todas as suas obras** devem adorar o Senhor. E, por último, como no início, a própria alma do poeta deseja dar louvores ao Deus de todo **domínio** (22). "Que transformação haveria nessa geração se a igreja pudesse recapturar esse espírito, e homens e mulheres saíssem dos seus santuários com o cântico que está em seus corações".[45]

Salmo 104: A Glória do nosso Grande Deus, 104.1-35

O Salmo 104 é muitas vezes igualado ao Salmo 103 como fazendo parte de uma mesma composição. O Salmo 104, na verdade, compartilha do mesmo sentimento de adoração. Existe, no entanto, uma diferença significativa, no sentido de que todo o salmo, com a exceção da primeira sentença e dos últimos cinco versículos, é dirigido diretamente a Deus como um hino magnífico. Seu tema central é a majestade de Deus na criação, e M'Caw declara: "O Salmo pode ser considerado um comentário poético do primeiro capítulo de Gênesis".[46]

Oesterley comenta: "É impossível ler esse glorioso salmo sem sentir a alegria triunfante que pulsa do começo ao fim. Ele reflete, como indubitavelmente o salmista tencionava que fosse, a felicidade solene do Criador na obra beneficente que Ele criou; em sua amorosa expectativa em prover para todos os seres vivos aquilo de que necessitam, ele trouxe satisfação, gratidão, alegria a todos. Não deveria essa felicidade concedida pelo amoroso Criador a todas as suas criaturas trazer felicidade a Ele também? Não poderia ser diferente. Devemos, portanto, discernir nesse salmo o pensamento, não expresso, mas mesmo assim presente e real, da felicidade de Deus — um pensamento tão bonito quanto verdadeiro".[47]

Para aqueles que entendem que este salmo tomou amplos empréstimos do "Hino ao Sol" egípcio, composto pelo faraó Amenófis IV,[48] devemos ressaltar em concordância com McCullough que "as diferenças entre os poemas são mais marcantes do que as similaridades, lembrando, por exemplo, que no hino egípcio o sol é o criador, enquanto no salmo hebraico o sol é apenas uma parte da obra criada do Senhor".[49]

1. A Glória de Deus na Criação (104.1-23)

A seção maior do salmo destaca a magnificência dos atos criativos descritos em Gênesis 1. A ordem dos tópicos segue a narrativa da criação original, iniciando com a luz e concluindo com o homem. O salmo inicia e termina com o mesmo chamado de louvor que abre e fecha o Salmo 103: **Bendize, ó minha alma, ao Senhor** (1). Imediatamente, então, o poeta volta sua atenção a Deus e o adora em sua grandeza, **glória** e **majestade**. Deus se cobre **de luz** (2), um símbolo familiar para a deidade (cf. Is 60.19; 1 Tm 6.16; 1 Jo 1.5). **Os céus** são preparados primeiro (2-4), depois **os fundamentos da terra** (5-6a), e **as águas** (6b-13), que tem um significado especial para aqueles que habitam em uma terra semi-árida. Por meio de um simbolismo magnífico o poeta descreve a visão da mão de Deus estendendo **os céus como uma cortina** (2) e colocando os **vigamentos das suas câmaras** nas **águas** "sobre a expansão" (3; Gn 1.7). Esse talvez seja um paralelismo representando a locomoção nas **nuvens** e **sobre as asas do vento**. O versículo 4 é citado em Hebreus 1.7, em que o ponto é a função subalterna dos anjos em relação a Cristo. **Mensageiros** também pode ser traduzido por "anjos"; **ventos** e "espíritos" é a mesma palavra no hebraico. A *versão* Berkeley traduz o versículo 4 da seguinte maneira: "Faz dos espíritos seus mensageiros, chamas de fogo dos seus servos". A declaração de que **os fundamentos da terra** [...] não devam vacilar **em tempo algum** (5) não contradiz 2 Pedro 3.10, mas deve ser entendido à luz de 2 Pedro 3.13.

Os versículos 6-9 referem-se mais naturalmente à obra criada da primeira parte do terceiro dia (Gn 1.9-10). **As águas** são vistas como que cobrindo até **os montes**, mas em obediência à **voz** do Criador elas foram reunidas em oceanos, e apareceram as terras secas. "As montanhas se elevaram, os vales desceram, até as posições que tu havias planejado para eles" (8, Harrison). Embora os limites das águas tenham sido removidos durante o dilúvio, elas estão permanentemente delimitadas de acordo com o propósito de Deus (9). A terra torna-se frutífera pelo seu **rebentar** (10-12) e a chuva é descrita como que vindo das **câmaras** (13) de Deus. A terra traz fruto abundante, **vinho** para alegrar o **coração**, **azeite** para ungir o rosto (pele) e **pão** para fortalecer o corpo (14-15). A natureza provê um hábitat para as criaturas que Deus formou (16-18). **Coelhos** são marmotas (Moffatt) ou texugos (Berkeley). A alternância entre noite e dia proporciona um ritmo de vida para os animais e os homens (19-23).

2. A Glória de Deus na Conservação (104.24-30)

Um dos aspectos impressionantes desse salmo é a ênfase que ele dá à atividade contínua de Deus na natureza. Esta verdade também é ensinada em outras partes das Escrituras: "Meu Pai trabalha até agora, e eu trabalho também" (Jo 5.17); "Todas as coisas subsistem por ele" ("existem e mantém-se juntas", Norlie; Cl 1.17); "Sustentando todas as coisas pela palavra do seu poder" (Hb 1.3). A maioria dos verbos nos versículos 10-23 está no tempo presente, mas nessa segunda parte o salmista ressalta alguns aspectos de forma muito perspicaz. Toda a administração sobre a natureza mostra a **sabedoria** do Senhor (24) — **cheia está a terra das tuas riquezas**. A vida abundante do mar depende de o Senhor dar **o seu sustento em tempo oportuno** (25-27). **Leviatã** (26) pode referir-se a algum tipo de criatura marinha, talvez golfinhos ou baleias.[50] Moffatt entende corretamente a expressão: **Todos esperam** (27) como incluindo todas as criaturas vivas a que se refere o salmo, não somente a vida marinha. Todas as criaturas dependem da generosidade diária de Deus (28). Elas vivem de acordo com o seu favor e morrem quando Ele **lhes** tira **a respiração** (29). Cada vida é produto do Espírito criativo e renovador de Deus (30).

3. A Glória de Deus na Correção (104.31-35)

A última estrofe do poema continua a adoração da glória de Deus na criação e na conservação, mas ela contém uma nota solene de que a correção do mal entre os homens se faz necessária. **A glória de Deus** será **para sempre** (31). O próprio Senhor se alegra **em suas obras** (e.g., Gn 1.31). **A terra** treme com o seu olhar; os montes **fumegam** com o seu toque (32). Portanto, os seus servos cantarão a Ele, **enquanto** existirem (33). A maioria dos tradutores "modernos" interpreta: **A minha meditação a seu respeito será suave** (34) como uma oração: "Que estes pensamentos agradem a Ele" (Moffatt); "Seja-lhe agradável a minha meditação" (NVI). É verdade que essa meditação acerca de um Deus como esse é "doce" para a alma. Porém mais importante do que isso é que nossas meditações sejam agradáveis aos seus olhos (cf. 19.14).

Em toda a sinfonia da natureza existe apenas uma nota destoante, e o salmista anseia pela remoção da desarmonia. Entre os homens há **pecadores** e **ímpios** (35). O "Hino Missionário", de Reginald Heber, ecoa este pensamento:

> *Embora as brisas fortes*
> *Assoprem suavemente sobre a ilha de Ceilão,*
> *Embora agradável toda vista,*
> *Por que só o homem é mau?*
> *Em vão com bondade em profusão*
> *As dádivas de Deus são despendidas;*
> *O pagão em sua cegueira*
> *Se dobra diante de pau e pedra.*

Este hino magnífico termina como começou: **Bendize, ó minha alma, ao Senhor**. A exortação **Louvai ao Senhor** (hb. *Hallelu –Yah*) é "Aleluia!". Muitas versões mais recentes não a traduzem. Esta é a primeira ocorrência de *Hallelu-Yah* no Saltério, embora ocorra com freqüência a partir desse salmo (e.g., 105.45; 106.1,48; 112.1; 113.1 etc.).

Salmo 105: As Obras Maravilhosas de Deus, 105.1-45

O Livro IV dos Salmos conclui com dois salmos históricos nos quais as lições do passado são usadas para corrigir e encorajar o povo de Deus. Os Salmos 78; 107; 104 e 136 também ilustram esse modelo de composição. A conexão entre os Salmos 105 e 106 está no poder e na fidelidade de Deus em contraste com o fracasso do povo. Encontramos Salmos 105.1-5 em 1 Crônicas 16.8-22, onde é atribuído a Davi na ocasião da vinda da Arca da Aliança para Jerusalém.

A "alegria na adoração" e "a condução divina da história" são as importantes ênfases do salmo de acordo com Oesterley.[51] Morgan observa: "A palavra-chave no salmo é o pronome 'Ele'. Por meio da constante repetição, ele mostra o pensamento mais elevado na mente do cantor. É o pensamento da atuação permanente de Deus em todas as experiências pelas quais seu povo passou".[52]

1. Glória ao Nome Santo de Deus (105.1-6)

A estrofe de abertura é um chamado à adoração que convoca o povo a louvar e orar com base na memória das obras maravilhosas de Deus. As ordens são: "Dêem graças" (1; NVI); **invocai o seu nome: fazei conhecidas as suas obras entre os povos** [...] **Cantai-lhe** (2), **falai** [...] **Gloriai-vos no...**, **alegre-se** (3), **Buscai** (4); **Lembrai-vos** (5). Os motivos para o louvor são as **obras** do Senhor (1); **as suas maravilhas** (2); as **maravilhas que** ele **fez** (5), **seus prodígios** e os **juízos da sua boca**. A convocação é feita aos descendentes de **Abraão, seu servo** e aos **filhos de Jacó, seus escolhidos** (6).

2. Deus dos Patriarcas (105.7-22)

O poeta traça a história do seu povo até os tempos de Abraão e a época dos patriarcas. Embora os **juízos** (soberania ou governo) do Senhor estejam **em toda a terra** (7), Ele é de forma específica o Deus do **concerto** (aliança) do seu povo **perpetuamente** (8). A expressão **até milhares de gerações** tem sua origem em Deuteronômio 7.9, em que ela está especificamente relacionada com o amor eletivo de Deus por Israel. O paralelismo desse versículo deixa claro que essa expressão deve ser entendida como um sinônimo de **perpetuamente**. O **concerto** (aliança) foi feito **com Abraão** [...] **Isaque** (9), e com **Jacó** e seus descendentes (10). O **concerto** continha a promessa da posse da **terra de Canaã por limite** ("quinhão", ARA) da sua **herança** (11). Quer o concerto seja considerado condicional, quer incondicional, promessa ou profecia, isso tem dividido os intérpretes em dois campos distintos. Nomes eminentes podem ser citados para apoiar cada uma das posições. O NT ressalta a idéia de que, em última análise, o concerto com Israel é cumprido no novo pacto (aliança) por meio de Cristo (cf. At 13.16-34; Rm 2.28-29; 4.12-17,22-25; Gl 3.7,28; 4.28-29; Hb 10.15-22).

O autor destaca a proteção de Deus concedida aos patriarcas enquanto eram estrangeiros na terra que lhes foi prometida (12-15). **Por amor deles** Deus **repreendeu reis** (14); cf. Gênesis 12.14-20; 20.1-16; 26.6-11. **Meus ungidos** (15) indica homens separados e consagrados com óleo, como ocorria com os reis e sacerdotes. **Meus profetas** é um uso amplo do termo, no sentido de que Deus falou aos patriarcas e por meio deles.

O versículo 16 marca uma transição do período patriarcal para a estabelecimento de Israel no Egito. A narrativa histórica é encontrada em Gênesis 37; 39—47. A última parte do versículo é interpretada por Moffatt como: "destruindo todo o sustento dos egípcios". Perowne comenta: "A fome em Canaã não foi por acaso. Isso foi obra do Senhor. (Cf. 2 Rs 8.1; Am 5.1; Ag 1.11). A posição de José no Egito não foi mero acaso; Deus o havia enviado para lá e ele próprio reconhece nisso a mão de Deus (Gn 45.5)".[53] **A palavra do SENHOR o provou** (19) refere-se ao contraste entre sua posição de servo na casa de Potifar e sua prisão, e a promessa comunicada pelos sonhos registrada em Gênesis 37.5-11. A fé pode ser provada no período de espera entre a promessa e a posse do que foi prometido. O retrato da exaltação de José é traçado em termos impressionantes (20-22). A expressão **instruir os seus anciãos** lembra o exemplo prudente de José em guardar mantimentos durante os anos da abundância (Gn 41.46-49).

3. *Deus e os Egípcios* (105.23-36)

Estes versículos descrevem a história dos israelitas no Egito desde a vinda de Jacó até o Êxodo. O crescimento fascinante do povo é descrito como obra de Deus (23-24). **Terra de Cam** (23), como em 78.51, é uma descrição poética do Egito (cf. Gn 10.6). **Mudou o coração deles para que aborrecessem o seu povo** (25) deveria ser entendido da mesma maneira que o endurecimento do coração de Faraó, como resultado do seu próprio endurecimento (Êx 8.15,32; 9.34). Moffatt traduz os versículos 24-25 da seguinte forma: "Deus multiplicou sobremodo o seu povo até que excedessem em número os egípcios, que passaram a odiar seu povo, para tratar astutamente os seus servos". As pragas são descritas, como no Salmo 78, sem dar importância à ordem da sua ocorrência em Êxodo 7—12. Tem-se conjeturado que a nona praga aparece aqui em primeiro lugar (**trevas**, 28) porque foi essa que finalmente trouxe convicção às mentes dos egípcios de modo mais completo, embora a morte do primogênito tenha sido necessária para convencer o faraó.[54] A última parte do versículo 28: **elas não foram rebeldes à sua palavra** parece provar esse ponto. **Seus termos** (31,33) refere-se às fronteiras **do seu território**. **Fogo abrasador, na sua terra** (32) também pode ser traduzido como: "raios que incendiaram sua terra" (Berkeley). Moffatt interpreta **as primícias de todas as suas forças** (36) como "todos os filhos mais velhos". A rebelião dos egípcios foi quebrada. O efeito cumulativo de todas as pragas foi demonstrar a superioridade do Deus de Israel sobre os deuses do Egito.

4. *Deus e o Êxodo* (105.37-45)

O Êxodo do Egito é descrito nos versículos 37-39, com pouca atenção aos eventos no tempo do deserto (40-41). **Não houve um só enfermo** (37) tem sido interpretado como: "Não houve um errante em suas fileiras" (Smith-Goodspeed) ou: "Não havia um só inválido" (ARA). Não lemos nada acerca da rebelião de Israel nessa passagem. O cumprimento da promessa de Deus a **Abraão** na posse da Terra Prometida por parte de Israel é o ponto culminante do salmo (42-45). **Louvai ao Senhor** (45) é "Aleluia" (hb. *Hallelu-Yah*). O que pode parecer parcial na omissão dos elementos desfavoráveis na história é equilibrado no Salmo 106.

Salmo 106: Pecado e Salvação, 106.1-48

O último salmo do Livro IV é mais um salmo histórico, ressaltando a misericórdia constante do Senhor diante dos contínuos deslizes para o pecado e descrença por parte de Israel (cf. Salmo 105, Int.). O salmo é um monumento ao realismo total da Bíblia. Como M'Caw observa: "É raro encontrar um hino nacional que comemore os pecados do povo!"[55] O versículo 47 poderia indicar uma data de composição durante o exílio.

1. *Uma Oração de Confissão* (106.1-6)
Ações de graça e confissão se misturam na estrofe de abertura do poema. Diante da grande bondade de Deus, os fracassos do povo se destacam. **Louvai ao Senhor** (1) é "Aleluia" (hb. *Hallelu-Yah*). A **benignidade** duradoura do Senhor é um aspecto recorrente nos salmos (cf. 107.1; e especialmente no Salmo 136). Faltam palavras para descrever **as obras poderosas** de Deus (2). Existe uma bênção especial para aqueles que **observam o direito** (3; "guardam a retidão", ARA) e praticam **a justiça em todos os tempos**. A oração pessoal do salmista deve ser incluída nas provisões da aliança, para que ele possa ver **o bem** (5; "prosperidade", ARA), se **alegre com a alegria** e se **regozije com** a **herança** do Senhor. O obstáculo da bênção é confessado: **Nós pecamos como os nossos pais** (6), isto é, da mesma maneira que os nossos pais; **cometemos iniqüidade, andamos perversamente**.

2. *Os Sete Pecados de Israel no Deserto* (106.7-33)
A maior parte do salmo é dedicada ao detalhamento dos pecados dos israelitas no deserto. Sete exemplos de desobediência e descrença são descritos.

a) *Murmuração no mar Vermelho* (106.7-12). Mesmo com **as maravilhas no Egito** (7) ainda frescas em suas mentes, o povo foi rebelde **junto ao mar, sim, o mar Vermelho** (Êx 14.10-12). Apesar disso, as **misericórdias** de Deus duraram, e Ele libertou seu povo **por amor do seu nome** (8), dividindo as águas do mar, e destruindo **seus adversários** nas profundezas (9-11). **Então**, por um breve tempo, **creram nas suas palavras e cantaram os seus louvores** (12). Veja Êxodo 14.13—15.22.

b) *Impaciência infiel* (106.13-15). **Cedo, porém, se esqueceram [...] não esperaram o seu conselho** (13; "desígnios", ARA; "plano", NVI; "propósitos", Moffatt). Impacientemente, reclamaram e expressaram suas dúvidas. O desejo por água e alimento, que Deus teria provido, os levou à beira de uma rebelião total (Êx 15.23—17.7). **Deixaram-se levar da cobiça** (14), ou: "entregaram-se à cobiça" (ARA). **E ele satisfez-lhes o desejo; mas fez definhar a sua alma** (15). Aqui está a tragédia em potencial da oração sem a nota de rodapé: "Todavia, não seja como eu quero, mas como tu queres" (Mt 26.39). Embora a referência imediata seja à náusea e morte experimentadas pelos israelitas

(Nm 11.20,33), Perowne sugere a propriedade do sentido figurado: "O coração (espírito) do homem, quando inclinado somente à satisfação dos seus desejos e apetites terrenos, sempre murcha e seca. Ele se torna uma coisa pobre e miserável, sempre ansiando por mais comida, sem, no entanto, extrair dela o alimento".[56]

c) *Ciúme da autoridade de Moisés e Arão* (106.16-18; cf. Nm 16). A insurreição contra os líderes apontados por Deus constituiu o terceiro pecado aqui enumerado. **Arão, o santo do SENHOR** (16; "o santo de *Yahweh*") foi constituído dessa forma pelo seu ofício, não devido ao seu caráter pessoal. **Datã** e **Abirão**, juntos com Corá, que não é mencionado pelo salmista, eram os líderes da revolta ciumenta. Números 16.27 e 26.11 parecem inferir que **Datã** e **Abirão** eram os líderes da oposição (cf. Dt 11.6). A oposição a Moisés e Arão claramente tinha como base a inveja e o ciúme.

d) *Adoração do bezerro de ouro* (106.19-23; cf. Êx 32; Dt 9.8-29). **Horebe** (19) é o nome para Sinai, usado principalmente por Moisés em Deuteronômio. **Sua glória** (do bezerro ou boi; 20) seria o seu deus. O escárnio por meio da idolatria é claramente visto (cf. Is 40.19-20). A **terra de Cam** (22) era o Egito. Somente a intercessão de Moisés (Êx 32.31-35) salvou a nação da destruição (23). "Na brecha" (nota de rodapé da NVI) — "A intercessão de Moisés é comparada ao ato de um líder corajoso, cobrindo com o seu corpo a brecha aberta nos muros da sua fortaleza".[57] Veja Êxodo 32.30.

e) *Desobediência em Cades* (106.24-27; cf. Nm 13.1—14.45). A trágica perda da fé em Cades-Barnéia é descrita em seguida. Acreditando no relatório da maioria dos homens enviados para "espiar a terra", os israelitas "rejeitaram a terra desejável" (NVI). A expressão **terra aprazível** é uma descrição apropriada de Canaã. "Verdadeiramente, mana leite e mel" (Nm 13.27). O maior inimigo para a entrada do povo era a descrença (Hb 3.7-19). Os estudiosos da Bíblia têm interpretado de forma correta a figura do AT acerca do "segundo descanso" provido para o povo de Deus (Hb 3—4). *Kadesh* é um termo hebraico que significa "consagração" ou "santidade". Uma geração inteira morreu no deserto porque lhe faltava fé para se consagrar e se santificar. **Pelo que levantou a mão contra eles** (26), como um gesto costumeiro quando se fazia um juramento.

f) *Idolatria em Baal-Peor* (106.28-31; Nm 25.1-18). **Baal** é um nome genérico de qualquer deus cananeu da fertilidade; **Peor** (28; cf. Nm 23.28) parece ter sido o nome de um monte ou montanha onde estava localizado um dos santuários moabitas da fertilidade. A adoração do baal cananeu incluía o culto à prostituição. A união com a prostituta do santuário supostamente constituía a união com o deus do santuário; daí a expressão **se juntaram com** (cf. 1 Co 6.13-20). **Comeram os sacrifícios dos mortos** significa, de acordo com Berkeley, "comiam os sacrifícios de ídolos sem vida" em contraste com "o Deus vivo"; ou, de acordo com Moffatt, "comeram alimentos oferecidos aos mortos", isto é, em algum tipo de necromancia ou buscando consultar os mortos (cf. Dt 18.11; Is 8.19). O resultado desse tipo de pecado flagrante foi uma **praga** mortal (29), interrompida somente pelo ato decisivo de **juízo** executado por **Finéias** (30; cf. Nm 25.6-9). O versículo 31 aparentemente refere-se à promessa feita a Finéias em Números 25.12-13.

g) *Incredulidade em Meribá* (106.32-33; Nm 20.1-13). Embora não constando por último na ordem cronológica em Números, o pecado em Meribá é provavelmente colocado por último aqui porque envolvia Moisés que, por causa de uma ordem impaciente, perdeu o privilégio de levar a nação até Canaã.[58] **Águas da contenda** (32), em hebraico, águas de *Meribá*. A aparente severidade do tratamento dado por Deus a Moisés ilustra de modo vívido o fato de que muita luz implica em muita responsabilidade.

3. *Desobediência em Canaã* (106.34-39)
Nem mesmo a posse da Terra Prometida encerrou a triste narrativa de desobediência e incredulidade. Os israelitas não destruíram as tribos pagãs de Canaã como haviam sido ordenados, mas, em vez disso, **se misturaram com as nações e aprenderam as suas obras** (práticas, 35). A idolatria foi a maldição e o **laço** (36) dos israelitas desde o Êxodo até o exílio. Eles foram curados somente pelo rigoroso fogo do cativeiro babilônico. Esse culto pagão chegou ao extremo do sacrifício humano (37-38; cf. Dt 12.31; 18.9-10; 2 Cr 33.5-6; Ez 16.20-21; 20.31). A expressão: **Sacrificaram** [...] **aos demônios** (38) e **aos ídolos de Canaã** (38) mostra que os "deuses" dos cananeus eram, na verdade, demônios na ótica do salmista. "Tornaram-se impuros pelos seus atos; prostituíram-se por suas ações" (39, NVI).

4. *Os Repetidos Juízos e Misericórdias de Deus* (106.40-46)
Existe uma referência primária aqui aos ciclos de opressão, arrependimento e libertação registrados no livro de Juízes. No entanto, a mesma figura continuou prevalecendo na maior parte da história de Israel a partir da época de Salomão. O pecado trouxe **ira** e julgamento (40) por meio do domínio de opressores estrangeiros (41-42). Contudo, **muitas vezes** Deus livrou as nações (43-44). **Seu conselho** (43) também pode ser traduzido como: "seus planos" (NVI), ou: "seus propósitos" (RSV). **E compadeceu-se, segundo a multidão das suas misericórdias** (45; cf. comentário em 90.13). "Fez com que seus captores tivessem misericórdia deles" (46, NVI; cf. 1 Rs 8.50 e exemplos em Ne 1.11; Dn 1.9).

5. *Oração Final e Doxologia* (106.47-48)
A oração final do poeta, que parece datar o salmo no período da dispersão, é para que o Senhor congregue seu povo **dentre as nações** (47), **para que** louvem o seu **nome santo** e se gloriem no seu **louvor**. A doxologia do versículo 48 fecha o Livro IV dos Salmos. **Louvai ao Senhor** é "Aleluia" (hb. *Hallelu-Yah*). Vale salientar que um salmo tão preocupado com pecado e juízo termina com uma nota que pressupõe perdão e graça. Como Frank Ballard comenta: "O pecado tem causado um sofrimento quase sem paralelo. Ele tem frustrado os sonhos de gerações, tem devastado planos para uma ordem melhor e levado o mundo ao desespero. No entanto, o caminho para a esperança permanece para sempre. Não é um caminho novo. Ele é sugerido nesse salmo, desenvolvido por profetas e evangelistas e provado por multidões de fiéis: é o caminho do arrependimento e perdão. Existe uma certa medida de verdade na severa doutrina da retribuição que tem se estendido com tanta insistência, especialmente por romancistas e dramaturgos. Mas existe uma verdade maior no evangelho da graça, verdade que tem sido ilustrada e comprovada em incontáveis pessoas que têm se regozijado na experiência da redenção".[59]

Seção V

LIVRO V: SALMOS PARA ADORAÇÃO

Salmos 107—150

O último livro do Saltério é o mais extenso tanto em termos de conteúdo como no número de salmos que contém. A maioria dos salmos no Livro V é voltada para a adoração pública. Poucos apresentam títulos, e a maioria dos títulos refere-se somente à autoria ou dedicação (de Davi, 13 salmos; de Salomão, um salmo) ou ao uso litúrgico (e.g., "os cânticos dos degraus", Salmos 120—134).

Quatro coleções menores têm sido identificadas no Livro V. A primeira é chamada "O Hallel egípcio", Salmos 113—118. A segunda é a coleção dos "Cânticos dos Degraus ou da Subida", Salmos 120—134. A terceira, Salmos 138—145, é chamada "Uma pequena Coleção de Davi", visto que cada salmo desse grupo contém o nome de Davi no título. A última é conhecida como "O Grande Hallel", Salmos 146—150 (cf. Int. do Salmo 136).

SALMO 107: CÂNTICO DOS REDIMIDOS, 107.1-43

Este salmo de adoração tem uma conexão próxima com os dois salmos que o precedem. Os Salmos 105—107 têm, na verdade, muitas vezes sido entendidos como uma trilogia, vindo provavelmente da mão de um só autor. O Salmo 107, porém, não é histórico. Suas descrições das diversas circunstâncias da vida humana não estão relacionadas a episódios específicos da história de Israel. Elas são, antes, observações generalizadas das muitas formas em que ocorreram os livramentos operados por Deus.

Perowne diz: "Não pode haver dúvida em relação à grande lição que esse salmo inculca em nós. Ele nos ensina não somente que a providência de Deus está sobre os homens, mas que seu ouvido está aberto às suas orações. Ele nos ensina que a oração pode ter como tema o livramento temporal e que essa oração é respondida. Esse salmo também nos ensina que é certo reconhecer, com ações de graça, as respostas para as nossas petições. Esta era a simples fé do poeta hebreu".[1] Oesterley escreve: "Provavelmente em nenhum outro salmo podemos perceber a fé na intervenção divina em assuntos do dia a dia expressa em mais detalhes do que aqui. Uma característica marcante do salmo é a forte convicção de que, diante de necessidades ou estresse, as pessoas procuram a ajuda de Deus, e descobrem que essa ajuda está disponível para elas".[2]

Mais uma característica digna de nota é o refrão que ocorre nos versículos 8,15,21e 31. Cada divisão do salmo convida as pessoas a louvar o Senhor por algum aspecto especial da forma como Ele conduz a humanidade.

1. *Louvor à Distância pela Restauração* (107.1-7)

Com a exceção do *Hallelu-Yah*, o primeiro versículo é idêntico ao primeiro versículo do Salmo 106. A bondade de Deus e a **benignidade** eterna são a base para o convite ao louvor. **Digam-no os redimidos do Senhor** (2) significa que os redimidos do Senhor devem dizer que **ele é bom, porque a sua misericórdia é para sempre** (1). A redenção em questão é da mão do inimigo, congregando-os **das terras do Oriente e do Ocidente, do Norte e do Sul** (3), uma alusão evidente ao retorno do exílio babilônico.

Lemos acerca do desconforto dos exilados nos versículos 4-5. As condições físicas não eram insuportáveis na Babilônia, pois muitos ficaram tão satisfeitos com a sua vida lá que nunca retornaram para a Palestina. Mas, para os verdadeiros devotos, o exílio era como uma peregrinação sem lar no deserto. Quando o coração se volta **ao Senhor** na **angústia** (6), o livramento dele está à mão. O caminho de Deus sempre é o **caminho direito** (7). Uma **cidade que deviam habitar** é "uma cidade onde deviam edificar suas casas" (AT Amplificado).

2. *Louvor por Renovação da Esperança e Alegria* (107.8-14)

O versículo 8 estabelece um refrão que é repetido nos versículos 15, 21 e 31. No original, esse versículo é muito mais parecido com o versículo 1 do que a ARC sugere. Perowne traduz o versículo 8 da seguinte maneira: "Que eles dêem graças a Javé por sua bondade e por suas maravilhas em favor dos filhos dos homens". No Senhor há satisfação para a **alma sedenta** (9). Visto que **alma faminta** provavelmente se refere à fome literal, **encheu de bens** pode significar: "satisfez plenamente o faminto" (NVI). O versículo 10 nos lembra Isaías 9.2 conforme citado em Mateus 4.15-16. **Trevas** e servidão eram o resultado da rebelião **contra as palavras de Deus** (11). Os pecados abatem **o coração com trabalho** (12) e roubam o homem da sua única fonte de **ajuda**. Acerca do versículo 13, cf. comentário no versículo 6. A estrofe inicia com trevas, sombras da morte e elos de aflição. Ela termina com livramento **das trevas e sombra da morte** (14) e a quebra das **suas prisões**, ou seja, a quebra das "correntes que os prendiam" (NVI).

3. *Louvor ao Senhor pela Revelação de Poder* (107.15-20)

Acerca do versículo 15, cf. comentário do versículo 8. O poder de Deus quebra **as portas de bronze** (16) e despedaça **os ferrolhos de ferro**, cumprindo a promessa de Isaías 45.2. Nenhum poder do homem pode levantar-se contra o poder de Deus. **Loucos** (17) não são os ignorantes ou imprudentes, mas aqueles que são moralmente perversos.

O termo tem essa conotação em Provérbios (7.22; 10.8,10,18,23; 11.29 etc.), e nos Evangelhos (Mt 7.26; 25.2). "*Loucura* denota perversidade moral, não mera fraqueza ou ignorância; ela leva à ruína".³ O versículo 18 está relacionado com o versículo 17; **por causa** [...] **de transgressão** "sentiram repugnância por toda comida e chegaram perto das portas da morte" (NVI). O pecado rouba da alma a satisfação e paga com a moeda da **morte** (cf. Rm 6.23). No entanto, existe esperança. Quando a **angústia** faz o coração voltar-se ao Senhor, o livramento vem (19; cf. versículo 6 e 13). O poder de Deus vem por meio da **sua palavra** (20) e traz cura e livramento. Não de forma desmedida, Perowne conecta essa idéia com 147.15,18; ele chama a atenção para Salmos 105.19 e Isaías 9.8 e 55.11. Ele então escreve: "Detectamos nessas passagens o primeiro vislumbre da doutrina do apóstolo João acerca da ação da Palavra pessoal. A Palavra por meio da qual os céus foram feitos (33.6) é vista não como mera expressão da vontade de Deus, mas como seu mensageiro intermediando entre Ele e suas criaturas".⁴ **Sua destruição** significa literalmente "cova"; isto é, os túmulos dos quais eles estavam tão próximos.

4. *Louvor pela Salvação do Perigo Físico* (107.21-30)

Em vez de dar um motivo imediato da razão de os homens louvarem o Senhor, como nos versículos 8-9 e 15-16, o poeta expande o chamado ao louvor e sugere o oferecimento de **sacrifícios de louvor** (22). "Ofertas de gratidão faziam parte das ofertas pacíficas (Lv 7.11-15; 22.29-30)".⁵ O cerne da estrofe é a descrição marcante do poder de Deus sobre as forças naturais do mar. A expressão: **descem ao mar em navios** (23) reflete o fato de que o oceano fica abaixo do nível da terra. **Vento** e **ondas** estão sujeitos à vontade de Deus (25). **Sua alma se derrete** (26) significa: "diante de tal perigo, perderam a coragem" (NVI). **Esvai-se-lhes toda a sua sabedoria** (27) tornou-se uma expressão proverbial para o fim da ingenuidade e desembaraço do homem. O hebraico traz: "Toda sua sabedoria se dissipa". Acerca do versículo 28, observe os versículos correspondentes nas estrofes anteriores (6,13,19). O Senhor acalma **as ondas**, e leva os marinheiros até **ao porto desejado** (29-30).

5. *Louvor pelos Juízos Justos* (107.31-43)

O desenvolvimento do refrão nos versículos 31-32 é comparável com os versículos 21-22. A observação acerca da adoração pública — **congregação** e **assembléia** — é clara e forte. A esterilidade e fertilidade da terra são associadas com o juízo e a recompensa. A iniqüidade do homem leva o Senhor a converter **rios em desertos** (33), **nascentes, em terra sedenta** e **a terra frutífera em terreno salgado** (34) — "uma área produtiva em pântano de sal" (Harrison). De modo inverso, o deserto é convertido em **campos** e **vinhas** (35-37), em que a condição inferida é a obediência e a retidão do povo. A população cresce ou declina sob condições semelhantes (38-39). **Decrescem** (39) significa: "se tornam poucos" (Berkeley). O versículo 40a parece uma citação de Jó 12.21. Ninguém, não importa a posição, está isento do julgamento de Deus pelo pecado. Os de posição elevada serão rebaixados, e os humildes serão exaltados (41; cf. Pv 3.34; Tg 4.6). Isso é motivo de regozijo dos **retos** (42). A expressão **todos os iníquos fecham a boca** também pode ser entendida como: "todos os perversos são silenciados" (Moffatt). **Quem é sábio observe estas coisas e considere atentamente as benignidades do SENHOR** (43). Este versículo expressa a verdade que Jesus ensinou: "Se alguém quiser fazer a vontade dele, pela mesma doutrina, conhecerá se ela é de Deus ou se eu falo de mim mesmo" (Jo 7.17). Uma expressão freqüentemente atribuída a Agostinho diz o seguinte: "A Palavra de Deus pertence àqueles que lhe obedecem". Somente através de fé, compromisso e obediência existe o real conhecimento da verdade espiritual.

Salmo 108: Miscelânea de Louvor, 108.1-13

Identificado pelo título como: "Cântico e salmo de Davi", este poema é único no Saltério, no sentido de ser inteiramente composto de trechos de dois salmos anteriores, também atribuídos a Davi. São repetições como essas que proporcionam a evidência mais forte de que trechos do Livro de Salmos eram originariamente coleções separadas (cf. Int.).

1. *Adoração* (108.1-5)
Este poema é praticamente idêntico a Salmos 57.7-11. As diferenças são ainda menores no original do que nas versões. A mudança mais significativa é a alteração de *Adonai* (Senhor) em 57.9 para *Yahweh* (Senhor) em 108.3 Veja os comentários em 57.7-11.

2. *Apelo* (108.6-13)
Este material é tirado de Salmos 60.5-12, em que os comentários podem ser consultados.
Morgan descreve o motivo que levou à combinação dessas duas partes de outros salmos: "As circunstâncias do autor (ou compilador) parecem muito semelhantes às dos salmos anteriores. Elas são apenas mencionadas de passagem. A firmeza de coração possibilita o cantor a regozijar-se do início até o fim. O relacionamento com Deus afeta todos os outros relacionamentos. Estar familiarizado com a sua vontade e submisso ao seu trono é ser triunfante em todas as circunstâncias. O triunfo no momento da derrota é o mais admirável, mas isso somente é possível quando o coração está firmado em Deus".[6]

Salmo 109: Clamor por Vindicação e Justiça, 109.1-31

Este é o último dos "salmos imprecatórios" (cf. Int.), e um dos mais fortes. Alguns estudiosos têm insistido em que as imprecações são citações dos inimigos do salmista e eram maldições dirigidas contra o próprio autor.[7] No entanto, talvez seja suficiente recordar que o salmista olha para aqueles que haviam se tornado seus inimigos como sendo principalmente inimigos de Deus. A justiça divina iria exigir a vindicação dos justos no julgamento contra os ímpios.
Acerca dos termos do título, cf. Introdução dos Salmos 3 e 4.

1. *Os Inimigos do Salmista* (109.1-5)
O poeta primeiro expressa sua queixa contra toda a companhia dos "homens ímpios" (2), contra aqueles que **têm falado contra** ele (o salmista) **com uma língua mentirosa**. Ele tinha sido objeto de uma difamação totalmente injustificada. Não havia justificativa para a oposição levantada contra ele (3). **Em paga do meu amor, são meus ad-**

versários (4) pode ser traduzido como: "Eles retribuem meu amor com inimizade" (Harrison). **Eu faço minhas orações** significa: "Da minha parte oro por eles" (Harrison). Em oposição aos sentimentos dos versículos 6-19, este versículo transborda do espírito de Cristo no Sermão do Monte (Mt 5.43-48). Apesar de tudo que ele procura fazer, o salmista encontra seu **bem** retribuído com **mal** e seu **amor** revidado com **ódio** (5).

2. O Líder (109.6-20)

Os que tomam esta passagem como algo falado acerca do salmista e não por ele (cf. Int. do Salmo) ressaltam a mudança do pronome plural "eles" para o singular "seu" e "ele". Isto pode ter ocorrido, por outro lado, devido à mudança de atenção do grupo dos inimigos do poeta para aquele que é o líder ou que personifica a oposição deles. O inimigo é um **ímpio** (6) que tem **Satanás** parado **à sua direita**, a posição ocupada por um conselheiro de confiança. O hebraico traz literalmente: "à sua direita esteja um satanás" Visto que *satanás* (hb.) literalmente significa "adversário", muitas versões mais recentes traduzem o termo como "acusador" (ARA, NVI), "acusador perverso" (Berkeley), ou "adversário" (Perowne, Harrison). É claro que a função de Satanás é desviar as pessoas do caminho certo e ser o acusador (Ap 12.10) e adversário (1 Pe 5.8) do povo de Deus.

As imprecações continuam. Esse ímpio deve ser **julgado** sem misericórdia, e mesmo a **sua oração** deve ser considerada pecado (7). Ele deve ser removido prematuramente e o **seu ofício** (lugar) ocupado por **outro** (8) — um versículo citado em relação a Judas em Atos 1.20. **Seus filhos** se tornarão **órfãos** [...] **errantes** e sua **mulher viúva** (9-10). **Busquem o seu pão longe da sua habitação assolada** significa: "...despojados das suas casas" (Harrison). **Despojem-no os estranhos do seu trabalho** é melhor traduzido como: "e estranhos saqueiem o fruto do seu trabalho" (NVI). Não só o inimigo deveria ficar sozinho sem experimentar compaixão de alguém, mas a mesma sorte deveria recair sobre os seus filhos (12), e a sua **posteridade** ser extinta (13). Esta era uma das maiores tragédias que podia acontecer com um homem do Oriente antigo. A **iniqüidade** de seus pais não será apagada (14-15). Tudo isso aconteceu porque este homem não se **lembrou de usar de misericórdia** (16; cf. Tg 2.13). Os pecados (maldição) que ele gostava de praticar se tornarão seu castigo (17-18), inescapável como a roupa que ele veste (19). A ARA traduz o versículo 18 da seguinte maneira: "Vestiu-se de maldição como de uma túnica: penetre, como água, no seu interior e nos seus ossos, como azeite". A NVI traz o resumo no versículo 20: "Assim retribua o Senhor aos meus acusadores, aos que me caluniam".

3. O Triste Estado do Salmista (109.21-25)

O poeta desvia seu olhar da maldade dos seus inimigos e olha para a bondade de Deus. Ele roga pela intervenção de Deus em sua defesa. **Sê comigo** (21) pode ser entendido como: "age por mim" (ARA). Ele coloca seu estado deplorável diante do Senhor: **Estou aflito e necessitado, e, dentro de mim, está aflito o meu coração** (22). **Eis que vou como a sombra que declina** (23) ao anoitecer. Ser **sacudido como o gafanhoto** significa ser afastado como um inseto no vento. Seus **joelhos estão enfraquecidos** e sua **carne** emagrecida (24). Ele havia se tornado um **opróbrio** (25; "objeto de zombaria", NVI), para aqueles que "meneiam a cabeça" (25) em aprovação enquanto olham para a sua condição penosa.

4. Sua Esperança de Vindicação (109.26-31)

O salmo fecha com uma forte súplica e uma expressão de confiança na vindicação do poeta pela mão do Senhor. Ele se volta para o SENHOR seu Deus pedindo para ser salvo **segundo** a **misericórdia** divina (26), para que no final todos testemunhem do que Deus fez (27). Seus inimigos podem amaldiçoar, mas Deus irá abençoar. A vergonha dos adversários será contrastada com a alegria dos justos (28). Ele ora como **servo** de Deus. A **vergonha** e **confusão** com as quais seus inimigos serão vestidos são como uma **capa** que eles mesmos teceram (29). Perowne e Kirkpatrick,[8] baseando-se na gramática hebraica, traduzem os versículos 28 e 29 no indicativo e não no modo optativo — isto é, como uma predição em vez de uma oração. A versão de Perowne é a seguinte:

> *Eles podem amaldiçoar, tu, porém, me abençoas.*
> *Eles se levantaram e foram humilhados,*
> *mas o teu servo se alegrou.*
> *Meus adversários estão vestidos de confusão;*
> *eles se cobrem com a sua própria vergonha (como) com um manto.*[9]

Como é costume nos salmos de lamentação, o poema fecha com uma promessa: **Louvarei grandemente ao SENHOR com a minha boca; louvá-lo-ei entre a multidão** (30). O próprio Deus **se porá à direita do pobre** (31), como o grande Defensor, **para o livrar dos que condenam** (ou "julgam", ARA) **a sua alma**.

SALMO 110: CANÇÃO DO SENHOR SOBERANO, 110.1-7

Esta jóia entre os salmos é uma das principais passagens messiânicas do AT. Este salmo é citado vinte e uma vezes no NT em relação a Cristo e seu Reino, e pelo próprio Senhor. Morgan afirma: "Este salmo é puramente messiânico, e sempre foi considerado dessa forma. Quando Jesus o citou em sua conversa com as autoridades religiosas, fica perfeitamente claro que eles entendiam as suas palavras dessa perspectiva. É igualmente certo que Ele próprio fez uso do salmo nesse sentido".[10]

Esta discussão não fica incontestada, principalmente no sentido de se reivindicar uma aplicação imediata e local para o salmo. Fica claro, porém, que o significado não se restringe à ocasião local e que a sua aplicação mais ampla se estende a Cristo. Tanto os judeus nos dias de Cristo como a Igreja Primitiva enxergavam nesse salmo um teor messiânico.[11]

1. O Rei Divinamente Instituído (110.1-3)

O versículo 1 é citado em Mateus 22.44; 26.64; Marcos 12.36; 14.62; 16.19; Lc 20.42-43; 22.69; At 2.34; 1 Co 15.25; Ef 1.20; Cl 3.1; Hb 1.3,13; 10.12-13; 12.2. Além disso, encontramos inúmeros "ecos" em outras porções do NT. O **Senhor** (*Adonai*) do salmista ouve do SENHOR (*Yahweh*) para sentar-se à sua **mão direita até que** todos os seus **inimigos** sejam colocados por **escabelo** dos seus **pés** (1), "até que subjugue os seus inimigos completamente" (Harrison). **O cetro da tua fortaleza** (2) também é traduzido como: "o cetro do seu poder" (ARA). **Domina no meio dos teus inimigos** indica que a soberania de Cristo não espera a submissão de todos à sua autoridade. Cristo é, mesmo agora, Senhor de todos, ainda que as massas estejam em revolta contra o seu governo.

O reino de Cristo é destinado a ser um reino de glória (Fp 2.5-11) bem como um reino de graça. **O teu povo se apresentará voluntariamente** (3), ou: "se oferecerá voluntariamente". A consagração sempre é um ato de entrega voluntária da vontade. Um serviço relutante, embora seja melhor do que nenhum serviço, nunca satisfará completamente as exigências da santidade divina. Os tradutores diferem na aplicação da segunda cláusula do versículo, mas a maioria a vincula ao Senhor que é o sujeito da estrofe, como o faz a ARC: **Com santos ornamentos; como vindo do próprio seio da alva, será o orvalho da tua mocidade.**

2. O Sacerdote Divinamente Ordenado (110.4)

As funções de rei e sacerdote estão combinadas em **Senhor**. Este versículo é citado seis vezes em Hebreus (5.6,10; 6.20; 7.11,15,21), onde o autor ressalta que o sacerdócio de Cristo é de uma ordem diferente e superior à de Arão, a saber, um sacerdócio **segundo a ordem de Melquisedeque**. Como tal, ele não depende de linhagem humana (Hb 7.3). Ele era anterior e melhor do que o sacerdócio dos filhos de Levi (7.4-10). Esse sacerdócio indica uma mudança na lei (7.11-12). Ele explica como Jesus, sendo da tribo de Judá e não da de Levi, podia ser Sacerdote (7.13-14). Esse sacerdócio era assegurado e fundamentado pelo juramento do Senhor (7.20-22). E, visto que é eterno, não sujeito a uma sucessão humana de sumos sacerdotes, ele é a base da nossa salvação completa e eterna (7.23-28).

Mesmo o nome **Melquisedeque** é significativo, um aspecto que tornava a terminologia do salmista especialmente importante. Melquisedeque significa "rei da justiça". Ele foi identificado em Gênesis 14.18-20 como "rei de Salém", que significa "rei da paz". Ele era reconhecido como "o sacerdote do Deus Altíssimo" setecentos anos antes de ser instituído o sacerdócio levítico. No sacerdote régio de justiça e paz temos um tipo de Cristo, que unifica nele mesmo as funções de profeta, sacerdote e rei do AT.

3. A Certeza do Triunfo (110.5-7)

A última estrofe deste salmo magnífico volta ao tom militar do versículo 2 e adota o caráter de um hino dirigido claramente ao SENHOR (*Yahweh*) Deus. **O Senhor, à tua direita** (5) é *Adonai*, a quem o convite no versículo 1 é dirigido, ou seja, o Messias. Ele **ferirá os** ("esmagará", NVI; "despedaçará", Berkeley) **reis no dia da sua ira** (cf. Ap 6.15-17; 17.14; 19.11-21). Como cumprimento do que foi predito, o Sacerdote-Rei se tornará o Juiz. Moffatt traduz o versículo 7 da seguinte forma: "No caminho beberá de todos os ribeiros que tiver de cruzar, então prosseguirá de maneira triunfante". Perowne faz o seguinte comentário acerca dos versículos 5-7: "O líder vitorioso, que realizou uma matança tão terrível a ponto de deixar o campo de batalha coberto de cadáveres, é visto agora perseguindo seus inimigos. Fatigado da batalha e perseguição, ele pára por um momento para refrescar-se e tomar das águas impetuosas do ribeiro, depois 'ergue a sua cabeça' e recebe novo vigor para continuar a peseguição".[12]

Salmo 111: A Fidelidade do Senhor, 111.1-10

De modo geral, os Salmos 111 e 112 são vistos como formando um conjunto. Cada salmo consiste em dez versículos. Cada um contém vinte e duas linhas ou frases em que cada linha inicia com uma letra sucessiva do alfabeto hebraico. No original, a maioria das frases contém exatamente três palavras. Os temas são paralelos. O Salmo 111 descreve o caráter do Senhor Deus. O Salmo 112 descreve o caráter do homem piedoso. O acróstico ou padrão alfabético identifica-os como salmos sapienciais. M'Caw sugere a possibilidade de que os Salmos 111 e 112 sejam considerados um prelúdio para o Hallel Egípcio (Salmos 113—118), que vem logo a seguir.[13] Os Salmos 111—119 não apresentam títulos ou sobrescritos.

1. As Obras Justas de Deus (111.1-5)

A conexão lógica das linhas em um salmo alfabético é quase necessariamente um tanto limitada. No entanto, a primeira parte do cântico (letras *Aleph* até *Yod*, as primeiras onze letras do alfabeto hebraico) louva as obras poderosas da justiça de Deus. **Louvai ao Senhor** (1; hb. *Hallelu-Yah*) é "Aleluia!". Um louvor **ao Senhor de todo o coração** será oferecido **na assembléia dos justos e na congregação** — "na reunião dos justos para a comunhão" (Moffatt). **As grandes obras** de Deus são **procuradas por todos os que nelas tomam prazer** (2). Sua obra é "esplêndida e gloriosa" (3, Moffatt), evidência de **sua justiça** que **permanece para sempre**. As **maravilhas** de Deus são memoráveis, porque Ele é **piedoso e misericordioso** (4). O Senhor dá **mantimento** (5) àqueles que o temem com reverência santa, e Ele sempre se lembrará **do seu concerto**.

2. A Fidelidade do Senhor (111.6-10)

A última linha da estrofe precedente introduz o pensamento dessa segunda estrofe. As obras de Deus são uma prova incontestável de que a sua aliança (pacto) é fiel. **A herança das nações** (6) que Deus deu ao seu povo se refere especificamente à posse da Terra Prometida. **Verdade e juízo** (7) é melhor traduzido como: "verdade e justiça" (Harrison). **Todos os seus mandamentos** [são] **fiéis** também pode ser traduzido como: "Todos os seus decretos são dignos de confiança" (Berkeley). Moffatt traduz o versículo 8 da seguinte maneira: "Suas ordens permanecem firmes para sempre, estabelecidas com fidelidade e justiça". **Santo e tremendo** ("temível", NVI) **é o seu nome. O temor do Senhor é o princípio da sabedoria** (10) é o "texto áureo" do movimento sapiencial (cf. Jó 28.28; Pv 1.7). A verdadeira sabedoria é uma reverência devida ao Senhor. "O primeiro elemento do conhecimento é a reverência pelo Eterno" (Moffatt). **Bom entendimento** ("bom senso", Moffatt) **têm todos os que lhe obedecem** — a obediência às leis de Deus tanto provam como aumentam o entendimento daqueles que seguem seus preceitos.

Salmo 112: A Confiança dos Devotos, 112.1-10

Não deixe de consultar a introdução ao Salmo 111. O Salmo 112, que trata do caráter do povo de Deus, também se divide em duas estrofes iguais.

1. O Caráter dos Devotos (112.1-5)

Louvai ao Senhor (1) é "Aleluia" (hb. *Hallelu-Yah*). **Bem-aventurado** (*asher*) significa "feliz" (cf. 1.1). Temer **o Senhor** e deleitar-se grandemente **em seus mandamentos** são expressões paralelas que descrevem os justos. **A sua descendência será poderosa na terra; a geração dos justos será abençoada** (2). **Fazenda** ("prosperidade", ARA) **e riquezas haverá na sua casa** (3) expressa a posição geral dos autores sapienciais do AT em relação ao fato de que justiça e recompensa andam juntas. Que há exceções para esse princípio já foi visto no Livro de Jó e em Salmos 37; 49 e 73. O justo ("íntegro", NVI), no entanto, desfruta de **luz nas trevas** (4). Ele é **piedoso**, cheio de misericórdia e **justo**. O homem bom está disposto a ajudar o próximo e conduz os seus negócios com **juízo** ("honestidade", NVI; 5).

2. A Fidelidade do Servo de Deus (112.6-10)

Assim como o caráter do piedoso reflete a graça fluindo das obras de justiça do Senhor em Salmo 111.1-5, assim a fidelidade do servo de Deus descrita nos versículos 6-10 corresponde à fidelidade do Senhor (Sl 111.6-10). Inabalável em relação à sua devoção (6) e guardado para sempre na **memória** de Deus, o homem de Deus não precisa temer **maus rumores** (7). Tudo que ocorrer na sua vida, ele o verá pela ótica da soberania e graça de Deus. Seu **coração está firme, confiando no Senhor** (7). "Seu coração está seguro e destemido, certo de que verá a derrota dos seus inimigos" (8, Moffatt). **Dá aos necessitados** (9), "no exercício livre e diligente de caridade. Este versículo é citado por Paulo ao exortar os coríntios para a contribuição generosa em favor dos pobres (2 Co 9.9)".[14] O **ímpio** "fica irritado" (10, NVI) com a recompensa e exaltação do justo. Moffatt traduz assim a idéia central do versículo 10: "Eles rangem seus dentes e desaparecem. A esperança do perverso se frustrará".

"Esta é, então, a vida devota traçada pelo poeta hebreu. Não é um quadro acabado. Nem é um retrato perfeito. Para obtermos uma visão da perfeição, precisamos ir além das páginas do AT e focar no Filho de Deus, que deu a sua vida em resgate de muitos. Ali encontramos perdão sem autojustificação, misericórdia e magnanimidade sem condescendência ou desculpas, amor que não conheceu limites, sem nunca escorregar no sentimentalismo".[15]

Salmo 113: "Louvai ao Senhor", 113.1-9

Os Salmos 113—118 constituem um grupo litúrgico comumente conhecido por "Hallel egípcio" por causa da menção do êxodo em Salmos 114.1. Este é, às vezes, conhecido popularmente como "o grande Hallel", mas este último título é mais apropriadamente aplicado ao Salmo 136 ou aos Salmos 146—150. Esses eram os salmos especiais usados na sinagoga durante as festas da Páscoa, dos Tabernáculos e de Pentecostes, bem como na *Hanukkah*, a festa da Dedicação. Quase certamente é o hino cantado por Jesus e seus discípulos antes de sair para o jardim do Getsêmani (Mt 26.30).

McCullough comenta o seguinte a respeito do Salmo 113: "Esse hino de louvor, simples mas agradável, contém em seus poucos versos algumas das idéias teológicas básicas do AT. O versículo de abertura, dirigido aos servos do Senhor, pode ter sido falado ao coral ou corais por um sacerdote oficiante no Templo".[16] Oesterley observa: "A forma antiga de recitar esse [Hallel] ocorria da seguinte maneira: O líder iniciava pronunciando o 'Aleluia', que era repetido pela congregação; em seguida, após cada metade de verso, a congregação respondia com um 'Aleluia'. Dessa forma, essa palavra era repetida 123 vezes".[17]

1. *Somente Deus é Digno* (113.1-3)

O salmo abre com o termo hebraico *Hallelu-Yah* — Aleluia! **Louvai ao Senhor** (1). Os **servos do Senhor** são chamados para louvar seu **nome**, um pensamento repetido nos três primeiros versículos. Oesterley sugere que a ênfase sobre **o nome do Senhor** lembra a frase na Oração do Pai Nosso: "Santificado seja o teu nome".[18] A identificação do nome com a personalidade do seu portador é comum nos tempos antigos e é com freqüência observada no AT. Deus revelou o seu nome a Israel (Êx 3.13-14; 6.2-3) para que fosse conhecido pelas nações. A conduta moral baixa tinha o efeito de profanar o seu nome. Se o seu caráter era representado de forma apropriada, resultava na santificação daquele nome.[19] Portanto, louvar o nome do Senhor (1-2) do **nascimento do sol até ao ocaso** (3) significava louvar a Deus o dia todo.

2. *A Grandeza do nosso Deus* (113.4-6)

O motivo do louvor é a exaltação, glória e grandeza do nosso Deus. Ele está **acima de todas as nações, e a sua glória** transcende **os céus** (4). Não há ninguém semelhante ao Senhor, que **habita nas alturas** (5) e é condescendente a ponto de tomar conhecimento das coisas **nos céus e na terra** (6). O ponto é: Deus se importa com a situação do homem.

3. *A Misericórdia do Senhor* (113.7-9)

O poeta cita alguns exemplos do amor e da graça de Deus. Os versículos 7-8a são tirados do cântico de Ana em 1 Samuel 2.8. Deus **levanta o pequeno** ("pobre", KJV) e o **necessitado** das profundezas ("da completa degradação", 7, Harrison) e o faz **assentar com os príncipes** (8). O versículo 9 pode estar se referindo a Ana, mencionada acima. Uma aplicação mais ampla incluiria os filhos de Sião, conforme o registro em Isaías 54.1 e 66.8. A primeira parte do versículo 9 pode ser traduzido da seguinte forma: "Dá um lar à estéril" (NVI). O salmo termina como começou: com "Aleluia" (*Hallelu-Yah*).

Salmo 114: A Grande Libertação, 114.1-8

A menção do Egito no primeiro versículo desse salmo nos oferece a fonte do nome comum vinculado a esse grupo, o "Hallel egípcio" (cf. Int. do Salmo 113). Dois grandes acontecimentos da libertação realizada por Deus formam a base do salmo: a passagem do mar Vermelho e a travessia posterior do rio Jordão durante a entrada na Terra Prometida. McCullough comenta: "Esse salmo, o segundo do grupo 'Hallel', é um dos mais antigos de todos os salmos. Ele se afasta da linguagem convencional do hino, sem deixar de exaltar o poder do Deus de Israel por meio de um pequeno poema artístico que é um modelo de descrição sucinta e vívida. O salmista usa como material ilustrativo alguns dos grandes momentos do passado, e, em seu apelo à mão de Deus na história (contraste com a mitologia do Egito e Mesopotâmia) vemos uma das fontes da força da fé em Israel".[20]

1. O Milagre da Redenção (114.1-4)

Em todo o AT o êxodo é entendido como a base da fé do povo de Israel no poder redentor de Deus. Ele é o tema que unifica todo o AT, e é retomado no conceito neotestamentário da ressurreição de Cristo, dando unidade à Bíblia inteira.[21] **Quando Israel** foi guiado para fora **do Egito** (1), a nação tornou-se **santuário** ("sua propriedade", Moffatt) do Senhor e seu **domínio** (2). Não se pretende fazer nenhuma distinção entre **Israel** e **Jacó** ou entre **Judá** e **Israel** no versículo 2. Os nomes são usados como sinônimos em paralelismo poético. O mar Vermelho (3), o rio **Jordão**, os **montes** (4) e os **outeiros** ("colinas", NVI) são personificados. A própria natureza está sujeita aos comandos de Deus e se alegra em suas obras maravilhosas.

2. A Fonte da Redenção (114.5-8)

Uma série de perguntas retóricas conduz a um anúncio culminante da identidade do Redentor de Israel. O **mar**, o **Jordão**, os **montes**, os pequenos **outeiros** — na verdade, a própria **terra**, tremem **na presença do Senhor** (5-7), o **Deus de Jacó**. Foi Ele que **converteu o rochedo em lago de águas** e **um seixo, em manancial** ("uma fonte a jorrar", Harrison). Temos aqui, evidentemente, uma referência à provisão miraculosa de água no deserto (Êx 17.6; Nm 20.8-11). "O leitor precisa tirar por conta própria a conclusão natural e óbvia de que esse Deus, que, na realidade, fez jorrar água da rocha para o suprimento de Israel, ainda pode extrair as mais ricas bênçãos de situações que parecem duras e desfavoráveis. Com esse pensamento, o salmo não mais parece incompleto ou desconexo em sua conclusão".[22]

SALMO 115: NOSSO DEUS ESTÁ MUITO ACIMA DOS ÍDOLOS, 115.1-18

Os últimos quatro salmos do Hallel (115—118) eram cantados depois do término da refeição da Páscoa. Isso, portanto, dava início à importante parte identificada em Mateus 26.30. Morgan comenta: "Esse terceiro salmo no Hallel nasceu da paixão pela glória do nome de Javé. [...] Ele não se preocupa, em primeiro lugar, com o bem-estar do povo, mas com a vindicação do seu Deus. Esse é um aspecto profundo, muito raro em nossa música. Estamos correndo o risco de colocar o bem-estar do homem acima da glória de Deus".[23]

1. O Escárnio dos Incrédulos (115.1-3)

Além da **glória** do **Senhor**, a honra do seu povo está em jogo no escárnio das **nações** que dizem: **Onde está o seu Deus?** (1-2). Visto que Deus não podia ser visto nem tocado, as nações idólatras levantavam esse tipo de pergunta. A resposta foi dada imediatamente: **O nosso Deus está nos céus** (3). Ele **faz tudo o que lhe apraz**. Sua vontade é soberana e ela é "boa, agradável e perfeita" (Rm 12.2). O poder de Deus nunca é usado arbitrariamente. O que lhe agrada sempre é bom. **Benignidade** e **verdade** (1) podem ser entendidas como "bondade" e "fidelidade" (Smith-Goodspeed).

2. A Nulidade da Idolatria (115.4-8)

Essas palavras penetrantes que se referem à idolatria de foram satírica são repetidas em Salmos 135.15-18. **Os ídolos deles são prata e ouro** (4). Barnes observa: "A zombaria pretendida com essas palavras é apresentada nos termos que vêm a seguir: *obra das mãos de homens*. Um ídolo de *pedra* pode ser meteórico e não formado por mãos humanas; pode ser considerado como caído do céu (At 19.35); um ídolo de *madeira* pode ser um poste não muito bem esculpido, que pessimamente pode ser distinguido do objeto natural, mas quando eram usados prata e ouro, a mão do artífice se tornava visível na figura do deus representado (Jr 10,8,9)".[24] Quando moldados na forma de um homem ou animal, os ídolos **têm boca, olhos, ouvidos, nariz, mãos, pés, garganta** — e, no entanto, são mudos, cegos, surdos, incapazes de cheirar e de apalpar, imóveis, sem pronunciar nenhum tipo de som (5-7). Alguns comentaristas acreditam que houve uma interpolação da primeira ou da última caracterização, visto que ambas descrevem o aspecto da fala. Mas essa repetição é mais bem-vista como parte da ênfase do poeta: do começo ao fim, esses são ídolos mudos que não têm palavra alguma para anunciar aos homens. O contraste com o Deus vivo e que fala é absoluto.

Tornem-se semelhantes a eles os que os fazem (8). A coisa impressionante é que aqueles que os fazem e aqueles que adoram esse tipo de deuses se tornam como os próprios ídolos. Os pagãos fazem seus deuses à sua própria imagem, e então se tornam como eles! Esse é o efeito sobre nós em relação a quem adoramos. Nossos ídolos hoje podem ser dinheiro, poder, prazer ou qualquer outra coisa para a qual inclinamos o nosso coração. Mas se adoramos qualquer outra coisa que não seja Deus, tornamo-nos interesseiros e duros ou levianos e superficiais.

3. Confie em Deus Totalmente (115.9-13)

Com o refrão repetido três vezes: **Ele é teu auxílio e teu escudo** (9,10,11), **Israel**, a **Casa de Arão**, e todos aqueles que temem **ao Senhor** são estimulados a confiar nele. **Casa de Arão** refere-se aos sacerdotes. Aqueles que temem **ao Senhor** podem incluir os prosélitos gentios, visto que três classes específicas (o povo de Israel, os sacerdotes e os tementes a Deus) parecem fazer parte do pensamento do salmista e são mencionados novamente nos versículos 12-13 e em Salmos 118.2-4 e 135.19-20. **Auxílio** e **escudo** podem sugerir poder e segurança. Harrison traduz: "Seu auxílio e sua proteção". Essa confiança é justificada porque o Senhor havia se lembrado do seu povo (12) e continuará abençoando **tanto pequenos como grandes** (13) — "todos, sem distinção de posição ou condição".[25]

4. A Bênção Prometida (115.14-18)

A bênção esperada inclui: **O Senhor aumentará cada vez mais, a vós e a vossos filhos** (14). Esta promessa de um número crescente seria particularmente encorajadora para um pequeno e perturbado bando de exilados que estava voltando para sua terra. Ela serve de encorajamento para qualquer grupo cristão atual no sentido de não desprezar as coisas pequenas nem de se acomodar. O Deus do coração confiante é **o Senhor, que fez os céus e a terra** (15) e que é, portanto, absolutamente capaz de fazer o que prometeu.

Moffatt vê o versículo 16 como uma explicação da última cláusula do versículo 15. O Senhor fez os céus e a terra, e reservou **os céus** para ele mesmo (cf. 1 Rs 8.27) mas coloca **a terra** debaixo do controle dos **filhos dos homens**, um hebraísmo que denota toda a raça humana (cf. Gn 1.28-30; Sl 8.6). Harrison traduz esse versículo da seguinte maneira: "Os céus pertencem ao Senhor, mas repartiu a terra para a sociedade humana".

Os mortos não louvam ao SENHOR, nem os que descem ao silêncio (17) reflete a luz parcial do AT em relação ao destino final da alma. *Sheol*, o lugar dos mortos, é traduzido geralmente como "inferno", "cova" ou "túmulo" pela ARC. Esse lugar era considerado um lugar de silêncio e tristeza, um submundo sombrio. Embora haja claras indicações no AT da vida após a morte do justo em comunhão com Deus, precisamos lembrar que "vida e imortalidade" foram trazidos à luz somente por meio de Cristo e do evangelho (2 Tm 1.10). Uma dessas alusões à redenção da tristeza e da perdição do Sheol é encontrada no versículo 18, em que o justo expressa determinação em bendizer **ao SENHOR desde agora e para sempre. Louvai ao SENHOR** é "Aleluia" (*Hallelu-Yah*).

SALMO 116: UM CÂNTICO DE TESTEMUNHO PESSOAL, 116.1-19

A natureza intensamente pessoal deste salmo é indicada pelo uso exclusivo dos pronomes da primeira pessoa *eu, meu/minha* e *a mim*. Sua inclusão em um grupo de salmos conhecidos basicamente como salmos de adoração pública testifica acerca da verdade de que qualquer congregação, grande ou pequena, é constituída de indivíduos que elevam seu coração a Deus em oração e louvor. As alusões nos versículos 17-18 ao oferecimento de "sacrifícios de louvor" e ao pagamento de votos indicam um cenário em que se oferecem ofertas de gratidão pelo livramento da aflição descrita na primeira parte do salmo. Aos estudiosos que buscam reagrupar os versículos do salmo para alcançar uma progressão mais lógica de pensamento, Barnes responde: "Na oração do santo que está em árdua luta, não se espera uma seqüência rigorosamente lógica. Esse tipo de oração certamente mistura petição com ações de graça. Liberto hoje, ele enfrenta novos conflitos amanhã".[26] Esse "fluxo e refluxo de sentimento debaixo das tempestades da vida"[27] encontra-se em outros salmos, e reflete a experiência do devoto ao longo dos anos.

1. *Louvor pela Oração Respondida* (116.1-4)
O poeta confirma seu amor **ao SENHOR**, especialmente porque Ele respondeu à sua oração (1). **Voz e súplica** não deveriam ser distinguidas, mas entendidas como uma pequena variação da frase comum: "a voz das minhas súplicas" (cf. 28.2,6; 31.22; 130.2 e 140.6) — ou, de acordo com Harrison: "minha voz suplicante". As respostas à oração encorajavam o salmista a continuar orando (2). O salmista já tinha estado à beira da **morte** (3), os seus **cordéis** (hb. "cordas", NVI) o cercavam e as **angústias do inferno** (*Sheol*) já o pressionavam; **aperto e tristeza** eram seus companheiros indesejados. Nesse limite das suas forças, ele invocou **o nome do SENHOR** (4) por livramento, e foi ouvido.

2. *Louvor pela Libertação da Morte* (116.5-9)
O Senhor é **piedoso, justo** e misericordioso (5; compassivo). **Guarda aos símplices** (6) é melhor traduzido como: "protege os inocentes" (Harrison). Quando o poeta estava abatido a ponto de deparar com a morte, ele encontrava ajuda do alto. Sua **alma** encontra **repouso** na forma generosa de o Senhor lidar com ele (7). Os versículos 8-9 são praticamente idênticos com Salmo 56.13. Lá a **terra dos viventes** é substituída por

"luz dos viventes". A tríplice libertação realizada por Deus deve ser desfrutada pelos cristãos: a libertação da **alma da morte**, os **olhos das lágrimas** e os **pés da queda**.

3. *Fé Abalada mas Firme* (116.10-14)

A vitória não tinha sido ganha sem batalha. O versículo 10 pode ser traduzido como: "Eu cria, ainda que falei: 'estive sobremodo aflito'" (ARA); ou: "Apeguei-me à minha fé, ainda que tenha dito: 'estou extremamente aflito'" (Berkeley). A aflição do salmista era tão grande que clamou em pânico (em vez de **precipitação**): "todo homem é mentiroso" (ARA). O hebraico literalmente diz: **todo homem é mentira**. A idéia é que toda ajuda humana é "um meio que falha".[28] A NVI traduz: "Ninguém merece confiança".

A bênção traz obrigação. A oração e súplica devem ser oferecidas com ações de graça (Fp 4.6). Em troca **por todos os benefícios** de Deus (12), o poeta decide tomar **o cálice da salvação** (13). Isso provavelmente se refere à oferta da bebida de vinho a ser derramada em um vaso no altar como um dos aspectos do sacrifício de gratidão (cf. Êx 29.40; Lv 23:37; Dt 32.38: Ez 20.28).[29] Essa era uma expressão pública de louvor e gratidão **na presença de todo o seu povo** (14).

4. *Sacrifícios de Louvor* (116.15-19)

No seu contexto, o versículo 15 não significa que a morte dos santos do Senhor é aprazível e agradável a Ele. A tradução desse versículo, na verdade, é a seguinte: "A morte dos seus santos é pesarosa para Ele. Ele não a consente facilmente".[30] A NVI traduz assim: "O Senhor vê com pesar a morte de seus fiéis". Tendo sido liberto da morte iminente, o poeta está disposto a devotar suas forças renovadoras e vida prolongada ao serviço do seu Senhor (16), a obrigação razoável de todos que recebem o toque curador de Deus. **Filho da tua serva** é simplesmente um reforço de **sou teu servo**. Ele serviu a Deus como seus pais o haviam feito antes dele. Os versículos 17-18 são paralelos com os versículos 13-14 e identificam o "cálice da salvação" como parte dos **sacrifícios de louvor**. O lugar do sacrifício é deixado claro: **nos átrios da Casa do Senhor, no meio de [...] Jerusalém** (19). A exclamação final é bem conhecida: **Louvai ao Senhor**, "Aleluia" (*Hallelu-Yah*). Morgan diz: "Quaisquer que sejam as circunstâncias que deram origem a esse cântico, é evidente que todo seu rico significado foi cumprido, quando no meio daquele pequeno grupo de almas perplexas e as sombras da morte já pairando sobre Ele, Jesus cantou esse cântico de triunfo profético sobre a escuridão da hora da paixão pela qual estava passando. A sua vitória sobre a morte se tornou o cântico triunfante sobre a morte de todos aqueles que lhe pertencem".[31]

Salmo 117: Doxologia, 117.1-2

Este salmo de pura doxologia é o mais breve do Saltério, levando alguns estudiosos a concluir que é um fragmento separado do seu contexto original. Ele fica melhor sozinho do que quando vinculado ao salmo anterior ou posterior. Kirkpatrick diz: "Ele é, no sentido mais verdadeiro, um salmo messiânico, e é citado por Paulo em Romanos 15.11 como algumas das escrituras que predisseram a extensão da misericórdia de Deus aos gentios em Cristo".[32]

Todas as nações (a mesma palavra traduzida como "gentios" ou "pagãos" em muitos textos) devem louvar **ao Senhor** (1) e **todos os povos** devem celebrá-lo e exaltá-lo (um termo hebraico diferente é usado na segunda exortação para louvar); "Louvai ao Senhor, todos os gentios; e celebrai-o todos os povos" (Rm 15.11).
Sua benignidade é *chesed*, "amor imutável" (RSV) ou graça (cf. comentário em 17.7). **A verdade** (fidelidade) **do Senhor é para sempre. Louvai ao Senhor** é "Aleluia" (*Hallelu-Yah*).

Salmo 118: Força, Canção e Salvação, 118.1-29

O último dos salmos desse grupo "Hallel" (cf. Salmo 113, Int.) é um dos mais magníficos do Saltério. O texto-chave e o esboço, se podemos chamá-los dessa forma, são encontrados no versículo 14 desse salmo notável: "O Senhor é a minha força e o meu cântico, porque ele me salvou". McCullough o descreve como "uma litania de ações de graça".[33] Ele ressalta: "Este salmo é um dos maiores hinos do Saltério. Ele era um dos salmos favoritos de Lutero, que escreveu o seguinte a seu respeito: 'Este é o salmo que eu amo [...] porque muitas vezes tem feito bem à minha alma e me ajudado a sair de sérias dificuldades, quando nem imperadores, reis, homens sábios e inteligentes, nem mesmo santos poderiam ter me ajudado'".[34]

Um aspecto singular é o uso de um refrão duplo: "Sua misericórdia é para sempre" (1-4,29), e "no nome do Senhor as despedacei" (10-12) — uma evidência clara do uso do hino na adoração do Templo. Esdras 3.11, em que "a revezes" (ARC; "alternadamente", ARA, "responsivamente", NVI), é literalmente "um ao outro", indica o uso provável desse tipo de salmo na adoração. Um solista cantava a primeira linha de um versículo e o coral cantava a segunda; ou, um coral cantava a primeira linha e um segundo coral respondia com a segunda.

1. *"O Senhor é a minha Força"* (118.1-14)

A **benignidade** (*chesed*) é o amor "imutável" da aliança; graça; cf. comentário em 17.7. Este é o tema dos versículos 1-4. Depois de uma convocação geral para "dar graças ao Senhor" (1, NVI), cada um dos três grupos enumerados nos Salmos 115.9-11 (cf. comentário) é convidado a cantar o refrão: o povo de **Israel** em geral (2), os sacerdotes ou **casa de Arão** (3) e todos **os que temem ao Senhor** (4), homens devotos de toda parte.

Os versículos 5-13 apresentam o testemunho do poeta acerca das formas em que Deus provou ser sua Força e a Força do seu povo. **Na angústia**, ele invocou **o Senhor** e Ele o **ouviu** e **o pôs em um lugar largo** (5), isto é, "libertou" (Moffatt). Com o **Senhor** do seu lado, ele não precisa temer (6). Nada que o homem **pode fazer** vai permanentemente causar-lhe dano. **O Senhor está comigo entre aqueles que me ajudam** (7) é uma construção difícil. O significado é que o Senhor é o comandante entre aqueles que estão junto com o salmista para ajudá-lo. A *versão* Berkeley traduz o versículo 7 da seguinte forma: "O Senhor está comigo. Ele é a minha ajuda, e olho em triunfo sobre os que me odeiam".

Confiar no Senhor é **melhor** do que **confiar no homem** (8) ou mesmo **nos príncipes** (9). O salmista escreve em Salmos 60.1: "Dá-nos auxílio na angústia, porque vão é o socorro do homem". O significado e o tempo do verbo do versículo 10 não estão claros. O me e o eu dos versículos 10-12 são personificações da nação. O verbo hebraico na tradução: **as despedacei** (10,11,12), está na forma de um "imperfeito gráfico", e pode significar tanto presente como futuro. Com base nos versículos 5 e 13, parece que a crise já passou e, portanto, a tradução de quase todas as versões mais recentes é justificável: "em nome do Senhor eu os derrotei" (NVI), ou "eu os destruí, confiando no Eterno" (Moffatt). A figura **como abelhas** (12) sugere que os inimigos estavam incitados e furiosos. **Apagaram-se como fogo de espinhos** refere-se a um fogo que forma grandes chamas mas que logo se apaga. **Com força me impeliste para me fazeres cair** (13) é dirigido aos inimigos do poeta. A ajuda do Senhor foi providencial para que não caísse diante do inimigo. **O SENHOR é a minha força e o meu cântico, porque ele me salvou** (14; "Ele é a minha salvação", NVI) vem do "Cântico de Moisés" em Êxodo 15.2 e é usado novamente em Isaías 12.2. Moffatt interpreta este versículo da seguinte maneira: "O Eterno é a minha força, de quem eu canto. Ele verdadeiramente me salvou". O povo de Deus tem provado essa verdade em todas as épocas. O próprio SENHOR é a nossa salvação: "Mas vós sois dele, em Jesus Cristo, o qual para nós foi feito por Deus sabedoria, e justiça, e santificação, e redenção" (1 Co 1.30). Não encontramos nossa força, cântico e salvação naquilo que Ele dá mas nele próprio.

2. *O Senhor é o meu Cântico (118.15-20)*
A **voz de júbilo e de salvação** (15) é o tema dessa estrofe do poema. A expressão **tendas dos justos** refere-se ao lugar "onde os justos moram" (Harrison). **A destra do SENHOR se exalta** (16) é o tema do cântico. A **destra** ("a mão direita") é uma expressão que se refere ao poder e força de determinada pessoa.

O poema novamente retorna à primeira pessoa nos versículos 17-19, e a forma singular é outra vez uma personificação de todo o povo. Israel não morrerá, mas viverá e cantará **as obras do SENHOR** (17), embora tenha sido castigado por meio do exílio e dispersão. **As portas da justiça** (19) e esta [...] **porta do Senhor** (20) são as portas do Templo, por meio das quais o povo do Senhor entra para louvá-lo. Moffatt considera o versículo 19 como o grito dos peregrinos que se aproximam das portas do Templo e o versículo 20 como uma resposta do interior dele:

> Abram as portas da Vitória para mim,
> Para que eu possa entrar e agradecer o Eterno.
> "Esta é a porta do Eterno;
> pela qual somente os justos podem entrar".

3. *O Senhor é a minha Salvação (118.21-29)*
Além das limitações do dia e das vitórias políticas e militares celebradas nesse poema encontramos a forte mensagem messiânica na última estrofe. O poeta agora dirige-se ao Senhor: **Louvar-te-ei porque** [...] **me salvaste** (21). Os versículos 22-23 são citados quatro vezes no NT relacionados à rejeição de Cristo pela sua geração e relacionada à sua subseqüente exaltação (Mt 21.42; Mc 12.10-11; Lc 20.17; 1 Pe 2.7).

Somente Deus, por meio da maravilhosa operação de sua providência, pode produzir vitória a partir da derrota, vida a partir da morte, ressurreição a partir da cruz e transformar a ira do homem em sua glória (23). As nuances messiânicas do texto sugerem que

LIVRO V: SALMOS PARA ADORAÇÃO   SALMOS 118.24—119.1

o dia que fez o SENHOR (24) é o dia da salvação, o dia de Cristo, no qual o seu povo deve se regozijar e se alegrar. Há, no entanto, uma aplicação geral. Cada dia vem da mão de Deus de uma maneira nova, e é para nós um dia de regozijo e alegria. Com esse tipo de fé, nenhum filho de Deus precisa temer o alvorecer de um novo dia.

Oração, bênção, louvor e promessa se misturam nos últimos cinco versículos. O salmista ora por libertação e prosperidade ("sucesso", Harrison; 25) e anuncia uma bênção sobre aqueles que **vêm à Casa do SENHOR** em seu **nome** (26). **Deus** [...] **o SENHOR** é a Fonte de **luz** (27). O significado exato da última parte do versículo 27 é obscuro. Os **ângulos do altar** eram pontas viradas para cima do altar do Templo e eram considerados muito sagrados. O sangue sacrifical era borrifado ali (Lv 4.7; 8.15; 9.9), e a pessoa cuja vida estava correndo perigo encontrava refúgio naquele lugar (1 Rs 1.50). O AT nunca se refere à prática de amarrar vítimas sacrificais ali. Das várias sugestões que foram oferecidas, a Bíblia Amplificada apresenta uma das mais razoáveis: "Decorem a festa com ramos frondosos e amarrem os sacrifícios a serem ofertados com cordas grossas [por todo átrio do sacerdote] às pontas do altar".

O poeta promete seu louvor e exaltação a Deus, e conclui com a mesma nota com a qual começou, uma convocação para dar "graças ao Senhor" (29, NVI) pela sua bondade e sua **benignidade** permanentes. "Com essas palavras somos trazidos de volta ao ponto inicial e o círculo de louvor volta a se repetir".[35]

SALMO 119: AMOR SINCERO PELA LEI, 119.1-176

Este é o mais extenso e bem elaborado dos salmos sapienciais acrósticos ou alfabéticos. A ARC e outras traduções preservam o aspecto alfabético ao imprimir as letras hebraicas no início de cada seção. O salmo é dividido em vinte e duas seções, uma para cada letra do alfabeto hebraico. Cada seção é composta de oito versículos. Cada versículo no hebraico começa com uma palavra cuja primeira letra é a do cabeçalho da divisão. Dessa forma, cada um dos versículos 1-8 inicia com uma palavra cuja primeira letra é *aleph* (a primeira letra do alfabeto hebraico), os versículos 9-16 com palavras que começam com a segunda letra, *beth*; os versículos 17-24 com a terceira letra, *gimel* etc.

O tema dos salmos é a lei gloriosa do Senhor e a sua observância de todo o coração (cf. 2,10,34,58,69,145). O termo hebraico para lei é *torah*, cujo significado é bem mais amplo do que essa palavra sugere em português. *Torah* é, na verdade, a vontade de Deus como foi revelada a Israel. Esta palavra traz consigo a idéia de orientação, e seu significado básico é ensino ou instrução.

M'Caw observa que a característica principal do Salmo 119 é "a melodiosa repetição de oito sinônimos da vontade de Deus, a saber: *lei*, a *torah*; *testemunhos*, os princípios gerais de ação; *preceitos* (*piqqudim*), especialmente regras de conduta; *estatutos* (*huqqim*), regulamentos sociais; *mandamentos* (*mitzvah*), princípios religiosos; *ordenanças* (*mishpattim*), os julgamentos certos que deveriam operar nos relacionamentos humanos; *palavra* (*dabbar*), a vontade declarada de Deus, suas promessas, decretos, etc.; *palavra* (*imra*), a palavra ou discurso de Deus revelado aos homens. Uma variante freqüente dos oito sinônimos comuns é *caminho* (*derek*). Existe pouca dúvida de que essas palavras eram, em grande parte, derivadas de Salmo 19.7-9. Um desses termos ocorre invariavelmente em cada versículo deste salmo, com exceção do versículo 122; mas não existe uma seqüência metódica de estrofe em estrofe".[36]

Morgan faz referência aos mesmos termos: "Uma consideração cuidadosa desses termos revelará um conceito básico. É o conceito da vontade de Deus revelada ao homem. Cada palavra revela um aspecto dessa vontade em si mesma, do método da sua revelação e do seu valor na vida humana".[37] Oesterley escreve: "A lei é a expressão da vontade divina [...] ele ama a lei porque ela revela a vontade de Deus; e ele ama a lei porque ama a Deus acima de tudo. A não ser que esse fato seja claramente reconhecido, nunca faremos justiça ao escritor, nem compreenderemos o profundo caráter religioso de todo o salmo".[38]

1. *Álefe: A Bênção em Guardar a Lei* (119.1-8)

Os versículos introdutórios ditam o tom de todo o poema. Felizes são os "irrepreensíveis" (ARA; 1; *tammim*), "os perfeitos, retos, sem culpa", que **andam na lei** (*torah*, cf. Int.) **do SENHOR**. Aqueles que seguem os princípios da ação que a sua Palavra estabelece e que **o buscam de todo o coração** (2) são verdadeiramente abençoados. Uma devoção sincera segundo a vontade de Deus está bem próxima do "segredo do cristão de uma vida feliz". Essas pessoas **não praticam iniqüidade** (3). Além disso, **andam em seus caminhos**. O cerne da estrofe é a oração, o louvor e promessas endereçadas diretamente a Deus. Ele nos ordenou a observar **diligentemente** os seus **mandamentos** (4; "preceitos", NVI; regras específicas de conduta). O salmista deseja que seus **caminhos sejam dirigidos de maneira a** poder **observar os** seus **estatutos** (5). **Não ficaria confundido** (6) significa: "não suportaria humilhação" (Harrison). **Atentando eu para** significa: "prestar atenção" (Moffatt). A RSV traduz assim: "Tendo meus olhos fixados sobre todos os teus mandamentos". O poeta dispôs sua alma para aprender e observar os **juízos** e **estatutos** de Deus (7-8). **Não me desampares totalmente** não expressa medo, mas fé. O salmista está confiante em que o que ele pedir a Deus, Ele fará.

2. *Bete: A Palavra Purificadora* (119.9-16)

Muitos concluem, com base no versículo 9, que o autor do salmo era um jovem. No entanto, existe a possibilidade de que essa expressão reflita o interesse dos mestres da sabedoria no bem-estar dos jovens da nação. **Jovem** ou velho, nosso **caminho** é purificado ao vivermos **conforme** a **palavra** de Deus e a escondermos em nosso coração (11). **Não me deixes desviar** (10) significa: "Não me deixes errar por ignorância ou inadvertência (67; 19.12). Minha intenção é boa, mas meu conhecimento é imperfeito e minha força é insignificante. 'A autodesconfiança da segunda cláusula é uma prova da realidade da primeira' (Aglen)'".[39]

A vontade e a Palavra de Deus não são apenas purificadoras para o caminho; elas são alegria para o coração. Os **estatutos** (12), **juízos** (mandamentos; 13), **testemunhos** (14), **preceitos** [...] **caminhos** (15) e a **palavra** (16) do Senhor são alegria e prazer para o coração do servo de Deus.

3. *Guímel: O Alvo da Vida* (119.17-24)

"O conhecimento e a observância da lei de Deus [são] o alvo da vida, e são força e conforto em tempos de desprezo e perseguição".[40] A Palavra de Deus é uma fonte de vida

(17), visão (18), orientação (19) e aspiração (20). Esse tipo de amor pela vontade de Deus é uma marca da piedade mais profunda. **Faze bem** (17) traz a idéia de "generosidade" e "amabilidade" (cf. ARA, Moffat, Berkeley). **Peregrino** (19) indica a idéia de "não ter nenhuma experiência ou conhecimento do mundo; conseqüentemente, com necessidade especial de orientação divina" (Berkeley, nota de rodapé). Os **soberbos**, por outro lado, **se desviam** dos **mandamentos** de Deus (21) e são repreendidos e **amaldiçoados**. A lei de Deus é uma defesa contra o **opróbrio** e **desprezo** (22) e o testemunho falso (23). Há alegria e orientação nos **testemunhos** do Senhor (24).

O versículo 18 serviu de inspiração para o hino-oração de Charles H. Scott:

> *Abra os meus olhos, para que eu possa ver*
> *Vislumbres da verdade que Tu tens para mim;*
> *Coloca em minhas mãos a maravilhosa chave*
> *Que vai me soltar e libertar.*

4. *Dálete: A grande Escolha* (119.25-32)

Em angústia de espírito, o poeta clama por avivamento (25). "Estou prostrado no pó; vivifica-me segundo a tua promessa" (Harrison). Ele não havia escondido nada do Senhor (26). Assim que aprender acerca dos **estatutos** e **preceitos** de Deus, ele falará das **maravilhas** do Senhor (27). **A minha alma consome-se de tristeza** (28) significa: "Choro na minha tristeza" (Harrison). **Desvia de mim o caminho da falsidade** (29) não se refere à falsidade no sentido comum, mas à infidelidade para com a verdade de Deus. Moffatt capta essa idéia ao traduzir: "Guarda-me de ser falso contigo". A determinação do salmista é forte. Ele fez a sua escolha (30). "Tuas exigências são o meu desejo" (Moffatt). **Quando dilatares o meu coração** (32) significa: "expandi-lo em entendimento, alegria e confiança". "Quando o seu coração for liberto do confinamento repressor das dificuldades e da ansiedade, o salmista usará a sua liberdade para um serviço mais ativo";[41] isto é, ele vai correr, não apenas caminhar.

5. *Hê: Oração por Firmeza* (119.33-40)

Esta estrofe é composta de uma série de petições centradas no desejo do salmista por instrução e entendimento e na ajuda de Deus em preencher as exigências da sua lei. **Ensina-me** (33; *torehni*) é o verbo do qual se origina *torah*. Mais profundo do que a informação é o entendimento, que leva à obediência da **lei** de todo coração (34). Os **mandamentos** do Senhor são o **prazer** dos seus seguidores (35). Em vez do ganho injusto da **cobiça** e da atração da **vaidade** irreal e passageira (36-37) o poeta busca os **testemunhos** de Deus e o seu **caminho**. **Desvia de mim o opróbrio** (39) é interpretado como: "Remove os insultos" (Moffatt).

6. *Vau: Não Há Vergonha da Palavra* (119.41-48)

A sexta estrofe continua com expressões de anseio e desejo por auxílio e orientação que vêm através da Palavra de Deus. As **misericórdias** ("amor imutável", RSV) e **salvação** ("libertação diária do poder do pecado", Berkeley, nota de rodapé) são canalizadas por meio da sua **palavra** (41). Moffatt interpreta o versículo 42 da seguinte forma: "Então poderei enfrentar meus difamadores, confiando na tua promessa". **Pois me atenho** (43) é melhor traduzido como: "Tenho esperado pelos" (Perowne) **teus juízos** (instruções). Com o ensino (*torah*) do Senhor como seu guia contínuo (44), o salmista andará **em liberdade** (45), que significa literalmente: "em um lugar amplo" ou "com largueza" (ARA). Mesmo **perante os reis**, ele **não** se envergonhará dos **testemunhos** do Senhor (46). Os **mandamentos**, que ele ama, serão a fonte da sua alegria (47, "prazer", NVI). **Também levantarei as minhas mãos para os teus mandamentos** (48) como um ato de oração e devoção.

7. Zain: a Palavra que Dá Vida (119.49-56)

Em meio às dificuldades, o salmista encontra esperança (49) e **consolação** (50) na **palavra** de Deus. "A tua promessa dá-me vida" (50b, NVI). Apesar da zombaria dos **soberbos** (51), o poeta não se desviou da **lei** de Deus. A memória dos **juízos** de Deus em outras épocas o consola (52). **Grande indignação se apoderou de mim** (53) pode ser traduzido de acordo com a *versão* Berkeley como: "Fui tomado de uma indignação abrasadora". Existe um lugar para a ira justa por parte do povo de Deus diante da impiedade desmedida. **Os teus estatutos têm sido meus cânticos** (54) significa: "os estatutos de Deus formam o tema para os seus cânticos. Eles acalmam a sua mente e refrescam o seu espírito nessa vida transitória de provas [...] como os cânticos ajudam a passar o tempo à noite (Jó 35.10) ou animam o viajante na sua jornada".[42] O autor tinha na memória o **nome** de Deus (e natureza, como o **nome** sugere) **de noite** porque ele guardou os mandamentos ("preceitos", ARA e NVI) da Palavra (55-56).

8. Hete: A Companhia dos Comprometidos (119.57-64).

Deus e sua Palavra são o principal tesouro do salmista, e o trouxeram para uma comunhão com os tementes a Deus entre o seu povo. Seu propósito é observar, no coração e na vida, as **palavras** que Deus falou (57). A oração do fundo do coração (58), a reflexão atenciosa sobre os seus **caminhos** (59) e uma urgência de espírito (60) o levaram a estar em harmonia com os **testemunhos** e **mandamentos** do Senhor. A expressão **bandos dos ímpios** (61) é literalmente: "Laços dos perversos" (ARA), uma figura de estilo tirada da prática dos laços e ciladas de uma armadilha. Embora ameaçada por esses laços, sua alma havia escapado porque ele não havia se esquecido da **lei** de Deus. **À meia-noite** ele levantará um louvor a Deus (62). Ele encontrou companheirismo com **todos** os que **temem** o Senhor e **guardam os** seus **preceitos** (63). A abundância das misericórdias de Deus cria nele o desejo de conhecer melhor o seu Senhor (64).

9. Tete: O Valor da Aflição (119.65-72)

O autor aprendeu o valor disciplinador da aflição. O castigo que foi difícil de suportar produziu "um fruto pacífico de justiça" (Hb 12.11). E ele podia agora dizer: **Fizeste bem ao teu servo, Senhor** (65). A aflição o ensinara a obedecer (67). **Os soberbos** ("arrogantes", NVI) **forjaram mentiras** (69), isto é, "fabricaram uma mentira" (Berkeley, nota de rodapé). **Como gordura** (70) é uma metáfora vívida de "estúpido" (Harrison) ou "tolo" (Moffatt) — tão insensível quanto a banha de porco! Assim como no versículo 67, o versículo 71 reforça os efeitos positivos da aflição. E. Stanley Jones escreve: "*A melhor maneira de enfrentar a injustiça e o sofrimento imerecidos não é suportá-los, mas usá-los.* Quando entendi essa verdade anos atrás [...] um mundo inteiramente novo abriu-se diante de mim. Eu havia tentado explicar o sofrimento e agora vejo que não devemos explicá-lo mas, sim, usá-lo".[43] **Melhor [...] do que inúmeras riquezas em ouro e prata** (72) significa que a verdade de Deus está além da possibilidade de avaliação econômica (cf. 19.10; Jó 28.15-28).

10. *Iode: O Clamor pela Integridade da Alma* (119.73-80)
Os caminhos do Senhor com o seu povo são encorajamento para os justos e confusão para os ímpios. O salmista sabe que é beneficiário da providência e bondade de Deus (73). Foi Deus quem o fez, e ele, portanto, deseja ser ensinado por Ele. Ensinado dessa forma, ele está certo de que será uma inspiração para aqueles que **temem** o Senhor (74). Embora Deus permita ou envie a aflição, sempre será para o nosso bem (75; cf. Rm 8.28). Consolo (76), vida (77) e alegria são encontrados na divina Palavra. A NVI traduz o versículo 78 da seguinte maneira: "Sejam humilhados os arrogantes, pois prejudicaram-me sem motivo". Com o apoio e confiança daqueles que pensam da mesma forma (79), o poeta clama: **Seja reto o meu coração para com os teus estatutos** (80). Este versículo também pode ser traduzido como: "Seja o meu coração íntegro para com os teus decretos" (NVI) ou: "Seja o meu coração saudável nos teus estatutos" (Berkeley).

11. *Cafe: Apoio Sob Pressão* (119.81-88)
O salmista está em profunda dificuldade, possivelmente em virtude de uma doença e por causa da perseguição ativa daqueles que são inimigos da retidão. Sua **alma** está desfalecida (81) e anela pela **salvação** de Deus (socorro salvador). Os **olhos** "fracos" (82) se referem talvez a uma metáfora relacionada à busca no horizonte por sinais do livramento divino. **Como odre na fumaça** (83), enegrecido, enrugado e quase irreconhecível. Alguns vêem aqui um vestígio da prática de se colocar o odre na fumaça para apressar a suavização do vinho. Mas a interpretação mais provável é uma referência ao envelhecimento prematuro pelo qual o salmista está passando. Ele anseia pela vindicação rápida (84), porque **os soberbos** (85; arrogantes) haviam tentado armar ciladas contra ele para apanhá-lo como a um animal apanhado em uma **cova** camuflada. Perseguido **com mentiras** (86) e **quase** destruído (87), ele continua se agarrando às promessas de Deus. Ele ora: "Preserva a minha vida pelo teu amor. E obedecerei aos estatutos que decretaste" (88, NVI).

12. *Lâmede: A Inabalável Palavra de Deus* (119.89-96)
Embora as circunstâncias e o conhecimento dos homens mudem e sejam inconstantes, **a palavra** do Senhor permanece **no céu** para **sempre** (89). Ela está "para sempre [...] firmada no céu" (NVI), "estabelecida permanentemente" (Harrison). Mesmo a **terra** firme (90), como o Gibraltar e os Alpes, está sujeita à vontade determinada de Deus. **Porque todas as coisas te obedecem** (91), ou melhor: "pois tudo está a teu serviço" (NVI). Somente o prazer nos conselhos de Deus libertou o poeta de perecer em sua aflição (92) e gerou vida nova nele (93). **A toda perfeição vi limite, mas o teu mandamento é amplíssimo** (95) significa: "Tenho percebido que há um limite em tudo que é considerado perfeito pelo homem, mas não há limite para a grandeza da Lei de Javé".[44]

13. *Mem: Sabedoria por meio da Palavra* (119.97-104)
O valor da lei do Senhor em conceder sabedoria e entendimento ao obediente é o tema dessa estrofe. Ao meditar nos ensinos da Palavra de Deus, o salmista havia recebi-

do sabedoria maior que a dos seus **inimigos** (97-98). O versículo 98 reflete a importância da exposição contínua às Escrituras. A ARA o traduz assim: "Os teus mandamentos me fazem mais sábio [...] porque [...] eu os tenho sempre comigo". Existe **mais entendimento** das coisas espirituais por meio das Escrituras do que através da instrução dos **mestres** que obtêm seu conhecimento de outras fontes, quer sejam antigas, quer modernas (99-100). Talvez a palavra de cautela de João Wesley seja providencial aqui: "Então você atribui todo o seu conhecimento a Deus. Nesse sentido você é humilde. Mas se você acha que tem mais do que você realmente tem, ou se pensa que é ensinado por Deus de tal forma, que não precisa mais do ensinamento humano, o orgulho está diante da sua porta [...] Lembre-se sempre: muita graça não implica muita luz. Esses dois aspectos nem sempre andam juntos. Da maneira que é possível haver muita luz mas pouco amor, assim também pode haver muito amor mas pouca luz. O coração tem mais calor do que o olho; no entanto, ele não pode ver [...] Achar que ninguém pode ensiná-lo, exceto aqueles que foram salvos do pecado, é um engano muito grande e perigoso. Não dê lugar a esse engano um momento sequer. Isso levaria você a cometer outros mil enganos, de maneira irrecuperável [...] Reconheça o lugar desses enganos, e o seu próprio. Lembre-se sempre: muito amor não significa muita luz".[45]

Guardar a Palavra de Deus resulta em guardar seus **pés de todo caminho mau** (101), e o inverso também é verdadeiro: seguir caminhos maus impossibilitará você de guardar a Palavra de Deus. Tanto instrução (102) como prazer (103) estão na lei do Senhor (cf. 19.10; Pv 16.24). O amor pelos "preceitos" (ARA) do Senhor leva a aborrecer e evitar **todo falso caminho** (104). Moffatt traduz esse versículo assim: "Aprendo o bom senso das tuas ordens, aprendo a odiar os caminhos maus".

14. *Nun: a Luz da Vida* (119.105-112)

A **palavra** de Deus oferece luz para o **caminho**, passo a passo, ao longo desse caminho (105). Neste versículo, temos uma orientação específica — **lâmpada para os meus pés** — e uma orientação geral para todo curso da vida — **luz, para o meu caminho**. O salmista apresenta seu juramento de obediência (106), e no meio de muita aflição ora: **Vivifica-me** ("preserva [...] a minha vida", NVI) [...] **segundo** a tua promessa (107). A expressão: **As ofertas voluntárias da minha boca** (108) poderia significar: "o sacrifício de oração e louvor (Hb 13.15); promessas voluntárias de devoção à lei. Cap. 19.14".[46] **A minha alma está de contínuo nas minhas mãos** (109) seria como tomar a vida em nossas próprias mãos, isto é, colocá-la em perigo. Moffatt traduz assim: "Minha vida está sempre em perigo". O salmista continua cercado pelos seus inimigos, que colocam armadilhas para os seus pés como caçadores espalham ciladas para a sua caça (110). Contudo, o salmista faz dos **testemunhos** de Deus o seu tesouro, e se regozija neles (111). **Inclinei meu coração** (112) pode significar: "Resolvi" (NTLH). O autor se propõe a cumprir as exigências do caminho do Senhor, **até o fim**.

15. *Sâmeque: Caminho de Vida e Caminho de Morte* (119.113-120)

Aborreço a duplicidade (113) está mais claro em algumas versões mais recentes: "Odeio os que são inconstantes" (NVI), "Não suporto pessoas falsas" (NTLH), ou: "Detesto pessoas de fidelidade incerta" (Harrison). No Senhor, o poeta encontra segurança e proteção (114) dos ataques contínuos de **malfeitores** (115). Para ele, **esperança** (116) e segurança (117) só são encontrados no Senhor. Por outro lado: "Tu rejeitas todos que se desviam da tua vontade; seus planos enganosos são inúteis" (118, Moffatt). **Tu desprezas** significa literalmente: "rejeitas", "fazes fracassar" os ímpios. Eles são **como escória** (119), os resíduos imprestáveis do processo de depuração ("refugo", NVI; "lixo", NTLH). O **temor** de Deus (120) nos lembra que sempre há um lugar na mente do povo de Deus para a admiração reverente da Sua majestade e santidade. "O temor do Senhor é o princípio da sabedoria" (111.10; Pv 1.7).

16. *Ain: Tribulação e Testemunho* (119.121-128)

No meio da opressão e tribulação, o salmista testifica da sua lealdade à lei de Deus e ora por um suporte contínuo. Aqueles que se opõem ao salmista, fazem-no sem base (121). A ARA traduz: "Tenho praticado juízo e justiça". **Fica por fiador do teu servo para o bem** (122) pode ser melhor entendido como: "Garante o bem-estar do teu servo" (NVI), ou: "Dá ao teu servo uma segurança confortadora" (Harrison). Acerca de **meus olhos desfalecem** (123), cf. comentário do versículo 82. Confiante na misericórdia de Deus, o autor ora por contínua instrução e entendimento (124-125). Chegou o tempo de o Senhor vindicar sua justiça e castigar aqueles que **têm quebrantado** a sua **lei** (126) ao violar suas exigências. Para ele, a Palavra de Deus valia mais do que **ouro**. **Ouro fino** (127) é um ouro altamente refinado e, portanto, muito valioso — como diríamos: "ouro de vinte e quatro quilates", absolutamente puro (cf. 19.10). Em todas as coisas os **preceitos** de Deus são **retos**, e o amor pelo caminho reto leva a aborrecer **toda falsa vereda** (128).

17. *Pê: Liberdade à Luz da Lei* (119.129-136)

O poeta acha os testemunhos do Senhor **maravilhosos** ("admiráveis", ARA) e, **por isso**, resolve guardá-los. No versículo 130, **A exposição das tuas palavras** significa literalmente: "A revelação das tuas palavras" (ARA), isto é, a sua explicação ou esclarecimento. Na terminologia do AT, os **símplices** não são os tolos ou ignorantes, mas aqueles que são facilmente guiados, abertos para instrução, ensináveis. Eles ainda não se comprometeram nem com a justiça nem com a maldade. No versículo 131, o desejo pela Palavra de Deus é tão aguçado e urgente quanto o anseio angustiado por ar de quem está sem fôlego. "Segundo costumas fazer" (132, ARA) é a provisão costumeira de Deus **com os que amam o** seu **nome** (132). Isso encoraja o poeta a esperar o favor de Deus. **Ordena os meus passos** (133) significa: "Dirige o meu comportamento" (Harrison). Uma vida de acordo com o padrão de Deus será livre do domínio de qualquer tipo de **iniqüidade** (cf. Rm 6.14). Aqui temos no AT uma oração pela perfeição do NT. Também encontramos a libertação **da opressão do homem** e o favor contínuo de Deus aos que guardam os seus **estatutos** ("preceitos", ARA; 134-135). O versículo 136 é notável. Os salmistas se indignavam profundamente com aqueles que desprezavam a lei de Deus. Contudo, eles também podiam ser grandemente compassivos e chorar por causa dos pecados do povo (cf. Jr 9.1). O salmista expressa a sua dor: **Rios de água correm dos meus olhos, porque os homens não guardam a tua lei**.

18. *Tsadê: A Justiça Duradoura de Deus* (119.137-134)

"A justiça, pureza e verdade da lei de Deus eram responsáveis pelo profundo amor e reverência do salmista".[47] O Senhor é **justo**, reto e fiel em seus **juízos** (expressões da sua vontade) e **testemunhos** (137-138). O autor é consumido pelo **zelo** ("Meu entusiasmo me devora", Harrison) quando é confrontado com a desobediência dos seus **inimigos**. **A tua palavra é muito pura** (lit., refinada; 140). A NVI traduz: "A tua promessa foi plenamente comprovada". Cf. comentário do versículo 127. A ARA traduz o versículo 141 da seguinte forma: "Pequeno sou e desprezado; contudo, não me esqueço dos teus preceitos". A **justiça** de Deus é **eterna** (142,144), e o poeta encontra prazer nela apesar da **angústia** na qual ele se encontra (143). O "discernimento" (NVI) das coisas de Deus é a base da sua vida (144).

19. *Cofe: A Verdade Ajuda a Vencer a Dificuldade* (119.145-152)
Profundamente angustiado, o poeta promete obediência à Palavra de Deus, e clama por ajuda (145-146). **Antecipei-me à alva da manhã** (147) também pode ser traduzido como: "Antes do amanhecer me levanto" (NVI). Neste versículo e no 148 "antecipar" traz a idéia de "ir antes de". **Os meus olhos anteciparam-me às vigílias da noite** seria: "Meus olhos estão acordados antes das vigílias da noite" (RSV). Cedo de manhã e durante as horas da noite, oração e meditação ocupam a sua mente. O versículo 150 também é traduzido da seguinte maneira: "Os meus perseguidores aproximam-se com más intenções; mas estão distantes da lei" (NVI). Na proximidade de Deus (151) e na certeza da verdade eterna da sua Palavra, o autor encontra esperança (152).

20. *Rexe: Oração por Avivamento e Livramento* (119.153-160)
A petição: **vivifica-me**, repetida três vezes (154,156,159), domina esse clamor por livramento dos perseguidores. Outras versões também traduzem "preserva a minha vida" (NVI), "conserva-me vivo", "dá-me vida" (RSV). O salmista está aflito (153), em batalha (154) e está sendo perseguido pelos **inimigos** (157); no entanto, ele mantém firme a sua lealdade à lei do Senhor. **Segundo os teus juízos** (156) é: "de acordo com a tua sabedoria e escolha". Acerca do versículo 158, cf. comentário do versículo 136. A **palavra** de Deus **é a verdade desde o princípio** (160) e **para sempre**.

21. *Chin: Perseguido, mas em Paz* (119.161-168)
O salmista experimenta paradoxalmente a paz em meio à perseguição e todo o tumulto envolvido. **Príncipes** (161) "são provavelmente [...] nobres israelitas, que exerciam funções judiciais e administrativas".[48] **Como aquele que acha um grande despojo** (162) também pode ser entendido: "como alguém que encontra um grande tesouro" (NTLH; cf. Mt 13.44). **Sete vezes no dia** (164) seria uma forma de dizer: "constante e repetidamente". **Muita paz têm os que amam a tua lei** (165) é um versículo muito apreciado, de grande significado para o povo de Deus. **Para eles não há tropeço** é literalmente: "Para eles não há pedra de tropeço", ou: "Nenhum obstáculo os faz tropeçar" (Harrison). **Tenho esperado** (166) é: "Tenho procurado" (Berkeley). O versículo claramente reflete a dupla fórmula para uma vida piedosa: confie e obedeça. Como o poeta tem andado nos **testemunhos** e **preceitos** do Senhor, **todos os** seus **caminhos** são um livro aberto **diante** de Deus (167-168).

22. *Tau: Oração por Ajuda e Orientação* (119.169-176)
Em oração e súplica, o salmista conta com a **palavra** do Senhor (169-170). Seus **lábios** e sua **língua** serão colocados a serviço da Palavra (171-172). Ele escolheu os

preceitos de Deus (173), tem **desejado** a sua **salvação** e seu **prazer** está na **lei** divina (174). Vida e auxílio são buscados do alto (175). Parece estranho alguém que havia professado tal lealdade aos mandamentos de Deus se descrever como uma **ovelha perdida** (176), mesmo no momento em que afirma lembrar-se dos seus mandamentos. Kirkpatrick apresenta uma sugestão útil: "Parece, no entanto, estar mais em conformidade com o espírito geral do salmo supor que o salmista está descrevendo sua circunstância exterior em vez do seu estado espiritual, o desamparo da sua condição em vez dos seus fracassos morais. Ele é alguém errante no deserto do mundo; como uma ovelha que foi separada do rebanho, ele está exposto a constantes perigos, e, portanto, suplica para que Deus não o deixe vaguear sozinho, mas que, de acordo com a sua promessa (Ez 34.11ss.), busque o salmista, porque no meio de todos esses perigos ele não se esquece da lei de Deus."[49]

SALMO 120: O LAMENTO DE UM EXILADO, 120.1-7

O Salmo 120 é o primeiro de quinze cânticos que traz no título o termo hebraico *Shir ha-maaloth*, literalmente: "Cântico dos degraus" (ARC) ou "Cântico de romagem" (ARA). *Maaloth* é um termo usado em 1 Reis 10.19-20 em relação aos degraus que levavam ao trono de Salomão. Existe pouca concordância quanto ao significado do título. Tem-se conjeturado com base em uma declaração no *Mishnah* judaico de que a referência tem que ver com uma liturgia ligada aos quinze degraus entre os dois átrios do Templo.[50] Essa é a base para a tradução da KJV e ARA: "Cântico dos degraus". *Maaloth* é mais comumente entendido como "a subida" do cativeiro babilônico ou, na verdade, qualquer "subida" para Jerusalém na peregrinação anual. Assim, Moffatt traduz a expressão: "Um Cântico de Peregrinação"; A RSV e a *versão* Berkeley trazem: "Cântico da Subida".

O título comum identifica os cânticos como uma coleção dentro de uma coleção mais ampla. M'Caw o chama de um tipo de "Saltério em miniatura" dividido em cinco grupos de três salmos cada.[51] Duhm escreve: "Esses cânticos de peregrinos são como uma das coleções mais valiosas de todos os pequenos livretes dos quais o Saltério foi composto [...] Esses Salmos formam um verdadeiro Livro de Cânticos do Povo escritos na linguagem do povo e revelando seus sentimentos e sensibilidades. Esse livro nos mostra a religião deles e também a vida civil, nos revela a vida familiar e o trabalho diário — o tipo de coisas que o próprio povo conta de uma maneira natural e simples. Somente dois ou três desses salmos são cânticos de peregrinos no sentido estrito do termo, mas é possível que todos eles tenham sido cantados nas peregrinações".[52]

Barnes vê uma unidade de tema dentro de cada um dos cinco grupos que ele chama de trilogias.[53] A primeira trilogia, Salmos 120—122, descreve a "subida" do salmista do exílio em um ambiente hostil, até uma visão de Jerusalém e a alegria da presença na casa do Senhor. No Salmo 120, o salmista expressa o anseio desassossegado de alguém vivendo em uma comunidade pouco amável.

1. Oração por Livramento (120.1-2)

O versículo 1 é geralmente traduzido (veja ARC) como uma expressão de uma oração previamente atendida. A ajuda de Deus no passado encoraja a oração e a fé em relação ao futuro. A ARA, no entanto, traduz todo o salmo na forma de um lamento: "Na minha angústia, clamo ao Senhor, e ele me ouve". Em ambos os casos, a pressão daquele momento surge de **lábios mentirosos e da língua enganadora** (2), a difamação e o engano daqueles com quem ele convive. É difícil encontrar uma angústia maior do que quando se é falsamente acusado e quando não se pode contar com a autenticidade e honra daqueles com quem se vive.

2. *Advertência de Retribuição* (120.3-4)

O autor se dirige aos seus inimigos e pergunta: "O que ele lhe dará? Como lhe retribuirá, ó língua enganadora?" (NVI). A resposta é: **Flechas agudas do valente, com brasas de zimbro** (4). O **zimbro** (*Retama roetam*) é "um arbusto ou árvore espinhosa muito popular no Oriente Próximo, usada para fazer fogo porque garante um fogo demorado".[54] Embora o poeta possa ter tido em mente flechas e fogo de verdade, é bem possível que tenha considerado as flechas e as brasas como representando as línguas e as mentiras, que estavam sendo dirigidas contra ele, voltando-se assim, em vingança, contra aqueles que o haviam difamado. Os que mentiram a respeito dele, sofrerão mentiras de outros. Aqueles que caluniaram serão caluniados (cf. Mt 7.1-2; Gl 6.7).

3. *Ansiando por Paz* (120.5-7)

Ansiando pelo ambiente pacífico da Cidade Santa, o salmista vê com pesar a necessidade de morar em **Meseque [...] nas tendas de Quedar** (5). **Meseque** pode ter sido um território bem a leste, mencionado em Gênesis 10.2 e Ezequiel 32.26-27,[55] ou uma tribo de árabes na Síria.[56] **Quedar** era um dos descendentes de Ismael, por isso, o nome de uma tribo árabe (cf. Gn 25.13; 1 Cr 1.29). Apesar de ser um homem pacífico, o salmista é forçado a viver entre pessoas briguentas e guerreiras (6-7).

Salmo 121: O Salmo do Viajante, 121.1-8

Este salmo tão apreciado é comumente conhecido como o salmo do viajante. Ele descreve a jornada em direção à cidade amada. O poema transborda da atmosfera de confiança profunda e constante na fidelidade do Senhor. Perowne comenta: "Este belo salmo é a expressão confiante de um coração que se regozija na sua própria segurança sob o olho vigilante daquele que é o Criador dos céus e da terra e o Guardador de Israel [...] O pensamento recorrente, a palavra característica do Salmo, é *guardar*. Ela é repetida seis vezes nos últimos cinco versículos deste breve poema [...] O uso da mesma palavra no original é evidentemente designado para ressaltar, por meio da repetição da verdade, o cuidado amoroso de Deus pelo indivíduo, e, dessa forma, banir toda sombra de dúvida, medo e ansiedade a esse respeito".[57]

Algumas versões traduzem a palavra "guardar" por "preservar" ou "proteger". Mas, é importante ressaltar que o original hebraico usa a mesma palavra.

1. *O Senhor Socorrerá* (121.1-4)

Os versículos 1-2 se tornam mais significativos quando a segunda cláusula do versículo 1 é traduzida por uma pergunta: **de onde me virá o socorro?** Morgan escreve: "Debaixo da proteção de Javé, embora longe do centro da adoração exterior, o peregrino percebe a sua segurança. Ele eleva seus olhos anelantes em direção às montanhas de Sião, onde fica a casa do seu Deus, e pergunta: 'De onde me virá o socorro?' O seu socorro não vem daquelas montanhas, embora sejam preciosas, mas de Javé, que está com ele mesmo à distância".[58]

Não deixará vacilar o teu pé (3) é melhor traduzido como: "Ele não permitirá que seu pé escorregue" (Berkeley). Isso não deve gerar uma segurança falsa, mas encorajar a confiança inabalável na fidelidade de Deus. Nenhum passo errado inadvertido ou uma tentação irresistível pode destruir a alma confiante e obediente (cf. 1 Co 10.13). O Senhor, que guarda seu povo, nunca é pego desprevenido (3-4).

2. O Senhor Guardará (121.5-8)

A presença de Deus é proteção e refúgio para o seu povo contra quaisquer forças naturais que possam ameaçá-lo — **o sol** [...] **de dia** e **a lua, de noite** (5-6). O perigo de insolação no deserto é bem conhecido. Não é necessário supor que o salmista está se referindo à suspeita de que a exposição à lua cause demência, como o termo sugere (*luna*, "lua"). O pensamento simplesmente é que de dia e de noite Deus estaria guardando e guiando. Deus não falha. Ele é "aquele que é poderoso para vos guardar de tropeçar e apresentar-vos irrepreensíveis, com alegria, perante a sua glória" (Jd 24; cf. Rm 8.31-39). O outro lado da "perseverança" é a "proteção". **O SENHOR guardará a tua entrada e a tua saída** (8; ou: "O Senhor protegerá sua saída e a sua chegada", NVI) é "uma frase simbolizando toda a vida e ocupação de um homem [...] A tripla expressão: 'O Senhor *te* guardará [...] *tua alma* [...] *tua entrada* e *tua saída*' marca a completitude da proteção e é estendida a tudo o que o homem é e faz".[59] Essa completitude é expressa por Paulo: "E o mesmo Deus de paz vos santifique em tudo; e todo o vosso espírito, e alma, e corpo sejam plenamente conservados irrepreensíveis para a vinda de nosso Senhor Jesus Cristo" (1 Ts 5.23).

Salmo 122: "Jerusalém Dourada", 122.1-9

Este salmo completa a primeira trilogia dos "cânticos dos degraus", ou "da subida". Seu tema é a vida "dourada" de Jerusalém, o orgulho e alegria do salmista e o alvo das suas aspirações. Ele deixou a sua habitação estrangeira e teve sucesso na sua jornada. Agora ele se regozija no alvo atingido. Frank Ballard escreve: "De todos os salmos peregrinos este é o que nos deixa mais conscientes das visitas a Jerusalém que ocorriam em ocasiões especiais por judeus piedosos e patrióticos. É fácil imaginar os preparativos que eram feitos em antecipação, os perigos e prazeres da jornada, a emoção que era sentida à medida que procissões crescentes se aproximavam da Cidade Santa e do Templo, e, então, após o término das festas, o retorno para casa e o reinício das obrigações diárias".[60]

1. A Alegria do Peregrino (122.1-2)

Existem poucas expressões mais eloqüentes acerca do amor profundo pela adoração ao Senhor do que a sentença de abertura desse salmo: **Alegrei-me quando me disseram: Vamos à Casa do SENHOR** (1). O verbo hebraico no versículo 2 deveria ser "pararam [os nossos pés]" (ARA; ARC: "Os nossos pés estão..."), como aparece nas versões mais recentes. Os tradutores da KJV entenderam que o versículo 2 fazia parte da declaração dos peregrinos, e, por isso, colocaram o verbo no futuro. Mas, o sentido gramaticalmente correto é que a viagem foi feita, o alvo foi alcançado, e a alegria da expectativa se transformou na alegria da realização.

2. A Avaliação do Peregrino acerca de Jerusalém (122.3-5)

Tendo alcançado a cidade dos seus sonhos, o peregrino a encontra ainda melhor do que havia imaginado. Ele a descreve em termos entusiásticos: **Jerusalém está edificada**, ou: "reedificada", como a palavra hebraica pode ser traduzida. Ela é a **cidade bem sólida** (3), isto é, "uma cidade sólida e compacta" (Moffatt), ou: "firmemente estabelecida" (NVI). Aqui encontramos a reunião das **tribos do Senhor** (4), o povo de Israel, que **sobem [...] como testemunho de Israel**; isto é, em obediência à lei do Senhor. O propósito da ida deles está claro na expressão: **para darem graças ao nome do Senhor**. No versículo 5, a expressão: **tronos do juízo, os tronos da casa de Davi** refere-se a Jerusalém como a base de justiça e da administração de justiça, bem como o centro de adoração. A administração de **Davi** e de seus descendentes é vista como um tempo em que prevalecia a justiça. A implicação é que na história de Israel o salmo pertence a um período posterior ao tempo de Davi, embora o título do salmo o atribua a Davi.

3. A Oração do Peregrino (122.6-9)

Todas as coisas sagradas associadas a Jerusalém fazem da cidade um motivo apropriado de oração. Todos os leitores do poeta são incentivados a orar **pela paz de Jerusalém** (6). O termo **paz** (*shalom*) significa: "paz, prosperidade, perfeição, saúde". O bem-estar da cidade sagrada é da mais alta importância para o salmista. **Prosperarão** também pode ser uma petição: "Que eles prosperem", visto que a forma gramatical pode significar as duas coisas. Dirigindo-se à cidade no versículo 7 como no versículo 2, o autor ora: "Reine paz dentro de teus muros e prosperidade nos teus palácios" (ARA). A oração inclui o reconhecimento das necessidades dos **irmãos e amigos** (8) e refere-se ao fato de que Jerusalém é o lugar **da Casa do Senhor** (9). O prazer mais comovente da adoração e o amor mais ardente pelas coisas de Deus exalam por todo o salmo.

Salmo 123: Lamento debaixo do Açoite de Desprezo, 123.1-4

Este é o primeiro salmo da segunda trilogia, três salmos que Barnes intitula: "A Maré Crescente da Fé".[61] Seu tom e cenário psicológicos evocam paralelos com o primeiro salmo da primeira trilogia (cf. Int. do Salmo 120). É um clamor no meio de profundo escárnio e depressão. A subida geográfica da primeira trilogia se equipara com a subida espiritual da segunda.

1. Olhos Levantados (123.1-2)

O salmista olha com "Os Olhos da Esperança"[62] ao seu Deus **nos céus** (1), **como os olhos dos servos** (2) **atentam para as mãos do seu senhor** ou mestre, buscando entender o significado de cada gesto. Perowne comenta: "Como *os olhos dos escravos*, observando ansiosamente o menor movimento, o menor sinal da vontade do seu senhor. A imagem expressa completa e absoluta dependência [...] o olho que aguarda, espera, é paciente, olhando somente para Ele e para nenhuma outra ajuda".[63]

2. Um Grito por Misericórdia (123.3-4)

Estamos assaz fartos de desprezo (3) não significa que o salmista despreza os outros. A provação da qual busca libertação é o **desprezo dos soberbos** (4), o desdém e escárnio amargo aos quais o povo de Deus às vezes está sujeito. Para almas sensíveis o escárnio é tão difícil quanto a perseguição física. Os estudiosos têm freqüentemente observado que não existe nenhum espírito de retaliação aqui, nenhuma oração para que os escarnecedores sejam castigados. "O salmo testemunha o que tinha de melhor na religião judaica".[64] **Assaz fartos de** (3) poderia ser: "inundados de" (Harrison), ou: "cansados de" (NVI). "A nossa alma está saturada do escárnio [...] e do desprezo dos soberbos" (ARA; 4). No entanto, a fé capacita o poeta a suportar sem descer ao nível daqueles cuja zombaria e desprezo ele sentia tão agudamente. Oesterley comenta: "A religião desempenha um importante *papel* aqui em preservar o espírito dos homens de cair em atitudes servis em relação àqueles que apresentam vantagem presente sobre eles. Podemos nos humilhar diante de Deus sem perder o auto-respeito; mas não podemos fazê-lo diante do poder e do orgulho humano".[65]

SALMO 124: LIBERTAÇÃO DO DESESPERO, 124.1-8

A alma do salmista começa a se erguer das profundezas descritas no Salmo 124. Como no Salmo 121, o segundo salmo da primeira trilogia (cf. Int. do Salmo 120), o poema atual encontra no Senhor a única Fonte de auxílio na hora difícil.

1. O Senhor Está do nosso Lado (124.1-5)

O desastre teria esmagado o povo **se não fora o SENHOR, que esteve ao nosso lado** (1-2). Sem Deus do lado deles **quando os homens se levantaram contra** eles, os homens de Israel teriam sido engolidos **vivos** (3), como um monstro engoliria sua vítima indefesa ou como a terra engoliu os que se rebelaram contra Moisés (Nm 16.31-34). Sem Deus eles teriam sido levados pelas **águas** da enchente (4-5). **Águas altivas** é melhor traduzido como: "águas violentas" (NVI). Esses versículos recordam as linhas do famoso hino de Lutero:

> *Castelo forte é nosso Deus,*
> *Espada e bom escudo;*
> *Com seu poder defende os seus*
> *Em todo o transe agudo.*

2. O Caminho do Escape (124.6-8)

A segurança do povo de Deus é decorrente da misericórdia do Senhor. **Por presa aos seus dentes** (6) pode ser traduzido como: "uma presa a ser devorada por eles" (Harrison), como um animal selvagem devora sua rapina indefesa. **Como um pássaro no laço dos passarinheiros** (armadilhas para caçar pássaros; 7) é uma figura fascinante referente à libertação dos fracos das mãos dos poderosos ou astutos (91.3; Pv 6.5). As aves eram mais comumente apanhadas em redes ou armadilhas. Harrison traduz o versículo 8 da seguinte maneira: "Somos socorridos pelo poder do Senhor, que fez o céu e a terra".

SALMO 125: A SEGURANÇA DE UM CORAÇÃO CONFIANTE, 125.1-5

O último salmo da segunda trilogia (cf. Int. dos salmos 120 e 123) traz o salmista novamente às alturas da segurança e confiança no monte Sião e em Jerusalém como tipificando o refúgio da sua alma. O perigo não desapareceu (cf. vv. 3,5), mas a serenidade voltou ao coração confiante. Não sem motivo, alguns comentaristas vêem nesse e no salmo precedente as circunstâncias dos dias de Neemias (cf. Ne 6).[66] De modo merecido, esse salmo é um dos favoritos de muitos cristãos.

1. Os Montes em Volta de Jerusalém (125.1-3)

A confiança **no SENHOR** (1) torna a alma tão inabalável como o **monte Sião,** o símbolo de estabilidade e força para o povo do AT. **Os montes à roda de Jerusalém** (2): Jerusalém não está rodeada por cumes de montanhas, mas situada no meio de uma região montanhosa. A NVI traduz o versículo 2 da seguinte forma: "Como os montes cercam Jerusalém, assim o Senhor protege o seu povo, desde agora e para sempre". Visto que isso é verdade, **o cetro da impiedade não permanecerá sobre a sorte dos justos** (3), isto é, os ímpios não terão permissão para reinar sobre aquilo que pertence aos justos. A preocupação do salmista é o perigo de os justos estenderem suas **mãos à iniqüidade.** "Uma opressão prolongada pode induzir os israelitas ao desespero a ponto de negarem sua lealdade a Javé e sua obrigação com o seu país, e se aliarem aos inimigos da sua religião e nação".[67]

2. Os Caminhos Opostos (125.4-5)

O salmista implora ao Senhor para que faça o **bem** aos **bons** (4) **e aos que são retos de coração.** Em contrapartida, aqueles **que se desviam para os seus caminhos tortuosos** (5) — "aqueles que são atraídos por iniciativas desonestas" (Harrison) — serão julgados. Mas haverá **paz** sobre **Israel.**

SALMO 126: O CÂNTICO DE UM CORAÇÃO TRANSBORDANTE, 126.1-6

Este é o primeiro salmo da terceira trilogia (cf. Int. do Salmo 120), um grupo que Barnes intitula: "Retorno e Restauração". Ele entende que esses salmos tratam de três assuntos: o retorno do cativeiro babilônico (126), a reconstrução (127) e o repovoamento (128) de Jerusalém.[68] A reversão da sorte de Israel após setenta anos no exílio inundava o coração do povo com grande alegria. Essa alegria é o tema do poema presente.

1. A Maravilha da Volta (126.1-3)

Foi o Senhor "que tornou o cativeiro de Sião" (1, ARC, nota de rodapé), ou: "trouxe os cativos de volta a Sião" (NVI), ou: "Quando o Senhor restaurou a sorte de Sião" (ARA). O retorno dos judeus da Babilônia ocorreu depois do decreto assinado por Ciro (cf. Ed 1.1-3), revertendo as condições desumanas que Nabucodonosor havia criado na ida do povo para o exílio (2 Cr 36.6-21). Mas os autores inspirados nunca deram crédito ou culparam Ciro ou Nabucodonosor diretamente. Eles consideravam que a história do seu povo estava sendo moldada debaixo da mão de Deus enquanto castigava seus pecados e cumpria os propósitos dele. Para eles, como deveria ocorrer conosco com mais freqüência, a história deles era a "história de Deus". As notícias do retorno eram tão maravilhosas que aqueles que as ouviam estavam **como os que sonham** — tendo dificuldade em acreditar que isso fosse verdade, por causa da alegria que sentiam. Um **riso** jovial e **cânticos** alegres (2) foram sua reação natural. Moffatt interpreta a última parte do versículo 2: "As próprias nações diziam: 'O Eterno tem feito grandes coisas por eles'" — um tópico que o povo ecoa alegremente no versículo 3.

2. O Desejo por Avivamento (126.4-6)

O prodígio que Deus já havia realizado instigou o desejo de que Ele continuasse a operar em favor deles. Tradutores mais recentes interpretam, de forma apropriada, a primeira parte do versículo 4: "Restaura, Senhor, a nossa sorte" (ARA), embora outros, como Moffatt, se atenham ao contexto, traduzindo o versículo inteiro da seguinte maneira: "Traze agora de volta o restante dos nossos cativos, para nos encher completamente, assim como enches os ribeiros nos lugares secos do sul". Aqueles que haviam retornado eram comparados a um fio d'água que podia ser encontrado nos córregos no Neguebe (a região desértica do sul da Palestina). A oração é por todos os exilados, para que o seu retorno seja semelhante às inundações da temporada de chuvas.

Existe um significado universal na promessa: **Os que semeiam em lágrimas segarão com alegria** (5). O "semear" ou a "época de plantio" em qualquer empreendimento é um tempo de labuta e ansiedade, mas a colheita abundante compensa todo o esforço despendido anteriormente. Os cristãos sempre lerão o versículo 6 tendo em mente a parábola do semeador (Mt 13.1-15; Mc 4.1-12; Lc 8.4-10). "A semente é a palavra"; e, embora o semeador saiba que uma parte vai cair no caminho, entre os espinhos ou sobre a pedra, ele também sabe que uma parte cairá em terra boa e produzirá fruto de salvação, a cem, sessenta e trinta por um.

SALMO 127: UMA HABITAÇÃO SEGURA, 127.1-5

A relação desse salmo com Salomão em seu título ou no sobrescrito, e sua preocupação com os assuntos da vida prática diária, identifica-o como um salmo sapiencial. Quanto à sua relação com os salmos 126 e 128, cf. a introdução do Salmo 126. O assunto do salmo é reconhecidamente diferente de um típico salmo de peregrino. Barnes explica essa diferença com base na preocupação do salmo com o estabelecimento do povo em Jerusalém depois do seu retorno do exílio, reconstruindo suas casas e restabelecendo suas vidas.[69] Taylor acredita que esse salmo se refira mais diretamente à literatura sapiencial: "Os escritores sapienciais se preocupam em ensinar alguns dos princípios e a prática da observância de aspectos que trarão maiores dividendos de felicidade para esta vida. Seu ponto de vista é secular em vez de sacerdotal. Eles se dirigiam mais para os leigos do que para os cultos. Nosso salmo, nesse sentido, não é nenhuma exceção [...] A presença do salmo na coletânea peregrina provavelmente ocorre por causa do toque humano e do frescor e beleza da expressão literária que esse salmo tem em comum com outros do seu grupo".[70]

1. Deus, nossa Única Segurança (127.1-2)
Os esforços são totalmente em vão no que diz respeito à segurança quando fora da vontade e da ação de Deus. Quer seja a **casa** ou a **cidade**, a obra do construtor e a vigilância da sentinela são inúteis sem a providência do SENHOR (1). Os longos dias de labuta e cuidado ansioso não têm valor algum sem a provisão divina. **Como o pão de dores** (2) pode ser entendido como: "trabalhando arduamente por alimento" (NVI). A maioria dos comentaristas entende a expressão **assim dá ele aos seus amados o sono** como significando que Deus dá aos seus amados as necessidades da vida enquanto estão dormindo. No entanto, é possível que o salmista veja o sono como uma evidência da atitude confiante que afasta a ansiedade. O pensamento é o mesmo expressado por Jesus em Mateus 6.25-34. O servo do Senhor precisa continuar realizando com diligência as suas tarefas. Mas o seu trabalho não ocorre de maneira inquietante e ansiosa. Ele pode deitar-se à noite e ter um sono tranqüilo na certeza de que Deus vai suprir as suas necessidades com o melhor que ele é capaz de produzir.

2. As Bênçãos da Vida Familiar (127.3-5)
Os filhos são herança do SENHOR (3) tem sido traduzido como: "Os filhos são uma dádiva do Eterno, e as crianças são uma bênção dele" (Moffatt). **Os filhos da mocidade** são particularmente valiosos (4), filhos nascidos enquanto o pai ainda é relativamente jovem. Eles serão a sua força quando estiver velho, **como flechas na mão do valente**, uma defesa contra os seus inimigos. Alguns interpretam **falarem com os seus inimigos à porta** (5) como indicando uma defesa contra acusações falsas no tribunal, visto que a porta da cidade era o lugar onde os anciãos se reuniam para julgar as disputas. A NVI traduz essa expressão da seguinte maneira: "Não será humilhado quando enfrentar seus inimigos no tribunal". Outros interpretam essa expressão como a necessidade de defender a cidade contra inimigos que estão atacando, visto que os ataques normalmente ocorriam diante da porta de entrada da cidade. "Ele não precisa temer em enfrentar um bando hostil" (Moffatt). Independentemente da situação, os filhos numerosos de um homem eram considerados sua força e segurança, uma fonte de satisfação e alegria.

SALMO 128: A BÊNÇÃO DAQUELES QUE TEMEM A DEUS, 128.1-6

Este é o último salmo da terceira trilogia de cânticos "dos degraus" ou cânticos do peregrino (cf. Int. dos Salmos 120 e 126). Ele dá continuidade ao pensamento da última parte do salmo 127 e descreve as bênçãos daquele que teme ao Senhor. Seus muitos filhos aumentarão a população e, dessa forma, a prosperidade de Jerusalém.

1. Abençoado com um Lar Feliz (128.1-3)
O temor **ao SENHOR** é a descrição característica da religião do AT. A atitude do verdadeiro seguidor de Deus era uma atitude de respeito reverente que o levou a trilhar os **caminhos** descritos na lei (1). Comer **do trabalho das tuas mãos** (2) significava des-

frutar de uma vida pacífica, sem a presença de saqueadores levando a colheita ou sem a seca ou a praga causando fome. A **mulher** será **como a videira frutífera** (3), com inúmeros **filhos**. Taylor comenta acerca do versículo 3: "Enquanto seu marido olha para os seus filhos reunidos em torno da sua mesa, ele se lembra das inúmeras mudas que aparecem debaixo de uma oliveira lavrada".[71]

2. *Abençoado com uma Vida Longa* (128.4-6)
As bênçãos prometidas aos tementes a Deus são reiteradas. **O bem de Jerusalém** (5) pode ser entendido como "a prosperidade de Jerusalém" (ARA, NVI). O homem devoto a Deus viverá para ver seus netos e a bênção da **paz** sobre o seu povo (6). A vida longa era uma das bênçãos mais desejadas pelo povo do AT, em tempos quando a morte prematura era comum (cf. 91.8). Sem os avanços da ciência médica, a morte normalmente ocorria quando o organismo físico se esgotava. A tragédia do mundo atual não é apenas a de morrer cedo demais mas também a de viver tempo demais. É difícil avaliar o valor em prolongar a vida além da sua extensão normal.

Salmo 129: Preservação e Oração, 129.1-8

Este é o primeiro salmo de uma trilogia que Barnes chama "A quarta trilogia" dos cânticos do peregrino e que ele descreve como a "trilogia da esperança e da espera".[72] O salmo se expressa na primeira pessoa, mas o poeta representa sua nação e descreve a longa história de oposição e opressão à qual foi sujeita.

1. *As Tristezas do Passado de Israel* (129.1-4)
Israel foi angustiado **muitas vezes** (1) ou "grandemente". A história de Israel tinha sido turbulenta desde a **mocidade** (desde o princípio), no entanto, os inimigos do povo de Deus nunca haviam prevalecido contra eles. **Araram sobre as minhas costas** (3), talvez como as pontas afiadas do chicote penetravam nas costas dos escravos. Porém, esse Deus justo havia preservado seu povo, e cortado **as cordas** (escravidão, opressão) **dos ímpios** (4), quebrando os grilhões que mantinham Israel na escravidão. A sobrevivência de Israel, não apenas nos tempos bíblicos, mas ao longo dos séculos, é um milagre da história.

2. *Uma Oração por Vindicação* (129.5-8)
A oração do salmista é para que os que **aborrecem a Sião** (5), como representantes da nação, **sejam confundidos e tornem atrás** ("desgraçados e dispersos", Harrison). Que eles **sejam como a erva no telhado** (6) florescendo na terra rasa que se ajuntava no telhado plano das casas orientais, para morrer logo em seguida com o calor do sol. Os dois últimos versículos ampliam o triste fim das ervas do telhado. Eles nunca terão utilidade alguma para o ceifeiro (7). Visto que não oferecem nenhuma promessa de alimento, eles não serão abençoados por aqueles que passam ali (8). Em um estilo "sapiencial" típico, os tementes a Deus serão abençoados e os ímpios perecerão. Isso não é apenas um desejo, mas uma predição. Não pode ser de outra forma, pelo menos a longo prazo, no universo governado por um Deus santo e justo.

Salmo 130: Penitência e Perdão, 130.1-8

Este salmo é um dos sete salmos de penitência (cf. Int.) e expressa um sentido de pecado e penitência tão profundo e sincero como em nenhum outro lugar no AT. A segurança do perdão está ligada ao clamor "das profundezas". Morgan diz: "A nota mais profunda de toda verdadeira adoração é esse sentimento de 'redenção abundante' e a perfeição do amor de Javé manifestado dessa forma. Tomar nota de todas as iniqüidades nos encheria de desespero. Ser redimido de todas as iniqüidades deve nos inspirar e encher de esperança".[73] O salmo foi chamado *De Profundis* nas suas palavras introdutórias na Vulgata: "Das profundezas".

1. *O Clamor por Penitência* (130.1-4)

O poeta emite um profundo clamor por penitência no qual ele expressa não somente sua percepção pessoal de pecado, mas seu lamento pelos pecados do seu povo. Kirkpatrick ressalta que o salmo "pode ser entendido mais claramente como a oração de um representante devoto israelita, como Neemias", e que existem semelhanças entre o salmo e a oração deste servo em Neemias 1.4-11.[74] **Das profundezas** (1) é uma figura de águas profundas que tantas vezes descreve a angústia e o perigo da alma. Nas profundezas somente podemos olhar para cima.

Se o **Senhor** anotasse todas as nossas **iniqüidades** sem apagá-las com seu perdão e misericórdia, quem seria capaz de subsistir? (3). Mas Deus é um Deus perdoador, a quem devemos servir com respeito (4). Nesses versículos não encontramos a idéia da religião como perdão perpétuo para o pecado perpétuo. O perdão de Deus requer dos que o recebem que sirvam e reverenciem a Deus. "O temor do Senhor" é o início dessa sabedoria que se afasta da insensatez e do pecado e se dedica à jornada obediente em seus caminhos.

2. *A Esperança de Perdão* (130.5-8)

O perdão prometido é agora reivindicado. O poeta expressa sua determinação de esperar no **Senhor** (5), colocar sua confiança em Deus e entregar a sua causa à misericórdia do Senhor. A base dessa confiança é a própria **palavra** da promessa. Mas essa espera não é passiva. É uma espera ansiosa como a da sentinela que procura no céu a primeira luz da alvorada. A tradução de Harrison sugere uma grande confiança do poeta: "Espero pelo Senhor mais do que as sentinelas pelo alvorecer; mais do que os vigias que esperam pelo nascer do sol" (6). Ele conclama todos a unir-se a ele na sua esperança, porque nele há **abundante redenção** (7; "abundância de poder salvador", Moffatt). **Ele remirá** (8), ou: "Ele mesmo remirá". "A ênfase está no pronome: Ele, Javé, proverá o resgate".[75] Aqui, como em Mateus 1.21, a redenção é de *todas* as iniqüidades. A construção hebraica é literalmente: "É Ele que remirá Israel de todas as suas iniqüidades".

Salmo 131: A Confissão da Confiança Pura, 131.1-3

Esta pequena pedra preciosa é um tanto singular no Saltério. Oesterley comenta: "O autor, ao repudiar o espírito do conhecimento presunçoso, sugere que em certa época essa tinha sido sua atitude; mas agora ele havia mudado e aquietado a turbulência impaciente dos seus pensamentos. Com doce humildade ele compara seu descanso confiante no Senhor ao de uma pequena criança deitada, feliz e contente, no colo da mãe. Semelhantemente a outros salmistas, o que o poeta ganhou, ele deseja que os outros desfrutem, e seu anseio é que eles experimentem a calma que ele tem. Dessa forma, ele termina com uma exortação ao seu povo para que "espere por *Yahweh* doravante e para sempre".[76]

1. A Renúncia do Orgulho (131.1)

Um dos pecados humanos mais sutis e penetrantes é o do orgulho. O salmista renuncia a um **coração** que é orgulhoso e olhos que são arrogantes (1). Ele não se preocupará com **grandes assuntos** ou com **coisas muito elevadas para** ele. Isso pode ser entendido de maneira prática como: "Não tenho almejado uma posição mais elevada, envolvendo obrigações e responsabilidades pesadas demais para mim";[77] ou de uma maneira teórica, procurando resolver os problemas e mistérios da teologia em áreas em que Deus não revelou as respostas. O Senhor não escolheu responder todas as nossas perguntas, e há momentos quando precisamos nos curvar diante do silêncio das Escrituras e não especular onde não temos conhecimento.

2. A Fé Serena de uma Criança (131.2-3)

As interpretações sobre estes versículos diferem. A maioria dos comentaristas segue a tradução da ARC, e aplicam o texto a uma criança recém-desmamada que, depois da luta para ser desmamada, descansa nos braços da mãe. Taylor, no entanto, afirma com boa razão: "A tradução **desmamada** é decorrente de uma compreensão incorreta do contexto. A palavra pode significar literalmente 'acabada' ou 'completada' e pode inferir tanto desmamada como 'alimentada'. Mas uma criança desmamada não é, *ipso facto*, uma criança tranqüila. A figura descreve uma criança que depois de ser amamentada está satisfeita".[78] Portanto, a NVI aqui traduz: "De fato, acalmei e tranqüilizei a minha alma. Sou como uma criança recém-amamentada por sua mãe; a minha alma é como essa criança". Em ambos os casos, claro, o quadro é o da confiança sossegada e da serenidade confiante. Todo **Israel** é convocado a esperar **no Senhor, desde agora e para sempre** (3) com fé serena semelhante a essa.

Salmo 132: A Oração pela Casa de Deus, 132.1-18

Este é o mais longo "cântico dos degraus" ou salmo do peregrino, e o primeiro da quinta e última trilogia (cf. Int. do Salmo 120). Barnes identifica o assunto dos últimos três cânticos do peregrino como a bênção do Senhor que irradia do Templo.[79] Uma parte do salmo é citada na oração de dedicação do Templo por Salomão (cf. vv. 8-9 e 2 Cr 6.41-42). O versículo 11 é citado em Atos 2.30 referindo-se ao reinado de Cristo no trono de Davi. Oesterley comenta acerca do significado do salmo em seu contexto histórico: "Ele testemunha acerca do instinto religioso inato do Israel antigo em cada esfera [...] o princípio da união que deveria existir entre religião e Estado. O propósito básico do salmo é glorificar o Santuário junto com a realeza, os quais estão inseparavelmente unidos".[80]

1. Determinação de Construir a Casa (132.1-7)

O salmista lembra do profundo desejo de **Davi** em fazer os preparativos para a construção da arca do Senhor (1 Cr 28.2-6). **Todas as suas aflições** (1) refere-se à luta pelo reinado contra a inveja e a perseguição constante do rei Saul, e para estabelecer Jerusalém como um lugar onde a arca pudesse ser abrigada e o Templo pudesse ser construído. **Ao Poderoso de Jacó** (2) é uma frase tirada de Gênesis 49.24 e usada somente mais uma vez no versículo 5.

A preocupação de Davi com o santuário do Senhor foi mostrada em dois estágios: ao trazer a Arca da Aliança da casa de Abinadabe para o Tabernáculo especialmente preparado em Jerusalém (2 Sm 6.1-19); e no seu propósito de construir um Templo permanente para a arca (2 Sm 7.1-29), propósito esse que ele não teve permissão para realizar. O voto descrito nos versículos 3-5 estaria provavelmente ligado à mudança da arca para Sião, visto que esse propósito parece ter sido concretizado.

O povo se une ao rei em sua preocupação com o símbolo da presença de Deus: **Ouvimos falar da arca em Efrata e a achamos no campo do bosque** (6). Este versículo tem desconcertado os comentaristas. **Efrata** geralmente é uma referência à cidade de Belém (veja mapa 3). Aqui parece que ela foi usada como um nome para designar o distrito inteiro onde Quiriate-Jearim estava localizada ("a cidade de florestas"), perto da qual a arca havia permanecido por muitos anos (cf. 1 Sm 7.1-2). **Prostrar-nos-emos ante o escabelo de seus pés** (7) provavelmente seja uma referência à adoração diante da arca, visto que o trono de Deus estava acima dela.

2. Dedicação da Casa de Deus (132.8-12)

Os três primeiros versículos desta estrofe são uma oração dirigida diretamente a Deus e são citados com pequenas variações na (ou da) conclusão da oração feita por Salomão durante a dedicação do Templo. Sua propriedade para a dedicação é evidente. **A arca da tua força** (8) é mencionada aqui pela primeira vez, embora esteja inferida nos versículos precedentes. Nos Salmos, essa é a única referência à arca pelo nome. Perowne entende pelo estilo desse versículo uma alusão a Números 10.33-36, em que "a Arca da Aliança do Senhor ia à frente deles num caminho de três dias, para procurar um lugar de descanso" e quando Moisés disse: "Levanta-te, Senhor, e dissipados sejam os teus inimigos".[81] O **repouso** seria o repouso que o Senhor dava ao seu povo quando voltavam vitoriosos da batalha.

Tanto os sacerdotes como o povo são o tópico da petição do versículo 9: os **sacerdotes** que deveriam estar vestidos **de justiça** e os **santos** que deveriam se alegrar ("exultar", ARA). O pensamento é repetido no versículo 16 na forma de uma promessa. Justiça no púlpito e alegria nos bancos sempre resultarão numa igreja vitoriosa. **Não faças virar o rosto do teu ungido** (10), isto é, ao recusar-se a ouvir a sua oração. Moffatt interpreta essa expressão da seguinte forma: "Não rejeites o teu rei". A promessa a **Davi** de posteridade **sobre** o seu **trono** (11), junto com a referência ao **ungido** (10; *meshiach*, Messias, ou em gr., *Christos*), é citada por Pedro no sermão do dia de Pentecostes (At 2.30). As promessas da perpetuidade do trono de Davi encontrados no AT são cumpridas em Cristo. Essas promessas estão condicionadas à obediência (12) — a obediência pelos descendentes literais de Davi em primeira instância e pela Igreja em segundo plano.

3. Bênção divina sobre a Casa (132.13-18)

A estrofe final do cântico descreve a resposta de Deus à oração e ao ato de dedicação. Ela é introduzida com a certeza de que **o Senhor elegeu Sião; desejou-a para sua habitação** (13). **Sião** — Jerusalém naquele dia e a Igreja em nossos dias — deve ser o **repouso para sempre** (14) e seu lugar de habitação. Ele a abençoará e a fará prosperar com **mantimento** e com **pão** (15; cf. Dt 28.1-14). Ele responderá à oração dos **sacerdotes** e do povo (16; cf. v. 9). **Farei brotar a força de Davi** (17) — "dando sempre novas forças à sua casa e vitória sobre todos os seus inimigos".[82] **Preparei uma lâmpada para o meu ungido** — cf. 1 Reis 11.36: "E a seu filho darei uma tribo, para que Davi, meu servo, sempre tenha uma lâmpada diante de mim em Jerusalém, a cidade que elegi para pôr ali o meu nome". O significado messiânico é Cristo, "a luz do mundo" (Jo 8.12). Os **inimigos** de Davi (e de Cristo) serão vestidos de **confusão** (18; "de vexame", ARA, "de vergonha", NVI, "mas a sua própria coroa brilhará" (Moffatt).

Salmo 133: As Bênçãos da União entre Irmãos, 133.1-3

Esta pequena jóia é um breve cântico de louvor pela alegria decorrente da união entre irmãos, tanto da família natural como da família espiritual de Deus. Oesterley[83] e Taylor[84] entendem que o salmo se refere ao acordo do levirato na vida familiar, em que os irmãos casados continuavam a viver juntos na mesma casa. Barnes entende que esse salmo descreve a vida em comunhão dos judeus que vinham a Jerusalém para as festas anuais.[85] No entanto, ele apresenta um significado mais amplo no que diz respeito à família da fé. Existe uma unidade espiritual entre os filhos de Deus que transcende inclusive barreiras denominacionais. Como diz um velho ditado: "Você não vê as cercas quando o trigo está alto".

1. "Quão Bom e quão Suave" (133.1)

O viver em união dos irmãos é **bom e** [...] **suave** (1; "bom e agradável", ARA, NVI). Harrison interpreta o versículo da seguinte forma: "Como é maravilhoso quando os irmãos vivem juntos em harmonia". Existe um ecumenismo que não é organizacional e imposto de fora para dentro, mas que surge de uma comunhão de espírito e fé. Esse aspecto é (ou deveria ser) a característica de pessoas santificadas (Jo 17.17-23). Isso estava no pensamento de P. F. Bresee quando disse acerca do seu pequeno grupo no início da Igreja do Nazareno: "Somos irmãos de sangue de toda alma do universo que foi comprada e lavada pelo Sangue".

2. "Como o Óleo precioso" (133.2)

Há uma referência aqui ao óleo da unção colocado sobre Arão na sua consagração (Êx 30.22-30). O azeite de oliva se tornava aromático com o acréscimo de condimentos e ervas aromáticas como a mirra, canela, cálamo (possivelmente uma planta doce ciperácea) e cássia (uma espécie de madeira aromática). No seu simbolismo mais profundo vemos as bênçãos perfumadas do Espírito Santo coroando a união dos irmãos em uma verdadeira unidade espiritual.

3. "Como o orvalho do Hermom" (133.3)
A graça da unidade espiritual é comparada com **o orvalho do Hermom, que desce sobre os montes de Sião**. As palavras em itálico na KJV: **como o orvalho** foram acrescentadas pelo fato de o orvalho do **Hermom**, que se localizava bem ao norte (veja o mapa 3), não descer sobre as montanhas ao redor de Jerusalém. Mas isso talvez torne a figura poética literal demais. O que se pretende obviamente é uma ênfase no frescor e qualidade refrescante das bênçãos de Deus descendo sobre seu povo. Barnes diz: "Em um país desértico, o orvalho era um símbolo apropriado da bênção de Deus: Gn 27.28; Os 14.5: 'Eu serei, para Israel, como orvalho'".[86] Harrison traduz a última parte do versículo 3 assim: "Naquele lugar, o Senhor concede a bênção da vida para sempre". A **vida** eterna, para eles mesmos e para outros, surge da unidade entre os irmãos: "para que eles sejam perfeitos em unidade, e para que o mundo conheça que tu me enviaste" (Jo 17.23).

SALMO 134: MINISTRANDO NA CASA DO SENHOR, 134.1-3

Este é o último salmo do peregrino (cf. Int do Salmo 120), e nos conduz ao interior do santuário da casa do Senhor. Oesterley o situa totalmente no contexto sacerdotal. Ele entende que os versículos 1-2 eram cantados pelo sumo sacerdote e o versículo 3 era a resposta do coro sacerdotal. "Temos aqui uma indicação muito instrutiva da preparação para o serviço divino feita pelos ministros ordenados de Deus. Aqueles sobre quem recaíam o grande privilégio de abençoar os adoradores, anunciam uma bênção preparatória uns aos outros, e são, assim, dotados de poder espiritual. Fortalecidos pela compreensão desse poder a eles conferido, podem dedicar-se às suas obrigações sagradas no santuário com a convicção de que estão agindo sob a orientação divina e concedendo aos outros a bênção que eles mesmos receberam".[87]

1. "Bendizei ao Senhor" (134.1)
Eis aqui (melhor traduzido como: "Venham", NVI) [...] **todos vós, servos do SENHOR, que assistis na Casa do SENHOR, todas as noites**. A expressão **todas as noites** ("de noite", NVI, ou "nas horas da noite", ARA) refere-se à "vigília da noite" em que os sacerdotes ficavam diante do altar do Senhor para ministrar. Taylor observa: "É provável que o salmo tenha pertencido à liturgia da festa dos Tabernáculos, visto que a implicação do versículo 1c é que os ministrantes sacerdotais estavam de serviço no Templo não por uma noite, como seria o caso da noite da Páscoa, mas por várias noites, e também visto que a presença da congregação no Templo à noite não estaria em harmonia com a observância do rito da noite da Páscoa pelas famílias em suas casas ou lugares de peregrinação (cf. Êx 12.18-20)".[88]

2. "Levantai as mãos" (134.2)
A postura costumeira para a oração incluía **mãos** levantadas (cf. 28.2; 141.2; Lm 2.19; 1 Tm 2.8). Isso também representa o gesto dos sacerdotes ao proferir uma bênção sobre o povo. **No santuário**, de acordo com uma nota na margem da KJV, significa "em santidade". Esse pensamento é similar ao de Paulo em 1 Timóteo 2.8: "Quero, pois, que os homens orem em todo o lugar, levantando mãos santas, sem ira nem contenda". Nos Salmos, bendizer **ao Senhor** sempre trazia a idéia de exaltar e louvar a Deus.

3. "O Senhor [...] te abençoe" (134.3)
O versículo está na forma de uma resposta em relação às palavras que a precederam. Essa bênção é dirigida ao sumo sacerdote (cf. Int.) ou falada pelos sacerdotes quando transmitiam uma bênção ao povo (cf. Nm 6.24-26 acerca da forma completa da "bênção levítica"). Visto que Deus **fez o céu e a terra**, Ele é capaz de abençoar seu povo **desde Sião**, símbolo da sua presença permanente com eles.

SALMO 135: A GRANDEZA DO NOSSO DEUS, 135.1-21

Este salmo, apesar de não ser incluído entre os outros da sua classe, é um dos "Salmos de Aleluia". Ele é designado dessa forma em virtude de suas palavras de abertura e de encerramento: **Louvai ao SENHOR** — "Aleluia" (*Hallelu-Yah*). O livre uso que o salmo faz de idéias e frases de outras partes das Escrituras levou Delitzsch a descrevê-lo como uma espécie de salmo mosaico.[89] Os paralelos mais claros são vistos quando comparamos o versículo 1 com 134.1; o versículo 3 com 147.1; os versículos 6,15-20 com o Salmo 95; o versículo 7 com Jeremias 10.13; o versículo 14 com Deuteronômio 32.36; e os versículos 8-12 com 136.10-22. Uma identificação da sua característica "mosaica", no entanto, não deveria obscurecer o progresso do pensamento, que é consistente e lógico. A grandeza de Deus é apresentada (1-5) de acordo com o seu poder criativo (5-7), sua soberania na história (8-12) e o fato de que todos os deuses dos pagãos não são coisa alguma. Portanto, tudo deveria louvar e bendizer o seu nome (19-21).

1. O Senhor Deve Ser Louvado (135.1-12)
Os três primeiros versículos apresentam um convite à adoração. **Louvai ao SENHOR** (1) é "Aleluia" *(Hallelu-Yah)*! A convocação é dirigida inicialmente aos **servos do SENHOR,** que servem na **Casa do SENHOR** (2; cf. 134.1). Esta última frase descreve o serviço dos sacerdotes no Templo. Visto que o Templo propriamente dito consistia apenas em uma construção que acomodava o santo lugar e o Santo dos Santos, a maioria das funções de serviço e adoração era realizada **nos átrios da Casa do nosso Deus** (cf. o projeto do Templo no CBB, vol. 6). **O SENHOR** e **seu nome** devem ser louvados, **porque o SENHOR é bom** (3) e **seu nome** [...] **é agradável** ("doce", Berkeley; "amável", (NVI).

Três razões especiais para louvar o Senhor:

a) *O seu amor que nos escolheu* (4). O Senhor escolheu os descendentes de **Jacó para si** e a **Israel para seu tesouro peculiar** ("possessão", ARA). Esse pensamento aparece do princípio ao fim do AT e, na verdade, em toda a vida do "povo escolhido". O que os israelitas muitas vezes esqueciam era o propósito para o qual haviam sido escolhidos — por meio deles todas as nações da terra seriam abençoadas (Gn 12.3; 18.18; 22.18; 26.4 etc.). A eleição de Israel (como a nossa) foi uma eleição que implica mais responsabilidade do que privilégio.

b) *O seu poder criativo* (5-7). A grandeza e a preeminência de Deus (5) são vistas em seu poder na natureza (6-7). O universo é a expressão do seu prazer (6), e Ele está continuamente ativo em seus acontecimentos. O versículo 7 é tirado quase palavra por palavra de Jeremias 10.13 e 51.16. Os autores do AT nunca fundamentam a existência de Deus na existência do universo (o chamado "argumento cosmológico" da teologia e da filosofia). O que de fato fazem é fundamentar a grandeza e a majestade do Criador na grandeza e na majestade do universo.

c) *A sua soberania na história* (8-12). Lado a lado com o poder de Deus na criação, o AT coloca o poder de Deus na história. A história é, de fato, a *história dele*, e Deus fala por meio dos seus eventos. Isaías tinha declarado que até mesmo a Assíria era apenas a vara da indignação de Deus (10.5) e Ciro, embora não o soubesse, era o servo do Senhor (44.28). Esse poder soberano na história foi visto de modo preeminente no **Egito** e no Êxodo (8-9), no deserto (10-11a) e na tomada da **terra** prometida (11b-12).

2. *Só o Senhor é Deus* (135.13-18)

O autor-poeta deste salmo é um monoteísta convicto. Somente o Senhor de Israel é Deus. Seu **nome**, como a sua **memória** (fama, reputação), **permanece perpetuamente** (13). O SENHOR **julgará o seu povo** (14) no sentido de defendê-lo diante dos seus inimigos. Ele **se arrependerá**, isto é, Ele mudará sua maneira de lidar com os **seus servos**. A *versão* Berkeley traduz assim o versículo 14: "O Senhor defenderá a causa do seu povo e terá compaixão dos seus servos".

A eternidade e a compaixão do Senhor estão em completa contraposição com a inoperância dos ídolos que as nações pagãs adoram. **Os ídolos das nações são** objetos de **prata e ouro** e são **obra das mãos dos homens** (15). Embora sejam modelados com **boca, olhos e ouvidos**, eles não falam, são cegos, surdos e sem **respiro** (*ruach*, "espírito"; 16-17). Pior ainda, aqueles que os **fazem** e **confiam neles** são **semelhantes a eles**, sem vida ou espírito (18; cf. Is 44.9). A tendência é de os homens se tornarem semelhantes aos seus deuses. Eles criam seus deuses-ídolos à sua própria imagem e então adoram seu próprio vício e fraqueza de maneira ampliada. É difícil imaginar uma insensatez maior para os autores do AT.

3. *Convocação para Louvar o Senhor* (135.19-21)

A convocação para o louvor no começo do salmo é agora ampliada para incluir toda a **Casa de Israel** (19) bem como a **Casa de Arão** (os sacerdotes) e a **Casa de Levi** (20; os obreiros do Templo — levitas que não eram da família de Arão). Todos os tementes a Deus são incluídos (cf. comentário em 115.9-11). Acerca do versículo 21, cf. comentário em 134.3. A NVI traduz o versículo 21 da seguinte forma: "Bendito seja o Senhor desde Sião, aquele que habita em Jerusalém". **Louvai ao SENHOR** é "Aleluia" (*Hallelu-Yah*)!

SALMO 136: A MISERICÓRDIA DURADOURA DE DEUS, 136.1-26

A forma deste salmo é bastante singular. A última parte de cada versículo é composta da mesma frase: "porque a sua benignidade dura para sempre", formada de apenas três palavras no hebraico. Essa frase era entoada evidentemente de forma responsiva à primeira parte de cada versículo cantada por um dos sacerdotes ou pelo coro dos levitas. Essa resposta rítmica era entoada pela congregação (cf. 2 Cr 7.3,6; Ne 12.40). Evidentemente, essa frase responsiva foi acrescentada depois que a composição foi escrita, visto que interrompe o pensamento em diversas oportunidades (e.g., 7-9,10-12,13-15,17-22,23-25). A ordem dos tópicos é semelhante a Salmo 135.6-12, em que podemos identificar frases semelhantes.

Nos escritos judaicos o Salmo 136 era conhecido como "O Grande Hallel" devido ao seu freqüente louvor à misericórdia perpétua de Deus, embora esse título também tenha sido dado a um grupo inteiro de "salmos de aleluia" (Salmos 113—118);[90] e por outros eruditos aos Salmos 146—150. Seu tema é "o Deus dos deuses" (2) e "o Senhor dos senhores" (3), e, seguindo o curso do Salmo 135, ele primeiro glorifica o Deus Criador e, em seguida, o Deus Redentor.

1. *O Deus Criador* (136.1-9)

A bondade de Deus, como freqüentemente ocorre, é apresentada como base para as ações de graça (1). **Porque a sua benignidade é para sempre** significa literalmente: "porque para sempre [é] a misericórdia dele". **Benignidade** (*chesed*) é misericórdia, graça, bondade, "amor imutável" (RSV), "amor da aliança" (Berkeley); cf. comentário em 17.7; "Ele é eternamente constante" (Harrison). O refrão é repetido vinte e seis vezes (cf. Int.). As expressões **Deus dos deuses** (2) e **Senhor dos senhores** (3) são de Deuteronômio 10.17, declarações claras e substanciais da preeminência do Senhor de Israel e do Deus da Bíblia. Essas expressões são oriundas de superlativos hebraicos típicos e não dão a entender a existência de outros deuses e senhores. Deus também é identificado como Aquele **que só faz maravilhas** (4), que **com entendimento fez os céus** (5) e **estendeu a terra sobre as águas** (6), uma referência a Gênesis 1.2,7-10. Deus também criou **grandes luminares** (7), o **sol** [...] **de dia** (8), **a lua e as estrelas** [...] **a noite** (9). Isto novamente se refere à linguagem de Gênesis 1.14-18.

2. *O Deus Redentor* (136.10-26)

Os versículos 10-22 são uma paráfrase muito semelhante do Salmo 135.8-12, com a interpolação do refrão após cada linha. Deus deve ser louvado por libertar seu povo do **Egito** e do **mar Vermelho** (10-15). A **mão forte** e o **braço estendido** (12) indicavam o poder manifesto de Deus. Ele **guiou o seu povo pelo deserto**, derrotando **reis tribais que buscavam interferir** (16-20), distribuindo os territórios desses reis ao seu povo como **herança** (21-22). **Lembrou da nossa humilhação** (23) também pode ser entendido como: "quando fomos humilhados" (NVI). Os atos criativos e redentores do passado são completados por sua providência no presente: Ele **dá mantimento a toda a carne** (25). Ele é o **Deus dos céus** (26), uma frase que ocorre somente aqui nos Salmos, mas que aparece com freqüência nos livros posteriores do AT (e.g., 2 Cr 36.23; Ed 1.2; 5.11-12; 6.9 etc., Ne 1.4-5; 2.4; Dn 2.18,44; 5.23; Jn 1.9).

Salmo 137: O Lamento de um Exilado, 137.1-9

Este salmo tem se tornado um dos mais controvertidos do Saltério por causa da nota imprecatória amarga no final do salmo. Sem tentar explicar ou maquiar o caráter pré-cristão desse aspecto vingativo, podemos perceber sabedoria no comentário de Morgan: "A oração por vingança deve ser interpretada pela primeira parte do cântico, com sua revelação do tratamento que eles receberam. Ela deve, é claro, ser interpretada levando em conta a época na qual eles viviam. Nosso tempo na história é diferente. Dispomos de mais luz. E, mesmo assim, é bom lembrar que o sentido mais profundo de justiça torna o castigo uma parte necessária da economia de Deus. A concepção de que Deus nega a equidade da retribuição é falsa".[91]

Oesterley afirma: "O choque das emoções expressas no salmo revela o que há de melhor e de pior na natureza humana. O sentimento de tristeza pelo fato de estar impedido de cantar louvores a Deus no santuário onde sua presença era manifesta seria resultado de uma profunda devoção a Ele e revela um coração impregnado de tudo que existe de melhor [...] A nota predominante [...] do salmo é uma nota verdadeiramente religiosa, e testifica da lealdade daqueles que, na terra do seu cativeiro, foram envolvidos por tentações sutis, mas que resistiram a elas no poder dessa lealdade".[92]

1. *Anseio por Jerusalém* (137.1-6)

Longe da sua amada terra natal, os exilados choravam ao se lembrar de **Sião**, a cidade do seu Deus (1). Kirkpatrick comenta acerca da expressão: **Junto aos rios da Babilônia**: "[A Babilônia era] caracteristicamente uma terra de rios, diferente da Palestina, que era uma terra de montes; esse foi o aspecto geográfico do país que ficou impregnado na mente dos exilados (cf. Jr 51.13). Eles devem ter se dirigido à beira dos rios e canais para prantear; em parte por causa da sombra das árvores que cresciam lá, em parte porque esses lugares eram apropriados para reflexões melancólicas".[93] Eles penduravam suas **harpas** nos **salgueiros** (2; os galhos das árvores) porque todo cântico alegre havia desaparecido.

A amargura do exílio era aprofundada pela zombaria dos babilônios com sua exigência escarnecedora de que cantassem **cânticos de Sião** (3). A questão não era apenas simular alegria diante da tristeza e sofrimento, mas em divertir seus vizinhos pagãos com **o cântico do Senhor** (4), hinos do Templo que seriam profanados se cantados em uma terra estranha. Se Jerusalém por algum motivo ficar obscurecida em sua mente, o cantor exilado invoca conseqüências terríveis sobre si mesmo — que a sua mão direita definhe (5) e a sua **língua** grude no céu da boca (6). Isto seria uma calamidade para o músico que tange as cordas da sua lira e canta para a glória de Deus.

2. *O Destino dos Inimigos de Sião* (137.7-9)

Diante desse pano de fundo de saudades de Sião, o exilado mergulha numa amarga condenação aos inimigos de Sião. "A nova lei: 'Ama o teu inimigo', ainda não fazia parte do antigo axioma: 'ama o teu próximo e odeia o teu inimigo'. A lei da retribuição rigorosa com a injustiça cruel parece justa ao salmista, e a peculiar forma bárbara com a qual ele expressa seu desejo pelo extermínio do destruidor do seu país era comum naquela época".[94]

O versículo 7 apresenta uma referência histórica acerca da queda **de Jerusalém**. Embora os edomitas não tivessem tido uma parte ativa na destruição da cidade, eles haviam se alegrado com ela e incitado o inimigo a completar sua destruição (cf. Ob 10-16). **Arrasai-a, arrasai-a** traz a idéia de destruir e arrasar a cidade até os seus alicerces.

A principal imprecação está reservada para os babilônios, cuja destruição é predita (8). O inimigo vai colher o que semeou. O AT e a história primitiva estão cheios de ilustrações do completo desprezo pela vida humana praticado nas guerras antigas, em que o alvo era o extermínio completo do inimigo. Nem as mulheres e crianças eram poupadas. O que a Babilônia havia feito a Jerusalém deveria ser feito a ela. Cf. Introdução desse salmo e discussão dos salmos imprecatórios na Introdução do livro. Embora esses elementos imprecatórios ocorressem nos Salmos, precisa ser mencionado que os rabinos judeus nunca incluíam esses textos no cerimonial na sinagoga.

Salmo 138: Um Salmo de Ações de Graça, 138.1-8

Este é o primeiro de uma série de oito salmos cujos títulos ou sobrescritos atribuem a autoria a Davi. Embora geralmente seja considerado pós-exílico, realmente não existe nenhum motivo convincente para não aceitarmos o argumento de Alexander de que esses salmos são "provavelmente os últimos escritos por Davi, um tipo de comentário acerca da grande promessa messiânica em 2 Samuel 7".[95] Este salmo é puramente de ações de graça e expressa a gratidão do poeta pela promessa de Deus (2), sua piedade (3a), seu poder (3b), sua proteção (7) e sua persistência (8).[96]

1. *Louvor pela Palavra e pelo Nome de Deus* (138.1-3)

O salmista está determinado a expressar o **louvor** a Deus de **todo o seu coração** (1). Não existem limitações ou restrições em sua mente no que tange à preciosidade do seu Senhor. **Na presença dos deuses** não é um reconhecimento do politeísmo (a adoração de muitos deuses), mas uma tradução literal da palavra hebraica que pode ser aplicada a quaisquer seres sobrenaturais ou mesmo a homens de posição ou poder elevado (cf. comentário em 82.1). Ninguém é elevado demais para ouvir o canto de louvor do poeta. **Inclinar-me-ei para o teu santo templo** (2; ou: "Voltado para o teu santo templo", NVI) indica um costume judeu mencionado na oração de dedicação de Salomão (2 Cr 6.20) e era a prática de Daniel (Dn 6.10). O Templo era a representação visível da presença de Deus entre o seu povo e, como tal, recebeu respeito especial dos devotos.

Engrandeceste a tua palavra acima de todo o teu nome traduz uma ordem de palavras hebraicas um tanto ambíguas, que significa literalmente: "Engrandeceste acima de todo o teu nome a tua palavra". Percebendo uma dificuldade em afirmar que qualquer coisa pudesse ser enaltecida acima do nome do Senhor, o que comumente significa sua natureza, diversos comentaristas traduzem essa expressão da seguinte forma: "Pois exaltaste acima de todas as coisas o teu nome e a tua palavra" (NVI); ou: "pois magnificaste acima de tudo o teu nome e a tua palavra" (ARA). Associar a Palavra com o nome do Senhor é dar a maior honra possível a ela. O salmista se regozija na resposta imediata que o Senhor dá. Quaisquer que sejam as circunstâncias externas, Deus fortalece a sua **alma** (3; cf. Ef 3.16).

2. *Louvor pelo Governo Soberano de Deus* (138.4-6)

O Senhor é o Rei dos reis e o Senhor dos senhores (cf. Ap 17.14; 19.16), e quando eles ouvem falar das suas obras maravilhosas a favor do seu povo, **todos os reis da terra** o **louvarão** (4). **Cantarão os caminhos do Senhor** (5) também pode ser entendido como: "Celebrarão os feitos do Senhor" (NVI). A majestade excelsa de Deus não o impede de atentar **para o humilde** (6), isto é, olhar para os humildes. O **soberbo conhece-o** (reconhece a sua natureza) **de longe** — eles não podem escapar do seu olho onisciente.

3. *Louvor pelo Auxílio de Deus na Angústia* (138.7-8)

Os últimos versículos expressam a convicção do salmista de que o Senhor estará com ele no meio da dificuldade e da oposição. Quando andava **no meio da angústia** (7), o salmista reconheceu que o Senhor estava com ele para vivificá-lo — para dar a ele uma vida renovada, ou como interpreta a NVI: "tu me preservas a vida". Deus o defenderá contra seus inimigos. **O SENHOR aperfeiçoará o que me concerne** (8) é melhor traduzido como: "O Senhor cumprirá as suas promessas e seu propósito para comigo".[97] **Não desampares as obras das tuas mãos**, isto é, as obras iniciadas a favor do salmista e do seu povo. O que Deus começou Ele completará.

SALMO 139: UM SENHOR MARAVILHOSO, 139.1-24

Com toda a razão, o Salmo 139 tem sido altamente elogiado. Atribui-se ao rabino Aben Ezra o seguinte título para esse salmo: "A Coroa de todos os Salmos". M'Caw diz: "Esse é um dos poemas mais belos do Saltério; ele se sobressai tanto teológica como psicologicamente".[98] Oesterley escreve: "No que diz respeito à Natureza Divina, à onisciência e à onipresença de Deus, esse salmo se destaca como a pérola mais preciosa do Saltério. Diz-se que existem escritos paralelos na Babilônia e em outros escritos sagrados do passado; mas na literatura religiosa do mundo primitivo esse salmo é singular".[99] McCullough afirma: "Esse poema não é apenas um dos maiores esplendores do Saltério, mas nas suas percepções religiosas e no calor devocional ele é notável entre os grandes textos do AT. Como salmo, é difícil classificá-lo. Ele apresenta algumas qualidades de um hino e de um salmo de confiança, mas talvez possa ser melhor entendido como uma oração pessoal [...] O salmista está profundamente impressionado com a onisciência e a onipresença do Senhor, não como atributos formais de um Deus soberano, mas com o que ele mesmo experimentou na sua vida."[100]

1. *A Onisciência de Deus* (139.1-6)

O salmista está absolutamente maravilhado com o fato de Deus ter conhecimento de tudo que acontece com ele. Deus o sondou (1), examinou cuidadosamente os seus motivos. **O meu assentar e o meu levantar** (2), isto é, toda a sua vida, quer no seu descanso, quer enquanto está trabalhando. Para a expressão **De longe entendes meus pensamentos**, Harrison sugere: "meus pensamentos enquanto ainda estão sendo formulados". **Cercas o meu andar e o meu deitar** (3) é melhor traduzido como: "Quando caminho ou quando descanso, sou esquadrinhado por ti" (Moffatt). Kirkpatrick comenta o seguinte acerca da expressão: **Sem que haja uma palavra** [...] **eis que, ó SENHOR, tudo conheces** (4): "Deus não conhece meramente a palavra falada que os homens podem ouvir, mas seu verdadeiro significado e os pensamentos secretos que motivaram sua expressão".[101] **Cercaste** (5) é a palavra usada para sitiar uma cidade. O salmista se vê cercado, envolvido, por Deus. Moffatt traduz: "Tu me cercas por trás e pela frente, pondo tua mão sobre mim". **Ciência** igual a essa está muito além da realização ou mesmo da compreensão do homem (6).

2. *A Onipresença de Deus* (139.7-12)

O Deus onisciente está presente em todos os lugares. Não é possível fugir dele. Seu **Espírito** e sua presença são penetrantes (7). Nem **céu** acima nem **Seol** (o lugar dos mortos) estão fora dos limites do Senhor (8). Nem **as asas da alva** nem as **extremidades do mar** (9) podem nos levar além ou estar fora do alcance da **destra** de Deus para nos guiar e suster (10).

Não sei onde suas ilhas surgem
Com as folhas das palmeiras frondosas no ar;
Apenas sei que não posso vaguear
Além do seu amor e cuidado.[102]

As **trevas** não podem me cobrir, porque mesmo **a noite será luz** ao redor **de mim** (11) e **trevas e luz são** [...] **a mesma coisa** para Deus (12). A onipresença de Deus é uma das doutrinas claramente definidas na teologia sistemática: "Por onipresença entendemos que Deus não está excluído de nada por um lado, ou incluído em nada, por outro".[103] Wiley cita Tomás de Aquino: "Deus está em todas as coisas, não como parte da sua essência, nem como um acidente, mas como um agente está presente naquilo em que opera", e acrescenta: "Deus está presente em qualquer lugar onde houver uma manifestação do seu poder".[104]

3. *A Preocupação Pessoal de Deus* (139.13-16)
O Deus onisciente e onipresente está pessoalmente preocupado com cada detalhe da vida do salmista. Deus o conhece em cada aspecto do seu ser, porque foi o Senhor que criou o seu íntimo (13, NVI) e o entreteceu, isto é, cuidou do seu desenvolvimento mesmo no **ventre de** sua **mãe**. A expressão: **de um modo terrível e tão maravilhoso fui formado** (14) é uma constatação que o homem moderno, com todo o seu conhecimento científico da anatomia humana, não pode ultrapassar. **No oculto fui formado** (15) traz a idéia de ser "formado com cuidado". **Nas profundezas da terra** seria: 'no útero, tão escuro e misterioso como o mundo inferior. Tem-se em mente aqui a formação do corpo. Não existe nenhuma alusão à doutrina da pré-existência da alma".[105]

No teu livro todas estas coisas foram escritas, as quais iam sendo dia a dia formadas (16) é uma expressão que tem apresentado dificuldades na sua tradução e interpretação, como pode ser visto em várias versões. "Todos os dias determinados para mim foram escritos no teu livro" (NVI). "No teu livro foram escritos todos os meus dias, quando nem um deles havia ainda" (ARA). "No teu livro tudo foi registrado e preparado dia a dia" (Berkeley). "Em teu registro foram determinados os dias que foram planejados para mim" (Harrison).

A mente moderna analítica tem certa dificuldade em reconciliar a presciência de Deus acerca da vida com a verdadeira liberdade de escolha legada ao homem, mas os escritores bíblicos não sentiram essa dificuldade. Para eles, era suficiente proclamar que Deus conhece o fim desde o início sem, com isso, predeterminar esse fim. No entanto, mesmo o homem moderno, completamente convencido da liberdade de escolha, pode encontrar conforto na verdade de que nada pega Deus de surpresa. O Senhor conhece o futuro desconhecido para nós, e pode, portanto, guiar-nos pelos caminhos desconhecidos se nos sujeitarmos à sua liderança.

4. *O Controle Providencial de Deus* (139.17-22)
Consciente da vontade de Deus que permeia tudo, o salmista também está persuadido de que a vontade de Deus é "boa, agradável e perfeita" (Rm 12.2). Os **pensamentos** de Deus

em relação a ele são **preciosos** (17), e **a soma deles** é muito **grande** (17), **em maior número do que a areia** (18). **Quando acordo, ainda estou contigo** pode ser entendido, de acordo com Moffatt, como: "Acordo do meu devaneio e ainda continuo escondido em ti"; ou, como traduz a NVI: "Se terminasse de contá-los, eu ainda estaria contigo". Nem o devaneio, nem o sono, nem a própria morte pode separar a alma confiante do Senhor.

O lado anverso do amor e cuidado de Deus pelos justos nunca está muito longe da mente do poeta. A providência que protege o justo condena e, finalmente, destrói **o ímpio** (19). Uma elevada percepção da santidade de Deus resulta na profunda convicção de como é terrível o pecado. **Homens de sangue** são homens de violência e homicidas. O salmista afirma, de maneira veemente, o seu **ódio** pelos que aborrecem o Senhor e seus maus caminhos (21-22). Precisamos exercer cautela nesse ponto, para não confundirmos o ódio contra o mal com o ódio contra as pessoas que cometem o mal. Uma coisa, no entanto, precisa continuar clara: devemos amar a justiça e odiar o mal. Os cristãos, semelhantemente às pessoas do AT, não devem perder a capacidade de exercitar a ira santa diante da maldade.

5. *Uma Oração Final* (139.23-24)

A oração que conclui o salmo é uma das mais belas e significativas de todo o Saltério. Como se estivesse consciente do perigo de que seu ódio contra o mal pudesse inconscientemente passar para uma atitude que desagradasse a Deus, o salmista expõe seu coração ao Senhor. **Prova-me e conhece os meus pensamentos** (23) pode ser traduzido como: "Examine os meus motivos" (Harrison). **Vê se há em mim algum caminho mau** (24) é literalmente: "algum caminho de mágoa", ou "algum caminho pernicioso", "algum caminho que possa se tornar detestável ou repugnante".[106] Não é que nosso autor suspeitasse da presença de impiedade dentro dele. Seu temor é que na fraqueza ou no descuido ele possa ofender a Deus. Protegido do caminho errado, ele almeja ser guiado **pelo caminho eterno**. Uma oração digna expressa os três pedidos feitos aqui: 1) **Sonda-me**; 2) **prova-me**; e 3) **guia-me**.

> *Sonda-me, ó Deus, e conhece o meu coração hoje;*
> *Prova-me, ó Salvador, conhece os meus pensamentos, eu oro;*
> *Vê se há algum caminho mau em mim:*
> *Purifica-me de cada pecado e liberta-me.*[107]

Salmo 140: Oração por Livramento da Perseguição, 140.1-13

O Salmo 140 é mais um de um número significativo de salmos que refletem a existência em Israel de uma corrente secundária muito forte de antagonismo e perseguição. Alguns dos inimigos aos quais os salmos se referem eram gentios. A maioria deles era de companheiros judeus cuja apostasia os fazia rejeitar o senhorio exclusivo de Javé, além de perseguirem aqueles que eram fiéis a Ele.

Acerca disso, Oesterley diz o seguinte: "Seria irracional esperar encontrar nos *Salmos* o ideal cristão da atitude de um homem em relação aos seus inimigos: 'Amai a vossos inimigos [...] e orai pelos que vos maltratam e vos perseguem' (Mt 5.44); mas nesse salmo temos a segunda melhor coisa a se fazer, visto que não há nenhuma dica do desejo de qualquer retaliação pessoal contra os inimigos vingativos do salmista. Tudo é deixado nas mãos de

Deus. Que ocorram algumas palavras de amargura é algo absolutamente normal; mas a atitude passiva da vítima da opressão revela em si um espírito de verdadeira piedade".[108]

1. A Violência dos Perversos (140.1-3)

O poeta ora por livramento e proteção contra o homem **mau** e **violento** (1). **Pensam o mal no coração** (2) é melhor traduzido como: "tramam o mal em suas mentes" (Harrison). **Se ajuntam para a guerra** pode ser traduzido como: "Todos os dias vive incitando guerra" (Perowne), ou "vive forjando contendas" (ARA). As palavras venenosas dos seus infamadores fazem o poeta lembrar da língua afiada de **uma serpente** e do **veneno** de uma víbora (3). **Selá**: cf. comentário em 3.2.

2. Oração por Preservação (140.4-5)

Em circunstâncias como essas o salmista sabiamente coloca-se a si mesmo e a sua reputação nas mãos de Deus. Ele ora para ser preservado daqueles que **se propuseram a desviar os** seus **passos** (4), ou: "que armaram ciladas para fazer tropeçar meus pés" (Berkeley). Os perversos são constantemente identificados nos salmos como **os soberbos** (5). Alguns cristãos professos têm argumentado que "um pouco de pecado mantém os homens humildes", mas os autores bíblicos eram mais sábios do que eles. Entendiam que o pecado na sua essência é orgulho, a manifestação da independência arrogante em relação a Deus. **Laços** [...] **cordas** [...] **rede** [...] **laços corrediços** ("ciladas", ARA) são todos itens do equipamento do caçador.

3. Em Deus Há Salvação (140.6-8)

O salmista relata seu compromisso com o SENHOR, o seu **Deus**, e pede para que suas **súplicas** sejam ouvidas (6). **SENHOR Deus** (7; *Yahweh Adonai*; "Ó Soberano Senhor", NVI) é uma expressão hebraica incomum. Ela ocorre em outra parte somente em 68.20; 109.21; 141.8 e Habacuque 3.19. Tanto *Yahweh* como *Adonai* são regularmente traduzidos como "Senhor" na maioria das versões inglesas e portuguesas. Letras em caixa alta são usadas para indicar o hebraico *Yahweh* (SENHOR). Quando os dois nomes aparecem juntos, como nesse caso, seria melhor usar "Senhor Javé" (Berkeley), ou: "SENHOR, meu Senhor" (RSV). **Cobriste a minha cabeça no dia da batalha**, ou: "tu proteges a cabeça em tempos de conflito" (Harrison). O salmista implora para que Deus não conceda sucesso aos **desejos** e maus propósitos do **ímpio** (8).

4. Os Ímpios e os Justos (140.9-13)

Os respectivos destinos do perverso e do justo são contrastados na última estrofe. O princípio geral de retribuição ao ímpio é que a sua impiedade volta para amaldiçoá-lo e o seu pecado se torna seu próprio castigo. **Cubra-os a maldade dos seus lábios** ("esmague-os", RSV; 9). **Caiam sobre eles brasas vivas** (10) refere-se à "destruição de Sodoma".[109] **Sejam lançados no fogo em covas profundas** é uma construção hebraica incerta, mas obviamente indica uma calamidade total e completa para a qual não há recurso. **Não terá firmeza na terra o homem de má língua** (11) significa que ele não prosperará ou florescerá. Antes, seu próprio **mal**, planejado para os outros, o **perseguirá** e o destruirá.

O poema termina com uma nota positiva. O destino dos ímpios é o pano de fundo negro contra o qual a bem-aventurança dos justos é pintada. A justiça de Deus certifica que, quaisquer que sejam as vicissitudes do presente, no final tudo estará bem para aqueles que colocam sua confiança nele. **O Senhor sustentará a causa** (12), ou: "defenderá a causa" (NVI). O **oprimido** e o **necessitado** ("pobres", NVI) sempre foram objeto do cuidado especial de Deus, um fato ponderado repetidas vezes nos Salmos (cf. 9.18; 10.2; 18.27; 22.24; 35.10 etc.). **Os justos** terão oportunidade de louvar ("renderão graças", ARA) e os **retos habitarão** na **presença** de Deus (13).

Salmo 141: Libertação do Pecado e dos Ímpios, 141.1-10

Este é um salmo de lamentação com um forte elemento penitencial, embora não esteja relacionado entre os salmos de penitência (cf. Int.). É a oração de alguém que reconhece que sua única esperança de sobrevivência diante do ataque severo reside em manter-se livre do pecado. Ele apresenta alguns aspectos de afinidade com o Salmo 140 (e.g., vv. 9-10 em relação a 140.5). A estrutura geral e o cenário são os mesmos.

1. *Protegido do Mal* (141.1-4)

A primeira estrofe do poema é uma oração para ser protegido do mal. O salmista deseja uma resposta rápida para o seu clamor (1), e que sua **oração** suba **perante a face** do Senhor **como incenso** (2). O **sacrifício da tarde** era preparado e oferecido com incenso (cf. Êx 30.7-8; Lv 2.2). **O levantar das** [...] **mãos** era uma atitude habitual de oração (28.2; 63.4; 1 Tm 2.8). O salmista está particularmente interessado na graça para resistir à tentação de pecar quer em palavra, quer em atos. Ele ora para que seus **lábios** sejam guardados (3). A oração: **Não inclines o meu coração para o mal** (4) é melhor traduzida como: "Não permitas que meu coração se incline para o mal" (ARA). A inclinação do coração para o mal não é uma ação de Deus. Sua graça é necessária para vencer essa inclinação, uma graça descrita particularmente no NT como santificação (1 Ts 4.7-8; 5.23-24). **Coisas más** nascem de uma associação **com aqueles que praticam a iniqüidade. Comer das suas delícias**, ou: "provar dos seus prazeres" (Harrison).

2. *A Comunhão dos Justos* (141.5-8)

Em vez da participação com os ímpios, o poeta sugere a comunhão dos justos. Se eles o ferissem devido a uma repreensão merecida, isso seria encarado como **uma benignidade** (5). **Um excelente óleo, que a minha cabeça não rejeitará** significa que a repreensão deles seria restauradora, em vez de prejudicial. **Continuarei a orar a despeito das maldades deles** é uma interpretação da sentença no texto hebraico muito difícil de entender, como as diferentes versões ilustram. A sugestão de Moffatt é a mais plausível: "Sempre orarei para alcançar a boa vontade deles". Os versículos 6-7 apresentam uma dificuldade quanto ao equilíbrio do poema. Provavelmente a melhor paráfrase reconheceria uma transição para voltar a discutir a situação do ímpio e indicaria que **quando os seus juízes** (líderes dos inimigos) forem destruídos, a verdade das palavras do salmista será reconhecida (6). O contexto do versículo 7 não está claro, mas parece retratar uma desolação temporária do justo. Mesmo assim, em todas as circunstâncias da vida, o poeta coloca sua **confiança** no **Senhor** e está seguro de que não será desamparado (8).

3. *Risco dos Malfeitores* (141.9-10)
Os versículos finais são uma oração por livramento das armadilhas sutis preparadas para os justos por aqueles que praticam a iniqüidade. **Laços** (9) é um termo obsoleto para armadilhas ou ciladas. **Os ímpios** cairão **nas suas próprias redes** (armadilhas) enquanto o homem de Deus escapará delas (10).

Salmo 142: Da Angústia ao Triunfo, 142.1-7

Este é mais um salmo de lamentação no qual o salmista derrama o seu coração em oração ao Senhor. O título o identifica como um *"masquil* de Davi" (cf. Int. do Salmo 32) "quando estava na caverna", uma referência similar ao título do Salmo 57. Ele percebe que a sua situação é desesperadora, contudo o próprio ato da oração volta o seu pensamento para o livramento tão avidamente desejado. "É notável o fato de que, apesar dos seus sofrimentos, o salmista não expressa nenhum clamor por vingança, uma atitude não raras vezes encontrada em outros salmos".[110]

1. *O Problema do Salmista* (142.1-2)
Em profunda angústia, o poeta clama com voz alta ao Senhor. Duas referências são feitas especificamente ao fato de que esta era uma oração verbalizada (1). Oesterley comenta: "O emitir da oração particular em voz alta, como é ensinado nesse salmo, é, às vezes, digno de reflexão. [...] O fato não pode ser negado de que o som da nossa própria voz na oração tende ao realismo e sinceridade. Isso nos ajuda a visualizar a proximidade de Deus, a compreensão do que deve ser o anelo de cada crente sincero [...] Uma outra coisa que esse pequeno e belo salmo ensina é a bênção e o conforto em contar nossas angústias a Deus; a comunicação destemida e íntima com Deus é um meio de união com Ele, que santifica a vida e todas as atividades da vida".[111] **Derramei a minha queixa perante a sua face** (2) — o lugar ideal para apresentar as nossas "queixas".

2. *A Oração do Salmista* (142.3-5)
O conteúdo da oração é apresentado em palavras endereçadas diretamente ao Senhor. No tempo da sua aflição mais profunda, Deus conhecia a sua **vereda** (3). O fato de o Senhor conhecer não significa simplesmente que Ele toma conhecimento ou é informado, mas que Ele cuida e se importa. **Ocultaram um laço**, isto é, "esconderam uma armadilha" (NVI). Toda confiança humana havia falhado. **Olhei para a minha direita** (4), onde um conselheiro ou defensor deveria estar parado, **mas não havia** ninguém lá. **Não havia quem me conhecesse** significa que ele estava absolutamente sozinho. **Ninguém cuidou da minha alma** é uma queixa tragicamente patética. Os cristãos, preocupados com a salvação de entes queridos e vizinhos, devem, certamente, determinar no seu interior que ninguém dentro da sua esfera de influência fará eco a essas palavras. Em sua desolação, o salmista se volta ao Senhor. Desamparado por todos, ele ainda pode testificar: **tu és o meu refúgio e a minha porção na terra dos viventes** (5). A NVI traduz essa expressão da seguinte maneira: "Tu és o meu refúgio; és tudo o que tenho na terra dos viventes".

3. A Perspectiva do Salmista (142.6-7)
A oração adquire uma urgência crescente e apresenta pedidos específicos em relação ao futuro. Ela termina com uma oração de fé. Das profundezas, o poeta clama por livramento dos **perseguidores** poderosos (6). **Tira a minha alma da prisão** (7) tem sido interpretado por alguns como uma prisão física tal como sofrida por Jeremias devido à sua fé. Mas, essa prisão também pode ser entendida figuradamente como alívio de uma aflição extrema. Isolado dos seus companheiros como se encontrava, o autor aguarda com expectativa o tempo em que **os justos** o **rodearão** ("se reunirão à sua volta", NVI). Ele está confiante em que o Senhor lhe fará o **bem** (o tratará com bondade e de maneira generosa).

SALMO 143: ALMEJANDO VIVER PARA O SENHOR, 143.1-12

Este salmo é o último dos sete salmos de penitência (cf. Int.). Ele expressa o pedido do penitente para que "o julgamento seja temperado com misericórdia". A desolação do espírito do salmista está associada com a determinação de fazer a vontade de Deus à medida que o Senhor o capacita a fazê-la. Com base no fato de o salmo tomar emprestados muitos pensamentos e frases de salmos anteriores, Perowne conclui que o título deve ser entendido como representando o espírito e a disposição dos salmos davídicos e não a sua autoria direta. Ele acrescenta: "Este salmo é um testemunho para nós da profundidade e realidade da vida religiosa na história posterior da nação, e também uma evidência da maneira como essa vida foi conservada e cuidada pelas palavras inspiradoras de Davi e outros salmistas e profetas antigos".[112]

1. Ansiando pelo Senhor (143.1-6)
O poema abre com a súplica para ser ouvido pelo Senhor e por uma resposta segundo a **verdade** ("bondade", NVI, ou "fidelidade", ARA) e **justiça** de Deus (1). Condenado pela sua culpa, o salmista ora para que Deus não entre em **juízo com** ele (2); a NVI interpreta essa expressão assim: "Não leves o teu servo a julgamento". **Porque à tua vista não se achará justo nenhum vivente** — isso é fundamental para a teologia tanto do AT como do NT. "Porque todos pecaram e destituídos estão da glória de Deus" (Rm 3.23); "Porque Deus encerrou a todos debaixo da desobediência, para com todos usar de misericórdia" (Rm 11.32); "Se dissermos que não pecamos, fazemo-lo mentiroso, e a sua palavra não está em nós" (1 Jo 1.10). Por outro lado, essas palavras não podem ser entendidas como a negação do triunfo da graça na vida humana nem como argumento a favor de uma religião de pecar contínuo e perdão contínuo. Elas significam o que elas dizem; e nada mais do que isso.

O poeta vê na opressão dos seus inimigos um peso a mais, possivelmente permitido por causa das suas próprias falhas espirituais (3). **Abateu-me até ao chão** ou: "esmaga-me ao chão" (NVI). **Fez-me morar na escuridão, como aqueles que morreram há muito** reflete a visão predominante do *Sheol*, o lugar dos mortos, como um reino de sombras e escuridão. Mesmo em vida, o poeta experimenta a amargura e privação da morte. Seu **espírito**, porém, **se angustia** (4), literalmente: "esmorece"; e seu **coração** [...] **está desolado**, "está entorpecido" (Moffatt).

Nesse extremo, ele lembra dos **dias** melhores (5). Ele medita na **obra** do Senhor, e estende suas **mãos** a Deus (6) em oração e como um gesto de desejo. Sua sede pelo

Senhor é como a sede de uma **terra** deserta pela chuva refrescante e fontes de água. **Selá**: cf. comentário em 3.2.

2. *Vivendo para o Senhor* (143.7-12)

O caráter penitencial do salmo é examinado não somente no sentido da desolação espiritual e sede por Deus. Ele também aparece na sincera oração por graça a fim de viver de maneira agradável ao Senhor. Não existe penitência genuína sem o propósito de uma correção de vida. A tristeza pelos pecados passados pode não ser diferente da "tristeza do mundo" se falta um desejo genuíno de agir de maneira diferente no futuro (2 Co 7.10). O salmista vê claramente que, a não ser que o auxílio venha **depressa** (7), ele será **semelhante aos que descem à cova** — palavras emprestadas do Salmo 28.1. **A cova** é um sinônimo de *Sheol*, o lugar dos mortos, que sempre se imaginava como algo localizado abaixo da superfície da terra.

O versículo 8 pede a revelação da **benignidade** de Deus **pela manhã** e o conhecimento do **caminho que** o salmista deve **seguir**. A resposta é buscada tendo como base a fé e a oração contínuas: **em ti confio** [...] **a ti levanto a minha alma**. **Benignidade** (*chesed*) significa misericórdia, graça, amor da aliança ou "amor imutável" (RSV); cf. comentário em 17.7. **Pela manhã** fala da luz que seguirá a noite escura de desespero, em cuja situação o poeta se encontrava. Livramento e refúgio são ambos encontrados somente em Deus (9).

Ensina-me a fazer a tua vontade (10) é uma oração preciosa a favor de cada alma devota. O alinhamento com a vontade de Deus é o maior bem que a alma pode conhecer. O fato de o Senhor ser **Deus** torna a sua vontade um dever bem como um prazer para o seu povo. **Guie-me o teu bom Espírito por terra plana**. "Porque todos os que são guiados pelo Espírito de Deus, esses são filhos de Deus" (Rm 8.14). **Vivifica-me** (11) ou: "Preserva-me a vida" (NVI). Uma "vida nova" e livramento da angústia são ambos **por amor** do **nome** de Deus e da sua **justiça**. Acerca da expressão **desarraiga os meus inimigos** (12) Oesterley comenta o seguinte: "O caráter edificador do salmo está um tanto desfigurado pelo espírito amargo evidenciado nos últimos versículos; o tratamento cruel que ele está sofrendo dos seus inimigos (veja v. 3) deve ser menos enfatizado".[113]

Salmo 144: Bênçãos Nacionais, 144.1-15

Este salmo é muitas vezes classificado como um salmo régio e trata, como outros salmos do seu tipo, de algumas das questões da vida nacional. O título ou sobrescrito o atribui a Davi, possivelmente pela sua semelhança com o Salmo 18 e pelo uso do nome de Davi no versículo 10. É um poema que tem muito a ver com os nossos dias, visto que expressa algumas das condições morais e espirituais sobre as quais o verdadeiro bem-estar dos homens e nações está alicerçado.

1. *O Senhor, nossa Força* (144.1-2)

O **Senhor** é saudado como a **rocha** do salmista (1), sua **benignidade** (2; "misericórdia", ARA; "aliado fiel", NVI), sua **fortaleza**, seu **alto retiro**, seu **libertador**, seu **escudo**, o objeto da sua confiança, e Aquele que dá ao salmista a lealdade do seu **povo**. Estes são todos elementos tirados de 18.1-2, 34, 47. Eles são expressões naturais de alguém acostumado a guerrear em um terreno rochoso e montanhoso. O salmista atribui suas habilidades militares à instrução do Senhor. Embora, sem dúvida, esses elementos sejam bastante literais, essas idéias podem ser aplicadas à batalha espiritual do cristão (cf. 2 Co 10.3-5; Ef 6.10-17).

2. A Fraqueza e a Maldade do Homem (144.3-8)

O versículo 3 tem uma relação óbvia com 8.4, mas visa aqui principalmente ressaltar a natureza frágil e transitória da vida. **Semelhante à vaidade** (4) é literalmente: "um sopro"; "um sopro de vento" (Harrison); tão irreal **como a sombra que passa**. Em contraste com a fraqueza do homem está o poder de Deus manifesto na natureza. **Abaixa [...] os teus céus** (5) provavelmente refere-se aos céus sombrios antes da tempestade. Outras manifestações impressionantes de poder lembradas são a erupção vulcânica de **montes** e **raios** (6) que flamejam como as **flechas** da ira divina para destruir o homem e suas obras.

A fraqueza do homem é equiparada somente com a sua maldade, da qual o salmista ora para ser liberto. "Tua mão" (NVI) representa o poder de Deus. **Muitas águas** é uma figura de uma inundação de tribulações. **Filhos estranhos** significa estrangeiros ou forasteiros. A boca do homem fala **vaidade**, e mesmo o seu juramento não deve ser levado em conta (8). A **mão direita é a destra da falsidade**: refere-se à mão levantada para jurar falsamente; ou, de acordo com Harrison: "cujas mãos negociam traição". Em vez de a palavra de um homem ser tão forte quanto um contrato, nem sua palavra nem o contrato que ele firma são dignos de confiança!

3. Um novo Cântico (144.9-10)

A vitória sobre cada inimigo é esperada com tanta certeza que o poeta se compromete a cantar **um cântico novo** ao Senhor (9) acompanhado por um **saltério** e por um **instrumento de dez cordas**; literalmente: "uma harpa de dez cordas" (cf. comentário em 32.2). O âmbito do uso de instrumentos e dos cânticos no AT é mais claramente visto em Salmos 150.3-5. Deus **dá a vitória** e livra **seu servo, da espada maligna** (10), "espada cruel" (Harrison), "espada mortal" (NVI). A nota de rodapé da *versão* Berkeley faz crer que esse texto pode se referir à espada de Golias.[114] Ela representa, ainda mais amplamente, qualquer espada ou poder militar a serviço do mal.

4. Uma Nação feliz (144.11-15)

O versículo 11 é associado com a estrofe anterior por muitos comentaristas nas versões mais recentes. Da forma como a KJV formula a estrofe, ela se torna a condição prévia para o bem-estar da nação, e é assim que nós a consideramos aqui. Esta estrofe é uma repetição do conteúdo dos versículos 7-8 (cf. comentários). As bênçãos da vida nacional estão relacionadas diretamente com o bem-estar dos **filhos** e **filhas** (12) e a prosperidade temporal (13-14). **Filhos [...] como plantas, bem desenvolvidos na sua mocidade** (12) pode significar: "plantas que se desenvolvem rapidamente nos seus estágios iniciais" (Moffatt). **Filhas [...] como pedras de esquina** certamente significa mulheres jovens tão bonitas quanto os ornamentos **de um palácio**, possivelmente no sentido de "altas e imponentes". "A primeira consideração do salmista em uma sociedade ideal é dirigida às pessoas. Só então ele fala acerca de celeiros cheios e campos cobertos de rebanhos".[115]

A cena retratada nos versículos 13-14 é natural para um povo rural cuja riqueza consiste em campos, rebanhos e manadas. **Em nossas ruas** (14) ou "em nossos pastos" (Berkeley). **Despensas** cheias (13), rebanhos (de ovelhas) e **bois** fortes (14) representam uma economia próspera, uma sociedade afluente. No entanto, mesmo assim, a paz é necessária, e os fundamentos morais são vitalmente importantes. **Para que não haja nem assaltos, nem saídas** significa: "sem invasões hostis no país: ou, sem brechas nos muros da cidade por onde o inimigo pudesse entrar (Ne 6.1). [...] Sem a necessidade de *sair* para render-se ao inimigo (Am 4.3; 2 Rs 24.12), ou ir para o cativeiro (Jr 29.16), ou *sair repentinamente* para repelir uma força invasora".[116] **Nem clamores em nossas ruas** tem sido interpretado como: "Que não haja perturbação nas ruas da nossa cidade" (Harrison).

Esta é a compreensão do AT sobre a "grande sociedade". **Bem-aventurado o povo a quem assim sucede** (15). Mas felicidade, ou bem-aventurança, é o destino apenas do **povo cujo Deus é o Senhor**. Mais importante do que as bênçãos da abundância e de uma sociedade estável são as bênçãos da lealdade ao Deus vivo e verdadeiro. Os alicerces sobre os quais toda a estrutura da vida nacional devem estar apoiados são colocados sobre a rocha sólida da lei santa de Deus. Continua sendo verdade que "a justiça exalta as nações, mas o pecado é o opróbrio dos povos" (Pv 14.34).

Salmo 145: "Grande é o Senhor", 145.1-21

O Salmo 145 é o último dos salmos acrósticos ou alfabéticos. Cada um dos versículos começa com a letra sucessiva do alfabeto hebraico, com a exceção da letra *nun*, que deveria ser intercalada entre os versículos 13 e 14, mas está faltando. É interessante notar que a LXX apresenta um versículo adicional: "O Senhor é fiel em suas palavras, e santo em todas as suas obras". A versão hebraica dessas palavras começava com *nun*, e provavelmente fazia parte da cópia do texto hebraico que os tradutores da LXX usaram.[117] O título do salmo é único, usando a palavra *tehillah*, "louvor", ou "hino"; o plural (*tehillim*) é o título hebraico do Saltério inteiro.

Na liturgia judaica, o Salmo 145 é usado nas orações diárias do ano religioso. Simpson observa: "É fácil entender por que esse salmo chegou a ocupar um lugar tão importante na liturgia judaica. Dia após dia, ele é lido duas vezes no culto matinal e uma vez no culto da tarde. A grandeza de Deus, e seu amor constante por todos que o reverenciam, são seus temas repetidos. Seu clímax é alcançado na afirmação de que não só Israel ('minha boca') mas toda a humanidade ('toda carne') 'louvará o seu santo nome para todo o sempre'".[118] Oesterley diz: "Como um hino de louvor a Deus esse salmo se destaca como um dos mais bonitos do Saltério. O que deve requerer de forma particular a nossa atenção e compreensão é o esforço sincero de descrever a glória de Deus".[119]

1. *Um Hino de Louvor* (145.1-7)

A primeira estrofe é um hino de louvor dirigido diretamente a **Deus** como **Rei** (1). O louvor em nome do Senhor deve ocorrer **cada dia** [...] **pelos séculos dos séculos** (2). A **grandeza** de Deus é **inescrutável** (3), "não tem limites" (NVI). **Uma geração louvará** as **obras** de Deus **à outra geração**, anunciando as suas **proezas** (4) — aqui encontramos mais um versículo-chave para a educação cristã. O poeta fala da **magnificência**

gloriosa ("esplendor", ARA) da **majestade** de Deus (5). A expressão: **E se falará da força dos teus feitos terríveis** (6) também pode ser entendida como: "Discutirão o poder que está por detrás dos teus milagres" (Harrison). Os atos de Deus inspiram terror nos corações dos ímpios e admiração na mente do seu povo. A **grande bondade** (7) de Deus será lembrada, e os homens **cantarão a** sua **justiça**.

2. *A Bondade e a Graça de Deus* (145.8-9)

Estas são palavras acerca do Senhor, que contrastam com as palavras dirigidas diretamente a Ele na primeira estrofe. Esta descrição magnificente da misericórdia e graça de Deus é tirada em grande parte da auto-revelação do Senhor a Moisés em Êxodo 34.6-7. O Senhor é **piedoso** (8), literalmente bondoso, favorável e **benigno**, "compassivo" (NVI). Ele é **sofredor** ("tardio em irar-se", ARA; "paciente", NVI) **e de grande misericórdia** (transbordante de amor", NVI). **O Senhor é bom para todos** (9) em prover para as suas necessidades, visto que **as suas misericórdias** ("compaixão", NVI) **são sobre todas as suas obras**.

3. *O Povo de Deus Declara a sua Glória* (145.10-16)

As **obras** dos seus **santos** ("seguidores fiéis", Moffatt) se unem para declarar os louvores a Deus (10). O **reino** de Deus é especialmente magnificado: sua **glória** e **poder** (11), suas **proezas** ("feitos poderosos", NVI, 12), e seu **domínio** que se estende a **todas as gerações** (13). **Para que façam saber aos filhos dos homens** (12), isto é, toda a humanidade. Em relação ao versículo 14, Perowne escreveu: "A glória, a majestade, a eternidade do reino de Deus, das quais tanto se tem falado — como elas são manifestas? Onde pode ser vista a excelência manifesta desse reino? Não em símbolos de orgulho e poder terreno, mas na condescendência graciosa para com os caídos e os oprimidos, no cuidado gracioso que provê para as necessidades de todo ser vivo".[120]

> *Todas as tuas criaturas olham para ti,*
> *para receberem seu alimento no devido tempo,*
> *e com as dádivas da tua mão aberta*
> *celebram o teu favor (15-16, Moffatt).*

O salmista estava muito consciente de que "toda boa dádiva e todo dom perfeito vêm do alto, descendo do Pai das luzes, em quem não há mudança, nem sombra de variação" (Tg 1.17). Ele deixa claro a todos que as coisas boas que temos são dádivas de Deus.

4. *A Disponibilidade da Ajuda de Deus* (145.17-21)

O poeta não pára com a provisão real de Deus para as necessidades de todos. Ele se volta para a disponibilidade da ajuda de Deus nas necessidades morais e crises da vida. A justiça e santidade de Deus (17) são o critério e a esperança do homem. Deus está **perto** de **todos** (18) **os que o invocam em verdade** ("sinceridade", NVI). A única qualificação é uma necessidade sincera e um coração honesto. Quando o salmista escreveu: **Ele cumprirá o desejo dos que o temem** (19), ele estava, evidentemente, consciente do fato de que nem toda oração é respondida afirmativa e imediatamente. Porém, aqueles que de verdade temem o Senhor procuram constantemente apresentar seus desejos de acordo com a vontade de Deus. Não falta fé para aquele que ora: "Todavia, não seja como eu quero, mas como tu queres" (Mt 26.39). O Senhor **ouvirá o seu clamor e os salvará** com o tipo de livramento apropriado para a sua necessidade imediata. A preservação é a recompensa daqueles que **amam** a Deus e a destruição é o destino dos **ímpios** (20). O próprio salmista **entoará o louvor** em voz alta, e **toda carne** — todo ser vivo — **louvará o seu santo nome para todo o sempre** (21).

Salmo 146: Deus é nosso Auxílio, 146.1-10

Este é o primeiro dos "Salmos de Aleluia", 146—150, assim chamados porque cada um dos cinco salmos inicia e conclui com a expressão hebraica *Hallelu-Yah*, "Louvai ao Senhor!" Todos os cinco salmos têm sido usados diariamente no culto matinal da sinagoga desde tempos muito remotos. M'Caw escreve: "Os cânticos 146—150 formam uma doxologia bem-elaborada e abrangente do Saltério inteiro. Os elementos de petição e necessidade pessoal desaparecem completamente; o fator histórico da experiência da nação ocupa um papel secundário. Esses salmos são essencialmente 'hinos de louvor', e essa característica é claramente indicada no 'Aleluia' que é o prólogo e o epílogo de cada cântico desse grupo. Em cada caso, o Senhor é louvado, mas os atributos e atividades divinos que evocam essa adoração ininterrupta variam de um poema para outro".[121]

Em diversos pontos, o Salmo 146 se assemelha ao Salmo 145. Os pontos mais importantes se encontram no versículo 2 (145.2); nos versículos 5,7 (145.15); no versículo 8 (145.14); e no versículo 10 (145.13). Argumenta-se que os versículos 3-4 retratam as condições do tempo de Neemias e do período posterior. No entanto, uma das tentações constantes a partir do tempo de Salomão era a de depositar a confiança no homem e em alianças com países estrangeiros em vez de no Senhor. Evidentemente, essa tentação não é desconhecida em nossos dias.

1. Nossa Única Ajuda (146.1-4)

O Salmo, conforme mencionado na introdução, abre com a palavra *Hallelu-Yah*: **Louvai** a *Yah*, uma contração freqüente de *Yahweh*, o nome pessoal do Deus vivo e verdadeiro. Essa palavra (sempre foi escrita como uma palavra pelos Massoretas ou escribas que copiavam as Escrituras) ocorre no AT somente nos Salmos (pela primeira vez em 104.35). Ela tem sido traduzida para o português na forma de exclamação cristã de louvor: "Aleluia!" O salmista dedica seu constante louvor a **Deus enquanto** ele, o salmista, **viver** (2). Nem **príncipes, nem** [...] **filhos de homens** são capazes de ajudar nas maiores crises da vida. Os **filhos de homens** são "meros mortais" (NVI). Todos, tanto a nobreza como o cidadão comum, estão destinados a voltar **para sua terra** (4), isto e, "ao pó" (ARA). É verdade que o pensamento acerca da imortalidade era turvo nos tempos do AT. Contudo, a expressão: **naquele mesmo dia, perecem os seus pensamentos** não significa que ele se torna extinto ou destituído de consciência. Antes, essa expressão significa que seus propósitos ou planos vão fracassar.

2. Deus é Capaz (146.5-10)

Em contraste com a fraqueza e mortalidade do homem estão a grandeza e eternidade de Deus. **Bem-aventurado** (5) é aquele que tem **o Deus de Jacó por seu auxílio** ("para ajudá-lo", Harrison). Sua **esperança** não está no insignificante poder dos homens, mas **no SENHOR, seu Deus,** Criador do universo **e tudo quanto há** nele (6). **Guarda a verdade para sempre,** ou: "mantém para sempre a sua fidelidade" (ARA). "A palavra *emeth* (verdade) está intimamente ligada com a palavra 'fidelidade' (*emunah*), que aqui significa guardar a promessa e a fidelidade da aliança em seu sustento providencial do universo criado".[122]

A fidelidade de Deus é testificada no sentido de Ele fazer **justiça aos oprimidos** (7; "defender a causa", NVI). Ele **dá pão aos famintos**, liberta os cativos, **abre os olhos aos cegos** (8) e **levanta** os que estão **abatidos** em tristeza ou desesperança. O paralelo com Isaías 61.1 e os milagres de Jesus é bastante evidente. O Senhor ama **os justos** de uma maneira especial. Ele **guarda os estrangeiros** ("estrangeiros pobres", Moffatt; 9); e "sustém o órfão e a viúva" (NVI). **Mas transtorna o caminho dos ímpios**, frustrando seus intentos perversos e trazendo sobre eles mesmos o mal que planejavam para os outros. A soberania eterna do Deus de Sião é a garantia de que Ele é capaz de fazer como prometeu (10). O que chama a atenção nesses versículos é a sêxtupla repetição do nome de *Yahweh*, "o SENHOR". **Louvai ao SENHOR,** *Hallelu-Yah,* Aleluia!

SALMO 147: PODER IMENSURÁVEL E GRAÇA INCOMPARÁVEL, 147.1-20

O Salmo 147 aparece como dois poemas no AT grego (LXX), dividido entre os versículos 11 e 12. Não há, no entanto, nenhuma diferença entre a última estrofe e as duas precedentes como pode ser notado em muitos salmos não divididos dessa forma. A amplitude dos atos beneficentes de Deus é o tema desse poema. Oesterley escreve: "O derramar de um coração tão cheio de gratidão pelos sinais da preocupação divina manifestada por toda parte, deve tornar esse salmo precioso para todos que, como esse salmista, enxergam abaixo da superfície das coisas que ocorrem no mundo, quer na natureza, quer entre os homens, e discernem em tudo isso atos, por menores que possam parecer individualmente, de um plano de ação divino".[123]

1. *O Poder de Deus na Redenção* (147.1-6)

Louvai ao SENHOR é *Hallelu-Yah,* Aleluia! (cf. comentário em 146.1). A construção difere aqui no sentido de que **Louvai ao SENHOR** (*Hallelu-Yah*) não ocorre como uma expressão por si de um chamado para o louvor, como ocorre nos outros salmos desse grupo, mas aparece como parte da primeira sentença. **É bom** (a coisa certa a fazer) e **agradável** (uma fonte de alegria) **cantar louvores** a Deus. Esse **louvor** é **decoroso**, isto é, correto e apropriado.

As dimensões variadas das obras de Deus são alistadas: Ele **edifica** sua cidade santa e reúne os exilados **de Israel** (2). Ele **sara os quebrantados de coração e liga-lhes** ("cuida", NVI) **as feridas** (3). Ele **conta** (determina) **o número das estrelas** (4), e dá a cada uma o seu nome. Seu **poder** é **grande** e **seu entendimento é infinito** (5). Harrison traduz esse versículo da seguinte maneira: "Nosso Senhor é grande, abundante em poder, ilimitado em sua sabedoria". Ele **eleva os humildes** (6), mas lança **os ímpios até à terra**.

2. O Poder de Deus na Natureza (147.7-11)

A segunda estrofe trata basicamente do poder de Deus manifestado nos prodígios da natureza. A estrofe abre com mais um chamado para cantar **ao Senhor em ação de graças** (7). Cantar **louvores** [...] **sobre a harpa** significa cantar com acompanhamento de harpa (*kinnor*), um pequeno instrumento de cordas, o instrumento mais antigo e comum da Bíblia. Deus deve ser louvado por preparar **a chuva** e **produzir** a **erva** (8), provendo "alimento" (ARA) aos animais e aves (9). No entanto, o prazer do Senhor não está **na força do cavalo** (10) nem **na agilidade** ("nas pernas", cf. nota de rodapé da ARC; força atlética) **do varão**, mas naqueles **que o temem** e **esperam na sua misericórdia** (11). Tudo o que a natureza oferece tem como alvo a adoração a Deus e a confiança do homem no seu Criador.

3. O Poder de Deus na História e na Providência (147.12-20)

Muitas fases diferentes da ação de Deus são citadas para incentivar **Jerusalém** e **Sião** a louvarem **ao Senhor** (12). Ele **fortaleceu os ferrolhos das tuas portas** (13; as defesas da cidade) e **abençoa** seus habitantes. Ele "estabeleceu a paz" (ARA) e "supre do melhor do trigo" (NVI; 14). Para a orientação moral e o bem da saúde do homem, Deus **envia o seu mandamento** e anuncia a **palavra** velozmente (15). A NVI traduz: "sua palavra corre veloz". **Neve, geada** (16), **gelo** e **frio** (17) estão sujeitos à sua vontade (18). O homem não pode enfrentar o frio cáustico, mas Deus apenas **manda a sua palavra** e **faz** o gelo **derreter**. Porém, o melhor de tudo é que o Senhor mostrou **a sua palavra a Jacó, os seus estatutos e os seus juízos, a Israel** (19). Hamilton interpreta esse versículo da seguinte forma: "Ele declarou suas promessas a Jacó, suas leis e decretos a Israel". **Não fez assim a nenhuma outra nação** (20) significa que nenhuma outra nação foi tão favorecida. Israel estava propenso a esquecer que muita luz significa muita responsabilidade, e que a eleição de Deus visava mais ao servir do que ao privilégio de ser seu povo escolhido. **Louvai ao Senhor** (*Hallelu-Yah*), cf. comentário em 146.1.

Salmo 148: "Aleluia. Louvado Seja Javé!", 148.1-14

Esta bela obra é notável pela sua estrutura ordenada e pelas suas percepções da adoração a Deus oferecida pelas hostes celestiais. Este salmo se tornou a base bíblica para o hino evangélico adaptado por William J. Kirkpatrick.[124] Em geral, ele procede dos céus para a terra e conclama a todos a louvarem ao Senhor.

1. Louvor a Deus dos Céus (148.1-6)

Louvai ao Senhor significa "Aleluia!". Cf. comentário em 146.1. Há uma série de *hallelu* (**louvai-o**) nos versículos 1-4, convocando para louvar a Deus **desde os céus** e **nas alturas** (do céu) por **todos os seus anjos** e **todos os seus exércitos** (2), o sol, a **lua** e as **estrelas** (3), os **céus dos céus** ("os mais altos céus", NVI) e **as águas que estão sobre os céus** (4; as nuvens), que, conforme Gênesis 1.6-7, são a fonte da chuva abençoada.

> *Aleluia, louvado seja Javé!*
> *Dos céus louvem o seu nome.*
> *Louvem Javé dos mais altos céus;*

Todos seus anjos proclamem seu louvor.
Todas as hostes O louvem juntas —
Sol, lua e estrelas do alto.
Louvem-no, ó céus dos céus,
E as águas que estão acima dos céus.[125]

O apelo para louvar está baseado no fato da obra criativa de Deus — **pois mandou, e logo foram criadas** (5). Ao longo das Escrituras, é a palavra falada de Deus que chama à existência o universo finito ("E disse Deus" — Gn 1.3,6,9,11 etc.; Hb 1.3; 11.3).

Que louvem a Javé;
Eles foram criados à ordem dele.
Ele os estabeleceu para sempre;
Seu decreto permanecerá para sempre.[126]

2. Louvor a Deus da Terra (148.7-14)
O poeta volta-se para a terra e convoca as **baleias** (7) — "monstros marinhos" (ARA), "habitantes das profundezas" (Harrison) — e as profundezas do oceano para se unirem em louvor a Deus. **Fogo e saraiva, neve e vapores** (neblina), e **vento tempestuoso** são convocados para louvar a Deus ao **executar a sua palavra** (8). A natureza inanimada (9) e a animal (10), juntas com todas as classes e idades dos homens (11-12), são convocadas a louvar ao Senhor.

Da terra, ó louvai a Javé,
Todos vós águas e monstros marinhos;
Fogo e saraiva, neve e vapores,
Ventos tempestuosos que ouvem o seu chamar.

Todas as árvores frutíferas e cedros,
Todas as colinas e altas montanhas,
Animais rastejantes, feras e gados,
Aves que voam nos céus;
Reis da terra e todos os povos,
Poderosos príncipes e todos os juízes da terra;
Louvem o seu nome, jovens e donzelas,
Idosos e crianças.[127]

O **nome** de Deus, o símbolo da sua natureza, deve ser louvado, "porque só o seu nome é excelso" (ARA; 13) — "Só o seu nome é exaltado e supremo!" (Bíblia Amplificada). **Ele também exalta o poder do seu povo** (14) significa que ele aumenta a sua força e poder. **Seus santos** e **um povo que lhe é chegado** formam uma construção paralela; isto é, em certo sentido os santos são definidos como o povo que é íntimo do Senhor. **Louvai ao Senhor** (*Hallelu-Yah*), cf. comentário em 146.1.

Que louvem a Javé,
Pois só o seu nome é sublime

E sua glória é exaltada [...]
Muito acima da terra e céu.[128]

SALMO 149: LOUVOR PELA SALVAÇÃO E VINDICAÇÃO, 149.1-9

Este breve salmo apresenta disposições de ânimo fortemente contrastantes em suas duas estrofes. Nos primeiros quatro versículos lemos acerca de uma bela convocação para a adoração. Nos últimos cinco versículos, há uma forte nota de julgamento contra os inimigos do povo. Embora não seja possível identificar uma ocasião específica na história de Israel, alguns comentaristas acreditam que o salmo possa ter sido composto para celebrar uma vitória notável.[129] Taylor, por outro lado, acredita que essa é uma vitória que salva o povo de algum tipo de aflição, não uma conquista militar.[130]

1. *Louvor a Deus pela Salvação* (149.1-4)
Louvai ao SENHOR (1; *Hallelu-Yah*). Cf. comentário em 146.1. O cântico ao Senhor deve ser um **cântico novo** (cf. 144.9; Is 42.10), não para tornar o antigo obsoleto, mas para celebrar as novas e atuais bênçãos de salvação. A **congregação dos santos** é um equivalente do AT para a Igreja do NT. Deus deve ser adorado como Criador e como **Rei** (2). A "dança" (cf. nota de rodapé da ARC) religiosa (3) — que certamente não pode ser confundida com a "dança moderna" — e música alegre devem ser usadas no louvor a Deus. O **adufe** era "um tipo de tamborim segurado e batido com a mão. Esse instrumento era usado para acompanhar o canto e a dança (Êx 15.20). Ele está sempre associado no Antigo Testamento com alegria e contentamento".[131] Acerca de **harpa** cf. comentário em 33.2. O motivo desse tipo de louvor está expresso em um versículo de rara beleza: **Porque o SENHOR se agrada do seu povo; ele adornará os mansos com a salvação** (4). No contexto imediato, essas palavras têm sido usadas para se referir à vitória mencionada na estrofe seguinte. Assim, a RSV traduz: "Ele adorna os mansos com a vitória"; e Harrison traduz: "Ele adorna os mansos com o triunfo". No entanto, a **salvação** no seu significado bíblico pleno é um "tratamento de beleza" do caráter, se não também do rosto e da aparência.

2. *Louvor a Deus pela Vindicação* (149.5-9)
Os santos devem exultar **na glória** (5), ou como Moffatt traduz: "exultem sobre o seu triunfo", louvando a Deus pela salvação e libertação do versículo precedente. **Cantem de alegria no seu leito**, isto é: "nos mesmos leitos nos quais eles haviam pranteado seus lamentos durante os dias de opressão".[132] Eles devem ter **na sua garganta os altos louvores de Deus e** uma **espada de dois fios, nas suas mãos** (6). Os leitores do NT vão lembrar da referência à Palavra de Deus como uma "espada de dois gumes" (Hb 4.12) e "a espada do Espírito, que é a palavra de Deus" (Ef 6.17). O destino dos inimigos do Senhor deve ser a **vingança** e as **repreensões** (7), a prisão **com cadeias** e **grilhões de ferro** (8), e a realização do **juízo** (9). **Esta honra, tê-la-ão todos os santos** é melhor traduzido como: "Ele (o Senhor) é a honra de todos os seus santos" (Bíblia Amplificada). **Louvai ao SENHOR** (*Hallelu-Yah*), cf. comentário em 146.1.

Salmo 150: Doxologia: "Louvai ao Senhor", 150.1-6

O último salmo no Livro dos Salmos é uma doxologia muito apropriada como conclusão de todo o Saltério. É muito provável que tenha sido escrito para esse fim. Morgan o chama de "a ilustração mais abrangente e bela do perfeito louvor de todo o Saltério".[133] Oesterley escreve o seguinte: "As melodias triunfantes que ressoam nesse Aleluia final são uma conclusão nobre e apropriada dos salmos, a maior sinfonia de louvor a Deus já escrita na terra".[134] É evidência clara, mesmo que incidental, do uso abundante da música e dos instrumentos musicais no Templo.

1. Convite para Louvar (150.1-2)

Louvai ao Senhor (1; *Hallelu-Yah*) é "Aleluia!" Cf. comentário em 146.1. Deus deve ser louvado tanto **no seu santuário** como no **firmamento do seu poder** ("em seu magnífico céu", Harrison). Ele deve ser louvado **pelos seus atos poderosos** e pela **excelência da sua grandeza** (2); isto é, "pelos seus feitos poderosos" e "sua força soberana" (Moffatt).

2. Os Instrumentos de Louvor (150.3-6)

Três tipos de instrumentos de música devem ser empregados em louvor a Deus: de sopro, de cordas e de percussão. Instrumentos de sopro incluem a **trombeta** (3) e as **flautas** (4). Instrumentos de cordas são o **saltério e a harpa** (3). Instrumentos de percussão incluem o **adufe** ("tamborins", NVI), e **os címbalos sonoros** e **altissonantes** ("retumbantes", ARA; "ressonantes", NVI) do versículo 5. A **trombeta** (*shophar*), "um chifre longo com uma ponta voltada para cima, era a trombeta nacional dos israelitas. Ela era usada em ocasiões militares e religiosas para convocar o povo".[135] **O saltério** (hb. *nebel*; "lira", NVI) "era um tipo de harpa, de acordo com a RSV, embora sua descrição exata seja incerta".[136] Acerca de **harpa**, veja comentário em 33.2. Acerca de **adufe e a flauta** ("dança", cf. nota de rodapé da ARC) veja o comentário em 149.3. **Flautas** (*ugab*) eram instrumentos de natureza incerta, mas provavelmente "algum tipo de tubo ou possivelmente vários tubos".[137] **Címbalos** (5; *tseltselim*) eram "dois pratos rasos de metal presos em cada mão e batidos juntos".[138] A palavra é usada duas vezes com diferentes adjetivos — **sonoros** e **altissonantes** (retumbantes", ARA). Não somente instrumentos, mas vozes devem ser usadas para louvar a Deus por **tudo quanto tem fôlego** (6). **Louvai ao Senhor** (*Hallelu-Yah*), "Aleluia!" Cf. comentário em 146.1.

Kirkpatrick cita Maclaren quando diz: "Esta conclusão nobre do Saltério ressoa uma nota clara de louvor e é o final de todas as diferentes disposições de ânimo e experiências registradas em seus suspiros e cânticos maravilhosos. Lágrimas, gemidos, lamentação pelo pecado, meditações acerca das profundezas escuras da Providência, fé desfalecida e aspirações frustradas, tudo leva a esse fim. O Salmo é mais do que um encerramento artístico do Saltério; ele é uma profecia do resultado final de uma vida devota, e, na sua 'felicidade' serena bem como na sua universalidade, proclama o final seguro dos anos fatigantes do indivíduo e do mundo. 'Tudo quanto tem fôlego' ainda louvará a Javé".[139]

Notas

INTRODUÇÃO

[1] Citado em J. G. S. S. Thompson, "Psalms", *The New Bible Dictionary*, ed. J. D. Douglas, *et al.* (Grand Rapids, Michigan: Wm B. Eerdmans Publishing Co., 1962), p. 1059.

[2] *Commentary on the Book of Psalms*; citado em W. Steward McCullough, "The Book os Psalms" (Introduction), *The Interpreter's Bible*, ed. George A. Buttrick, *et al.*, IV (Nova York: Abingdon Press, 1955), p. 16.

[3] Citado em Franz Delitzsch, *A Commentary on the Book of Psalms*, traduzido por Eaton e Duguid, I (Nova York: Funk e Wagnalls, n.d.), p. 1.

[4] *The Psalms*, traduzido com texto crítico e notas exegéticas (Londres: S. P. C. K., 1953), p. 539.

[5] *The Poetry of the Old Testament* (Londres: Gerald Duckworth e Co., Ltd., 1947), p. 107.

[6] *The Psalms: With Introduction and Notes* (Nova York: E. P. Dutton and Company, Inc., s.d.), I, xli.

[7] *The Book of Psalms* ("The Cambridge Bible for Schools and Colleges"; Cambridge: University Press, (1894), I, lxvii.

[8] Norman Snaith, *Hymns of the Temple* (Londres: SCM Press, Ltd., 1951), pp. 18-19. A citação completa pode ser lida em Mitchell Dahood, *Psalms I (1-50)* ("The Anchor Bible", ed. William Foxwell Albright e David Noel Freedman; Garden City, Nova York: Doubleday and Company, Inc., 1966), pp. xxx-xxxi.

[9] Kirpatrick, *op. cit.*, xxxix-xli.

[10] *Op cit.*, pp. 22-23. Veja em Provérbios 25.1 um exemplo do interesse de Ezequias pela literatura religiosa do seu povo.

[11] Cf. Snaith, *op. cit.*, pp. 14-17.

[12] *Op. cit.*, I, xlii.

[13] *Ibid.*, p. xxvii.

[14] Cf. Barnes, *op. cit.*, pp. xxiii-xxiv; e Sigmund Mowinckel, *The Psalms in Israel's Worship*, traduzido por D. R. Ap-Thomas (Nova York: Abingdon Press, 1962), II, pp. 95-103.

[15] Este título é idêntico ao título de 2 Samuel 22.1, do qual, sem dúvida alguma, foi tirado. O Salmo 18 também é encontrado em 2 Samuel 22 com pequenas mudanças.

[16] Citado em William W. Simpson, *Jewish Prayer and Worship* (Naperville, Ill.: SCM Book Club, 1965), p. 61.

[17] *Op. cit.*, p. 99.

[18] Leslie M'Caw, "Psalms", *The New Bible Commentary*, ed. Francis Davidson (Grand Rapids: Michigan:Wm. B. Eerdmans Publishing Company, 1956), p. 414.

[19] *Reflections on the Psalms* (Nova York: Harcourt, Brace and Company, 1958), pp. 30-31.

[20] Cf. a discussão em Dahood, *op. cit.*, pp. xv-xxxii.

[21] *Ibid.*, p. xxix.

[22] *Ibid.*, p. xxxii. Cf. a discussão desse ponto em Moses Buttenwieser. *The Psalms Chronologically Treated with a New Translation* (Chicago: The University of Chicago Press, 1938), pp. 1-18.

SEÇÃO I

[1] *Op. cit.*, p. 2.

[2] William R. Taylor, "Psalms 1—71, 93, 95—96, 100, 120—28, 140-50" (Exegese), *The Interpreter's Bible*, ed. George A. Buttrick, *et al.*, IV (Nova York: Abingdon Press, 1955), p. 20.

[3] *Ibid.*

[4] Kirkpatrick, *op. cit.*, p. 3.

[5] *A Conservative Introduction to the Old Testament*. Segunda ed. (Atlanta, Geórgia: University of Georgia Press, 1944), p. 185.

[6] *The Faith of Israel: Aspects of Old Testament Thought* (Filadélfia: The Westminstes Press, 1956), p. 192.

[7] Kirkpatrick, *op. cit.*, pp. 5-7.

[8] *Ibid.*, p. 9.

[9] Cf. Barnes, *op. cit.*, I, 9-10.

[10] *Op. cit.*, p. 129.

[11] *Ibid.*, pp. 131-132.

[12] *Op. cit.*, p. 19.

[13] *Ibid.*, p. 21.

[14] *An Exposition of the Whole Bible* (Westwood, New Jersey: Fleming H. Revell Company, 1954), p. 223.

[15] C. Ryder Smith, *The Bible Doctrine of Man* (Londres: The Epworth Press, 1951), p. 23.

[16] Arnold B. Rhodes, *Layman's Bible Commentary*, ed. Balmer Kelly, *et al.* (Richmond, Va.: John Knox Press, 1959), I, p. 64.

[17] Edmond Jacob, *Theology of the Old Testament* (Nova York: Harper and Brothers, 1958), p. 170.

[18] *Critique of Practical Reason, and Other Writings in Moral Philosophy,* trad. Louis White Beck (Chicago: University of Chicago Press, 1949), p. 258.

[19] *Op. cit.*, p. 141.

[20] *An Outline of Old Testament Theology* (Boston, Mass.: Charles T. Brandford Company, 1958), p. 313.

[21] Kirkpatrick, *op. cit.*, p. xxiii.

[22] McCullough, *op. cit.*

[23] Kirkpatrick, *op. cit.*, p. 38.

[24] *Ibid.*, p. 43.

[25] *Op. cit.*, p. 225.

[26] *Ibid.*

[27] Kirkpatrick, *op. cit.*, p. 58.

[28] *Op. cit.*, p. 239.

[29] *Op. cit.*, p. 71.

[30] *Ibid.*, xxxvi.

[31] *Op. cit.*, p. 63

[32] *Op. cit.*, p. 152.
[33] *Op. cit.*, p. 226.
[34] *Op. cit.*,. p. 422.
[35] *Op. cit.*, p. 69.
[36] *Ibid.*, p. 70.
[38] *Op. cit.*, p. 116.
[38] Kirkpatrick, *op. cit.*, p. xviii.
[39] Citado, *ibid.*, p. 74.
[40] *Op. cit.*, p. 23.
[41] Kirkpatrick, *op. cit.*, p. 76.
[42] *Op. cit.*, p. 161.
[43] *Ibid.*, p. 90. Cf. tradução de Anchor: "Na minha vindicação contemplarei a sua face; na ressurreição serei satisfeito com a sua existência". Cf. o comentário de Dahood, *op. cit.*, p. 99, que associa esse texto com as passagens acerca da ressurreição em Isaías 26.19 e Daniel 12.2.
[44] *Op. cit.*, p. 63.
[45] *Ibid.*, p. 81. Com base numa análise gramatical, Dahood conclui: "O autor das duas partes do salmo era o mesmo poeta" (*Op. cit.*, p. 121).
[47] *Ibid.*, p.111
[48] *Op. cit.*, p. 229.
[49] *Op. cit.*, p. 427.
[50] *Op. cit.*, p. 229.
[51] *Ibid.*
[52] *The Distinctive Ideas of the Old Testament* (Filadélfia: Westminster Press, 1946), pp. 100ss.
[53] *Op. cit.*, 4:123.
[54] *Op. cit.*, pp. 182-183.
[55] *Op. cit.*, p. 429.
[56] *Ibid.*
[57] *Op cit.*, p. 128.
[58] *The Book of Psalms*, I (Grand Rapids, Michigan: Zondervan Publishing House, 1966 [reedição]), p. 255.
[59] *Op. cit.*, p. 129.
[60] Perowne, *op. cit.*, I, p. 255.
[61] Cf. Oesterley, *op. cit.*, p. 189.
[62] Kirkpatrick, *op. cit.*, p. 133.
[63] *Ibid.*
[64] *Ibid.*, p. 136.
[65] *Op. Cit.*, p. 135. Dahood inclui Salmos 5.16 e o Salmo 139 nessa categoria como "salmos de inocência" (*op. cit.*, p. 33). Também cf. Jó 31 para um exemplo clássico de "juramento de purificação" na Bíblia.

[66] *Op. cit.*, pp. 193-194.

[67] *Op. cit.*, p. 231.

[68] *Op. cit.*, p. 197.

[69] *Op. cit.*, p. 432.

[70] *Op. cit.*, I, p. 142.

[71] *Loc. cit.*

[72] *Ibid.*

[73] *Op. cit.*, p. 199. Acerca da posição de Ginsburg, *et al.*, segundo a qual esse salmo é uma adaptação do hino cananeu ao deus da tempestade, cf. Dahood, *op. cit.*, p. 175.

[74] *Op. cit.*, p. 432.

[75] Conforme o título do Salmo sugerido por Franz Delitzsch: "Salmo dos Sete Trovões", *op. cit.*, I, p. 445.

[76] Título de uma obra de G. Ernest Wright (Chicago: Henry Regnery Co., 1952).

[77] Citado por Kirkpatrick, *op. cit.*, p. 151.

[78] O *Sopherim* do Talmude citado *ibid.*

[79] *Op. cit.*, p. 232.

[80] *Ibid.*

[81] Kirkpatrick, *op. cit.*, p. 156.

[82] *Ibid.*, p. 157.

[83] Morgan, *loc. cit.*

[84] *Ibid.*

[85] *Op. cit.*, p. 161.

[86] Morgan, *op. cit.*, p. 233.

[87] Kirkpatrick, *op. cit.*, p. 162; cf. C. Ryder Smith, *The Bible Doctrine of Sin* (Londres: The Epworth Press, 1953), p. 17; Hermann Schultz, *Old Testament Theology*, traduzido por J. A. Paterson (Edimburgo: T. e T. Clark, 1909), II, pp. 281 ss., 306; Ludwig Köhler, *Old Testament Theology*, traduzido por A. S. Todd (Filadélfia: The Westminster Press, 1957), p. 170.

[88] *The Old Testament in Christian Preaching* (Filadélfia: The Westminster Press, 1961, p. 172.

[89] *Op. cit.*, p. 175.

[90] Vriezen, *op. cit.*, p. 302.

[91] Dahood, *op. cit.*, p. xxxi, destaca a continuidade gramatical entre 32.11 e 33.1 como evidência de que esses dois salmos, na verdade, formam uma única composição.

[92] Kirkpatrick, *op. cit.*, p. 166.

[93] Cf. A. B. Davidson, *The Theology of the Old Testament* (Edimburgo: T. e T. Clark, 1904), pp. 291-300; Schultz, *op. cit.*, II, 214-237; Gustave F. Oehler, *Theology of the Old Testament*, traduzido por George E. Day (Grand Rapids, Michigan: Zondervan Publishing House [reedição], parágrafos 59-60.

[94] Delitzsch, *op. cit.*, *ad loc.*

[95] Delitzsch, *op. cit.*, *ad loc.*

[96] *Op. cit.*, pp. 233-234.

[97] *Op. cit.*, pp. 218-219.

[98] *Op. cit.*, p. 180.

[99] *Op. cit.*, p. 219.

[100] Cf. citação em Kirkpatrick, *op. cit.*, p. 198.

[101] *Op. cit.*, p. 235.

[102] *Op. cit.*, 4:204.

[103] *Op. cit.*, p. 238.

[104] *Op. cit.*, p. 441.

[105] *Hymns of the Tempel*, p. 14.

SEÇÃO II

[1] *Op. cit.*, pp. 14-17.

[2] *Op. cit.*, p. 236.

[3] J. Lewis Milligan, "Where Is Thy God?" *Masterpieces of Religious Verse,* ed. James Dalton Morrison (Nova York: Harper and Brothers, Publishers, 1948), p. 141. Usado com permissão.

[4] *Op. cit.*, pp. 33-34.

[5] *Op. cit.*, p. 250.

[6] Delitzsch, *op. cit.*, II, 83.

[7] Taylor, *op. cit.*, 4.232.

[8] *Op. cit.*, pp. 65-67.

[9] Barnes, *op. cit.*, II, p. 224.

[10] Oesterley, *op. cit.*, pp. 250-254; *et al.*

[11] *Op. cit.*, II, p. 253.

[12] *Ibid.*, p. xxv.

[13] Edwin McNeill Poteat, "Psalms 42—89" (Exposition), *The Interpreter's Bible,* ed. George A. Buttrick, *et. al.*, IV (Nova York: Abingdon Press, 1955), p. 240.

[14] Oesterley, *op. cit.*, p. 254.

[15] Taylor, *op. cit.*, 4:241.

[16] *Op. cit.*, p. 445.

[17] *Op. cit.*, p. 258.

[18] Citado em Taylor, *op. cit.*, 4:245. Cf. Barnes, *op. cit.*, II, p. 233, *contra*.

[19] *Op. cit.*, p. 261.

[20] John Forsyth, "Psalms XLII—L", *A Commentary on the Holy Scriptures,* ed. John Peter Lange (Grand Rapids: Zondervan Publishing House [reedição], s.d.). p. 312.

[21] Taylor, *op. cit.*, 4:255.

[22] Oesterley, *op. cit.*, p. 267.

[23] Kirkpatrick, *op. cit., ad loc.*

[24] *Op. cit.*, p. 171.
[25] *Op. cit.*, p. 447.
[26] Cf. Taylor, *op. cit.*, 4:260-261; Oesterley, *op. cit.*, p. 267; Vriezen, *op. cit.*, p. 306.
[27] *Op. cit.*,, p. 306.
[28] *Op. cit.*, p. 239.
[29] Cf. C. Ryder Smith, *The Bible Doctrine of Salvation* (Londres: The Epworth Press, 1946), p. 62.
[30] *Op. cit.*, I, p. 411.
[31] *Op. cit.*, pp. 239-240.
[32] *Op. cit.*, pp. 270-271.
[33] *Op. cit.*, p. 178.
[34] *Op. cit.*, I, 420.
[35] Kirkpatrick, *op. cit.*, *ad loc.*
[36] *Ibid.*
[37] *Op. cit.*, pp. 240-241.
[38] *Op. cit.*, p. 286.
[39] *Op. cit.*, p. 241.
[40] Oesterley, *op. cit.*, p. 289.
[41] *Op. cit.*, II, p. 269.
[42] *Op. cit.*, p. 291.
[43] *Op. cit.*, p. 241.
[44] *Op. cit.*, p. 242.
[45] *Ibid.*
[46] Barnes, *op. cit.*, II, p. 287.
[47] Taylor, *op. cit.*, 4:326.
[48] Oesterley, *op. cit.*, p. 307.
[49] *Op. cit.*, p. 244.
[50] George Rawlinson, "The Book of Psalms" (Exposition), *The Pulpit Commentary*, ed. H. D. M. Spence e Joseph S. Excell (Grand Rapids, Michigan: Wm. B. Eerdmans Publishing Company, 1950 [reedição]), II, p. 30.
[51] *Op. cit.*, pp. 456-457.
[52] *Op. cit.*, p. 319.
[53] *Ibid.*, p. 320.
[54] *Op. cit.* 4:353-354.
[55] *Op. cit.*, p. 246.
[56] *Ibid.*, pp. 246-247.
[57] *Op. cit.*, p. 461.
[58] Oesterley, *op. cit.*, p. 333.

⁵⁹ *Ibid.*, p. 336.
⁶⁰ *Op. cit.*, p. 247.
⁶¹ *Op. cit.*, p. 462.

SEÇÃO III

¹ *Op. cit.*, p. 124.
² *Op. cit.*, p. 345.
³ *Op. cit.*, pp. 183-184.
⁴ *Op. cit.*, p. 91.
⁵ Cf. Barnes, *op. cit.*, II, 357.
⁶ *Op. cit.*, *ad loc.*
⁷ Perowne, *op. cit.*, II, p. 44.
⁸ *Op. cit.*, p. 249.
⁹ Perowne, *op. cit.*, II, p. 47.
¹⁰ W. Steward McCullough, "Psalms 72—92; 94; 97—99; 101-119; 139" (Exegesis), *The Interpreter's Bible*, ed. George A. Buttrick, *et al.*, IV (Nova York: Abingdon Press, 1955), p. 409.
¹¹ Perowne, *op. cit.*, II, p. 47.
¹² *Ibid.*, p. 50.
¹³ *Ibid.*, pp. 52-53.
¹⁴ McCullough, *op. cit.*, 4:414.
¹⁵ *Op. cit.*, p. 144.
¹⁶ Oesterley, *op. cit.*, pp. 368-369.
¹⁷ Perowne, *op. cit.*, II, pp. 56-58.
¹⁸ *Op. cit.*, II, 52.
¹⁹ *Op. cit.*, p. 363.
²⁰ Perowne, *op. cit.*, II, p. 70.
²¹ *Ibid.*, II, p. 74.
²² *Op. cit.*, p. 369.
²³ *Op. cit.*, II, p. 94.
²⁴ *Op. cit.*, p. 373.
²⁵ *Op. cit.*, *ad loc.*
²⁶ *Op. cit.*, II, p. 99.
²⁷ *Op. cit.*, p. 252.
²⁸ Cf. a discussão em McCullough, *op. cit.*, 4:444.
²⁹ M'Caw, *op. cit.*, p. 470.
³⁰ *Op. cit.*, II, p. 110.
³¹ *Op. cit.*, p. 373.
³² *Op. cit.*, p. 381.

³³ *Op. cit.*, II, p. 119.
³⁴ *Op. cit.*, p. 120.
³⁵ *Ibid.*, p. 122.
³⁶ *Contra*, cf. McCullough, *op. cit.*, 4:458.
³⁷ *Op. cit.*, p. 472.
³⁸ Perowne, *op. cit.*, II, p. 125.
³⁹ *Ibid.*, p. 126.
⁴⁰ *Ibid.*, p. 124.
⁴¹ *Ibid.*, p. 129.
⁴² *Ibid.*
⁴³ *Ibid.*, p. 130.
⁴⁴ Poteat, *op. cit.*, 4:466.
⁴⁵ Veja Perowne, *op. cit.*, II, p. 135, acerca de uma data no reinado de Ezequias.
⁴⁶ *Ibid.*, p. 133.
⁴⁷ *Loc. cit.*
⁴⁸ *Op. cit.*, p. 392.
⁴⁹ Perowne, *op. cit.*, II, p. 137.
⁵⁰ *Ibid.*, p. 140.
⁵¹ *Loc. cit.*
⁵² *Op. cit.*, p. 393.
⁵³ *Op. cit.*, 4.473.
⁵⁴ *Op. cit.*, II, p. 422.
⁵⁵ *Op. cit.*, p. 403.
⁵⁶ Perowne, *op. cit.*, II, pp. 147-148.
⁵⁷ Barnes, *op. cit.*, II, p. 428.
⁵⁸ Perowne, *op. cit.*, II, p. 154.

SEÇÃO IV

¹ McCullough, *op. cit.*, 4:487.
² Citado, *loc. cit.*
³ Citado, Perowne, *op. cit.*, II, p. 161.
⁴ Cf. Kirkpatrick, *op. cit.*, pp. 547-548.
⁵ *Ibid.*, p. 549.
⁶ *Ibid.*, p. 551.
⁷ *Ibid.*, p. 552.
⁸ Perowne, *op. cit.*, II, p. 172.
⁹ *Op. cit.*, 4:493.

[10] *Ibid.*, 4:494-495.
[11] *Op. cit.*, p. 414.
[12] Kirkpatrick, *op. cit.*, p. 561.
[13] *Op. cit.*, p. 479.
[14] Kirkpatrick, *op. cit.*, p. 564.
[15] *Op. cit.*, p. 479.
[16] Oesterley, *op. cit.*, p. 419.
[17] McCullough, *op. cit.*, 4:507.
[18] *Op. cit.*, p. 257.
[19] *Op. cit.*, p. 422.
[20] Robinson, *op. cit.*, p. 126.
[21] *Op. cit.*, pp. 257-258.
[22] McCullough, *op. cit.*, 4:524.
[23] *Op. cit.*, p. 258.
[24] Kirkpatrick, *op. cit.*, p. xix.
[25] *Op. cit.*, p. 528.
[26] *Op. cit.*, p. 258.
[27] *Op. cit.*, p. 258.
[28] *Op. cit.*, II, p. 210.
[29] *Op. cit.*, p. 482.
[30] *Op. cit.*, pp. 589-590.
[31] *The Psalms Translated and Explained* (Grand Rapids, Michigan: Zondervan Publishing House [reedição], n.d.), pp. 406-407.
[32] *Op. cit.*, p. 591.
[33] George Allen Turner, *The Vision Which Transforms* (Kansas City, Mo.: Beacon Hill Press, 1964), pp. 42-43.
[34] *Ibid.*, p. 43.
[35] *Op. cit.*, II, p. 216.
[36] *Ibid.*, II, p. 217.
[37] *Op. cit.*, p. 600.
[38] *Op. cit.*, p. 437.
[39] *Op. cit.*, 4:544.
[40] Citado por Perowne, *op. cit.*, II, pp. 226-227.
[41] *Ibid.*, p. 237.
[42] *Ibid.*
[43] *Op. cit.*, p. 601.
[44] *Op. cit.*, 4:547. A "lenda da fênix" refere-se à ave cuja vida era renovada pelo fogo, ressurgindo das cinzas para viver novamente.

[45] Frank H. Ballard, "Psalms 90—150" (Exposition), *The Interpreter's Bible,* ed. George A. Buttrick, et al., IV (Nova York: Abingdon Press, 1955), p. 549.

[46] *Op. cit.*, p. 485.

[47] *Op. cit.*, p. 455.

[48] Por exemplo, Oesterley, *op. cit.*, pp. 440-444.

[49] *Op. cit.*, 4:551.

[50] Cf. M'Caw, *op. cit.*, p. 485.

[51] *Op. cit.*, p. 448.

[52] *Op. cit.*, pp. 260-261.

[53] *Op. cit.*, II, p. 252.

[54] Cf. Kirkpatrick, *op. cit.*, p. 621.

[55] *Op. cit.*, p. 487.

[56] *Op. cit.*, II, p. 261.

[57] Ibid., p. 263.

[58] *Ibid.*, p. 263.

[59] *Op. cit.*, 4:570.

SEÇÃO V

[1] *Op. cit.*, II, p. 273.

[2] *Op. cit.*, p. 456.

[3] Kirkpatrick, *op. cit.*, p. 642.

[4] *Op. cit.*, II, p. 279.

[5] McCullough, *op. cit.*, 4:575.

[6] *Op. cit.*, p. 262.

[7] Cf. *The Holy Scriptures* (Filadélfia: The Jewish Publication Society of America, 1958), *ad loc.*, em que os versículos estão entre aspas. Também cf. Morgan, *op. cit.*, pp. 262-263.

[8] *Op. cit.*, p. 660.

[9] *Op. cit.*, II, p. 293.

[10] *Op. cit.*, p. 263.

[11] Cf. Kirkpatrick, *op. cit.*, pp. 660-665; Mc Cullough, *op. cit.*, 4:588.

[12] *Op. cit.*, II, p. 310.

[13] *Op. cit.*, p. 492.

[14] Perowne, *op. cit.*, II, p. 321.

[15] Ballard, *op. cit.*, 4:599.

[16] *Op. cit.*, 4:599.

[17] *Op. cit.*, p. 100.

[18] *Ibid.*, pp. 468-470.

[19] *Ibid.*

[20] *Op. cit.*, 4:603.
[21] Cf. H. H. Rowley, *The Unity of the Bible* (Filadélfia: The Westminster Press, 1953), em que essa idéia é desenvolvida em detalhes.
[22] Alexander, *op. cit.*, p. 468.
[23] *Op. cit.*, p. 265.
[24] *Op. cit.*, II, pp. 548-549.
[25] Kirkpatrick, *op. cit.*, p. 686.
[26] *Op. cit.*, II, p. 551.
[27] *Ibid.*
[28] Barnes, *op. cit.*, I, p. 68.
[29] McCullough, *op. cit.*, 4:613.
[30] Versão *Berkeley*, *in loc.*, nota de rodapé.
[31] *Op. cit.*, p. 265.
[32] *Op. cit.*, 4:616.
[33] *Op. cit.*, 4:616.
[34] Citado por McCullough, *ibid.*
[35] Alexander, *op. cit.*, p. 481.
[36] *Op. cit.*, p. 496.
[37] *Op. cit.*, p. 266.
[38] *Op. cit.*, p. 499.
[39] Kirkpatrick, *op. cit.*, p. 707.
[40] *Ibid.*, p. 708.
[41] Ibid., p. 710.
[42] *Ibid.*, p. 714.
[43] *Growing Spiritually* (Nova York: Abingdon Press, 1954), p. 355 (grifo no original).
[44] Barnes, *op. cit.*, p. 581.
[45] *A Plain Account of Christian Perfection* (Kansas City, Mo: Beacon Hill Press of Kansas City, 1966 [reedição], pp. 95-96, seção 25, questão 32.
[46] Kirkpatrick, *op. cit.*, p. 722.
[47] *Ibid.*, p. 726.
[48] *Ibid.*, p. 730.
[49] *Ibid.*, p. 733.
[50] Barnes, *op. cit.*, p. 590.
[51] *Op. cit.*, p. 498.
[52] Citado por Barnes, *op. cit.*, p. 591, de *Psalmen*, p. 428.
[53] *Ibid.*, pp. 591-622.
[54] Taylor, *op. cit.*, p. 594.
[55] *Ibid.*, 4:643.

[56] Barnes, *op. cit.*, p. 594.
[57] *Op. cit.*, II, p. 373.
[58] *Op. cit.*, p. 267.
[59] *Op. cit.*, 4:649.
[60] *Op. cit.*, 4:649.
[61] *Op. cit.*, II, p. 598.
[62] Perowne, *op. cit.*, II, p. 382.
[63] *Ibid.*, p. 383.
[64] Oesterley, *op. cit.*, p. 509.
[65] *Ibid.*
[66] Cf. Perowne, *op. cit.*, II, p. 388: Kirkpatrick, *op. cit.*, p. 746.
[67] Kirkpatrick, *op. cit.*, p. 747.
[68] *Op. cit.*, II, p. 602.
[69] *Ibid.*
[70] *Op. cit.*, 4:667-668.
[71] *Ibid.*, pp. 672-673.
[72] *Op. cit.*, II, p. 607.
[73] *Op. cit.*, p. 271.
[74] *Op. cit.*, p. 758.s
[75] Barnes, *op. cit.*, II, p. 611.
[76] *Op. cit.*, pp. 527-528.
[77] Perowne, *op. cit.*, II, p. 407.
[78] *Op. cit.*, 4:683-684.
[79] *Op. cit.*, II, p. 612.
[80] *Op. cit.*, p. 533.
[81] *Op. cit.*, II, p. 415.
[82] *Ibid.*, p. 416.
[83] *Op. cit.*, pp. 534-536.
[84] *Op. cit.*, 4:688-689.
[85] *Op. cit.,* II, p. 616.
[86] *Ibid.*
[87] *Op, cit.*, 4:691.
[88] *Op. cit.*, 4:691.
[89] Citado por Perowne, *op. cit.*, p. 423.
[90] Delitzsch; citado por Kirkpatrick, *op. cit.*, p. 776.
[91] *Op. cit.*, p. 273.
[92] *Op. cit.*, pp. 548-549.

[93] *Op. cit.*, p. 781.
[94] *Ibid.*, pp. 779-780.
[95] *Op. cit.*, p. 536.
[96] Sugerido por Carl N. Hall.
[97] Kirkpatrick, *op. cit.*, p. 785.
[98] *Op. cit.*, p. 506.
[99] *Op. cit.*, p. 553.
[100] *Op. cit.*, 4:712.
[101] *Op. cit.*, p. 787.
[102] John Greenleaf Whittier, de "The Eternal Goodness".
[103] H. Orton Wiley, *Christian Theology* (Kansas City, Mo.: Beacon Hill Press, 1940), I, p. 345.
[104] *Ibid.*, pp. 346-347.
[105] Kirkpatrick, *op. cit.*, p. 789.
[106] M'Caw, *op. cit.*, p. 508.
[107] J. Edwin Orr em "Cleanse Me".
[108] *Op. cit.*, pp. 560-561.
[109] Kirkpatrick, *op. cit.*, p. 795.
[110] Oesterley, *op. cit.*, p. 564.
[111] *Ibid.*, p. 565.
[112] *Op. cit.*, II, p. 459.
[113] *Op. cit.*, p. 566.
[114] Kirkpatrick, *op. cit.*, p. 812.
[115] Taylor, *op. cit.*, 4:739.
[116] Kirkpatrick, *op. cit.*, p. 812.
[117] Barnes, *op. cit.* II, p. 659. Perowne, por outro lado, acredita que os tradutores da LXX intercalaram esse versículo (*op. cit.*, II, p. 469).
[118] *Op. cit.*, p. 60.
[119] *Op. cit.*, p. 575.
[120] *Op. cit.*, p. 511.
[121] *Op. cit.*, p. 511.
[122] Versão *Berkeley*, nota de rodapé, *ad loc.*
[123] *Op. cit.*, p. 578.
[124] *Praise and Worship*, hinário (Kansas City, Mo: Lillenas Publishing Co., s.d.), nº 373.
[125] *Ibid.*
[126] *Ibid.*
[127] *Ibid.*
[128] *Ibid.*

[129] E.G., Oesterley, *op. cit.*, pp. 584-587.

[130] *Op. cit.*, 4:758-759.

[131] D. G. Stradling, "Music and Musical Instruments", *The New Bible Dictionary*, ed. J. D. Douglas, et al. (Grand Rapids, Michigan: Wm. B. Eerdmans Publishing Co., 1962), p. 856.

[132] *Versão Berkeley*, nota de rodapé, *ad loc.*

[133] *Op. cit.*, p. 277.

[134] *Op. cit.*, p. 587.

[135] Stradling, *op. cit.*, p. 855.

[136] *Ibid.*, p. 853.

[137] *Ibid.*, p. 855.

[138] *Ibid.*

[139] *Op. cit.*, pp. 831-832.

Bibliografia

1. COMENTÁRIOS

ALEXANDER, Joseph Addison. *The Psalms Translated and Explained*. Grand Rapids, Michigan: Zondervan Publishing House, s.d. (reedição).

BALLARD, Frank H. "Psalms 90—150" (Exposition). *The Interpreter's Bible*. Ed. George A. Buttrick, et al., Vol. IV. Nova York: Abingdon Press, 1955.

BARNES, W. E. *The Psalms: With Introduction and Notes*. Nova York: E. P. Dutton and Company, Inc., s.d., dois volumes.

BRIGGS, Charles Augustus. *A Critical and Exegetical Commentary on the Book of Psalms*. "International Critical Commentaries". Nova York: Charles Schribner's Sons, 1906. Dois volumes.

BUTTENWIESER, Moses. *The Psalms: Chronologically Treated with a New Translation*. Chicago: University of Chicago Press, 1938.

DAHOOD, Mitchel. *Psalms I (1—50)*. "The Anchor Bible", ed. William Foxwell Albright e David Noel Freedman. Garden City, Nova York: Doubleday and Company, Inc., 1966.

DELITSCH, Franz. *A Commentary on the Book of Psalms*. Trad. Eaton e Duguid. Nova York: Funk and Wagnalls, s.d.. Três volumes.

EISELEN, Frederick C. *The Psalms and Other Sacred Writings*. Nova York: Methodist Book Concern, 1918.

FORSYTH, John. "Psalms XLII-L". *A Commentary on the Holy Scriptures*. Ed. John Peter Lange. Grand Rapids: Zondervan Publishing House, s.d. (reedição).

KIRKPATRICK, A. F. *The Books of Psalms*. "The Cambridge Bible for Schools and Colleges". Cambridge: University Press, 1894.

LESLIE, Elmer. *The Psalms*. Nova York: Abingdon-Cokesbury Press, 1949.

M'CAW, Leslie. "Psalms". *The New Bible Commentary*. Ed. Francis Davidson, *et al*. Grand Rapids, Michigan: Wm. B. Eerdmans Publishing Company, 1956.

MORGAN, G. Campbell. *An Exposition of the Whole Bible*. Westwood, New Jersey: Fleming H. Revell Company, 1954.

MCCULLOUGH, W. Stewart. "The Book of Psalms" (Introduction). *The Interpreter's Bible*. Ed. George A. Buttrick, *et al.* Vol. IV. Nova York: Abingdon Press, 1955.

_____. "Psalms 72—92, 94, 97—99, 101—119, 139" (Exegesis). *The Interpreter's Bible*. Ed. George A. Buttrick, *et al.* Vol. IV. Nova York: Abingdon Press, 1955.

OESTERLEY, W. O. E. *The Psalms:* traduzido com texto crítico e notas exegéticas. Londres: S. P. C. K., 1953.

PEROWNE, J. J. Steward. *The Book of Psalms*. Grand Rapids, Michigan: Zondervan Publishing House, 1966 (reedição). Dois volumes.

POTEAT, Edwin McNeill. "Psalms 42—89" (Exposition). *The Interpreter's Bible*. Ed. George A. Buttrick, *et al.* Vol. IV. Nova York: Abingdon Press, 1955.

RAPPORT, A. S. *The Psalms*. Londres: The Centenary Press, 1935.

RAWLINSON, George. "The Book of Psalms" (Exposition). *The Pulpit Commentary*. Ed. H. D. M. Spense e Joseph S. Excell. Grand Rapids, Michigan: Wm. B. Eerdmans Publishing Company, 1959 (reedição). Dois volumes.

SNAITH, NORMAN. *Hymns of the Temple*. Londres: SCM Press, Ltd., 1951.

TAYLOR, William R. "Psalms 1—71, 93, 95—96, 100, 120—128, 140—150" (Exegesis). *The Interpreter´s Bible,* Ed. George A. Buttrick, *et al.* Vol. IV. Nova York: Abingdon Press, 1955.

TERRIEN, Samuel. *The Psalms and Their Meaning for Today*. Nova York: Bobbs-Merrill Co., 1952.

II. OUTROS LIVROS

CARTLEDGE, Samuel A. *A Conservative Introduction to the Old Testament*. 2 ed. Atlanta: University of Georgia Press, 1944.

CHASE, Mary Ellen. *The Psalms for the Common Reader.* Nova York: W. W. Norton and Company, Inc., 1962.

DAVIDSON, A. B. *The Theology of the Old Testasment*. Edimburgo: T. and T. Clark, 1904.

Holy Scriptures, The. Filadélfia: The Jewish Publication Society of America, 1958.

JACOB, Edmond. *Theology of the Old Testament*. Nova York: Harper and Brothers, 1958.

JONES, Edgar. *Proverbs and Ecclesiastes*. "Torch Bible Commentaries". Nova York: The Macmillan Company, 1961.

JONES, E. Stanley. *Growing Spiritually*. Nashville: Abingdon Press, 1953.

KANT, Immanuel. *Critique of Practical Reason and Other Writings in Moral Philosophy*. Trad. Louis White Beck. Chicago: University of Chicago Press, 1949.

KOHLER, Ludwig. *Old Testament Theology*. Trad. A. S. Todd. Filadélfia: The Westminster Press, 1961.

LEWIS, Clive Staples. *Reflections on the Psalms*. Nova York: Harcourt, Brace and Company, 1958.

MOWINCKEL, Sigmund. *The Psalms in Israel´s Worship*. Trad. D. R. Ap-Thomas. Nova York: Abingdon Press, 1962. Dois volumes.

OEHLER, Gustave F. *Theology of the Old Testament*. Trad. George E. Day. Grand Rapids, Michigan: Zondervan Publishing House (reedição).

PATERSON, John. *The Praises of Israel*. Nova York: Charles Schribner's Sons, 1950.

Praise and Worship. Hymnal. Kansas City, Mo.: Lillenas Publishing Co., s.d.

PROTHERO, Rowland E. *The Psalms in Human Life*. Nova York: E. P. Dutton and Co., 1905.

RHODES, Arnold B. *Layman's Bible Commentary*. Ed. Balmer H. Kelly, *et al*. Richmond, Va.: John Knox Press, 1959.

ROBERTSON, James. *Poetry and Religion of the Psalms*. Londres: William Blackwood and Sons, 1898.

ROBINSON, Theodore H. *The Poetry of the Old Testament*. Londres: Gerald Duckworth and Co., Ltd., 1947.

ROWLEY, Harold H. *The Faith of Israel: Aspects of Old Testament Thought*. Filadélfia: The Westminster Press, 1956.

_____. *The Unity of the Bible*. Filadélfia: The Westminster Press, 1953.

SCHULTZ, Hermann. *Old Testament Theology*. Trad. J. A. Paterson. Edimburgo: T. and T. Clark, 1909.

SIMPSON, William W. *Jewish Prayer and Worship*. Naperville, Ill.: SCM Book Club, 1965.

SMITH, C. Ryder. *The Bible Doctrine of Man*. Londres: The Epworth Press, 1951.

_____. *The Bible Doctrine of Salvation*. Londres: The Epworth Press, 1946.

_____. *The Bible Doctrine of Sin*. Londres: The Epworth Press, 1953.

SNAITH, Norman; *The Distinctive Ideas of the Old Testament*. Filadélfia: The Westminster Press, 1946.

TOOMBS, Lawrence. *The Old Testament in Christian Preaching*. Filadélfia: The Westminster Press, 1961.

TURNER, George Allen. *The Vision Which Transforms*. Kansas City, Mo.: Beacon Hill Press of Kansas City, 1964.

VRIEZEN, TH. C. *An Outline of Old Testament Theology*. Boston, Massachusetts: Charles T. Branford Company, 1958.

WESLEY, John. *A Plain Account of Christian Perfection*. Kansas City, Mo.: Beacon Hill Press of Kansas City, 1966 (reedição).

WILEY, H. Orton. *Christian Theology*. Kansas City, Mo.: Beacon Hill Press, 1940. Três volumes.

WRIGHT, G. Ernest. *God Who Acts: Biblical Theology as Recital*. Chicago: Henry Regnery Co., 1952.

YATES, Kyle M. *Preaching from the Psalms*. Nova York: Harper and Brothers, 1948.

_____. *Studies in the Psalms*. Nashville: Broadman Press, 1953.

III. ARTIGOS

STRADLING, D. G. "Music and Musical Instruments". *The New Bible Dictionary*. Ed. J. D. Douglas, *et al*. Grand Rapids, Michigan: Wm. B. Eerdmans Publishing Co., 1962.

THOMPSON, J. G. S. S. "Psalms". *The New Bible Dictionary*. Ed. J. D. Douglas, *et al*. Grand Rapids, Michigan: Wm. B. Eerdmans Publishing Co., 1962.

O Livro de
PROVÉRBIOS

Earl C. Wolf

Introdução

O livro de Provérbios é uma antologia inspirada de sabedoria hebraica. Esta sabedoria, no entanto, não é meramente intelectual ou secular. É principalmente a aplicação dos princípios da fé revelada às tarefas da vida diária. Nos Salmos temos o hinário dos hebreus; em Provérbios temos o seu manual para a justiça diária. Neste último encontramos orientações práticas e éticas para a religião pura e sem mácula. Jones e Walls dizem: "Os provérbios nesse livro não são tanto ditos populares como a essência da sabedoria de mestres que conheciam a lei de Deus e estavam aplicando os seus princípios à vida na sua totalidade [...] São palavras de recomendação ao homem que está na jornada e que busca trilhar o caminho da santidade".[1]

A. Autoria e Data

A tradição hebraica atribuiu o livro de Provérbios a Salomão assim como atribuiu o de Salmos a Davi. Israel considerava o rei Salomão o seu sábio por excelência. E há justificativas suficientes para esse reconhecimento. O reinado de quarenta anos de Salomão em Israel foi realmente brilhante. É evidente que esses anos não deixaram de ter os seus defeitos. Os muitos casamentos de Salomão não contam pontos a favor dele (1 Rs 11.1-9). Na parte final do seu reinado ele preparou o cenário para a dissolução do seu grande império (1 Rs 12.10). Não obstante, ele realizou um ótimo reinado durante os anos dourados de prosperidade e poder de Israel. A arqueologia é testemunha das suas habilidades na arquitetura e engenharia, da sua competência na administração e da sua capacidade como industrialista.[2]

O historiador sacro de 1 Reis nos conta que Salomão amou o Senhor (3.3); ele orou pedindo a Deus um coração compreensivo (3.3-14); ele mostrou possuir sabedoria em questões práticas da administração (3.16-28); a sua sabedoria foi concedida por Deus (4.29); ele era conhecido por sua sabedoria superior entre as nações vizinhas (4.29-34); ele escreveu 3.000 provérbios e mais de mil hinos (4.32); e foi capaz de responder às perguntas mais difíceis da rainha de Sabá (10.1-10).

No entanto, assim como nem todos os salmos foram escritos por Davi, nem todo o livro de Provérbios foi obra de Salomão. Uma parte do livro é designada como "palavras dos sábios" (22.17—24.34). Os últimos dois capítulos do livro contêm as palavras de Agur, o filho de Jaque (30.1-33), e de Lemuel, filho de Massá (31.1-9). O belo poema acróstico acerca da mulher e mãe perfeita (31.10-31) foi escrito por um autor desconhecido. A erudição conservadora aceita a autoria salomônica da maior parte do livro de Provérbios e a sua inclusão como um todo no cânon do Antigo Testamento.

A erudição crítica, no entanto, tende a rejeitar a atribuição tradicional da maior parte do livro de Provérbios a Salomão. W. O. E. Oesterley diz: "A maioria dos críticos modernos rejeita totalmente a tradição de que Salomão tenha escrito uma série de provérbios".[3] S. H. Blank comenta: "Não é necessário levar a sério a atribuição de Provérbios a Salomão em 1.1; 10.1; 25.1 [...] O livro canônico de Provérbios de Salomão não necessita de mais pretensão de autoria de Salomão do que o livro apócrifo de

Sabedoria de Salomão".[4] Mesmo assim, esse mesmo autor reconhece a tendência crescente de se aceitar a validade da tradição judaica. Ele diz: "Não se pode negar a possibilidade, e a opinião da erudição recente se inclina a aceitar o ponto de vista de que Salomão ao menos cultivava a arte proverbial e foi responsável pelo cerne do livro que lhe é atribuído".[5]

Embora grande parte do livro de Provérbios tenha sua origem na época de Salomão, no décimo século a.C., a conclusão da obra não pode ser datada antes de 700 a.C., aproximadamente duzentos e cinqüenta anos após o seu reinado. Uma seção (25.1—29.27) contém a coleção de provérbios que os escribas de Ezequias copiaram de obras anteriores de Salomão. Alguns estudiosos datam a edição final de Provérbios ainda mais tarde, mas antes do período de conclusão do Antigo Testamento — 400 a.C. Outros ainda chegam a datar a edição final no período intertestamental. Uma referência ao livro de Provérbios no livro apócrifo de "Eclesiástico" ("A Sabedoria de Jesus Ben Sirach"), escrito em torno de 180 a.C., indica que nessa época Provérbios era amplamente aceito como parte da tradição religiosa e literária de Israel.

B. Definição e Forma literária

A palavra "provérbio" em nossos dias significa um ditado breve e incisivo, expressando uma observação verdadeira e conhecida concernente à experiência humana — por exemplo: "Deus ajuda quem cedo madruga". Há diversas coletâneas de provérbios modernos publicadas nas mais diversas línguas e culturas. Para o antigo hebreu, no entanto, a palavra "provérbio" (*mashal*) tinha um significado muito mais amplo. Era usada não somente para expressar uma máxima, mas para interpretar um ensino ético da fé do povo de Israel. A palavra vem do verbo que significa "ser como" ou "comparar". Por isso, no livro de Provérbios encontramos uma série de símiles, contrastes e paralelismos. O paralelismo de duas linhas é a forma predominante encontrada em Provérbios. Dentro dos limites desse modo de expressão há uma variedade extraordinária. Existe o paralelismo antitético (10.1), o paralelismo sinônimo (22.1) e o paralelismo progressivo, ou sintético (11.22). Encontramos o paralelismo também em outras partes das Escrituras do Antigo Testamento, especialmente em Salmos.

Em algumas partes do Antigo Testamento o *mashal* tem ainda usos mais amplos. Em Juízes é usado para descrever uma fábula (9.7-21) e como designação de um enigma (14.12). Em 2 Samuel 12.1-6 e Ezequiel 17.2-10 refere-se a uma parábola ou alegoria. Em Jeremias 24.9 identifica um provérbio. Em Isaías caracteriza um insulto (14.4) e em Miquéias um lamento (2.4).

O livro de Provérbios é escrito e estruturado em forma poética, sendo que os ditos aparecem geralmente em parelhas de versos (dísticos). Muitas versões e traduções modernas seguem o padrão poético do original hebraico. Não é difícil perceber a estrutura das partes principais do livro (veja esboço). No entanto, o conteúdo em cada uma dessas partes muitas vezes resiste a um arranjo bem-organizado. Em muitos casos não há conexão lógica entre um provérbio e os adjacentes.

C. Provérbios e o Restante da Literatura Sapiencial

A literatura sapiencial do Antigo Testamento inclui o livro de Jó, Eclesiastes e Cântico dos Cânticos, além de Provérbios. Não se pode negar que essa sabedoria hebréia teve seus antecedentes em culturas mais antigas e seus paralelos com nações vizinhas. Israel estava situado na "encruzilhada cultural do Crescente Fértil".[6] Salomão e Ezequias e os sábios da sua época estavam sintonizados com a sua época e sem dúvida estavam em contato com a literatura existente nos seus dias.

A arqueologia nos deu uma série de coleções do antigo Egito e da Mesopotâmia. Duas dessas são particularmente significativas: "As palavras de Ahiqar" e "A instrução de Amen-em-opet [Amenemope]". Em virtude da semelhança de idéias e estrutura entre esses escritos e o livro de Provérbios, eruditos críticos tendem a defender a opinião de que houve dependência direta ou indireta dos hebreus dessa literatura sapiencial. Esses estudiosos chamam atenção especial para as semelhanças entre Provérbios 22.17—23.14 e "A instrução de Amen-em-opet [Amenemope]".[7] Fritsch nos lembra, no entanto, que "não podemos negligenciar a possibilidade de que Provérbios 22.17—23.14 já existisse como unidade de texto muito antes de sua incorporação nesse livro, e que na verdade esse texto pudesse ter influenciado o escriba egípcio".[8]

A erudição bíblica conservadora rejeita a idéia de que os autores hebreus tenham dependido da literatura egípcia com base no fato de que há contrastes como também semelhanças e certamente grandes diferenças teológicas. Kitchen diz: "A discordância completa em relação à ordem dos tópicos e as claras diferenças teológicas entre Provérbios 22.1—24.22 e Amenemope impedem cópia direta em qualquer direção".[9] Edward J. Young crê que o politeísmo de Amenemope teria causado repulsa ao hebreu monoteísta e teria assim impedido a dependência da literatura egípcia por parte do autor hebreu.[10]

D. Mensagem Relevante

A mensagem do livro de Provérbios é sempre relevante. Os seus ensinos "cobrem todo o horizonte dos interesses práticos do cotidiano, tocando em cada faceta da existência humana. O homem é ensinado a ser honesto, diligente, auto-confiante, bom vizinho, cidadão ideal e modelo de marido e pai. Acima de tudo, o sábio deve andar de forma reta e justa diante do Senhor".[11]

A sabedoria de Provérbios coloca Deus no centro da vida do homem. A sabedoria, expressa por Salomão no Antigo Testamento, teria a sua revelação mais plena em Jesus Cristo nos dias da nova aliança. Disse Jesus: "A Rainha do Sul se levantará no Dia do Juízo com esta geração e a condenará, porque veio dos confins da terra para ouvir a sabedoria de Salomão. E eis que está aqui quem é mais do que Salomão" (Mt 12.42; Lc 11.31). Paulo falou de Cristo como a "sabedoria de Deus" (1 Co 1.24; Cl 2.3). Kidner diz que no livro de Provérbios a sabedoria "é centrada em Deus, e mesmo quando é extremamente real e relacionada ao dia-a-dia consiste da maneira inteligente e sadia de conduzir a vida no mundo de Deus, em submissão à sua vontade".[12] Sabedoria é encontrar a graça de Deus e viver diariamente em harmonia com os propósitos salvadores que Ele tem para nós.

Esboço

I. TRIBUTO À SABEDORIA, 1.1—9.18

    A. Título e Propósito, 1.1-6
    B. O Tema principal, 1.7
    C. Advertências contra a Violência, 1.8-19
    D. Advertências contra Negligenciar a Sabedoria, 1.20-33
    E. As Recompensas de se Observar a Sabedoria, 2.1-22
    F. As Bênçãos da Sabedoria, 3.1-35
    G. A Primazia da Sabedoria, 4.1-27
    H. Instruções para o Casamento, 5.1-23
    I. Uma Série de Advertências, 6.1-19
    J. A Sabedoria e o Adultério, 6.20—7.27
    K. A Fama e a Excelência da Sabedoria, 8.1-36
    L. O Contraste entre a Sabedoria e a Loucura, 9.1-18

II. OS PROVÉRBIOS DE SALOMÃO, 10.1—22.16

    A. Provérbios de Contraste, 10.1—15.33
    B. Provérbios Parcialmente Paralelos, 16.1—22.16

III. AS PALAVRAS DO SÁBIO, 22.17—24.34

    A. Introdução, 22.17-21
    B. Primeira Coleção, 22.22—23.14
    C. Segunda Série, 23.15—24.22
    D. Admoestações Adicionais, 24.23-34

IV. A COLEÇÃO DE EZEQUIAS NOS PROVÉRBIOS DE SALOMÃO, 25.1—29.27

    A. Primeira Coleção, 25.1—27.27
    B. Segunda Coleção, 28.1—29.27

V. AS PALAVRAS DE AGUR, 30.1-33

    A. Observações Pessoais, 30.1-9
    B. Provérbios Numéricos, 30.10-33

VI. AS PALAVRAS DE LEMUEL, 31.1-9

    A. Título, 31.1
    B. Advertências contra a Lascívia e Bebidas Fortes, 31.2-7
    C. Julgar Retamente, 31.8-9

VII. A MULHER E MÃE VIRTUOSA, 31.10-31

    A. Características Máximas, 31.10-29
    B. Tributo Final, 31.30-31.

SEÇÃO I

TRIBUTO À SABEDORIA

Provérbios 1.1—9.18

O livro de Provérbios é um livro para todas as idades. O povo de Israel o estimava como parte da sua herança religiosa. O povo da dispensação do Novo Testamento o tem amado como parte da mensagem de Deus para os seus filhos. Os autores do Novo Testamento foram influenciados por esse livro (cf. 3.7 e Rm 12.16; 3.11-12 e Hb 12.5-6; 3.34 e Tg 4.6 e 1 Pe 5.5). Encontramos ecos dele nos ensinos de Jesus (cf. 14.11 e Mt 7.24-27; 25.6-7 e Lc 14.7-11; 27.1 e Lc 12.13-21). A palavra hebraica para "provérbio" (*mashal*) é melhor traduzida no grego por "parábola" (*parabole*). O método de parábolas tão característico em Provérbios é uma técnica que Jesus usou com freqüência no seu ensino.

A. Título e Propósito, 1.1-6

Quando o povo hebreu pensava na lei, a sua mente se voltava imediatamente para Moisés. Quando se expressavam em cânticos, usavam as composições de Davi. E quando traziam à memória os seus ditados e provérbios, pensavam em Salomão.

1. *O Significado do Título* (1.1)

O versículo 1 provavelmente nos dá o título editorial para todo o livro como também a chamada para a primeira seção dele. Essa designação não significa que todo o conteúdo do livro se originou com Salomão, mas reconhece-o como o autor das partes principais de Provérbios e também dá a ele o tributo como o sábio inigualável de Israel. Veja a discussão mais abrangente acerca da autoria de Provérbios na Introdução.

Acerca do significado de **Provérbios** (*mashal*) veja a Introdução. A expressão **filho de Davi** reafirma explicitamente a linhagem de Salomão (1 Rs 11.12). Mathew

Henry diz acerca dessa afirmação: "Cristo é com freqüência chamado de *Filho de Davi*, e Salomão era um tipo dele no fato, como também em outros, de que ele abria a sua boca em parábolas ou provérbios".[1]

2. O Propósito do Livro (1.2-6)

Muito do que está em Provérbios tem aplicação universal. O seu propósito fundamental, no entanto, é religioso. Salomão tentou fazer mais do que compartilhar o seu conhecimento; ele se esforçou em mostrar a Israel o caminho da santidade. As quatro palavras **para aprender a sabedoria** nos dão o cerne do propósito do livro inteiro. Edgar Jones diz que o termo hebraico **aprender** (conhecer) "traz o sentido de um encontro e comunhão pessoais que vão além de mera curiosidade intelectual. [...] O propósito do livro é conquistar a submissão dos jovens à lei moral de Deus. Além de curiosidade, há compromisso".[2]

Provérbios é direcionado em primeiro lugar **aos jovens** (4) e aos inexperientes, mas serve também para todas as idades e estágios da vida. Até o **sábio** — a pessoa mais idosa e experiente — pode adquirir **habilidade** (5). A palavra hebraica para **simples** (4) "designa o oposto do homem moral. Não significa um simplório no nosso sentido do termo, mas um pecador, um mau caráter. Provérbios tem uma mensagem de moralidade para os ímpios".[3] Essa mensagem, no entanto, é expressa de forma um tanto indireta por meio de **enigmas** (6; a ARC antiga traz "adivinhações"), ou outras formas proverbiais que exigem algum tipo de interpretação, em vez do método mais direto e franco das declarações proféticas dos profetas de Israel.

B. O TEMA PRINCIPAL, 1.7

Depois da declaração de propósito extraordinariamente clara (1.2-6), o autor expressa no versículo 7 o tema principal de Provérbios e o princípio fundamental da religião revelada. Este é o versículo-chave e contém a palavra-chave de todo o livro — **sabedoria**. **O temor do SENHOR** é uma expressão comum nas Escrituras, especialmente em Salmos e Provérbios. Esse temor não é o medo subserviente do castigo, mas o temor que se expressa em reverência e admiração. É "um temor reverente e adorador" (AT Amplificado). Rylaarsdam diz: "Temer a Deus não é ter medo dele, mas colocar-se diante dele em admiração, visto que o significado de tudo e o destino de todas as pessoas são determinados por aquilo que Deus é e faz".[4]

Acerca de uma expressão semelhante em Salmos 111.10, Davies diz: "*O temor do Senhor* nas Escrituras não significa somente aquela paixão piedosa ou a reverência filial ao nosso adorável Pai que está no céu, mas com freqüência se transforma em religião prática [...] implica todas as graças e todas as virtudes do cristianismo; em resumo, toda aquela santidade de coração e de vida que é necessária para se desfrutar da felicidade eterna".[5]

A palavra **SENHOR** é significativa nesse versículo-chave. É o termo usado na tradução portuguesa do nome hebraico de Deus que foi revelado ao povo de Israel (Êx 3.13-15). Esse nome era constituído de quatro consoantes, *YHWH*, e provavelmente se pronunciava *Yahweh* (Javé). Esse foi o Deus que havia se revelado ao seu povo Israel e lhe tinha dado um sentido especial de destino entre as nações da terra.

O princípio, "ponto de começo" ou "parte principal", sugere mais do que uma posição cronológica. É a "parte principal e mais importante do conhecimento — isto é, o seu ponto de partida e a sua essência" (AT Amplificado). Kidner diz: "*O princípio* (isto é, o princípio primeiro e controlador, e não um estágio que uma pessoa deixa para trás; cf. Ec 12.13), não é meramente um método de pensamento correto, mas um relacionamento correto; é a submissão (temor) adoradora ao Deus da aliança que se revelou".[6]

Os loucos desprezam a sabedoria. Esses **loucos** são os que rejeitam as orientações divinas para a vida e trilham o caminho da impiedade. O seu caminhar obstinado é contrário ao caminhar do homem de sabedoria e de bondade. O louco, no sentido usado em Provérbios, não é meramente um sujeito simplório. "Os loucos zombam do pecado" (Pv 14.9). O louco é espiritualmente rebelde, indiferente aos conselhos divinos e que rejeita o temor do Senhor.[7] Jesus retratou esse tipo de pessoa quando chamou de louco o homem que não observava os seus ensinos (Mt 7.26-27).

Nesse versículo-chave podemos ver: "As Exigências de Deus para uma Vida Santa". É necessário haver: 1) o relacionamento correto com Deus — **o temor do Senhor;** 2) o discipulado contínuo — **o princípio da ciência** (sabedoria); e 3) o respeito pelas orientações divinas — somente **loucos desprezam a sabedoria e a instrução.** Precisa haver a iniciação da nossa caminhada com Deus, a continuação da comunhão redentora e a aplicação dos nossos corações à disciplina da instrução divina.

C. Advertências contra a Violência, 1.8-19

1. *O Caminho da Sabedoria* (1.8-9)

O homem sábio prossegue então para a aplicação prática da sabedoria à área da tentação e do comportamento. Ele insta o jovem a ser obediente a Deus e a respeitar os seus pais. Nessa forma de proceder, os jovens vão encontrar a melhor proteção contra o mal. Esse caminho — embora não tão atraente e fascinante quanto as seduções do pecado — é o seu melhor caminho na vida. **Filho meu** (8) é um termo carinhoso usado pelo mestre para com o seu pupilo e é usado com freqüência em Provérbios. **Ouve** pode ser melhor traduzido por "obedece" ou "guarda" (Berkeley). **A instrução** (treinamento ou disciplina) **do teu pai** sugere o lugar principal e central do pai no lar judaico (Êx 12.26-28; Dt 6.6-7). Mas o autor acrescenta: **e não deixes** ou: "não rejeites" (RSV) **a doutrina**, "os ensinos" (Berkeley) ou "orientações" (Moffatt), **da tua mãe**. Esses ensinos também eram significativos e não eram considerados inferiores aos do pai. Nenhum livro da Bíblia se iguala a Provérbios na ênfase ao amor e ao respeito pela mãe. Os pais são os primeiros mestres da religião, e as crianças hebréias aprendiam os primeiros passos da sabedoria com os seus pais.

A observância das instruções dos pais não ficaria sem sua recompensa. Essa conduta ornamentaria a vida do jovem com honra. Ele teria um **diadema de graça** (9; "uma grinalda graciosa", Moffatt) sobre a sua **cabeça e colares** ("enfeites", Berkeley) para o seu **pescoço**. É uma referência a adornos usados por reis (Gn 41.42; Dn 5.29).

2. *O Caminho dos Pecadores* (1.10-19)

Podemos intitular essa passagem: "Não Ceda às Tentações". Nela vemos que: 1) *O pecado é sedutor.* O malfeitor ou escroque diz: **Vem conosco** (11). Aqui está um apelo à necessidade que o homem tem de pertencer — "Venha pertencer à nossa gangue". Além disso, o bandido promete abundância material (13-14) — um apelo ao desejo que o homem tem de possuir. 2) *O mal é agressivo*. É um agressor que não poupa a ninguém. É tão cruel quanto a morte. **Traguemo-los vivos, como a sepultura** (12). 3) *O mal é atormentador*. É doloroso para os outros. **Os pés** do malfeitor **se apressam a derramar sangue** (16). O mal também faz armadilha e destrói o próprio pecador (17-19). "Até mesmo um inocente pássaro é esperto o suficiente para não se aproximar de uma armadilha quando vê que ela está sendo colocada; mas esses pecadores preparam uma armadilha e eles mesmos caem nela".[9] **Aquele que se entrega à cobiça** (19) descobre que o pecado sempre age como um bumerangue. Séculos mais tarde Jesus perguntou: "Pois que aproveita ao homem ganhar o mundo inteiro, se perder a sua alma?" (Mt 16.26).

D. ADVERTÊNCIAS CONTRA NEGLIGENCIAR A SABEDORIA, 1.20-33

Neste texto a sabedoria é personificada pela primeira de muitas vezes no livro de Provérbios. A **sabedoria** é retratada no papel de um profeta de Deus com uma mensagem urgente, que é proclamada **pelas ruas** (20), **no meio dos tumultos** [...] **às entradas das portas** (21). Aqui onde estão "as **encruzilhadas** das vidas das pessoas" a sabedoria faz o seu apelo fervoroso. No versículo 22 ela usa três termos para descrever os que rejeitam a revelação divina. São os **néscios** (moralmente neutros), os **escarnecedores** (que desafiam) e os **loucos** (espiritualmente obstinados).

Convertei-vos (23) é um chamado profético ao arrependimento (cf. Jr 3.12-14,22; 4.1). Rejeitar esse chamado é algo trágico. Para os que o fazem, a sabedoria diz: **também eu me rirei na vossa perdição** (26). Estas palavras, diz Kidner, "não são uma expressão de dureza de coração pessoal, mas da absurdidade de escolher a loucura, a completa vindicação da sabedoria e a conveniência incontestável da calamidade".[10]

O juízo que virá sobre os que rejeitam a Deus será tão repentino **como tormenta** (27). Essa calamidade será o **fruto do seu caminho** (31). Eles vão colher o que semearam (cf. Gl 6.7-8). O **desvio** (32; "recaída", AT Amplificado; ou "desobediência", Berkeley) **dos simples** e a **prosperidade** (ou "o ócio despreocupado", Berkeley) **dos loucos** será a destruição deles. Os que confiam na sabedoria, no entanto, não precisam temer as calamidades e os desastres que vêm como conseqüências da loucura pecaminosa (33).

E. AS RECOMPENSAS DE SE OBSERVAR A SABEDORIA, 2.1-22

Neste capítulo o mestre fala em nome da sabedoria assim como o profeta falava em nome de Deus. Este poema hebraico pode ser dividido em seis partes. As linhas introdutórias (1-4), ou a prótase, contêm um apelo urgente para que o pupilo dê atenção ao chamado da sabedoria. Em seguida vem a conseqüência, ou apódose, que descreve os cinco resultados ou frutos de se conhecer a Deus (5-22).

1. *A Urgência do Apelo da Sabedoria* (2.1-4)

A urgência do apelo do sábio é indicada por quatro conjuntos de orações gramaticais paralelas — um conjunto em cada um dos versículos dessa seção. No versículo 1 a condição é: **se aceitares** [...] **e esconderes contigo** ("entesourares", TB). **Para fazeres atento** [...] **o teu ouvido, e** [...] **inclinares o teu coração** ("para que o teu coração alcance", Berkeley) são condições encontradas no versículo 2. As condições **se clamares** ("se implorares", Berkeley) [...] **alçares a tua voz** estão no versículo 3. No versículo 4 lemos: **se como a prata a buscares e como a tesouros escondidos a procurares** (cavares por ela). Somente essa sinceridade de coração que o mestre defende nesses versículos vai gerar no pupilo o conhecimento da vontade santa de Deus. A declaração de Paulo em Filipenses 3.13-14 é uma ilustração neotestamentária dessa intensidade de propósito.

A palavra **coração** (hb. *leb*) no versículo 2 é especialmente significativa. Tem um significado muito mais amplo no hebraico do que em português, incluindo sensibilidades intelectuais e morais como também emocionais. É o centro do ser humano do qual brotam as decisões vitais. A Bíblia nunca fala do cérebro como local do intelecto do homem. **Para inclinares o teu coração** (2) sugere real dedicação e zelo. O mestre está desafiando o pupilo a buscar a sabedoria com todo o seu ser — sua razão, suas emoções, sua vontade — para que o propósito não seja diluído.[11]

2. *Os cinco Frutos da Sabedoria* (2.5-22)

O apelo urgente do mestre para que haja uma resposta completa ao chamado da sabedoria é seguido das promessas encorajadoras de que os esforços do pupilo não serão em vão.

a) *Quem Procura Vai Encontrar a Deus* (2.5-8). A busca espiritual faz com que a pessoa entre em comunhão com Deus. **Então** — depois da busca diligente — o que busca entenderá **o temor do Senhor** (5; veja comentário de 1.7). A religião pessoal começa com a revelação de Deus ao coração da pessoa. Essa é a recompensa suprema de quem busca (cf. Jo 17.3). Aquilo que a pessoa que busca encontra é o presente de Deus para ela — **Porque o Senhor dá a sabedoria** (6). O pupilo descobre tudo que é essencial para uma vida reta — a sabedoria **verdadeira**, ou prática, e a proteção (7). O Senhor é um **escudo** (Gn 15.1; Sl 59.11; 84.11) **para os que caminham na sinceridade** ("aos que caminham com integridade", Berkeley). Essa proteção está reservada para os **seus santos** (8); lit. "aos seus devotos" ("quem anda com integridade", NVI; cf. Sl 12.1; 30.4; 31.23).

b) *A Sabedoria Concede Entendimento e Liberdade* (2.9-11). O fato de Deus dar-se a si mesmo e revelar aspectos do seu propósito para a nossa vida trazem a nós o poder e os princípios para a conduta correta. Estas dádivas divinas são algo **suave** (10), concedendo proteção (11). A força interior é a melhor resposta para o mal exterior. O santo — a pessoa dedicada e consagrada a Deus — encontra vida abundante e a liberdade de trilhar o caminho da vida com segurança e vitória sobre o mal. Conhecer a Deus e fazer a sua vontade são realidades que libertam o homem (Jo 8.32).

c) *O Homem de Deus é Liberto do Caminho Mau* (2.12-15). Esta bênção e a que segue são conseqüências dos primeiros dois frutos da sabedoria. Podem ser consideradas resultados de se encontrar a Deus (5-8) e do entendimento dado por Deus (9-11). Nesta passagem o mestre fala do mal em geral. **O mau caminho** (12) é o contrário do caminho da retidão. Estes caminhos contrastantes são muitas vezes retratados nas Escrituras (Sl 1; Is 59.8; Mt 7.13-14,24-27). O **homem** que anda no **mau caminho** é escravo dos caminhos da loucura pecaminosa. Mas o homem de sabedoria anda por outros caminhos. O fato de ter escolhido a Deus lhe dá forças para recusar as seduções do caminho que leva à destruição e à morte eterna.

Nesta passagem temos a descrição do caráter do homem mau. Ele é um **homem que diz coisas perversas** (12). A sua fala é distorcida ("pervertida", Berkeley). Moffatt diz que a sua fala é "obstinada", sugerindo a rejeição da vontade de Deus para a sua vida. Ele anda **pelos caminhos das trevas** (13; cf. Dt 29.29; Sl 82.5; Pv 4.19; Is 59.9). Além disso, ele se alegra em fazer o **mal** e tem prazer em ver que outros entrem pelo mesmo caminho (14). As suas **veredas são tortuosas** (15), isto é, contrárias ao que é verdadeiro e moralmente correto.

d) *Ele é Salvo da Mulher Lasciva* (2.16-19). O homem de Deus não é somente liberto do caminho mau em geral, mas da **mulher estranha** (16) em particular. A prostituição não era incomum em Israel. O adultério, como também a idolatria, eram pecados comuns do povo (cf. Jr 23.10,14; Os 4.14). Provérbios dedica espaço considerável à mulher lasciva ou sedutora (5.1-23; 6.20-35; 7.1-27; 9.13-18). A **mulher estranha** ("mulher imoral", NTLH) personifica o caminho que é contrário à sabedoria; é o caminho que termina em **morte** em vez de vida (18-19). "O salário do pecado é a morte" (Rm 6.23).

A versão *Berkeley*, além de usar também a palavra **estrangeira**, traduz a palavra **estranha** por "forasteira". A razão para usar esses termos é dada numa nota de rodapé. "Uma mulher dessas tinha perdido o direito de ser chamada israelita".[12] Toy diz que "a característica geral das descrições aqui e nos capítulos 5, 7 e 9.13-18 e o contraste expresso em 5.19,20 tornam quase certo o aspecto de que o autor tem em mente mulheres dissolutas, independentemente da nacionalidade, e que a *mulher estranha* é uma que não está ligada ao homem por laços legais, que está fora do círculo de relações normais, ou seja, uma prostituta ou adúltera".[13] Esta devassa é uma mulher casada que abandonou tanto o **guia** ("companheiro", RSV; "amigo", ARA; ou "marido", Berkeley) **da sua mocidade** quanto **o concerto** (aliança) **do seu Deus** (17). O relacionamento com Deus e o compromisso com a sua vontade dão força à pessoa para resistir às tentações de tal mulher. Séculos mais tarde Paulo disse aos Gálatas: "Digo, porém: andai em Espírito e não cumprireis a concupiscência da carne" (5.16).

e) *Ele Terá uma Herança Especial* (2.20-22). Os que andam **pelo caminho dos bons** (20) **habitarão a terra** (21). A referência principal aqui é à terra de Canaã, que foi prometida ao povo de Deus (Êx 20.12; Lv 25.18-24; Sl 37.9-11). Habitar a terra de Canaã era desfrutar do favor e da bênção de Deus. Estar exilado dessa terra era uma indicação de desobediência e de desfavor divino. Jesus expressou uma verdade semelhante quando disse: "Bem-aventurados os mansos porque herdarão a terra" (Mt 5.5). As posses de Deus são compartilhadas com os seus filhos. **Mas os ímpios** (22) não são abençoados dessa forma. Eles **serão arrancados da terra** e **exterminados** (Dt 28.63) da terra dos seus pais. A retribuição por rejeitar os caminhos de Deus é certa e trágica.

F. As Bênçãos da Sabedoria, 3.1-35

Esta seção continua a destacar as bênçãos da sabedoria do capítulo anterior. No capítulo 2, a estabilidade moral era o fruto principal da sabedoria. Aqui a felicidade e a segurança são as recompensas principais e positivas. O capítulo consiste de três discursos distintos, cada um começando com a expressão "Filho meu". O primeiro (1-10) é um chamado à dedicação completa. O segundo (11-20) fala da felicidade de se confiar em Deus. A divisão final (21-35) destaca a segurança na caminhada com Deus.

1. *O Chamado à Dedicação Completa* (3.1-10)

O desafio principal do mestre nesta seção relaciona-se à dedicação para com a vontade de Deus. Ele defende de forma gentil mas sincera e séria a obediência às orientações divinas para a vida. **Filho meu, não te esqueças da minha lei** (1). Fritsch diz: "Uma das palavras de ouro da religião é 'lembrar'. Não há vida espiritual ou crescimento à parte da grande herança espiritual do passado. Nenhuma religião reconheceu essa verdade de maneira mais clara do que o judaísmo, com a forte ênfase no ensino aos seus jovens com respeito aos grandes fatos e verdades da sua história sagrada (Êx 12.26-27; Dt 6)".[14] A fé sólida é fundamentada em ensino sadio enraizado numa rica tradição religiosa. Na igreja de hoje, a evangelização e a educação cristã precisam andar de mãos dadas.

E o teu coração guarde os meus mandamentos. Em outras palavras, comprometa-se com Deus. Maclaren diz: "A mãe de todas as graças da conduta é a submissão da vontade à autoridade divina. A vontade faz o homem, e quando ela deixa de se elevar em rebeldia auto-sacrificadora e autodeterminada, e se dissolve em águas correntes de submissão, essas vão fluir pela vida e torná-la pura".[15] Uma das recompensas de uma vida comprometida é que há acréscimo de **anos de vida** (2). Aqui temos um conceito recorrente nas Escrituras (cf. Gn 25.8; Êx 20.12; Dt 5.16; 22.7; Pv 2.21; 4.10). Paulo escreveu: "A piedade para tudo é proveitosa, tendo a promessa da vida presente e da que há de vir" (1 Tm 4.8).

Outra recompensa da vida temente a Deus é a **paz**. Aqui a palavra hebraica é *shalom*, que significa completitude, harmonia completa. O relacionamento correto com Deus e a consideração apropriada pelo próximo tornam a vida verdadeiramente completa e digna de ser vivida.

Acerca das palavras **Não te desamparem a benignidade e a fidelidade** (3), Jones e Walls dizem: "*Misericórdia* (hb. *Hesedh*; [aqui 'misericórdia']) é uma palavra difícil de entender à parte da idéia de *aliança*. Significa amor da *aliança*, e só podemos entender a amplitude disso com base no Grande Mandamento e no que é semelhante a ele (Dt 6.5 e Lv 19.18). *Verdade* (hb. *'emeth* [aqui 'fidelidade'] significa 'firmeza' e daí 'confiabilidade', 'estabilidade', 'fidelidade' e ocasionalmente o que a fidelidade exige — realidade e verdade".[16] Os termos **benignidade** e **fidelidade** com freqüência estão associados no Antigo Testamento. Eles refletem a fidelidade de Deus às suas promessas. Quando aplicados ao homem, descrevem a integridade no seu sentido mais amplo.

O judaísmo entendeu literalmente as expressões **ata-as** e **escreve-as**. Os filactérios que continham partes das Escrituras eram carregados e usados no braço e na testa (Êx 13.9; Dt 6.8-9; 11.18). No seu sentido mais profundo, **benignidade** (misericórdia) e **fidelidade** (verdade) são princípios em que devemos refletir e segundo os quais devemos viver.

Nos versículos 5 e 6 temos palavras seletas que refletem o teor de todo o livro de Provérbios. **Confia no Senhor [...] e não te estribes no teu próprio entendimento** (5). A sabedoria humana é inadequada, mas a sabedoria divina é orientação suficiente para a vida. A certeza é que Deus vai "endireitar" (6) a nossa vida e nos capacitar a alcançarmos o nosso destino. Moffatt diz: "Ele vai limpar o caminho para você". É uma referência à remoção de obstáculos na construção de uma estrada (Is 40.3; 45.13).

O autor diz: **Não sejas sábio a teus próprios olhos** (7), ou: "Nunca se orgulhe da sua própria sabedoria" (Moffatt). Temos aqui essencialmente a repetição do apelo dos versículos 5-6 para que a pessoa coloque a sua confiança no Senhor. Somos encorajados aqui a não pensarmos demais de nós mesmos, mas reverenciarmos a Deus. Esta reverência vai resultar em "cura para o seu corpo e alimento para os seus ossos" (8, Berkeley). O **umbigo** e os **ossos** são usados como símbolos de todo o corpo. O conhecimento de Deus que conduz ao bem-estar espiritual tem os seus efeitos sobre os aspectos psicológicos e físicos da personalidade humana.

Nos versículos 9-10, temos um apelo a favor do uso apropriado das posses materiais. No final das contas, o homem é um mordomo, e tudo que ele tem pertence a Deus (Sl 50). Quando ele honra a Deus com parte do seu progresso, ele vai ser abençoado materialmente — **e se encherão os teus celeiros** (10). Temos aqui um princípio de mordomia e não uma garantia de riquezas materiais. Podemos confiar a Deus as nossas dádivas e que ele garante a provisão das nossas necessidades materiais (Mt 6.33). O mordomo cristão nunca precisa temer que vai ser o perdedor ao dar a Deus (Ml 3.8-10). Ninguém perde porque crê ou porque obedece. O homem de Deus não é um servo relutante, mas um mordomo feliz e responsável.

2. A Felicidade da Confiança em Deus (3.11-20)

O problema do sofrimento humano, que é o tema do livro de Jó, é introduzido aqui nos versículos 11 e 12. No início, essa ênfase parece um desvio do tratado acerca das bênçãos do temor a Deus. Há muitas pessoas boas que não são abençoadas com riqueza ou corpos sadios, e nem todos os maus são pobres ou miseráveis. No versículo 12, o mestre apresenta uma solução para esse problema desconcertante. Ele diz que a **correção** (11; "disciplina", ARA) e a **repreensão** indicam a preocupação contínua de um Pai que ama e quer o bem-estar do seu filho (cf. Hb 12.5-11). Na adversidade ou na prosperidade, os filhos de Deus nunca estão separados do seu amor (Rm 8.38-39). Entendamos ou não completamente nossa disciplina ou repreensão, podemos saber que Deus nos ama e que nossa vida está nas suas mãos.

A adversidade não destrói a alegria duradoura do homem de Deus. O caminho da sabedoria, embora dispendioso, é recompensador. O termo **Bem-aventurado** (13) é o mesmo que é usado nas Bem-aventuranças do Sermão do Monte. É encontrado com freqüência nos salmos (1.1; 112.1; 119.1) e em Provérbios (8.34; 16.20; 20.7; 28.14). Enquanto todos em volta estão ocupados na busca de riquezas terrenas, o homem de sabedoria descobriu tesouros superiores ao **ouro** e à **prata** (14). Os seus tesouros são mais preciosos **do que os rubins** (15) — pérolas, ou corais vermelhos (Jó 28.18; Lm 4.7). Tesouros terrenos não podem prover **Aumento de dias** (16) ou **paz** de espírito e mental (17). A sabedoria é **árvore da vida** (18), que simboliza o poder gerador de vida que vem de Deus.[17]

Nos versículos 19-20, vemos a criação como uma expressão da **sabedoria** de Deus — a mesma sabedoria que ele compartilha com os seus filhos. Edgar Jones diz: "Assim como a Sabedoria muda a vida humana do caos para a ordem assim a Sabedoria funcionou no início".[18] Com tudo isso, o homem de Deus só pode ser abençoado!

3. A Segurança na Caminhada com Deus (3.21-35)

A parte final desse capítulo começa no versículo 21. O mestre diz ao seu pupilo que a **sabedoria** é duplamente recompensadora. Ela trará **vida para a tua alma e graça, para o teu pescoço** (22). Essa sabedoria fornece recursos ao homem interior e torna graciosa a sua aparência exterior. O mestre deixa claro que ter sabedoria significa caminhar com Deus (23). Esta caminhada traz um sentido de segurança e liberta a pessoa de temores atormentadores (24). A confiança em Deus dá à pessoa uma **esperança** (26) recompensadora.

O homem que deposita a sua confiança em Deus (3.1-10) e caminha alegremente com ele (3.11-20) vai expressar a sua fé nos seus relacionamentos sociais. Nenhum homem consegue ter profunda comunhão com Deus sem ter um bom relacionamento com as pessoas à sua volta. Nos versículos 27-30 há quatro proibições que tratam da responsabilidade que o homem tem para com os outros. Em primeiro lugar, o homem temente a Deus precisa ser generoso e justo — **Não detenhas** [...] **o bem** (27) — para com aqueles a quem se deve ou a quem um favor deve ser feito. Ele não deve se demorar, mas deve dar prontamente (28) salários devidos ou a ajuda necessária (cf. Tg 2.16). Não deve maquinar **o mal contra o** [...] **próximo** (29). E, por último, não deve ser briguento (30).

Nos versículos 31-35 temos uma série de contrastes entre os destinos do homem de sabedoria e do homem marcado pela impiedade. O homem mau não deve ser invejado por causa do seu sucesso aparente. Ele é **abominação para o SENHOR** (32), mas o **segredo** de Deus ("conselho íntimo", Berkeley; ou "confidência", Smith-Goodspeed) está **com os sinceros** (32). Somente o homem de sabedoria é honrado por Deus (33-35).

G. A PRIMAZIA DA SABEDORIA, 4.1-27

Neste trecho temos um retrato seleto da primazia da sabedoria. O capítulo contém três discursos distintos. No primeiro (1-9), um pai tenta transmitir o seu amor pela sabedoria ao seu filho; no segundo (10-19), a escolha entre os caminhos contrastantes da vida é destacada; e na seção final (20-27), encontramos um apelo à pureza de coração e de vida.

1. O Amor do Pai pela Sabedoria (4.1-9)

Ouvi, filhos, a correção do pai (1). O mestre aqui ou assume o papel de um pai ou, como pai, lembra a sua própria herança religiosa tão valiosa. Esta última posição parece mais provável em vista das declarações autobiográficas dos versículos 3-4. Certamente o antigo povo de Israel cria que a religião deveria ser ensinada e transmitida na prática. Preceitos e prática eram ambos muito importantes na propagação da fé. Em concordância com essa herança, o cristianismo é evidentemente uma religião de instruções.

O mestre fala de forma carinhosa acerca do seu próprio lar hebreu. Quando ele era **tenro** (3; jovem na idade biológica), ambos, pai e mãe, compartilhavam a educação dos filhos. A devoção aos mais elevados valores na vida é transmitida por meio do impacto pessoal de pais devotos sobre a vida dos seus filhos, e de mestres sobre as vidas dos seus pupilos. Edgar Jones nos lembra que "o relacionamento entre o mestre e o aprendiz é pessoal, e não superficial. Nesse relacionamento de confiança mútua a verdadeira educação se torna possível".[19]

Adquire a sabedoria, adquire a inteligência (5). A repetição do verbo "adquirir" é significativa. Não é suficiente ser ensinado, por mais importante que isso seja. A pessoa precisa adquirir a sabedoria por iniciativa própria. Kidner pensa que a expressão do mestre aqui "é uma forma direta de dizer: 'O que é necessário não é intelecto nem oportunidades, mas decisão. Você quer isso? Então venha e pegue'".[20] As parábolas neotestamentárias do tesouro escondido e da pérola de grande valor (Mt 13.44-46) ilustram bem essa verdade que o pai estava tentando comunicar.

A primazia da sabedoria é sublinhada novamente nos versículos 6-9. O filho deve "amar" a sabedoria assim como amaria a sua noiva (6). Este amor traz grandes recompensas (cf. Sl 45.13; Pv 1.9; Is 61.10). Paulo disse: "Mas é grande ganho a piedade com contentamento" (1 Tm 6.6). O conhecimento vale mais do que todo o custo para obtê-lo.

2. A Escolha entre dois Caminhos (4.10-19)

O mestre coloca em forte contraste nos versículos 10-19 os dois caminhos da vida (veja comentário de 2.12-15). O **caminho da sabedoria** (11) é retratado nos versículos 10-13. Este caminho é a melhor rota para a peregrinação da vida. Este caminho — **não se embaraçarão os teus passos** (12) — está livre de pedras de tropeço (cf. Jd 24a). As admoestações do versículo 13 desafiam o homem de Deus à fidelidade imediata. O caminho dos maus é retratado de forma bem diferente nos versículos 14-17. Os ímpios são zelosos nas suas más ações (Ef 4.19). A sua comida e bebida são adquiridas de forma injusta (17).

Os dois caminhos são resumidos nos versículos 18-19. **Mas a vereda dos justos é como a luz da aurora** (18) que cresce em brilho **até ser dia perfeito**, ou "até a completa luz do dia" (Moffatt). Mas **o caminho dos ímpios é como a escuridão** ("escuridão profunda", Berkeley), e eles **nem conhecem aquilo em que tropeçam** (19). Schloerb diz: "Eles não conseguem diagnosticar a sua triste situação; continuam tropeçando no mesmo obstáculo de novo e de novo".[21]

3. Um Apelo para a Pureza de Coração e de Vida (4.20-27)

O segredo da vida santa é dado nos versículos 20-27. Ela é, em primeiro lugar, a confiança no Deus que nos capacita a trilhar o caminho da justiça e retidão. **Filho meu, atenta para as minhas palavras** (20) com toda a sua personalidade humana — **ouvido** (20); **olhos** (21,25); **coração** (21,23); **corpo** (22); **boca** [...] **lábios** (24); mãos e pés (27). Em segundo lugar, o **coração** precisa ser guardado com toda a diligência, **porque dele procedem as saídas** ("fontes", ARA) **da vida** (23); "dela fluem as fontes da vida" (AT Amplificado). Horton diz: "Toda conduta é resultado de fontes escondidas. Todas as palavras são a expressão de pensamentos. A coisa primeira e mais importante é que as fontes escondidas dos pensamentos e sentimentos sejam mantidas puras. A origem de todos os nossos problemas é a amargura do coração, o sentimento de inveja, a erupção repentina de desejos pervertidos. Uma salvação meramente exterior não tem valor algum; uma mudança de local, uma fórmula mágica, um perdão convencionado, não podem tocar a raiz do mal. 'Eu gostaria que o senhor mudasse o meu coração', disse Sekomi, chefe de uma tribo na África, a Livingstone. 'Dê-me remédio para mudá-lo, porque é orgulhoso, orgulhoso e zangado, sempre zangado'. Ele não queria ouvir falar da forma neotestamentária de mudança de coração; ele queria uma forma exterior, mecânica — e seria impossível encontrar essa forma".[22]

No apelo que o mestre faz pela pureza, apelo profundo e recorrente na revelação do Antigo Testamento, encontramos o conceito que Jesus destacou de forma ainda mais intensa no Novo. Ele falou da necessidade da pureza da alma quando mostrou que o coração do homem é a fonte de todos os pensamentos e atos maus (Mt 15.18-19; Mc 7.20-23). Ele anunciou a pureza de coração como uma das bem-aventuranças da nova aliança (Mt 5.8).

H. Instruções para o Casamento, 5.1-23

No capítulo 5 temos a aplicação da sabedoria ao relacionamento entre homem e mulher. Depois de um apelo inicial a favor da atenção concentrada no ensino (1-2), há uma advertência muito forte contra o fascínio do pecado (3-6). Em seguida vem uma admoestação severa para se evitar a infidelidade (7-14). A última parte contém um apelo insistente a favor da fidelidade no casamento (15-23).

1. Evite o Fascínio do Pecado (5.1-6)

O mestre pede atenção às suas palavras: **à minha razão inclina o teu ouvido** (1). O ouvir precede o crer. Uma pessoa precisa conhecer as opções para fazer uma escolha responsável (Rm 10.14-17). Ela precisa aceitar a Deus pessoalmente e caminhar de forma prudente. Para que haja a conduta apropriada, precisa haver juízo sadio e discernimento espiritual. É necessário até que a pessoa vigie a sua fala por meio do **conhecimento** (2). Greenstone está correto quando comenta: "Seja conduzido na sua fala pelo conhecimento e não pelo impulso do momento".[23]

A razão desse apelo tão forte é destacada no versículo 3. O homem ou é servo de Deus ou é escravo do pecado; ou escolhe as correntes da disciplina divina ou as cadeias do mal. **Porque** (3) existe a **mulher estranha**, a adúltera, que vai oferecer as suas tentações.

Ela representa as seduções do pecado — da obstinação em contraste com a vontade de Deus. Ela é a mulher de outro homem (veja comentário de 2.16-19). Os seus **lábios** [...] **destilam favos de mel** ("destilam palavras melosas", Berkeley), **e o seu paladar é mais macio do que azeite**. Ou seja, é lisonjeira e sedutora. Um exemplo disso é dado em 7.13-21.

No entanto, o resultado do envolvimento com a adúltera é exatamente o oposto das promessas que ela faz àquele que é objeto das suas maquinações. **O seu fim é amargoso como o absinto** (4). A palavra **fim** (hb. *'aharith*) é usado com freqüência para expressar a idéia do juízo final (cf. 5.11; 14.12-13; 16.25; 19.20; 20.21; 23.18; 24.14; 25.8; 29.21). Em vez da doçura do mel e da maciez do azeite vem a amargura. **Absinto** (4) é uma planta amarga que é usada com freqüência na Bíblia para descrever os resultados trágicos do pecado (Dt 29.18; Jr 9.15; Lm 3.19; Am 5.7; 6.12). A **espada de dois fios** sugere a natureza devoradora do pecado (Jr 46.10; Na 2.13). No versículo 5, as palavras **morte** e **inferno** (hb. *sheol*) são virtualmente sinônimas. *Sheol* significa o lugar dos espíritos dos que partiram. Aqui se fala da morte como um resultado do caminho do pecado.[24]

A mulher devassa é descrita com mais detalhes no versículo 6. Algumas versões trazem o tratamento na segunda pessoa do singular ("Para que não ponderes...", ECF), em vez de **Ela**. O texto hebraico não está claro nesse ponto. Mais provavelmente deve ser traduzido por "ela", como está aqui na ARC. A versão *Berkeley* traz: "O caminho da vida ela não considera". Os seus caminhos são **variáveis**, ou "inconstantes e escorregadios" (Moffatt). Assim a palavra de Deus destaca a destrutibilidade do pecado. Rylaarsdam diz: "Os sábios e profetas fizeram algo profundo quando escolheram a prostituição como metáfora da idolatria; ambas expressam infidelidade porque ambas são motivadas por irresponsabilidade e egocentrismo. E é bem por isso que ambas são autodestrutivas, 'porque aquele que quiser salvar a sua vida perdê-la-á' (Mt 16.25)".[25]

2. *O Alto Custo da Infidelidade* (5.7-14)

Nestes versículos o poder destrutivo da imoralidade é esboçado graficamente. Em primeiro lugar, o autor adverte novamente que a adúltera deve ser evitada. **Afasta dela o teu caminho** (8) — "Fique longe dela" (Moffatt). No linguajar de hoje diríamos: "Não brinque com fogo, a não ser que você queira se queimar". O autor nos diz que o autoindulgente chega ao final dos seus dias com o coração cheio de remorso e com as energias físicas totalmente dissipadas (9-11). Ele reconhece tarde demais o erro das suas escolhas. Ele diz: **Como aborreci a correção!** (12), que literalmente significa: "Como pude ser tão tolo de me recusar a seguir a orientação?".

O homem dissoluto é tolo não somente diante de Deus, mas também à vista dos outros homens. **Quase que em todo o mal me achei no meio da congregação** (14) significa: "Quase fui sentenciado à morte pela congregação" (Moffatt), ou: "Eu estava à beira da ruína total" (RSV). As palavras do versículo 14 podem significar que esse homem adúltero quase foi levado à condenação pública, e isso poderia ter significado um castigo severo e a morte (Lv 20.10; Dt 22.22; Ez 16.40). As palavras também podem significar desgraça pública mesmo que ele fosse membro da congregação de Israel ("quase caí na desgraça diante de todos", NTLH).

3. *O Apelo a Favor da Fidelidade* (5.15-23)

Após a reprovação severa da promiscuidade sexual na seção anterior, o autor agora prossegue para um apelo magistral a favor da fidelidade no casamento. Enquanto a relação extraconjugal é contrária à vontade de Deus, a relação sexual no casamento conta com a aprovação divina. Um casamento honroso e feliz, descrito nos versículos 15-20, é considerado uma proteção contra a infidelidade.

Em concordância com o imaginário típico do Antigo Oriente, o autor usa água, cisternas, fontes e poços como metáforas para descrever a mulher de um homem (Ct 4.12,15). As expressões **da tua cisterna** e **das correntes do teu poço** (15) destacam a fidelidade no casamento. No versículo 15, temos uma reflexão acerca do sétimo mandamento: "Não adulterarás" (Êx 20.14). O conhecimento de Deus e a obediência às suas exigências morais são combinados neste capítulo. Assim, Provérbios faz eco da contribuição de Israel ao mundo — a lei revelada por meio de Moisés e da religião personalizada por intermédio dos profetas.

No versículo 16 é difícil interpretar o texto hebraico. Ou temos uma referência à criação de filhos no contexto sagrado do relacionamento matrimonial ou uma alusão à inutilidade da promiscuidade. Alguns estudiosos preferem o primeiro ponto de vista, e a estrutura da frase parece apoiá-los. Outros transformam o versículo em pergunta, como é o caso da ARC aqui: **Derramar-se-iam por fora as tuas fontes** [descendentes], **e pelas ruas, os ribeiros de águas** [filhos]? Qualquer dessas interpretações destaca a importância da fidelidade no relacionamento matrimonial.

No versículo 17, o autor fala de um relacionamento monogâmico. No versículo 18 ele dá o seguinte conselho ao homem: **alegra-te com a mulher da tua mocidade**. No versículo 19, ele usa as imagens claras de Cântico dos Cânticos (4.5) para falar do desejo que o homem deve ter por sua esposa. Ele aconselha o homem (19-20) a manter o clima romântico no seu casamento. A expressão "ser atraído" nos versículos 19-20 seria melhor traduzida como "perder-se em", "embriagar-se com" (cf. ARA).

Nos versículos 21-23, o mestre destaca mais uma vez o destino dos malfeitores. Ele diz que **os caminhos do homem estão perante os olhos do SENHOR** (21). Greenstone comenta: "Os caminhos do homem estão escancarados diante de Deus; até mesmo os atos realizados no mais profundo segredo são percebidos por Deus, e isso deveria ser mais um empecilho para que assim o homem não se entregue a atos indecentes".[26] A verdadeira moralidade é o reflexo da santidade de Deus. O autor deixa claro que é o pecador quem fabrica as **cordas do seu pecado** (22) e a que a sua triste condição se deve ao fato de ele não obedecer às leis de Deus (23).

Alexander Maclaren dá o seguinte título ao versículo 22: "As Cordas do Pecado". Ele sugere o seguinte esboço: 1) Os nossos maus atos se tornam maus hábitos; 2) Os nossos maus atos nos aprisionam; 3) Os nossos maus atos produzem o seu próprio castigo; e 4) As cordas podem ser desatadas.

I. UMA SÉRIE DE ADVERTÊNCIAS, 6.1-19

O livro de Provérbios está repleto de sinais de advertência, luzes vermelhas piscando para nos alertar do perigo e do desastre à frente. Nesta seção temos quatro dessas luzes vermelhas piscando. Essas advertências nos lembram mais uma vez da relevância da mensagem de Provérbios. Numa época de revolta moral e de relativismo ético, é bom ler com freqüência as palavras diretas e francas dos sábios de Israel "que falavam francamente dos males dos seus dias e indicavam aos jovens o caminho da sabedoria que é o caminho de Deus".[27]

1. *Não Seja Fiador* (6.1-5)
A advertência do sábio aqui não deve ser compreendida como uma proibição direta e total contra todo tipo de fiança — o assumir da dívida ou obrigação de outro. No antigo Israel, a caridade para com o compatriota na comunidade hebraica era incentivada com freqüência, e a usura (o juro abusivo sobre empréstimos) era condenado (Êx 22.25-26; Lv 25.36-37; Dt 23.19-20; Sl 15.5; Ez 18.8,13,17). Havia também algumas obrigações relacionadas às dívidas de parentes (Rt 4.1-6).

Neste trecho de Provérbios, no entanto, o autor está tratando de forma prática com a decisão impulsiva de assumir a dívida de outras pessoas — do **companheiro** ou do **estranho** (1). Advertências semelhantes contra este tipo de fiança aparecem em Provérbios (11.15; 17.18; 22.26-27). O conselho não é contra a generosidade bem pensada e planejada. Kidner expressa isso muito bem quando diz: "Isso não elimina a generosidade; está mais próximo de eliminar as apostas e o jogo".[28] Assumir repentina e impensadamente as dívidas de outros vai resultar, como o jogo, em dificuldades para a pessoa impulsiva e sua família.

Se deste a tua mão significa simplesmente: "Se deste garantia ou fizeste acordo". Neste caso a pessoa está "enredada" (2; "caiu na armadilha", Moffatt) pelas suas palavras. A solução desse problema é fazer de tudo para cancelar imediatamente a garantia dada — **Faze, pois, isto agora** (3). Deve-se importunar o estranho para conseguir a libertação (cf. Lc 18.1-8). O homem deve "livrar-se" (5) das conseqüências do seu acordo feito no impulso. Ele deve ser livre como a **gazela** que escapou **do caçador** e a ave que se esquivou do **passarinheiro**.

2. *Não Seja Preguiçoso* (6.6-11)

A segunda advertência trata das virtudes da diligência e do zelo pelo trabalho. As advertências contra a indolência são freqüentes em Provérbios (10.26; 13.4; 19.15; 24.30-34). O mestre acreditava que a preguiça atrapalhava a prosperidade (10.4; 12.11; 20.13; 23.21; 24.33-34; 28.19). Salomão se volta aqui à natureza para apresentar um exemplo de diligência (cf. 1 Rs 4.33). A **formiga** (6), mencionada somente aqui e em 30.25, pode nos ensinar algumas lições sobre o zelo pelo trabalho e a previdência. Ela trabalha diligente e voluntariamente (7) para preparar no **verão** o alimento para o inverno que está adiante (8).

A ocorrência tripla da expressão **um pouco** (10) destaca o fato de que pequenas negligências resultam em grandes deficiências. Hoje, só mais um gole antes de pegar o volante pode resultar em grandes tragédias. O sábio adverte que, como resultado da indolência repetida, a **pobreza** e a **necessidade** sobrevirão ao preguiçoso (11).

3. *Não Semeie Discórdia* (6.12-15)

A terceira advertência trata das características de um homem perverso. É um **homem de Belial** (12). A palavra **Belial** é usada posteriormente no Novo Testamento como designação de Satanás (2 Co 6.15). Aqui estão incluídos maldade e inutilidade. Enquanto uma série de traduções designa essa pessoa como "inútil" (Berkeley, RSV), Moffatt o chama de mau caráter. Greenstone diz: "Os rabinos entendem que significa uma pessoa sem jugo, que lançou fora todo jugo de responsabilidade moral e religiosa, uma pessoa depravada".[29] Diz o texto acerca da sua fala que **anda em perversidade de boca** (12); literalmente, a fala é "torta" ou "torcida". A sua piscadela indica insinceridade e malícia; os gestos dos seus pés e mãos são típicos de um homem ímpio.

Esta pessoa perversa **anda semeando contendas** (14), ou literalmente: "deixa a briga correr solta". Moffatt diz: "Ele está sempre semeando discórdias". Um homem desse tipo era especialmente problemático numa sociedade primitiva. E ele é a ruína de qualquer sociedade. Horton diz: "Este tipo de homem é o fermento da hipocrisia e da malícia na igreja cristã; ele faz conspiração e causa intrigas. Ele predispõe as pessoas contra o seu pastor e incita o pastor a suspeitar do seu rebanho. Ele se põe a realizar trabalhos religiosos porque é lá que consegue produzir o maior prejuízo. Ele nunca se satisfaz mais do que quando consegue se apresentar como defensor da ortodoxia, porque aí ele parece estar protegido e se sentir aprovado pela bandeira que ele está carregando".[30]

4. *Não Cometa estes sete Pecados* (6.16-19)
Nesta quarta advertência o autor deixa claro que o pecado não é somente desastroso para o homem, mas repugnante para Deus. Um Deus santo abomina o mal. A lista de pecados que o jovem deve evitar é expressa por meio de uma expressão idiomática hebraica — **Estas seis coisas** [...] **e a sétima** (16). Não se deve pensar que o paralelismo poético limite o mal a sete pecados, nem se deve fazer uma distinção significativa entre o sexto e o sétimo pecado. Acerca de expressões semelhantes veja Jó 5.19; Pv 30.18,21,29; Ec 11.2; Am 1.2—2.8. Os pecados detestáveis tão ofensivos a Deus estão alistados nos versículos 17-19.

J. A Sabedoria e o Adultério, 6.20—7.27

Após o interlúdio composto de quatro breves advertências, o autor retorna ao perigo do adultério em forma semelhante à de 2.16-19; 5.3-11; 9.13-18. Depois de um parágrafo introdutório acerca da importância da obediência à autoridade dos pais (20-23), o mestre destaca o perigo do adultério (24-35). O capítulo 7 é uma continuação de 6.20-35. Este novo discurso contém uma advertência adicional contra a loucura de se envolver com uma prostituta. Também destaca a sabedoria como resposta à tentação e como a única orientação segura nas lutas da vida. Toda esta seção (6.20—7.27) é o discurso mais longo em Provérbios tratando do pecado do adultério.

1. *Um Apelo à Obediência* (6.20-23)
Nestes versículos, o autor aponta novamente para o valor da instrução dos pais (veja comentários de 1.8 e 4.1-9). Para uma explanação acerca das expressões **ata-os** e **pendura-os** (21) veja comentário de 1.8 e 3.2. No versículo 22, temos um belo tributo à fidelidade das orientações divinas que servem para nos abençoar. Estas instruções da lei (*torá*) eram ensinadas ao jovem estudante pelos seus pais (Dt 6.6-7). Há duas afirmações significativas no versículo 23. **O mandamento é uma lâmpada** para lançar luz sobre os caminhos traiçoeiros da vida (Sl 19.8; 119.105). Como fonte do ensino dos pais, a lei é **uma luz**; por isso, "o homem que rejeitar esses mandamentos, é como se a sua lamparina fosse apagada".[31]

2. *O Perigo do Adultério* (6.24-35)
Respeitar as instruções dos pais é uma atitude que vai guardar (24), ou "proteger" (RSV), o jovem das armadilhas da mulher sedutora. A expressão **má mulher** ("mulher estranha" em outras ocorrências em Provérbios) "sempre significa uma que não é a mulher do homem em questão; às vezes pode ser também uma *prostituta estrangeira*, uma que é *estranha* também para o Deus de Israel".[32] É significativo que a palavra hebraica usada aqui e traduzida por **não cobices** (25) seja a mesma do décimo mandamento (Êx 20.17; Dt 5.21). O mestre adverte que a adúltera está especialmente **à caça de preciosa vida** (26), isto é, da pessoa jovem, inexperiente.

Com duas perguntas retóricas nos versículos 27-28, o autor tenta mostrar o risco mortal do adultério. A resposta às perguntas sobre **fogo** (27) e **brasas** (28) é um enfático "Não". O adúltero está abraçando o fogo, e o resultado danoso de um ato desses é inescapável. Ele não **ficará inocente** (29); literalmente: "Ele será castigado".

O mestre sublinha sua lição nos versículos 30-35 por meio do artifício da comparação. O ladrão pode estar motivado por circunstâncias atenuantes, como a fome física. Ele pode fazer restituição pelo seu roubo, nem que isso exija todas as suas posses. **Sete vezes tanto** (31) não significa necessariamente sete vezes o valor roubado, mas uma restituição completa. Mas o adúltero não pode reparar a situação tão rapidamente. O seu pecado inicia uma corrente de conseqüências desastrosas. Ele corre o risco de destruir-se a si mesmo — **a sua alma** (32). Porque **nenhum resgate** [...] **ainda que multiplique[s] os presentes** (35), irá satisfazer o marido ofendido, que vai insistir na pena de morte (Lv 20.10; Dt 22.22-24). Rylaarsdam diz: "Na psicologia israelita o adúltero é literalmente um assassino e por isso digno do destino de um assassino".[33]

3. Um Apelo Introdutório (7.1-5)

Nos primeiros cinco versículos desse capítulo temos um forte apelo ao jovem para que ande no caminho da sabedoria, que é o caminho do Senhor. Os sinônimos de "sabedoria" nos versículos 1-4 deixam isso muito claro: **palavras** (1), **mandamentos** (1,2), **lei** (2) e **prudência** (4). É necessário mais do que um bom conselho para fortalecer a pessoa contra a tentação. É a fé em Deus e a aplicação dessa fé à vida diária que proporcionam a melhor proteção contra o mal. Ao aceitar e trilhar o caminho de Deus é que a pessoa verdadeiramente torna-se sábia e encontra o segredo da vida vitoriosa.

Guarda [...] **a minha lei, como a menina dos teus olhos** (2). O cuidado que o homem tem pelo caminho do Senhor deveria ser algo tão delicado e sensível quanto o cuidado que tem pela pupila dos seus olhos. **A menina dos teus olhos** é uma expressão proverbial que representa algo muito precioso, que exige cuidado meticuloso (cf. Dt 32.10; Sl 17.8). É com esse cuidado e apreciação que devemos tratar a vontade de Deus. Esta singularidade de propósito é a melhor proteção contra o pecado de qualquer tipo.

Ata-os [...] **escreve-os** (3) são expressões de profundo significado religioso (veja comentário de 3.3). O que se tem em mente aqui é mais do que a exortação à prática literal de atar os filactérios às partes do corpo da pessoa ou de inscrever trechos da lei nos batentes das portas ou nos portões (Dt 6.8-9). Edgar Jones vê nisso "uma prescrição interior que vai muito além de meros rituais exteriores. Será que não vemos aqui um eco de Jeremias 31 com o seu ensino da Aliança Interior?".[34]

O apelo do mestre chega a um clímax no versículo 4. A expressão **minha irmã** é uma designação usada para se referir à noiva ou esposa (Ct 4.9; 5.1-2). O homem deve valorizar a sabedoria assim como valoriza a sua noiva. "Dize à sabedoria: 'Tu és a minha querida'" (Moffatt). **E à prudência chama tua parenta** ("amiga íntima", RSV). A referência aqui é a um parente (cf. Rt 2.1; 3.2) de cuja proteção a pessoa tinha direito de depender. Assim a ênfase do versículo 4 é simplesmente em que a **sabedoria** e a **prudência**, como um bom casamento e uma boa amizade, são as melhores defesas contra a **mulher alheia** (5).

4. A Arte Sedutora da Tentadora (7.6-23)

Nesta passagem, o sábio retrata em detalhes vívidos a história do jovem que era o objeto dos planos maus de uma adúltera. Ele relata as conseqüências trágicas de o homem se entregar à estratégia sedutora dessa mulher devassa.

a) *O objeto de planos destruidores* (7.6-9). O autor apresenta aqui de forma realista e vívida os detalhes da cilada da adúltera. Ele menciona a visão que se tem por meio da **grade** (6; "treliça", Berkeley) de uma casa oriental e de como dali se pode observar o jovem que é o objeto das más intenções da mulher. Toy diz: "As janelas de casas orientais (como as da Europa alguns séculos atrás) não são fechadas com vidro, mas têm uma estrutura em forma de treliça feita de madeira ou de metal, através da qual a pessoa que fica do lado de dentro pode observar a rua sem ser vista de fora; a janela era o ponto de observação predileto".[35]

O objeto de observação da adúltera era um jovem dentre **os simples** (7), ou dentre os "de cabeça vazia e de coração oco" (AT Amplificado). Este jovem era **falto de juízo**. A RSV o chama de "jovem sem bom senso". Kidner o descreve como alguém "jovem, inexperiente, desmiolado".[36] Faltava a esse jovem a compreensão dos princípios morais, mas ele não era meramente um simplório (veja comentário de 1.4).

Este jovem estava andando errante e sem rumo pela rua. Ele parecia não somente perdido, mas também inconsciente dos perigos de se demorar na **esquina** (8) da casa da tentadora. Assim ele se colocou numa posição que era vantajosa para ela. Ele começou o seu passeio no **crepúsculo** (9), mas logo veio a **noite** e a **escuridão**. Cook comenta: "Há um certo significado simbólico no retrato da escuridão que se torna cada vez mais densa [...] A noite está caindo sobre a vida do homem assim como as sombras estão se aprofundando".[37]

b) *A estratégia da sedutora* (7.10-20). A adúltera não estava sem objetivo e rumo como o jovem. Os seus planos estavam bem traçados. Ela era desavergonhada nas suas maquinações. Embora tivesse marido (19-20), apresentou-se a ele **com enfeites de prostituta** (10; cf. Gn 38.14-15). O homem não precisava temer a lei ao se envolver com essa mulher, pois não havia represália do marido no caso de uma prostituta profissional. O **coração** dessa tentadora é **astuto** (10); ela é dura e obstinada nos seus planos maus. Ela é **alvoroçadora e contenciosa** (11; "tumultuosa e teimosa", AT Amplificado). A sua "rebeldia é obviamente a recusa da lei de Deus e das obrigações da moralidade".[38] Ela era uma transgressora freqüente, pois **não paravam em casa os seus pés** (11). Ela ficava **espreitando** ("prepara a sua armadilha", Berkeley) **por todos os cantos** (12).

As seduções da adúltera vêm numa sucessão rápida. Ela foi ousada, abraçou o jovem e **esforçou o seu rosto** (13); literalmente: "mostrou um rosto ousado" (cf. Jr 3.3). Toy diz: "Esta expressão [...] não sugere que a mulher assuma uma atitude que não lhe seja natural, mas simplesmente descreve a sua ousadia de meretriz".[39]

A adúltera continua a sua sedução ao dizer ao jovem que "a sua geladeira está cheia, como nós diríamos".[40] **Sacrifícios pacíficos tenho comigo** (14). A carne dos sacrifícios de animais deveria ser comida no dia do sacrifício ou no dia seguinte. O que não fosse consumido tinha de ser queimado no terceiro dia (Lv 7.16-18). A tentadora diz à jovem vítima que ela ofereceu os seus sacrifícios e que há carne em abundância na sua casa. Eles vão fazer uma festa juntos. Não é estranho que uma pessoa que foi fiel em cumprir com as suas obrigações religiosas em relação aos rituais sacrificais não tenha percebido a contradição entre estas coisas e os seus planos pecaminosos (cf. Is 1.11-15)?

A tentadora agora se volta para a bajulação. Diz ao jovem que era exatamente ele que ela queria para essa ocasião festiva: **saí ao teu encontro** [...] **e te achei** (15). Ele é o "homem dos sonhos dela, alto, moreno e vistoso". Ela desce ao nível do sensual para o apelo seguinte (16-18). Em seguida a sua vítima recebe a garantia de que o marido saiu para uma viagem demorada e não vai voltar antes do **dia marcado** (20); literalmente: "depois de muitos dias".

c) *O resultado trágico* (7.21-23). A sedução é bem-sucedida. O jovem cede à tentação. Ele segue a tentadora **como boi que vai ao matadouro**, como um criminoso acorrentado vai à sua execução, ou como uma **ave que se apressa para o laço** preparado para ela (22-23). Mas o pecado vai lhe custar **a sua vida** (23). Esta expressão retrata a corrupção moral com a sua culpa e miséria como também sugere as conseqüências trágicas que podem resultar quando o marido da adúltera descobrir o caso de amor ilícito (veja comentário de 6.30-35).

5. *Uma Exortação Final* (7.24-27)

Com o exemplo da jovem vítima diante dele, o mestre apela em tom solene aos seus pupilos para que se protejam desse tipo de tentações. Em primeiro lugar, eles deviam estar **atentos às palavras** dele (24). A sabedoria é sua única proteção segura. Em segundo lugar, eles deviam guardar o seu coração dos **caminhos** (25) da tentadora (veja comentário de 4.23). Em terceiro lugar, deviam se manter distantes das **suas veredas**. Finalmente, não deviam esquecer que as baixas do pecado são muitas — **são muitíssimos os que por ela foram mortos** — e que o resultado do pecado é a destruição do corpo e da alma (26-27). Fritsch comenta: "Nas descrições que o livro faz da desgraça e do castigo que o pecador sofre há um tom de finalidade e desesperança que faz o cristão estremecer. A lei instrui a alma no caminho certo e adverte contra as calamidades que lhe sobrevirão se os seus preceitos não forem obedecidos".[41] A adúltera simboliza, portanto, a negação do governo de Deus, e o fato de alguém rejeitar a Deus tem conseqüências abrangentes e trágicas.

K. A FAMA E A EXCELÊNCIA DA SABEDORIA, 8.1-36

No capítulo anterior, tivemos um retrato repulsivo da sedução e do pecado. Neste capítulo, temos um retrato magnífico da sabedoria. O contraste se parece com a diferença entre as planícies pantanosas da degradação do pecado e os planaltos da piedade em que o ar é puro e a visão clara. No capítulo 8, o conceito hebraico de sabedoria alcança o zênite da sua expressão no Antigo Testamento. Greenstone se expressa muito bem quando diz deste capítulo: "Esta não é uma série de discursos acerca da beleza da vida em família, nem mesmo em louvor à castidade, mas um apelo ao jovem estudante para que se dedique de forma zelosa e infatigável à busca da sabedoria que oferece as orientações mais seguras para a vida".[42]

1. *O Convite da Sabedoria* (8.1-21)

Nesta seção e em todo o capítulo 8 a sabedoria é novamente personificada. Como em 1.20-33, ela é um mestre profético. Aqui ela é também evangelista, um arauto das boas notícias do amor e da preocupação de Deus por todos os homens.

a) *O chamado universal à sabedoria* (8.1-5). Aqui o escritor sagrado proclama as boas notícias. A sabedoria apresenta sua mensagem nos lugares mais públicos e abertos possíveis (2-3). Horton diz corretamente: "A sabedoria, ao contrário do que faz a mulher depravada que espreita no crepúsculo da esquina da rua em que está o seu covil, se levanta nos lugares abertos; ela se torna amplamente manifesta ao ocupar uma posição elevada, da qual a sua voz ressonante pode ser ouvida pelas ruas e encruzilhadas, e pode atrair a atenção dos que estão entrando pelos portões da cidade ou pelas portas das casas. Assim como a sua voz é forte e clara, assim as suas palavras são completas e polidas; não há sussurros, não há resmungos, nenhuma insinuação ambígua, nenhum incitamento sutil a prazeres secretos; o seu tom é o da brisa da manhã; ela é inspiradora como a aurora; há algo nela que nos faz pensar involuntariamente no espaço ao ar livre, no céu aberto e nas grandes obras de Deus".[43]

A mensagem premente da sabedoria "é tão relevante para o *shopping center* (2,3) quanto para o próprio céu (22)".[44] Além disso, é universal nas suas propostas. As palavras **homens** e **filhos dos homens** (4) sugerem todo tipo de pessoas, os gentios e os judeus. Não há nada de exclusivo nem provincial no convite da sabedoria. Até os **simples** (5; "negligentes", Moffatt) e os **loucos**, ou espiritualmente obstinados, podem vir, se quiserem (cf. Mt 7.7-8).

b) *O caráter e o valor da sabedoria* (8.6-16). A mensagem da sabedoria é caracterizada pela verdade e pela justiça (6-9). Não há **nenhuma coisa tortuosa nem perversa** (8; "torcida nem torta", Berkeley) nas palavras do pregador. Além disso, as suas proclamações **são retas para o que bem as entende e justas, para os que acham o conhecimento** (9). Aqui "afirma-se um princípio fundamental. Os que estiverem dispostos a se comprometer em receber a sabedoria vão ser capazes de compreender melhor a sua natureza".[45] Nas palavras de Jesus — "Se alguém quiser fazer a vontade dele, pela mesma doutrina, conhecerá se ela é de Deus" (Jo 7.17) — temos um equivalente neotestamentário do que o pregador estava dizendo no versículo 9 (cf. Jo 8.31-32).

O valor da sabedoria é destacado novamente (veja comentário de 3.13-17). É mais valioso do que coisas preciosas como **a prata** [...] **o ouro fino** e **os rubins** (10-11). **De tudo que se deseja nada se pode comparar com ela**. Moffatt diz: "Nenhum tesouro é igual a ela" (11). Certamente o amor intenso de Deus e a sua provisão redentora são incomparáveis (cf. Jó 28.15,18; Sl 19.10; 119.127). Aqui sabedoria destaca a verdade de que mais importante do que riquezas terrenas são os tesouros celestiais (Mt 6.19-21).

A sabedoria descreve virtudes adicionais nos versículos 12-16. Ela é prática e cheia de recursos — **acho a ciência dos conselhos** (12). Ela se identifica com o **temor do Senhor** (13; veja comentário de 1.7). Ela odeia todo tipo de mal. Harris diz que "a verdadeira piedade não é sempre afirmativa. O ensino de que o pecado é odioso é uma verdade maravilhosa e vital".[46] Ela é capaz — **minha é a fortaleza** (14) — de colocar a sabedoria em prática. A verdadeira ciência de governar vem por meio da orientação dela (15-16). Salomão encontrou ajuda nela para o seu reinado (1 Rs 3.5-12).

c) *A recompensa da sabedoria* (8.7-21). Nesta passagem a sabedoria oferece muitas recompensas às pessoas que reagem positivamente ao desafio profético. Todos os que **amam** a Deus — os que o **buscam** [...] **de madrugada** (17; "diligentemente", RSV) — o

acharão (cf. Mt 5.6). Inclui-se aí a prosperidade material (18, 21), mas o favor e a amizade de Deus são as bênçãos supremas do caminho da sabedoria (19).

2. *A Eternidade e a Criatividade da Sabedoria* (8.22-31)

Esta seção tem sido chamada "o trecho mais importante do livro de Provérbios".[47] Fritsch vê aqui "um dos retratos mais perfeitos de Cristo a ser encontrado no Antigo Testamento".[48] Esta seção magnífica antevê passagens tão significativas quanto João 1.1-14; 1 Coríntios 1.24,30; Colossenses 1.15-18 e Hebreus 1.1-4. Greenstone nega qualquer conexão entre essa personificação sublime da sabedoria e o conceito do Logos.[49] Entretanto, Deane e Taylor-Taswell dizem: "Não há [...] nada forçado ou incongruente em ver nesse episódio um retrato da Segunda Pessoa da abençoada Trindade, a sabedoria essencial de Deus personificada, o Logos de livros posteriores, e do evangelho".[50] Fritsch diz que os Antigos Pais da Igreja "usavam esse texto para formular as suas idéias acerca da Segunda Pessoa da Trindade".[51] Atanásio e outros líderes enfrentaram uma das grandes crises doutrinárias da Igreja Cristã com a sua Cristologia Nicena, que extraiu os seus fundamentos dessa fonte profunda de revelação do Antigo Testamento da mesma forma em que dependia também dos registros inspirados do Novo Testamento.

a) *A eternidade da sabedoria* (8.22-23). No versículo 22, temos um dos textos mais discutidos do Antigo Testamento. A palavra traduzida por **me possuiu** (hb. *qanah*) é um tanto ambígua e por isso foi traduzida de diversas formas. O seu significado mais comum é "comprar", "adquirir" ou "possuir". A palavra é usada dessa forma em pelo menos uma dezena de trechos em Provérbios. O seu significado menos comum é "criar" (cf. Dt 32.6; Sl 139.13). Dessa forma tem sido traduzida como "me formou" (Smith-Goodspeed, Moffatt), "me fez" (Berkeley), ou "me criou" (RSV, LXX, Targum). Os heréticos seguidores de Ário usaram o versículo 22 como base da sua tese de que Cristo foi um ser criado, subordinado a Deus. Ele não era, portanto, nem divino nem eterno. Atanásio, no entanto, traduziu essa frase difícil da seguinte forma: "constituiu-[apontou-]me [Cristo] cabeça da criação".

Tanto o significado mais comum do termo hebraico *qanah* quanto o sentido mais geral do texto como um todo (22-31) sugerem que a sabedoria existia antes de Deus ter criado o mundo e que estava ativa no processo criativo (cf. 3.19). Kidner observa de forma penetrante: "Bens são possuídos por meio de aquisição, filhos por nascimento [...] a sabedoria — para os mortais — por aprendizado. E a sabedoria em relação a Deus? Dizer que ela lhe faltava e que ele teve de criá-la ou aprendê-la é estranho ao texto e algo absurdo".[52]

Maclaren comenta o seguinte acerca dos versículos 22-23: "A Sabedoria personificada de Provérbios é a Palavra pessoal do prólogo de João. O apóstolo chega próximo de citar o texto antigo quando diz 'ela estava no princípio com Deus', pois a sua palavra lembra a grande declaração: 'O Senhor me possuiu no princípio de seus caminhos [...] Desde a eternidade fui ungida; desde o princípio, antes do começo da terra'. Então há dois princípios, um perdido nas profundezas do ser eterno, outro, no começo da atividade criativa, e a Palavra estava com Deus no princípio mais remoto, assim como no mais recente".[53]

b) *A primazia da sabedoria* (8.24-26). Estes três versículos constituem uma bela proclamação poética da eternidade da sabedoria. Antes de qualquer coisa do universo físico vir a ser, a sabedoria já existia (cf. Jo 1.1). O salmista escreveu uma declaração semelhante de Deus: "Antes que os montes nascessem, ou que tu formasses a terra e o mundo, sim, de eternidade a eternidade, tu és Deus" (Sl 90.2).

c) *O papel da sabedoria na criação* (8.27-31). Este texto mostra a função da sabedoria na criação do mundo. Ao fazer isso, destaca a unidade da Trindade no empreendimento da criação. O versículo-chave nesta seção é o 30: **então, eu estava com ele**; literalmente, "ao lado dele". Estas palavras ligam o Deus Redentor e o Deus Criador (cf. Jo 1.1-4).

E era seu aluno é mais uma expressão com diversas interpretações. A dificuldade está nas palavras **era seu aluno** (hb. *amon*), que significa ou "artífice-mor", "arquiteto" (veja a ARA), ou "criança pequena", "pupilo". A sabedoria estava do lado de Deus "como um mestre ou diretor de obra" (AT Amplificado). A sabedoria era o "artífice-mor" (RSV) ou o "construtor-mor" (Berkeley). Uma criança ou pupilo, no entanto, é alguém que está constantemente com seus pais ou tutores. Por isso a sabedoria era "um pupilo dele" (Smith-Goodspeed) ou "seu filho de criação" (Moffatt). Ambas as interpretações de *amon* fazem da sabedoria uma parte do empreendimento criador. A primeira, no entanto, torna a sabedoria ativa na criação. Esta interpretação parece mais satisfatória, visto que se encaixa melhor no contexto total e se harmoniza melhor com a cristologia posterior do Novo Testamento. No versículo 31, descobrimos que o resultado da atividade criadora deu prazer à sabedoria (cf. Sl 16.3).

O tema dos versículos 22-31 é "Cristo-Sabedoria encarnado". Temos aí: 1) A sua eternidade ou pré-existência, 22-26; 2) A sua bem-aventurança primordial, 30; 3) A sua função ativa na criação, 27-30; e 4) O seu prazer na humanidade, 31.

3. *O Apelo Conclusivo da Sabedoria* (8.32-36)

Aqui está a conclusão desafiadora do sermão. E **agora** (32) — à luz de tudo que o pregador disse — os pupilos precisam tomar a sua decisão. Não estão tomando decisões acerca de uma questão casual. As conseqüências finais são afirmadas novamente. Grandes bênçãos estão reservadas para aqueles que respeitam as palavras da sabedoria (32, 34-35). Grande tragédia resultará da negligência delas. **Todos os que me aborrecem amam a morte** (36) — a morte espiritual (cf. Dt 11.26-28; 30.19-20).

L. O CONTRASTE ENTRE A SABEDORIA E A LOUCURA, 9.1-18

Este capítulo que conclui a primeira seção de Provérbios apresenta as opções da vida nos dois convites contrastantes da sabedoria (1-6) e da loucura (13-18). Ambas são apresentadas como duas anfitriãs que oferecem as suas respectivas festas a todos. Os seus convites estão separados por um interlúdio interessante (7-12). Alguns estudiosos acreditam que esse interlúdio pertence à seção seguinte de Provérbios e foi colocado aqui por engano. Moffatt coloca esse trecho no final do capítulo. Kidner, no entanto, considera a inclusão dele aqui muito significativa. Ele diz: "A sua posição permite que o capítulo (a seção do livro) culmine com um clímax arrasador (18); o seu conteúdo corrige a impressão segundo a qual os homens são salvos ou se perdem meramente por meio de uma decisão isolada e impulsiva. Vê-se aqui que a escolha amadurece e se transforma em caráter e assim em destino".[54]

1. O Convite da Sabedoria (9.1-6)

Anteriormente vimos a sabedoria personificada como um pregador profético (1.20-33; 8.1-21). Nesta passagem a vemos como uma anfitriã cortês. Ela construiu uma casa com **sete colunas** (1). Esta expressão pode significar simplesmente muitas colunas ou o número de colunas que sustentavam uma casa grande no Oriente. As interpretações alegóricas da expressão são numerosas.[55] A sabedoria preparou a sua festa com generosidade. Ela até **misturou o seu vinho** (2). A mistura era o acréscimo de especiarias para tornar o vinho mais saboroso. A verdadeira festa desse texto é, sem dúvida, uma festa espiritual com o propósito de ajudar os convidados a tomar a decisão de trilhar o caminho certo em meio às opções da vida (veja comentário de 4.10-19).

O convite para a festa é anunciado a todos — até aos **simples** e aos **faltos de entendimento** (4). Edgar Jones diz: "Os simples são as pessoas não-comprometidas, especialmente jovens que estão sujeitos a tantas influências e pressões, mas ainda não tomaram decisões irrevogáveis".[56] Os **faltos de entendimento**, literalmente "de coração", são os que necessitam de força espiritual. A cena antevê a festa de casamento na parábola de Jesus (Mt 22.2-10). O convite: **Vinde, comei** [...] **e bebei** (5), nos lembra do chamado evangelístico de Isaías 55.1-5 e de João 6.35. Esta é a hora da decisão. **Deixai os insensatos, e vivei** (6). Renuncie ao caminho da loucura e do pecado e escolha o caminho da vida.

2. O Interlúdio Interessante (9.7-12)

Nos versículos 7-9, o autor trata do problema de lidar com aqueles que rejeitam o caminho da sabedoria, isto é, o caminho de Deus. Só porque alguém corre o risco de tomar **afronta** para si (7; "abuso", RSV), não está livre da obrigação de repreender o seu próximo por causa das transgressões deste. Este texto reconhece de forma realista as reações dos maus. O **sábio**, no entanto, aprecia a correção (9). Os que temem o Senhor são ensináveis (10).

O conceito da responsabilidade individual é sublinhado no versículo 12. Kidner comenta: "Talvez essa seja a expressão mais forte de individualismo na Bíblia".[57] Expressões semelhantes dessa verdade podem ser encontradas em Deuteronômio 24.16; Jeremias 31.30; Ezequiel 18.4. O caráter é o resultado das escolhas pessoais de um homem, e ele precisa assumir responsabilidade completa por seu destino final. Esta verdade é adequadamente colocada entre os dois convites deste capítulo.

3. O Convite da Mulher Louca (9.13-18)

Em contraste com o convite para o banquete da vida, temos agora o convite para a festa da loucura. **A mulher louca é alvoroçadora** (13; "barulhenta e sedutora", Moffatt). Ela **não sabe coisa alguma**, ou "não tem senso de vergonha" (Moffatt) nos seus esforços de seduzir os homens. Ela não tem respeito por valores eternos. O seu convite tem sido comparado ao apelo da serpente no Éden (Gn 3.4). Na expressão **águas roubadas são doces** (17; cf. 20.17; Is 5.20), Rylaarsdam vê "um convite ao adultério (veja 5.15), embora este pecado particular seja simbólico de todo o mal e, de maneira mais direta, do convite satânico que está em todo lugar desafiando o chamado de Deus na sabedoria".[58]

Os loucos ou pecadores parecem ter prazer na vida (17), mas o resultado do seu caminho é morte (18). Dessa forma, esta seção de Provérbios conclui com um apelo dramático, lembrando-nos de que a única escolha satisfatória e completamente adequada é escolher o caminho de Deus. A alternativa é frustrante no final — sempre o caminho da morte.

Seção II

OS PROVÉRBIOS DE SALOMÃO

Provérbios 10.1—22.16

Chegamos agora à seção principal de Provérbios. Não encontramos aqui longos discursos como os dos primeiros nove capítulos. Esta seção consiste em 375 parelhas aforísticas de versos de duas linhas. São breves, completas em si mesmas e independentes uma da outra. Elas quase que resistem a qualquer ordenação ou classificação lógica. Constituem um mosaico praticamente sem padrão definido. Em vista disso, a exposição se torna difícil. Aqui e acolá algumas parelhas parecem relacionadas. Em 10.1—15.33, as parelhas são predominantemente antitéticas, ou provérbios de contraste. Em 16.1—22.16, as parelhas são em grande parte paralelas. Fritsch ressalta o fato de que somente 33 de 191 dessas parelhas são expressas em linhas contrastantes.[1] Na maioria das parelhas desta última seção, encontramos o paralelismo sinônimo, em que a segunda linha simplesmente repete em palavras diferentes a primeira.

Os cabeçalhos temáticos no comentário desta seção central de Provérbios buscam prover uma estrutura geral e tem o propósito de destacar o tema predominante que aparece num grupo de provérbios ou num capítulo. O texto bíblico, entretanto, é tal que a ordenação temática sugerida não é nem completamente definitiva nem inteiramente adequada. Não obstante os problemas de ordenação, o propósito geral desta seção central de Provérbios está claro. A sabedoria está desafiando os não-comprometidos a escolher o caminho do Senhor. Harris diz de forma apropriada: "Mais uma vez precisamos insistir em que esse não é um simples almanaque de dizeres incisivos e que refletem o senso comum acerca dos problemas da vida; essa é uma coletânea divina de dizeres retratando e destacando o caminho da santidade".[2]

A. Provérbios de Contraste, 10.1—15.33

1. Os Justos e os Ímpios (10.1-22)

No versículo 1, temos a segunda de três ocasiões em que a autoria salomônica é indicada (cf. 1.1; 25.1). Nesta coletânea, Salomão começa com um provérbio acerca da casa, tão significativa no ensino do caminho de Deus (cf. 13.1). Greenstone diz que os termos **sábio** e **louco** no versículo 1, como no restante de Provérbios, "não devem ser compreendidos no sentido intelectual mas no sentido moral. O sábio é o que segue a vereda da sabedoria que é a vereda da conduta correta, enquanto o louco é o ímpio, perverso e imoral".[3] Em 9.12, temos o destaque para a responsabilidade individual. No versículo 1, temos o princípio das obrigações sociais. A santidade de coração e de vida é sempre pessoal e social.

Os tesouros da impiedade (2; "ganhos ilícitos", Moffatt) não têm valor algum na hora do julgamento. Esta expressão antevê as palavras de Jesus: "Pois que aproveita ao homem ganhar o mundo inteiro, se perder a sua alma? Ou que dará o homem em recompensa da sua alma?" (Mt 16.26). A justiça, no entanto, é a melhor segurança do homem e lhe será de grande vantagem no dia do julgamento.

As palavras **justiça** (2) e **justo** (3), tão proeminentes neste capítulo, são palavras-chave em Provérbios. Descrevem o contrário de "impiedade" e "ímpio". O homem **justo** não passará fome (3; cf. Sl 37.25). O seu labor é acompanhado da bênção de Deus (4-5,16; veja comentário de 6.6-11). Ele é abençoado e o seu bom nome e influência permanecem (6-7). Ele continua a aprender (8) e não tem nada a esconder (9). **A boca do justo é manancial** ("fonte", Berkeley) **de vida** (11). "A conversa de homens bons é uma fonte da qual jorra vida" (Moffatt). O próprio Deus é a fonte dessa vida (Sl 36.9; Jr 2.13). Jesus usou linguagem semelhante para descrever o dom do Espírito (Jo 4.14; 7.38-39). O homem justo é orientado pela **sabedoria** (13) e a sua fala é disciplinada (14). Ele continua apto a ser ensinado (17). A sua fala é digna de ser ouvida (20). As suas palavras são bênção para os outros (21). A sua fortuna consiste nas riquezas superiores que somente Deus pode dar (22). Em todo este retrato, o caminho da sabedoria é apresentado por meio da antítese dos provérbios.

2. Resultados da Vida Correta e da Vida Errada (10.23-32)

Os ímpios encontram prazer no mal, mas o homem justo encontra o seu prazer em fazer a vontade de Deus (23). O ímpio teme as conseqüências dos seus atos, mas o justo deseja somente o que é a vontade de Deus para ele, e o que está reservado para ele (24). **Como a tempestade, assim passa o ímpio** (25), mas o **justo** tem um **fundamento** que dura para sempre (cf. 1.27; Mt 7.24-27). No versículo 26, o sábio diz que o **preguiçoso** é tão irritante quanto o **vinagre** e a **fumaça**.

No versículo 27 o **temor do Senhor aumenta os dias**, mas **os anos dos ímpios serão abreviados** (cf. 2.18; 3.2). A alegre **esperança dos justos** (28) e o desespero dos **ímpios** são comparados. O justo encontra força (ou **fortaleza**, como está aqui na ARA) em Deus, mas o mesmo poder traz **ruína** para os ímpios (29). **O justo nunca será abalado** nem removido da terra (veja comentário de 2.21-22), **mas os ímpios** não serão abençoados (30). O caráter do justo e do ímpio é revelado por suas palavras (31). O justo sabe **o que agrada** a Deus e edifica o seu próximo, **mas a boca dos ímpios anda**

cheia de perversidades (32), ou "do que é intencionalmente obstinado e contrário" (AT Amplificado). Clarke diz: "Assim como o amor de Deus não está no coração desse homem, assim a lei da bondade não está nos seus lábios".[4]

3. O Justo e o Ímpio (11.1-11)

A primeira parelha deste capítulo associa a honestidade à vontade do SENHOR. "Um falso equilíbrio é repugnante para o Eterno" (1, Moffatt). A lei proibia o uso de pesos e medidas falsos (Lv 19.35-36; Dt 25.13-15). Os profetas advertiram contra a desonestidade nos negócios (Ez 45.10; Am 8.5; Mq 6.11). Assim, os sábios de Israel refletiam os ensinamentos da lei e dos profetas (cf. 11.1; 16.11; 20.10,23). Um **peso justo** é literalmente "uma pedra cheia ou completa". Era fácil desgastar ou tirar uma lasca da pedra que era usada naqueles dias como peso-padrão, e assim a balança forneceria ao comprador uma quantidade menor. A **soberba** (ou arrogância) é contrastada com a humildade (2). Os **humildes** (hb. *tsenium*) significa "despretensioso", "modesto". Ocorre somente aqui e em Miquéias 6.8.

Nos versículos 3-9 a justiça é contrastada com a impiedade, e os efeitos de cada caminho de vida são destacados. A "integridade" (ARA; aqui na ARC: **sinceridade**) **encaminhará** (3) os justos. Esta "integridade" é a perfeição ou completitude moral. O verbo "encaminhar" ("guiar", ARA) "é usado em referência a um pastor guiando as suas ovelhas através de uma região perigosa".[5] Embora a riqueza material não seja má em si mesma, ela não será suficiente **no dia da ira**, ou no dia do juízo (cf. Sf 1.15-18), ou até na hora da **morte** (4). O **homem ímpio** está espiritualmente falido (7). O **justo** pode até ser exposto à **angústia** (8) mas ele é vindicado. Os ímpios se metem em problemas dos quais os justos escapam. **Pelo conhecimento** do Senhor **os justos são libertados** (9). Nos versículos 10-11, temos o impacto **dos justos** sobre a sociedade. Se o mundo aprecia ou não a justiça, ela é uma bênção para a sociedade (cf. Mt 5.13-14). Em contraste, **os ímpios** são nocivos na sua influência sobre os outros.

4. O Fidedigno e o Mexeriqueiro (11.12-23)

O homem que é **falto de sabedoria** (12; "de bom senso", Berkeley) **despreza** ("deprecia", RSV) **o seu próximo**. Kidner diz: "A forma mais enganosa de uma pessoa se sentir sábia é sentir-se superior (14.21 expande isso: é pecado), porque está negando que Deus é o único juiz competente para julgar o valor humano".[6] O homem que fala de forma desdenhosa de outros é mexeriqueiro (**anda praguejando**, 13); literalmente "caluniador" (hb. *rakil*).[7] Em contraste com ele há o **fiel de espírito** — uma pessoa "constante ou confiável".

No versículo 14, a sabedoria está relacionada à forma sadia de governo e liderança. **Não havendo sábia direção**, o povo sofre. A palavra **direção** é usada para a pilotagem de um navio. Assim o "navio" de um estado precisa de boa liderança (Berkeley) para que seja direcionado de forma adequada. No versículo 15, temos mais uma advertência contra a **fiança** (veja comentário de 6.1-5). No versículo 16, as nobres características da **mulher aprazível** — literalmente 'mulher de graça" — são comparadas às maquinações dos homens maus que querem ficar ricos rapidamente. Moffatt capta o significado desses versículos quando diz: "A mulher fascinante ganha o respeito; o homem arrogante ganha somente riquezas".

Nos versículos 17-21, temos mais dísticos (parelhas de versos) que descrevem as conseqüências do bem e do mal. "Juntar mão à mão" (**Ainda que o mau junte mão à mão**, 21) é uma expressão de difícil tradução. A palavra hebraica significa literalmente "mão em mão", provavelmente uma referência ao costume de apertar as mãos em relação a uma promessa (Jó 17.3). "Façam de tudo" (RSV) para que nenhum ímpio fique sem retribuição. No versículo 22, o sábio diz que a beleza sem caráter não tem valor algum. A **mulher** [...] **que se aparta da razão** ("do bom gosto", Berkeley) é uma mulher sem discernimento moral. No versículo 23, o resultado da vida do homem está relacionado ao seu **desejo**, ou àquilo que motiva a sua vida e caráter.

5. *As Recompensas e os Castigos* (11.24-31)
Nos versículos 24-29, o homem generoso e o avarento são comparados. **A alma generosa engordará** (25; "enriquecerá", Berkeley). Jesus disse: "Dai, e ser-vos-á dado" (Lc 6.38). A pessoa avarenta **retém o trigo** (26) quando **o povo** precisa dele. Hoje aplicaríamos esta idéia ao homem envolvido no mercado negro. Uma pessoa consegue aquilo **que busca** na vida, seja bem ou mal (27). O erro do avarento, no entanto, não é ter **riquezas**, mas confiar nelas (28). O avarento cria perturbação na sua própria casa e pode ser reduzido à escravidão (29).

A expressão **árvore de vida** (30) significa que o homem justo não somente escolhe o caminho da vida, mas também exerce uma influência geradora de vida sobre outros. **O que ganha almas** é literalmente "um que toma ou adquire almas". O significado é o de "capturar" outros com idéias ou influência. Jesus disse aos discípulos para que fossem pescadores de homens (Lc 5.10). Jones e Walls dizem: "O significado certamente é que o sábio ganhe a vida de outras pessoas por meio do seu exemplo, da mesma forma que a sua justiça seja uma *árvore de vida* para outros como também para si mesmo".[8] Nem o **justo** nem o **ímpio** devem pecar sem ser punidos (31; cf. Jr 25.29; Ez 18.24; 1 Pe 4.12-19).

6. *O Caminho da Disciplina* (12.1-8)
Os homens reagem à **correção** (1; "disciplina", ARA) moral e religiosa de maneiras diferentes. O que busca sinceramente o conhecimento vai aceitar a correção e se beneficiar com ela. Mas a pessoa que se ressente da disciplina é "como uma besta irracional, estúpida e confusa" (AT Amplificado). Toy diz: "O provérbio faz alusão a todo tipo de ensino (pelos pais, amigos, sacerdotes, advogados), mas provavelmente se ocupa especialmente com as escolas ou os escritos dos sábios, nos quais eram apresentadas regras para a condução da vida".[9]

Nos versículos 2-3, os destinos dos homens bons e dos ímpios são contrastados. **O homem de bem** encontra o **favor do Senhor**, mas Deus declara culpado o homem ímpio. A **impiedade** (3) não fornece uma base adequada para a vida do homem, mas a justiça traz a perpetuidade desejada (cf. 7,12,19; Sl 1.3-4). No versículo 4, temos uma descrição resumida da **mulher virtuosa**. A descrição detalhada é apresentada mais tarde em 31.10-31. A palavra **virtuosa** (hb. *hayil*) significa força tanto do corpo como da mente. Assim, a mulher virtuosa é uma mulher de caráter forte. Este tipo de mulher **é a coroa do seu marido** (cf. Jó 19.9; Lm 5.16); ela é "a glória e a alegria dele, dando-lhe alegria em casa e honra quando está fora pela forma em que organiza o seu lar, e o respeito que o seu caráter evoca".[10] A mulher **que procede vergonhosamente** ("a que o envergonha [envergonha o marido]", ECF) é como uma doença nos **ossos** do homem, drenando toda a sua força e destruindo a sua felicidade (cf. 31.23; 1 Co 11.7). Nos versículos 5-6, as intenções básicas do homem são comparadas. Os **pensamentos** (5), desígnios ou planos, **do justo** são comparados aos **conselhos** enganadores **dos ímpios**. Um equivalente neotestamentário deste versículo é: "Portanto, pelos seus frutos os conhecereis" (Mt 7.20). **As palavras dos ímpios** (6) são como assassinos, esperando emboscados para destruir sua vítima. Mas a fala **dos retos** é a sua melhor defesa contra o caluniador. No versículo 7, temos a instabilidade dos maus em contraste com a prosperidade **dos justos** (cf. Mt 7.24-27). No versículo 8, o respeitado homem de **entendimento** é contrastado com o homem **perverso de coração**.

7. O Caminho da Diligência (12.9-14)

No versículo 9, temos um protesto contra a ostentação. Edgar Jones diz que esse versículo ressalta a "falácia da fachada social".[11] O contraste entre o homem humilde que só tem condições de ter um servo e o homem que se gaba, mas não tem o que comer. O homem **justo** tem consideração pelos animais (10; cf. Êx 23.12; Dt 25.4). No versículo 11, o homem diligente e trabalhador "terá abundância de alimentos" (Moffatt), mas "o que vai atrás de atividades inúteis" (AT Amplificado) não tem muito senso.

O texto hebraico no versículo 12 é obscuro. **Deseja o ímpio a rede dos maus**, isto é, o que a rede deles produz. Greenstone diz: "Os ímpios cobiçam o que produzem as pessoas da sua classe, sendo esta uma forma fácil de adquirir riquezas pela apropriação dos lucros daqueles que os acumularam por meio de trabalho duro".[12] O **fruto**, no entanto, do trabalho do homem justo vai ser duradouro. Nos versículos 13-14, vemos destacada a verdade segundo a qual as palavras e atos do homem vão ter a sua recompensa (cf. Mt 12.36-37; 2 Co 5.10). No Novo Testamento temos uma expressão equivalente a esta verdade em Gálatas 6.7.

8. O Sábio e o Tolo (12.15-28)

O **tolo** é inflexível na opinião que tem de si mesmo, mas o **sábio** é apto a aprender (15). O tolo dá vazão a emoções autodestrutivas, mas o sábio tem domínio próprio, até mesmo quando é insultado (16). "O homem prudente ignora o insulto" (Moffatt). Nos versículos 17-19, temos a expressão de três provérbios contrastantes. Muitos provérbios desta última parte do capítulo tratam do uso da língua.[13] Fritsch diz que mais de uma centena de provérbios tratam da língua.[14] O versículo 14 deixa claro que as palavras de um homem revelam o seu caráter. O tolo prejudica os outros com suas palavras, mas a fala do sábio faz bem à **saúde** (18). **A verdade** é permanente, mas a falsidade **dura só um momento** (19).

Os ímpios não somente dizem falsidades, mas são falsos **no coração** (20). No versículo 21, os destinos do **justo** e dos **ímpios** são mais uma vez contrastados (cf. Sl 91.10; Rm 8.28). Nos versículos 22-23, há outros dois contrastes da fala. O Senhor odeia **lábios mentirosos**, mas tem prazer na verdade (cf. 6.17; 11.20; Ap 22.15). Toy crê que o versículo 23 esteja falando de "discrição sábia e conversa tola".[15]

A diligência é recompensadora, mas a preguiça custa caro (24). **Os enganadores serão tributários**, ou "colocados para fazer trabalhos forçados" (AT Amplificado). A "ansiedade" (ARA; a ARC traz aqui **solicitude**) é pesada no coração do homem, **mas**

uma boa palavra o alegra. No versículo 26, o texto hebraico da primeira linha é difícil, mas o significado do versículo é que o **justo** é útil aos outros e os **ímpios** são nocivos. No versículo 27, o **preguiçoso** é descrito como negligente até para assar o que caçou. No versículo 28, as conseqüência finais são mais uma vez expressas — **vida** e **morte**.

9. O Caminho para a Verdadeira Riqueza (13.1-11)

No versículo 1, o **filho sábio** e o **escarnecedor** são contrastados na sua atitude em relação à disciplina paterna. O verbo "ouvir" na primeira parte, que falta no texto hebraico, é suprido pela harmonia com a segunda linha do paralelismo. No versículo 2, temos o resultado da conduta. Um homem bom usufrui o fruto da justiça (cf. 12.14), mas os **prevaricadores** ("infiéis", Smith-Goodspeed) vão se alimentar da **violência**. Alguns estudiosos enxergam retribuição na segunda linha. Moffatt traduz assim: "Mas as almas ímpias encontram um fim precoce". O versículo 3 nos dá uma advertência contra a fala impulsiva (cf. 10.19; 21.23; Sl 39.1; Tg 1.26). No versículo 4, vemos que diligência é melhor do que sonhar com o trabalho e sua recompensa. **Engorda** significa "prospera". Enquanto o justo odeia a **mentira** [...] **o ímpio é abominável**; literalmente, "causa mau cheiro" (5). Os resultados da vida correta e da errada são contrastados no versículo 6 (cf. 11.3-9).

Nos versículos 7-8, as riquezas e a pobreza são comparadas. O versículo 7 pode ser compreendido de duas formas. Primeiro como o pretexto do esbanjador ou alpinista social e o encobrimento do avarento (RSV, ASV, et al.). A segunda interpretação vê aqui uma comparação entre a verdadeira e a falsa riqueza (cf. Lc 12.21,23; 2 Co 8.9). No versículo 8, vemos tanto a vantagem como a desvantagem da riqueza. Embora as **riquezas** sirvam como proteção contra o perigo, elas também expõem o homem rico ao furto e à extorsão. **O pobre não ouve as ameaças**; melhor do que "não ouve repreensão" (KJV). Os pobres não estão expostos ao furto e à chantagem. No versículo 9, a alegria **dos justos** é comparada com a situação difícil **dos ímpios**. Acerca do simbolismo de **luz** e **candeia** (lâmpada), veja Ester 8.16; Jó 18.5-6; Sl 27.1. No versículo 10, a **soberba** é contrastada com a humildade da pessoa que teme a Deus. No versículo 11, temos os resultados contrastantes das duas formas de se aumentar **fazenda** ("os bens", ARA) — por meios fraudulentos ou pela diligência e economia.

10. A Fonte da Verdadeira Esperança (13.12-25)

A demora na realização das esperanças da pessoa é a base do desapontamento, se não do desânimo (12). O **coração** aqui, como no restante de Provérbios, significa a personalidade completa e abrangente. No entanto, realizar o **desejo** (esperança ou anseio) traz alegria. A **árvore de vida** é uma expressão de satisfação e felicidade (cf. 3.18; 11.30). No versículo 13, temos uma advertência acerca da importância de se obedecer à palavra de Deus. Kidner diz: "*Palavra* e *mandamento* são um lembrete de que a religião revelada é pressuposta em Provérbios".[16] Acerca do versículo 14, **A doutrina** (ensino) **é uma fonte de vida**, veja comentário de 10.11. Os obedientes são salvos de muitos perigos (1 Tm 6.9; 2 Tm 2.25-26).

A expressão **bom entendimento** (15) tem sido traduzida de diversas formas. Moffatt denomina essa pessoa "um homem de tato". Smith-Goodspeed provavelmente chega mais próximo da intenção original ao traduzir como "boa conduta". Harris pensa que **enten-**

dimento (hb. *sekel*) e **graça** (hb. *hen*) "aqui são termos tão claramente morais, ocorrendo como resultado dos mandamentos de Deus, que é difícil entender como Delitzsch pôde chamar *sekel* de 'cultura fina'".[17] O contraste provavelmente é o de bondade e transgressão na segunda linha. **O caminho dos prevaricadores é áspero** ("intransitável", ARA), "como o solo estéril e seco do pântano intransponível" (AT Amplificado).

O homem **prudente** (16) é usado em contraste com o **tolo** que **espraia** (expõe) a sua **loucura**. No versículo 17, são contrastados o bom (**embaixador**) e o **mau mensageiro**. Fritsch diz: "Nos dias antigos, a natureza e os resultados de uma mensagem dependiam em grande parte do caráter do mensageiro".[18] O sábio diz a seguir que os ensináveis são bem-sucedidos, mas os que rejeitam a **correção** vão acabar na **pobreza e afronta** (18; cf. 1.20-33). A realização do **desejo** [...] **deleita a alma** (19), mas o tolo não abre mão do seu caminho mau nem mesmo por esse sentido correto de realização. No versículo 20, somos lembrados de que a sabedoria do homem é afetada pelas pessoas de sua companhia.

Os destinos do justo e do ímpio são contrastados nos versículos 21-22 (cf. v. 25). Até a **riqueza do pecador**, se não for dissipada no seu tempo de vida, torna-se herança do justo. Embora o versículo 23 seja de difícil tradução, Kidner diz: "O ponto principal deste breve provérbio aparentemente é que o tamanho dos seus recursos importa menos do que o juízo com que você os administra".[19] No versículo 24, temos um provérbio conhecido que ressalta novamente a seriedade com que os pais hebreus tratavam a disciplina dos seus filhos (cf. Ef 6.4; Hb 12.5-11). No versículo 25, a verdade dos versículos 21-22 é expressa novamente.

11. *Sabedoria e Tolice* (14.1-19)

No versículo 1, a natureza construtiva da sabedoria é colocada lado a lado com o poder destrutivo da tolice. Aqui a sabedoria é personificada como **mulher** (cf. RSV), e esse versículo reflete os convites da sabedoria e da tolice em 9.1-6 e 9.13-18. No versículo 2, lemos que os caminhos dos justos e dos perversos são determinados pela forma em que a pessoa trata a Deus e sua vontade. O versículo 3 é mais um provérbio que destaca a importância de se controlar a fala. A palavra traduzida por **vara** é "ramo", "rebento" e ocorre somente aqui e em Isaías 11.1. A versão *Berkeley* traduz assim: "Na boca do tolo está uma vara para o seu orgulho". Jones e Walls dizem: "O ponto por trás do versículo 4 provavelmente é: 'Se não há bois, não há necessidade de se limpar o estábulo; mas também não se ara a terra, e não há colheita'".[20] No versículo 5, a **testemunha verdadeira** é contrastada com a **testemunha falsa**. O juramento falso em corte é condenado com freqüência em Provérbios (6.9; 12.17; 19.5,9; 21.28; *et al.*).

O sábio nos lembra que o **escarnecedor** (6) não está qualificado para a busca à sabedoria porque ele não teme o Senhor (cf. 1.7). A associação com o **homem insensato** (7) não é recompensadora, "pois você não vai encontrar uma palavra de bom senso nele" (Moffatt). A **sabedoria** ajuda o homem a avaliar corretamente a sua conduta, mas a **estultícia dos tolos** (8) "é enganadora" (ARA), tanto para eles mesmos como para os outros. Os estudiosos têm dificuldade em interpretar o versículo 9. A palavra traduzida como **pecado** (hb. *asham*) é com freqüência traduzida como "sacrifício pelo pecado". Assim, "o sacrifício pelos pecados zomba dos tolos". Alguns intérpretes vêem aí o vazio das observâncias cerimoniais do pecador. Outros vêem aqui a insolência do pecador em zombar do pecado e assim incorrer em culpa — "A culpa tem a sua casa entre os tolos" (Smith-Goodspeed). A RSV traduz o versículo 9b como: "Os retos têm prazer no favor dele". No versículo 10, temos uma declaração de rara beleza que destaca a solidão do sofrimento e da alegria. Somente Deus e amigos próximos podem compartilhar as experiências humanas dessas emoções.

No versículo 11, os destinos dos justos e dos maus são novamente contrastados. **A casa dos ímpios** não vai permanecer, mas **a tenda dos retos** não somente vai durar, mas vai prosperar. **Há caminho que ao homem parece direito** (12; lit. "reto"), mas o seu destino é tremendamente trágico. Termina nas "profundezas do inferno" (LXX). Este versículo é repetido em 16.25. No versículo 13, o autor diz que o **riso** muitas vezes encobre uma dor interior, e que a alegria é seguida de tristeza. Não há aqui expressão alguma de pessimismo, mas de realismo concernente às mudanças de ânimo e disposição emocional na vida da pessoa. O versículo 14 tem sido interpretado assim: "Aquele cujo coração se afasta vai ter a recompensa completa dos seus caminhos; mas um homem bom vai ter a recompensa dos seus atos" (BB).

Nos versículos 15-16, o cuidado e a prudência do **sábio** são contrastados com a ingenuidade e autoconfiança exagerada do **tolo**. Nos versículos 17-18, a raiva impulsiva e o mal propositado do tolo estão em contraste com a paciência do sábio cuja vida é coroada de sabedoria. No versículo 19, temos a vindicação da bondade.

12. *Os Ricos e os Pobres* (14.20-35)

Nos versículos 20-21, temos paralelismos acerca dos ricos e dos pobres. Embora a pobreza com freqüência traga consigo a solidão e a riqueza atraia muitos **amigos** (20), **o que se compadece dos humildes é bem-aventurado** (21). Este provérbio antevê a caridade e as esmolas dos tempos do Novo Testamento (cf. Mt 6.1). Na primeira linha do versículo 22, temos uma pergunta retórica usada para sublinhar a certeza da questão. Pode ser traduzida assim: "Certamente erram 'os que planejam o mal' (ARA)". A palavra "errar" significa "perder-se", "desviar-se", e é uma figura de linguagem emprestada das viagens. Toy diz: "O homem ímpio vagueia sem esperança".[21] No versículo 23, a diligência é recomendada a todos, mas a fala inútil é denunciada como conducente à pobreza.

Os **sábios** (24) são adornados com a "riqueza da sua sabedoria" (AT Amplificado), mas a "grinalda dos tolos é a tolice" (Smith-Goodspeed). O versículo 25 declara que a **testemunha verdadeira** salva vidas, enquanto a testemunha falsa causa sofrimento ao inocente (cf. 6.19; 12.16; 19.28; 25.18). Além disso, a testemunha fiel teme o Senhor e dá aos **seus filhos** o refúgio da fé (26-27). Alguns estudiosos vêem uma descrição puramente secular de um rei e do seu poder no versículo 28. Mas Greenstone diz: "Alguns comentaristas judaicos associam este versículo com o anterior e obtêm o significado de que o homem temente a Deus se sente mais seguro do que o rei com o seu exército".[22]

No versículo 29, vemos a paciência da sabedoria em contraste com a impulsividade da tolice (cf. 16.32; Tg 1.19). O versículo 30 nos ensina que "uma mente tranqüila dá vida ao corpo" (RSV), mas, a inveja, o ressentimento e outras atitudes mentais doentias são prejudiciais para a saúde da pessoa. Os que oprimem o **pobre** insultam a Deus (31; cf. 17.5; Mt 25.40,45). No versículo 32, o destino dos ímpios é contrastado com a esperança dos justos em relação à morte. No versículo 33, somos lembrados de que "a sabedoria encontra o seu descanso na mente dos sábios, mas não é encontrada entre os tolos" (BB).

No versículo 34, a força de uma nação é medida por meio do seu relacionamento com a lei de Deus. No versículo 35, o **contentamento** ("reconhecimento") do rei é fundamentado no caráter e nas ações de um homem.

13. *A Língua dos Sábios* (15.1-20)
No versículo 1, temos um dos princípios mais conhecidos de Provérbios acerca do poder da fala **branda** (cf. v. 18). No versículo 2, há um lembrete do tipo de fala que vem dos **sábios** e dos **tolos** (cf. v. 7). No versículo 3, vemos a preocupação de Deus por todos os filhos que criou, tanto os **maus** como os **bons**. Aqui o nome pessoal que Israel usa para Deus (*Yahweh*; "Javé") aparece novamente.[23] Palavras geram vida ou causam destruição ao **espírito** do homem (4). O sábio aceita a **correção** e a instrução (5). A piedade é recompensada por um **grande tesouro** (6; "muita riqueza", Smith-Goodspeed), mas os ganhos ilícitos do **ímpio** a certa altura se perdem. O sábio gosta de compartilhar o conhecimento, mas o tolo é indiferente a ele (7; cf. v. 2).

Nos versículos 8-9, Deus não condena o sistema de sacrifícios em si, mas destaca a necessidade da conduta e das atitudes corretas para permitir que o homem se aproxime dele (cf. 1 Sm 15.22; Is 1.11; Jr 7.22; Am 5.21-24). No versículo 10, a importância da constância nas escolhas certas é destacada novamente. Toy diz: "A vida é representada como uma disciplina — ai daquele que não se beneficiar dela".[24] No versículo 11, o **inferno** (hb. *sheol*) e a **perdição** (hb. *abaddon*) são sinônimos. Edgar Jones captou o pensamento deste versículo: "Se Deus conhece os mistérios escondidos do Sheol e Abaddon, quanto mais então as inconstâncias e evasivas da mente e do coração humanos".[25] Um **escarnecedor** (12; homem presunçoso e orgulhoso) está determinado na sua rejeição da sabedoria. A alegria é contagiante, mas a tristeza é depressiva, tanto para a pessoa quanto para os outros (13). Os sábios se alimentam do **conhecimento**; os **tolos**, da tolice (14). A aflição é depressiva, mas o homem que tem alegria interior tem diante de si um **banquete contínuo** (15).

No versículo 16, o sábio destaca a superioridade das riquezas do espírito — o **temor do SENHOR**. Uma festa luxuosa não é suficiente quando falta o amor. Uma travessa de saladas e verduras numa atmosfera de **amor** é melhor do que um filé suculento em meio ao **ódio** (17). **O homem iracundo** ("irritável", NVI) provoca discussões, mas um homem disciplinado alivia as tensões (18; cf. v. 1). **O caminho do preguiçoso** é como uma cerca **de espinhos** ("coberta de espinhos", AT Amplificado), **mas a vereda dos retos** está livre de obstáculos (19; cf. Is 57.14; Jr 18.15). Acerca do versículo 20, veja comentário de 10.1.

14. *Os Segredos do Coração Alegre* (15.21-33)
O tolo tem prazer na sua **estultícia** ("insensatez", NVI) e parece não compreender o resultado dos seus atos imorais. Kidner o chama de *"playboy"*.[26] Mas o homem de Deus **anda retamente** (21). Acerca do versículo 22, veja comentário de 11.14. A resposta certa traz alegria ao **homem**, e especialmente quando essa **palavra** apropriada vem na hora certa (23). "O caminho da vida conduz o sábio para cima, para que ele evite o Sheol em baixo" (24, Berkeley). No versículo 25, lemos que Deus se opõe à exploração, especialmente da **viúva**. O versículo 26 nos lembra que Deus odeia **os pensamentos do mau**. **O que se dá à cobiça** ("saqueia para obter lucros", Berkeley;

"o que é ávido por lucro", ARA) traz dificuldades sobre si e sua família, mas o que se recusa a aceitar a propina **viverá** (27; cf. Is 5.8; Jr 17.11).

No versículo 28, temos um contraste entre a fala dirigida e bem-elaborada e uma avalanche de palavras impensadas (cf. 1 Pe 3.15). A maldade coloca um abismo entre Deus e o pecador (Êx 33.3). Mas Deus está próximo **dos justos** e ouve a sua **oração** (29; cf. v. 8-9). Há **luz** nos **olhos** de quem leva as boas novas, e esse contentamento edifica a atitude e o ânimo do homem (30). **Os ouvidos** (31) representam aqui o homem todo. A pessoa que dá ouvidos à **repreensão** tem vida duradoura. O versículo 32 destaca as recompensas da pessoa que se deixa ensinar e corrigir (cf. 10,12). **O temor do Senhor** (33) não é somente o princípio da sabedoria (1.7), mas também a sua continuação. Os que têm a **humildade** de aceitar a Deus e a sua condução serão honrados por Ele.

B. Provérbios Parcialmente Paralelos, 16.1—22.16

1. *O Senhor da Vida* (16.1-11)

É significativo que em cada um dos primeiros sete versículos deste capítulo apareça o nome pessoal com que Israel se dirige a Deus (*Yahweh*; "Javé"). Esta seção destaca a atividade de Deus nos afazeres do homem. No versículo 1, o sábio diz que tanto os planos dos homens quanto a sua execução estão sujeitos ao controle divino. A ARC é preferível aqui à ASV e RSV (em inglês) e à maioria das versões em português (ARA, NVI, BJ). Maclaren diz que as palavras no versículo 2 — **Todos os caminhos do homem são limpos aos seus olhos** — descrevem "a nossa estranha capacidade de nos cegarmos a nós mesmos".[27] O homem pode estar satisfeito com a sua vida, mas essa vida precisa do escrutínio do Senhor e da sua santa lei (cf. 12.15; 21.2), porque Deus **pesa os espíritos**; Ele verifica a fundo as ações e avalia a motivação da pessoa. No versículo 3, o autor nos dá uma receita para tratar o problema da ansiedade. Ele diz: **Confia** às mãos de Deus **as tuas obras** (cf. Sl 37.5; 90.17; 1 Pe 5.7). O versículo 4 destaca o propósito de Deus em todas as coisas. Ele criou o homem para servi-lo, embora alguns tenham se rebelado contra ele. Até mesmo as conseqüências do pecado vão servir como lição para os outros. Este versículo, no entanto, não pode ser distorcido para significar a predestinação dos maus nem para fazer de Deus o autor do mal moral (cf. Tg 1.13).[28]

Deus despreza a atitude da arrogância (5). Acerca do significado da expressão **ainda que ele junte mão à mão**, veja comentário de 11.21. **Misericórdia** e **verdade** (6; "amor e fidelidade", Berkeley) são frutos necessários na vida do homem que pela graça caminha com Deus no **temor do Senhor**. No versículo 7, há uma palavra de encorajamento para o homem de Deus (cf. Jr 39.12). No versículo 8, temos um apelo a favor da integridade semelhante ao expressado em 15.16. No versículo 9, a soberania de Deus é ressaltada (cf. v. 1; Jr 10.23). No versículo 10, temos um provérbio sobre a responsabilidade de um **rei** ser correto nos seus juízos. Acerca do versículo 11, veja comentário de 11.1

2. *A Sabedoria como Fonte da Vida* (16.12-24)

Nos versículos 12-15, temos ditados que tratam das responsabilidades dos reis. Jones e Walls dizem: "A história nos revelou o quanto a casa real ficou aquém desse ideal. Mas o retrato permaneceu, para que fosse mais claramente definido pelos profetas e cumprido no Reinado de Cristo".[29] Uma verdade semelhante em Provérbios é expressa no versículo 16 (veja comentário de 3.13-18 e 8.10-11,19). **O alto caminho dos retos** (17) não está somente livre de obstáculos que poderiam derrotar uma pessoa (15.19), mas ela também continua a evitar o **mal** moral (cf. Is 35.8). Tanto o sábio como os profetas de Israel denunciaram a **soberba** (18; Is 2.11-17; Jr 13.15). No versículo 19, é usada uma metáfora do contexto militar: "Melhor é ter espírito humilde entre os oprimidos do que partilhar despojos com os orgulhosos" (NVI).

Até mesmo nas questões cotidianas da vida a pessoa necessita do apoio da fé (20). O versículo 21 exalta a fala amável e ressalta a sua habilidade de persuasão — "As suas palavras amáveis aumentam a sua influência" (Moffatt). No versículo 22, a sabedoria é considerada uma **fonte de vida** (veja comentário de 10.11). O versículo 23 é semelhante ao 21. Palavras bondosas são como um **favo de mel** (24; cf. Sl 19.10).

3. *Os Planos maus dos Homens* (16.25-33)

O versículo 25 é idêntico a 14.12 (veja comentário). No versículo 26, o sábio nos conta que o trabalho árduo é necessário para a existência física: "O apetite do trabalhador age a favor dele, porque a sua boca o estimula" (Berkeley; veja a NVI). Nos versículos 27-30, temos quatro descrições de homens ímpios. No versículo 27, o **homem vão** ("homem sem caráter", NVI; literalmente "homem de Belial"; veja comentário de 6.12) é maldoso, e as suas palavras "queimam como fogo" (Moffatt). No versículo 28, o **homem perverso** (veja comentário de 2.12) semeia a discórdia e prejudica as amizades. No versículo 29, o **homem violento**, "um homem de métodos imorais e criminosos",[30] leva outros à perdição. Somos lembrados no versículo 30 de que muito dano pode ser causado por meio de um simples movimento dos olhos e da expressão dos **lábios**.

Coroa de honra da idade avançada é a **justiça** (31). No versículo 32, o homem que tem paciência e autocontrole é honrado mais que o herói da batalha. Na primeira linha do versículo 33, há uma referência ao lançar sortes (cf. Nm 34.13; 1 Sm 14.41-42; Jn 1.7; At 1.26). Mas a segunda linha deixa claro que no âmbito moral não há espaço para o acaso. Maclaren diz: "Nada acontece por acidente. A pequena província do homem é delimitada em todos os lados pela de Deus, e as duas são limítrofes. Não há território neutro no meio, em que reine o acaso ímpio".[31] Assim, o capítulo 16 conclui com a mesma nota com que começou — a mão controladora de Deus nos afazeres do homem.

4. *Deus Depura o Caráter do Homem* (17.1-12)

A harmonia do lar é tratada no versículo 1. O **bocado seco**, ou refeição escassa, comido com contentamento é melhor do que um jantar refinado numa atmosfera de **contenda** (veja comentário de 15.17). O texto hebraico traz: "sacrifícios de contendas"; isso está em contraste com as "ofertas de paz" de uma família israelita (cf. Dt 12.15; 1 Sm 20.6). No versículo 2, um **servo** fiel substitui um **filho** indigno na satisfação e na **herança** do pai. Vemos um cumprimento histórico deste provérbio na vida de Jeroboão e Roboão (1 Rs 11.26—12.19). O **crisol** (3; "fundidor", Moffatt) é usado para refinar a **prata** e como **forno** para o **ouro**. Da mesma forma, Deus usa as provações para depurar o caráter do homem (cf. Ml 3.3). O versículo 4 fala da responsabilidade do ouvinte, uma mordomia muitas vezes esquecida. No versículo 5, o sábio de Israel adverte os que não têm coração — destituídos de compaixão (cf. 14.13).

O significado da família na tradição hebréia é afirmado no versículo 6. Os netos são bênção especial para os idosos, e um bom pai é **a glória dos filhos**. Na **fala** a pessoa precisa ser ela mesma; suas palavras devem estar em harmonia com seu caráter e responsabilidades. No versículo 8, lemos que o suborno é demasiadamente bem-sucedido. O **presente** (lit. "propina") funciona. Edgar Jones escreve: "Isto é realismo social com vingança".[32] O versículo 9 diz que quem é paciente mostra o seu anseio por boas amizades, **mas o que renova a questão** ("revolve o assunto", ECF) indispõe um "amigo íntimo" (Moffatt). **Mais profundamente entra a repreensão** ("faz marca mais profunda", NVI) no coração sensível do homem bom do que **cem açoites no tolo** (10). No versículo 11, os ímpios são alertados acerca dos riscos da rebeldia contra Deus ou contra o governo. O versículo 12 adverte que o **tolo** é mais perigoso do que "uma ursa da qual roubaram os filhotes" (NVI).

5. O Preço da Sabedoria (17.13-28)

Já é suficientemente ruim retribuir o mal com o mal, mas o versículo 13 fala do pecado horrendo de se retribuir o **mal por bem**. O melhor momento de cessar uma discussão é no seu **princípio** e não quando o rio chega à maré alta (14). O versículo 15 usa a linguagem do tribunal e adverte contra os erros judiciais. O **preço na mão** (16) é uma expressão que não deve ser interpretada literalmente, porque o mestre judaico estava proibido de receber pagamento por seu ensino. O **tolo** não está disposto a pagar o preço do caminho de Deus. Edgar Jones expressa isso assim: "Para obter sabedoria a pessoa precisa estar moralmente receptiva e religiosamente comprometida".[33] No versículo 17, vemos o valor da amizade duradoura. Um verdadeiro **amigo** é amigo em tempos bons e em épocas ruins.[34] O versículo 18 não contradiz o 17, mas adverte contra o abuso da amizade (veja comentário de 6.1-5).

A pessoa orgulhosa e briguenta vai sofrer por causa de suas atitudes más. **O que alça a sua porta** pode bem significar: "o que abre muito a sua boca" (Berkeley). Observe 1 Samuel 2.3; Miquéias 7.5. A impiedade também leva à desgraça (20). No versículo 21, o sofrimento é visto como o que é causado pelo filho moral e religiosamente rebelde (cf. v. 25; veja comentário de 10.1). O versículo 22, que nos conta que um **coração alegre** paga dividendos, é tão atual quanto a terapia psicossomática (cf. 3.8; 12.25). O versículo 23 condena o suborno (cf. v. 8). No versículo 24, a concentração e a atenção do piedoso são contrastadas com a ausência de propósito e rumo do pecador (cf. Fp 3.13-14). Acerca do versículo 25 veja comentário do versículo 21. No versículo 26, temos uma advertência contra procedimentos inapropriados e injustos (cf. Jo 18.23). O versículo 27 fala do valor da fala disciplinada e controlada. Lemos no versículo 28 que **até o tolo** sai lucrando quando limita as suas palavras.

6. Os Sábios e os Tolos (18.1-24)

Temos no versículo 1 um texto hebraico extremamente difícil. Alguns estudiosos vêem aqui um apelo a favor da solidariedade social, tão importante para o povo hebreu.[35] A sabedoria não é uma virtude a ser exercida no isolamento. "A pessoa que intencionalmente se separa e se aliena [de Deus e do homem] busca o seu próprio desejo e o pretexto para se rebelar contra todo discernimento sábio e sadio" (AT Amplificado). O **tolo** é descrito como não tendo **prazer** [...] **no entendimento** (2); tem desejo somente de ostentar as suas deficiências morais. No versículo 3, vemos **desprezo**, desonra e desgraça como companheiros do pecado. Em contraste com isso está a glória e a honra do homem que anda com Deus (Is 6.3; Rm 8.30). As **palavras** de tal homem são geradoras de vida, e a sua fonte é inesgotável (4; veja comentário de 10.11).

A advertência do versículo 5 é contra a injustiça legal. Não está certo mostrar parcialidade para com os culpados ou privar **o justo** da justiça. Nos versículos 6-8, temos três provérbios acerca da fala tola e caluniosa. A expressão **a sua boca brada por açoites** (6) é traduzida como: "A sua boca está pedindo uma surra" (AT Amplificado). Moffatt traduz assim o versículo 8: "As palavras de um escarnecedor são como bocados deliciosos, engolidos e saboreados completamente". O homem preguiçoso e o homem destruidor são irmãos de espírito semelhante (9). O que não produz nada é tão mau quanto o que destrói a propriedade. No versículo 10, somos lembrados de que podemos nos refugiar em um Deus de amor para buscar segurança assim como um homem pode se esconder numa **torre forte** para buscar proteção do inimigo. O homem de riquezas imagina que o seu dinheiro lhe dê segurança (11; cf. v. 10 e 10.15). A expressão **na sua imaginação** é traduzida também como: "assim ele pensa" (Berkeley).

Moffatt interpreta o versículo 12 assim:

A arrogância termina em desastre;
a humildade é o caminho para a honra.

Veja também 15.33; 16.18-19.[36] O versículo 13 é mais um provérbio contra a fala apressada e impulsiva. Acerca do versículo 14 Kidner comenta de forma apropriada: "Na falta de recursos exteriores, a vida é dura; na falta de recursos interiores, é insuportável"[37] (cf. 12.25; 15.13). Para ter algum tipo de vida agradável o desejo de aprender é indispensável (15). No versículo 16, vemos o uso dos dons no cultivo da cortesia nos contatos sociais (cf. Gn 32.20; 1 Sm 25.27). O perigo de abusar em dar presentes é destacado em 15.27 e 17.8,23.

Como reflexo dos procedimentos na corte, o versículo 17 destaca a importância de se ouvir os dois lados da questão. A NVI o traduz assim: "O primeiro a apresentar a sua causa parece ter razão, até que outro venha à frente e o questione". O versículo 18 sugere o lançar sortes para resolver a disputa de forma adequada. O versículo 19 adverte que ofensas são facilmente cometidas, mas dificilmente resolvidas. Moffatt interpreta assim o versículo 20:

Um homem precisa responder por suas declarações
e assumir as conseqüências por suas palavras.

O versículo 21 reconhece o **poder da língua** tanto para o bem como para o mal. O versículo 22 fala da bênção de uma **mulher** agradável (veja comentário de 12.4). Uma descrição realista da linguagem acerca do **rico** e do **pobre** é dada no versículo 23. No versículo 24, dois tipos de **amigos** são sugeridos, embora o texto hebraico seja de difícil tradução e permita diversas interpretações. Existem os amigos só para os bons momentos, e existem aqueles que são mais dedicados e leais do que os próprios irmãos da pessoa (cf. 17.17; 27.10).

7. Parelhas sobre a Pobreza e a Riqueza (19.1-17)

No versículo 1, o **pobre** com a sua honestidade e simplicidade é contrastado com o **tolo** que é **perverso de lábios**. Alguns eruditos consideram este versículo uma adaptação de 28.6. Outros acham que a antítese do versículo 1 se desfaz se não considerarmos o tolo um tolo rico, como em 28.6. **Não é bom** que a pessoa fique **sem conhecimento** (2), especialmente o conhecimento de Deus. O homem que não tem orientação divina **peca**, ou erra o alvo (cf. Jz 20.16). No versículo 3, o pecador é orientado a colocar a culpa pelos seus erros no lugar certo — na sua **estultícia** ("insensatez", NVI). **O seu coração se irará** (lit. está "irado", "aborrecido") **contra o SENHOR**. "Ele acusa a Deus no seu coração" (LXX). A influência das **riquezas** e as desvantagens da pobreza são afirmadas novamente no versículo 4 (cf. 14.20; 18.23-24). O versículo 5 adverte contra o juramento falso (veja v. 9 e comentário de 4.5). Nos versículos 6-7, vemos que a riqueza traz favores e amizades, mas a pobreza resulta em ser esquecido por parentes e **amigos** oportunistas. Embora ele os persiga **com palavras** (de súplicas), eles não se importam.

O valor da **sabedoria** é novamente ressaltado no versículo 8. Acerca do versículo 9 veja comentário do versículo 5. No versículo 10, a palavra traduzida por **deleite** seria melhor traduzida como "luxúria". Assim temos duas impropriedades notáveis: um **tolo** vivendo na luxúria e um **servo** exercendo poder político sobre **príncipes**. No versículo 11, somos lembrados de que a "discrição" (ARA; hb. *sekel*; veja comentário de 13.15) gera controle da ira (cf. 14.17,19) e um espírito perdoador (Mq 7.18-19). O versículo 12 desafia ao reconhecimento realista das disposições de humor de um **rei**.

Um **filho** genioso pode arruinar a felicidade do seu pai (cf. 10.1; 17.21,25) e uma **mulher** resmungona pode destruir a paz de um lar (13). Em relação a isso, Toy cita um provérbio árabe: "Três coisas tornam uma casa intolerável: *tak* (a goteira no dia de chuva), *nak* (a murmuração da mulher) e *bak* (insetos)".[38] No versículo 14, o sábio diz que as posses podem ser uma questão de **herança**, mas uma **mulher prudente** é presente de Deus (veja comentário de 12.4). A **preguiça** faz com que o homem esqueça os seus melhores interesses e isso resulta em **fome** (15; veja comentário de 6.10). A obediência a Deus traz vida, mas o pecado resulta na morte espiritual (16; veja comentário de 15.10). No versículo 17, temos a certeza de que a bondade demonstrada ao **pobre** tem a sua recompensa (cf. Is 10.1-2; Am 2.6-7; 4.1-5). No entanto, não podemos fazer este versículo significar que as obras sejam expiação pelos pecados (cf. Ef 2.8-9).

8. A Importância do Ouvir (19.18-29)

No versículo 18, o sábio nos lembra que reter a disciplina da criança quando ela é pequena e apta a aprender é injusto para com ela. As palavras: **para o matar não alçarás a tua alma** são traduzidas assim (Berkeley): "Não disponha o seu coração para destruí-la [a criança]". A idéia é que o pai exageradamente tolerante com sua brandura vai destruir o seu próprio filho. Em Provérbios, mimar uma criança é pecado contra Deus e a sociedade, como também contra a própria descendência. No versículo 19, os estudiosos reconhecem um texto hebraico de difícil tradução e sujeito a diversas interpretações. É provável, no entanto, que seja um lembrete de que um homem com um temperamento incontrolável vai levá-lo a muitos problemas, e a pessoa que quiser tirá-lo das dificuldades vai ter de fazê-lo **novamente**. O versículo 20 contém um apelo para o ouvir com responsabilidade. A expressão **para que sejas sábio nos teus últimos dias** pode ser traduzido também como: "para que seja sábio no restante dos seus dias" (Berkeley).

A soberania de Deus é destacada no versículo 21 (veja comentário de 16.1). Embora o texto hebraico seja especialmente difícil de traduzir no versículo 22, alguns estudiosos consideram a palavra **desejo**, ou intenção, a chave para a sua compreensão (cf. Mc 12.41-44; 2 Co 8.12). O **pobre** que gostaria de ajudar alguém com problemas é **melhor** do que o rico que tem a capacidade de dar ajuda, mas não tem o **desejo** de fazê-lo. "Um homem pobre mas justo é melhor do que um rico mentiroso" (LXX). Conhecer a Deus e viver para Ele é um caminho satisfatório (23) — uma verdade-chave em Provérbios (cf. 10.2-3; 14.27). No versículo 24, temos uma sátira acerca do **preguiçoso**. Greenstone diz o seguinte: "A ironia é voltada contra a pessoa preguiçosa que coloca a sua mão na vasilha para tirar algo para comer, mas a sua preguiça é maior que a fome e ela não consegue colocar a comida na boca".[39] Há uma referência aqui talvez ao comer o alimento que está numa vasilha comum (cf. Mc 14.20).

O tolo aprende por meio do exemplo (25); o homem sábio aprende por meio da repreensão e da instrução. Acerca do significado dos termos **escarnecedor** e **simples**, veja comentários de 1.4 e 1.22. No versículo 26, um filho ingrato é descrito e se destaca a forma vergonhosa em que trata os seus pais idosos (cf. 28.7, 24). **Cessa, filho meu, ouvindo a instrução, de te desviares das palavras do conhecimento** (27) sugere que há tanto ensino bom como ensino mau. Poderia ser também uma advertência para que a pessoa não ouça a verdade e depois deixe de agir de acordo com o que ouviu, pois ao fazer isso somente aumentaria a sua culpa. No versículo 28, temos mais uma advertência contra a distorção da verdade (cf. 16.27; veja comentário de 14.5). As pessoas que se negam a dar atenção à instrução não escaparão do castigo merecido (29).

9. *O Caráter dos Justos* (20.1-14)

Bebidas inebriantes — **vinho** e **bebida forte** (1) — são personificadas para simbolizar o que fazem os homens que estão sob a sua influência. Eles se tornam escarnecedores de valores elevados ("zombador" NVI), pessoas barulhentas e briguentas. Temos aqui uma condenação veemente da embriaguez. Esta condenação é apresentada com linguagem mais abrangente e mais vívida em 23.29-35.[40] O **vinho** (hb. *yayin*) é suco de uva fermentado; **bebida forte** (hb. *shekar*) é um termo geral para designar todas as bebidas inebriantes (cf. Is 28.7). Estas bebidas eram proibidas aos sacerdotes (Lv 10.9), aos nazireus (Nm 6.3) e aos recabitas (Jr 35).

A **ira** resultante do **terror do rei** é como o medo produzido pelo **bramido do leão** (2; cf. 19.12). Quem provoca um rei **peca contra a sua própria alma**, ou melhor: "Quem o deixa irado coloca a sua própria vida em risco" (Berkeley). No versículo 3, há uma advertência contra a atitude de brigas constantes, pois "o tolo briga com todos" (Moffatt; veja comentário de 17.14). No versículo 4, parece que a falta de vontade de trabalhar do preguiçoso se deve ao tempo frio. Mas as palavras **por causa do inverno** significam literalmente: "no outono", quando a colheita terminou e chegou o tempo de arar a terra. O homem preguiçoso se recusa a arar a terra na época certa; por essa razão os seus vizinhos mais tarde se negam a ajudá-lo. O versículo 5 sugere a busca de motivos: "O propósito no coração do homem é como águas profundas; mas o homem de bom senso consegue extraí-lo" (BB). No versículo 6, temos um contraste entre declaração e realidade. No versículo 7, a **sinceridade** de um homem justo é vista como herança honrada dos **seus filhos**.

Um juiz justo avalia o caráter. A palavra **dissipa** (8) é um verbo usado em relação ao ato de joeirar o cereal. Kidner diz: "O olho treinado de um verdadeiro governante separa o joio do trigo; mais justo e seguro ainda é o Espírito do Senhor: Isaías 11.3; 1 Coríntios 2.15".[41] O versículo 9 destaca a universalidade do **pecado** e a insuficiência dos remédios humanos. **Quem poderá dizer: Purifiquei o meu coração?** Clarke responde: "Homem algum. Mas milhares podem testemunhar de que o sangue de Jesus Cristo os purificou de toda a injustiça. E aquele que é justificado amplamente pela redenção que há em Jesus é purificado do seu pecado".[42] Acerca do versículo 10, veja comentário de 11.1. No versículo 11, vemos como a conduta de uma **criança** revela o seu caráter. Acerca da expressão **ouvido que ouve** (12) veja comentário de 15.31. O **olho que vê** representa aqui a pessoa inteira. Assim, pela obediência devida ao ouvir e pela compreensão devida ao ver, somos devedores da graça (cf. Ef 2.8-10). Acerca do versículo 13, veja comentários de 6.6-8. No versículo 14, temos uma referência à prática comum dos mercados orientais. Toy diz: "O comprador deprecia a mercadoria, consegue uma pechincha com o vendedor, e depois se gaba da sua esperteza".[43]

10. A Sabedoria e a Riqueza Duradoura (20.15-30)

A sabedoria é o tesouro mais duradouro (15; veja comentário de 3.13-17 e 8.10-11). O versículo 16 destaca a tolice de ser **fiador** de outra pessoa (veja comentário de 6.1-5). É melhor traduzir a última parte do versículo 16 da seguinte forma: "mantê-lo como garantia quando é fiador de estrangeiros" (RSV). No versículo 17, temos um provérbio acerca das conseqüências do pecado (veja comentários de 5.4 e 9.17). Moffatt traduz o versículo 18 assim:

> Busque conselho quando estiver fazendo planos
> E tenha um plano de ação quando for para a guerra.

Veja comentário de 11.14. No versículo 19, temos uma advertência contra a fofoca (veja comentário de 11.13). Acerca do versículo 20, veja comentário de 4.19 e 7.9. No versículo 21, o sábio destaca a perda das bênçãos de Deus na vida daqueles que obtêm a sua **herança** por meios injustos (cf. 13.11). O versículo 22 é um lembrete de que Deus está no controle da vida do homem; Ele é o nosso Salvador e Vindicador (cf. Rm 12.17; 1 Pe 3.9). Acerca do versículo 23, veja o versículo 10 e comentário de 11.1

Sobre o versículo 24 veja comentários de 16.1-2, 9. Edgar Jones comenta de forma apropriada: "Essa confirmação da graça de Deus e do seu controle supremo da vida humana é altamente significativa numa obra que destaca a liberdade e a iniciativa do homem. Ela sublinha as pressuposições da fé e da convicção religiosas subjacentes aos axiomas práticos".[44] O versículo 25 destaca o perigo de alguém fazer **votos** de forma precipitada. É melhor que a pessoa faça as contas antes de fazer um voto de maneira apressada "sem primeiro analisar [se pode cumpri-lo]" (AT Amplificado). Acerca do versículo 26 veja comentário do versículo 8. A **roda** é a roda da máquina de debulhar, e não deve ser interpretada literalmente, mas antes como um símbolo que sugere castigo.

Deus deu a cada homem uma **alma** vivente (27) — a consciência. A palavra significa literalmente: "o sopro da vida" (cf. Gn 2.7), por meio do qual Deus age na vida do homem. A expressão **o mais íntimo do ventre** é usada para se referir à personalidade toda. No versículo 28, o sábio nos diz que a justiça do rei precisa ser temperada com misericórdia. No versículo 29, vemos a **força** como o **ornato** ("beleza", NVI) **dos jovens**, mas a sabedoria como a glória da idade avançada (cf. 16.31). O sábio, no entanto, não está querendo negar que um jovem seja justo nem que um homem idoso desfrute de força. No versículo 30, o castigo físico é visto como algo que tem algum efeito moral, talvez um meio de impedir outros pecados (cf. Sl 119.67). **Os vergões das feridas** são uma referência a golpes recebidos. Moffatt traduz isso assim:

> *Golpes e vergões marcam de forma indelével;*
> *Eles penetram até o fundo da alma.*

Mas somente as pisaduras do Servo Sofredor podem produzir a nossa salvação (cf. Is 53.5).

11. *Os Maus e os seus Caminhos* (21.1-12)
Este capítulo começa com uma ênfase na mão controladora de Deus sobre a vida dos homens. O **coração do rei** (1; suas escolhas) pode ser conduzido por Deus assim como um agricultor pode direcionar a água de irrigação para diversos canais. Sobre o versículo 2, veja comentário de 16.1-2. Acerca do versículo 3, veja comentários de 15.8-9. Na ARC as duas partes do dístico do versículo 4 parecem não ter relação alguma. Na primeira linha, o **olhar altivo** ("olhos altivos", Berkeley) e o **coração orgulhoso** são denunciados. Na segunda linha, a **lavoura**, ou o trabalho do pecador que não tem o propósito de glorificar a Deus, é desagradável a Ele (cf. 1 Co 10.31). A palavra **lavoura** é às vezes traduzida por "lâmpada" (Vulg., LXX, ARA), sugerindo pelo seu simbolismo que a felicidade e a esperança falsas do pecador são repugnantes para Deus.

O versículo 5 nos conta que a seriedade no planejamento vale a pena, mas o esquema de "ficar rico da noite para o dia" é condenado (cf. 13.11; 20.21). A riqueza obtida por meios fraudulentos desaparece no vento e é prejudicial a quem a obteve; e parece que os que assim procedem deliberadamente **buscam a morte** (6; cf. 10.2; Jr 17.11). O versículo 7 é paralelo aos versículos 5 e 6 e sublinha o efeito bumerangue dos atos pecaminosos. As alternativas dos homens ímpios e da justiça dos homens de Deus são apresentadas no versículo 8 (cf. o Salmo 1). Acerca da frase: **mas a obra do justo é reta**, Deane e Taylor-Taswell comentam: "Os puros de coração serão justos na ação; eles seguem a sua consciência e a lei de Deus, e trilham de forma correta o seu caminho sem se desviarem ou hesitarem".[45]

Paz com privações é melhor do que a briga com uma **mulher rixosa** (9; cf. v. 19 e comentários de 19.13-14). Este provérbio é repetido em 25.24. Kidner diz que no versículo 10 temos "uma verdade importante acerca da depravação: os homens são capazes de pecar não somente por fraqueza, mas com intensidade e crueldade"[46] (cf. 4.16). O pecado também tem um impacto social; ele afeta o **próximo** de quem o comete. Acerca do versículo 11, veja comentário de 19.25. O versículo 12 consiste em duas linhas desconexas e a sua interpretação é difícil. Toy diz: "Na forma em que está o texto hebraico, o sujeito do dístico tem de ser Deus, o *justo* [...] Pode-se dizer que um homem justo considera e observa os ímpios, mas não se pode dizer que o justo arrasta os ímpios para a ruína"⁴⁷ (cf. ARA). Assim, é Deus quem leva o pecador ao julgamento. Jones e Walls acham que o ponto central do versículo 12 é "que o justo aceite a advertência com base no exemplo da ruína dos ímpios".⁴⁸

12. *Os Tesouros do Sábio* (21.13-31)
Quem não tem coração sensível para o **clamor do pobre** (13) não deveria esperar receber ajuda de Deus ou de homens (cf. 24.11-12; 25.21; também Mt 25.31-46; Lc 16.19-31). No versículo 14, temos mais um provérbio acerca do suborno, mas aqui os seus resultados observados com freqüência são avaliados de forma realista (veja comentários de 15.27 e 17.8). Enquanto os justos se alegram em ver que a justiça é feita, ela é **espanto para os que praticam a iniqüidade** (15). Os resultados dos atos do desviado moral estão no versículo 16; ele está praticamente morto (cf. 27.8; Sl 119.176). No versículo 17, há uma advertência para o esbanjador e para o excessivamente tolerante (cf. v. 20; também Am 4.1-3; 6.3-6). No versículo 18, vemos a vindicação final do **justo**. Greenstone ressalta que o significado "não é que o ímpio é punido por causa do pecado do justo, mas que no caso de uma calamidade geral, o justo escapa e o ímpio toma o seu lugar".⁴⁹ O mal de que o justo é poupado cai sobre o ímpio. Veja ilustrações bíblicas deste provérbio em Ester 7.10 e Lucas 16.25.

Acerca do versículo 19, veja o versículo 9 e comentários de 19.13-14. No versículo 20, somos lembrados de que o **sábio** usa as posses materiais de forma comedida e refletida, enquanto o tolo as esbanja. Os que buscam **a justiça e a bondade** (21) certamente as acharão (cf. Mt 5.6). No versículo 22, a sabedoria é vista como uma segurança melhor do que cidades muradas (cf. 2 Co 10.4; 1 Jo 5.4). Acerca do versículo 23, veja comentários de 12.13 e 13.3. O escarnecedor é retratado no versículo 24. Ele trata os outros **com indignação e soberba** ("age com arrogância e orgulho", AT Amplificado). Acerca dos versículos 25-26, Kidner comenta acertadamente: "O preguiçoso vive no seu mundo dos desejos, que é o seu substituto para o trabalho. Isto tem o potencial de arruiná-lo materialmente (25) e aprisioná-lo espiritualmente (26), pois ele não consegue nem dominar-se a si mesmo nem fugir de si mesmo".⁵⁰ Em contraste com o preguiçoso está o **justo**, marcado pela diligência e pela generosidade; ele tem em abundância para si mesmo e um pouco para compartilhar com os outros.

O sacrifício dos ímpios (27) é inaceitável para Deus, especialmente quando é oferecido **com intenção maligna**, isto é, como substituto do arrependimento genuíno (veja comentário de 15.8-9). Uma testemunha confiável é a que dá testemunho do que ouve (28) e vê (cf. 14.5; 1 Jo 1.1-3). O endurecimento do **seu rosto** (29) lembra a fachada descarada da pessoa descarada e desavergonhada (cf. Jr 5.3; Ez 3.7). Mas o homem **reto considera o seu caminho** (age de forma refletida) com base em princípios sólidos. A ênfase do versículo 30 é no fato de que a **sabedoria** e as maquinações humanas não podem derrotar os propósitos do SENHOR (cf. At 2.23; 4.27-28). O versículo 31 condena a confiança no poder militar e nos recursos materiais como substituto da confiança em Deus (cf. Sl 20.7; 33.17-22; Is 31.1-3).

13. O Valor de um Bom Nome (22.1-16)

O **bom nome** (1; reputação ou caráter; cf. Ec 7.1; Lc 10.20; At 6.3) é mais desejável do que tesouros perecíveis. A igualdade de todos os homens diante do SENHOR, independentemente da sua riqueza, é destacada no versículo 2 (cf. 14.31; 29.13). Acerca do versículo 3, Greenstone diz: "O retrato sugere um objeto perigoso que se encontra no caminho, e que é visível e evidente ao prudente, mas o inexperiente continua caminhando e tropeça no objeto".[51] Acerca do significado de **simples**, veja comentário de 1.4. A **humildade e o temor do SENHOR** (4) conduzem às legítimas recompensas (cf. 3.5-8; 21.21; Lc 14.11). O versículo 5 nos lembra que o perverso tropeça com muitos obstáculos no seu caminho, mas o caminho dos justos é desimpedido (veja comentário de 13.15).

O versículo 6 mostra a importância de se treinar as crianças nos seus anos de formação. Alguns eruditos vêem aqui uma ênfase no treinamento vocacional. A expressão **no caminho em que deve andar** significa literalmente: "de acordo com o seu caminho", isto é, com as suas aptidões e inclinações. Mas é provável que o sábio hebreu esteja falando principalmente de formação moral. A palavra traduzida como "ensinar" é usada em outras passagens para "dedicar" uma casa (Dt 20.5) e o templo (1 Rs 8.63). Fritsch vê nesse versículo a expressão "de um dos pontos fortes dos sábios hebreus, isto é, a sua insistência na formação moral que os pais dão à criança".[52] **E, até quando crescer, não se desviará dele**. Estas palavras são tremendamente reconfortantes para pais fiéis e dedicados. No entanto, não devem ser interpretadas como garantia absoluta. O ambiente por si só não vai salvar os nossos filhos. Igualmente necessário para a sua salvação é o exercício da livre escolha por parte deles para que recebam a sempre disponível graça de Deus.

No versículo 7, temos mais uma expressão de realismo econômico (cf. 10.15). O versículo 8 nos dá uma lição de semear e colher (veja comentário de 12.13-14). Greenstone interpreta as palavras **a vara da sua indignação falhará** assim: "O seu poder para fazer o mal falhará. A vara que o ímpio segura sobre a sua vítima não vai durar muito".[53]

As bênçãos de Deus estão sobre aquele que dá **pão ao pobre** (9; cf. 19.17; Dt 15.9-10; 2 Co 9.7-8). No versículo 10, somos lembrados de que a **contenda** vai existir enquanto existir o **escarnecedor** (cf. Mt 18.17). O versículo 11 é de difícil tradução e pode ser melhor traduzido como: "Aquele que ama a pureza e os puros de coração, e é gracioso no falar, terá, em virtude da graça dos seus lábios, o rei por seu amigo" (AT Amplificado). O versículo 12 nos lembra de que Deus está do lado da verdade e protege os seus (cf. Dt 6.24; Js 24.17). No versículo 13, o preguiçoso formula uma desculpa esfarrapada para não trabalhar. Ele tem medo de ser **morto** por um **leão** que **está lá fora**.

Mais uma advertência contra as **mulheres estranhas** (adúlteras) aparece no versículo 14 (veja comentários de 2.16-19; 5.7-14; e 7.6-23). A **vara da correção** (15) é vista como um elemento aceitável na educação dos filhos (comentário 13.24). Diversas interpretações têm sido dadas ao versículo 16 em virtude da ambigüidade do texto hebraico. Uma das traduções mais satisfatórias diz: "O que oprime o pobre para conseguir lucros e o que dá ao rico certamente vão passar necessidades" (AT Amplificado).

Seção III

AS PALAVRAS DO SÁBIO

Provérbios 22.17—24.34

Nesta parte de Provérbios temos uma coletânea de ensinos morais e religiosos apresentados de forma pessoal pelo mestre ao seu pupilo ou filho. Esta seção lembra a primeira parte de Provérbios (caps. 1—9) pelo fato de que em geral consiste em unidades mais extensas do que em dísticos de duas linhas como na divisão anterior (10.1—21.16).

Alguns eruditos observaram a semelhança marcante entre esta parte de Provérbios e a literatura sapiencial de outros povos e pressupõem dependência direta ou indireta dessa literatura por parte dos sábios de Israel. Esta pressuposição é especialmente verdadeira em relação ao documento egípcio intitulado: "A instrução de Amen-em-opet [Amenemope]". Veja a discussão desta questão em "Provérbios e o Restante da Literatura Sapiencial" na Introdução ao livro de Provérbios neste comentário.

A. Introdução, 22.17-21

No versículo 17, temos o início de uma seção distinta de Provérbios intitulada acertadamente: **as palavras dos sábios**. Nas suas profecias, Jeremias (18.18) reconheceu três grupos de mestres em Israel: o sacerdote, cuja função era apresentar a Torá, que incluía tanto a lei escrita como a oral; o sábio, que dava conselhos; e o profeta, que proclamava a palavra de Deus. As palavras dos sábios de Israel estão registradas nesta seção. As suas palavras não são meros chavões piedosos, mas repercutem o chamado de Deus que encontramos em todo o livro de Provérbios e em toda a Bíblia. **Se as aplicares todas aos teus lábios** pode ser traduzido também como: "Se as mantiveres prontas nos teus lábios". **Aos que te enviarem** (21) pode ser entendido como "todos os que te perguntarem" (Moffatt).

Nos versículos 17-21, podemos ver "O Chamado de Deus": 1) O pedido por aceitação e obediência, 17; 2) A percepção pessoal de Deus é antes experimentada interiormente e, depois, expressa exteriormente, 18; 3) O propósito do chamado de Deus é que confiemos totalmente nele, 19; 4) O resultado de conhecermos a Deus se mostra em vidas direcionadas e mudadas, 20; 5) A confissão pública de Deus é o testemunho que os outros precisam ouvir, 21.

B. PRIMEIRA COLEÇÃO, 22.22—23.14

Esta coletânea começa com uma advertência contra a exploração dos pobres. **Nem atropeles** [...] **o aflito** (22) significa não fazer uso de ações judiciais contra ele. **Na porta** (22) é uma referência à corte judicial reconhecida que se reunia na porta da cidade (cf. Jó 31.21). Deus será o defensor dos pobres e vai fazer cair o juízo sobre os seus opressores (23). O perigo da associação com pessoas erradas é destacada nos versículos 24-25 (veja comentário de 1.10-19). A palavra **aprendas** (25; hb. *alaph*) significa "aprender por associação ou participação". Nos versículos 26-27, temos mais uma advertência contra a fiança indiscriminada (veja comentário de 6.1-5). A razão dessa advertência é:

> Pois se não tens com que pagar,
> a tua própria cama te será tomada (27, Moffatt).

Um dístico simples no versículo 28 destaca a importância do respeito pelos direitos de propriedade na tradição hebréia. A expressão **limites antigos** é uma referência às pedras que designavam as divisas das propriedades das pessoas. Estas divisas eram consideradas sagradas no mundo antigo. Esta verdade é sublinhada aqui na literatura sapiencial (cf. 23.10-11; Jó 24.2), e também na lei e nos profetas (cf. Dt 19.14; Os 5.10). O ganancioso rei Acabe violou esses direitos sagrados ao tomar a vinha de Nabote (1 Rs 21). No versículo 29, o homem capaz e **diligente** é louvado. Embora a palavra **diligente** seja usada para designar um escriba em Salmos 45.1 e Esdras 7.6, os hebreus honravam a pessoa diligente, independentemente de sua profissão ou ocupação. O homem **diligente** era honrado por **reis**. A expressão **de baixa sorte** na última frase desse versículo é traduzida como "[gente] obscura" (NVI; "pessoas obscuras", BJ).

Em 23.1-3, o sábio de Israel destaca a importância da etiqueta apropriada na presença dos reis. **Põe uma faca à tua garganta** (2) provavelmente é uma expressão referente ao autodomínio. A precaução é recomendada no versículo 3 porque os **manjares** do rei podem ser **pão de mentiras**, isto é, "oferecidos com motivação duvidosa" (AT Amplificado). Nos versículos 4-5, a riqueza é considerada tão evasiva quanto a **águia** diante do caçador (cf. Lc 12.20; 1 Tm 6.7-10). A RSV traduz assim o versículo 4:

> Não te esforces em adquirir riquezas;
> seja sábio o suficiente para desistir.

Nos versículos 6-8, somos advertidos a nos mantermos longe **daquele que tem os olhos malignos**, isto é, um anfitrião avarento. **Mas o seu coração não estará conti-**

go (7) é traduzido também como: "mas ele faz esse gasto com má vontade" (AT Amplificado). Acerca das palavras **Vomitarias o bocado**, Greenstone diz: "Se você jantar com ele, vai ficar tão enfastiado com a avareza dele, que a comida vai causar náuseas em você".[1]

Não devemos lançar as pérolas aos porcos (9; veja comentário de 9.7-10). Nos versículos 10-11, Deus é descrito como o Protetor dos **órfãos** e indefesos. O Senhor é aqui chamado de *goel*, originariamente uma designação do parente mais próximo, que era obrigado a resgatar a terra de um parente desventurado (cf. Lv 25.25; Nm 5.8; Rt 4.1-8) ou até vingar um assassinato (Nm 35.19). Se os órfãos não tinham parentes para defendê-los, Deus seria o seu *Goel* ("Defensor", Moffatt).

O sábio nos lembra que a sabedoria divina tem o seu preço, o qual é pago por meio da aceitação e da obediência (12; veja comentário de 1.2). Da mesma forma, as lições da escola da vida também apresentam as suas exigências (13-14). Para que a próxima geração conheça a Deus, alguma disciplina é necessária. A correta **disciplina da criança** não é errada e inoportuna, mas vai livrar **a sua alma do inferno** (veja comentário de 13.24 e 19.18). Esta admoestação não ignora a livre escolha ou a graça divina, mas destaca o papel dos pais como parceiros de Deus na tarefa redentora.

C. Segunda Série, 23.15—24.22

1. *Orientações para a Vida Piedosa* (23.15-28)

Esta parte começa com um apelo pessoal caloroso — **Filho meu** — tão característico da primeira grande seção de Provérbios (caps. 1—9). O mestre se regozija com o progresso do seu pupilo (16). **O meu íntimo** é literalmente: "os meus rins", mas é melhor traduzido como: "a minha alma" (RSV). Toy nos lembra que o povo hebreu "considerava tanto o coração como os rins (por conta da sua importância fisiológica) centros da vida intelectual, moral e religiosa, e nesse sentido os dois termos são usados como sinônimos".[2] O sábio estimula o seu pupilo a não ter **inveja dos pecadores** (17; veja comentário de 1.7). O fruto da vida de um homem justo vai ser recompensador (18; veja comentário de 5.4 e 19.20).

Nos versículos 19-21, a embriaguez e a glutonaria são citadas como práticas prejudiciais capazes de reduzir um homem a **vestes rotas** (trapos; veja comentário de 20.1 e 23.29-35). As expressões **beberrões** e **comilões de carne** (20) foram posteriormente usadas pelos inimigos de Jesus (cf. Mt 11.19; Lc 7.34). O pupilo é encorajado a seguir a orientação dos pais (22-25), havendo aqui uma ênfase no quinto mandamento por parte do mestre. Depois disso, o sábio adverte contra o adultério (26-28), um mal tratado repetidamente em Provérbios (veja comentário de 2.16-19; 5.7-14; e 7.6-23).

2. *Um Retrato da Embriaguez* (23.29-35)

Aqui o sábio pinta com traços inesquecíveis o retrato de um bêbado — imoral, insensível e irresponsável. Ao observarmos este retrato, algumas perguntas precisam ser feitas. Se o uso de vinhos mais suaves, com baixo teor alcoólico, na época daquela cultura primitiva causou esse tipo de misérias, quem pode estimar as conseqüências trágicas do uso de bebidas destiladas com elevado teor alcoólico em uma sociedade que pulsa com as tensões de uma cultura complexa e que corre na velocidade da era do jato? Se o sábio falou com tanta intensidade contra a embriaguez dos seus dias, qual seria a atitude dele com relação à sociedade dos dias de hoje que bebe tanto e produz milhões de alcoólatras? Se o mestre considerava a embriaguez tão prejudicial na sua época de viagens e transporte não motorizados, o que ele diria sobre o álcool e sua responsabilidade na carnificina dos acidentes automobilísticos do nosso transporte moderno de alta velocidade?

Smith-Goodspeed interpreta o versículo 30b como: "os que muitas vezes experimentam a mistura".

Não olhes para o vinho, quando se mostra vermelho (31). Estas palavras não sugerem moderação, mas abstinência total de bebidas inebriantes. É impossível que alguém sofra as consequências da embriaguez e os tormentos do alcoolismo a não ser que beba. Schloerb afirma corretamente: "Ao retratar a infeliz condição do homem embriagado, o sábio espera fornecer o incentivo para que se deixe o copo cintilante a sós".[3]

O versículo 35a pode ser traduzido assim: "E mesmo que me espanquem, não sinto dor alguma" (Smith-Goodspeed).

3. *Conselhos Sábios para um Filho* (24.1-22)

Este capítulo começa com uma advertência contra a influência maligna das más companhias (1-2; cf. 3.31; 23.17; 24.19; Sl 37.1,8). **Rapina** (2) é "violência" (ARA) e **falam maliciosamente** é "planejam maldade". Nos versículos 3-4, as vantagens da sabedoria são exaltadas, independentemente de o significado ser literal ou simbólico do caráter de uma família ou de um homem (cf. 9.1; 14.1). **Sabedoria, inteligência** e **conhecimento** como usados aqui e em todo o livro são praticamente sinônimos, e são usados como tais no paralelismo poético. Eles representam a percepção moral da pessoa, a sua habilidade de se relacionar corretamente com Deus, com as pessoas e com a vida. A sabedoria é necessária na estratégia militar (5-6; veja comentário de 11.14). No versículo 7, a **sabedoria** é considerada um tesouro pelo qual o **tolo** não se dispõe a pagar o preço necessário, e por isso ele não pode falar **na porta** (a assembléia pública dos anciãos; veja comentário de 1.20-23).

A pessoa que maquina fazer o mal é um **mestre de maus intentos** (8) — um causador de problemas. O conteúdo e a intenção dos planos do tolo são pecaminosos. A frase: **O pensamento do tolo é pecado** (9) pode ser traduzido também como: "Agora, o pecado é a maquinação da tolice" (Moffatt). Não somente Deus, mas também os homens condenam o **escarnecedor** como **abominável**. Se um homem se entrega **no dia da angústia** (10; tentação), ele revela a limitação da sua **força** ou coragem (10). Nos versículos 11-12, temos uma advertência a todos que de maneira egoísta se negam a se envolver nos problemas dos outros. As palavras **destinados à morte** (11) se referem às pessoas inocentes condenadas à morte por intrigas políticas ou que de outra forma estão em perigo extremo. O versículo 12 expõe a motivação egoísta da pessoa que não se envolve. Descarta completamente as desculpas superficiais que alguém poderia alegar para não demonstrar compaixão e oferecer ajuda aos aflitos (cf. 12.14; 24.29; Dt 22.1-4).

Nos versículos 13-14, por meio das figuras de **mel** (comer mel) e **favo de mel**, o mestre destaca os benefícios da sabedoria. Há prazer pessoal — **doce ao teu paladar** — em fazer a vontade de Deus (13; Sl 19.10). A **sabedoria** é recompensadora tanto no presente como no futuro (14; veja comentário de 3.13). O **ímpio** (15) é advertido a não fazer mal ao **justo**. **Sete vezes cairá o justo** (16) em dificuldades, não em pecado.

Cairá (hb. *naphal*) não traz a idéia de queda moral. **Sete vezes** é uma expressão hebraica que significa: "com freqüência". **Mas os ímpios tropeçarão no mal**: isto é, serão "esmagados" (Moffatt) por sua calamidade. Eles não têm os recursos interiores para ajudá-los a se recuperar como os têm os justos (cf. Sl 34.19; Mq 7.8).

É fato que o homem de Deus nunca deve se alegrar com a desgraça que cai sobre os seus inimigos (17; cf. 17.5). Alegrar-se com as calamidades dos outros não é agradável a Deus e vai resultar na **sua ira** (18). Acerca de uma expressão neotestamentária dessa verdade, veja Romanos 11.18-21. Nos versículos 19-20, somos lembrados a não ter inveja dos pecadores, pois a sua prosperidade aparente não é duradoura — **a lâmpada dos ímpios se apagará** (veja comentário de 7.9 e 13.9). Nos versículos 21-22, temos uma admoestação acerca da submissão às autoridades constituídas (cf. Rm 13.1-7; 1 Pe 2.17). A frase **com os que buscam mudanças** (21) descreve os agitadores ou revolucionários políticos que mudam a sua lealdade. O versículo 22 é traduzido de diversas maneiras, sendo que uma das melhores versões é: "Pois terão repentina destruição, e quem pode imaginar a ruína que o Senhor e o rei podem causar?" (NVI).

D. ADMOESTAÇÕES ADICIONAIS, 24.23-34

Também estes (23) pode significar: "Aqui há mais palavras dos sábios de Israel" (cf. NVI). Nos versículos 23-26, os mestres destacam a imparcialidade na administração da justiça. **Ter respeito a pessoas** ("parcialidade no julgar", ARA) era algo proibido na lei dos hebreus (cf. Lv 19.15; Dt 1.17; 16.19). A expressão **Beija com os lábios** (26) pode significar que a pessoa que toma uma decisão correta vai ganhar respeito e afeição. No entanto, beijar na corte é algo que parece impróprio para alguns estudiosos. Eles preferem traduzir a palavra "beijar" por "equipar". Assim o versículo 26 poderia significar que equipar os lábios de alguém com conhecimento o capacitaria a dizer **palavras retas**.

Sobre o versículo 27, Jones comenta: "O significado principal é que o casamento inclui a atenção especial para as responsabilidades de se prover o lar e o sustento. Estas necessidades devem ser supridas primeiro; então o casamento pode ter um bom fundamento em que se pode edificar uma família".[4] No versículo 28, temos uma advertência dirigida à falsa **testemunha** (veja comentário de 14.5). No versículo 29, o sábio de Israel fala contra o pecado da retaliação. Esta verdade é ampliada no Sermão do Monte (Mt 5.38-48). Nos versículos 30-34, temos mais uma acusação contra o preguiçoso (veja comentário de 6.6-11). O preguiçoso ouve a seguinte admoestação:

> *A pobreza virá sobre você como um ladrão,*
> *e a necessidade como um homem armado (34, RSV)*

Seção IV
A COLEÇÃO DE EZEQUIAS DOS PROVÉRBIOS DE SALOMÃO

Provérbios 25.1—29.27

Devemos esta coletânea de 137 provérbios salomônicos a Ezequias, talvez o maior dos reis reformadores da história de Judá. Ezequias não somente conduziu o seu povo à reforma espiritual, mas a tradição atribui ao seu reinado um grande avivamento literário. Ezequias era, indubitavelmente, um homem de grande interesse literário (cf. 2 Rs 18.18,37; Is 38.10-20). Durante o seu reinado ele tentou preservar o tesouro literário existente do seu povo, especialmente aquilo que provinha do maior sábio de Israel.

De acordo com o versículo que fornece o título à seção (25.1), os escribas de Ezequias **transcreveram** (lit.: "removeram de um documento para outro") estes provérbios de Salomão. Os ditos desta coletânea foram tomados de alguma antologia anterior (cf. 1 Rs 4.32) e são semelhantes aos da primeira grande seção de Provérbios (10.1—22.16). Não temos aqui discursos extensos, nem conexões lógicas entre muitos de seus dísticos, e não há nenhuma ordenação de conteúdo facilmente compreendida. R. B. Y. Scott, no entanto, fez uma ordenação tópica desta seção.[1]

A. Primeira Coleção, 25.1—27.27

1. *A respeito de Reis e da Corte* (25.1-10)
Sobre a importância do versículo 1, veja os parágrafos introdutórios acima. Nos versículos 2-7, o sábio apresenta o rei com traços positivos, como o vice-rei de Deus. Embora os caminhos de Deus sejam inescrutáveis, a **glória dos reis** (2) está na sua capacidade de saber o que está se passando no seu reino. A sabedoria do rei é superior e nem sempre compreendida pelo seu povo (3). Como as melhores vasilhas são feitas apenas de **prata** refinada, assim o governo justo de um rei só pode ser estabelecido com os servos

mais honrados (4-5). Os versículos 6-7 nos dão orientações acerca do comportamento **na presença do rei**. Jesus usou estas verdades numa parábola para ensinar uma lição acerca das atitudes de vida corretas e os perigos da auto-exaltação (cf. Lc 14.7-11). Nos versículos 8-10, o sábio adverte contra o litígio precipitado. Isto pode conduzir a um veredicto desfavorável e à vergonha pública (8; cf. 17.14; Mt 5.25). É melhor discutir esse tipo de questões em particular e não revelar coisas que poderiam envolver outras pessoas de forma prejudicial (9; Mt 18.15). O **segredo** (9) ou as palavras difamatórias não podem ser recolhidas e são faladas para a desonra da pessoa (10).

2. *Quatro Belas Comparações* (25.11-14)

A palavra dita a seu tempo e com a atitude correta é como **maçãs de ouro em salvas de prata** (11). Aceitar a repreensão ou o conselho sadio é tão valioso quanto **gargantilhas de ouro fino** (12). Cowles diz o seguinte acerca do versículo 13: "Água gelada num dia quente de verão nos dá o verdadeiro sentido dessa figura. Assim é um mensageiro confiável para os seus empregadores. Eles podem confiar nele e são revigorados pela fidelidade dele".[2] No versículo 14, temos uma acusação contra a fala orgulhosa. Esta fala é tão frustrante como **nuvens e ventos que não trazem chuva**. Assim o sábio descreve a pessoa que se gaba de sua generosidade quando na verdade não dá nada.

3. *Conselhos Diversos acerca da Conduta Correta* (25.15-28)

A paciência e a mansidão na hora de falar são armas surpreendentemente poderosas (cf. 15.1; 16.14, 32; 1 Pe 3.15-16). **A língua branda quebranta os ossos**, ou: "A fala mansa quebra a resistência mais dura que um osso" (15, AT Amplificado). No versículo 16, temos um convite para o autocontrole e a moderação (cf. v. 27). Kidner comenta acertadamente: "Desde o Éden o homem tem tentado extrair a última gota da vida, como para ultrapassar o limite do 'basta' de Deus, até a náusea".[3] No versículo 17, o princípio da moderação é aplicado aos relacionamentos sociais da pessoa. O **martelo**, ou a clava de guerra, e a **espada** e a **flecha** são usados para expressar o poder destruidor do **falso testemunho**. O texto hebraico do versículo 19 permite duas interpretações. Pode sugerir que a pessoa não deva depositar sua confiança no homem mau. Por outro lado, pode significar que o homem **desleal** não tem segurança alguma em tempos de provação (cf. Jó 8.13-15).

O versículo 20 nos diz que a leveza de espírito e a tristeza não podem andar juntas (cf. Dn 6.18; Rm 12.15). Em virtude das dificuldades do texto original, o versículo pode ser traduzido de diversas maneiras; destaca-se aqui a seguinte: "Como tirar a roupa num dia de frio, ou derramar vinagre numa ferida, é cantar com o coração entristecido" (NVI). Nos versículos 21-22, o sábio nos lembra de que a forma de vingança mais eficiente é fazer o bem ao nosso inimigo. Expressões neotestamentárias desse alto padrão ético podem ser encontradas no Sermão do Monte (Mt 5.44) e nos ensinos de Paulo (Rm 12.20).

O mal da difamação é retratado como as conseqüências do **vento norte** (23) que traz a **chuva** desagradável. (AARC aqui diz: "o vento norte afugenta a chuva"; a maioria das versões, no entanto, traduz: "traz chuva" [ARA, NVI]; "gera a chuva" [BJ]). **Língua fingida** é literalmente: "uma língua de segredo", ou que fala por trás. Moffatt traduz assim o versículo:

*O vento norte traz a chuva;
a calúnia traz olhares irados.*

Acerca do versículo 24, veja comentário de 21.9. A comunicação era inadequada naqueles dias, assim as **boas-novas** (25) eram sempre muito bem-vindas (cf. 25.13). No versículo 26, temos uma advertência contra a catástrofe da deserção espiritual. "Como uma nascente barrenta e uma fonte poluída é o homem que cede, cai e faz concessões em relação à sua integridade diante dos maus" (AT Amplificado). A primeira linha do versículo 27 expressa o pensamento do versículo 16. A segunda linha é de difícil tradução. Uma das melhores versões diz: "Comer mel demais não é bom, nem é honroso buscar a própria honra" (NVI). Na falta de autocontrole se mostra uma grande fraqueza. Tal homem é como a **cidade** [...] **que não tem muros** (28; veja comentário de 16.32).

4. *A Respeito de Tolos e suas Tolices* (26.1-12)
Esta parte, com a exceção do versículo 2, tem sido designada por Toy como o "Livro dos Tolos — uma seqüência de observações sarcásticas acerca da classe mais detestada pelos sábios".[4] Veja comentários de 1.7, 22 acerca do significado da palavra "tolo" (ou "louco") em Provérbios. O **louco** num cargo público é algo tão inapropriado quanto a **neve** no **verão** da Palestina e tão prejudicial quanto a **chuva** na época da colheita (março a setembro). No versículo 2, lemos que a **maldição** não merecida vai errar o seu alvo. "Como o pardal que voa em fuga, e a andorinha que esvoaça veloz, assim a maldição sem motivo justo não pega" (NVI). O louco não reage ao conselho mas à compulsão (3). Nos versículos 4-5, temos afirmações aparentemente contraditórias. O versículo 4, no entanto, adverte contra baixar-se ao nível do **tolo**. O versículo 5 nos exorta a repreender o **tolo** para que reconheça a sua **estultícia**.

O versículo 6 destaca o perigo de se enviar **mensagens pelas mãos de um tolo** (veja comentário de 13.17). Scott traduz assim o versículo 7: "Um ditado citado pelos tolos é tão manco quanto as pernas de um aleijado".[5] Cowles diz: "Somente homens sensíveis conseguem captar o verdadeiro significado do bom provérbio e sabem como expressá-lo de forma marcante".[6] O significado mais provável do versículo 8 é que dar **honra ao tolo** é tão absurdo quanto prender uma pedra numa **funda**, assim que se torna inútil. O versículo 9 é paralelo ao versículo 7. Edgar Jones diz: "O significado é que um bêbado não consegue usar um galho com espinhos sem se machucar assim como um tolo não é capaz de usar um *mashal* (provérbio) como meio de instrução".[7]

Talvez o texto mais obscuro de todo o livro de Provérbios seja o versículo 10. Várias palavras hebraicas têm mais de um significado. Moffatt dá a seguinte tradução: "O homem capaz faz tudo ele mesmo; o tolo contrata o primeiro transeunte". No versículo 11, vemos que o **tolo** se nega a aprender (cf. 2 Pe 2.22). O versículo 12 afirma que o **homem que é sábio a seus próprios olhos** é pior do que o **tolo** (cf. 3.7; 29.20; Lc 18.11; Rm 12.16; Ap 3.17).

5. *O Preguiçoso* (26.13-16)
Nestes versículos temos um retrato satírico do negligente — um alvo preferido dos sábios de Israel. Veja comentário de 6.6-11; 19.24; e 22.13. O número **sete** no versículo 16 é um número indefinido.

6. *Diversos Salafrários* (26.17-28)

O versículo 17 traz uma advertência contra o fato de alguém se intrometer nos assuntos de outra pessoa. Moffatt traduz assim: "A pessoa que se mete em briga que não é sua pega pelas orelhas um cão que passa". Edgar Jones diz: "A força da comparação está no fato de que o cão na Palestina representava perigo e não domesticidade, visto que corria solto nas ruas".[8]

Os versículos 18-19 significam ou que o brincalhão experiente que engana **o seu próximo** para a sua própria diversão será condenado, ou, que será condenado o homem que engana o seu próximo e depois, para salvar a sua pele, diz: **Fiz isso por brincadeira**. Nos versículos 20-21, o **maldizente** (que faz fofoca) é condenado. Acerca do versículo 22, veja um provérbio idêntico em 18.8 e seu comentário.

Nos versículos 23-28, temos uma denúncia de fala e caráter hipócritas. **Os lábios ardentes e o coração maligno** (23) são com um vaso de barro **coberto de escórias de prata**, dando a impressão de prata maciça (cf. Mt 23.27). O ódio é o pai de **lábios** mentirosos e de **engano** contínuo (24). A expressão: **sete abominações** [...] **no seu coração** (25) retrata um coração mau (cf. Mt 12.45). Mais cedo ou mais tarde essa hipocrisia resulta em julgamento e exposição pública a toda a **congregação** (26; veja comentário de 5.14). As conseqüências de um mal do tipo bumerangue são expressas no versículo 27. O homem de más intenções que cava uma **cova** para outros e que rola uma **pedra** colina acima para fazê-la rolar sobre outros vai ser pego nas suas próprias maquinações (cf. Sl 7.15; Ec 10.8). A expressão **a língua falsa** (28) leva ao coração do problema. A **língua falsa** e a **boca lisonjeira** são o escoadouro de um coração impuro e cheio de ódio; produzem a **ruína** tanto do objeto como do possuidor.

7. *Verdades para Hoje e Amanhã* (27.1-22)

No versículo 1, somos lembrados de que o hoje e o **amanhã** estão nas mãos de Deus. Aqui o sábio nos conta que, visto que as forças do homem são limitadas, precisamos viver constantemente no temor do Senhor (veja comentário de 1.7). Veja expressões neotestamentárias dessa verdade em Lucas 12.16-21 e Tiago 4.13-16. Um homem deve viver de tal forma, assim diz Salomão, que outros o louvem para que não tenha de louvar-se a si mesmo com sua **boca** e **lábios** (2). É mais fácil levar uma carga de **pedra** e **areia** (3) do que suportar as explosões de ira do tolo. A **inveja** é ainda mais difícil de suportar do que a **ira** (4). O **amor** não deve se calar quando pode servir aos interesses de um amigo por meio de uma **repreensão**. A repreensão saudável de um "amigo" (ACF) sincero, mesmo não sendo agradável, é muito melhor do que as expressões de um "inimigo" (ACF) que são "excessivas e enganadoras" (AT Amplificado).

O valor do apetite saudável é expressado no versículo 7. Quando alguém tem fome espiritual, pode se beneficiar até da repreensão amarga do versículo 6. O versículo 8 expressa a condição difícil do andarilho. Talvez tenhamos aqui uma referência ao destino dos sábios em Israel, que eram mestres itinerantes. O versículo 9 é de difícil tradução, e as tentativas são muitas. Uma das melhores diz: "Como o perfume e o incenso agradam os sentidos, assim a cordialidade de um amigo fortalece o espírito".[9] O verso de três linhas do versículo 10 nos estimula a não abandonarmos antigos amigos da família: **melhor é o vizinho perto do que o irmão longe**.

A responsabilidade e o envolvimento por parte do pupilo são a alegria do mestre (11; cf. 1 Ts 2.19-20; 3.8; veja comentário de 10.1). Acerca do versículo 12, veja provérbio idêntico em 22.3 e o comentário ali. Sobre o versículo 13, veja um dístico semelhante em 20.16 e o comentário de "fiança" (6.1-5). A declaração de amizade pomposa e em **alta voz**, como os beijos numerosos do inimigo (6), levam a suspeitar de intenções sinistras (14). Acerca do versículo 15, veja o dístico semelhante em 19.13 e seus comentários. Scott associa o versículo 16 ao 15 e traz a seguinte tradução do versículo 16: "Tentar contê-la é o mesmo que tentar conter o vento; e assim a pessoa diz: 'a mão está muito escorregadia' ".[10]

O impacto dos amigos sobre o caráter da pessoa é o tema do versículo 17 (veja comentário de 1.10-19; cf. 13.20; 22.24-25). As distinções sociais não vão impedir um servo fiel de ser recompensado **pelo seu Senhor** (18). Greenstone faz este comentário sucinto acerca do versículo 19: "Assim como o reflexo na água depende do seu grau de pureza e translucidez, assim o coração do homem reflete o juízo que faz do caráter de outro homem".[11] O homem pecaminoso é irrequieto, e os seus desejos **nunca se fartam** completamente (20; acerca do significado de **inferno** [*sheol*] e **perdição** [*abbadon*], veja comentário de 15.11). O caráter do homem é testado e provado seriamente **pelos louvores** dos outros ou por aquilo que ele mesmo louva (21). Sem a graça de Deus, o **tolo** e a sua tolice são inseparáveis. Uma tradução adequada é: "Ainda que você moa o insensato, como trigo no pilão, a insensatez não se afastará dele" (NVI).

8. *A Parábola do Pastor* (27.23-27)

Nestes versículos, o sábio elogia a modo de vida nômade que caracterizava uma grande parcela do povo de Israel. Veja Isaías 28.23-29 acerca de instruções semelhantes aos agricultores. A expressão **Procura conhecer o estado das tuas ovelhas** reflete o trabalho bem feito como tema do versículo 23. As **riquezas** (24) são passageiras, e não podemos esquecer os valores que são eternos (cf. 23.5; Jó 20.28; Sl 49.10). Aqui estão palavras tão valiosas para pessoas da era espacial quanto o eram para os antigos pastores e agricultores de Israel. Nos versículos 25-27, o pastor é lembrado de que as coisas confiadas a ele exigem cuidado e responsabilidade para que se tornem frutíferas e úteis. A diligência por parte do homem precisa estar associada ao cuidado providencial por parte de Deus.

B. Segunda Coleção, 28.1—29.27

1. *Os Ímpios e os Justos* (28.1-28)

A boa consciência dá coragem à pessoa (1). A palavra **confiado** aqui pode ser traduzida também como "corajosos" (NVI). Kidner diz: "O homem honesto, como o leão, não tem necessidade de olhar desconfiado para trás. O que está atrás de si não é o seu passado (Nm 32.23), mas a sua retaguarda: a bondade e a misericórdia de Deus (Sl 23.6)".[12] Um governo instável — **muitos são os seus príncipes** (2) — está fundamentado em corrupção moral, mas homens justos compõem um governo bom. "Um homem mau que oprime os necessitados é como uma chuva devastadora que destrói a colheita" (3).[13] Homens maus combinam os seus esforços contra a **lei** e a ordem, mas homens bons, **que guardam a lei**, opõem-se a essa conduta (4; cf. Rm 1.18-32). Enquanto **homens maus** não sabem o que é certo, **os que buscam o Senhor** (5) são iluminados (cf. Sl 119.100; Ec 8.5; Jo 7.17; 1 Co 2.15).

A pobreza honesta e a conduta correta são melhores do que a riqueza desonesta (6; veja comentário de 19.1). Um filho indisciplinado é uma desgraça (7; veja comentário de 23.19-25). **Comilões** é melhor tradução do que "desregrados" (ACF). "O que dá atenção à instrução é um filho sábio; mas o companheiro dos libertinos traz desgraça ao seu pai" (Smith-Goodspeed). No versículo 8, o sábio nos lembra de que os lucros do extorsionário avarento por meio da **usura** (veja comentário de 6.1-5) um dia vão cair nas mãos daquele que **se compadece do pobre**. Na parábola dos talentos, Jesus expressou uma verdade semelhante (Lc 19.24). A pessoa que rejeita a vontade de Deus revelada na **lei** (9) mostra a sua falta de sinceridade e não consegue orar de forma correta. A parábola do fariseu e do publicano é um paralelo neotestamentário dessa verdade (Lc 18.10-14). Enganar outros é algo condenado no versículo 10 (cf. Mt 5.19; 18.6; 23.15). Este tipo de comportamento tem o efeito bumerangue (veja comentário de 26.27).

A presunção do **rico** é o tema do versículo 11. O homem arrogante pensa que a sua habilidade para os negócios é uma indicação de sabedoria superior, mas o **pobre** consegue perceber coisas por trás das limitações desse homem e possuir a verdadeira sabedoria e segurança (veja comentário de 18.11). No versículo 12, a liderança dos **justos** e dos **ímpios** é contrastada. Este versículo é bem traduzido assim: "Quando triunfam os justos [que não fazem concessões], há grande glória e celebração; mas quando os ímpios sobem [ao poder], os homens se escondem" (AT Amplificado). No versículo 13, somos lembrados de que a **misericórdia** de Deus depende de arrependimento sincero. As expressões clássicas dessa verdade estão em Salmos 32.1-4 e 1 João 1.6-9. O temor do Senhor (14) é visto como uma proteção contra o pecado e suas terríveis conseqüências. O **ímpio que domina** (15) é comparado às bestas da floresta. Toy consegue captar bem o significado do versículo 16 quando diz: "Quem age como tirano é falto de inteligência; o que odeia o lucro injusto terá vida longa".[14]

A RSV esclarece o versículo 17 da seguinte forma:

> *Se um homem carrega o peso do sangue de outro homem,*
> *que seja fugitivo até morrer;*
> *que ninguém o ajude* (cf. Nm 35.31-34).

O caminho de Deus é lucrativo (18; cf. 10.9). Uma tradução adequada diz: "Um homem de vida inculpável está seguro; as armadilhas derrubam o homem de caminhos tortuosos" (Moffatt). Um apelo à diligência é expressado no versículo 19 (veja o provérbio semelhante em 12.11). O **homem fiel** (20) deve esperar ganhar riquezas somente por meio de trabalho duro e não por meio de maquinações apressadas para ficar rico da noite para o dia (veja comentário de 20.21). O contexto do versículo 21 é o da corte judicial. Um juiz tem de ser imparcial e não pode aceitar nem o menor suborno — **um bocado de pão** (cf. 18.5; 24.23). Ao buscar riquezas, as pessoas com freqüência tropeçam em práticas que resultam em **pobreza** moral e espiritual interior; descobrem também que o lucro material é ilusório (22; cf. 23.4-5 e o comentário correspondente). Ter um **olho mau** é ser egoísta.

A longo prazo a repreensão honesta é melhor do que a bajulação enganosa (23). O filho que **rouba a seu pai ou a sua mãe** (24), isto é, que tenta conseguir o controle da propriedade deles ou esbanja os seus recursos, é colocado na mesma classe dos animais destruidores (cf. Mc 7.11-12; 1 Tm 5.4,8). O homem **altivo de ânimo** (orgulhoso) se mete em dificuldades, mas **o que confia no SENHOR** prospera (25; cf. Mt 6.19-34). É completa tolice confiar somente na própria capacidade; o sábio confia no Senhor (26). A bênção de dar é destacada no versículo 27 (veja comentário de 11.24-29 e 22.9). **O que esconde os olhos** é o homem que não dá atenção aos pobres. Acerca do versículo 28, veja comentário do versículo 12.

2. Deus e o Reinado dos Justos (29.1-27)

O destino do homem que teimosamente se nega a aprender e resiste à verdade é expressado no versículo 1. Veja o desenvolvimento deste tema no comentário de 1.24-33. Acerca do versículo 2, veja comentário de 28.12 e 11.10-11. O filho sábio é a alegria dos seus pais (3; veja comentário de 28.7 e 10.1). Um **rei** sábio governa com **juízo** (justiça) e se nega a receber **subornos** (4; cf. 15.27). O bajulador enganoso se prende na própria **rede** (5; 26.28; 28.23). No versículo 6, temos um contraste entre o **homem mau** que é pego na armadilha do pecado e o **justo** que se alegra por ter escapado dessas armadilhas. O homem de Deus se preocupa pessoalmente pela **causa dos pobres** (7), mas o **ímpio** se nega a assumir qualquer responsabilidade pelos necessitados. Veja um exemplo de preocupação pelos pobres em Jó 29.12-17.

O sábio considera os **homens escarnecedores** (8) espiritual e moralmente arrogantes. Estes homens "alvoroçam a cidade" (ARA), o que quer dizer literalmente: "atiçam as chamas da disputa até que haja um fogo". Os homens de Deus, no entanto, produzem paz e harmonia (cf. Tg 3.13-18). O versículo 9 está mais claro na RSV:

Se um homem sábio tem uma discussão com um tolo,
o tolo só se enfurece e ri,
e não há sossego.

Uma versão excelente do versículo 10 diz: "Os sedentos de sangue detestam o homem inculpável, mas os justos estão preocupados com o seu bem-estar".[15] O tolo não tem sabedoria nem autodomínio, mas o **sábio** controla as suas emoções (11; cf. 14.17,29; 16.32; 25.28). O caráter do **governador** dá o tom moral ao seu reino — tal rei, tal servo (12). Tanto o oprimido como o opressor se beneficiam com o cuidado providencial de Deus — ele dá luz aos **olhos de ambos** (13). Jesus expressou essa verdade em Mateus 5.44-45.

A permanência do reinado de um rei depende do seu caráter moral e do exercício da justiça (14; cf. 16.12; 20.28; 25.5). No versículo 25, temos um apelo à restrição saudável dos limites na vida da criança. Acerca do versículo 16, veja o ensino semelhante do versículo 2, também 28.12,28. A disciplina das crianças traz resultados recompensadores para os pais (17; um paralelo do v. 15). Acerca do versículo 18, Jones e Walls dizem: "A lei, os profetas e a literatura sapiencial se encontram nesse versículo. Sempre que se perde de vista a vontade revelada de Deus, como expressa na sua Palavra, o seu povo quebra a sua lealdade".[16] O escravo, assim como o filho, vai precisar de treinamento e disciplina adequados (19). Acerca do versículo 20, veja o provérbio semelhante em 26.12. No versículo 21, temos uma advertência dirigida ao proprietário de escravos generoso. A idéia é bem transmitida por meio desta versão: "Quem mima o seu servo desde criança, vai fazer com que mais tarde este exija os direitos de filho" (AT Amplificado).

A tolice da ira é o tema do versículo 22. O temperamento violento não somente gera problemas; também "é a causa de muitos pecados" (Moffatt). A **soberba** e a humildade são novamente contrastadas no versículo 23 (cf. 1.2; veja comentário de 16.18-19). Na escolha das amizades, a pessoa pode colocar-se em perigo (24). **O que tem parte com o ladrão** partilha do roubo, mas incorre em culpa. Além disso, ele se nega a testemunhar contra o ladrão e assim comete perjúrio (cf. Lv 5.1). O **receio do homem**, ou do que os outros pensam, pode resultar em covardia moral e pecado (25; cf. Mt 10.28; Mc 8.38). Mas **quem confia no Senhor** estará seguro (**será posto em alto retiro**; cf. 16.7; 18.10). Deus decide o destino de cada homem, assim a confiança indevida na força humana, especialmente na força política, é deplorada pelos sábios (26). No versículo final desta seção de Provérbios, o conflito entre o bem e o mal é posto mais um vez, e a importância da escolha moral é sublinhada (27; comentário de 2.12-15).

Seção V

PALAVRAS DE AGUR

Provérbios 30.1-33

O capítulo é intitulado "Palavras de Agur" com base na sua frase inicial. Nada sabemos de **Agur, filho de Jaque** (1). Como Jó, ele pode ter sido um não-israelita que conheceu o Deus da fé dos hebreus. Pode ter sido um respeitado mestre não-hebreu e possivelmente contemporâneo de Salomão. Alguns estudiosos têm conjecturado que **Agur** era simplesmente mais um nome de Salomão. No entanto, mais significativo do que a identidade exata de Agur é o fato de que as suas palavras foram consideradas dignas de inclusão no Livro de Provérbios.

A. Observações Pessoais, 30.1-9

1. *O Conhecimento de Deus* (30.1-4)
O significado exato do versículo 1 é tão incerto quanto a identidade de Agur. Alguns estudiosos consideram **Itiel** e **Ucal** pupilos prediletos de Agur. Outros traduzem esses nomes de tal forma que simbolizem a luta de Agur para chegar ao conhecimento de Deus. "Eu estou exausto, ó Deus, estou exausto, ó Deus, e consumido" (Smith-Goodspeed). Nos versículos 2-3, Agur expressa a sua ignorância de Deus e sua total humildade na sua aproximação de Deus. No entanto, ele não é um cético, como alguns afirmam, mas reconhece que Deus não pode ser compreendido somente pela sabedoria humana. Agur não advoga **conhecimento do Santo**, como outros fizeram.

Com cinco perguntas retóricas ele contrasta o Criador e a criatura (4). Deus pode ser conhecido, mas ele é também incompreensivelmente grande (cf. Jó 11.7-8; 38—41; Sl 104.1-5; Pv 8.24-29 e comentário; Is 40.12; Rm 11.33-35). À luz da "transcendência majestosa" de Deus, o homem é visto com todas as suas limitações finitas.

2. A Revelação de Deus (30.5-6)
Estes versículos fornecem a resposta às perguntas investigativas dos versículos 2-4. Embora a luz do intelecto humano seja inadequada para prover uma compreensão apropriada do ser de Deus e de suas obras, a auto-revelação inerrante por meio da sua Palavra está ao alcance de todos **os que confiam nele** (5). Deus é completamente confiável, e **as suas palavras** (6) não necessitam de especulação humana para torná-las completas (Dt 4.2; 12.32; Sl 18.30; 84.11; 115.9-11).

3. A Oração de Agur (30.7-9)
A ênfase da oração de Agur é dupla. Ele ora humildemente, em primeiro lugar, para que seja capaz de manter a sua integridade e piedade — **antes que morra** (7) — ou, literalmente: "todos os dias da minha vida". **Afasta de mim a vaidade** (falsidade) **e a palavra mentirosa** (8). Em segundo lugar, ele ora sinceramente pelas necessidades mais simples da vida, nada mais, nada menos. Esta petição antecede a Oração do Pai Nosso. Agur não quer nem os perigos da prosperidade nem o desespero da **pobreza**. Ele não deseja nada que o faça negar ou blasfemar o seu Senhor. Aqui está o meio termo aplicado às questões espirituais e morais. As aspirações de Agur podem muito bem estar no coração e nos lábios de nós todos.

B. PROVÉRBIOS NUMÉRICOS, 30.10-33

Nesta seção, temos os provérbios numéricos (veja vv. 15,18,21,24,29), característicos da literatura didática hebréia. Os sábios de Israel usavam artifícios como seqüências numéricas, padrões acrósticos e diversos tipos de paralelismos para destacar verdades e para auxiliar na memorização.

1. Contra a Calúnia e os Malfeitores (30.10-14)
No versículo 10, temos um dístico que adverte contra a calúnia (cf. Rm 14.4). Nos versículos 11-14, há condenações severas de quatro tipos de pessoas depravadas — as que rejeitam as pretensões familiares (11); as que se consideram justas (12); as que desdenham os outros (13); e as que são cruéis com palavras e atos (14).

2. Quatro Coisas Insaciáveis (30.15-16)
Acerca da **sanguessuga** (15) Greenstone diz: "A sanguessuga suga o sangue da sua vítima até que esteja saciada e aí cai. Por isso se tornou símbolo de avareza e crueldade".[1] Por isso é um símbolo apropriado para introduzir os quatro exemplos de coisas insaciáveis, a **sepultura**, a **madre estéril**, a **terra** e o **fogo**.

3. O Filho Arrogante (30.17)
O corpo de um filho irreverente não receberá um sepultamento decente, mas servirá de comida para os **corvos** e os **pintãos da águia** (lit. "filhotes de abutre"). Este retrato tão vívido é usado pelo sábio para destacar a grande importância que os hebreus davam à autoridade paterna (cf. 23.22 e Êx 20.12).

4. Quatro Coisas Incompreensíveis (30.18-19)

O homem nunca poderá compreender completamente os fenômenos da natureza, nem mesmo nesta época de explosão do conhecimento. Nos seus dias pré-científicos, o sábio escolheu quatro exemplos dos mistérios da natureza (19).

5. A Adúltera Escandalosa (30.20)

Depois de ilustrar os mistérios da natureza, o sábio descreve a **mulher adúltera** que está à vontade com o seu pecado e é totalmente indiferente em relação à sua imoralidade. Kidner diz: "O ato do adultério é tão pouco notável a ela quanto uma refeição".[2]

6. Quatro Coisas Intoleráveis (30.21-23)

Quatro pessoas insuportáveis são aqui descritas. Moffatt as explica assim:

> *o escravo que se torna rei,*
> *o tolo que faz fortuna,*
> *a moça desprezada que por fim se casa,*
> *e a serva que toma o lugar da sua senhora.*

Estas pessoas trazem o caos a uma comunidade ou sociedade, e os sábios de Israel "eram inimigos da revolução social ou política".[3]

7. Quatro Pequenas Coisas Notáveis (30.24-28)

O sábio que escreveu essas palavras não estava encantado com a grandeza. Ele conseguia enxergar o significado e a produtividade de coisas pequenas como as **formigas** (25); os **coelhos** (26); os **gafanhotos** (27); e a **aranha** (28) ou "lagartixa" (Berkeley, RSV).

8. Quatro Coisas Imponentes (30.29-31)

Aqui o sábio cita quatro exemplos de coisas imponentes e de grande força — o **leão**; o **cavalo de guerra** (o hb. é incerto; tem sido traduzido de diversas maneiras: "galo de andar altivo" [NVI]; "galo de briga" [Berkeley]); o **bode**; e o **rei**. Estes são símbolos da força que Deus deu às suas criaturas.

9. Um Desafio Final (30.32-33)

A conclusão deste capítulo, assim como o início, trata da virtude da humildade. Se alguém se tornou culpado de comportamento arrogante, ou pensou nisso, deve encarar a verdade: **põe a mão na boca** (32). Esta é uma expressão que sugere a admissão silenciosa da culpa (cf. Jó 21.5; 40.4). As palavras finais de Agur contêm um apelo para que a pessoa se recuse a promover a **contenda** (33), e um encorajamento para viver em "paz com todos os homens" (Rm 12.18).

SEÇÃO VI

AS PALAVRAS DE LEMUEL

Provérbios 31.1-9

A. TÍTULO, 31.1

Esta seção contém a instrução da mãe do rei ao seu filho. **O rei Lemuel e a sua mãe** provavelmente não eram israelitas, embora nada se saiba com certeza acerca deles. As lições do texto, no entanto, são claras e significativas. Toy chama este segmento de Provérbios de "um manual para reis e juízes".[1]

B. ADVERTÊNCIAS CONTRA A LASCÍVIA E BEBIDAS FORTES, 31.2-7

A estrutura do versículo 2 sugere tanto seriedade como preocupação amorosa. Moffatt traduz assim este versículo:

Filho meu, dê atenção ao que eu digo,
ouça, ó filho das minhas orações, e obedeça.

Lemuel é o seu filho e alguém que ela dedicou ao Senhor (cf. 1 Sm 1.11). Ela o adverte, em primeiro lugar, contra a libertinagem sensual (3). Edgar Jones diz: "O conselho não é uma mera proibição, mas é dado para que o rei possa cumprir com as suas responsabilidades diante da comunidade. Significa disciplina para uma dedicação maior".[2] Ela está desejosa que ele dê o melhor à sua função de rei.

O governante não deve ser moralmente adequado apenas, mas também forte fisicamente. Assim a honrada mãe adverte: **Não é próprio dos reis beber vinho, nem dos príncipes desejar bebida forte** (4) e assim **pervertam o juízo** (5). O sábio, evidentemente, reconhece o uso do vinho como remédio em algumas situações (6; cf. 1 Tm 5.23) e como um sedativo para criminosos que estão sofrendo (6-7). A observação de Rylaarsdam é muito adequada: "O fato de Jesus ter recusado o vinho que lhe foi oferecido na cruz (Mc 15.23) provavelmente foi registrado para chamar atenção ao seu reinado, especialmente na cruz, e ao seu julgamento sobre o pecado e a morte".³

C. Julgar Retamente, 31.8-9

O conselho final da mãe do rei é direcionado a motivar o seu filho a reinar com justiça, dando atenção especial aos **pobres** e desprivilegiados. Ela aconselha: **Abre a tua boca** (8; "Erga a voz", NVI) a favor daqueles que não podem falar por si mesmos. A exortação a ajudar a **todos os que se acham em desolação** reflete a preocupação por justiça social defendida com tanta freqüência pelos profetas de Israel (cf. Is 10.1-2; Am 2.6-7; 4.1; 5.15).

SEÇÃO **VII**

A MULHER E MÃE VIRTUOSA

Provérbios 31.10-31

Nesta seção final temos um belo poema acróstico que é um tributo imortal à mulher e mãe virtuosa. O poema contém vinte e duas estrofes ou dísticos, sendo que cada um começa com uma letra do alfabeto hebraico.

Este poema é uma conclusão adequada do livro de Provérbios. Em primeiro lugar, muito se disse acerca da mulher briguenta (cf. 19.13; 21.9; 25.24; 27.15), e assim o sábio dá honra agora a uma mulher mais nobre. Em segundo lugar, há condenações repetidas da mulher adúltera e pecaminosa (cf. caps. 1—9; 22.14; 23.27; 29.3; 31.3). Agora o sábio apresenta um retrato melhor das qualidades femininas. Já vimos que em todo o livro de Provérbios o lugar da mãe na educação dos filhos foi destacado (cf. 1.8-9; 10.1; 17.25; 18.22; 19.14; 23.25; 28.24). Nas palavras finais, o sábio destaca esta grande verdade da tradição familiar dos hebreus.

Finalmente, o propósito de Provérbios é ajudar as pessoas a obter sabedoria — o caminho do Senhor (veja comentário de 1.2-6). Na expressão poética final, o sábio retrata mais do que uma mulher de força e caráter em sentido geral. O poema não é um simples contraste com a mulher contenciosa e a adúltera. É mais do que um tributo às qualidades femininas da mulher hebréia. Esta mulher e mãe é um exemplo de alguém que cumpre os propósitos de Deus para a sua vida. É nesse sentido que o ideal que ela exemplifica está ao alcance de todos.

A. CARACTERÍSTICAS MÁXIMAS, 31.10-29

Uma mulher tão capaz e tão forte no seu caráter é inestimável — **seu valor muito excede o de rubins** (10). Ela é tão infalível na sua dedicação que ao seu marido "não faltam riquezas" (11; BJ; "não há falta de ganho honesto, nem necessidade de saque desonesto", AT Amplificado). Tudo que ela faz contribui para o bem-estar dele (12). Ela é incessantemente diligente (13-15). Ela tem habilidades excepcionais para os negócios (16-19). **O fruto de suas mãos** (16) é melhor: "com os lucros dela" (Smith-Goodspeed). As frases: **Cinge os lombos** e: **fortalece os braços** (17) devem ser compreendidas como seus esforços para firmar o avental e as mangas para que não a atrapalhem no seu trabalho. A expressão: **A sua lâmpada não se apaga de noite** (18) não quer dizer que ela trabalha a noite toda, mas que há azeite suficiente na sua casa para que a lâmpada possa queimar a noite toda (cf. 13.9; Mt 25.8). O **fuso** e a **roca** (19) eram ferramentas usadas pelas mãos no manuseio dos fios para a fabricação do tecido.

Esta mulher ideal é caridosa e altruísta em relação às necessidades do **necessitado** (20). "Todos [na sua casa] andam vestidos de lã escarlate" (ARA, 21) indica artigos de luxo (cf. Êx 25.4; 2 Sm 1.24; Jr 4.30). A palavra "escarlate" pode também significar mais de uma vestimenta. Williams diz que a questão não era a cor. A tradução pode bem ser que "todos da sua casa estão vestidos com vestimentas duplas".[1] **A sua própria veste** (22) é atraente e de bom gosto. Esta mulher é uma bênção para o **seu marido** (23), que é um líder respeitado na comunidade (cf. 1.21; 24.7). A sua diligência resulta em lucros para a sua família (24).

Esta mãe tem **força** e **glória** (25); ela está confiante em relação ao futuro da sua casa. Ela é generosa e bondosa nas suas instruções aos filhos e nas orientações aos seus servos (26). Ela é incansável na devoção à **sua casa** (28). O autor conclui assim esse elogio:

> *Muitas mulheres se saíram bem,*
> *mas você a todas superou (Smith-Goodspeed).*

B. Tributo Final, 31.30-31.

No versículo 30, somos lembrados de que a **graça** (charme) e a **formosura** são passageiras, mas que o caráter piedoso é um valor duradouro. O marido dessa boa esposa é encorajado a dar-lhe o **fruto das suas mãos** (31) — reconhecimento merecido pelo seu trabalho e também elogio público.

Nem todas as pessoas possuem os dons e recursos raros dessa extraordinária mulher e mãe, mas todos podem segui-la assim como ela seguia o Senhor. Nisso ela é o exemplo da verdadeira sabedoria. Assim, Provérbios termina como começou (1.7): com o desafio de escolhermos o caminho da sabedoria, que é temer o Senhor sempre e viver de acordo com os seus propósitos.

Notas

INTRODUÇÃO

[1] "The Proverbs", *The New Bible Commentary*, ed. F. Davidson (Grand Rapids: Wm. B. Eerdmans Publishing Co., 1953), p. 516.

[2] Veja Madeline S. e J. Lane Miller, *Harper's Bible Dictionary* (Nova York: Harper and Brothers, 1956), "Solomon", pp. 692-94; "Ezion-Geber", p. 182; "Gezer", pp. 223-25; "Hiram", p. 262; "Megiddo", pp. 434-36; "Millo", pp. 445-46; J. A. Thompson, *The Bible and Archaeology* (Grand Rapids: Wm B. Eerdmans Publishing Co., 1962), pp. 100-107.

[3] *The Book of Proverbs*, "Westeminster Commentaries", ed. Walter Lock e D. C. Simpson (Londres: Methuen and Co., 1929), pp. Xxi-xxii.

[4] "Book of Proverbs", *The Interpreter's Dictionary of the Bible*, vol. G-K, ed. George A. Butrick, et al. (Nova York e Nashville: Abingdon Press, 1962), p. 938.

[5] *Ibid.*, p. 939.

[6] Bernhard W. Anderson, *Understanding the Old Testament* (Englewood Cliffs, N. J.: Prentice-Hall, 1957), p. 465.

[7] Veja John A. Wilson, trad., "Egyptian Instructions", *Ancient Near Eastern Texts Relating to the Old Testament*, ed. James B. Pritchard (Princeton: Princeton University Press, 1950), pp. 421-24; H. L. Ginsberg, trad., "Aramaic Proverbs and Precepts", pp. 427-30.

[8] "Proverbs" (Introduction), *The Interpreter's Bible,* ed. George A. Buttrick, *et al.*, IV (Nova York: Abingdon Press, 1955), p. 769.

[9] "Proverbs", *The Biblical Expositor*, II, ed. consultor, Carl F. H. Henry (Filadélfia: A. J. Holman, 1960), p. 73.

[10] *An Introduction to the Old Testament* (Grand Rapids: Wm. B. Eerdmans Publishing Co., 1950), pp. 303-4.

[11] W. T. Purkiser, *et al.*, *Exploring the Old Testament* (Kansas City: Beacon Hill Press, 1955), p. 255.

[12] *The Proverbs*: An Introduction and Commentary (Londres: The Tyndale Press, 1964), pp. 13-14; veja também pp. 31-35.

SEÇÃO I

[1] *Commentary on the Whole Bible* (Nova York: Fleming H. Revell Co., s.d.), VIII, p. 791.

[2] *Proverbs and Ecclesiastes*, "Torch Bible Commentaries" (Nova York: The Macmillan Co., 1961), pp. 55-56.

[3] R. Laird Harris, "Proverbs", *The Wycliffe Bible Commentary*, ed. Charles F. Pfeiffer e Everett F. Harrison (Chicago: Moody Press, 1962), p. 558.

[4] *The Proverbs, Ecclesiastes, The Song of Solomon*, "The Layman's Bible Commentary", ed. Balmer H. Kelley, *et al*. (Richmond: John Knox Press, 1964), X, p. 16.

[5] C. H. Spurgeon, in *The Treasury of David* (Londres: Passmore and Alabaster, 1881), V, pp. 219-20.

[6] *Op. cit.*, p. 59.

[7] Acerca de uma discussão mais completa da palavra *louco*, veja Kidner, *op. cit.*, pp. 39-41.

[9] Berk., nota de rodapé, *loc. cit.*

[10] *Op. cit.*, p. 60.

[11] Veja E. Blackman, art. "Mind, Heart", *A Theological Word Book of the Bible*, ed. Alan Richardson (Nova York: The Macmillan Co., edição em brochura, 1962), pp. 144-46.

[12] Nota de rodapé, p. 643.
[13] *The Book of Proverbs*, "The International Critical Commentary", ed. Charles A. Briggs, Samuel R. Driver, Alfred Plummer (Nova York: Charles Scribner's Sons), p. 46.
[14] *Op. cit.*, IB, 4:797.
[15] *Expositions of Holy Scripture* (II Kings, c. VIII—Ecclesiastes (Grand Rapids, Mich.: Wm B. Eerdmans Publishing Co., 1938), pp. 84-85.
[16] *Op. cit.*, p. 520.
[17] Veja uma discussão mais completa do símbolo tão significativo da árvore da vida em Kidner, *op. cit.*, p. 54, e em Rylaarsdam, *op. cit.*, p. 25.
[18] *Op. cit.*, pp. 72-73.
[19] *Op. cit.*, p. 76.
[20] *Op. cit.*, p. 67.
[21] "Proverbs" (Exposition), *The Interpreter's Bible*, ed. George A. Buttrick, *et al.*, IV (Nova York: Abingdon Press, 1955), p. 810.
[22] *The Book of Proverbs*, "The Expositor's Bible", ed. W. Robertson Nicoll (Nova York: A. C. Armstrong and Son, 1903), p. 58.
[23] *Proverbs with Commentary* (Filadélfia: The Jewish Publication Society of America, 1950), p. 46.
[24] Acerca de uma discussão mais abrangente das palavras **morte** e **inferno** no versículo 5 veja Kidner, *op. cit.*, pp. 53-56; R. Laird Harris, *op. cit.*, pp. 559.60.
[25] *Op. cit.*, p. 32.
[26] *Op. cit.*, p. 53.
[27] Charles T. Fritsch, art. "The Gospel in the Book of Proverbs", *Theology Today*, VII, abril de 1950 —janeiro de 1951, ed. John A. Mackay (Princeton, N.J.), pp. 170-71.
[28] *Op. cit.*, p. 71.
[29] *Op. cit.* p. 60.
[30] *Op. cit.*, p. 87.
[31] Greenstone, *op. cit.*, p. 64.
[32] Adam Clarke, *The Holy Bible with a Commentary and Critical Notes*, III (Nova York e Nashville: Abingdon-Cokesbury Press, s. d.), p. 717.
[33] *Op. cit.*, p. 37.
[34] *Op. cit.*, p. 91.
[35] *Op. cit.*, p. 146.
[36] *Op. cit.*, p. 75.
[37] *Op. cit.*, p. 28.
[38] R. Laird Harris, *op. cit.*, p. 563.
[39] *Op. cit.*, p. 151.
[40] R. Laird Harris, *op. cit.*, p. 563.
[41] *Op. cit.*, IB, 4:826.
[42] *Op. cit.*, p. 78.
[43] *Op. cit.*, p. 107.

[44] Kidner, *op. cit.*, pp. 76-77.
[45] Edgar Jones, *op. cit.*, p. 97.
[46] *Op. cit.*, p. 564.
[47] Edgar Jones, *op. cit.*, p. 100.
[48] *Op. cit.*, *Theology Today*, VII, p. 181.
[49] *Op. cit.*, p. 84.
[50] "Proverbs" (Exposition), *The Pulpit Commentary*, ed. H. D. M. Spence e Joseph S. Exell (Londres e Nova York: Funk and Wagnalls Co., 1913), p. 164.
[51] *Op. cit.*, *Theology Today*, VII, p. 170.
[52] *Op. cit.*, p. 80.
[53] *Op. cit.*, p. 140.
[54] *Op. cit.*, p. 82.
[55] Veja Greenstone, *op. cit.*, p. 90; Edgar Jones, *op. cit.*, pp. 103-4; Kdner, *op. cit.*, p. 82.
[56] *Op. cit.*, p. 105.
[57] *Op. cit.*, p. 83.
[58] *Op. cit.*, p. 47.

SEÇÃO II

[1] *Op. cit.*, IB, 4.775.
[2] *Op. cit.*, p. 566.
[3] *Op. cit.*, p. 98.
[4] *Op. cit.*, p. 732.
[5] Edgar Jones, *op. cit.*, p. 114.
[6] *Op. cit.*, p. 91.
[7] Veja o tratamento excelente que Rylaarsdam faz do conceito bíblico da natureza da fala, *op. cit.*, pp. 51-53.
[8] *Op. cit.*, pp. 528-29.
[9] *Op. cit.*, p. 242.
[10] *Ibid.*, p. 243.
[11] *Op. cit.*, p. 123.
[12] *Op. cit.*, p. 130.
[13] Para um estudo muito útil acerca de palavras e de como são usadas em Provérbios, veja Kidner, *op. cit.*, pp. 46-49.
[14] *Op. cit.*, IB, 4.853-54.
[15] *Op. cit.*, p. 255.
[16] *Op. cit.*, p. 103.
[17] *Op. cit.*, p. 569.
[18] *Op. cit.*, IB, 4.859.
[19] *Op. cit.*, p. 105.

[20] *Op. cit.*, p. 530.
[21] *Op. cit.*, p. 295.
[22] *Op. cit.*, p. 157.
[23] Veja a descrição que Rylaarsdam faz do uso do nome Senhor em Provérbios, *op. cit.*, pp. 59-61.
[24] *Op. cit.*, p. 307.
[25] *Op. cit.*, p. 142-43.
[26] *Op. cit.*, p. 116.
[27] *Op. cit.*, p. 196.
[28] Veja comentário desse versículo em R. Laird Harris, *op. cit.*, p. 570.
[29] *Op. cit.*, p. 531.
[30] Toy, *op. cit.*, p. 332.
[31] *Op. cit.*, p. 210.
[32] *Op. cit.*, p. 155.
[33] *Ibid.*, p. 156.
[34] Veja o tratamento da palavra *amigo* em Provérbios que Kidner faz; *op. cit.*, pp. 44-46; acerca da palavra *amizade*, veja R. F. Horton, *op. cit.*, pp. 227-38.
[35] Veja discussão acerca de "O Mal do Isolamento" em R. F. Horton, *op. cit.*, pp. 239-49.
[36] Veja uma discussão muito útil acerca de orgulho e humildade em Rylaarsdam, *op. cit.*, pp. 66-67; R. F. Horton, *op. cit.*, pp. 179-90.
[37] *Op. cit.*, p. 129.
[38] *Op. cit.*, p. 373.
[39] *Op. cit.*, p. 209.
[40] Acerca de diferentes pontos de vista do uso do vinho no AT, veja Rylaarsdam, *op. cit.*, pp. 69-70, para quem o AT ensina a moderação e não a abstinência; veja também R. F. Horton, *op. cit.*, pp. 275-87, que defende fortemente a abstinência.
[41] *Op. cit.*, p. 137.
[42] *Op. cit.*, p. 757.
[43] *Op. cit.*, p. 388.
[44] *Op. cit.*, p. 175.
[45] *Op. cit.*, p. 405.
[46] *Op. cit.*, p. 143.
[47] *Op. cit.*, p. 402.
[48] *Op. cit.*, p. 533.
[49] *Op. cit.*, p. 227.
[50] *Op. cit.*, p. 145.
[51] *Op. cit.*, p. 233.
[52] *Op. cit.*, IB, 4.907.
[53] *Op. cit.*, p. 235.

SEÇÃO III

¹ *Op. cit.*, p. 245.
² *Op. cit.*, p. 433.
³ *Op. cit.*, p. 915.
⁴ *Op. cit.*, p. 202.

SEÇÃO IV

¹ "Proverbs—Ecclesiastes", *The Anchor Bible*, ed. W. F. Albright e D. N. Freedman (Garden City, N.Y.: Doubleday & Co., Inc., 1965), p. 171.
² *Proverbs, Ecclesiastes and The Song of Solomon* (Nova York: D. Appleton and Co., 1884), p. 168.
³ *Op. cit.*, p. 159.
⁴ *Op. cit.*, p. 471.
⁵ *Op. cit.*, p. 157.
⁶ *Op. cit.*, p. 173.
⁷ *Op. cit.*, p. 212.
⁸ *Op. cit.*, p. 213.
⁹ Scott, *op. cit.*, p. 161.
¹⁰ *Ibid.*, p. 162.
¹¹ *Op. cit.*, p. 289.
¹² *Op. cit.*, p. 168.
¹³ Scott, *op. cit.*, p. 164.
¹⁴ *Op. cit.*, p. 502.
¹⁵ Scott, *op. cit.*, p. 168.
¹⁶ *Op. cit.*, p. 536.

SEÇÃO V

¹ *Op. cit.*, p. 321.
² *Op. cit.*, p. 180.
³ Rylaarsdam, *op. cit.*, p. 92.

SEÇÃO VI

¹ *Op. cit.*, p. 538.
² *Op. cit.*, p. 245.
³ *Op. cit.*, p. 92.

SEÇÃO VII

¹ Walter G. Williams, *Archaeology in Biblical Research* (Nova York-Nashville: Abingdon Press, 1965), p. 175.

Bibliografia

I. COMENTÁRIOS

CLARKE, Adam. *The Holy Bible with a Commentary and Critical Notes*, vol. III. Nova York: Abingdon-Cokesbury Press, sem data.

COOK, F. C. *The Bible Commentary*: Proverbs-Ezekiel. Condensado e editado por J. M. Fuller. Grand Rapids, Mich.: Baker Book House, 1953.

COWLES, Henry. *Proverbs, Ecclesiastes and The Song of Solomon* (Critical, Explanatory and Practical). Nova York: D. Appleton and Co., 1884.

DAVIES, G. Henton; RICHARDSON, Alan; WALLIS, Charles L. (ed.). *The Twentieth Century Bible Commentary*. Ed. rev. Nova York: Harper and Brothers, Publishers, 1955.

DEANE, W. J., e TAYLOR-TASWELL, S. T. *Proverbs* (Exposition). "The Pulpit Commentary". Ed. H. M. D. Spence e Joseph S. Exell. Londres e Nova York: Funk and Wagnalls Co., 1913.

FRITSCH, Charles T. "The Book of Proverbs" (Introduction and Exegesis). *The Interpreter's Bible*. Ed. George A. Buttrick, *et al*. Vol. IV. Nova York: Abingdon Press, 1955.

GREENSTONE, Julius H. *Proverbs with Commentary*. Filadélfia: The Jewish Publication Society, 1950.

HARRIS, R. Laird. "Proverbs" (Introduction and Commentary). *The Wycliffe Bible Commentary*. Ed. Charles F. Pfeiffer e Everett F. Harrison. Chicago: Moody Press, 1962.

HENRY, Matthew. *Commentary on the Whole Bible*. Vol. III. Nova York: Fleming H. Revell, s.d.

HORTON, R. F. *The Book of Proverbs*. "The Expositor's Bible". Ed. W. Robertson Nicoll. Nova York: A. C. Armstrong and Son, 1903.

JONES, Edgar. *Proverbs and Ecclesiastes*. "Torch Bible Commentaries". Ed. John Marsh e Alan Richardson. Nova York: The Macmillan Co., 1961.

JONES, W. A. Rees e WALLS, Andrew F. "The Proverbs" (Introduction and Commentary). *The New Bible Commentary*. Ed. F. Davidson, *et al*. Grand Rapids, Mich.: Wm. B. Eerdmans Publishing Co., 1953.

KIDNER, Derek. *The Proverbs* (An Introduction and Commentary). "The Tyndale Old Testament Commentaries". Ed. D. J. Wiseman. Londres: The Tyndale Press, 1964.

KITCHEN, Kenneth A. "Proverbs". *The Biblical Expositor*. Ed. Consultor, Carl F. H. Henry. Vol. II. Filadélfia: A. J. Holman Co., 1960.

MACLAREN, Alexander. *Expositions of Holy Scripture*. Vol. III. Grand Rapids, Mich.: Wm. B. Eerdmans Publishing Co., 1938.

OESTERLEY, W. O. E. *The Book of Proverbs*. "Westminster Commentaries". Ed. Walter Lock e D. C. Simpson. Londres: Methuen and Co., 1929.

PEAKE, Arthur S. *Peake's Commentary on the Bible*. Ed. Matthew Black e H. H. Rowley. Nova York: Thomas Nelson and Sons, 1962.

RYLAARSDAM, J. Coert. *The Proverbs, Ecclesiastes, The Song of Solomon*. "The Layman's Bible Commentary". Vol. 10. Ed. Balmer H. Kelly, *et al*. Richmond, Va.: John Knox Press, 1964.

SCHLOERB, Rolland W. "The Book of Proverbs" (Exposition). *The Interpreter's Bible*. Ed. George A. Buttrick, *et al*. Vol. IV. Nova York: Abingdon Press, 1955.

SCOTT, R. B. Y. "Proverbs-Ecclesiastes" (Introduction, Translation and Notes). *The Anchor Bible*. Ed. W. F. Albright e D. N. Freedman. Garden City, Nova York: Doubleday&Company, Inc., 1965.

SPURGEON, C. H. *The Treasury of David*. Vol. V. Londres: Passmore and Alabaster, 1881.

Toy, Crawford H. *A Critical and Exegetical Commentary on the Book of Proverbs*. "The International Critical Commentary". Ed. Charles A. Briggs, Samuel R. Driver e Alfred Plummer. Nova York: Charles Scribner's Sons, 1904.

Williams, George. *The Student's Commentary on the Holy Scriptures*. Grand Rapids, Mich.: Kregel Publications (5 ed.), 1953.

II. OUTROS LIVROS

Anderson, Bernhard W. *Understanding the Old Testament*. Englewood Cliffs, N.J.: Prentice-Hall, Inc., 1960.

Archer, Gleason L., Jr. *A Survey of Old Testament Introduction*. Chicago: Moody Press, 1964.

Lindsell, Harold (Ed. da Introdução, Anotações, Subtítulos, Referências marginais e Índice). *Harper Study Bible* (The Holy Bible — Revised Standard Version). Nova York: Harper&Row, Publishers, 1964.

Pritchard, James (ed.). *Ancient Near Eastern Texts Relating to the Old Testament*. Princeton: Princeton University Press, 1950.

Purkiser, W. T. et al. *Exploring the Old Testament*. Kansas City: Beacon Hill Press, 1955.

Rhodes, Arnold B. *The Mighty Acts of God*. Richmond, Virginia: The Covenant Life Curriculum Press, 1964.

Rylaarsdam, J. Coert. *Revelation in Jewish Literature*. Chicago: The University of Chicago Press, 1946.

Thompson, J. A. *The Bible and Archaeology*. Grand Rapids, Mich.: Wm. B. Eerdmans Publishing Co., 1962.

Unger, Merrill F. *Unger's Bible Handbook*. Chicago: Moody Press, 1966.

Williams, Walter G. *Archaeology in Biblical Research*. Nova York: Abingdon Press, 1965.

Young, Edward J. *An Introduction to the Old Testament*. Grand Rapids, Mich.: Wm. B. Eerdmans Publishing Co., 1950.

III. ARTIGOS

Blackman, E. C. "Mind, Heart". *A Theological Word Book of the Bible*. Ed. Alan Richardson. Nova York: The Macmillan Co., ed. Brochura, 1962, pp. 144-46.

Blank, S. H. "Book of Proverbs". *The Interpreter's Dictionary of the Bible*. Ed. George Buttrick, et al. Nova York: Abingdon Press, 1962. Vol. K-Q, pp. 936-40.

_____. "Wisdom". *IDB*, vol. , vol. R-Z, pp. 852-61.

_____. "Wisdom of Solomon". *IDB*, vol. R-Z, pp. 861-63.

Fritsch, Charles T. "The Gospel in the Book of Proverbs". *Theology Today*, vol. VII, abril de 1950— Janeiro de 1951. Ed. John A. Mackay. Princeton, N.J., pp. 169-83.

Giulmore, Haydn, L. "Biblical Proverbs: God's Transistorized Wisdom". *Christianity Today*, X, número 22 (19 de agosto, 1966), pp. 6,8.

Hubbard, D. A. "Book of Proverbs". *New Bible Dictionary*. Ed. J. D. Douglas. Grand Rapids, Mich.: Wm. B. Eerdmans Publishing Co., 1962, pp. 1049-50.

_____. "Wisdom" e "Wisdom Literature". *NBD*, pp. 1333-35.

Miller, Madeleine e J. Lane. "Solomon", pp. 692-94; "Ezion-Geber", p. 182; "Gezer", pp. 223-25; "Hiram", p. 262; "Megido", pp. 434-36; "Millo", pp. 445-46. *Harper's Dictionary of the Bible*. Nova York: Harper and Brothers, Publishers, 1956.

O Livro de
ECLESIASTES
ou O Pregador

A. F. Harper

Introdução

A. Nome

No versículo inicial de Eclesiastes, o autor se identifica como "pregador" (*qoheleth*). A palavra vem de uma raiz que significa "reunir", e, assim, provavelmente indica alguém que reúne uma assembléia para ouvi-lo falar, portanto, um orador ou pregador. A Septuaginta usou o termo grego *Ecclesiastes*, que as traduções em inglês e português transpuseram como o nome do livro. O termo designa "um membro da *ecclesia*, a assembléia dos cidadãos na Grécia". Já no início da era cristã, *ecclesia* era o termo usado para se referir à Igreja.

B. Autoria

Quem era *Qoheleth*? A linguagem de 1.1 e a descrição do capítulo 2 parecem indicar o rei Salomão. A autoria salomônica foi aceita tanto pela tradição judaica como pela tradição cristã até épocas relativamente recentes. Martinho Lutero parece ter sido o primeiro a negar isso, e provavelmente a maioria dos estudiosos da Bíblia concordaria com ele. Purkiser escreveu:

> No primeiro versículo, o livro é atribuído ao "filho de Davi, rei em Jerusalém" [...] Entretanto, em 1.12 diz: "Eu, o pregador, fui rei sobre Israel em Jerusalém". Claramente, nunca houve época alguma na vida de Salomão em que ele pudesse se referir ao seu reino no pretérito. Em 2.4-11 também são descritos os feitos do reinado de Salomão como algo que já era passado no tempo em que foi escrito.
> Novamente, em 1.16 o autor diz: "e sobrepujei em sabedoria a todos os que houve antes de mim, em Jerusalém". O mesmo pensamento se repete em 2.7. No caso de Salomão, apenas Davi precedeu Salomão como rei em Jerusalém. Mais uma vez devemos lembrar que os judeus usavam o termo "filho" para qualquer descendente; assim, Jesus também é descrito como o "filho de Davi".[1]

Entre os estudiosos mais recentes e conservadores, Young escreve: "O autor do livro foi alguém que viveu no período pós-exílico e colocou suas palavras na boca de Salomão, assim empregando um artifício literário para transmitir sua mensagem".[2] Hendry considera a autoria não-salomônica uma questão tão fechada que ele não a discute em sua introdução.[3] Aqueles que rejeitam a Salomão como o autor normalmente datam o livro entre 400 e 200 a.C., alguns ainda mais tarde.

O argumento aparentemente mais forte contra a autoria salomônica é a presença de palavras aramaicas no texto que não parecem ter sido usadas no tempo de Salomão. Archer, entretanto, argumenta contra a validade dessa evidência, declarando que "o livro de Eclesiastes não se encaixa em nenhum período na história da língua hebraica [...] não existe no momento nenhum fundamento concreto para datar esse livro com base em aspectos lingüísticos (embora não seja mais estranho ao hebraico do século X do que é para o hebraico do século V ou do século II)."[4]

Se Salomão não é o autor, precisamos no mínimo dizer que muito do livro reflete sua vida e suas experiências.

C. Interpretação

Como devemos interpretar a mensagem deste livro? O leitor logo fica impressionado por pontos de vista evidentemente contraditórios. Uma teoria persistente defende que o livro é um diálogo com perspectivas contraditórias apresentadas por personagens diferentes. Se este ponto de vista for aceito, a expressão freqüentemente repetida "vaidade de vaidades" seria o veredicto do autor num panorama que se restringe apenas ao mundo presente. Outra abordagem favorita tem sido associar a perspectiva consistentemente pessimista ao autor inicial e explicar pontos de vista contraditórios como inserções de autores posteriores que tentaram corrigir afirmações exageradas com o propósito de tornar o livro mais coerente com os ensinamentos religiosos em vigor na época.

O livro de fato apresenta oscilações entre confiança e pessimismo. Mas elas não precisam nos instigar a abandonar a convicção na unidade e integridade de Eclesiastes. Tais oscilações não seriam uma conseqüência natural da luta entre a fé, por um lado, e os interesses pelos assuntos mundanos, por outro, tanto no coração do próprio Salomão como na vida centrada na terra que o livro retrata? Barton escreve: "Quando um homem contemporâneo percebe quantos conceitos diferentes e estados de humor ele pode ter, descobre menos autores em um livro como *Qoheleth*".[5]

Se este livro representa a luta de uma alma com dúvidas sombrias, também revela o comportamento de um homem que notou o lado positivo das coisas. Apesar de sua atitude pessimista, a vida é tão preciosa quanto um "copo de ouro" (12.6), e a resposta final ao sentido da vida é: "Teme a Deus e guarda os seus mandamentos" (12.13).

D. Organização

Eclesiastes não é um livro racional ou organizado de maneira lógica. É como um diário no qual um homem registrou suas impressões de tempos em tempos. Muitas vezes ele prefere expressar sentimentos do momento e reações emocionais a apresentar uma filosofia equilibrada sobre a vida. Geralmente o estado de espírito é de ceticismo, mas ainda assim Peterson escreve: "Teria sido uma desgraça e uma grande pena se um livro que foi escrito para ser a Bíblia de todos os homens não se referisse ou deixasse de lidar com o espírito de ceticismo que é comum a todos os homens".[6]

A estrutura do livro faz dele um livro tão difícil de esboçar que muitos comentaristas nem tentam identificar um padrão lógico. No esboço aqui apresentado, o autor foi influenciado por Archer[7] mais do que por qualquer outro autor. Às vezes o leitor cuidadoso irá perceber que um destaque aponta para um pensamento significativo daquela seção mais do que para um resumo de tudo que está ali.

Embora ocasionalmente os parágrafos estejam relacionados apenas vagamente entre si, todos eles estão relacionados ao tema do livro — talvez isso só seja verdade porque esse tema é tão amplo quanto a própria vida!

Esboço

I. A Busca pelo Sentido da Vida, 1.1—2.26

    A. Introdução, 1.1-11
    B. A Futilidade das Experiências Humanas, 1.12—2.26

II. Aprendendo a Lidar com a Vida, 3.1—5.20

    A. Poema de um Mundo Bem Ordenado, 3.1-8
    B. Frustração e Fé, 3.9-15
    C. O Problema do Mal Moral, 3.16-22
    D. As Desilusões da Vida, 4.1-16
    E. Adorando a Deus da Maneira Correta, 5.1-7
    F. Ajustando Problemas Financeiros, 5.8-20

III. Não Há Satisfação em Bens Terrenos, 6.1—8.17

    A. Frustrações da Riqueza e da Família, 6.1-12
    B. Sabedoria Prática em um Mundo Pecaminoso, 7.1-29
    C. Aprendendo a Lidar com um Mundo Imperfeito, 8.1-17

IV. As Injustiças da Vida nas Mãos de Deus, 9.1—10.20

    A. Pensamentos a Respeito da Morte, 9.1-18
    B. Sabedoria e Tolice, 10.1-20

V. Como Melhor Investir na Vida, 11.1-8

    A. Seja Generoso, 11.1-3
    B. Seja Diligente no Trabalho, 11.4-6
    C. Seja Alegre, 11.7-8

VI. Vendo a Vida por Completo, 11.9—12.14

    A. A Vida Terrena em Perspectiva, 11.9—12.8
    B. A Vida à Luz da Eternidade, 12.9-14

Seção I

A BUSCA PELO SENTIDO DA VIDA

Eclesiastes 1.1—2.26

A. Introdução, 1.1-11

1. *Título do Livro* (1.1)
Neste versículo inicial o escritor nos dá o título do livro. Ele o chama de **As palavras do Pregador.** O termo hebraico é *qoheleth*, vem de *kahal* e significa aquele que agrega ou ajunta uma congregação. A Septuaginta[5] traduziu a palavra por *Ecclesiastes*, que veio para a Bíblia inglesa como o nome do livro e de forma muito semelhante (Eclesiastes) para a nossa Bíblia portuguesa. A tradução deriva de *ecclesia*, a palavra grega que traduzimos por "igreja". Assim, o autor se referiu a si mesmo como um pregador ou professor religioso.

Mas quem é esse pregador? Se compreendermos o versículo 1 literalmente, ele era o rei Salomão — pois não houve nenhum outro **filho de Davi** que foi **rei em Jerusalém.** Todavia, compreender este versículo literalmente deixa outras passagens do livro sem explicação. Veja a discussão deste problema na Introdução, "Autoria".

2. *Tema do Livro* (1.2-11)
a) *O texto* (1.2-3). Em 2.11 o Pregador esboça o tema de seu "sermão". O texto é: **Vaidade de vaidades! É tudo vaidade** (2). A palavra hebraica é *hebhel*, que significa "vapor" ou "sopro". Isto significa a transitoriedade da vida, mas o autor quer dizer mais. A vida parece não estar indo a lugar algum. Muitos tradutores usam os termos **vaidade,** *futilidade, infrutífero, sem alvo* e *vazio.* Desse ponto de vista nossas vidas não têm sentido. A repetição, **vaidade de vaidades**, é a maneira hebraica de aumentar a intensidade e expressar assim total futilidade (cf. *servo dos servos*, Gn 9.25; e *santo dos santos*). O autor não omite nenhuma fase da vida, **tudo** é em vão e inútil.

Em que sentido o Pregador faz essa declaração? Existem tradutores que enxergam isso como o estado de espírito predominante, a filosofia de vida do Pregador. Mas é melhor entender isso como um julgamento aplicado a pessoas que vêem a vida terrena como sua única vida (ver a Introdução, "Interpretação").

Obviamente há horas — e às vezes dias e semanas — quando o tema de Eclesiastes expressa a disposição da alma. Mas essas são horas e dias de depressão. Eles ocorrem em tempos de perda e desânimo. Tais momentos são reações emocionais temporárias que ao longo do tempo conduzem a uma compreensão mais verdadeira da vida. Eles se tornam atitudes determinantes de vida e de convicções apenas para homens cuja vida se encontra totalmente **debaixo do sol** (3), cujo ponto de vista é totalmente terreno e secular. Tal homem tem plena razão de perguntar: **Que vantagem tem o homem de todo o seu trabalho [...]?**

> Se não estamos convictos, talvez seja porque estamos vivendo em um nível muito baixo. Se vivemos pelo prazer ou pelo dinheiro ou pela fama, então as realidades espirituais se tornam inescapavelmente nebulosas e vagas. Para sentir que somos imortais precisamos viver como imortais. Olhar constantemente para o que é trivial cega os olhos para o esplendor do eterno, e sempre trabalhar por pérolas efêmeras rouba do coração a sua convicção na coroa da glória. Para aqueles que se dão de todo coração ao serviço da humanidade no espírito de seu Filho, Deus transmite não apenas paz e alegria, mas uma incrível convicção de que quando o trabalho aqui estiver terminado, morrer será lucro. (Citação selecionada.)

Essa é a fé elevada para a qual a revelação cristã aponta. Mas o homem ao qual *Qoheleth* se refere nunca alcançou essa fé como um padrão de vida fixo. Para ele outros fatos geralmente chamavam mais a atenção.

b) *Ilustrações da natureza* (1.4-8). Se um homem olha apenas para o ambiente físico da vida, ele encontra somente as respostas que o mundo material pode oferecer. Aqui, *Qoheleth* mostra quatro desses fatos frustrantes. A terra física é mais duradoura que a vida terrena do homem: **Uma geração vai, e outra geração vem; mas a terra para sempre permanece** (4). Esta terra não foi destinada a durar para sempre (2 Pe 3.10), mas tem durado além de vidas terrenas de incontáveis gerações de homens. Se a vida aqui é tudo que existe, o Pregador é convincente ao defender o seu ponto de vista.

O argumento agora se volta aos ciclos do mundo natural, e o autor não vê nada além de monotonia. O **sol** (5) nasce apenas para se pôr, e aí **volta ao seu lugar** para nascer novamente. **O vento** (6) sopra **para o sul** e o vento sopra **para o norte** (uma referência aos ventos predominantes na Palestina) e aí repete o processo. **Todos os ribeiros vão para o mar** (7); a evaporação e a chuva devolvem as águas à terra, e os rios correm novamente por onde correram antes.

A natureza se move num ciclo, e quando alguém consegue enxergar apenas o ciclo, enlouquece. **Todas essas coisas se cansam tanto** (8) — energia imensa foi gasta e não há nada diferente de antes. Essa é uma atividade totalmente insensata — "algo indescritivelmente cansativo" (Berkeley). Como uma reflexão tardia, o espírito pessimista aqui vê apenas a futilidade na capacidade de compreensão do homem: **os olhos não se fartam de ver, nem os ouvidos de ouvir.**

Mas por que um homem deveria ser pessimista em relação às atividades recorrentes deste mundo? Quando o sol brilha, e as brisas sopram, e a chuva cai, pessoas conscientes são abençoadas por esses elementos. Em vez de considerar tudo uma repetição insensata, a natureza pode ser vista como ativa, enérgica e vibrante. Aquele que é pessimista em relação aos olhos que sempre vêem e aos ouvidos que sempre ouvem deveria defrontar-se com a possibilidade de perder sua visão ou sua audição. Aí então essas provisões de Deus seriam compreendidas claramente pelas bênçãos que são.

c) *Monotonia e fadiga* (1.9-11). Raramente alguém consegue contradizer os fatos para os quais o autor aponta nesses versículos. A maioria das coisas que fazemos foi feita por alguém antes de nós — e a maioria delas será realizada novamente por outros depois de nós. Vamos admitir que existam apenas algumas experiências que possam ser chamadas de algo **novo debaixo do sol** (9). A maioria das atividades básicas da vida já ocorreu **nos séculos passados, que foram antes de nós** (10). Mas e daí? Por acaso exigimos que as coisas sejam novas para que possuam algum valor? Certamente este não é o ponto de vista de um colecionador de antigüidades!

Devemos lembrar de que todas as coisas velhas são novas para aqueles que acabam de chegar ao mundo. Antigas experiências também ganham novo significado para pessoas que de alguma forma são renovadas por um novo entusiasmo pela vida. Existem vidas novas, dias novos, interesses novos, serviços novos e novas devoções que trazem um significado revigorado à vida. Talvez devamos encontrar na perda da dedicação e do trabalho a chave para o estado de espírito do autor. No versículo 13, ele nos diz que se doou para entender este mundo. A sabedoria é algo bom, mas Deus nunca planejou que fôssemos observadores imparciais. Aqueles que servem com renúncia e devoção encontram significados que meros espectadores interessados não notam.

Quer dizer que o versículo 11 contradiz os argumentos dos versículos 9 e 10, e revela o pessimismo de *Qoheleth* como um sentimento em vez de uma atitude racional? O autor argumentou que a vida é sem valor porque nada é novo. Agora ele argumenta que a vida é sem valor porque tão pouco será lembrado! Muitas coisas são esquecidas — e talvez sejamos gratos pelo esquecimento da maioria delas — mas muitas coisas também são lembradas. Os monumentos que os homens constróem e os livros que escrevem conservam as memórias do passado. Muitas das coisas que apreciamos são preservadas em nossa memória aqui, e acreditamos que fazem parte de nós em uma existência consciente depois da nossa sepultura. Além do mais, Deus não esquece (Sl 56.8).

B. A FUTILIDADE DAS EXPERIÊNCIAS HUMANAS, 1.12—2.26

Esta seção foi escrita de forma autobiográfica. O autor fala da busca de sua vida pessoal, mas quem é o autor? Ele diz: **Eu [...] fui rei sobre Israel em Jerusalém** (12). Para encontrar respostas, veja a Introdução, "Autoria".

1. *A Busca Intelectual* (1.13-16)

Quer aceitemos Salomão como o autor do livro, quer não, temos de admitir que esta seção está lidando com os interesses do terceiro rei de Israel. Aqui se encontra a busca da mente inquiridora, o esforço do homem que procura ver sua vida na sua totalidade e de forma estável — **e a informar-me com sabedoria de tudo quanto sucede debaixo do** céu (13). A busca intelectual não está inteiramente satisfeita. O autor a descreveu como: **essa enfadonha ocupação deu Deus aos filhos dos homens, para nela os exercitar** (13). No versículo 16, ele argumenta que, se o rei com todos os seus recursos financeiros e dons intelectuais não conseguiu encontrar satisfação em sua busca, como pode qualquer outro homem com menos recursos do que ele chegar a uma conclusão diferente?

O frustrado *Qoheleth* conclui que os esforços intelectuais da vida são **vaidade e aflição de espírito** (14), porque **aquilo que é torto não se pode endireitar** (15) e tudo aquilo que está errado **não pode ser calculado**. Somos finitos. Devemos admitir que sempre podemos encontrar mais coisas erradas em nós do que coisas certas. "Entretanto, possuímos o poder pela graça de Deus e o mistério de nossas próprias personalidades criativas para usar o material ainda não trabalhado de nossas experiências e nosso ser sempre inacabado, para fazer da vida um empreendimento digno de seu preço e promessas. O que é **torto** pode se **endireitar**, nas estradas, na sociedade, na alma; nem sempre é rápido ou fácil, e sempre custa um preço. Mas não temos outra opção a não ser tentar".[2]

2. Uma Investigação e uma Descoberta (1.17-18)

No versículo 17, o Pregador reafirma seu esforço para **conhecer a sabedoria**, mas adiciona uma palavra a respeito de suas técnicas de estudo. Ele tentou adquirir sabedoria por meio do conhecimento de opostos, **os desvarios e as loucuras**. Esta não foi só uma tentativa para experimentar todos os fatos. Muitos comentaristas dão a entender que esta foi uma investigação mais profunda da mente numa busca por princípios pelos quais alguém pode distinguir a **sabedoria** dos **desvarios** e **loucuras**. Mas *Qoheleth* descobriu que mesmo uma teoria do conhecimento pode ser uma **aflição de espírito**.

Existe uma verdade no versículo 18 que é descoberta por uma personalidade em crescimento. Quanto mais sabedoria alguém adquire, mais lacunas essa pessoa reconhece que existem, e menos satisfeita ela se torna com seu desenvolvimento. "Aquele que vive mais de uma vida, mais de uma morte precisa morrer". Mas quem iria querer afastar as dores do conhecimento à custa de continuar ignorante? Quem iria tentar afastar as tristezas da perda dos amados ao se recusar a amar? Crescemos quando avançamos na busca pela vida. Privar-se dessa busca é errar e perder o alvo.

3. O Teste do Prazer (2.1-3)

Nessa busca pelo prazer máximo, muitos homens têm experimentado os caminhos do **prazer** (1), do **riso** (2) e das estimulações do **vinho** (3). O Pregador admite suas próprias experiências com essas formas de diversão, mas logo descobre que elas são indignas do homem. O entretenimento cumpre um propósito muito útil como uma diversão para desligar das tarefas sérias da vida, mas a felicidade não pode ser encontrada na diversão. **Alegria [...] também** é **vaidade** quando alguém faz dela sua meta final. **Riso [...] de que serve** este para satisfazer nossas necessidades mais profundas? E a decisão: **busquei no meu coração como me daria ao vinho** (3) — mesmo para um homem que consegue lidar com isso **com sabedoria** — não é o caminho para a satisfação.[3]

4. O Teste do Trabalho e das Posses (2.4-11)

Voltando-se do entretenimento para o trabalho, o rei se entregou por um tempo a uma fase de projetos de construção. Ele construiu **casas** (4), plantou **vinhas, hortas e jardins**

(4,5), e construiu **tanques de água, para regar com eles o bosque em que reverdeciam as árvores** (6). Um homem precisa da mão-de-obra de pessoas para sustentar seus empreendimentos econômicos, por isso ele diz: **Adquiri servos e servas e tive servos nascidos em casa** (7). Possuiu muitas **vacas e ovelhas**; e acumulou muita **prata, e ouro** (7, 8). Provavelmente, o tesouro peculiar dos reis e das províncias eram presentes raros que eram oferecidos ao rei por chefes de outros estados. (cf. 1 Rs 10.1-2,10). O rei também era protetor das artes, cercando-se **de cantores, e de cantoras**. A última parte do versículo 8 está indefinida no hebraico. A maioria dos tradutores modernos entende isso como uma referência à satisfação sexual: "e tive todas as mulheres que um homem pode desejar" (NTLH).

Tudo isso pode ser chamado de realizações culturais. O que ele fez e conseguiu foi honrável e louvável para os padrões de sua sociedade. Ele foi o morador das regiões nobres bem-sucedido de nossa cultura — talvez o presidente milionário. Ele tinha tudo que o dinheiro podia comprar, e tudo que a inteligência e a fama podiam dar: **mas o meu coração se alegrou por todo o meu trabalho, e esta foi a minha porção** (10). Esta foi sua **porção** — mas não era o suficiente — **tudo era vaidade e aflição de espírito** (11). Como poderia ser diferente se tudo era para ele mesmo? Não é de admirar que nada conseguia inspirá-lo (Berkeley, nota). A atividade centrada em si mesma não resistirá à reflexão; a atividade precisa ter um propósito satisfatório.

5. *A Comparação entre Sabedoria e Tolice* (2.12-17)

Se um homem não consegue encontrar a felicidade contínua em seus afazeres e no acúmulo da fortuna, será que vai encontrá-la ao tirar o máximo proveito de sua mente? O autor agora dá a sua opinião quanto à **contemplação da sabedoria [...] e da doidice** (12).[4] Não custa muito para chegarmos à conclusão do Pregador de que **a sabedoria é mais excelente do que a estultícia, quanto a luz é mais excelente do que as trevas** (13). O homem **sábio** (14) usa sua inteligência para guiá-lo, **mas o tolo** anda na luz negra da ignorância. O homem é melhor do que um animal porque ele pode viver uma vida de reflexão.

Mas aqui a fundação arenosa de todo mero humanismo se torna evidente. Quão melhor é o homem sábio do que o homem tolo se a duração da vida dos dois é a mesma? Os valores relativos de uma vida terrena parecem iguais quando todos terminam na sepultura. Para a pessoa radicalmente mundana não existe nem a satisfação de continuar viva nas memórias dos homens: **Porque nunca haverá mais lembrança do sábio do que do tolo** (16). A mente do Pregador se rebelou contra esse nivelamento de todos os valores que os homens mais prezam: **Pelo que aborreci esta vida** (17). Ele não foi o primeiro nem o último a sentir o anseio justo do homem pela imortalidade. Addison escreveu a respeito do argumento de Platão:

Deve ser isso, Platão, argumentas bem!
Senão, de onde vem essa esperança agradável, esse desejo prazeroso,
Esse anseio pela imortalidade?
Ou de onde esse pavor secreto, um horror interior
De cair no nada? Por que a alma se retrai,
Se encolhe em si mesma, e se assusta com a destruição?
É o divino que se agita dentro de nós;
É o próprio céu que indica que há um porvir,
E anuncia ao homem a eternidade.

6. A Futilidade das Riquezas Acumuladas (2.18-23)

Nestes seis versículos, o autor reflete a respeito das vantagens dos anos que gastou acumulando e armazenando riquezas. O que mais o incomoda é que ele precisa deixar tudo **ao homem que viesse depois de mim** (18). **E quem sabe se será sábio ou tolo?** (19). Provavelmente para um homem que acumulou de maneira tão diligente para si mesmo fosse natural não confiar em outros — nem mesmo em seus próprios herdeiros.

Freqüentemente a história tem comprovado os fatos básicos subjacentes ao pessimismo do Pregador. Poucos filhos têm provado ser tão eficazes em preservar fortunas quanto seus pais foram em acumulá-las. Mas esses fatos não deveriam fazer com que o **coração perdesse a esperança** (20). Pelo contrário, eles deveriam nos guiar na aquisição, no gasto e na maneira de legar essa herança aos filhos.

Se um homem fica tão obcecado por dinheiro que **até de noite não descansa o seu coração** (23), **também isso é vaidade.** A vida satisfatória é mais importante que a fortuna. Se não podemos pensar em nenhuma função melhor para a riqueza acumulada do que deixá-la ser desperdiçada por herdeiros irresponsáveis, há razões para o pessimismo em relação ao nosso trabalho. Mas o rei poderia ter usado sua fortuna enquanto estava vivo — usado para o bem do seu próximo e para o progresso do trabalho de Deus. Não é sábio que um homem bom gaste toda a sua vida acumulando dinheiro e deixe inteiramente para outros a decisão de como usá-lo. Deixe um homem investir e contribuir tão sábia e generosamente em seu tempo de vida quanto ele acumula. Quando ele o fizer terá algo **de todo o seu trabalho e da fadiga do seu coração** (22). E se ele tiver algo para deixar aos seus herdeiros, que ore a respeito das decisões e então aja com confiança na próxima geração, cujo caráter ele ajudou a moldar.

7. As Bênçãos do Trabalho (2.24-26)

O próprio rei chegou à conclusão de que uma viagem deliberada com dedicação exclusiva ao mundo da riqueza era **desgosto** (23). Um homem deve ter o suficiente para que **coma e beba** (24), mas ele também deve "ter prazer enquanto faz o seu trabalho" (24, Moffat). Este é o plano de Deus para o homem.

O versículo 25 é traduzido de maneira correta do hebraico na ARC, mas a tradução não se encaixa no contexto. A maioria dos tradutores modernos segue a Septuaginta, como por exemplo, Smith-Goodspeed: "Quem pode comer e pode se deleitar longe dele?". (A NVI traz uma sugestão semelhante na nota de rodapé: "Pois sem ele, quem poderia comer ou encontrar satisfação?"). Tal interpretação conecta os versículos 24 e 26 de maneira significativa. Sabemos que toda dádiva vem de Deus (Tg 1.17). É ele quem deu o apetite, a habilidade para sentir o gosto e a capacidade para aproveitar a vida.

No versículo 26, o Pregador resume o que a Bíblia ensina sobre o universo moral: **Porque ao homem que é bom diante dele, dá Deus sabedoria, e conhecimento, e alegria; mas ao pecador dá trabalho.** Adam Clarke comenta: "1) Deus dá *sabedoria* — o conhecimento a respeito dele mesmo, a luz para direcionar para o caminho da salvação. 2) *Conhecimento* — saber discernir a ação de sua mão; *a familiaridade experimental* com a pessoa dele, na concessão de sua graça e dos *dons de seu Espírito*. 3) *Alegria*; cem dias de alívio para um dia de dor; mil divertimentos para uma privação, e para aqueles que acreditam na paz da consciência, a alegria no Espírito Santo".[6]

Seção II

APRENDENDO A LIDAR COM A VIDA

Eclesiastes 3.1—5.20

Nesta seção, o filósofo-pregador prova os fatos na medida em que os encontra e os relaciona com os princípios de Deus.

A. POEMA DE UM MUNDO BEM ORDENADO, 3.1-8

Na poesia[1] desta passagem o Pregador explana seu texto: **Tudo tem o seu tempo determinado, e há tempo para todo o propósito debaixo do céu** (1). Há intérpretes que só vêem um fatalismo absoluto nesta passagem (1-8), acompanhado da entrega resignada dos homens (9-15). Outros vêem o reconhecimento da soberania de Deus, complementada pela liberdade do homem e sua habilidade de ajustar sua vida às exigências de Deus. Atkins escreve: "A passagem possui uma excelência contida de movimento, como se o rio da vida se transformasse em duas correntes fluindo por entre os mesmos limites. Existe uma corrente de permissão, se assim pudermos chamá-la, e outra de proibição. Faz parte da sabedoria da vida saber onde pegar a maré adequada e não desperdiçar esperança e esforços naquilo que não pode ser feito — pelo menos não naquele momento".[2] "Deus determinou a ordem, e é nossa tarefa cumpri-la" (Berkeley, nota de rodapé, *loc. cit.*).

Em vez de tratar dos aspectos do mundo da natureza, estes versículos tratam das ações do homem. O significado da maior parte do texto é claro, sendo que não se deve esperar encontrar significados literais em palavras usadas de forma poética. O **tempo de arrancar o que se plantou** (2) provavelmente significa colher ou talvez signifique escavar, isto é, transplantar, como é feito nas plantações de tomate. O **tempo de matar** (3) talvez se refira à execução judicial, ou a hostilidades. Em vista do versículo 5, ele

pode todavia significar de maneira generalizada a palavra destruir.³ O **tempo de deitar fora** (6) provavelmente significa um tempo de compartilhar com outros. O **tempo de amar** (8) sugere expressar nosso amor a Deus e às pessoas que nos cercam. O **tempo de aborrecer** ("odiar", NVI) seria odiar o mal e se opor a ele.
Está claro que a vida de um homem não é simples. É um complexo de forças que interagem entre si e que estão em constante mudança e que exigem uma reação agora e uma reação diferente em circunstâncias diferentes. Nem sempre gostamos da mudança, mas a sabedoria requer que nos ajustemos a isso. Ao olharmos para trás, podemos dizer que certamente Deus o planejou.

B. Frustração e Fé, 3.9-15

O homem que vive somente para este mundo nunca está longe da frustração. O autor exprime novamente a pergunta do versículo 22, do capítulo 2: "Que vantagem tem o trabalhador naquilo em que se desgasta?" (9, Berkeley). No versículo 10, *Qoheleth* declara: **Tenho visto o trabalho que Deus deu aos filhos dos homens**, mas nisso ele encontra valor. **Tudo fez formoso em seu tempo** (11, cf. Gn 1.4, 12, 18, 21, 25, 31).
Nos versículos 12 e 13, recebemos a mesma resposta terrena que foi dada em 2.24: as possibilidades de um homem são limitadas para que **coma e beba e goze do bem de todo o seu trabalho**. Mas agora, a fé de *Qoheleth* começa a tornar-se seu amparo. Não importam as complexidades da vida, **isso é um dom de Deus** (13). Os homens não estão aqui somente para se divertir, mas para **fazerem bem na sua vida** (12). Nunca podemos esperar entender todo o plano de Deus: **sem que o homem possa descobrir a obra que Deus fez desde o princípio até ao fim** (11). Contudo, o plano é confiável: **nada se lhe deve acrescentar e nada se lhe deve tirar** (14). Além disso, Deus fez esse tipo de mundo e essas circunstâncias da vida para que **haja temor** ["seja reverente", Berkeley] **diante dele**.
O versículo 15 tem sido interpretado e traduzido de várias maneiras. As primeiras duas frases declaram evidentemente a ordem invariável do universo. Mas qual é o significado da última frase? Aqui ela é traduzida como: **e Deus pede conta do que passou**; outra possibilidade é: "Deus procura aquilo que foi afastado" (RSV). As palavras podem ser entendidas simplesmente como a ação contínua de Deus em seu universo ordenado. Elas não podem ser entendidas com igual solidez como uma expressão de Deus para o seu propósito com o universo — um paralelo da última frase do versículo 14? Se concordarmos com isso, podemos ver o universo de Deus e sua atividade como algo projetado para atrair os homens para si mesmo — inclusive aqueles que de alguma forma "passaram" e se "afastaram".
O versículo 11 também foi motivo de muita diferença na interpretação. **Também pôs o mundo no coração deles** foi traduzido como: "Ele colocou a eternidade na mente do homem" (RSV), e: "Ele também plantou eternidade nos seus corações" (Berkeley). Este desejo no espírito do homem não é tão imutável e recorrente quanto o sol nascente? Esta não é uma das provisões de Deus para nos atrair para si e nos elevar acima das preocupações do nosso mundo material? "Uma grande razão de nossa carência de satisfação se encontra nessa sensação inata de eternidade que temos dentro de nós, que não pode ser suprida por nenhum feito ou coisa terrena".⁴

C. O Problema do Mal Moral, 3.16-22

1. *Deus Tem a Resposta* (3.16-17)
Agora o autor se volta do significado das complexidades da vida para a consideração de suas contradições morais. Ele viu que nas cortes onde deveria haver **juízo**, havia **impiedade** (16); onde deveria haver **justiça**, havia mais **impiedade** ainda. Como podemos conciliar a presença do mal com um mundo regido por um Deus justo? A resposta da fé é que Deus um dia **julgará o justo e o ímpio** (17, cf. Mt 13.24-30, 36-43). No início do capítulo, *Qoheleth* expôs de maneira bela a natureza equilibrada da vida; existe um tempo e um lugar apropriado para cada experiência do homem. Aqui esta filosofia é ampliada pela fé para resolver o problema do mal. **Eu disse no meu coração, Deus** irá resolver essa contradição — um julgamento justo deverá ser aplicado a ambos: **o justo e o ímpio** — em seu tempo.

2. *A Incerteza da Vida Futura* (3.18-22)
A oração **para que Deus possa prová-los** (18) pode ser entendida como: "Deus está testando-os para mostrar que são bestas" (RSV). Alguns aplicam este versículo aos "ímpios" de que falam os versículos 16 e 17, mas parecem pertencer às considerações mais universais que seguem. **Porque o que sucede aos filhos dos homens, isso mesmo também sucede aos animais; [...] como morre um, assim morre o outro [...] todos ao pó tornarão** (19 e 20). Estas são afirmações inquestionáveis concernentes ao corpo — mas e o espírito? A forma da pergunta seguinte parece revelar claramente a incerteza e a fé frágil: "Quem sabe se o espírito do homem vai para cima?"[5] (21, Smith-Goodspeed). É a frustração deste ponto de interrogação que conduz à conclusão final: "Assim eu vi que a melhor coisa para o homem é alegrar-se com o seu trabalho; é isso que ele tira da vida" (22, Moffatt). O que havia acontecido à fé no futuro mencionado no versículo 17? O que acontece ao vigor da fé e ao seu grande empenho quando a dúvida à respeito do futuro da vida do homem se faz presente no seu espírito?

D. As Desilusões da Vida, 4.1-16

1. *Opressão Social* (4.1-3)
Esta seção pode ser considerada uma continuação do debate anterior a respeito das injustiças da vida. **Depois, voltei-me** (1) talvez signifique que o pensamento do autor voltou-se novamente para as meditações de 3.16. Ao refletir profundamente acerca de assuntos como as injustiças da vida econômica e política, a vida parece não ter esperança. Havia **as lágrimas dos que foram oprimidos** e **não tem nenhum consolador**. O **poder** estava do lado do opressor e não havia ninguém para ficar junto aos oprimidos. Partido por essas iniqüidades, o coração chora; é melhor estar no meio dos que já **morreram** do que entre aqueles que ainda estão **vivos** (2). Melhor ainda é aquele que nunca nasceu e conseqüentemente **não viu as más obras que se fazem debaixo do sol** (3).

Mas tão desesperadora quanto muitas condições opressivas, essa solução deve ser considerada um estado de espírito do momento — não uma filosofia de vida. O próprio autor se contradiz quando em 9.4 afirma que: "melhor é o cão vivo do que o leão morto".

Atkins comenta: "Sobre os mais afortunados cai uma sombra indistinta daquela atitude, talvez mais freqüentemente do que pensamos: o desejo de que tivessem sido poupados do peso de viver. E ainda assim, a vida é uma responsabilidade; embora não haja nenhuma promessa de que vai ser fácil, o suficiente nos é concedido não só para fazer dela uma corajosa aventura, mas em suas mais nobres realizações um desafio digno do esforço e do preço, tanto para este mundo sombrio como para uma ordem espiritual duradoura".[6]

2. *O Enigma do Esforço* (4.4-6)

A ARC traz aqui: **todo trabalho e toda destreza em obras trazem ao homem a inveja do seu próximo** (4). A NVI interpreta este versículo assim: "todo trabalho e toda realização surgem da competição que existe entre as pessoas" (veja também a BJ e a RSV). Em todo caso, o lugar para a competição e inveja como motivações da vida é superestimado pelo nosso pessimista *Qoheleth*. Estas afirmações são apenas cinqüenta por cento verdadeiras — se forem tudo isso. A pessoa que acredita nessa inexatidão perigosa deveria olhar para frente e viver de maneira melhor. Existem homens que são dirigidos pela realização competitiva, mas por que deveríamos esquecer dos milhões que trabalham duro para suprir as suas necessidades? Para prover conforto para aqueles que amam? Que prestam contas de maneira digna a Deus, a quem dedicaram todas as energias de sua vida?

Ser invejado por causa das suas realizações é ruim, e se esforçar para conquistar algo para sobrepujar seu companheiro é pior ainda. Ambos são **vaidade e aflição de espírito**. Mas ainda assim, o trabalho é importante para se ter uma vida boa; apenas o **tolo cruza as suas mãos** (5) e não faz nada. **E come a sua própria carne** pode significar que destrói a si mesmo ou talvez que vive em dependência financeira dos seus parentes. No versículo 6, *Qoheleth* destaca a sua opinião já muito repetida de que a sabedoria exige equilíbrio, que se devem evitar os dois extremos: "Melhor é uma mão cheia com tranqüilidade do que duas mãos cheias com encrencas e lutas pelo vento" (Smith-Goodspeed). Nosso Senhor apoiaria este conselho contra o trabalho extremo e ansioso que se esforça para conseguir bens materiais (Mt 6.25-34).

Atkins comenta: "Que bela frase, *uma mão cheia de quietude*. Os generais fazem uma tropa em marcha descansar em intervalos de, digamos, quinze minutos: apenas uma mão cheia de quietude, mas isso mantém a tropa em marcha. A habilidade de medir uma mão cheia de quietude fora das tensões e esforços do mundo tem poder curador e encorajador. Chamamos isso de relaxamento. Porém é mais do que isso. É deixar que a vida se batize novamente nas bênçãos e naquilo que é duradouro, e assim encontrar o descanso. Isso aquieta o espírito perturbado e antevê a cura final quando "os maus cessam de perturbar; e [...] repousam os cansados" (Jó 3.17).[7]

3. *O Mal da Solidão* (4.7-12)

Praticamente todo fardo pode ser carregado se existe um amigo com quem se possa compartilhá-lo. *Qoheleth* vê claramente que um dos grandes males da vida ocorre quando **há um que é só** (8). A expressão **não tem segundo** significa que não existe um companheiro. O homem que trabalha e ainda assim não tem ninguém — nem **filho nem irmã** — para o inspirar e dar sentido ao seu trabalho convive com **enfadonha ocupação** com certeza. Para levar uma vida satisfatória, o homem precisa ter uma resposta digna para a questão: **para quem trabalho eu** [...]**?** E essa resposta precisa ser encontrada além de seu papel dentro da família, no serviço para a satisfação das necessidades das pessoas, ou no cumprimento da vontade de Deus para a sua vida.

Em contraste com os males do isolamento, os versículos 9 a 12 estabelecem a importância de se trabalhar em conjunto. Moffatt diz: "É melhor serem dois do que um; eles se saem bem em tudo que empreendem" (9). Matthew Henry comenta: "Qualquer serviço que fizerem [um pelo outro] lhes é restituído de alguma maneira".[8] O companheirismo humano e a cooperação trazem ajuda (10), calor humano (11) e proteção (12) mútuos. **O cordão de três dobras não se quebra tão depressa** é um provérbio que sugere que, se é melhor serem dois do que um, é melhor ainda serem três. Para que um homem tenha amigos, ele precisa se mostrar amigável. Aquele que busca fazer "bem na sua vida" (3.12) raramente irá sofrer as dores do isolamento.

4. *A Brevidade da Fama* (4.13-16)

O significado desta seção não está claro, mas é uma meditação a respeito da **aflição de espírito** (16) que sobrevêm ao governador desiludido. Muitos comentaristas contemporâneos encontram na história uma referência a José, o **jovem pobre e sábio** (13) que **sai do cárcere para reinar** (14). Se isto estiver correto, talvez **o sucessor** (15) se refira a José como o segundo após o Faraó (Gn 41.43). **Que nasceu** [...] **no seu reino** (14) significa ter nascido no reino que finalmente seria seu.

O significado do parágrafo pode ser que algumas coisas são melhores que outras — **um jovem sábio** é melhor do que um **rei velho e insensato**. Contudo não há nada — nem as experiências do sábio e jovem governador — que seja muito bom a longo prazo. "Vi todos os viventes na terra andarem lado a lado com esse jovem [...] Só que mais tarde os homens perderam o interesse nele. Isso também é vaidade e futilidade" (15-16, Moffatt).

E. LOUVANDO A DEUS DA MANEIRA CORRETA, 5.1-7

Um dos fatos da vida, com o qual o homem precisa contar, é que Deus é o Criador, o homem é o ser criado, e nós devemos assim responder a Deus. Adorá-lo num encontro face a face é nossa obrigação e oportunidade mais significativa.

1. *Seja Reverente* (5.1-3)

Guarda o teu pé (1) é expresso de maneira excelente por uma repreensão bem atual: "Cuidado onde pisa!"[9] Existe uma sabedoria genuína no conselho do nosso pregador, mas precisa ser modificada pela revelação de Jesus do caráter de Deus. Se entendemos que o versículo 1 está dizendo: "Seja reverente na presença de Deus", reconhecemos isso de maneira completa e satisfatória. Deus está acima e é santo; por essa razão, a admiração reverente requer que estejamos sempre entrando em sua presença. **Inclina-te mais a ouvir** indica uma atitude de receptividade. É sempre melhor ouvir o Espírito Santo do que estar muito concentrado em dizer a Deus o que queremos que Ele ouça: ouvir implica obediência; portando, traduzindo: "Aproximar-se para ouvir é melhor do que os tolos oferecerem sacrifícios" (Smith-Goodspeed; cf. 1 Sm 15.22). Os **sacrifícios de tolos** seriam qualquer aproximação irreverente e não sincera diante de Deus. Moffatt traduz a última oração do versículo 1 como: "Tudo que um tolo sabe é fazer o que é errado" — até mesmo na adoração.

Não te precipites com a tua boca (2) dá a entender que o silêncio respeitoso ou reverente e uma oração bem pensada são muito mais apropriados do que muitas frases faladas de forma litúrgica já padronizada. "Este provérbio [v. 3] tem como propósito mostrar que, assim como atividades em excesso levam a uma noite cheia de sonhos, assim também a verbosidade leva o homem a pronunciar tolices (heb. 'a voz do tolo')".[10] Cf. Tg 1.19,26; 3.2-10.

2. *Cumpra os seus Votos* (5.4-7)
Um voto é essencialmente um contrato com Deus. É o compromisso que fazemos com Ele, e é perigoso não se preocupar em cumprir tais promessas. A orientação é clara: **Quando a Deus fizeres algum voto, não tardes em cumpri-lo [...] o que votares, paga-o** (4). **Melhor é que não votes do que votes e não pagues** (5). Mas "melhor é prometer e pagar" (Berkeley, nota de rodapé, *loc cit.*). Promessas feitas a Deus em momentos de confronto com Ele, se cumpridas, têm poder para nos levar a novos níveis de devoção; mas uma promessa a Deus que é quebrada coloca em risco nossa posição diante dele e arruina gradativamente a estrutura básica do caráter (Dt 23.21-23).

Tua carne (6) significa o próprio eu; conseqüentemente: "Não permitas que a tua boca te faça pecar" (Smith-Goodspeed). O **anjo** provavelmente seja uma referência ao sacerdote (Ml 2.7), e assim também ao pastor ou qualquer representante humano de Deus. **De sorte que destruísse a obra das tuas mãos** significa frustrar os planos de alguém ou diminuir o sucesso de seus empreendimentos. **Como na multidão dos sonhos [...] assim também nas muitas palavras** (7): veja o comentário no versículo 3.

Teme a Deus (7) é muitas vezes uma exortação bíblica sadia para se honrar e obedecer a Deus. Se este é o significado aqui, isso pode perfeitamente ser considerado um bom resumo de toda seção. Todavia, Rankin[11] e outros dizem que essa não é uma repreensão ao temor divino, mas é uma admoestação para não irritar um Deus tirano. Esta interpretação parece coerente com a maior parte da essência dos versículos 1-7. Deus está tão elevado acima e o homem tão abaixo (2) que é melhor evitar a Deus ao máximo. Os versículos 4-6 insinuam que Deus é um legalista que não ouve justificações e não permite erros. Nessa hora, *Qoheleth* não está na metade de sua jornada que passa do ceticismo à fé. Não é esse o retrato do Novo Testamento a respeito de Deus nem do ponto de vista cristão do relacionamento do homem com Ele. Jesus nos diz que Deus é um Pai bondoso e justo. Devemos amá-lo e lhe obedecer, mas nesse relacionamento devemos esperar encontrar um companheirismo que traz alegria em sua presença — podemos compartilhar com Ele nossas alegrias, erros e nossos problemas, quaisquer que sejam. Deus é um Companheiro a ser buscado, não um poder rígido a ser temido e evitado.

F. AJUSTANDO PROBLEMAS FINANCEIROS, 5.8-20

1. *Cobrando Responsabilidade de Autoridades Civis* (5.8-9)
Os versículos 8 e 9 parecem apresentar um aspecto econômico muito importante a respeito das injustiças da vida. A RSV dá uma interpretação precisa do versículo 8: "Se

vires em alguma província os pobres sendo oprimidos e o direito sendo suprimido de forma violenta, não te espantes diante disso". Existem duas razões pelas quais não deveríamos nos surpreender: a) **porque o que mais alto é do que os altos para isso atenta**; isto é, na cobrança dos impostos cada funcionário público mais alto observa aquele que está abaixo e exige a prestação de contas dele. **Há mais altos do que eles** talvez queira dizer que sempre existe algum outro funcionário mais alto a ser satisfeito. Contudo, uma interpretação legítima seria b) que a frase se refere ao próprio Deus. "Ao observar a escala hierárquica podemos, de acordo com a nossa visão, apenas ver 'os poderes que existem' ou podemos enxergar acima deles Aquele que irá 'julgar os órfãos e oprimidos' (Sl 10.18)".[12]

O versículo 9 dá a entender que, apesar de tudo, a renda do trabalhador deve pagar os custos do governo, e inclusive os agricultores explorados pelo **rei** se encontram numa situação melhor do que os agricultores sem governo: "Um país prospera com um rei que tem o controle" (Moffatt). É necessário o controle social em uma comunidade agrícola estabelecida, e muito mais controle é necessário onde milhões de pessoas moram em cidades abarrotadas.

2. A Riqueza é uma Bênção Ambígua (5.10-12)

Qoheleth diz que ainda que você seja sobrecarregado de impostos e não consiga acumular riquezas, não se angustie por isso. A riqueza é, na melhor das hipóteses, uma bênção ambígua. Fixar o coração em enriquecimento até que se torne sua maior preocupação é algo frustrante: **O que amar o dinheiro nunca se fartará de dinheiro** (10). "A não ser que a riqueza esteja na alma, os homens descem aos seus túmulos de mãos vazias". Jesus nos convida a relembrar que "a vida de qualquer não consiste na abundância do que possui" (Lc 12.15).

Onde a fazenda (bens) **se multiplica, aí se multiplicam também os que a comem** (11). "Quanto maior a quantidade de carne, maior a quantidade de bocas [...] Quanto mais os homens possuem, melhor é a casa que almejam, maior o número de empregados que precisam contratar, maior o número de convidados que precisam entreter [...] e maior [o número de parasitas] que eles terão nas suas costas".[13] Qual é a utilidade de mais dinheiro se tudo que ele requer é mais trabalho árduo? Ao se empanturrarem e se preocuparem demais com sua saúde, os ricos também perdem seu sono. Mas **doce é o sono do trabalhador** (12), devido ao seu trabalho físico e falta de preocupações.

3. A Riqueza com Freqüência se Perde (5.13-17)

Tanto aqui como em todo lugar (2.21, 3.16, 4.13), *Qoheleth* está refletindo sobre um caso particular que ele observou, um **mal que vi debaixo do sol** (13). Esse mal particular era um homem cujas **riquezas** foram mantidas para o seu **próprio dano**. Nesse caso, o seu dano surgiu devido à perda de sua riqueza "em um empreendimento infeliz" (14; Smith Goodspeed). Tendo perdido suas riquezas, o pai não tinha nenhum legado para deixar ao seu filho. O pronome "ele" (subentendido; v. 15) se refere mais ao pai do que ao filho. A última parte do versículo repete o fato óbvio que o acúmulo de riquezas é vaidade porque um homem não pode levar nada do seu trabalho com ele. **Assim nu voltará** significa que na morte do homem não havia nenhuma riqueza tangível para mostrar pela labuta da vida. Moffatt pergunta: "O que ele ganha por todos os seus esforços vãos, gastando os seus dias em escuridão, em privações, profundas ansiedades, angústias e acessos de raiva?" (16-17).

4. *Apegue-se à Riqueza Frouxamente* (5.18-20)
Aqui está o próprio julgamento do Pregador em relação à atitude certa com respeito ao dinheiro. "Veja! O que descobri por mim mesmo ser preferível e melhor é que ele coma e beba e descubra o prazer em todo o trabalho em que tanto se esforça" (18, Berkeley). Isso é o quanto a fórmula para uma vida agradável de Eclesiastes consegue chegar perto de ser totalmente realista. É muito melhor para o homem aproveitar o seu trabalho e os frutos dele do que se inquietar e se preocupar com isso. Até mesmo o homem que possui **riquezas e fazenda** (bens; v. 19) não deveria se tornar obcecado por elas. O ideal é o homem se manter interessado, atarefado e ocupado de maneira construtiva não importa quantas riquezas possua. Mas novamente causa arrepios a "fascinação quase mórbida pela morte"[14] que o autor tem. A melhor motivação que ele consegue dar à atividade é que o homem "não deve pensar com freqüência acerca da brevidade da sua vida" (Berkeley).

A atitude de se apegar à riqueza frouxamente é boa, mas melhor ainda é essa atitude acompanhada de uma fé cristã radiante! Rylaarsdam escreve: "Para *Qoheleth* [...] todos os valores humanos são relativizados porque nenhum deles é o meio para o fim do homem. Nessa consideração ele antecipa o ponto de vista de Paulo; o que ele carece é de clareza e convicção, apresentadas posteriormente, a respeito desse fim e do amor e do poder de Deus pelos quais ele é obtido".[15] Quando essa é uma parte real da fé e vida do homem, Deus verdadeiramente **lhe responde na alegria do seu coração** (20).

Seção III

NÃO HÁ SATISFAÇÃO EM BENS TERRENOS

Eclesiastes 6.1—8.17

A. FRUSTRAÇÕES DA RIQUEZA E DA FAMÍLIA, 6.1-12

Mesmo que o capítulo 6 seja exposto aqui sob uma nova divisão, ele está relacionado ao tema do capítulo 5. Os versículos 1 e 2 dão seqüência às reflexões do Pregador sobre as desilusões da riqueza. Tanto os versículos 1 e 2 como o 3 e o 6 são ilustrações da premissa estabelecida em 5.18-19, de que ter prazer é um presente de Deus, e que a paz de espírito é o maior bem que a vida pode oferecer.

1. *A Riqueza sem a Felicidade* (6.1-2)
O versículo 1 nos apresenta um outro mal que o autor tem **visto debaixo do sol**. Ele observa que esse mal **mui freqüente é entre os homens**. O hebraico seria traduzido de maneira mais precisa como: "pesa sobre os homens" (AT Amplificado). A frustração da riqueza sem o senso de uma vida digna é possível, obviamente, apenas para aqueles que possuem riquezas. Como conseqüência, é **mui freqüente [...] entre os homens** e mulheres de recursos.

Em 2.18-23, o problema foi o homem rico cuja fortuna seria desperdiçada por herdeiros imprudentes; em 5.13-17, foi o homem rico que a perdeu. Aqui o **mal** é o homem que possui riquezas, mas não encontra satisfação nelas — esse é o significado de **Deus não lhe dá poder para daí comer** (2). Os termos riquezas, fazenda e honra podem ser entendidos como dinheiro, propriedades e apreço. Aquele que os possui parece ter tudo o que **sua alma deseja**. Mas sem felicidade eles são em vão. Uma vida cheia de coisas mas sem a verdadeira felicidade significa **má enfermidade**. Como o conhecimento sobre um câncer que se alastra, isso restringe ou destrói as alegrias normais da existência de um homem.

2. A Família sem o Reconhecimento (6.3-6)

Uma família grande e longevidade eram consideradas grandes bênçãos entre os hebreus. Mas mesmo essas podem ser inúteis, ou piores que isso. **Se o homem gerar cem filhos (3) e se a sua alma se não fartar do bem** — isto é, não encontrar alegria neles — qual é o seu valor? Se **os dias dos seus anos forem muitos** mas **não tiver um enterro** — isto é, "um enterro nobre, que testifique do amor verdadeiro dos seus descendentes" — onde está o valor de uma vida dessas?

Os versículos 3-5 revelam a freqüência de comparações usadas pelo autor. **Um aborto** que não permite jamais um ser chegar à consciência de sua existência **é melhor** que uma vida que não encontra nenhuma satisfação digna. Mesmo aquele que está fadado ao fracasso desde o início, **porquanto debalde veio e em trevas vai** (4), e nunca recebe um **nome**, seu destino é preferível a uma vida sem propósitos. Nunca ter visto **o sol** (5) ou nem tê-lo conhecido é melhor que ter visto e conhecido as profundas desilusões que às vezes vêm da riqueza e da família.

Qoheleth não conseguia enxergar valor algum em uma vida na terra profundamente insatisfatória porque ele não possuía uma fé elevada na vida após a sepultura. **Duas vezes mil anos** (6) seria uma vida na terra duas vezes tão longa quanto a de Matusalém (cf. Gn 5.27). O raciocínio aqui empregado é que, se não existe felicidade na vida terrena, quanto maior a sua duração, pior a vida se torna. E quando você tiver somado todos os valores da existência terrena, a sua conta não terá chegado ao fim? **Não vão todos para um mesmo lugar** — a sepultura final e silenciosa? "Tanto o feto sem vida como o homem cuja vida foi longa mas desprezível, estão destinados ao Sheol, e o feto sem vida deveria ser parabenizado porque ele alcançou a meta por meio de um caminho mais curto e menos agonizante".¹

3. Mais algumas Frustrações (6.7-9)

a) *A satisfação terrena versus o desejo espiritual* (6.7). **Todo trabalho do homem** (o homem preso à terra) **é para a sua boca** ("auto-preservação e divertimento", AT Amplificado), **e, contudo, nunca se satisfaz** (fome espiritual). "Toda vida humana é uma busca de prazer e diversão, mas é uma busca de diversão e prazer vãos em si mesmo, e que não levam à verdadeira satisfação".²

b) *Nem mesmo a sabedoria é suficiente* (6.8). Aqui, num único versículo, *Qoheleth* repete o argumento de 2.12-17 (veja também comentários neste trecho). O Pregador não responde à sua própria pergunta. Ao contrário, o ponto de vista subentendido é que se viver para a própria "boca" (7) não é suficiente, também não é suficiente viver pela mente. A base dessa conclusão está no versículo 6 — ambos "vão para um mesmo lugar". A frase **andar perante os vivos** é interpretada por Galling para significar: "viver sem o pensamento do dia de amanhã". Assim ele pensa que o significado do versículo é: "Que vantagem tem o homem sábio sobre o tolo, o homem que possui conhecimento, mas vive impensadamente?"³

c) *Uma resposta insatisfatória* (6.9). Aqui novamente *Qoheleth* chega à sua resposta insatisfatória — Faça o melhor da sua vida enquanto você vive. Pelo fato de o homem sábio com suas altas metas — **o vaguear da cobiça** — não possuir nada melhor do que o tolo que só busca prazer, por que então deveria fazer todo o esforço? A pessoa deveria estar contente com aquilo que vem fácil e naturalmente. A frase: **vaidade e aflição de espírito** pode ser aplicada à seção inteira (7-9); por outro lado, pode ser aplicada especificamente à conclusão infeliz do versículo 9.

4. *Um Homem Finito contra o Destino* (6.10-12)
Aqui *Qoheleth* sumariza seu ponto de vista pessimista de toda condição humana. **Seja qualquer o que for, já** [...] **foi nomeado** significa o todo da existência — **e sabe-se**, i.e., e é pré-conhecido e predeterminado. O homem é uma criatura finita e não pode **contender com o que é mais forte** (Deus) **do que ele**. O versículo 11 afirma que o homem é tão impotente contra o seu Criador que isso torna toda a discussão inútil. O versículo 12 é um clamor final no escuro: "Quem pode dizer o que é bom para o homem nesta vida, durante os poucos dias da sua vida vazia que passa como uma sombra? Pois quem pode dizer ao homem o que vai acontecer neste mundo depois de ele partir?" (Moffatt).

"Como é impressionante em todo o livro de Eclesiastes a evidência de que, enquanto Salomão, o esbanjador, está dando tudo de si para provar que a vida é fútil e indigna de ser vivida, o Espírito Santo está usando-o para mostrar que essas conclusões são um efeito trágico de se viver meramente 'debaixo do sol' — ignorando o Senhor, longe de Deus o Pai, à margem da influência do Espírito Santo — e ainda assim face a face com os mistérios da vida e da natureza!"[4]. Atkins comenta sucintamente: "A não ser que haja riqueza na alma, os homens vão para os seus túmulos de mãos vazias".[5]

B. SABEDORIA PRÁTICA EM UM MUNDO PECAMINOSO, 7.1-29

Este capítulo contém uma série de provérbios e outras breves observações. Eles estão ligados pelo tema comum que faz sentido para o nosso tipo de mundo. A série é evocada pela pergunta de 6.12: "o que é bom nesta vida para o homem [...] ?".

1. *A Base para Escolhas Sábias* (7.1-4)
O versículo 1 começa com um jogo de palavras no hebraico: *Shem* (**nome**) é melhor que *shemen* (**ungüento**). Trata-se de um conselho sábio que diz: se você quer ter uma vida útil, viva de forma tal que construa uma boa reputação. A oportunidade na vida freqüentemente depende da sua imagem na cabeça de seus parceiros e amigos. Muitas vezes no Oriente os homens usam perfume para se tornarem socialmente mais aceitos. Mas para aceitabilidade realmente significativa o bom nome" (**a boa fama**) é melhor que **ungüento**.

O restante dessa seção ressalta que uma abordagem séria da vida é melhor que um estado de espírito alegre. A vida é mais um negócio do que uma festa. Adotar essa conduta leva às melhores decisões e à melhor reputação. **O dia da morte,** etc. (1) provavelmente significa: É melhor visitar o desolado do que ir a uma festa de aniversário. Esta interpretação é apoiada pelo versículo 2: **Melhor é ir à casa onde há luto do que ir à casa onde há banquete.** A morte é **o fim de todos os homens** — uma experiência que é comum a todos — e esse fato atribui uma perspectiva correta a muitas decisões. Por essa razão, **os vivos** irão prestar a atenção devida ao fato.

Melhor é a tristeza do que o riso (3) porque momentos de tristeza nos fazem pensar seriamente. "Nesses casos a maioria dos homens se coloca no tribunal de sua própria consciência, e opta pelo aperfeiçoamento da vida".⁶ A declaração **porque com a tristeza do rosto se faz melhor o coração** dá a entender que "um choro intenso alivia a revolta emocional" (Berkeley, nota de rodapé). Por causa desses fatos, aquele que é sábio é propenso à seriedade:

> *A mente dos sábios está na casa do luto,*
> *mas a mente dos tolos, na casa da alegria* (4, Smith-Goodspeed).

2. *Algumas Armadilhas antes de chegar ao Julgamento Correto* (7.5-10)
Julgamentos confiáveis se baseiam em saber quais informações devem ser rejeitadas e quais aceitas. Aqui, o Pregador indica algumas coisas que uma pessoa sábia vai evitar.
Esta passagem serve como explicação prática do tópico: "Conselhos Bíblicos a Pessoas Sábias de Deus":

a) *Não aceite conselho errado* (7.5-6). Dê ouvidos a conselheiros confiáveis, mesmo quando seus conselhos doem. **A repreensão do sábio** (5) pode machucar momentaneamente; mas se ele é sábio, ele nos repreendeu porque estávamos errados e precisávamos de correção. **A canção do tolo** pode significar ou a bajulação para evitar a verdade que machuca ou simplesmente opiniões irresponsáveis. Ambos são como **o crepitar dos espinhos debaixo de uma panela** (6) — talvez eles sejam luminosos e com aspecto interessante, mas não cozinham a comida.⁷

b) *Não permita que o seu julgamento seja distorcido por circunstâncias irrelevantes* (7.7).
Um homem pode tomar decisões erradas e falar coisas erradas por pressões emocionais. A respeito dos filhos de Israel lemos o seguinte: "Indignaram-no também junto às águas da contenda, de sorte que sucedeu mal a Moisés, por causa deles" (Sl 106.32-33). Somos advertidos que a **opressão** "e a extorsão faz do sábio um tolo, e o suborno destrói o entendimento e o julgamento" (AT Amplificado).

c) *Não tome decisões com base em coisas incidentais* (7.8a). **Melhor é o fim das coisas do que o princípio delas,** diz o pregador; tome suas decisões da perspectiva de propósitos e alvos básicos; não faça caso de reações incidentais anteriores.

d) *Não seja impaciente* (7.8b). **Altivo de coração** aqui provavelmente significa ser precipitado porque alguém está com pressa. A paciência persistente resolve muitos problemas que não se solucionariam por pressão imediata. "É melhor esperar em silêncio o desenrolar de uma questão, e não julgar ou agir até que isso aconteça, do que proceder de maneira impulsiva e com uma precipitação impetuosa, e assim trazer más conseqüências sobre alguém".⁸

e) *Não fique irritado* (7.9). **Não te apresses [...] a irar-te.** A ira sempre é inimiga do pensamento claro e do julgamento confiável. Apenas os **tolos** deixam que essa inimiga da alma destrua suas relações pessoais e suas reputações como pessoas responsáveis.

Matthew Henry comenta: "Não fique irado antes da hora [...] Não fique irado por muito tempo [...] Aquele que antes se considerava tão sábio não deve dar lugar ao Diabo, não deve deixar que o sol se ponha sobre a sua ira, Ef 4.26,27".[9]

f) *Não reclame dos tempos* (7.10). Reclamar de modo rabugento que **os dias passados** [são] **melhores do que estes** está além da conduta do homem sábio. Em primeiro lugar, mesmo se for verdadeiro, isso nunca contribui muito para resolver os problemas de hoje. Além do mais, **nunca com sabedoria isso perguntarias**, porque mais freqüentemente do que imaginamos temos fatos insuficientes para formar um julgamento adequado. No que diz respeito à decisão e ação: "O hoje nos pertence, somente o hoje".

3. *Busque a Sabedoria* (7.11-12)
Talvez alguém discorde e se imagine desafiando o Pregador com esta pergunta: "Qual o valor da sabedoria sem o dinheiro?". O sábio disse de maneira geral que a sabedoria era melhor que a riqueza (Pv 16.16). *Qoheleth* declara:

A sabedoria é tão boa quanto a herança,
um grande benefício para a humanidade (11, Moffatt).

Os que vêem o sol se refere ao homem em sua existência terrena. Ambas, sabedoria (12) e dinheiro, possuem valor,

mas a sabedoria faz mais bem do que o dinheiro,
é uma proteção para a vida do homem (Moffatt).

Clarke comenta: "O *dinheiro* é o recurso que serve de apoio para a nossa vida física: mas a *sabedoria* — a religião do Deus verdadeiro — dá *vida aos que a possuem*. O dinheiro não pode obter o favor de Deus, nem dar *vida* à alma".[10]

4. *Confie em Deus* (7.13-14)
É provável que esses dois versículos estejam ligados com os versículos 11 e 12 (cf. a divisão de parágrafos em algumas versões). Quanto à distribuição da riqueza, ele diz: **Atenta para a obra de Deus**. De acordo com a sua provisão, Ele coloca o dinheiro nas mãos de poucos, mas a sabedoria está ao alcance de todos. **Aquilo que é torto não se pode endireitar** é uma metáfora que revela a soberania de Deus (cf.1.15). Qualquer coisa que for dada por Ele, é sabedoria para o homem **no dia da prosperidade**, para que goze **do bem** (14) e **no dia da adversidade**, para que leve em consideração. A expressão **para que o homem nada ache que tenha de vir depois dele** significa: "para impedir que o homem saiba o que vai acontecer" (Moffatt).

"Deus entrelaça suas provisões, e encobre suas provisões, para que, incapazes de enxergar o futuro, possamos aprender a depositar nossa confiança nele em vez de em qualquer bem terreno [...] Por conseqüência, torna-se necessário ao homem [...] aceitar tanto o torto como o reto, o mal como o bem, da mão de Deus, e confiar nele em tudo quanto suceder".[11]

5. *Evite o Farisaísmo e a Perversidade* (7.15-18)

O argumento dessa passagem dá suporte a um ponto de vista situado entre, por um lado, o legalismo moral e, por outro, a licenciosidade moral de propósito. Trata-se de um juramento a favor da sabedoria dentro de um julgamento ético. *Qoheleth* apresenta como premissa no versículo 15 que recompensas justas para os que praticam o bem ou o mal não são evidentes nesta vida: **um justo [...] perece e um ímpio prolonga os seus dias**. Os versículos 16 e 17 se referem aos que são "inflexivelmente devotos", aos demasiadamente sábios e aos extremamente perversos. Já que o homem não tem a sabedoria de Deus ele é aconselhado a moderar seu julgamento e suas ações. **Não sejas demasiadamente justo** (16) se refere ao tipo de virtuosismo farisaico que nosso Senhor tanto condenou (cf. Mt 5.20; Lc 5.32).[12] O **demasiadamente sábio** é aquele que aspira uma sabedoria absoluta que não tolera qualquer diferença de opiniões. Extremos desse tipo destroem a influência de alguém para o bem e são desagradáveis a Deus.

Acerca de **não sejas demasiadamente ímpio** (17) Clarke comenta: "Não multiplique a maldade, não acrescente a oposição direta à religiosidade ao restante dos seus crimes. Por que você iria provocar a Deus para que este o destruísse antes da hora?".[13]

Depois de todos esses conselhos de precaução, *Qoheleth* reconhece que um homem precisa dar um passo à frente quanto ao certo e errado. **Bom é que retenhas isso** (18, retidão). Rankin explica o versículo 18c desta maneira: "Aquele que teme a Deus irá cumprir suas tarefas em qualquer circunstância ou 'irá preservar uma atitude digna' (Odeburg) perante todos os homens".[14]

6. *Seja Sábio, mas Lembre-se de que Você é Humano* (7.19-20)

Estes versículos resumem e ajudam a fundamentar o seguinte argumento, i.e., a sabedoria é boa, mas nenhum homem é perfeito. **A sabedoria fortalece o sábio** (19) "mais do que [ele poderia ser fortalecido por] dez governadores ou generais corajosos que estão na cidade" (AT Amplificado). A tradução do versículo 20 na ARC dá a entender que existe base para a doutrina da necessidade de o homem pecar. Tal base não está presente no hebraico. Acerca de uma passagem paralela que vem dos lábios de Salomão em 1 Reis 8.46, Clarke escreve: "O original [...] *ki yechetu loch* [...] deveria ser traduzido por SE eles pecarem contra Ti [...] *ki ein Adam asher lo yecheta*, pois não existe nenhum homem que TALVEZ não peque, i.e., não existe [...] nenhum que não seja suscetível a transgredir".[15] Além do mais, o termo **peque** talvez não se refira aqui ao pecado no sentido de "uma violação deliberada da vontade de Deus". Rankin interpreta o versículo assim: "Não existe um homem absolutamente bom, um homem sem nenhuma falta moral".[16]

7. *Ignore Críticas Injustas* (7.21-22)

O conselho sábio aqui é: não se chateie por todas as coisas que você escuta; você pode ter certeza de que algumas pessoas vão criticar o que você diz e faz; apenas lembre isto: **o teu coração também já confessou muitas vezes que tu amaldiçoaste a outros**. "Examinemos quanta verdade existe nas fofocas a nosso respeito; examinemos a nós mesmos em vez de imitar os fofoqueiros" (Berkeley, nota de rodapé). Existe um grande encorajamento em lembrar o que a Bíblia reivindica a respeito de julgamentos injustos — "E o SENHOR o ouviu" (Nm 12.2). Se Ele ouviu, e se nós pertencemos a Ele, não precisamos nos preocupar a respeito disso.

8. Lembre-se de que Você não é Onisciente (7.23-24)

Tudo isso (23) se refere às questões que acabaram de ser comentadas. Qoheleth tinha tentado sinceramente "ver a vida de maneira constante e na sua totalidade", mas ele foi obrigado a admitir suas limitações. Moffatt apresenta uma tradução criteriosa: "Eu achei que tinha me tornado sábio, mas a sabedoria permaneceu fora do meu alcance. A realidade está adiante de mim; é profunda, muito profunda, e ninguém pode colocar suas mãos no coração das coisas". O tema é lembrado novamente em 8.16-17 (cf. Jó 11.7-8). "Ainda que a sabedoria que é essencial para a nossa salvação seja adquirida rapidamente, por meio do ensino do Espírito da sabedoria, mesmo assim na própria sabedoria existem níveis e profundidades que ninguém consegue alcançar ou penetrar".[17]

9. Lembre-se do Mal no Homem (7.25-29)

O autor nos lembra novamente da sua investigação meticulosa: **Eu apliquei o meu coração para saber** (25). Ainda que seja impossível examinar as profundezas da realidade definitiva (23-24), podemos saber com certeza que a **impiedade é loucura, e os desvarios são doidice**. O pior na maldade da vida Qoheleth encontra na mulher que usa seus encantos para escravizar um homem. Ela é **mais amarga do que a morte, a mulher cujo coração são redes e laços, e cujas mãos são ataduras**. O homem que **for bom diante de Deus** pode, com a ajuda dele, escapar; **mas o pecador virá a ser preso por ela**.

O autor não afirma que todas as mulheres são ruins (cf. 9.9), mas a porcentagem é alta! **Conferindo uma [...] com a outra** (27), ou, como nós diríamos, comparando duas a duas, ele chegou a essa conclusão. Ele encontrou **um homem entre mil [...] mas uma mulher entre todas estas não achei** (28). Mesmo que o próprio Salomão não seja o autor desse parágrafo, tanto a situação como a disposição do coração se encaixam com ele. Como sua avaliação das mulheres poderia ser diferente? As mil mulheres em sua vida (1 Rs 11.1-4) eram apenas seus brinquedos e fantoches. Como elas poderiam reagir diferentemente do que usar seu poder de influência que tinham sobre ele? "Tiradas de sua dignidade natural e usadas para satisfazer as necessidades, condenadas a ser brinquedos, treinadas apenas para atender aos sentidos, por que se espantar se elas caíram de seu devido lugar e honra?".[18]

No versículo 29, o autor suaviza o seu castigo de alguma forma ao reconhecer que existe uma tendência ao mal tanto nos homens como nas mulheres — porém **buscou muitas invenções** para fazer o mal (AT Amplificado). Esta é uma das poucas afirmações encontradas na Bíblia quanto à inocência original do homem e sua queda subseqüente (cf. Berkeley, nota de rodapé).

C. Aprendendo a Lidar com um Mundo Imperfeito, 8.1-17

1. Ajustando-se ao Inevitável (8.1-9)

Esta seção discute a conduta sábia sugerida a quem vive debaixo de um governo absoluto.

a) *Ode à sabedoria* (8.1). O versículo 1 é um pequeno poema de exaltação da sabedoria. Talvez tenha sido um ditado comum na época do autor. A tradução de Moffatt é atraente:

Quem pode ser como um homem sábio?
Quem pode explicar as coisas?
A sabedoria de um homem ilumina seu rosto,
podendo transfigurar até mesmo uma feição áspera.

A relevância desse versículo como introdução desse trecho se torna mais evidente quando "lembramos que o rei foi considerado o homem sábio por excelência, visto que sua função e posição davam acesso aos segredos de Deus".[19]

b) *É sábio obedecer ao rei* (8.2-6). **Eu digo: observa o mandamento do rei** (2) antecipa a orientação de Paulo aos cristãos (Rm 13.1-5). O conselho é o mesmo ainda que as razões não sejam idênticas. **E isso em consideração para com o juramento de Deus** (2) provavelmente significa o juramento de lealdade de alguém ao rei (Barton), embora possa ter o significado que Paulo deu à responsabilidade em obedecer às autoridades civis em virtude da lealdade à vontade de Deus.

Os versículos 3 e 4 são um apelo simples fundamentado na autoridade nua e crua. **Não te apresses a sair da presença dele** (3) é interpretado como: "Não se rebele precipitadamente contra Ele" (Moffatt). **Nem persistas em alguma coisa má** talvez signifique: "Não brinque com coisas adversas, pois Ele faz o que quer" (Berkeley). O versículo 4 diz claramente: "Visto que é a palavra do rei que vale, quem pode dizer a Ele: 'O que estás fazendo?'" (Berkeley). O autor fundamenta seu conselho ao nos lembrar que **Quem guardar o mandamento não experimentará nenhum mal** (5). Diante de circunstâncias impossíveis ou de uma autoridade irredutível, a pessoa faz bem em fazer concessões se não há questões morais envolvidas. É uma oração sábia aquela que diz: "Senhor, me ajuda a mudar o que pode ser mudado; me ensina a aceitar o que não pode ser mudado; e me dá a sabedoria para saber a diferença".

Os versículos 5b e 6 oferecem mais uma razão para a obediência mesmo quando a exigência é injusta. "O coração sábio reconhece que está vindo um tempo de julgamento, ainda que hoje os homens sejam esmagados na miséria sob um governo opressor; para todos existe o tempo de julgamento" (Moffatt).

c) *A vida às vezes não oferece escolha* (8.7-9). O versículo 7 pode ser lido no contexto do precedente. Se entendido dessa forma, significa que a pessoa nunca sabe qual vai ser o próximo passo do tirânico rei (Barton). Mas pode ser considerado também da perspectiva filosófica mais ampla de 3.22 e 6.12, segundo a qual simplesmente não sabemos o que o futuro nos reserva. Esta interpretação se encaixa melhor no versículo 9, em que *Qoheleth* enumera outras situações em que o homem se encontra a mercê de forças que estão fora do seu controle. O homem não possui **domínio** algum **para reter o espírito**[20] (8; "o fôlego de vida", AT Amplificado); **nem há armas** do exército que são disparadas simplesmente de acordo com o desejo do soldado; **nem tampouco a impiedade** será o "escudo dos ímpios" (Moffatt). Estas são as coisas que *Qoheleth* viu e às quais aplicou seu **coração** (9) enquanto contemplava a situação política humana em que "um homem tem poder sobre outro homem para feri-lo" (9, Smith-Goodspeed).

2. A Luta pela Fé (8.10-17)

Nos versículos 1-9, o autor tratou da acomodação ao mal e à opressão dos governantes; mas como pode alguém harmonizar a existência desse mal com sua fé em um Deus bom e onipotente?

a) *Uma declaração de fé* (8.10-13). O texto hebraico do versículo 10 é incerto. Na KJV "os perversos" são "esquecidos na cidade"; na RSV, seguindo a mesma idéia da Septuaginta "os perversos [...] foram louvados". Essa idéia se encaixa no contexto, enquanto a KJV é contrária. A ASV preservou tanto a formulação do hebraico como o significado no contexto, traduzindo assim o versículo: "Assim eu vi os perversos sepultados, e vieram ao túmulo; e os que haviam feito o bem saíram do santo lugar e foram esquecidos na cidade; isso também é vaidade". Pois os perversos serem sepultados em honra e os justos serem esquecidos são coisas que violam a ordem moral; mas a fé que *Qoheleth* tem se ergue acima do problema, pelo menos momentaneamente.

O versículo 11 menciona um fato amplamente reconhecido. O castigo para o pecado parece chegar tão tardiamente e ainda assim ser algo que acontece tão raramente que os pecadores continuam cantando, não sendo restringidos por medo algum. Mas apesar da contradição das aparências e da atitude descarada dos perversos, o autor declara sua própria fé. **Ainda que o pecador faça mal cem vezes, e os dias se lhe prolonguem, eu sei com certeza que bem sucede aos que temem a Deus, aos que temerem diante dele [...] Mas ao ímpio não irá bem** (12-13; cf. Sl 1.1-6). Esta também é a fé expressada por Lowell:

> *A verdade esteja sempre na forca, o errado sempre no trono,*
> *— Mas essa forca ainda vai balançar o futuro, e por trás do obscuro desconhecido*
> *Está Deus na sombra, protegendo os seus.*

Será como a sombra significa que os maus não prolongarão sua vida como uma sombra que cresce rapidamente, se aproximando assim do pôr-do-sol.

b) *Quando a fé vacila* (8.14-15). A bela fé que *Qoheleth* expressou nos versículos 12 e 13 não lhe serve mais como um guia para a vida. A sua mente se volta contra as maldades do versículo 10, e novamente ele se frustra porque os **justos** são recompensados de acordo com **as obras dos ímpios**, e os **ímpios** recebem o que merecem **as obras dos justos** (14). Quando *Qoheleth* se esqueceu de Deus (12-13) e focou sua atenção **sobre a terra** (14), a vida declinou. O máximo que ele podia dizer era: **porquanto o homem nenhuma coisa melhor tem** [...] **do que comer, beber e alegrar-se** (15). Esse é o limite da perspectiva de um homem preso à terra; isso ecoa como um refrão em Eclesiastes (3.22, 5.18). Quando não existe uma fé firme em um Deus justo, há poucos esforços que vão além da busca por uma vida confortável **debaixo do sol**.

c) *Andamos pela fé — se estivermos andando* (8.16-17). A conclusão a que se chega aqui é verdadeira, e é importante que a pessoa não a tenha como a verdade conclusiva da vida. *Qoheleth* declara que, embora um homem estude tanto que **nem de dia nem de**

noite vê [...] **sono nos seus olhos** (16), ainda assim ele não pode compreender o melhor bem da vida — **a obra que se faz debaixo do sol** (17). Isso repete o tema desenvolvido em larga escala em 1.12—2.26, e repetido em 7.23-24. *Qoheleth* rejeita de maneira sábia a conclusão final dos humanistas: "Um homem sábio pensa que está perto de descobrir o segredo, mas nem mesmo ele o encontrará" (Moffatt). Mesmo que por enquanto o autor "não carregue nenhuma lâmpada da revelação em sua mão [...] no momento ele irá confiar na razão e na experiência, e assinalar as conclusões às quais elas o conduzirem quando desamparado por qualquer luz direta dos Céus".[21]

Mas a luz da razão sem qualquer auxílio não brilha longe o suficiente. Se um homem deve andar sem tropeçar, ele deve aceitar a luz adicional da fé na revelação da justiça de Deus (cf. Is 55.6-11). *Qoheleth* possuía o segredo nos versículos 12 e 13, mas deixou que lhe escapasse. Após a razão ter nos mostrado seus limites mais extremos, a fé precisa ir mais longe para iluminar o caminho. O espírito do homem precisa viver por sua fé: "Porque eu sei que o meu Redentor vive, e que por fim [...] verei a Deus" (Jó 19.25-26).

Os versículos 10-17 podem ser usados como sermão, sendo os itens a, b e c as suas subdivisões.

Seção **IV**

AS INJUSTIÇAS DA VIDA NAS MÃOS DE DEUS

Eclesiastes 9.1—10.20

A. Pensamentos a Respeito da Morte, 9.1-18

1. *A Morte Alcança a Todos* (9.1-3)
O Pregador reconhece que a vida dos **justos, e os sábios,** [...] **estão nas mãos de Deus** (1), mas ele não consegue dizer se isso é bom ou ruim. "Ele irá amá-los? Ele irá odiá-los? Ninguém consegue dizer; qualquer coisa pode acontecer a eles" (1, Moffatt).
A obsessão quase louca de *Qoheleth* com a morte é novamente a paralisia que destrói sua fé. Não importa o que um homem é ou faz, ele morre — **o mesmo sucede ao justo e ao ímpio** (2). As expressões **puro** e **impuro** provavelmente se referem à preservação das práticas cerimoniais, como também ao contraste entre um homem que apresenta sacrifícios e um homem que não o faz. "O homem profano age como o homem cujo juramento é sagrado" (Moffatt).
Este é o mal que há entre tudo (3) provavelmente significa: "Mal como esse não existe nenhum no mundo" (Moffatt). Tal frustração gera o **mal** nos corações dos homens e os preenche com **desvarios** tanto durante **sua vida** como **depois** [que] **se vão aos mortos**. Aqui se encontra o problema de todos aqueles cuja fé não lhes oferece nenhuma visão além da sepultura, mas cuja própria natureza clama por tal fé.

2. *A Morte Parece o Final de Tudo!* (9.4-6)
Em um momento precipitado e desesperado, *Qoheleth* disse que a morte era melhor que a vida (4.1-3). Mas poucos homens com saúde e em sã consciência se posicionarão diante desse assunto com essa postura. *Qoheleth* não o faz. Ele agora declara que **melhor é o cão vivo do que o leão morto** (4)[1] Porque enquanto um homem está vivo, **há**

esperança, e ele também aproveita todos os benefícios de uma vida consciente. **Mas os mortos não sabem coisa nenhuma** (5). "Uma vez tirados da vida, eles não conhecem nada do que se passa **debaixo do sol** (6). Seus dias de provação estão acabados, e ainda assim eles não podem obter nenhuma **recompensa** (5) por viverem uma vida santa; mas também não podem estar expostos a qualquer tipo de castigo por crimes em estado de provação, pois isso acabou".[2]

3. *Aproveite a Vida enquanto Você Pode* (9.7-10)

Aqui o autor repete (cf. 2.24; 3.12,22; 5.18; 8.15) sua filosofia de vida — a filosofia mais elevada normalmente atingível por um homem que não possui fé em um Deus íntegro e em uma vida consciente além da sepultura. **Pão e vinho** eram os meios de sustento e diversão aceitáveis. **Pois já Deus se agrada das tuas obras** (7) tem sido interpretado de várias formas como: a) Aproveite a vida porque isso é o que Deus planejou para que os homens fizessem; b) Já que você serve a Deus e Ele aceita suas obras, você pode contar com uma vida satisfatória; c) Já que você não pode saber o querer e os caminhos de Deus, tire o máximo de proveito daquilo que você consegue entender e desfrutar. O terceiro ponto de vista é mais coerente dentro do contexto. **Vestes** [...] **alvas** (8) eram as roupas adequadas para a corte e ocasiões festivas. Óleo na cabeça era um símbolo de alegria (cf. Sl 23.5; 45.7).

Embora a filosofia de *Qoheleth* esteja associada aos aspectos terrenos, ela não incentiva a glutonaria nem a sensualidade; ela simplesmente representa a nossa convivência agradável nas casas de regiões urbanas calmas e pacíficas. Há o bastante para comer, roupas boas e cosméticos, um casamento adequado com **a mulher que amas** (9), e um envolvimento ativo com seu trabalho e *hobbies* — **Tudo quanto te vier à mão para fazer, faze-o conforme as tuas forças** (10). Isso é considerado por muitos "a boa vida", mas mesmo nisso existem limitações inoportunas que obrigam o autor a designar isso de **vaidade** [...] **vaidade**. Até mesmo o casamento mais feliz existe apenas durante **os dias** [...] **os quais Deus te deu debaixo do sol,** e nem a profissão nem os *hobbies* vão além da **sepultura, para onde tu vais**.

Existe uma verdade muito séria no versículo 10 mesmo para os cristãos que acreditam na imortalidade. A vida na terra é uma provação que oferece algumas oportunidades que terminam na sepultura. A verdade de Eclesiastes é refletida pelas palavras de Annie Coghill:

> *Trabalhe, pois a noite está chegando...*
> *Quando o trabalho do homem estará terminado.*

O próprio Jesus nos lembra de que nossa limitação de tempo nos proporciona o senso de urgência no cumprimento de nossas tarefas: "Convém que eu faça as obras daquele que me enviou, enquanto é dia; a noite vem, quando ninguém pode trabalhar" (Jo 9.4).

4. *Nem mesmo os Sábios Podem Vencer* (9.11-12)

Nos versículos 1 e 2 foi dito que tanto o reto como o sábio estavam sujeitos ao mesmo destino que os maus. *Qoheleth* tratou dos retos (2-10) e agora se inclina a considerar os sábios. Homens zelosos sempre acreditaram que a inteligência e o conhecimento são vantagens na vida, mas *Qoheleth* se encontra numa frustrante rebelião intelectual. Ele declara que **não é dos ligeiros a carreira, nem dos valentes, a peleja, [...] mas que o tempo e a sorte pertencem a todos** (11). O termo **sorte** significa infortúnio, azar. Entre esses infortúnios, o **tempo** (limitado pela morte) é o pior. Até mesmo o mais sábio **não conhece o seu tempo** (12), mas como peixes **que se pescam com a rede** ou **passarinhos que se prendem com o laço,** a morte **cai de repente sobre** ele.

A verdade é que *Qoheleth* estava certo — mas só parcialmente certo. Os velozes vencem mais corridas que os lentos — mas eles não vencem todas as corridas. Existem forças na vida que são submetidas à inteligência e ao poder humano, mas existem elementos afetando o destino humano que Deus reservou para que estivessem debaixo do seu próprio domínio. É nosso dever aprender qual é qual, administrar os elementos que foram colocados sob o nosso controle e aceitar com temor reverente e obediência amorosa as forças que o Deus soberano reservou para si mesmo.

5. *A Sabedoria é Melhor que a Força* (9.13-18)

O próprio *Qoheleth* conhecia o valor relativo da sabedoria, embora tenha expressado o seu argumento a favor da sorte e da morte (11 e 12) de maneira tão vigorosa que alguém poderia não enxergar as qualificações que ele apresenta a seguir. Novamente o nosso filósofo e político lembrou de um incidente histórico no qual o significado foi **grande** (13) para ele (cf. 4.13-16). **Uma pequena cidade** (14) com **poucos** recursos para se defender foi salva do ataque de **um grande rei** porque **vivia nela um sábio pobre** (15). Aqui a sabedoria prova o seu próprio valor. Embora o homem fosse **pobre** e aparentemente não reconhecido como líder, ainda assim as suas sábias sugestões se provaram louváveis por seu povo e ele **livrou aquela cidade pela sua sabedoria**.

Mas o pobre e pessimista *Qoheleth* não consegue deixar um fato heróico e otimista ficar sem mancha; ele tem a necessidade de apontar para "a mosca na sopa" — **ninguém se lembrava daquele pobre homem**. Apesar disso, o valor da sabedoria vence no final: **Melhor é a sabedoria do que a força** (16), mesmo quando **a sabedoria do pobre foi desprezada e as suas palavras não foram ouvidas**.

Ao refletir sobre isso, *Qoheleth* diz que melhores são **as palavras dos sábios [...] do que o clamor do que domina sobre os tolos** (17) e também que **melhor é a sabedoria do que as armas de guerra** (18). Os versículos 17 e 18 incluem uma estrofe de quatro linhas que *Qoheleth* compôs ou copiou, pois ela expressa seus pensamentos muito bem. Moffatt a traduz assim:

> *As palavras dos sábios, ouvidas em silêncio, valem mais*
> *do que os gritos de quem governa entre festeiros.*
> *Melhor é a sabedoria do que as armas de guerra,*
> *mas um só errante destrói uma boa estratégia.*

B. Sabedoria e Tolice, 10.1-20

1. *Um pouco de Tolice Pode Arruinar uma Vida* (10.1-4)

Embora tratada sob um tópico diferente, esta seção está intimamente ligada ao fim do capítulo 9. O versículo 1 explana a última frase de 9.18. A tradução literal "moscas da morte" tem conotações impressionantes. Um pecado consegue desfazer muitas coisas boas, e um julgamento infeliz consegue danificar ou destruir por completo a reputação de **sabedoria** e **honra** (1) de uma vida toda.

a) *A natureza da tolice* (10.1-3). O versículo 2 retorna à idéia de exaltação da sabedoria que começou em 1.16-18. O **coração do sábio** (2) é o seu julgamento. A **mão direita** se refere à luz e retidão enquanto que a **esquerda** representa a escuridão e o erro. Até mesmo quando o tolo erra por acaso, **lhe falta entendimento, e diz a todos que é tolo** (3).

Como alguém identifica a falta de sabedoria em si mesmo e em outros? Como é possível corrigi-la? A sabedoria significa o julgamento correto; o julgamento exato inclui o conhecimento dos fatos reais e estabelecer as conexões corretas entre eles. Nenhum homem consegue ser sábio se ele for ignorante ou precipitado em seu julgamento. **E diz a todos que é tolo** talvez queira dizer que as ações e palavras do tolo revelam sua tolice. Se é assim, essa revelação é feita: a) por falar demais e pensar de menos; b) por julgamentos precipitados sem considerar os fatos; c) por ter opiniões firmes e rápidas para cada assunto; e d) por agir como se sempre estivesse correto e os outros sempre estivessem errados. Moffatt traduz assim o versículo 3:

> *Até mesmo na maneira de caminhar o tolo demonstra a sua falta de senso, pois ele chama a todos de tolos.*

b) *A tolice de uma renúncia precipitada* (10.4). Este versículo examina um instante em particular quando uma pequena tolice pode rapidamente destruir uma vida.

> *Se o temperamento de um líder se levanta contra você,*
> *Não se demita do seu posto,*
> *Pois a serenidade pode prevenir erros sérios* (Berkeley).

O conselho é que se você possui um emprego, e sente que deve mantê-lo, não se demita. Supere a tempestade, espere para decidir, ou deixe a iniciativa e decisão para outros. Esse versículo foi chamado de "sabedoria para o homem submisso" (cf. Pv 10.12; 15.1; 25.15), mas contém as virtudes recomendadas por Aquele que disse: "bem-aventurados os mansos, porque eles herdarão a terra" (Mt 5.5).

2. *A Tolice e a Sabedoria em Lugares Altos* (10.5-20)

a) *A escolha de líderes incompetentes* (10.5-7). Provavelmente, existe aqui uma progressão muito mais psicológica do que lógica do versículo 4 ao versículo 5. No versículo 4, *Qoheleth* nos preveniu contra a tolice na presença de um líder [ou chefe, ou governador]. Isso lhe sugeriu um momento de tolice **como o erro que procede do governador** (5). Trata-se do mal de designar homens incompetentes para posições que exigem responsabilidade e manter líderes sábios afastados de posições de influência (cf. Pv 19.10; 30.21-22). Este mal também pode existir em sistemas de votação ou em procedimentos de nomeação. Todos aqueles que têm a responsabilidade de escolher líderes sábios deparam com esse problema — pois a sabedoria em líderes é a virtude mais importante. O hebraico dá a entender que esse **mal** muitas vezes não é intencional.[3] Mesmo assim, é um mal.

Aqui, o autor iguala os **ricos** (6) e **príncipes** (7) aos sábios. Naquela época, andar **a cavalo** era um marco de prestígio e honra; e andar (a pé) demonstrava a sina dos homens bons, mas talvez incompetentes.

b) *A sabedoria da ação* (10.8-11). A verdade central desses ditados é que existem perigos em qualquer ação significativa de alguém — fazendo uma **cova** ou rompendo um **muro** (8), removendo **pedras** ou cortando a **lenha** (9). Não obstante, a ação precisa ser realizada (cf. 11.4-6), mesmo quando existem perigos. Esses perigos podem ser evitados basicamente por meio de uma precaução adequada — **A sabedoria é excelente para dirigir** (10). Entretanto, tal sabedoria precisa ser praticada antes de decisões serem tomadas ou ações serem realizadas —

> *Se a cobra picar antes do encanto,*
> *então a habilidade do encantador não o beneficia* (11, Berkeley).

Como se diz, não adianta trancar a porteira depois que o cavalo foi roubado.

Alguns tradutores vêem aqui o castigo adequado para a má ação de se fazer uma cova para enganar alguém, romper um muro para roubar e remover pedras para alterar as linhas que demarcam as divisas. Mesmo que essa interpretação seja possível, ela não se encaixa no contexto.

Vemos novamente que a conexão da passagem com a seção que segue é psicológica. O erro acidental das más escolhas (5-7) propõe uma ampliação da idéia dos perigos latentes principalmente para pessoas com responsabilidades administrativas. O texto hebraico refletido no versículo 11b da ECF parece relacioná-lo aos versículos 12-15 — o "falador" (11) e os "lábios do tolo" (12). A maioria das versões modernas segue a ASV e associa isso aos versículos 8-11: "Então o encantador não traz vantagem alguma" (cf. Berkeley acima).

c) *A natureza da tolice — continuação* (10.12-15). Estes versículos continuam a reflexão a respeito da natureza destrutiva da tolice (cf. vv. 1-3). O versículo 12 é um provérbio tipicamente antitético em que a segunda parte contrasta com a primeira:

> *As palavras que saem da boca do homem sábio são bondosas,*
> *Mas os lábios do tolo o destroem* (Smith-Goodspeed).

Esta seção pode ser uma observação geral da tolice, mas como ela foi colocada entre os versículos 1-11 e 16-20, ela possui uma relevância especial para governantes.

A sabedoria e a tolice são reveladas por meio da fala da pessoa. Um ditado popular diz: "Um tolo pode se passar por sábio se mantiver sua boca fechada; mas assim que ele a abrir, não restará dúvida alguma". O versículo 13 indica uma deterioração progressiva:

> *O princípio das suas palavras é tolice,*
> *E o fim do seu discurso é estupidez perversa* (Berkeley).

No versículo 14, vemos um tema conhecido em Eclesiastes. O tolo não só multiplica as palavras, mas fala de modo infantil a respeito do sentido da vida — **não sabe o** homem o que será; e quem lhe fará saber o que será depois dele? — o que nem mesmo um homem sábio pode saber. O versículo 15 deu trabalho aos tradutores. A primeira parte parece indicar a confusão que a atitude dos tolos gera para eles próprios: **O trabalho dos tolos a cada um deles fatiga**. A respeito da última parte, Clarke escreve: "Eu creio que isto deve ter sido um provérbio: 'Ele não sabe nada; não conhece nem seu caminho para a vila mais próxima'".[4]

d) *Líderes indignos* (10.16-19). *Qoheleth* se volta do mal geral do homem que é tolo para falar a respeito de uma tragédia mais profunda: as pessoas cujos líderes e governantes são indignos. **Ai de ti, ó terra** (16) é uma forma de maldição às vezes encontrada na literatura da sabedoria (cf. 4.10), e muitas vezes nos livros dos profetas (e.g., Is 5.8-23; Jr 50.27; Os 7.13; Am 6.1).[5] **Cujo rei é criança** foi interpretado literalmente, mas o significado provavelmente é mais amplo, incluindo os governantes irresponsáveis que agem como crianças. Festejar **de manhã** significa transformar o dia em confusão (cf. Is 5.11; At 2.15), e colocar o prazer pessoal acima do dever oficial. A manhã era o horário em que a justiça nas cortes do Oriente geralmente era executada (Jr 21.12).

O versículo 17 é um contraste com o versículo 16 e demonstra um uso da bem-aventurança (bênçãos) comum na literatura sapiencial (cf. Sl 1.1; Pv 3.13; 8.34). A expressão **filho dos nobres** dá a impressão de estar dando igual valor tanto aos bem-nascidos como aos capazes. Entretanto, ela pode possuir um significado que vai além do literal, isto é: "um filho de nobres — não apenas no sangue, mas na virtude, na verdadeira nobreza".[6] A segunda metade do versículo tem sido traduzida como: "E seus oficiais se divertem na hora adequada, para ter força, e não para se embriagar!" (AT Amplificado).

Os versículos 17-19 aparentam ser três provérbios que ou foram criados ou usados por *Qoheleth* para embasar sua argumentação a respeito dos governantes. No versículo 18, governantes insensíveis são condenados por deixarem o estado cair em ruínas. Talvez haja uma brincadeira nas palavras do versículo 18b: *Mãos caídas constroem uma casa caída*, sendo as mãos caídas um sinônimo de preguiça (Barton; cf. Pv 10.4).

No versículo 19 são detalhadas as conseqüências das atitudes que arruínam os governantes. Talvez o grau de maldade aumenta na seqüência da lista:

> *Os homens celebram por pura diversão,*
> *e bebem para a sua alegria —*
> *e o dinheiro resolve tudo!* (Moffatt).

e) *Até mesmo o governo ruim possui valor* (10.20). Este pode ser simplesmente um aviso de prudência — **Nem no teu pensamento amaldiçoes o rei, nem o rico** (os que detêm autoridade). É possível que o conselho seja apenas para mantê-lo fora de encrencas. A conversa negligente [despreocupada] é perigosa e consegue chegar aos ouvidos a respeito de quem conversamos. Era comum os anciãos acharem que os pássaros possuíam algum tipo de poder sobrenatural. Este pode ter sido o provérbio original: **as aves dos céus levariam a voz.** Cf. nossa expressão acerca da comunicação misteriosa: "um passarinho me contou".

Mas se formos um pouco além da interpretação acima, pode ser que haja mais do que prudência aqui. Em outros lugares, *Qoheleth* encoraja o apoio ao governo estabelecido (8.1-5). Isso está de acordo com o ensinamento do Novo Testamento (Rm 13.1-7).

Seção V

COMO MELHOR INVESTIR NA VIDA

Eclesiastes 11.1-8

Qoheleth está se aproximando do fim de sua exploração sobre o significado e propósito da vida. Freqüentemente ele deparou com frustrações e muitas vezes se acomodou ao pessimismo e à mediocridade, mas suas conclusões finais são otimistas e de muito valor.

A. Seja Generoso, 11.1-3

O autor já lidou com a vida egocêntrica antes (5.10-12; 6.1-6). Não compensa; por isso, viva de maneira generosa. A vida é incerta e grande parte dela não está sob o nosso controle; mesmo assim, a generosidade e a disposição para ajudar são melhores do que o egoísmo. **Lança o teu pão sobre as águas** (1) é uma metáfora. Alguns estudiosos a explicariam como semear grãos de arroz de um barco em águas rasas de um campo alagado. Outros a associam aos negócios — entregar o seu grão para o transporte arriscado no Mediterrâneo. Em qualquer uma das interpretações fica claro o risco tanto quanto a promessa de uma vida generosa — investimentos baseados nas leis de Deus de semeadura e colheita. O Targum entende isso como dar pão aos pobres marinheiros.[1] O versículo 2 é melhor entendido como uma exortação adicional a respeito do compartilhamento generoso. **Reparte com sete e ainda com oito** é um jeito prático de dizer: compartilhe com muitos. Mesmo que você não saiba **que mal sobrevirá à terra,** viver generosamente é muito melhor do que uma vida de egoísmo.

O versículo 3a talvez sugira a generosidade de Deus como uma nova motivação para a vida altruísta (cf. Mt 5.44-45). **Caindo a árvore** [...] **aí ficará** (3b) sugere claramente o elemento do destino inescapável. Mas o contexto do capítulo inteiro sugere que aqui Qoheleth esteja falando dos resultados inevitáveis das escolhas humanas. O tipo de vida que você leva determina o tipo de pessoa que você será. O julgamento final de Deus e a realidade da vida na fase adulta e da velhice levam a pessoa a tomar as decisões corretas já desde a juventude (cf. capítulo 9 e 12.1).

Alguns intérpretes entendem os versículos 1-3 como sendo os únicos conselhos econômicos prudentes em um mundo incerto e difícil. Mas aceitar esse ponto de vista isola a passagem do conselho espiritual de 11.7—12.7.

B. Seja Diligente no Trabalho, 11.4-6

Aqui *Qoheleth* resume um tema já visto em 10.8-9. A boa vida requer decisão e ação. Existem incertezas e perigos, mas aquele que espera pela sabedoria completa e a segurança perfeita nunca irá sofrer riscos. **Quem observa o vento,** isto é, espera até que não haja nenhum vento para atrapalhar até mesmo o espalhar de suas sementes, **nunca semeará** (4). Também, **o que olha para as nuvens** — para ter certeza de que suas sementes, quando cortadas, não se molhem[2] — **nunca segará** [colherá].

No versículo 5, somos lembrados de que sempre existem fatores que são do exclusivo conhecimento de Deus em qualquer decisão que tomemos. O significado do **caminho do vento** deve ser fornecido pelo contexto, visto que a palavra pode significar "espírito" ou "vento". Muitos tradutores modernos a definem como "vento" e a relacionam ao versículo 4. Moffatt o transforma em poesia:

> *Assim como você não sabe para onde sopra o vento,*
> *nem como um bebê cresce no ventre,*
> *assim você não pode saber como Deus trabalha,*
> *Deus que está em tudo.*[3]

O conselho do versículo 6 é um resumo claro tanto da conclusão como do raciocínio:

> *Pela manhã semeie seus grãos,*
> *E até a noite não dê descanso às suas mãos,*
> *Pois você não sabe o que vai prosperar, isso ou aquilo,*
> *Ou se ambos se sairão bem (Smith-Goodspeed).*

C. Seja Alegre, 11.7-8

Ainda há pouco *Qoheleth* disse que a morte era melhor que a vida (4.2-3). Mais tarde ele admite que a vida é melhor que a morte (9.4). Agora ele reconhece que a vida pode ser ao menos uma alegria menor: **Verdadeiramente suave é a luz, e agradável é aos olhos ver o sol** (7). Um homem deve viver alegremente sua vida inteira, mas deve lembrar que não vai viver aqui para sempre. Aqui a vida chega a um fim, e *Qoheleth* tem poucas expectativas da vida além da sepultura. Permita-se que um homem "considere os dias de sua escuridão, pois haverá muitos. Tudo que vem é futilidade e nulidade" (8, Berkeley).

No capítulo 11, existe uma "Mensagem para o jovem": 1) Viva generosamente, versículos 1-3; 2) Viva de maneira diligente no trabalho, versículos 4-6; 3) Viva alegremente, versículos 7-10; 4) Viva com a perspectiva do amanhã, versículos 3b, 8b e 9b.

Seção **VI**

VENDO A VIDA POR COMPLETO

Eclesiastes 11.9—12.14

Nesta seção final, *Qoheleth* apresenta uma afirmação resumida das conclusões obtidas em sua busca pelo significado da vida. Ele ainda é um pessimista, mas ao menos tem em vista todos os elementos necessários — juventude, velhice, morte e a responsabilidade do homem de "temer a Deus e obedecer aos seus mandamentos".

A. A Vida Terrena em Perspectiva, 11.9—12.8

1. *Juventude, Morte e a Responsabilidade Final diante de Deus*, 11.9—12.8

A sabedoria requer que todos os fatos sejam considerados de maneira correta para se chegar a uma conclusão. Os fatos da vida são a) as energias e alegrias da juventude, b) o declínio inevitável das energias na velhice, c) a certeza da morte e d) a prestação de contas a Deus pela administração da vida. Os valores mais altos da vida precisam ser definidos com base nessa perspectiva dos fatos.

Na juventude as energias e alegrias são tão reais que chega a ser difícil considerar os outros três fatores; por isso, o Pregador precisa dar o conselho de Deus. As pessoas podem e devem aproveitar a vida. **Alegra-te, jovem, na tua mocidade,** [...] **e anda pelos caminhos do teu coração** (9). Hendry escreve que as pessoas deveriam aceitar a juventude com suas bênçãos e oportunidades, com o reconhecimento sóbrio de que tanto a juventude como a idade estão sujeitos aos desígnios de Deus".[1] Mas, além disso: **sabe, porém, que por todas essas coisas te trará Deus a juízo.** Karl Barth nos lembra de que existe "o grande Mas" no qual o plano revelado de Deus para a provação do homem é cristalizado.[2] Por essa razão, o conselho mais importante da vida é este: **Lembra-te do teu Criador nos dias da tua mocidade** (12.1). **A adolescência e a**

juventude são vaidade (11.10) simplesmente significa que elas não duram para o resto da vida. Elas são fúteis apenas no sentido de que não são a última etapa.

Adam Clarke sugere a seguinte exposição dessa seção: 1) Você não pertence a si mesmo; 2) Lembre-se do seu Criador; 3) Lembre-se dele nos dias da sua mocidade; 4) Lembre-se dele agora.[3]

2. *Idade Avançada* (12.1b-5)

Os maus dias (1) aqui se referem à velhice, não à morte, como no capítulo 11.8. O mal desses dias está na sua miséria e limitações (cf. 2 Sm 19.33-35). **Não tenho neles contentamento** se refere às experiências anteriores da vida que ofereciam alegria. Em toda literatura ninguém retratou de maneira tão comovente a velhice. Aqui de fato está "a música da mortalidade". O texto é obscuro em alguns lugares, e a linguagem é a imagem do poeta. Não se tem concordância de interpretação em relação a algumas frases, mas o significado está claro e é maravilhoso em quase todas as traduções.

A velhice é vista como um tempo de luz efêmera e de dias escuros de inverno. **As nuvens** (2) dão a entender depressão e **a chuva** pode ser entendida como lágrimas. (AT Amplificado). "O esplendor e a alegria, o calor e os raios de sol, se esvaíram".[4] **Os guardas da casa** (3) são os braços que se enfraquecem e as mãos que tremem. **Os homens fortes** são as pernas que se curvam com a idade. **Os moedores** são uma figura retórica para os dentes. A tradução literal é: "criadas moedoras"; é uma referência ao costume do Oriente segundo o qual os grãos eram moídos pelas mulheres. A expressão **se escurecerem os que olham pelas janelas** é uma referência aos olhos que já não enxergam.

Rankin[5] interpreta todo o versículo 4 como um processo de surdez. Assim **as janelas** seriam os ouvidos[6] que, quando fechados, deixam para fora os sons **da rua**. O **ruído da moedura** é o som habitual da vida na casa. A **voz das aves** é como soa a voz do surdo: aguda e parecida com a dos pássaros.[7] Para o surdo "todas as notas de uma música ficam mais fracas" (Smith-Goodspeed).

No versículo 5, a imagem da casa é deixada de lado, mas a descrição da velhice continua. **O que está no alto** descreve o temor em relação às alturas por causa da instabilidade, tontura ou brevidade da respiração. **Espantos no caminho** é uma referência aos perigos de uma caminhada devido à falta de agilidade e risco de quedas. A **amendoeira** florescente (aberta em flores brancas) é uma figura de linguagem poética para os cabelos grisalhos. **O gafanhoto for um peso** é geralmente interpretado como se até mesmo um objeto pequeno fosse difícil de ser carregado.[8] **Perecer o apetite** é traduzido de maneira mais literal como: "o negociante de bagas é ineficiente" (Smith-Goodspeed). No tempo de *Qoheleth*, essa baga [tipo de fruto carnoso e comestível] era usada para estimular o desejo sexual; por essa razão, a versão *Berkeley* diz que "o desejo do homem se vai" (nota de rodapé). Um significado mais amplo, e um fato real da vida, é sugerido pela ARC, isto é, que todos os apetites naturais já não são tão intensos como no início da vida. Moffatt convenientemente conclui essa descrição do período final da vida da seguinte forma:

> *Então o homem vai para o seu longínquo, longínquo lar,*
> *e pranteadores passam pela rua.*

Mas devemos nos lembrar de algumas coisas que *Qoheleth* não incluiu. Atkins expressa a sua conclusão de forma muito interessante: "Se a velhice não for perseguida por fantasmas demais como remorsos e medos, pode ser um tempo gracioso de tranqüilidade, com os tesouros das lembranças, a recompensa dos filhos dos filhos, a abençoada camaradagem da mente e do espírito — e do descanso. Como um fim de tarde num dia de verão, quando as nuvens já cobriram quase todo o céu, mas a luz ainda tarda mais um pouco, e ainda se ouvem algumas notas musicais dos pássaros nas copas das árvores, e esse crepúsculo é paz. Pode ser de fato mais do que isso; pode ser a estação para ceifar e armazenar a última colheita da vida.[9]

3. A Morte Faz Parte da Vida (12.6-8)

Tão certo como a manhã que vem após a noite, a morte vem após a velhice. E mesmo que o raciocínio do versículo 6 venha naturalmente do versículo 5b, o conectivo **antes** (6) remete ao versículo 1: Lembre-se do seu Criador **antes que se quebre a cadeia de prata.** A imagem do **copo de ouro** talvez venha dos móveis do templo, onde esse recipiente continha o óleo que mantinha acesa a chama das lâmpadas dos castiçais (cf. Zc 4.2-3). No entanto, aqui a imagem é de um **copo de ouro** suspenso por uma **cadeia** [um cordão] **de prata.** O cordão é cortado; o copo cai e se quebra ("se despedaça"). As duas figuras seguintes representam a vida como um instrumento essencial para a continuação da existência. É um **cântaro,** sem o qual ninguém pode beber da **fonte,** e uma **roda** sem a qual ninguém consegue tirar água do **poço.**

Todas essas metáforas representam a vida terrena como algo que termina subitamente e que não tem a possibilidade de ser recuperado — o cordão é cortado; o copo despedaça, o cântaro e a roda estão quebrados. Agora *Qoheleth* medita a respeito do que a Bíblia diz sobre a criação do homem (cf. Gn 2.7): **e o pó volte à terra, como o era, e o espírito volte a Deus, que o deu** (7). Pela última vez, Eclesiastes dá o seu parecer a respeito da vida que um homem acredita terminar na sepultura: "Completamente fútil [...] tudo é fútil!" (8, Moffatt).

Nos versículos 1-7, encontramos uma advertência divina: **Lembra-te do teu Criador.** 1) Lembre-se dele nos dias da sua juventude, 1; 2) Lembre-se dele antes que os dias da velhice venham, 2-5; 3) Lembre-se dele antes que você seja chamado para se encontrar com Deus, 6 e 7.

B. A Vida à Luz da Eternidade, 12.9-14

Os versículos finais são uma recomendação do autor e um resumo de suas idéias. Alguns intérpretes concluem que eles foram adicionados por algum discípulo, mas uma hipótese como essa não é necessária. Não existe mudança alguma no vocabulário ou no estilo;[10] e outros autores inspirados aprovaram este conselho, que eles próprios defenderam (cf. 1 Co 7.25).

1. Qoheleth *como Professor* (12.9.12)

O Pregador (9) não era apenas **sábio** mas também procurou ser um professor — para compartilhar sua sabedoria com outros. A expressão **quanto mais** [...] **tanto**

mais sugere que o autor escreveu outros provérbios que não estão neste livro: "Ele escreveu, e escolheu e organizou muitos provérbios" (Smith-Goodspeed). A frase **Procurou o Pregador achar palavras agradáveis** (10) demonstra a preocupação do autor com seu estilo. Ele sabia que "como maçãs de ouro em salvas de prata, assim é a palavra dita a seu tempo" (Pv 25.11). Mas como um verdadeiro homem de Deus, **o Pregador** nunca deixou que seu estilo confundisse a transmissão de sua mensagem; o que ele escrevia eram **palavras de verdade**. Estas palavras eram **como aguilhões, e como pregos;** isto é, elas possuíam "uma brevidade penetrante [...] uma influência estimulante e minuciosa"[11] (cf. Hb 4.12). **Mestres das congregações** é melhor traduzido como "coleção de ditos" (cf. NVI, Berkeley, AT Amplificado). "A expressão **único Pastor** se refere não a *Qoheleth* ou a Salomão, mas a Deus, o manancial da sabedoria".[12] Visto que essas palavras foram dadas sob inspiração divina, o autor segue com total convicção para a sua exortação: **E, de mais disso, filho meu, atenta** (12). Muitos **livros** foram escritos e muito estudo foi dedicado para se descobrir o sentido da vida. Mas longe da revelação, esses livros apenas levam ao **enfado [...] da carne**. O homem de Deus reconhece a importância do intelecto (9.17-18), mas ele também está ciente de suas limitações (8.17).

2. *A Resposta de Deus à Busca do Homem* (12.13-14)

O estado de espírito com o qual Eclesiastes termina é o seguinte: O que já foi escrito é o suficiente, assim, vamos descobrir o propósito **de tudo o que se tem ouvido** (13). Esta declaração fala claramente da revelação divina. Existe um **Deus** no céu ao qual o homem deve temer. Ele nos deu seus mandamentos, os quais espera que nos esforcemos em guardar, **porque este é o dever de todo homem** — e todo o dever do homem (cf. ASV, nota de rodapé).

Deus é um Deus santo, e Ele está preocupado com a santidade ética dos homens. Ele vai **trazer a juízo toda obra** (14) — até mesmo **tudo o que está encoberto**. Cada ato e cada pensamento do homem, tudo vai ser julgado tendo como base se foi **bom** ou **mau**.

Qoheleth apresenta a busca pelo maior bem do homem. Como sempre, sua melhor resposta, baseada apenas neste mundo, é: viva da maneira mais confortável possível. Mas mesmo neste mundo a realização de objetivos dignos é melhor do que o mero conforto.

> *Não é o divertimento, e não é o sofrimento,*
> *O caminho ou o fim que nos foi destinado;*
> *Mas agir, para que cada amanhã*
> *Nos encontre mais longe do que hoje.*[13]

Jesus nos conta que tanto o nosso conforto como o nosso empenho encontram seu significado e seu lugar no fato de comprometermos toda a nossa vida a Deus. **Mas buscai primeiro o Reino de Deus, e a sua justiça, e todas essas coisas vos serão acrescentadas** (Mt 6.33).

Notas

INTRODUÇÃO

[1] *Know Your Old Testament* (Kansas City, Mo.: Beacon Hill Press, 1947), pp. 149-50.

[2] *An Introduction to the Old Testament* (Grand Rapids, Mich.: Wm. B. Eerdmans Publishing Co., 1950), p. 340.

[3] "Ecclesiastes", *The New Bible Commentary*, ed. F. Davidson, *et al.* (Grand Rapids, Mich.: Wm. B. Eerdmans Publishing Co., 1953), pp. 338-39.

[4] *A Survey of Old Testament Introduction* (Chicago: Moody Press, 1964), pp. 465-66. Veja aqui sua explicação a respeito da estrutura lingüística peculiar de Eclesiastes.

[5] "Ecclesiastes", *The International Critical Commentary*, ed. C. A. Briggs, *et al.* (Nova York: Charles Scribner's Sons, 1908), p. 162.

[6] *The Book That Is Alive* (Nova York: Charles Scribner's Sons, 1954), p. 30.

[7] *Op. cit.*, pp. 460-62.

SEÇÃO I

[1] A tradução grega do AT, muitas vezes abreviada por LXX.

[2] Gaius Glenn Atkins, "Ecclesiastes" (Exposition), *The Interpreter's Bible*, ed. George A. Buttrick, et al. (Nova York: Abingdon-Cokesbury Press, 1951), V, p. 32.

[3] Quem se entrega ao vinho, e mesmo assim conduz o seu coração com sabedoria, talvez vai iludir-se a si mesmo da mesma forma que faz isso ao pensar que pode servir tanto a Deus quanto a mamom" (Matthew Henry, *Commentary on the Holy Bible* [Chicago: W. P. Blessing Company, s.d.], Vol. III, *ad loc.*).

[4] A segunda metade do versículo 12 é uma explicação posterior como o conselho para o benefício de outros que poderiam procurar a satisfação em ganhos pessoais: Se o rei Salomão, com seus recursos, não o conseguiu com seus esforços, qual seria a possibilidade de homens mais comuns o conseguirem?

[5] *Cato*, Ato V, Sc. 1.

[6] *The Holy Bible with a Commentary and Critical Notes* (Nova York: Abingdon-Cokesbury, s.d.), Vol. III, *ad loc.*

SEÇÃO II

[1] Cf. a forma poética em Berk, RSV, *et al.*

[2] *Op. cit*, p.43.

[3] Cf. O. S. Rankin, "Ecclesiastes" (Exegesis), *The Interpreter's Bible*, ed. George A. Buttrick, *et al.* (Nova York: Abingdon-Cokesbury Press, 1956), V, p. 44, acerca de uma interpretação rabínica diferente do versículo 5.

[4] *The Berkely Version*, nota de rodapé, *loc. cit.*

[5] "Em uma manhã gelada na fazenda é comum verificar o fôlego das pessoas e dos animais; o primeiro subindo, o outro descendo, como o 'Pregador' o descreve. Talvez ele tenha visto um sinal do destino final da alma boa — o céu" (Berk., nota de rodapé, *loc. cit.*).

[6] *Op. cit.*, pp. 53-54.

[7] *Ibid.*, p. 54.

[8] *Op. cit.*, p. 596.

⁹ G. S. Hendry, *op. cit.*, p.542.
¹⁰ O. S. Rankin, *op. cit.*, p.57.
¹¹ *Ibid.*, p.58.
¹² O. S. Hendry, *op. cit.*, p. 542.
¹³ Matthew Henry, *op. cit.*, p.600.
¹⁴ J. Coert Rylaarsdam, "The Proverbs, Ecclesiastes, The Song of Solomon", *The Layman's Bible Commentary,* Vol. X, ed. Balmer H. Kelly, *et al.* (Richmond, Va.: John Knox Press, 1964), p. 114.
¹⁵ *Ibid.*, pp. 114-15.

SEÇÃO III

¹ George A. Barton, *op cit.*, p. 130.
² Tayler Lewis, *Commentary on the Holy Scriptures,* ed. John Peter Lange, trad. Philip Schaff (Grand Rapids Mich.: Zondervan Publishing House, s.d.), p.100.
³ Citação de O. S. Rankin, *op. cit.*, p. 62.
⁴ AT Ampl. (12), nota de rodapé.
⁵ *Op. cit.*, p.59.
⁶ Adam Clarke, *op. cit.*, p. 822.
⁷ Normalmente, o combustível usado era o esterco de vaca ressecado e que demorava a queimar. Produzia um calor eficaz, ao contrário dos espinheiros secos que queimavam só durante poucos minutos.
⁸ Tayler Lewis, *op. cit.*, p. 106.
⁹ *Op. cit.*, p. 605.
¹⁰ *Op. cit.*, p.823.
¹¹ Samuel Cox, "Ecclesiastes", *The Expositor's Bible* (Nova York: A. C. Armstrong and Son, 1903), p. 199.
¹² "Não se pode supor, exceto por aqueles que são totalmente alheios à natureza da verdadeira religião, que um homem tenha *santidade em excesso, ou vida de Deus em excesso em sua alma!*" (Adam Clarke, *op. cit.*, p. 824).
¹³ *Ibid.*
¹⁴ *Op. cit.*, p.67
¹⁵ *Op. cit.*, II, p. 416.
¹⁶ *Op. cit.*, p. 66.
¹⁷ Adam Clarke, *op. cit.*, p. 824.
¹⁸ Samuel Cox, *op. cit.*, p. 204.
¹⁹ J. Coert Rylaarsdam, *op. cit.*, p. 121.
²⁰ Alguns traduzem por "reter o vento" (Smith-Goodspeed e Moffatt). ASV e RSV seguem a KJV em fazer uma construção paralela com o "poder sobre o dia da morte".
²¹ Samuel Cox, *op. cit.*, p. 230.

SEÇÃO IV

¹ "Essa é uma frase reveladora para nós que sentimos as nossas próprias imperfeições; estamos vivos; podemos realizar aquilo que os maiores pensadores e realizadores, agora mortos, não podem realizar agora na terra" (Berk., nota de rodapé).
² Adam Clarke, *op. cit.*, p. 829.
³ Cf. Barton, *op. cit.*, p. 170; também Moffatt e Smith-Goodspeed.

⁴ *Op. cit.*, p. 833.
⁵ Rylaarsdam, *op. cit.*, p. 128.
⁶ A. R. Fausset, *A Commentary Critical and Explanatory on the Old and New Testaments*, Robert Jamieson, A. R. Fausset, e David Brown (Grand Rapids Mich.: Zondervan Publishing House, um vol., s.d.), p. 412.

SEÇÃO V

¹ Adam Clarke, *op. cit.*, p. 834.
² Barton, *op. cit.*, p. 183.
³ Cf. RSV e Smith-Goodspeed acerca de uma interpretação alternativa.

SEÇÃO VI

¹ *Op. cit.*, p. 545.
² *Op. cit.*, p. 836.
³ Citado por Hendry, *ibid.*
⁴ Rankin, *op. cit.*, p. 84.
⁵ *Ibid.*, p. 85.
⁶ Com base em figuras retóricas do AT, alguns intérpretes entendem **as portas** como uma referência a "lábios" (cf. Sl 141.3; Mq 7.5).
⁷ Outros relacionam essa frase à falta de sono dos mais velhos que têm a tendência para "acordar com as galinhas".
⁸ Adam Clarke, ao contrário, observa: "Mas provavelmente as palavras se refiram ao próprio homem que, com seu lombo inclinado, e seus braços dependurados, exibe algumas características do animal [inseto] em pauta" (*op. cit.*, p. 337).
⁹ *Op. cit.*, p. 84.
¹⁰ Hendry, *op. cit.*, p. 546.
¹¹ Lewis, *op. cit.*, p. 167.
¹² Rankin, *op. cit.*, p. 87.
¹³ H. W. Longfellow, "A Psalm of Life".

Bibliografia

I. COMENTÁRIOS

ATKINS, Gaius Glenn. "Eclesiastes" (Exposição). *The Interpreter's Bible*. Ed. George Buttrick, *et al.* Vol. V. Nova York: Abingdon-Cokesbury Press, 1956.

BARTON, George A. "Eclesiastes". *The International Critical Commentary*. Ed. C. A. Briggs, *et. al.* Nova York: Charles Scribner's Sons, 1908.

CLARKE, Adam. *The Holy Bible with a Commentary and Critical Notes*. Vol. III. Nova York: Abingdon-Cokesbury Press, s.d.

Cox, Samuel. "Eclesiastes". *The Expositor's Bible*. Nova York: A. C. Armstrong and Son, 1903.

Fausset, A. R. *A Commentary Critical and Explanatory on the Old and New Testaments*, Robert Jamieson, A. R. Fausset e David Brown. Grand Rapids, Mich.: Zondervan Publishing House. Um vol., s.d.

Hendry, G. S. "Eclesiastes". *The New Bible Commentary*. Ed. F. Davidson, *et al*. Grand Rapids, Mich.: Wm. Eerdmans Publishing Co., 1953.

Henry, Matthew. *Commentary on the Holy Bible*. Chicago: W. P. Blessing Co. Vol. III, s.d.

Lewis, Tayler. "Eclesiastes". *Commentary on the Holy Scriptures*. Ed. John Peter Lange. Tradução. Philip Schaff. Grand Rapids Mich.: Zondervan Publishing House, s.d.

Rankin, O. S. "Eclesiastes" (Exegesis). *The Interpreter's Bible*. Ed. George A. Buttrick, *et al*. Vol. V. Nova York: Abingdon-Cokesbury Press, 1956.

Rylaarsdam, J. Coert. "Proverbs, Ecclesiastes, The Song of Solomon". *The Layman's Bible Commentary*. Vol. X. Ed. Balmer H. Kelly, *et. al*. Richmond, Va.: John Knox Press, 1964.

II. OUTROS LIVROS

Archer, Gleason L., Jr. *A Survey of Old Testament Introduction*. Chicago: Moody Press, 1964.

Peterson, John. *The Book That Is Alive*. Nova York: Charles Scribner's Sons, 1954.

Purkiser, W. T., et. al. *Exploring the Old Testament*. Kansas City, Mo.: Beacon Hill Press, 1955.

_____. *Know Your Old Testament*. Kansas City, Mo.: Beacon Hill Press, 1947.

Rylaarsdam, J. Coert. *Revelation in Jewish Wisdom Literature*. Chicago: The University of Chicago Press, 1946.

Young, Edward J. *An Introduction to the Old Testament*. Grand Rapids, Mich.: Wm. B. Eerdmans Publishing Co., 1950.

CANTARES DE SALOMÃO

A. F. Harper

Introdução

Tanto **Cantares de Salomão** como o título alternativo **O Cântico dos Cânticos** vêm do primeiro versículo do livro. O cabeçalho **Cântico dos Cânticos** é uma tradução literal do hebraico *shir hashirim*. Essa linguagem coloca a ênfase na qualidade superlativa — portanto o cântico é descrito como o melhor ou o mais excelente cântico (cf. Gn 9.25; Êx 26.33; Ec 1.2). Na Vulgata (Bíblia latina) o livro é chamado de **Cânticos**.

Nas escrituras hebraicas, Cantares é o primeiro de cinco livros curtos chamados "Rolos" (*Megilloth*). Os outros quatro são Rute, Lamentações, Eclesiastes e Ester. Cada um desses livros era lido em um dos grandes festivais anuais judeus, sendo que Cantares era usado na época da Páscoa dos judeus.

A. Forma Literária

Cantares é um exemplo da poesia hebraica lírica; é por isso que as traduções para as línguas modernas são dispostas de forma poética (cf. Berkeley, RSV, Moffatt). Este antigo poema hebraico não tinha rima ou métrica como em nossa forma ocidental. Existe muito mais um equilíbrio e um ritmo de pensamentos do que de sílabas ou sons. As linhas são distribuídas de tal forma que o pensamento é apresentado de maneiras diferentes, pela repetição, ampliação, contraste ou resposta,[1] como em 8.6:

> *Porque o amor é forte como a morte,*
> *e duro como a sepultura o ciúme;*
> *as suas brasas são brasas de fogo,*
> *labaredas do* SENHOR.

B. Interpretação

Intérpretes concordam que Cantares de Salomão é um poema que tem como tema o amor, mas além disso existem diferenças grandes de interpretação.

Alegórica. Desde a época do Talmude (ca. 150 a 500 d.C.) era comum entre os judeus classificar este livro como uma música alegórica do amor de Deus por seu povo escolhido. Seguindo esse padrão, os cristãos viram essa idéia no contexto do amor de Cristo pela igreja. J. Hudson Taylor, seguindo o pensamento de Orígenes, encontrou aí uma descrição do relacionamento do crente com o seu Senhor.[2]

É natural que a interpretação alegórica tenha encontrado adeptos entre os homens devotos e estudiosos desde antigamente até os dias de hoje. O amor terreno imutável é o nosso relacionamento humano mais precioso e significativo. Sabemos que o nosso relacionamento com Deus deveria ser ao menos tão perfeito e de tão excelente qualidade quanto esse, então empregamos as nossas melhores ilustrações humanas na tentativa de descrever o amor e a resposta humano-divina.

Mas apesar do que foi dito a favor de uma interpretação alegórica do livro, este ponto de vista contém um defeito decisivo. Adam Clarke, o deão dos comentaristas wesleyanos, está entre aqueles que expõem essa fraqueza.

> Se essa maneira de interpretação [alegórica] fosse aplicada às Escrituras em geral, (e por que não, se é legítimo aqui?) a que estado a religião logo chegaria! Quem poderia ver qualquer coisa certa, determinada e estabelecida no significado dos oráculos divinos, quando *fantasia* e *imaginação* devem ser os intérpretes-padrão? Deus não entregou a sua palavra à vontade do homem dessa maneira [...] nada [deveria ser] recebido como a doutrina do Senhor a não ser o que deriva daquelas palavras claras do Altíssimo [...]
> Alegorias, metáforas e figuras de linguagem em geral, nas quais o desígnio está claramente indicado, que é o caso de todas aquelas empregadas pelos autores sacros, deveriam *ilustrar* e aplicar de forma mais clara a verdade divina; mas extrair à força significados celestiais de *um livro santo* onde não existe tal *indicação*, com certeza não é o caminho para se chegar ao conhecimento do Deus verdadeiro, e de Jesus a quem Ele enviou.[3]

Ao contrário da opinião de alguns estudiosos, parece questionável que a interpretação alegórica entre os judeus tenha sido um fator importante para a inclusão de Cantares no cânon do Antigo Testamento. O cânon foi finalmente aprovado por volta do fim do primeiro século d.C., e as interpretações alegóricas que são conhecidas há mais tempo aparecem no Talmude (do século II ao século V). Gottwald diz: "É provável que a interpretação alegórica tenha surgido após a canonicidade, e não antes dela".[4] É verdade que Orígenes e outros pais da igreja mantiveram a interpretação alegórica de Cantares. Mas Orígenes aplicou este mesmo método a outros livros da Bíblia, e nós já não aceitamos essa interpretação como válida para eles. Então por que seria necessário aceitá-la no caso de Cantares de Salomão?

Meek escreve: "A interpretação alegórica poderia fazer com que o livro significasse qualquer coisa que a imaginação fértil do intérprete pudesse inventar, e, no final, as suas próprias extravagâncias seriam a sua ruína, de forma que hoje esta escola de interpretação praticamente desapareceu".[5]

Literal. Com base nas premissas expressas acima está claro que o método alegórico deve ser rejeitado por ser um caminho inaceitável de interpretar a Bíblia. Por essa razão só aceitamos os métodos que nos permitem extrair o significado das palavras com base no sentido claro delas, como foram escritas. Fundamentado nisso, o Cantares de Salomão está falando do amor humano entre um homem e uma mulher. Foi esse amor que estava faltando quando Deus disse: "Não é bom que o homem esteja só; far-lhe-ei uma auxiliadora que lhe seja idônea" (Gn 2.18). Mas mesmo quando Cantares é interpretado de maneira literal, existe uma grande variedade de interpretações.

Cultual. Com a descoberta das antigas liturgias de culto do Oriente Próximo, emergiu uma teoria que interpretava o Cantares como um ritual pagão que havia sido secularizado ou até se adaptado para o louvor de Javé. Mas Gottwald ressalta que "existiriam problemas terríveis" se aceitássemos esta interpretação.[6]

Lírica. Entre os intérpretes contemporâneos tem sido comum explicar o Cantares como uma coleção de poemas de amor que descrevem a beleza física, cantados em casamentos sírios, e talvez em outras épocas, quando o amante ansiava expressar sua afeição por sua amada. Este ponto de vista pode elucidar a origem de algumas passagens em Cantares, mas não consegue explicar as evidências de unidade do livro.[7]

Três personagens. Este ponto de vista foi desenvolvido primeiramente por Ibn Ezra, popularizado por J. F. Jacobi (1771), e explicado de maneira detalhada e cuidadosa por Heinrich Ewald (1826).[8] Mesmo Meek, que rejeita esse ponto de vista, escreve: "Se o livro deve ser interpretado literalmente, existem dois amantes, um rei e um pastor".[9] Em 1891 Driver escreveu: "De acordo com [...] [esse] ponto de vista [...] aceito pela maioria dos críticos e intérpretes modernos, existem três personagens, isto é: Salomão, a serva sulamita e seu amante pastor".[10] Esta perspectiva foi defendida e desenvolvida mais recentemente por Terry[11] e Pouget.[12]

De acordo com a interpretação dos três personagens, a jovem mulher era a única filha entre vários irmãos que pertenciam a uma mãe viúva morando em Suném (veja mapa 3). Ela se apaixonou por um belo jovem pastor e eles então noivaram. Enquanto isso, em uma visita pela vizinhança, o rei Salomão foi atraído pela beleza e graça da jovem. Ela foi levada à força para a corte de Salomão ou simplesmente sob um impulso do momento (cf. 6.12) que veio dela mesma em acordo com os servos do rei. Aqui o rei tentou cortejá-la, mas foi rejeitado. Por causa da urgência que sentia, Salomão tentou fasciná-la com sua pompa e esplendor. Mas todas as suas promessas de jóias, prestígio e a mais alta posição entre suas esposas não conquistaram o amor da jovem. De modo imperturbável ela declarou o seu amor pelo seu amado do campo. Finalmente, reconhecendo a profundidade e a natureza do seu amor, Salomão permitiu que a moça deixasse sua corte. Acompanhada pelo seu querido pastor, ela deixou a corte e retornou ao seu humilde lar no campo.

Se essa interpretação for aceita, o tema do livro é a fidelidade ao amor em vez do amor conjugal somente, como se estivesse lidando com apenas dois personagens.

Ainda que existam problemas nessa interpretação, eles não são insolúveis. Este ponto de vista foi defendido por muitos estudiosos da Bíblia competentes e é aprovado pelo autor como a melhor base para esboçar e explicar o conteúdo do livro. Ao defender essa postura, deve-se admitir que as decisões quanto a quem está falando são totalmente subjetivas. Cada verso no livro é colocado nos lábios de algum orador na forma de discurso direto. Não existe, no entanto, qualquer indicação em nenhum momento que afirme ao leitor quem está falando. O esboço seguido neste comentário reflete uma concordância geral entre intérpretes que aceitam a interpretação dos três personagens. Há, com certeza, diferenças pequenas até mesmo entre aqueles que concordam acerca das divisões gerais. Nesses casos, o autor aceita a responsabilidade de escolha entre as alternativas.

C. Autoria

Já que as opiniões diferem entre si tão amplamente no que tange à interpretação, é natural que exista pouca concordância entre os estudiosos quanto a autoria do livro.

O ponto de vista tradicional, baseado em 1.1, é que o livro foi escrito pelo rei Salomão. Mas a linguagem do versículo pode ser entendida como *de* Salomão, *para* Salomão, ou *sobre* Salomão.

Muitos estudiosos rejeitam essa posição tradicional tendo por base que o livro possui palavras em aramaico que não existiam em Israel nos tempos de Salomão. Como resposta, alguém pode dizer que, em vista do contato de Israel com o mundo afora, tais termos poderiam ter sido facilmente aprendidos e usados nesse período.[13]

Se aceitamos a interpretação dos três personagens adotada neste comentário, a autoria de Salomão é questionada com base em fundamentos psicológicos. Argumenta-se que não seria muito comum o rei Salomão contar a história de sua rejeição por essa jovem, pela qual ele teria se apaixonado. Mas não seria sustentável que um homem com a mente e disposição filosófica como as de Salomão poderia ter escrito o Cântico como o temos hoje? Não é provável que ele o teria feito de imediato. Mas não poderia um Salomão mais velho e mais sábio, ao lembrar dessas experiências, ter se sentido motivado a escrever esse relatório? Será que não existe um ponto de referência, principalmente no fim da vida, a partir do qual a pessoa pode apreciar os fortes ímpetos da atração física, reconhecer as alegrias do amor humano e ao mesmo tempo dar um alto valor à lealdade constante que coloca a integridade acima da fascinação pela nobreza e riqueza? Se foi psicologicamente possível ao rei liberar com honra a jovem que ele poderia ter mantido pela força, não parece impossível o mesmo homem ter escrito a história. Sampey escreve: "Aos estudantes e editores posteriores a beleza e a força do livro parecem ter construído a dignidade literária do talentoso rei, cuja fama como escritor de provérbios e cânticos foi transmitida a épocas posteriores".[14]

O que devemos concluir? Dois estudiosos recentes e conservadores discordam. Woudstra (embora não aceite a interpretação dos três personagens) escreve: "Não existem bases suficientes para desviar-se desse ponto de vista histórico [a autoria de Salomão]".[15] Cameron confirma: "Se Ewald for seguido quando afirma que existe um amante pastor [...], a convicção na autoria de Salomão é fracamente sustentável, e é impossível descobrir quem é o autor".[16]

D. Data

Datar o livro depende do ponto de vista que temos acerca do seu autor. Se Salomão escreveu o Cantares, precisa ser datado no século X a.C. Os eruditos que procuram datá-lo de acordo com a ocorrência de palavras estrangeiras no texto situam o livro entre 700 a.C. e 300 a.C.

Esboço

I. Nome e Identificação, 1.1

II. Acordando para a Realidade, 1.2-4a

III. A Primeira Visita do Rei, 1.4b—2.7

    A. A Sulamita e as Solteiras, 1.4b-8
    B. Salomão e a Sulamita, 1.9—2.7

IV. Uma Visita e um Sonho, 2.8—3.5

    A. A Visita do Amado, 2.8.17
    B. O Primeiro Sonho do Amado, 3.1-5

V. O Rei Novamente como Pretendente, 3.6—5.1

    A. O Cortejo Real, 3.6-11
    B. O Segundo Pedido de Casamento do Rei, 4.1—5.1

VI. O Cântico do Amado, 5.2—6.3

    A. O Segundo Sonho da Sulamita, 5.2-8
    B. O Cântico da Sulamita para o seu Amado, 5.9—6.3

VII. A Proposta Suprema do Rei, 6.4—8.4

    A. O Cortejo Entusiástico, 6.4-10
    B. A Rejeição Eficaz, 6.11-12
    C. A Súplica das Mulheres, 6.13—7.5
    D. A Paixão em Chamas, 7.6-9
    E. O Clamor por Amor Verdadeiro, 7.10—8.4

VIII. Reunião e Reflexão, 8.5-14

    A. O Tributo da Sulamita ao Amor, 8.5-7
    B. Um Lembrete e uma Resposta, 8.8-12
    C. Afinal, a Recompensa do Amor, 8.13-14

Seção I

NOME E IDENTIFICAÇÃO

Cantares 1.1

A expressão **Cântico de cânticos** é a maneira de expressar superlativos em hebraico. É uma forma comparável a Senhor dos senhores e Santo dos santos. Para o autor, este cântico era o melhor do livro!

A locução **de Salomão** foi usada como uma evidência de que Salomão escreveu o livro. Entretanto, o texto não dá provas claras pois a palavra pode significar "por", "para" ou "sobre" Salomão. Veja Introdução, "Autoria".

Seção II

ACORDANDO PARA A REALIDADE

Cantares 1.2-4a

Deduz-se que a jovem sulamita (6.13) está para chegar à casa de verão do rei, que se situa no pé das montanhas do Líbano (veja mapa 3), em um jardim fechado por uma treliça. É a época da primavera.

A jovem solteira foi levada a força da sua casa, ou talvez tenha consentido, num estado mental de confusão, em acompanhar a carruagem do rei. Veja 6.12, que foi traduzido como:

> *Antes que eu estivesse consciente, a ilusão da minha alma*
> *me colocou na carruagem suntuosa do meu povo (Berk.).*

Quando a carruagem pára, a sulamita é rodeada pelas **filhas de Jerusalém** (5), que fazem parte do harém do rei na sua casa de verão. Quando ela percebe sua situação, uma grande saudade de seu amado a invade, e ela clama: **Beije-me ele com os beijos de sua boca** (2).

As solteiras procuram assegurar à sulamita que seu encanto e beleza serão a garantia do seu próprio futuro:

> *Pois melhores são os teus amores que o vinho.*
> *Na fragrância teus ungüentos são bons;*
> *Que o teu nome seja derramado como ungüento;*
> *Por isso as virgens te amam (Terry).*

Mas com medo e em vão, a jovem chama a carruagem que está partindo: "Arrasta-me contigo, corramos!" (4, BJ). A carruagem continua e a sulamita precisa enfrentar a realidade.

Seção III

A PRIMEIRA VISITA DO REI

Cantares 1.4b—2.7

Este episódio acontece em um dos aposentos onde as mulheres ficavam na residência de campo do rei. O plano foi que ali se desse o primeiro encontro entre a sulamita e Salomão.

A. A Sulamita e as Solteiras, 1.4b-8

A sulamita e as filhas de Jerusalém (5; fazem parte do harém do rei) são os únicos presentes no começo. A jovem exclama com incredulidade e choque: **O rei me introduziu nas suas recâmaras** (4). Diante disso as suas companheiras respondem com encorajamento:

> *Em ti nos regozijaremos e nos alegraremos;*
> *Elogiaremos o teu amor mais do que ao vinho;*
> *não é sem razão que te amam* (4, RSV).

A conversa continua em forma de diálogo:[1]

Sulamita: **Eu estou morena e formosa,**
ó filhas de Jerusalém (v. 5)

Mulheres (interrompendo): Escura como as tendas de Quedar,
graciosa como as cortinas de Salomão.

481

No versículo 6, a jovem implora que suas companheiras não a encarem porque sua pele é escura. Ela explica que seus irmãos **se indignaram** contra ela e como castigo a colocaram debaixo do sol palestino para trabalhar nas **vinhas.** A expressão **a vinha que me pertence não guardei** se refere a sua própria cor e pessoa.

1. *Um Clamor pelo seu Amado Distante* (1.7)

As memórias do ambiente de casa despertam dores agudas de saudade, e ela clama em angústia:

> Conte-me, você a quem profundamente ama minh'alma,
> Onde você apascentou seu rebanho,
> Onde você o fez descansar ao meio-dia
> Pois por que eu deveria ser como uma mulher disfarçada
> (com a vestimenta da meretriz, cf. Gn 28.15),
> Perambulando entre a multidão dos seus companheiros? (Berk.)

2. *A Resposta de um Harém Zombador* (1.8)

Enojadas com o fato de que a sulamita estava preferindo um pastor rústico em vez da atenção do rei, uma das amigas fala severa e sarcasticamente:

> Se você não sabe, mais bela das mulheres,
> Siga os passos do rebanho,
> E leve suas cabras a pastar
> Perto das tendas dos pastores (Pouget)

Não se pode prever o que poderia ter acontecido como resultado do começo dessa rixa no harém se o próprio Salomão não tivesse aparecido em cena.

B. SALOMÃO E A SULAMITA, 1.9—2.7

1. *Elogios e Promessas* (1.9-11)

Primeiro o rei faz grandes elogios à beleza e graça da jovem, comparando-a **às éguas dos carros de Faraó** (9). Este não é nem de perto um elogio para o gosto ocidental, mas nos países do Oriente isso expressaria a mais alta admiração. Clarke cita um momento comparável da literatura grega: "A dourada Helena, alta e graciosa, é tão destacada entre nós como um sulco no campo, um cipreste no jardim, ou um cavalo tessálio na carruagem".[2] Os **carros de Faraó** eram um tipo real distinto dos carros mais simples. No versículo 10, o rei presta atenção especial à feição do rosto da jovem:

> As suas maçãs do rosto são graciosas com tranças em seus cabelos,
> o seu pescoço com correntes de jóias (ASV).

No versículo 11, o pretendente real promete jóias cada vez mais valiosas: "Nós a enfeitaremos com correntes de pérolas, decoradas com prata" (Moffatt).

2. O Primeiro Sinal de Rejeição (1.12-14)

Este parágrafo dever se entendido como o primeiro lembrete ao rei de que sua atenção não é bem-vinda porque o amor dela foi prometido a outro. As expressões-chave são **à sua mesa** (12; heb., "sofá") em contraste com um possível "nosso sofá", e a ênfase em **o meu amado** (13). O significado disso aparentemente é que enquanto o rei estava no seu lugar característico e de direito e ela estava em sua situação legítima com seu noivo, seus encantos físicos eram salientes e convidativos. Mas nas atuais condições, o seu **nardo** não exalava nenhum perfume. Nos versículos 13 e 14, a jovem declara abertamente seu amor — mas é por outro. Ela carrega consigo a lembrança do seu amado no seu coração como se ela vestisse em seu peito um saco de mirra.

Terry enxerga a jovem se contraindo diante das investidas de Salomão, e traduz assim suas palavras:

> Enquanto o rei estava nos seus arredores,
> Meu nardo exalava seu perfume.
> Um saco de mirra é o meu amado para mim,
> Sobre o meu peito ele deve permanecer.
> Um ramalhete de flores de cipreste é o meu amado para mim,
> Entre as vinhas de En-Gedi.

3. Mais Persuasão e Recusa (1.15—2.7)

a) *Diálogo* (1.15—2.2). Apaixonado pela sulamita, e recusando-se a aceitar a relutância dela, o rei a pressiona:

> Eis que és formosa, ó amiga minha, eis que és formosa;
> os teus olhos são como os das pombas.

Mas a jovem responde como se estivesse falando a alguém muito distante: **Eis que és gentil e agradável, ó amado meu; o nosso leito é viçoso** (16). As palavras seguintes: **as traves da nossa casa são de cedro, as nossas varandas, de cipreste,** se referem ao gramado sombreado sobre o qual ela e seu amado estavam acostumados a repousar e conversar. Como todas as imagens a seguir, este versículo contém um lembrete agradável de que ela ama os campos e as árvores, não as atrações das casas de reis".[3]

O versículo 17 sugere as imagens relativas à floresta aberta em que as paredes laterais e o telhado da casa são feitos de árvores. Novamente, em 2.1, a jovem se identifica com um estilo de vida mais simples do que estar na corte do rei.

> Eu sou (somente) uma rosa (heb., açafrão) de Sarom,
> um lírio dos vales (RSV).

Mas o nobre pretendente apaixonado responde: Se você é apenas um lírio,

> Como um lírio entre espinhos
> É minha amada entre as jovens solteiras (Pouget).

As interpretações alegóricas antigas atribuíram as palavras de 2.1 ao Amado, e assim elas se aplicavam ao Senhor. Nesse contexto, o versículo foi a inspiração para as músicas evangélicas "Jesus, Rosa de Sarom" e "O Lírio do Vale".

b) *Amor com Honra* (2.3-7). Novamente nos versículos 3 e 4 a sulamita tenta deixar de lado o entusiasmo do rei contando a ele sobre o seu amor para com **o meu amado entre os filhos** (3). Ela escolheu a macieira como uma imagem para oferecer a ele o contexto do seu primeiro e verdadeiro amor. No versículo 3b é provável que exista uma alusão à combinação de proteção e profundas alegrias no casamento ordenadas pelo próprio Deus. Tendo feito as suas comparações do seu noivo com a macieira, ela suspira:

Eu anseio sentar debaixo de sua sombra,
E suas frutas são doces ao meu paladar (Pouget).

Pressupondo que no versículo 4 a sulamita continue pensando a respeito dos ambientes rurais como sua **sala do banquete,** Pouget traduz:

Ele me fez entrar em sua cabana
E a bandeira que ele estendeu sobre mim foi o amor.

Alguns acreditam que nos versículos 5-7 a sulamita continua falando ao rei. Outros entendem que o rei se retirou nessa hora e as palavras foram ditas apenas às **filhas de Jerusalém** (7). Em ambos os casos, a jovem rompe em um apelo comovente. Exausta pelo esforço emocional, ela pede **passas** (heb., bolos de passas) e **maçãs** (5) para fortalecerem-na fisicamente. **Porque desfaleço de amor** é melhor traduzido como: "porque estou farta do amor" (ASV).

No versículo 6, intérpretes mais antigos distinguiam entre "a mão esquerda como a mão da provisão e a mão direita como a mão da graça".[4] No entanto, com base no contexto, há aqui uma referência clara ao abraço do amor (cf. 8.3). O sentimento é equivalente a "Ele é o único que poderá me abraçar com a liberdade de um amado".[5]

A interpretação pessoal refletida na ARC — **não acordeis nem desperteis o meu amor** (7) — é rejeitada por muitos tradutores mais recentes em favor de uma declaração impessoal a respeito da paixão do amor. A versão *Berkeley* traz:

Não acorde e nem incite o amor,
Até que o próprio amor o queira.

Morgan enxergou aqui uma advertência bíblica muito clara, principalmente para os jovens.[6] Deus deu as emoções do amor conjugal. Elas foram dadas para o bem-estar e a felicidade do homem. Mas elas fazem essa contribuição para a vida apenas quando expressadas na hora e nas circunstâncias que Deus ordenou. O aviso de Deus é: não desperte a paixão até que seja certo despertá-la — acompanhada por amor verdadeiro e dentro dos limites do casamento. **Pelas gazelas e cervas do campo** é um tipo de juramento ou súplica simples. Gazelas e cervos são figuras encontradas na poesia oriental para expressar a beleza feminina.

Seção IV

UMA VISITA E UM SONHO

Cantares 2.8—3.5

A. A Visita do Amado, 2.8-17

Nestes versículos, existem descrições feitas pela sulamita de uma visita do seu amado pastor enquanto ela estava cativa na casa de verão do rei. Este trecho pode ser interpretado como uma narrativa histórica, mas é mais provável que estejamos encontrando aqui um monólogo. O seu "coração e pensamentos se encontram com o seu amado ausente; suas vivas imaginações a trazem para mais perto dele, e ela tem a impressão de estar ouvindo a voz dele como em outras épocas, e canta para si mesma"[1] a música desses versos.

1. *A Aproximação do Amado* (2.8-9)
Aqui, a jovem mulher descreve o caminho que o seu amado segue à medida que chega perto da propriedade cercada. Precisamos lembrar que não era um muro, mas uma espécie de treliça. **Esta é a voz** (8) é melhor traduzido como: "Ouça!" ou "Preste atenção!". Moffatt apresenta assim esses versículos:

> *Ouça, é o meu querido,*
> *ali ele está, vindo a mim,*
> *saltando pelas montanhas,*
> *saltando sobre os montes!*
> *Ali está ele atrás da nossa parede,*
> *olhando fixamente pela janela,*
> *passando de relance pela treliça!*

2. A Súplica do Amado (2.10-14)

A qualidade dramática do versículo 10a é compreendida por Pouget quando diz: "Meu amado está prestes a falar comigo; ele está falando comigo!" Encontramos aqui uma música de amor de beleza absoluta, expressada na linguagem da estação da primavera que está despertando. Sob a visão do amor, a natureza se torna toda viva e cheia de significados. Como uma descrição do tempo da primavera a passagem é insuperável, e reflete o interesse singular pela natureza encontrado no livro.

> O autor nos apresenta rebanhos e vinhas, as tendas das crianças e dos pastores, a mirra e ramalhetes de flores de hena, as pombas e as pequenas raposas, os pinheiros e cedros, a rosa de Saron e o lírio dos vales, os bolos de passas e maçãs, os jovens veados e gazelas, as plantações de uva em florescência e as fendas nas rochas, os rebanhos de bodes e gazelas dos campos, a madeira do Líbano, a mirra e o incenso e os perfumes com fragrâncias, o óleo e os temperos e romãs, o açafrão e o cálamo e a canela, o néctar e os córregos do Líbano [...] A beleza da natureza está revelada em toda parte.[2]

Na Palestina, **o inverno** (11) é a estação de nuvens e chuvas fortes. Mas na primavera o sol quente desperta nova vida da terra umedecida. **Rola** (12) é melhor traduzido por um pombo migratório que aparece na Palestina na segunda semana de abril (cf. Jr 8.7). **Já deu** (13) significa "amadureceram" (ASV). Esse tipo de figos permanece verde nas árvores durante os meses de inverno e amadurece rapidamente na primavera. As **vides em flor** seriam as uvas em floração.

Mas a nova vida na natureza apenas cria o ambiente para o amado; seu apelo é para a sua amada: **Levanta-te, amiga minha, formosa minha, e vem** (13). No versículo 14, a sulamita ouve seu amado quando este a chama de **pomba minha** (cf. 1.15). A garota confinada atrás da treliça é assemelhada à **pomba** nas inacessíveis **fendas das penhas**. Aqui se encontra o amor suplicante:

> *Deixe que eu ouça a sua voz, que eu veja a sua face;*
> *Pois sua voz é doce, e sua face adorável (Berkeley)*

3. A Resposta da Sulamita (2.15-17)

Em resposta ao pedido do seu amado, a moça inclina a sua face para ele e canta dois breves cânticos.

a) *As pequenas raposas* (2.15). Pode haver uma referência indireta à disputa antiga entre os amantes, ocorrida outrora entre eles. Talvez foi o incidente da prontidão petulante e momentânea da sulamita ao deixar a sua casa e acompanhar os servos do rei para a sua residência no campo. (Veja Introdução, "Interpretação"; também os comentários de 1.2). Outros vêem nas raposas uma referência à atenção do rei à jovem que ameaçava as **vinhas** [...] **em flor** de seu próprio romance que conseguiu alcançar apenas o tempo do noivado.

Quase todos os intérpretes encontram aqui uma verdade universal em relacionamentos pessoais. E aqui está a origem do provérbio: "São as pequenas raposas que estragam as vinhas". Menosprezar as pequenas coisas nos relacionamentos de amor é se mostrar completamente ignorante para com os fatos importantes da vida. São pequenas coisas que muitas vezes provocam felicidade ou sofrimento — uma pequena lembrança, ou um pequeno esquecimento. O que é verdade no nosso relacionamento uns com os outros é igualmente verdadeiro também no nosso relacionamento com Deus. "E como é grande o número de pequenas raposas! Pequenas concessões feitas ao mundo; desobediência à suave e quase inaudível voz nas pequenas coisas; pequenas indulgências da carne em detrimento do dever; pequenos golpes de astúcia; fazer o mal em pequenas coisas para que venha o bem; e a beleza e a fertilidade da vinha são sacrificadas".[3]

b. *Juramento de amor* (2.16-17). Agora a disputa terminou, as devidas desculpas foram pedidas, e já não existe barreira entre os amantes: **O meu amado é meu, e eu sou dele** (16). A expressão: **ele apascenta o seu rebanho entre os lírios** deve ser entendida como: "Ele se deleita em toda a minha afeição". Aqui surge um sentimento de ansiedade. Temerosa pela segurança de seu amado se ele se demorar, ela pede que ele vá embora logo. Mas ela deseja que ele retorne logo, quando a noite chegar:

> *Até que o dia comece a esfriar*
> *E as sombras se estendam,*
> *Volte, meu amor, e seja como uma gazela, ou um jovem veado,*
> *Sobre as montanhas que nos separam* (17, Berkeley).

É incerto se **os montes de Beter** se referem a um lugar real — talvez Bitrom, além do Jordão — ou se temos aqui uma imagem psicológica representando "montanhas de separação". Em ambos os casos, aqui está refletida a disciplina da espera. No contexto imediato significa a espera pelo tempo de reencontro e consumação do casamento. No sentido mais amplo é a constância e a paciência nessa espera, necessária por qualquer fim desejado ou objetivo digno que no momento se esquiva.

B. O Primeiro Sonho com o Amado, 3.1-5

Neste ato, a sulamita e as mulheres estão novamente juntas no aposento do rei na casa de verão. Ela conta a elas como o seu amor pelo seu querido pastor a preenche com sonhos. **De noite** (1) está no plural no hebraico, indicando que isso era mais do que um sonho. Seus sonhos de noite refletem seus pensamentos de dia. Moffatt percebe seu estado de espírito de saudade e frustração no versículo 1.

> *Noite após noite na cama*
> *Eu sonhava que procurava o meu amado,*
> *e o procurava em vão.*

Por meio de seus sonhos a sulamita expressava a sua determinação: **Levantar-me-ei [...] buscarei aquele a quem ama a minha alma** (2). A expressão **praças** é uma referência aos cruzamentos das ruas. Os espaços eram mais amplos nos portões e nos cruzamentos do que nas ruas estreitas das cidades, e por isso talvez existia maior probabilidade de que aquele por quem ela procurava pudesse estar entre as multidões ali reunidas. **Os guardas** (3) se moviam silenciosamente observando se havia pessoas que pareciam suspeitas.

Este sonho, como a maioria dos sonhos de amor, tinha um final feliz. A sulamita encontrou **aquele** por quem o seu coração desejava. **Detive-o** (4) foram as palavras da sulamita até que ela o levou à **casa de** sua **mãe** para a consumação de seu casamento. A referência à casa da mãe sugere que a mãe era viúva. Fausset escreve: "No Oriente um aposento grande geralmente serve uma família inteira; e a noiva em questão fala do aposento da sua mãe como seu".[4]

O refrão do versículo 5 (cf. 2.7 e 8.4) "não é um anticlímax para o reencontro dos dois amantes no sonho. Ao contrário, ele indica o reconhecimento do fato de que por causa dos efeitos que o amor pode produzir, ele deve ser tratado com o maior cuidado e não deve ser despertado antes do seu tempo adequado".[5] A sulamita pede para que as mulheres não tentem despertar nela ainda mais a paixão do amor pelo rei quando só existe um por quem ela sente exclusiva afeição. O **meu** foi adicionado à ARC e faz a referência parecer pessoal, quando de fato a jovem está declarando um princípio universal dizendo: "Não acorde e nem incite o amor, até que o próprio amor o queira" (Berkeley, cf. comentários em 2.7).

Seção V

O REI NOVAMENTE COMO PRETENDENTE

Cantares 3.6—5.1

A. O Cortejo Real, 3.6-11

Este parágrafo descreve um cortejo real que promove o encontro de Salomão com a sulamita. Pouget supõe que Salomão esteja passeando deitado em uma liteira e chega à residência de verão para renovar o seu pedido pelo amor da jovem.[1] Terry interpreta a cena de maneira contrária e vê a sulamita na liteira vindo da casa de verão para Jerusalém (veja mapa 3), onde ela deverá se encontrar novamente com o rei.[2] A expressão **que sobe do deserto** (6) dá crédito ao ponto de vista de Terry. Todo o procedimento é planejado para impressionar a jovem com a glória do rei Salomão. As falas parecem ter sido feitas pelas filhas de Jerusalém que acompanhavam a sulamita.

Talvez o versículo 6 seja uma pergunta retórica feita pelas amigas para impressionar a moça. A gramática mostra que o pronome interrogativo **Quem** deveria ser neutro. Smith-Goodspeed exprime assim a pergunta:

> O que é isso que se levanta do deserto,
> como colunas de fumaça,
> Perfumado com mirra e incenso
> feito de todas as especiarias dos comerciantes?

Os versículos 7 e 8 dão a resposta das amigas. A **liteira** (7) era um sofá ou cadeira carregado por estacas nos ombros dos carregadores. Era de Salomão, pois ele a possuía e a havia enviado à sulamita. A jovem e suas companheiras estavam protegidas nessa jornada por **sessenta valentes**. Os **temores noturnos** (8) eram em virtude dos saqueadores árabes, que com freqüência atacavam e roubavam tais caravanas dos ricos.

Os versículos 9 e 10 são mais um esforço para glorificar Salomão e influenciar a jovem a aceitar a sua proposta. A **madeira** (9) era do **Líbano,** sua própria Palestina do norte — talvez essa liteira tenha sido feita sob medida para ela e para essa jornada especial. Pouget traduz o versículo 10 assim:

> *Ele fez suas colunas de prata;*
> *E a parte posterior de ouro;*
> *O seu encosto de púrpura.*
> *Por dentro é bordada, trabalho de amor,*
> *Feita pelas filhas de Jerusalém.*

A referência ao trabalho feito com **amor** pelas **filhas de Jerusalém** era provavelmente uma forma de dizer à sulamita: "Toda mulher ama o rei; qualquer jovem que é levada ao palácio aceita alegremente a sua proposta". Imediatamente após esse apelo feito pelas amigas, a caravana chega ao lugar desejado. O mordomo do rei chama a moça e suas servas:

> *Vão adiante, ó filhas de Sião,*
> *E olhem para o rei Salomão,*
> *Usando a coroa com a qual sua mãe o coroou*
> *No dia do seu casamento,*
> *No dia da alegria do seu coração* (11, RSV).

B. O Segundo Pedido de Casamento do Rei, 4.1—5.1

Provavelmente a cena se passa em um quarto no palácio de Jerusalém onde o rei está esperando pela sulamita. Ele tenta conquistá-la pelo seu esplendor e com palavras de admiração e de amor.

1. *A Primeira Canção de Salomão* (4.1-5)

Cameron escreve: "Esta é a canção, segundo o padrão de cânticos, comumente cantada em casamentos sírios. Muitas vezes era somente imitação, e o propósito era que fosse uma canção de amor. É um tipo de descrição apreciada no Oriente, ainda que não seja agradável em todos os aspectos ao gosto ocidental".[3]

O rei conta à jovem como ele aprecia a sua beleza: **Eis que és formosa, amiga minha, eis que és formosa** (1). A partir dessa expressão fervorosa de admiração ele começa a elogiar suas feições e suas formas. Os olhos dela são como **os das pombas** — resplandecentes mesmo atrás do véu. As suas tranças longas e escuras, caindo sobre seu pescoço e ombros, são tão belas quanto **o rebanho de cabras** pretas **que pastam no monte de Gileade.** Os seus **dentes** (2) são tão brancos quanto **o rebanho das ovelhas** após terem sido lavadas e preparadas para a tosa. Os **gêmeos** são uma referência aos dentes superiores e aos inferiores. **Nenhuma há estéril entre elas** significa que ela possui todos. Moffatt interpreta isso assim:

> *Emparelhados em fileiras,*
> *Nenhum está faltando.*

O Rei Novamente como Pretendente

Salomão continua seu elogio:

> Os seus lábios são como uma fibra de escarlate,
> E sua boca é muito atraente.
> Suas maçãs do rosto são como metades de uma romã
> Brilhando atrás do seu véu (3, Berkeley).

A palavra hebraica significa "têmporas", mas provavelmente incluía têmporas e bochechas. Poderíamos dizer "tão belas e macias quanto uma maçã". **A torre de Davi** (4) à qual o pescoço da jovem é comparado não é conhecida hoje em dia, mas provavelmente era muito conhecida na época. O rei compara as jóias circulares do colar que está no seu pescoço aos **escudos** de metal brilhantes que existiam em volta das paredes do depósito de armas. Acerca do versículo 5, Woudstra comenta o seguinte: "Os seios da noiva são jovialmente tenros como o corço de uma gazela. O pasto entre os lírios sugere uma referência ao corpo bem formado da noiva, dos quais se erguem os seios".[4]

2. A Objeção da Sulamita (4.6)

"A essa altura a sulamita olha para o lado, como se ela fosse obrigada a se retirar, e ela dá voz a um suspiro pela sua casa na montanha. Ela não responde à admiração do rei [...] Para ela, as alturas do Líbano, de Amana, de Sinar e do Hermom, são muito mais atraentes do que Salomão em toda a sua glória".[5] Ela suspira:

> Até que o dia sopre frescamente, e as sombras fujam,
> Eu iria, por mim, caminhar à montanha de mirra,
> E ao monte do incenso (6, Terry).

3. A Segunda Canção de Salomão (4.7-15)

Nas palavras do versículo 1, o rei apaixonado renova a sua proposta: **Tu és [...] formosa, amiga minha** (7). Mas aqui ele vai além: **Tu és toda formosa [...] em ti não há mancha**. Em resposta ao anseio da jovem pelas suas montanhas nativas, ele roga — e lança sombras sobre a sua rude casa na montanha (veja mapa 3):

> Vem comigo do Líbano, noiva minha,
>   vem comigo do Líbano;
> Olha do cimo do Amana,
>   do cimo do Senir e do Hermom,
> dos covis dos leões,
>   dos montes dos leopardos (8, ARA).

Em uma torrente de desejo o criativo Salomão continua despejando a sua canção de amor:

> Arrebataste-me o meu coração, minha irmã, noiva minha;
> arrebataste-me o coração com um só dos teus olhares,
>   com uma só pérola do teu colar.

> *Que belo é o teu amor, ó minha irmã, noiva minha!*
> *Quanto melhor é o teu amor do que o vinho,*
> *e o aroma dos teus ungüentos*
> *do que toda sorte de especiarias!*
> *Os teus lábios, noiva minha, destilam mel.*
> *Mel e leite se acham debaixo da tua língua,*
> *e a fragrância dos teus vestidos*
> *é como a do Líbano (9-11, ARA).*

A fragrância do **Líbano** (11) que vem dos seus arbustos, árvores e flores pode ter sido proverbial (cf. Os 14.6-7).

No versículo 12, esse derramamento torrencial é interrompido um momento por um gesto da sulamita. Novamente ela vira o seu rosto, como se não estivesse ouvindo suas palavras de amor e admiração. Ele hesita, vendo que o coração dela foi entregue a outro. Rylaarsdam comenta o seguinte acerca do versículo 12: "Ela é a noiva pura, a virgem 'jardim trancado', que convida o seu único amado".[6]

Mas esse cântico é interrompido apenas momentaneamente. O fervor do rei se fortalece novamente e a música é elevada a um crescendo. A imagem de um **jardim** no versículo 12a é ampliada nos versículos 13 e 14, e a imagem da **fonte** é explanada mais à frente no versículo 15. **Teus renovos** (plantas) fala dos atrativos da jovem. "Estes são os assuntos tratados nos versículos 13-15, e as plantas exóticas do jardim do rei são usadas adequadamente por ele como imagens dos encantos da jovem, e nos lembram da sua familiaridade tradicional com todos os tipos de árvores, plantas e flores. Veja 1 Reis 4.33".[7] Moffatt interpreta assim esse versículo:

> *Seus encantos são um paraíso de romãs —*
>   *com hena e rosas,*
> *e nardo e açafrão,*
>   *com cássia e canela,*
>   *e todos os tipos de incenso,*
> *com mirra e madeira especial*
>   *e todas as melhores especiarias!*
> *Você é a fonte do meu jardim,*
>   *um poço de água fresca,*
>   *como riachos do Líbano.*

4. *Rejeição e Convite* (4.16)

Desta vez é a sulamita que está falando. Suas palavras e reflexões têm como objetivo fechar as portas para o fervor do rei. Ela "usa a imagem do jardim para expressar delicadamente seu desejo de estar com o seu amado".[8]

> *Levanta-te, vento norte,*
> *e vem tu, vento sul;*
> *assopra no meu jardim,*
> *para que se derramem os seus aromas.*

> *Ah! Se viesse o meu amado para o seu jardim,*
> *e comesse os seus frutos excelentes!*

5. Tentado a Usar sua Força (5.1)

Terry entende o versículo da seguinte maneira: "O rei se empolga grandemente com as palavras da sulamita, e, impaciente e arrogante, como se ele pudesse realizar seus desejos pela sua própria autoridade, afirma:

> *Já vim para o meu jardim, irmã minha, minha esposa;*
> *colhi a minha mirra com a minha especiaria,*
> *comi o meu favo com o meu mel,*
> *bebi o meu vinho com o meu leite.*
> *Comei, amigos,*
> *bebei abundantemente, ó amados.*[9]

Mas apesar dessa explosão, Salomão percebe a repulsa que ele causa e vai embora para retomar o seu discurso para a sulamita em outra ocasião.

Seção VI

O CÂNTICO DO AMADO

Cantares 5.2—6.3

Nesta seção, a sulamita ainda está no palácio em Jerusalém. As mulheres da corte estão com ela novamente.

A. O Segundo Sonho da Sulamita, 5.2-8

Temos aqui o relato de um sonho do qual a sulamita havia recentemente acordado. Ela pensou que seu amado ausente a havia procurado em vão. As palavras: **Eu dormia, mas o meu coração velava** (2) mostram como às vezes é muito fina a linha que divide a consciência e o momento em que se está dormindo. As preocupações de cada segundo em que a jovem estava acordada são refletidas em seus sonhos.

Por desejar constantemente ouvir o som daquela voz familiar, ela a ouviu em seu sonho: **Abre-me, irmã minha, amiga minha** (2). Tendo viajado a noite inteira, a cabeça dele **está cheia** [molhada] **de orvalho** e ele pede calor e abrigo.

Se o versículo 3 for interpretado como sendo parte do sonho, é provável que a sulamita ainda esteja se culpando por sua separação. No sonho, as desculpas inconsistentes que ela deu por não tê-lo recebido talvez reflitam seu lado irresponsável referente à briga entre os amantes em 2.15. O versículo 4 reflete o esforço contínuo do amado por uma reconciliação, e a resposta tardia da sulamita àqueles esforços. **Pela fresta da porta** é a tradução correta, embora RSV e Berkeley provavelmente tenham proporcionado o significado real dizendo: "colocou sua mão no trinco". Conforme Moffatt, **Meu coração estremeceu por amor dele** é melhor interpretado como: "Meu coração ansiava por ele".

Os versículos 5 e 6 refletem a verdadeira atitude da jovem em relação ao seu amado: **Eu me levantei para abrir ao meu amado** (5). "A melhor prova de boas-vindas que uma noiva poderia dar ao seu amado era perfumar-se [...] *abundantemente* com os melhores perfumes".[1] E foi isso que a sulamita fez, até o ponto em que suas **mãos destilavam mirra** e [...] **os dedos** [...] **gotejavam** [...] **sobre as aldravas da fechadura**.

Mas mesmo essas boas-vindas sendo tão extravagantes, elas vieram muito tarde — **mas já o meu amado se tinha retirado e se tinha ido** (6). A afirmação seguinte: **a minha alma tinha-se derretido quando ele falara** pode se referir ao pedido do amado no versículo 2. Pode também ser traduzido como: "quando ele foi embora"; e isso se encaixa melhor no contexto. Uma outra interpretação adequada seria: "Minha alma o havia desapontado quando ele falou" (Berkeley). Agora, desesperada para reparar o erro prematuro, ela clama: **busquei-o e não o achei; chamei-o, e não me respondeu.**

> *De todas as palavras faladas ou escritas,*
> *As mais tristes são estas: "Poderia ter sido"!*[2]

Em seu sonho, a sulamita foi tão longe na sua iniciativa de recuperar o seu amado que os **guardas** (7) acharam que ela era uma mulher má perambulando pelas ruas à noite. Eles a **espancaram** e **tiraram** seu **manto**. Aqui os sonhos são quebrados — mas não o coração desejoso que existe por trás dos sonhos. Não tendo mais nenhum recurso próprio nessa hora, ela pede ajuda por meio de outros:

> *Ó filhas de Jerusalém, eu ordeno a vocês,*
> *se vocês encontrarem o meu amado,*
> *digam-lhe o seguinte,*
> *que estou doente de amor* (8, Moffatt).

B. O Cântico da Sulamita para o seu Amado, 5.9—6.3

Em 1.8 (veja os comentários ali) e novamente em 5.8 percebemos as conseqüências de permanecer sozinho devido a uma escolha. As "filhas de Jerusalém" não entendiam por que qualquer mulher iria rejeitar as cortesias do rei em benefício do amor de um pastor. Elas mesmas tinham aceitado o harém de Salomão como um estilo de vida. No começo (1.8), elas só zombavam da lealdade da sulamita. Mas agora elas queriam entender suas razões: **Que é o teu amado mais do que outro amado, ó tu, a mais formosa entre as mulheres?** (9). Esta irredutibilidade da sua devoção lhe deu a oportunidade de contar acerca do seu amado, que para ela era **totalmente desejável** (16). Em vez de maltratar a jovem, "elas se tornam compassivamente interessadas pelo seu amor. Elas querem saber quem é esse pastor que ela ousa preferir ao rei".[3]

1. *A Perfeita Forma Humana* (5.10-16)

O amor não vê defeito no seu amado, e a sulamita não via nada além da perfeição em seu amado pastor. "O que Apolo Belvedere significa para a arte da escultura, esse retrato verbal representa para a poesia oriental".[4] A descrição aqui é feita da cabeça aos pés, em contraste com 7.1-5, em que ela acontece dos pés à cabeça. **Alva** (10) deveria ser interpretado como "reluzente" ou "radiante". A RSV traduz assim:

> *Meu amado é totalmente radiante e corado,*
> *Distinto entre dez mil.*

O **ouro mais apurado** (e fino; 11) representa a nobreza que irradia da sua cabeça e do seu rosto. Seus cabelos são encaracolados de modo vistoso e **pretos como o corvo**. Anteriormente, encontramos duas vezes (em 1.15 e 4.1) essa comparação com os **olhos** [...] **das pombas** (12). A expressão **pombos junto às correntes das águas** dá a idéia de uma "imagem de um deleite raro; os seus movimentos rápidos parecem fazê-las cintilar de alegria".[5] **Lavados em leite, postos em engaste** se refere à íris castanha escura e à pupila preta em contraste com o branco dos olhos.

A comparação entre as **faces** e um **canteiro de bálsamo** (13) se refere a sua barba perfumada, o que era comum. Seus lábios eram como lírios vermelhos da Palestina, e seu hálito era como **colinas de ervas aromáticas**. Nos versículos 14 e 15, a sulamita continua descrevendo outros aspectos do corpo do seu amado. "Como uma estátua para o artista, aqui a imagem parcialmente revelada indica que no seu amado só existe beleza, livre de qualquer indelicadeza".[6] Moffatt traduz os versículos 14 e 15 da seguinte maneira:

> *Os seus dedos são círios dourados*
> *Engastados com topázio rosa;*
> *o seu corpo é talhado de marfim,*
> *raiado com safiras,*
> *as suas pernas são colunas de mármore,*
> *assentadas sobre bases de ouro;*
> *ele se eleva aos olhos como o Líbano,*
> *tão nobre quanto os cedros.*

Talvez o versículo 16 seja apenas o fim da descrição que a sulamita faz da imagem do seu amado, ou talvez seja interpretado como sua reação pessoal à idealização que ela faz dele. **Seu falar** é literalmente "seu palato", o órgão da fala. Por essa razão, a RSV traduz: "sua fala é muito doce". **Ele é totalmente desejável** significa literalmente que tudo que há nele é desejável.[7] Conseqüentemente, Moffatt parece refletir com exatidão a provável expressão de amor satisfeito da jovem:

> *Seus beijos são totalmente doces —*
> *todo ele é um deleite!*
> *E esse é meu amado, meu querido,*
> *Ó filhas de Jerusalém!*

2. *Uma Investigação Detalhada* (6.1-3)

A investigação vem de uma ou mais das **filhas de Jerusalém**. A pergunta: **Para onde foi o teu amado?** (1) está relacionada diretamente a 5.6, em que as mulheres foram intimadas a entregar uma mensagem a ele se elas o encontrassem. As mulheres empenhadas desejam ajudar nessa busca, mas a sulamita diz que seu amado pertence somente a ela.

Em 4.12-15 e em 5.1, a sulamita foi chamada de **jardim**. No entanto, parece aceitável que o versículo 2 se refira ao amor mútuo que ela e o seu amado já conheceram, e um reencontro já esperado em que seu casamento vai ser consumado. **Eu sou do meu amado, e o meu amado é meu** (3) faz lembrar o tom dos votos do casamento cristão.

Seção **VII**

A PROPOSTA SUPREMA DO REI

Cantares 6.4—8.4

A. O Cortejo Entusiástico, 6.4-10

Neste ponto a cena muda e Salomão visita a sulamita novamente, mais uma vez disposto a conquistar o seu amor.

1. *A Exaltação do Rei* (6.4-7)
Como um especialista na arte de amar, Salomão elogia a beleza da jovem e expressa o seu amor: **Formosa és; amiga minha** (4). A comparação feita é com Tirza, a bela cidade da amada Palestina setentrional da sulamita, e com Jerusalém, a capital onde ela estava então residindo. O nome Tirza significa beleza e deleite, e Jerusalém era chamada de "perfeição da beleza" (cf. Sl 48.1-2).

A referência a Tirza é freqüentemente citada como uma evidência contra a autoria de Salomão. Os intérpretes argumentam que: a) o autor precisa ter sido do reinado setentrional [do norte] porque ninguém que vivesse no sul compararia Tirza de modo favorável com Jerusalém; b) nos tempos de Salomão, Tirza não era uma capital do norte, como Jerusalém era a capital do sul. Mas essa evidência é no máximo dedúzivel. Como disse Cameron: "Tudo que é preciso [para justificar a comparação] é uma cidade conhecida por sua força e beleza".[1] E se Salomão é o autor, o que seria mais natural para ele do que tentar agradar a sulamita fazendo tal referência à pátria de sua amada?

É difícil entender os versículos 4b e 5a como parte de uma proposta de um amado, mas no contexto desse cântico soa de maneira natural. O olhar frio e fixo da sulamita provavelmente fez parar por um instante o fervor do rei. A integridade dela significava um obstáculo enorme para ele. Adeney fala da última parte do versículo 4 como a "expressão de Salomão de grande admiração diante da extrema pureza e constância da sulamita".[2] A primeira parte do versículo 5 é constantemente interpretada como um pedido à jovem: **Desvia de mim os teus olhos** porque os seus encantos **perturbam** o pretendente. Gray e Adams estão mais próximos dos fatos quando escrevem: "Esse temor dos olhos da heroína seria incrível se ela fosse uma noiva triunfante, mas ele possui um significado claro se ela estiver resistindo à devoção dele".[3]

Mas o pretendente real não está acostumado com a rejeição. Ele novamente começa com a sua exaltação excessiva. Os versículos 5b-7 repetem os elogios anteriores do rei. Veja comentários em 4.1-3.

2. Seja Minha Rainha (6.8-10)

Evidentemente o rei percebeu que o seu convite costumeiro para que a moça ingressasse na sua corte como parte do harém não estava levando-o a lugar algum. Por isso ele oferece a ela uma posição especial: "Apenas uma é minha pomba, minha perfeita" (9, Terry). Salomão teve mais esposas e **concubinas** do que é indicado aqui (1 Rs 11.1-3). Entretanto, não é preciso fazer nenhuma referência importante a essas imagens, como já foi insinuado pela expressão **e as virgens, sem número** (8). O rei apenas declarou que a sulamita era mais atraente do que todas as belas mulheres que viviam na sua corte. Ela havia sido **a única de sua mãe** (9), e ela deveria ser a única para o rei.

Com um elogio após o outro, Salomão conta à jovem que **vendo-a, as filhas** (suas rivais dentro da corte) **lhe chamarão bem-aventurada.** Inclusive **as rainhas e as concubinas,** que eram normalmente invejosas, diz ele, **a louvarão.** No versículo 10, Salomão dá a entender que está citando uma frase das **filhas.**

> *Quem é essa (elas dizem), que parece como a alva do dia,*
> *Linda como a lua branca, clara como o sol quente,*
> *Formidável como um exército com bandeira?* (Terry)

Parece que essas palavras foram ditas pelas mulheres na primeira vez em que avistaram a sulamita olhando das cortinas da liteira de Salomão que a trouxe até Jerusalém (veja comentários em 3.6-11).

B. A Rejeição Eficaz, 6.11-12

A referência à sua presença forçada em Jerusalém impulsiona a sulamita a sentir medo quando ela se lembra das circunstâncias do seu seqüestro. Ela rejeita a proposta do rei relembrando-o que ela é uma prisioneira, vítima de suas atenções. Naquele dia de primavera, ela relembra:

> *Desci ao bosque das nogueiras*
> *para ver os renovos no vale,*
> *para ver se as videiras tinham brotado*
> *e se as romãs estavam em flor* (11, NVI).

Daquele instante em diante, ela foi detida involuntariamente pelos servos do rei. "Eu não sei [como] minha alma me colocou nas carruagens de Aminadib" (12, Terry;

"Aminadib" é transliterado em algumas versões, por exemplo: BJ). Aminadib nunca foi identificado e o significado no hebraico é incerto. Mas parece existir uma repulsa sarcástica do rei apaixonado na tradução de Smith-Goodspeed:

> *Antes que eu percebesse, a minha imaginação me colocou*
> *na carruagem de quem ardentemente me amava.*

C. A Súplica das Mulheres, 6.13—7.5

A ação aqui é difícil de identificar, embora esteja claro que ela está sendo dirigida à sulamita. Talvez enquanto a jovem estava realizando o seu intento de cinismo contra o rei ela estava deixando o quarto em sinal de indignação. Novamente (veja comentários em 3.10) as mulheres tentaram interceder em favor do seu mestre e rei: **Volta, volta, ó sulamita, volta, volta, para que nós te vejamos** (13). E a jovem respondeu: **Por que olhas para a sulamita...?**

É provável que a última frase do versículo 13 seja a resposta das solteiras para a própria pergunta. **Dois exércitos** pode ser interpretado como um nome próprio. A ASV traduz como a "dança de Maanaim". Esse era o lugar onde Jacó foi encontrado pelos anjos (Gn 32.1-2). As mulheres "querem dizer que a dança da sulamita era como um suspiro angelical, como o de Jacó quando os anjos se encontraram com ele. De acordo com esse pensamento, todas juntas as jovens começam a dizer (ou cantar como um coro) quão admirável seria se ela comparecesse à dança".[4]

> *Como são lindos os seus pés calçados com sandálias,*
> *Ó filha do príncipe!*
> *As curvas das suas coxas são como jóias,*
>   *obra das mãos de um artífice.*
> *Seu umbigo é uma taça redonda*
>   *onde nunca falta o vinho de boa mistura.*
> *Sua cintura é um monte de trigo cercado de lírios.*
> *Seus seios são como dois filhotes de corça,*
> *gêmeos de uma gazela.*
>   *Seu pescoço é como uma torre de marfim.*
>   *Seus olhos são como os açudes de Hesbom,*
>   *junto à porta de Bate-Rabim.*
> *Seu nariz é como a torre do Líbano*
>   *voltada para Damasco.*
> *Sua cabeça eleva-se como o monte Carmelo.*
>   *Seus cabelos soltos têm reflexos de púrpura;*
> *o rei está preso em suas ondas* (NVI, 1-5).

Esta é uma descrição do corpo humano dos pés à cabeça. Em 5.10-15, a descrição era da cabeça aos pés. **A taça redonda** (2) sugere bebida. "Então o coro, tendo mencionado a linda cintura [...] acrescenta as palavras que vêm a seguir no sentido de [...] associá-las a todas as delícias que tornam uma forma tão admirável".[5] Montes de **trigo,** decorados com flores, eram colocados em fileiras paralelas no piso de chão batido do Oriente".[6] **Como dois filhos gêmeos** (3) dá a entender que os seios eram "lindos, delicados e parelhos".[7] Acreditava-se que o antigo **marfim** (4) era a cor mais linda que o corpo podia ter. A imagem dos "açudes de Hesbom" foi inserida para descrever os **olhos** como claros, profundos, quietos e cheios. **O teu nariz** pode se referir também ao rosto, e a figura de retórica indica um semblante corajoso. O brilho esplendoroso do cabelo negro tão admirado no Oriente às vezes possui um reflexo **como a púrpura** (5). A imagem de um amante preso nas tranças de sua amada é comum na poesia oriental.

Tal deleite desinibido com os encantos físicos dá uma conotação de indiscrição para as mentes ocidentais. Ainda assim Woudstra nos relembra de que "nosso Deus, que criou a magnificência da natureza, com sua variedade infinita, também criou o corpo humano de um modo que é um prodígio do trabalho das suas mãos. A beleza física e o desejo puro entre um homem e uma mulher (e entre o noivo e a noiva) são presentes dados por Deus ao homem. É a perversão desses presentes que se torna vil (cf. Rm 1.26-27), e por isso será condenada".[8]

D. A Paixão em Chamas, 7.6-9

Seguindo o cântico apaixonado das mulheres, o rei faz uma proposta final à sulamita. Como prova da declaração de que ele ficou fascinado pela sua beleza, Salomão exclama: **Quão formosa e quão aprazível és, ó amor em delícias!** (6). Ela era tudo o que qualquer homem poderia desejar. "Tamar, a palavra para palmeira (7), era muito comum como o nome de uma moça, sendo essa árvore alta e graciosa associada a um tipo de beleza feminina".[9] As palavras **na vide** não estão no original; é provável que a intenção do autor fosse cachos de tâmaras.

No versículo 8, o rei expressa seu desejo de envolver a sulamita e desfrutar de sua beleza e seu amor por completo. É evidente que ele estava perigosamente perto de conseguir à força o que ele não podia ganhar por consentimento. Moffatt traduz assim esse versículo:

> *Acho que vou escalar aquela palmeira,*
> *e agarrar os seus ramos.*

O juramento apaixonado continua:

> *Sejam os seus seios como os cachos da vide,*
> *e o aroma da sua respiração tão doce quanto o das maçãs.*
> *Sejam os seus beijos como o vinho excelente,*
> *vinho que se escoa suavemente,*
> *deslizando entre seus lábios e dentes!* (8 e 9, Moffatt).

E. O Clamor por Amor Verdadeiro, 7.10—8.4

Estas emoções desenfreadas devem ser impedidas antes que destruam a sulamita e o rei. Taylor, baseando-se na interpretação alegórica, fez um comentário sobre a Igreja, mas que poderia ser igualmente verdadeiro quanto à leal sulamita: "A graça a tornou parecida à palmeira, o símbolo da retidão e da fertilidade".[10] Novamente a jovem recorreu a sua estratégia mais eficaz em rejeitar os avanços do rei. Ela "interrompe o rei abruptamente, tirando o sentimento que [...] [vem] dos lábios do rei, e faz uma referência ao seu próprio amado, a quem ela chama para que venha e a leve embora para o seu lar entre as videiras".[11]

A linguagem da sulamita é tão clara em seu objetivo quanto o era a explosão apaixonada do rei. Mas aqui ela é pura e virtuosa pois é expressa dentro da estrutura planejada por Deus do verdadeiro amor e casamento. Por meio de palavras comoventes ela declara sua devoção.

Eu sou do meu amado, e o desejo dele é por mim.
Venha, ó meu amado, saiamos ao campo,
    alojemo-nos entre as henas [cf. 4.13].
Levantemo-nos cedo de manhã para ir às vinhas;
vejamos se florescem as vides,
    se se abre a flor,
    se já brotam as romeiras;
ali lhe darei o meu amor (10-12, Berkeley).

Os anciãos acreditavam que as mandrágoras (13) "estimulavam o apetite sexual (e também induziam o ato da concepção; cf. Gn 30.14-16). Por isso as mandrágoras eram chamadas de maçãs do amor. A planta exalava um aroma forte que era agradável às pessoas do Oriente".[12] Os **excelentes frutos** provavelmente são uma metáfora se referindo ao amor da jovem que ela tanto prometeu no versículo 12.

Os versículos 1-4 do capítulo 8 são uma continuação de 7.10-13. "No antigo Israel, como no mundo árabe atualmente, uma demonstração pública de carinho entre amantes é severamente condenada. Para uma mulher, desprezar essa tradição é perder o seu bom nome. Essa cantora conhece isso muito bem".[13]

Se ele tão somente fosse **meu irmão,** ela diz, eu poderia beijá-lo em público sem levantar suspeitas ou ofender ninguém. A sulamita deseja levar o seu amado para a casa de sua **mãe** (2), e a mãe lhe **ensinaria** como melhor agradar o seu amado. **Vinho aromático e [...] mosto das minhas romãs** provavelmente são mais algumas metáforas do amor da jovem. Os versículos 3 e 4 estão repetindo 2.6-7. Veja comentários em 2.6-7.

Obviamente Salomão não tentou mais persuadir a jovem, pois no fim do livro não ouvimos mais nada dele ou das mulheres da sua corte. Finalmente convicto de que ele não conseguiria ganhar o amor da sulamita — e talvez envergonhado pela lealdade inabalável dela — ele a libertou da "custódia". Portanto, a palavra de Deus mostra uma situação encorajadora em que a influência de uma pessoa boa e forte pode fortalecer uma pessoa mais fraca e salvar um indivíduo impulsivo de viver uma vida inferior.

Seção **VIII**

REUNIÃO E REFLEXÃO

Cantares 8.5-14

A. O Tributo da Sulamita ao Amor, 8.5-7

1. *O Cenário* (8.5)
A cena final de Cantares se passa em um lugar campestre perto da casa da sulamita. A pergunta do versículo 5, assim como as perguntas em outros lugares do livro, foi criada para focar a atenção em uma nova situação. Pode ter sido um dispositivo literário usado pelo autor, embora Terry coloque a indagação: **Quem é esta que sobe do deserto...?** na boca de um de seus irmãos. A locução **encostada ao seu amado** permite que a nossa conclusão seja de que a sulamita e seu amado se reencontraram após a libertação concedida por Salomão, e que o seu amado a acompanhou de Jerusalém a sua casa.

Chegando perto da sua casa eles passam pelo local em que o amor havia despertado pela primeira vez entre eles. O amado falou de maneira doce: **Debaixo da macieira te despertei**. O local era duplamente sagrado para a sulamita, pois ela também havia nascido ali. O nascimento ao ar livre era comum naquela época.

2. *O Cântico* (8.6-7)
A resposta da jovem brotou do seu coração. O que havia começado entre eles "debaixo da macieira" estava confirmado por ela para sempre. **Põe-me como selo sobre o teu coração, como selo sobre o teu braço** (6). Este selo era um sinete usado na mão ou no braço como uma lembrança de uma pessoa muito amada. Talvez possa ser comparado com a importância da nossa aliança de casamento. A sulamita implora: coloque-me tanto no seu coração como em sua mão.

Nos versículos 6 e 7 existe poesia de alto nível:

> *Porque o amor é forte como a morte,*
> *e o ciúme [o amor ardente], duro [cruel] como a sepultura;*
> *as suas brasas são brasas de fogo,*

> *uma grande chama do Senhor.*
> *As muitas águas não poderiam apagar o amor,*
> *nem os rios afogá-lo;*
> *ainda que alguém desse todos os bens*
> *   da sua casa pelo amor,*
> *seria completamente desprezado.*[1]

Havia **ciúme** (6) no tipo de amor que a sulamita conhecia. Ela não agüentaria o pensamento de obter menos atenção do seu amado do que seu relacionamento com ele exigia. Ela estava entregando a ele tudo de si mesma — tudo — e não se contentaria com apenas uma parte do amor dele em troca. A expressão **labaredas do Senhor** não é usada em todas as versões. Ela vem da versão ASV em inglês e, assim sendo, é a única ocorrência do nome de Deus no livro todo. "Mas a sulamita tem boas razões para clamar a Deus para que esteja ao seu lado e proteja o seu amor do mal cruel e da afronta".[2] O seu amor foi dado por Deus e era verdadeiro. Se um homem tentasse comprá-lo com "todos os bens da sua casa" (7, ARA) — como Salomão o fez — ele "seria de todo desprezado". E aqui estava uma jovem cuja conduta provou a verdade de suas palavras.

B. Um Lembrete e uma Resposta, 8.8-12

Os versículos 8 e 9 são as palavras dos irmãos (cf. 1.6 e Introdução, "Três Personagens"); talvez um faça a pergunta que se encontra no versículo 8 e o outro a responda no versículo 9. Admitindo a probabilidade do casamento iminente da sulamita, eles concluem que ela necessita de um conselho e da interferência de um irmão mais velho. A descrição **uma irmã pequena, que ainda não tem peitos** (8) obviamente dá a entender que eles a consideram imatura. O **dia em que dela se falar** seria o dia dos planos para o seu casamento. Como resposta, um irmão declara: **Se ela for um muro** (9; i.e., decente e resistindo a todos os esforços de outros amantes indignos) **edificaremos sobre ela um palácio de prata** (organizaremos um casamento digno). Por outro lado **se ela for uma porta** (facilmente aberta a todas as propostas de amor), **cercá-la-emos com tábuas de cedro** (construiremos um muro de proteção em volta dela).

A sulamita responde com uma atitude defensiva declarando que suas experiências recentes são suficientes para responder a cada indagação que seus irmãos levantaram. Todas as suas respostas nos versículos 10-12 se referem àquelas experiências. Uma leitura marginal na ASV coloca o versículo 10 no passado:

> *Eu era um muro, e meus seios*
> *como as suas torres.*

Aqui a sulamita declara tanto a sua fidelidade como a sua maturidade. A expressão **então, eu era** (10) é uma referência clara à época em que Salomão tentou ganhar o seu amor. **Aos seus olhos** (aos olhos de Salomão) ela era como alguém que estava procurando um marido; esse é o significado de uma mulher encontrar a **paz**. A frase equivale a encontrar descanso (cf. Rt 1.9 e 1.3).

Os versículos 11 e 12 dão a impressão de ser uma referência às muitas mulheres na corte de Salomão, camufladas pela metáfora de **uma vinha** (11). Os guardas seriam as "filhas de Jerusalém" (1.5; as esposas e concubinas de Salomão). Cada uma era obrigada a trazer ao rei tal **fruto** que era característico da presença dela na **vinha** dele. O preço que ele — e elas — acreditavam valer esse privilégio questionável era alto: **mil peças de prata**. A posição geográfica de **Baal-Hamom** é desconhecida.

No versículo 12, a sulamita declara a sua alegria por estar livre da vinha de Salomão e por ter controle completo de si mesma.

> *Guardo a minha vinha para mim mesma;*
> *Você é bem-vindo à sua prata, Salomão,*
> *Vocês são bem-vindos a colher o seu fruto, ó guardas!* (12, Moffatt)

C. Afinal, a Recompensa do Amor, 8.13-14

No versículo 13, é a vez de o amado da sulamita falar. A sua saudação: **Ó tu que habitas nos jardins** capta a sua própria imagem expressa no versículo 12: **A minha vinha que [...] está diante de mim**. Seu pedido é o desejo do recém-casado para que fiquem juntos ao menos durante a viagem de núpcias:

> *Os companheiros estão atentos para ouvir a tua voz;*
> *faze-me, pois, também ouvi-la* (ARA).

A resposta da sulamita reflete a verdadeira ansiedade dos amantes pela consumação já tão esperada:

> *Vem depressa [...] amado [...] como uma gazela,*
> *ou como um gamo que salta sobre os montes aromáticos* (14, Berkeley).

"Este último versículo deve ser interpretado como um trecho de uma música que a sulamita tinha desejo de cantar para o prazer do seu amado, e que ela sabe que agrada a ele de um modo particular [...] Com esse cântico das mulheres, a obra dramática encerra, e os dois amantes, de mãos dadas, saem de cena, conscientes de que o verdadeiro amor triunfou. Ela se apega ao braço dele como um anel de sinete, e ele sabe que o amor dela por ele é 'tão forte quanto a morte'".[3]

E assim termina este livro notável. Ele é diferente de qualquer livro da Bíblia; mas ele está na Bíblia. Acreditamos que Deus inspirou aquele que o escreveu e aqueles que deram um lugar a ele no cânon das Escrituras. É um livro que fala sobre o amor entre um homem e uma mulher — um dos belos presentes que Deus nos deu. Concordamos com o autor de hinos quando diz:

> *Pela alegria do amor humano*
> . . . . . .
> *Senhor de tudo, a Ti elevamos*
> *Esse hino de gratos louvores.*

Notas

INTRODUÇÃO

[1] W. T. Purkiser, et. al., *Exploring the Old Testament* (Kansas City, Mo: Beacon Hill Press, 1957) pp. 210-13.

[2] *Union and Communion* (Londres: Morgan and Scott, s.d.).

[3] Adam Clarke, *The Holy Bible with a Commentary and Critical Notes* (Nova York: Abingdon-Cokesbury Press, s.d.), III, p. 845.

[4] IDB, IV, 422.

[5] "The Song of Songs" (Exegesis), *The Interpreter's Bible*, ed. George A. Buttrick, *et al.* (Nova York: Abingdon Press, 1956), V, p. 93.

[6] Veja a discussão completa de Gottwald (IDB, IV, p. 423).

[7] W. J. Cameron, "The Song of Solomon", *The New Bible Commentary*, ed. Francis Davidson, *et al.* (Grand Rapids, Mich.: Wm. B. Eerdmans Publishing Co., 1956), p. 547.

[8] Meek, *op. cit.*, p. 93.

[9] *Ibid.*, p. 94.

[10] *An Introduction to the Literature of the Old Testament* (Nova York: Charles Scribner's Sons, 1891), p. 410.

[11] *The Song of Songs* (Nova York: Eaton and Mains, s.d.).

[12] Trad. Joseph L. Lilly, C.M., *The Canticle of Canticles* (The Declan X. McMullen Company, Inc., 1948.

[13] O problema é mais complexo pelo fato de existirem quase 50 palavras — num livro curto que possui apenas 117 estrofes — que não são encontradas em nenhum outro lugar da Bíblia (Kerr, *op. cit.*, p. 106).

[14] ISBE, V, p. 2831.

[15] "Song of Solomon", *The Wycliffe Bible Commentary*, ed. Charles F. Pfeiffer e Everett F. Harrison (Chicago: Moody Press, 1962), p. 595.

[16] *Op. cit.*, p. 547.

SEÇÃO III

[1] Esse é o único livro da Bíblia em que todo o conteúdo é transmitido por meio da fala dos seus narradores.

[2] *Op. cit.*, p. 856.

[3] Terry, *op. cit.*, p. 23.

[4] Cameron, *op. cit.*, p. 550.

[5] Terry, *op. cit.*, p. 25.

[6] *Living Messages of the Bible, Genesis to Malachi* (Nova York: Fleming H. Revell Co., 1911), p. 80.

SEÇÃO IV

[1] Terry, *op. cit.*, p. 26

[2] Kerr, *op. cit.*, p. 101.

[3] Taylor, *op. cit.*, pp. 53-54.

[4] Robert Jamieson, A. R. Fausset e David Brown, *A Commentary, Critical and Explanatory on the Old and New Testaments*, I e II (Grand Rapids, Mich.: Zondervan Publishing House, s.d.), p. 420.

[5] Woudstra, *op. cit.*, p. 599.

SEÇÃO V

1. *Op. cit.*, p. 179.
2. *Op. cit.*, p. 32.
3. *Op. cit.*, p. 551.
4. *Op. cit.*, p. 600.
5. Terry, *op. cit.*, p. 37.
6. "The Proverbs, Ecclesiastes, The Song of Solomon", *The Layman's Bible Commentary,* ed. Balmer H. Kelly, *et al.* (Richmond, Va.: John Knox Presss, 1964), X, p. 152.
7. Terry, *op. cit.*, p. 39.
8. Robert H. Pfeiffer, "The Song of Songs", *The Abingdon Bible Commentary,* ed. By Frederick Carl Eiselen, Edwin Lewis e David G. Downey (Nova York: Abingdon-Cokesbury Press, 1929), p. 625.
9. *Op. cit.*, pp. 40-41.

SEÇÃO VI

1. Fausset, *op. cit.*, p. 423.
2. John Greenleaf Whittier, "Maud Muller".
3. Pouget, *op. cit.*, p. 185.
4. Terry, *op. cit.*, p. 44.
5. *Ibid.*
6. Fausset, *op. cit.*, p. 424.
7. Cameron, *op. cit.*, p. 553.

SEÇÃO VII

1. *Op. cit.*, p. 533.
2. "The Song of Solomon and the Lamentations of Jeremiah", *The Expositor's Bible,* ed. W. Robertson Nicoll (Nova York: A. C. Armstrong and Son, 1903), p. 34.
3. *Bible Commentary* (Grand Rapids, Mich.: Zondervan Publishing House, s.d.), III, p. 71.
4. Terry, *op. cit.*, p. 49.
5. *Ibid.*, p. 50.
6. Cameron, *op. cit.*, p. 554.
7. Gray e Adams, *op. cit.*, p. 66.
8. *Op. cit.*, p. 602.
9. Cameron, *op. cit.*, p. 554.
10. *Op. cit.*, p. 97.
11. Terry, *op. cit.*, p. 52.
12. Woudstra, *op. cit.*, p. 603.
13. Rylaarsdam, *op. cit.*, p. 158.

SEÇÃO VIII

1. Adaptado de Taylor, *op. cit.*, pp. 112,115.
2. Gray e Adams, *op. cit.*, p. 76.
3. Terry, *op. cit.*, p. 60.
4. Folliott S. Pierpont, "For the Beauty of the Earth".

Bibliografia

1. COMENTÁRIOS

Adeney, Walter F. "The Song of Solomon and the Lamentations of Jeremiah". *The Expositor's Bible*. Ed. W. Robertson Nicoll. Nova York: A. C. Armstrong and Son, 1903.

Cameron, W. J. "The Song of Solomon". *The New Bible Commentary*. Ed. Francis Davidson, *et al.* Grand Rapids, Mich.; Wm. B. Eerdmans Publishing Co., 1956.

Clarke, Adam. *The Holy Bible with a Commentary and Critical Notes*. Vol. IV. Nova York: Abingdon-Cokesbury Press, s.d.

Gray, James Comper e Adams, George M. *Bible Commentary*. Vol. III. Grand Rapids, Michigan: Zondervan Publishing House, sem data.

Jamieson, Robert, Fausset, A. R., Brown, David. *A Commentary, Critical and Explanatory on the Old and New Testaments*. Vols. I e II. Grand Rapids, Mich.: Zondervan Publishing House, s.d.

Kerr, Hugh Thompson, e Kerr, Hugh Thompson, Jr. "The Song of Songs" (Exposition). *The Interpreter's Bible*. Ed. George A. Buttrick, *et al.* Vol. V. Nova York: Abingdon Press, 1956.

Meek, Theophile, J. "The Song of Songs" (Exegesis). *The Interpreter's Bible*. Ed. George A. Buttrick, *et al.* Vol. V. Nova York: Abingdon Press, 1956.

Pfeiffer, Robert H. "The Song of Songs". *The Abingdon Bible Commentary*. Ed. Frederick Carl Eiselen, Edwin Lewis e David G. Downey. Nova York: Abingdon-Cokesbury Press, 1929.

Pouget, William e Guitton, Jean. *The Canticle of Canticles*. Trad. Joseph L. Lilly, C.M. The Declan X. McMullen Company, Inc., 1948.

Rylaarsdam, J. Coert. "The Proverbs, Ecclesiastes, The Song of Solomon". *The Layman's Bible Commentary*. Ed. Balmer H. Kelly, *et al.* Vol. 10. Richmond, Va.: John Knox Press, 1964.

Terry, Milton S. *The Song of Songs*. Nova York: Eaton and Mains, s.d.

Woudstra, Sierd. "Song of Solomon". *The Wycliffe Bible Commentary*. Ed. Charles F. Pfeiffer e Everett F. Harrison. Chicago: Moody Press, 1962.

II. OUTROS LIVROS

Driver, S. R. *An Introduction to the Literature of the Old Testament*. Nova York: Charles Scribner's Sons, 1891.

Morgan, G. Campbell. *Living Messages of the Bible, Genesis to Malachi*. Nova York: Fleming H. Revell Co., 1911.

Purkiser, W. T., *et al. Exploring the Old Testament*. Kansas City, Mo.: Beacon Hill Press, 1957.

Simeon, Charles. *Expository Outlines on the Whole Bible*. Vol. 7. Grand Rapids, Mich.: Zondervan Publishing House (reedição), 1956.

Taylor, J. Hudson. *Union and Communion*. Londres: Morgan and Scott, s.d.

III. ARTIGOS

Gottwald, N. K. "Song of Songs". *The Interpreter's Dictionary of the Bible*. Ed. George A. Buttrick, *et al.* Vol. VI. Nova York: Abingdon Press, 1962.

Sampey, John Richard. "Song of Songs". *The International Standard Bible Encyclopedia*. Ed. James Orr, *et al.* Vol. V. Grand Rapids, Mich.: Wm. B. Eerdmans Publishing Co., 1943.

Mapa 1

A PALESTINA na Época do Reino Dividido

Mapa 2

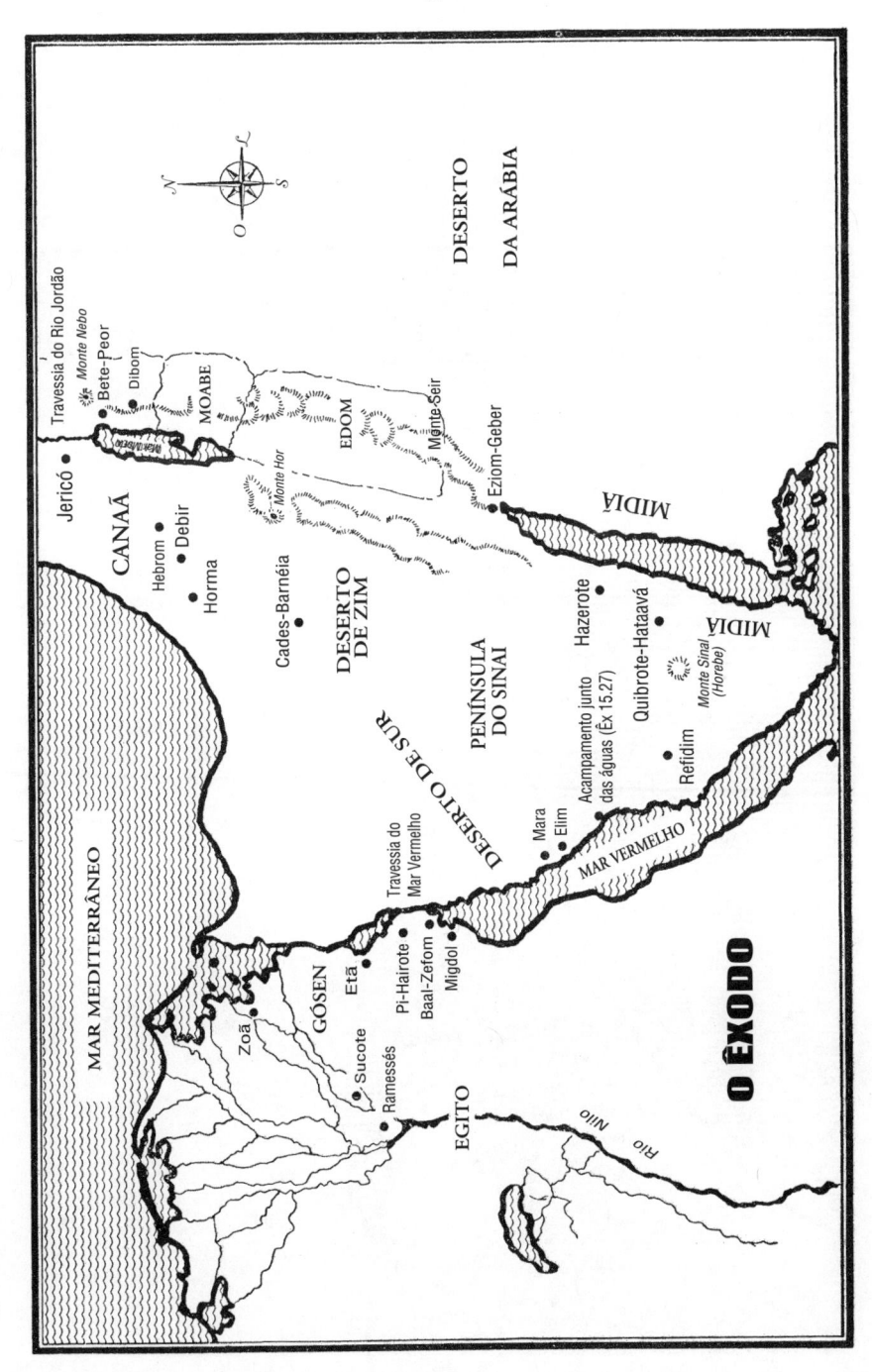

Mapa 3

Autores deste volume

MILO L. CHAPMAN
Professor de Antigo Testamento, Warner Pacific College, Portland, Oregon. Th.B., Anderson College; B.D. e Th.D., Pacific School of Religion.

W. T. PURKISER
Editor de *Herald of Holiness*, Igreja do Nazareno e Professor associado de Bíblia Inglesa (part-time), Nazarene Theological Seminary, Kansas City, Missouri, A.B., D.D., Pasadena College; M.A., Ph.D., University of Southern Califórnia.

EARL C. WOLF
Editor de Publicações para adultos e Diretor de Obras para adultos e do Departamento Nacional, do Departamento de Escolas de Igrejas, da Igreja do Nazareno, e Instrutor de Educação Religiosa (*part-time*), Nazarene Theological Seminary, Kansas City, Missouri. A.B., Eastern Nazarene College; graduado pelo Evangelical and Reformed Seminary, e Seattle Pacific College.

A. F. HARPER
Editor-executivo do Departamento de Escolas de Igrejas da Igreja do Nazareno e Professor associado de Educação Religiosa (*part-time*), Nazarene Theological Seminary, Kansas City, Missouri. A.B., D.D., Northwest Nazarene College; M.A., University of North Dakota; Ph.D., University of Washington.

COMENTÁRIO BÍBLICO BEACON

Em Dez Volumes

Volume I. Gênesis; Êxodo; Levítico; Números; Deuteronômio

Volume II. Josué; Juízes; Rute; 1 e 2 Samuel; 1 e 2 Reis; 1 e 2 Crônicas; Esdras; Neemias; Ester

Volume III. Jó; Salmos; Provérbios; Eclesiastes; Cantares de Salomão

Volume IV. Isaías; Jeremias; Lamentações de Jeremias; Ezequiel; Daniel

Volume V. Oséias; Joel; Amós; Obadias; Jonas; Miquéias; Naum; Habacuque; Sofonias; Ageu; Zacarias; Malaquias

Volume VI. Mateus; Marcos; Lucas

Volume VII. João; Atos

Volume VIII. Romanos; 1 e 2 Coríntios

Volume IX. Gálatas; Efésios; Filipenses; Colossenses; 1 e 2 Tessalonicenses; 1 e 2 Timóteo; Tito; Filemom

Volume X. Hebreus; Tiago; 1 e 2 Pedro; 1, 2 e 3 João; Judas; Apocalipse